サトウタツヤ・郡司淳＝編

編集復刻版

傷痍軍人・リハビリテーション関係資料集成

手記・文芸作品編（2）

六花出版

編集復刻版『傷痍軍人・リハビリテーション関係資料集成』第4巻

刊行にあたって

一、本資料集成は、アジア・太平洋戦争期（一九三一～四五年）を中心に、「廢兵」「傷痍軍人」に対する国家の政策・医療・職業再教育などに関する文書・記録、さらには傷痍軍人自身の手になる手記・文芸作品など72点を収録した。

一、資料収集にあたっては先の方々及び機関のご協力を得た。記して感謝いたします。

上田早記子、法政大学大原社会問題研究所、大阪市立中央図書館（敬称略）

一、資料中の個人の氏名・本籍地・住所・出生年月日などの個人情報については、個人が特定されることによって人権が侵害されるおそれがあると判断される場合は、その一部を■で伏せた。本資料集成の刊行は、あくまで学術研究への活用を目的としていることを理解されたい。

一、資料の中には、人権の視点から見て不適切な語句・表現・論もあるが、歴史的資料の復刻という性質上、そのまま収録した。

一、資料中の書き込みは原則としてそのままとした。

一、本資料集成は、原資料を適宜縮小・拡大し、あるいは原寸のまま、復刻版一ページにつき四面または二面・一面を収録した。

一、第一巻巻頭に編者及び上田早記子による「解説」を収録した。

（編者・編集部）

［第4巻　目次］

資料番号――資料名●編著者名（発行所）●刊行（作成）年月――復刻版ページ

手記・文芸作品編（2）

◉全巻収録内容

巻	内容	
第1巻	制度・施策／医療・教育編(1)	解説＝サトウタツヤ 郡司淳 上田早記子
第2巻	制度・施策／医療・教育編(2)	
第3巻	手記・文芸作品編(1)	
第4巻	手記・文芸作品編(2)	
第5巻	手記・文芸作品編(3)	
第6巻	手記・文芸作品編(4)	
第7巻	手記・文芸作品編(5)	

手記・文芸作品編（2）

隻手に生きる

小川眞吉著

六興商會出版部刊

日本出版文化協會推薦之辭

隻手に生きる

いはゆる戰記文學であるが表現は素直であり、淡々とした描寫の中に、深く讀者の胸に喰入つて來るものがある。殊にノモンハンの激戰に生殘つた著者が、畫家としての生命たる右腕を失つたにも拘らず、殘された左の一本に全生命を託して、謙虚にしかも力強く生抜かうとする精神こそは、日本人の底力であらねばならぬ。傷痍軍人の更生記錄として獨自なものを持つてゐる。この意味に於て、本書は銃後の一般人に一つの示唆を與へるものであり、特に青少年向の讀物として適當な書である。

1.80

小川眞吉著

隻手に生きる

一般

昭和十六年十一月一日

六興商會出版部刊

隻手に生きる

小川眞吉著

六興出版部刊

推薦

序

菊池寛

畫家小川眞吉君は、ノモンハンに於て敵戰車の襲撃を受けて奮闘し、右腕を失ひ、顔面に重傷を負つた勇士である。奇蹟的に命拾ひをしたが、畫家として右手を失つたことは致命的な打撃である。が、同君はそれに屈せず、畫筆を左手に持替へて、立派に更生した。しかもその畫品も一段と進歩を示したといふことは、その精神的昂揚が、右腕の喪失を補つて餘りあるものがあつたからであらう。

過日、白木屋でノモンハンでのスケッチ展覧會をやつて觀者に強い感銘を與へたが、この「隻手に生きる」といふノモンハン戰記も亦必ず深い感銘を讀者に與へると思ふ。

この本には、同君の手記の他に、數十葉のスケッチが納められてゐるが、畫家の見たノモンハ

ン戰は、着眼の點に於て、他の戰闘記とは類を異にするものがある。

特に「更生篇」中にある傷痍軍人諸君の謙虚で眞摯な態度は、讀む人の心を搏たずにはゐないであらう。この「更生篇」こそ、戰爭文學中の異色あるものであらう。

私は、心からこの手記が、一人でも多くの人に讀まれることを望むものである。

序

吉田茂

今度ノモンハンの勇士小川眞吉畫伯再起奉公の首途に當り、畫伯の應召から更生に至るまでの尊い奮闘の記録が世に公にせられることになつたについて、私も自分の倅が畫伯の戰友としてバルシヤガルの陣地で終始一方ならぬお世話になつた御縁故を以て、此の本に序文を書くやうにとの御依頼を受けた次第であります。

畫伯の此の體驗記録は全卷すべて生死の關頭に立つての奇しき魂の働きの生地のままの實録であり、それがまた著者の優れた藝術的天分によつてまことに感銘深く描き出されて居るのであります。殊にここに挿まれた數々のスケツチは畫伯に殘された不自由な左の隻腕に精魂を込めて寫し出されたものであるだけに、觀る者をして身親らノモンハンの戰場に在つて畫伯と死生を共

にしつつあるの想あらしむる底の不思議な力に充ち滿ちて居ると思ふのであります。まことに此の畫伯の「隻手に生きる」體驗記こそは今次の聖戰に縁(ゆかり)ある人々は申すに及ばず、普く日本國民の總てに取つて各々奉公の一念を奮ひ興すについての最も力強い心の糧となるべき尊い寶であると思ふものであります。

目次

装幀・挿畫　小川眞吉

第一章
出征篇

○遙拜

　ぐつすり寢入つてゐたところを戰友に搖り起された。

「オイ、軍裝をしろといふ命令だ」

　驚いて周圍を見廻すと、私より早く起された戰友が、もう既にキビキビと上衣のボタンを掛け、帶皮をしめつけてゐた。さういへば汽車が動いてゐない。

「いつたい此處は何處だ」

「どうしたんだらう」

　白々とした電燈の光りの下で、忙しく軍裝をしながら、お互ひに訊ねあつてゐる。演習をするんぢやないかといふ者もゐるが誰もよくは知らない。時計をみると三時だつた。

　汽車から下りろといふ命令がある。何日目かで軍裝をした、重い體で、枕木の上へポンと飛び下りる。七月の半頃といふのに、一ぺんに眼をさまさせる夜氣の冷たさだ。夜露が霜かと思はれ

た。線路が何條も闇の中へ消えてゐる。ボーツと明るい街の空が程遠くに見える。夜中のことで音一つしない。

　整列し終つた前を、ザクザクと軍靴の音が一つ聞えた。

「吾々は今、母國と別れた」

　渡邊隊長の聲であつた。それではじめて、其處が安東だといふことが、默々の間に吾々に分つた。みんな、國境を過ぎるときは起きてゐようといつてゐたのに、寢入つてしまつて、知らずに過ぎて來たのだ。隊長の、今、母國と別れたといふ言葉に、ハツと、心がひきしまつた。

「これから宮城遙拜をする」

　隊長の軍刀が光つた。その指す方角が東であつた。

　銃を捧げる手がブルブルとふるへた。

　お召しを戴いてから、なん度「いつて參ります」を言つたか分らなかつた。親にも故鄕にも、「いつて參ります」「いつて參ります」といつて此處まで來た吾々は、此處で、最後の「いつて參ります」を母國に向つて叫んだのだつた。

　なんだか心が輕かつた。「いよいよだ」といふ氣がした。

さつき時計をみたときは三時だつたのに、もう東の空が白んで來た。さすがに大陸の夏は早く明ける。

　吾々は隊長の命令でラヂオ體操をした。手を振り足をあげてゐるうちにカラツと朝になつた。ラヂオ體操は、ながい間、座席に腰かけつづけて來た吾々の體の、どの隅の血管へも新しい血を送つてくれた。

　宮城遙拜をし、母國に別れて、心が輕く、氣が引きしまつてゐる上に、ラヂオ體操で體中が蘇つた。

○大陸

　汽車は北へ北へと走りつづけた。吾々は、大陸へ入つたといふので、窓の外ばかりを見てゐた。

　暫くは、山もあり、河もあり、それは時には母國の何處かを思ひ出させて、吾々を慰めてくれた。然し、行く程に、窓外の景色は全然變化といふものがなくなつた。まつたく、ただ廣々と、夏雲の白く湧く果てまで、平原なのだ。高粱畑と楊柳の繁みと、土でこねあげた農家と、それは

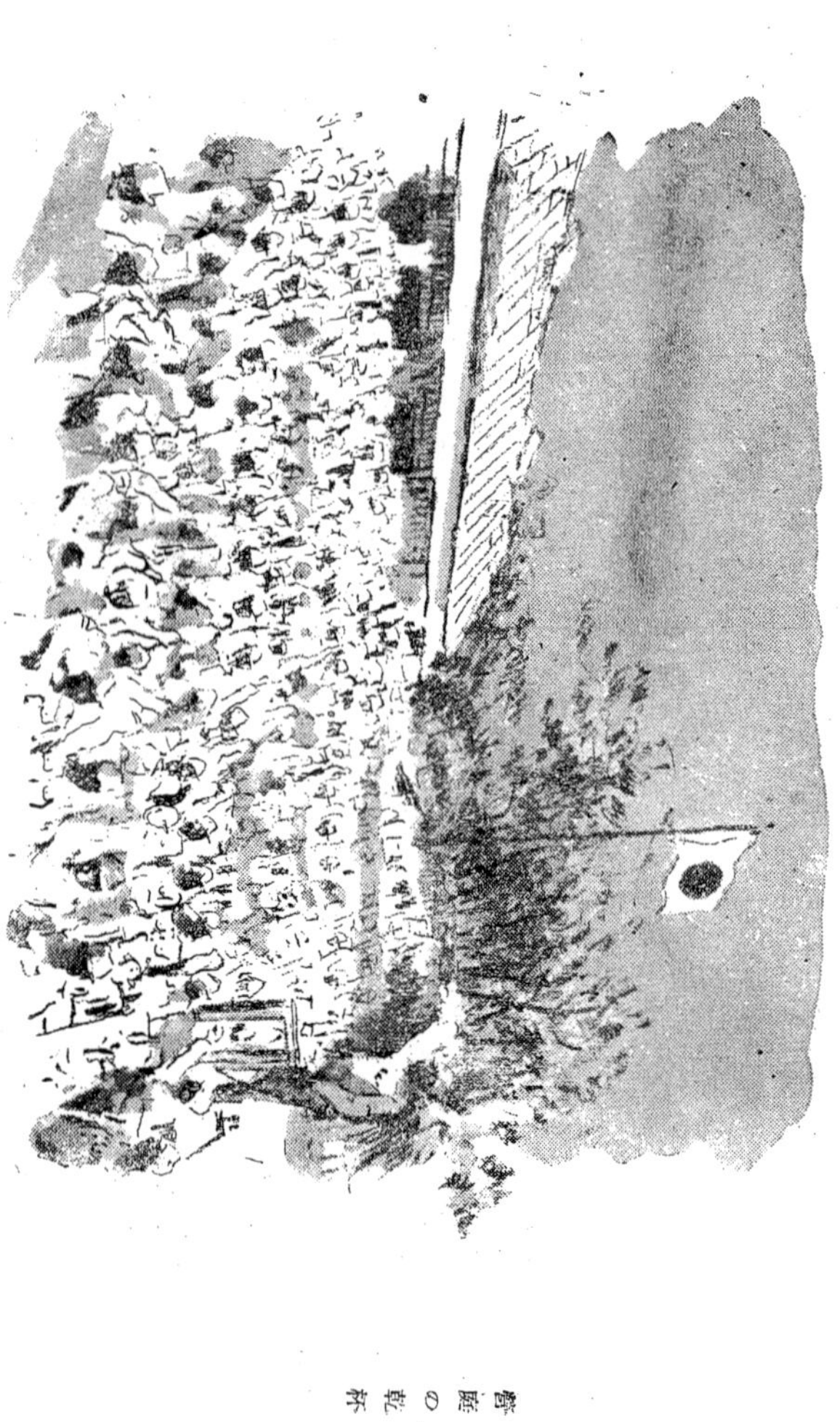

いつ窓の外へ眼をやつても同じ景色なのだ。

さすがに張り切つてゐた武士(もののふ)も、この際限のない廣さには根氣負けがしてしまつた。

「やけにまた廣いぢやないか」

「いい加減に山の一つも出て來たらどうだ」

兵隊はだんだんと窓へ眼をやらなくなつた。

輪ゴムを親指と人さし指を使つて飛ばすパチンコ遊びが流行りだした。

うつかり油斷をしてゐやうものなら、ピシツと、吸ひ付くやうな痛さで、輪ゴムが頬へ飛んで來るのだ。

このパチンコ遊びに一番夢中になつたのは淺草で運轉手をしてゐた橋本といふ兵隊だつた。橋本は、紙を嚙んで、ドロドロにすると、それを小さな丸い彈にして、窓際にならべた。まるで小さな白い炭團のやうな工合で、それはすぐコチコチに乾いた。彼はその紙つぶてをゴムで飛ばした。なかなかよく飛び、よく當り、當ると痛かつた。同じ箱の兵隊は、みんなこの運ちやん兵隊の紙つぶてには白旗をかかげた。すると彼は隣りの箱へまで遠征した。

威勢のいい、洒落た兵隊で、淺草育ちだけに、いろいろの流行歌を知つてゐた。その中でも彼がよく唄つたのは「人の氣も知らないで……」といふのであつた。


運ちやん兵隊のやうに、夜も晝もパチンコに血道をあげてゐられる人間はよかつた。早くも大陸のつかみどころのない茫漠さに呆れ果てた兵隊は、よくデッキに出て、二人づつ肩を抱きあつて、ブリッヂに腰をかけた。

草いきれのした、火の傍にゐるやうに熱い大氣であつたが、ブリッヂには風があつた。その風を胸に入れながら、粋に向ふ鉢卷きをした兵隊達は、別れて來た母國のことや、己が身の上話をお互ひに語りあつた。

私は畫家であつた。だから、はじめて見る大陸の風物には、誰よりも心を惹かれて、草一本、木の枝一つも眼の底に灼きつけようとしたのだつたが、いかに畫家でも、一つ景色を誰よりも長く眺めてゐるといふことは出來なかつた。

私もよくデッキに出て、ホーツとした熱い大氣を吸ひながら、流れる風物には眼をうつろにして、應召以來のことを思ひ出し、混然とした記憶を整理した。

○原隊へ

軍裝檢査

召集をうけて原隊に入つた日は、非常なドシャ降りの雨であつた。街道を、しぶきを上げて走るどの自動車にも、赤襷をかけた出征兵と、それを送る近親、友達が乘つてゐた。どの自動車の窓からも出征を祝ふ旗が雨に濡れ、なにか一本の重いものになつて、バタバタと躍りなびいてゐた。

同じ方角へ向いて走る自動車がグッと相寄ると、曇つた硝子窓を通して、現役時代、同じ隊に暮した戰友の顏をみつけたりした。

私の自動車の中には母、妻、そして弘太郎がゐた。三つの弘太郎は父の出征を喜んで、やたらと旗を振つてゐた。私にはなぜかそれが心強かつた。

（俺が死んでも弘太郎がゐる……）

そのことは、私に私の血のつながりを考へさせた。血がつながるからどうといふ打算的のものではなかつた。ただ、血のつながる者のゐることは、正直に言つて、私にいつ死んでもいいといふ覺悟と安心を與へてくれた。

雨の中で家族と別れ、私は支給された軍服に着かへた。新しい軍服なので、襟まはりやズボンがピンシャンしてゐて身につかなかつたが、その昔にかはらない特有の匂ひが、一ぺんに私を現役當時にまで還らせてくれた。

なんだか見覺えがある奴だと思つてゐた人間も、軍服を着るとたんにはつきりと思ひ出されたりして、

「オイ、貴樣もか」

「なんだ、お前もか？」

其處此處で肩を叩き合ひ、手を握りあつてゐた。

「貴樣、女房を貰つたか」

「呑氣なことをいふなよ、子供がもう二人もあるぞ」

早速家庭のことを打明けあふのもゐた。

兵隊にとつて原隊ほどなつかしいものはない。私達の現役時代の中隊長は、よく私達にかういつたものだつた。

「お前達、家へ歸つて食へなくなつたら、原隊へ來い。隊のなかへ入らなくつてもいいんだ。原隊へ訪ねて來て隊の周圍を二三遍廻ればいい。それで現役時代の苦しかつたことを思ひ出すだらう。さうすれば、こんなことではいけないと、現在の生活を反省するだらう。さうしたら立派に

食へるやうになる」

まつたくその通りだつた。來てみれば、かつての現役時代の苦勞が思ひ出された。然しそれはなつかしいものだつた。

人も兵舍も、廊下も寢臺も、みんな限りなくなつかしいものだつた。それは、なにも彼も變つてゐなかつた。

軍服に着かへて一だん落ついたところで、吾々は隊長の前へ集められた。隊長は、痩せた、渡邊といふ方であつた。

「みんな、夫々覺悟はして來たであらうが、今日からみんなの命はこの渡邊中尉が貰つた」

簡單な訓辭であつた。然しその上になにがいらう。吾々は今、召されて軍服を着たのだ。命は隊長にあづけたのだ。

兵隊のどの顏もどの顏も朗かであつた。

○面會

原隊へ入つてから何日かして、家族との面會が許された。親、兄弟、友達が會ひに來てくれ

屯營出發

た。それが思ひ思ひに營庭へ散らばつて、芝生の上なんかで折詰を開き、酒を汲み交してゐる有樣は、ちやうどピクニツクにでも行つたやうであつた。

私へは母と妻と弘太郎が會ひに來てくれた。弘太郎は私から軍帽をとりあげ、自分でそれをかぶつて大得意だつた。

母はおほくをいはなかつた。ただひと言、

「決して卑怯な眞似はしないでおくれ」

といつた。私はそれをきいて、なんとも知れぬ嚴粛な氣に搏たれた。私も眞面目になつていつた。

「大丈夫です、お母さん……」

私は母にとつて不孝極りない子であつた。なん度母に心配をかけ、なん度母を泣かしたらう。その度に母は、私を懇々と叱り、さとしてくれた。然し私は、そのどれだけの涙の言葉を眞面目に聞いたらうか。それなのに私は、ほほえみさへ浮べた母の、このなに氣ない言葉に、それ以上のもののない激しさを感じたのだ。それは軍服を着た私に對する母の最後の訓へであつた。私は改まつて、「大丈夫です、お母さん……」

と言はざるを得なかつた。母は、最後に示した吾が子の素直さをみて、非常に満足さうであつた。私にはそれがまたなんともいへず嬉しかつた。

私達の傍では安谷といふ戰友が赤ちやんを連れた若い細君と面會をしてゐた。お互ひの距離が近かつたので、安谷が細君に言つてゐる言葉がチラチラと私の耳に入つた。

安谷はこんなことを言つてゐた。

「俺は生きては歸らない。どうかお前はしつかりと此の子を育ててくれ……」

面會が終つて兵舍にかへると、私は安谷に言つた。

「オイ、安谷、あんなことを女房にいふもんぢやないよ」

その實私自身も、私の女房にはさう言つて別れたのに、をかしいもので、兵隊といふものは、自分は死ぬものときめてゐるくせに、戰友の命は守らうとする。戰友が死ぬとは思ひたくないのだ。

だから戰友の細君などには、

「あなたのとこのは心配いりません。必ず僕が引きうけました」

といふ。誰も彼も同じ様なことをいふ。それは、決して相手を安心させんが爲めばかりの言葉

出征篇

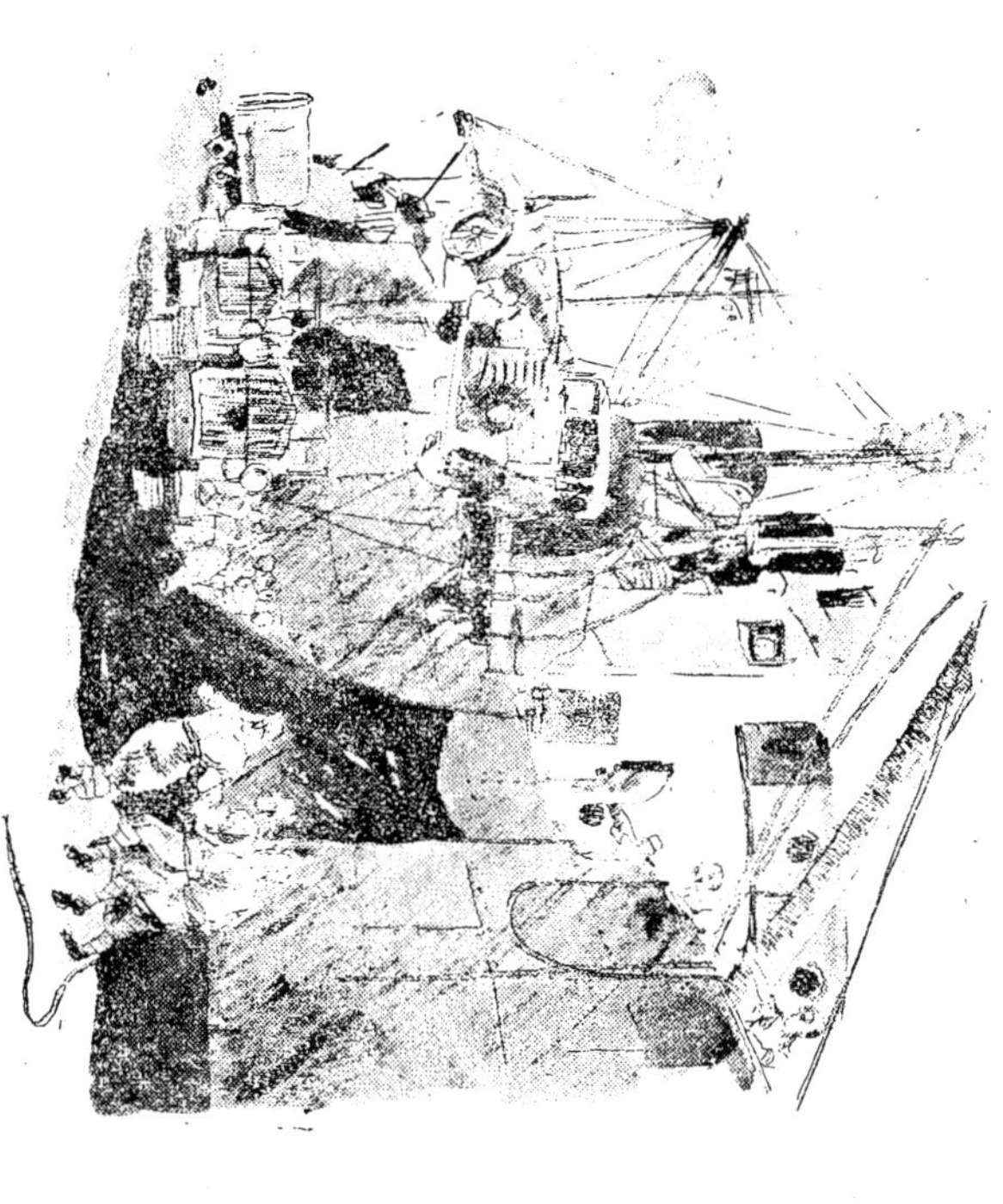

15

ではない。心からさう思ふのだ。

戰友の命は俺が守つてやるんだと、心から思ふ。お互ひにその眼で見合ふ。そこに、深い戰友の情を感じる。

○宴會

又なん日かして、いよいよ軍裝檢査の日が來た。暑い日だつた。

檢査が無事終つたあとで、鷹司部隊長がいはれた。

「諸子の命は不肖鷹司が　天皇陛下よりおあづかりした。どうか諸子の命を鷹司にゆだねてくれ」

その夜、私達の分隊ではお互ひの壯行會を催した。分隊の中には、年度が違ふので、顏は覺えても、名も氣心も知らない兵隊がゐた。これから命を一つにして敵に向かつて行かうといふのに、それではいけないといふので宴會を開くことになつた。

内務班だつた私は、街へ四五名と、酒、肴を買ひに行つた。

グルツと車座になつたまん中に、酒と罐詰類の山が出來た。

出征篇

17

隻手に生きる

なん度も私達は乾盃した。そして又、なん度も盃を廻しあつた。

酒といふものはいいものだ、酒はお互ひの隔たりをいち度にとり除いてしまつた。現役當時の年度の違ひもなくなつた。生れは何處で名はなんといつて、兩親があるかないか、女房があるかないか、みんなお互ひに知りあつた。

「よしツ、貴様の命は俺が引きうけたぞ」

「お互ひ骨の拾ひつこだぞ、いいか」

みんな肩を組んで、一つ心、一つ命に溶けあつた。

○出　發

又いく日か過ぎて、最後に吾々は原隊のある土地をはなれた。

勿論出發は無言のうちに行はれた。沿道にも、驛にも旗一本出てゐなかつた。ただ家の前に、それと知つた人が二三人で立つては、手を振つてゐた。

その默々とした出發は、かへつて吾々の氣持を壯烈なものにした。

見送り人もなく汽車が出た。

18

吾々は二度と見ないであらう故國の、殊には原隊のある土地をよく覺えて置からといふつもりで、みんな默つて窓の外を横に飛ぶ田畑を眺めてゐた。

と、驛を出て間もなくだつたが、畑の中にお百姓さんが立つてゐた。このお百姓さんは耕す手をやめて吾々の方をみてゐたが、それがどんな列車だか、すぐ分つたらしかつた。

お百姓さんは私達へ向つて合掌した。鍬を投げすてるや、節くれだつた十本の指を、胸の上でガツシと組んだのだつた。

お百姓さんは、合掌の姿で、畑の中から默つて私達を送つてくれた。私達の武運を祈つてくれた。

それは賑やかな旗の波よりも歌よりも、私達を喜ばせ、泣かせた。

私は胸がうづき、眼頭がジツトリと熱くなつた。私は汽車の中からお百姓さんへ頭を下げた。

「有難う。いつて參ります」

一人のお百姓さんが一人ではない氣がした。それは、たくさんのやうな氣がした。國民全部のやうな氣がした。

氣がつくと、お百姓さんへ頭を下げてゐるのは私ばかりではなかつた。

船舶へ降ろす

涙をうかべてゐるのも私ばかりではなかつた。

お百姓さんは間もなく見えなくなつてしまつた。

私達は泣いた顔をお互ひにそむけあつた。

○軍　裝

何も彼もすつかり身につけてしまふと、さすがに重かつた。それに、列車の中は暑かつたので、まだ馴れない軍裝は、驚くほど重かつた。汽車に乘り込んで既に出發したのだから、軍裝を解けといふ許しが出るか出るかと思つて待つてゐたが、お許しはなかなか出なかつた。

その上、沿道の見送り人には、手を出したり、旗を出したりしてはいけない。ただ擧手の敬禮をすることといふ達しがあつた。兵隊は汗をタラタラと流し、まつ赤な顔をしながら、目ばかり沿道へギラギラと光らせてゐた。

○○へ來たとき、やつと軍裝を解けといふ命令が出た。

「それ、有難い」

吾々は急いで、まだ馴染まない、重いばかりの軍裝を解いた。體中から、スーツと重みが退いて、氣持がよかつた。

その中に、たつた一人、その軍裝を解からうとしない兵隊がゐた。相變らずまつ赤な顔をして、汗を流しながら、背嚢を背負つて立つてゐた。

「どうしたんだ、あの兵隊は……?」

「早く樂になりやアいいのに……」

ヤレヤレといつた恰好になつた私達はその兵隊を遠くのはうから不思議がつてゐた。

○○驛へ着いた。此處へは相當の人數の家族が見送りに出てゐた。兵隊の女房、子供もいつぱい來てゐた。

すると、その軍裝を解かない兵隊が急いで列車を降りた。皆——見送りのない連中が氣をつけてゐると、彼は階段の降り口のところへ眞直ぐに、急いで行つた。そこには廿三四の女が立つてゐた。

彼がその女の傍へ行くと、女はびつくりしたやうな顔をして、彼の足の先きから頭の頂上まで見てゐた。彼は得意さうに横を向いたり、後ろを向いたり、手をあげたり下ろしたりしてゐた。女はさも嬉しさうに、男に丹精こめて縫つた仕立下ろしの着物を着せでもしたやうな眼射しで、

その軍裝姿をみてゐた。

出發のベルが鳴ると、彼は急いで席へもどつて來た。

汽車がその驛を出ると、彼は思ひを果したといつた顔で軍裝を解きだした。

「オイ、お安くなかつたぞ」

「どうしたんだ。どうして今ごろまで軍裝を解かなかつたんだ」

みんなが一せいに彼に訊ね、ひやかした。

先刻の女は彼の妻であつた。貰つて十五日目に別れて來た妻であつた。

彼はひと目、自分の軍裝姿を妻に見せたかつたのだ。良人として最後の姿を、いちばん凜々しいものとして、新妻の瞼の底に殘して置きたかつたのだ。

私達は彼の氣持がよく分つた。私達は彼の肩を叩いて言つた。

「さうかさうか。會へてよかつたなア。よく會へてよかつたなア。細君はお前の姿を見て喜んでゐたぞ。畜生ツ、オイ、なにかあとで贅るんだぞ」

○子供の吹く喇叭

24

〇〇に來たときは、もう暮れかけてゐた。そこを汽車が通ると、暑いので、その沿線にある待合や料理屋はみんな窓をあけ放してゐた。その窓毎に、呑氣さうに藝妓をあげて遊んでゐる男の姿があつた。中にはドンチャン騷ぎをしてゐる窓もあつた。

汽車から見上げて、吾々はなんとなく面白くなかつた。召集されなかつたら、或ひは自分もあんな無自覺な眞似をしてゐたかも知れないといふ反省もあつた。

そんなことから、妙に車中一同默りこくつてゐると、〇〇へさしかかつて、進軍喇叭の音を耳にし、ハツと緊張した。

どこで誰が吹いてゐるのだらうと、みんなで窓の外をみてゐると、〇〇の線路の上、切通しになつたところに立つて、十三四の少年が一人、吾々の列車に向つて喇叭を吹いてゐた。

少年は顔をまつ赤にして吹いてゐた。泣きながら吹いてゐるやうでもあつた。

純眞な少年の吹く見送りの進軍喇叭の音はさつきの〇〇の不愉快さなど、きれいさつぱりと忘れさして、私達をまた、簡單に、非常に嬉しい、いい氣持にさした。少年が見えなくなるといい少年だつたとか、兄か父親か誰か、この列車に乘つてゐるのではないかなどと、私達はその少年のことについて熱心に話しあつた。

25

〇〇では、吉田といふ兵隊に、堂々とした紳士夫妻が見送りに來てゐて、菓子などたくさん列車の窓から入れてゐた。それは吉田といふ兵隊の兩親らしかつた。

○酒

〇〇は夜中だつた。

ゴトンと列車が止まつたので、眼をさまして窓の外をみると、夜中だといふのに、プラットホームには國防と愛國の婦人達がエプロンに襷がけでいつぱい立つてゐて、列車が止まると同時に、

「ご苦勞さま」

「どうぞしつかりお願ひいたします」

と、窓から、酒、ビール、罐詰などをドンドン入れてくれた。それはまつたく夥しい數であつた。私達は吃驚して、

「この列車ばかりでなく、後からも來るでせうから、どうぞ後の分に殘して置いて下さい。自分達へは、もうこれでたくさんであります」

とお斷りしたが、後の分は又後の分であるからといつて、なほも窓からドンドン入れてくれた。

26

故國よさらば

網棚の上には背嚢などがあるので、通路や腰掛の下に入れたが、たうとう足が下ろせなくなつて、酒やサイダーの瓶の上に足をのせてゐるといふ始末であつた。

プラットホームでは渡邊隊長が降り立つて、見送りの人にお禮を述べてゐた。氣がついてみてゐると、隊長は夜よ中でも、列車が驛へ着くと、必ずプラットホームへ降りて、叮嚀に見送りの人に禮をいつてゐた。しかもいつの場合も、キチンと軍裝をしてゐた。

其處を出ると、早速に酒を呑んではいかんといふ注意が廻つて來た。サイダーなら構はないといふことであつた。私達はそれでサイダーを飲んで、夏の夜汽車の渇を醫したが、なんとしても酒の壜が目について仕方がなかつた。酒の壜の入つた木の匂ひ、藁苞の匂ひ……。それは酒好きのものには我慢のならないものであつた。

けれども命令で、飲んではいけないのだ。私達はグビグビといふ咽喉を押さへて、それでも飲みはしなかつた。

ところが一本、箱の中でこはれてゐるらしいのを一人の兵隊が發見した。指を入れてみると、そこは濡れてゐて、なめると芳醇な酒の味がするのだ。

「ヤツ、酒だ、酒だ」

私達はその聲に、みんなそこへ集まつた。そして、交る代る、指をいれては、こぼれた酒をなめた。

それだけの酒ではあつたが、なんとなくそれが、緊張しつづけの車内の空氣を柔げてくれた。

みんないい氣持になつてゐると○○に着いた。そこのプラットホームには、坊さんばかりがズラリと並んでゐた。そしてこの、種々雜多な坊さんが、私達の方を向いて合掌し、お經をあげてくれた。

どうせ死ぬ命であつた。然し、生きながら、かうもたくさんの坊さんにものものしくお經をあげられると、また妙な氣がした。

それは武運を祈つてくれるお經ではあつたらうが、すつかりもう覺悟をきめてゐる私達にとつては、お經をあげて貰つたからどうといふ命ではなかつた。

夜明け方のプラットホームから、お經をあげて貰つて考へたことは、それまで私達は、生死の外にゐたといふことであつた。生を忘れ、死を忘れ、無邪氣に、といふよりも一心に、酒をなめてゐたのだつた。

それよりも私達は、こんなことを感心しあつてゐた。

列車が着くと、中食をする驛には私達の中食が、晩めしの時には晩めしが、それも部隊の數だけ、一つも餘らず足らず、キチンとその時間に着く驛のホームに用意されてあるといふことであつた。

乘換へれば、そこにはもうつぎの乘物が待つてゐるし、座席の數さへ、一つの狂ひもなく準備され、私達を待つてゐるのだつた。

「何から何まで手廻しがいいや」

さういつて私達は、こと毎に感心したものだつた。

○出　帆

○○から乘船して故國をはなれることになつた。私達は乘船の前日、眞晝だつたが、準備が一段落したところで、ちよつとの間休憩してゐた。

上はシャツ一枚になつて、波止場の端の荷に腰かけて休んでゐた。疲れと暑さを、波の上を渡つて來る涼しい風が持つて行つてくれた。誰も彼も、少しの間だつたが、ぐつすりとよく眠つた。

突然、ドブンといふ大きな音がした。みんな驚いて眼をさましてみると、目の下の海の、そこだけ波だつてゐるまん中に、ポカリと一つ、兵隊の帽子が浮いてゐた。

「やツ、誰かが海へ落ちこんだぞ」

「誰だ、誰だ」

竿だ、綱だ、と騷ぎ立ててゐるところへ、ブクブクと、一人の兵隊が浮びあがつて來た。

彼は私達と一緒に波止場の端の、荷物の上で船を漕いでゐたのだが、だんだんと振幅がびろがり、つひには重心を失つて、餘儀なく海へ落ちこんだのであつた。

すぐに彼には「海と兵隊」といふ名がついてしまつた。

○船　中

船に乘りこむと、何處も彼處も馬臭かつた。

夕方出帆した。

私達は軍裝を解くと甲板に出て、遠ざかり行く故國の姿を見てゐた。

陽が入つて、次第に薄ぐらくなつて行つた。その薄ぐらい中へ故國の山河が溶け込んで行つた。

「これが見納めだ……」

私達はいつまでも舷にもたれて立つてゐた。

その時、風上に向いた私の片方の頬へ、ハラハラと冷いものがかかつた。それは波のしぶきか、泣いて風に吹きとばされる涙のやうに思はれた。

けれども、海をみると、夕凪ぎの海はトロリと油を流したやうで、波一つ立つてゐない。しぶきの飛ぶわけがなかつた。

それではやつぱり、誰かの涙と思つて風上をみると、なんのことだ、風上の假便所から飛ぶ黃色いしぶきだつた。

私達ロマンチストは言ひ合はしたやうに氣を腐らせて、一人入り、二人入り、甲板から船室へ下りた。

○再び列車で

無事な航海を終へて私達は上陸し、すぐ又汽車に乘りこんだ。鐵路北上することになつた。

途中、朝鮮の小さな驛についたときのことであつた。夜であつた。列車が停止すると、草の上

月下を征く

を渡る風の音や、野面一面に鳴く地虫の聲が聞えた。

と同時に、窓の下で、思ひがけなく可愛い聲で愛國行進曲が爆發した。

「や、子供だ」

「小學生だ」

私達は窓に飛びついた。それは、一人の先生に連れられた小學生の一團だつた。その中には内地人の子もゐた、半島人の子もゐた。みんな一緒になつて、大きい口をあけてうたつてゐた。どの子供も、眞劍な眼つきで私達を見上げて唄つてゐた。

子供心にも、戰爭へ行く兵隊を、なんとかして慰め、なんとかして、勝つて來て貰はうとしてゐるのだつた。

「有難う」

「有難う」

私達は心からお禮をいつた。ほんたうに、この子供達に對しても、しつかりやるんだ、命限り戰ふんだと心に誓ひながら、頭を下げた。

なにかの都合だらう、列車はさうたう長い時間をその驛にとまつてゐた。

その間ぢう、子供達は一心に私達の方を見つめて愛國行進曲を唄ひつづけた。私達はその一曲の終るごとに拍手を送つた。

時計をみなくつても、夜の更けてゐることは分つてゐた。私達は家にゐる弟や子供のことを思ひ出した。その弟や子供は、もうとつくのむかしに眠つてゐる筈であつた。

私達は今私達のために、夜更けの驛に立つて行進曲をうたつてゐる子供達のことが心配になつた。さぞ疲れたらう、さぞねむからう……。

「有難う、もう結構です」

「有難う、もう結構ですから、どうぞおやすみ下さい」

窓から手を横に振つて、口々に叫んだが、子供達も、一人の先生もやめようとはしなかつた。

さういふ言葉を通して、却てより厚い人情が流れた。窓からお禮をいつてゐる「兵隊さん」は言葉を聞かない前の「兵隊さん」より、それだけなつかしいものに思はれるらしかつた。

斷れば、その斷ることばによつて、いつさう唄の聲は高まつた。いろんな歌をうたつてきかせてくれた。歌の數がつきると、ラヂオ體操までしてみせてくれた。

たうとう私達は小隊長に賴んで、小隊長から先生へ、「もう結構です」といつて貰つた。

宮城遙拜

「本當に有難うよ、坊や……」

「しつかり勉強するんだよ」

國のために弟や子供に別れて來た私達には、國を一つにするこの子供達が、みんな吾が子や弟に思はれた。

「しつかり勉強するんだよ、いいかい」

私達はなんべんもさうくり返しながら、やがてなんといふ名であつたらうか、まつたく野の中にポツンと立つたその小驛を離れた。

あの子供達は、あれからすぐに家へ歸つたらうか。疲れて、さだめし足は棒になつてゐたことだらう。

それから、あの、國境の母國に對する袂別であつた。

○北　上

私はこれだけの記憶を、いく度か、デッキに出て、ブリッヂに腰かけてまとめた。その間も列車は北上をつづけてゐた。

行つても行つても滿洲の野は廣かつた。

淺草の兵隊は、まだパチンコにうつつをぬかしてゐる。せつかく射撃の腕を磨いておいて、戰線についたら本物のパチンコにものをいはせるつもりなのだらう。

○○○を過ぎて、○○に向ふところの沿線には、ロシア人の姿がしだいに多くなつた。驛へつくと、きまつてその驛の柵にもたれて、なん人かのロシア人の子供がゐて、私達へ向つて手を振つてゐた。

白く塗つた分厚い煉瓦建ての驛や、その屋根の上に頭を出したたくさんのペチカの煙突や、さうしたものを背景にして、柵にもたれてゐる青や赤のルパシカを着たロシア人の子は、すつかりもう繪になつてゐて、私達を喜ばせた。

あるときは、家ひとつない草原を、どこからどこへ行くのか、牛の群れを追つて行くロシア人の女の子の金色した髪の毛も、沈む夕陽にキラキラと光つてゐた。

○ハイラルで

やうやくにしてハイラルに着いた。

それは夜中の三時ごろであつた。私達はすぐに汽車を下りた。すると、待つてゐたやうに夜があけた。

私達はソ滿國境に近い、このハイラルの驛を見廻した。

人馬が激しく行き交ひ、行李が塵埃をまきあげて動いてゐた。戰線にちかい緊迫した空氣が、ピンと胸にひびいた。

ハイラルの街は、平原の上に一個所へばりついたかさぶたのやうに、どの屋並もひくく、地を這つてゐた。

夜があけると暑かつた。併しアカシヤの葉をゆすぶつて吹いてくる風は、カラツと乾いてゐて、日蔭にゐれば涼しかつた。

日向で働いたり、日蔭でつぎの命令を待つてゐたりしてゐたら、

「スパイだ、又スパイだ」

といふ聲がした。

ソレツといふので、聲のしたはうへ駈付けると、驛の柵の外に、ポプラの木があつて、その木に大きい圖體をした、毛の紅い、のろまさうな男がハばつてゐた。

肩を組む二人

憲兵が來て、その男を木から下ろした。

「どうも蠅のやうな奴等だ」憲兵は笑ひながら私達に說明してくれた。「部隊の着くたんびに、なん人かの男が、かうやつて木に登つて驛の構內を見下ろしちやア、兵隊や、武器、彈藥の數をかぞへるんです。無事にかぞへ終つてどこかへ報告すれば、莫大な金になるらしいんですがね」

それにしては方法が拙いと思つた。大の男が、白晝、木に登つて、構內をゆつくりと覗き込むなどといふスパイの仕方はまづない。とても日本人には出來ない悠長さだ。

その夜はハイラル泊り。

夜になると、私達のなん人かは、ハイラルの街へ出かけて行つた。

ひくい、ロシア風の家が兩側にならんだ、ひろい、荒涼とした通りを行くと、明るい灯が道路へ流れて、なにか樂しい音樂の聞えてゐる家があつた。サロン・アルシヤンといつたやうなキヤバレーであつた。

中へ入つて行くと、天井から床を照らす照明の中に煙草のけむりが紫色の渦をまいてゐて、どのテーブルにも兵隊がいつぱいだつた。その間に日本人、ロシア人の女給もはさまつて、ひとと唄とが海の底の藻屑のやうに、煙草のけむりと酒の匂ひのなかに搖れてゐた。

一つのテーブルには、日本人の飛行將校が、拳銃を腰にさげたままで酒をのんでゐた。

私達がその傍を通ると、將校は氣輕に、

「君たち、今日着いたのかね」

といつた。

「ハア」

と答へると、

「砲兵さんかね」

「ハア、さうです」

「それぢや早くノモンハンに行つてやり給へ。ノモンハンぢや友軍が激戰してゐるよ」

といつた。友軍が激戰してゐるといふひとにしては、なんだか呑氣さうな調子だつた。私達は不思議さうにその將校をみつめたらしかつた。將校は私達の戰場馴れない、素人々々した眼つきがをかしかつたのか、クスクスと笑つて、手にした空のグラスをみつめながら、

「僕達かね、僕達はたつた今、タムスクの爆撃から歸つて來たところだよ」

その調子も亦落着いてゐた。さも呑氣さうであつた。

半島兒童の熱誠

「これで明日はまたサンベース行きだよ」

「明日も行かれるんですか」

「サンベースといふところでね、大きい空中戰が行はれてゐるんだ」

「…………」

「明日もこの命があるかどうか、それはちよつとわからないね」

まるで他人ごとのやうであつた。

私達は氣を呑まれて立つてゐた。

その呑氣な調子のうちに、激しい戰爭がヒタヒタと感じられた。

戰線に來たといふ氣がした。急いで氣を落着けようとした。

飛行將校は私達新米の顏をみてまた笑つた。

「どうだね、一緒に飲まんかね」

「ハツ、頂きませう」

私達はその將校の戰場馴れした度胸に追ひつかう、あやからうとして、そこの椅子に腰を下ろした。

「しつかりやれよ」

酒を注ぎながら將校はいつてくれた。

「しつかりやります」

私達は心からさう答へた。そして、お互ひの武運を祝つて盃をあげた。

なにかから學生時代の、試驗前に似た、その感じを煎じつめたやうなものが胸のなかに、大きいかたまりになつてゐた。それにつけても、なん度も死をくぐりぬけて來た將校の落着きが美しかつた。明日もまたサンベースとかへ空中戰に行くんだといふが、どうぞ御無事でと、酒をついであげるときに心のなかで祈つた。

第二章　戰鬪篇

○ハイラル出發

七月十四日、いよいよハイラルからノモンハンの戰線へ向け、車を連ねて出發した。

少し行つたかと思ふともう町外れだつた。町外れに立つと、すこし心細いほどハイラルといふところは小さい町であつた。

これから先きは樹木がない。それぞれ車も人も擬裝をしろといふ命令があつた。空襲の懼れがあるのだ。いよいよ來たなと思つた。私達は町外れの楊柳やアカシヤの枝を折つて車を擬裝した。あんまり木の枝をさしすぎた車は、まるで山車のやうであつた。あたり一面、折られた枝や葉の、青くさい匂ひが漂つた。

擬裝が終ると出發した。そこはもう、まつたく仕方のないほどに廣い平原であつた。〇〇の車がどんどん私達を置いて先きへ進んだ。その數はおよそ〇〇臺ぐらゐもあつたが、見るみるうちに、ポツンと一つの點になつて、そしてやがて地平線の向ふへ消えてしまつた。

反對に地平線の上に、ポツンと黒いものが現れることがあつた。なんだらうと思つてゐると、それがやつぱり、戰線から歸つて來る車で、擦れ違ふときにかぞへると、〇〇臺ぐらゐもあつた。

非常に暑かつた。太陽の光線にふれるところは、火ぶくれが出來さうだつた。行つても行つても、木蔭といふものがなかつた。ぐるつと見廻すと、ただ一本の地平線が私達をとりまいてゐた。その地平線は、焰のやうなかげろふの中で搖れてゐた。

乾ききつた、マッチをすると、ボツと火がつきさうな大氣が、私達の咽喉から體から水分といふ水分を吸ひとつた。

途中に小川があつた。工兵がゐて、車を一臺づつ渡してゐた。

部隊長から、戰死しても身苦しくないやうに、全員垢を洗ひ落せといふ命令が下つた。武士の身嗜として、首を洗つて置けといふのである。

私達はその命令を喜んだ。急いで素裸になると、ジャブジャブと小川へ飛び込んだ。行軍に熱くなつてゐた頭をひやし、足をひやした。

生れて以來、見たこともない廣い草原には、やるせないばかりの感じをいだいてゐた私達も、その小川には、故郷へ歸つたやうな、なつかしさ、氣易さを感じて、みんな陽氣になつた。

私達はキヤツキヤツといひながら、子供みたいに水をひつかけつこしたり、もぐつて行つて足を引張り合つたりした。國を出てから幾日、その間に死ぬときは一緒だといふ氣持が、お互ひをこんなにも仲よくさしてゐた。

將校も兵隊と一緒に水に入つた。私達の隊長渡邊中尉殿も、痩せた體を水につけてゐた。なんだか風呂に入つたやうに、首だけ出して、うつとりとしてゐられる樣子だつた。ブルン、ブルンと、手拭で顔を洗つてゐられた。

戰爭を前にして、子供のやうに水の中でふざけてゐると、ゴンゴンと音がして、頭の上へ飛行機が〇〇臺現れた。

「ヤツ、日本の飛行機だ」

「友軍機だツ」

私達はすぐに昨夜一緒に飲んで別れた飛行將校のことが思ひ出された。あの將校は、今日はサンベースへ行くといつてゐた……。

私達は水の中から手を振つた。

「頼むよツ」

農村の小路

「しつかりやつて來てくれッ」

口々に叫びながら手を振ると、低空を飛んでゐた飛行機が、私達へ翼を振つてみせた。なんだかそれが、承知したといつてゐるやうに思はれた。昨夜の、落着き拂つた飛行將校の顔が思ひ出された。非常に頼もしい氣がした。と同時に、もう戰鬪の中へ來てゐるのだといふ氣がした。

水からあがつて草の上に立つと、だれの體も、ゴシゴシ洗つたのと、水に冷えきつたのとで、まつ白く、きれいだつた。

私も、體を拭きながら、これでいつ死んでもいい用意が出來たと思つた。なんといふか、謙虚なすがすがしい氣持だつた。

軍裝すると、その川の水を水筒いつぱいにつめ、車に乘つて再び行軍を起した。行つても行つても、通つて來たと同じ平原だつた。まるで私達は、足踏みをしてゐるのではないかといふやうな錯覺を起した。

○露營

夜が來た。夜の來たところで私達は立ちどまつた。そこで露營するのだつた。

アンペラが渡された。私達はそのアンペラの上に、疲れた體を投げ出した。空を仰ぐと、夏の空だといふのに、それは秋のやうに澄んで、星がきれいであつた。みがきあげたやうに、靑く澄んだ大きい星で、私は、こんなに美しい星をはじめてみた。

晝間はあんなに暑かつたのに、夜になるとグングン冷めてゆき、その寒さは秋の末の感じであつた。

それなのに蚊がひどかつた。原野に生れ、原野に育つた蚊は、人間といふものを知らないのか、追つても逃げようとせず、そのかずがまた大變なもので、いちいち叩いてゐては間に合はなかつた。ゾロッと手で撫でて取るほどの蚊で、それが服の上からもさした。さすと非常に痛かつた。一瞬間もぢつとしてゐられなかつた。私達は始終手を振り、足を動かし、體をゆすつてゐた。

急いで防蚊手袋、防蚊面などを引張り出して身につけたが、首を蚊帳の中へつつ込んだ形の防蚊面へ蚊が入つた奴は手がつけられなかつた。顔だけ蚊の俘虜になつたも同樣だつた。

まだ戰線までは遠かつたが、誰ももう煙草を大つぴらで吸ふものはゐなかつた。みんな螢のやうに小さい火をも、手でかこつて吸つた。

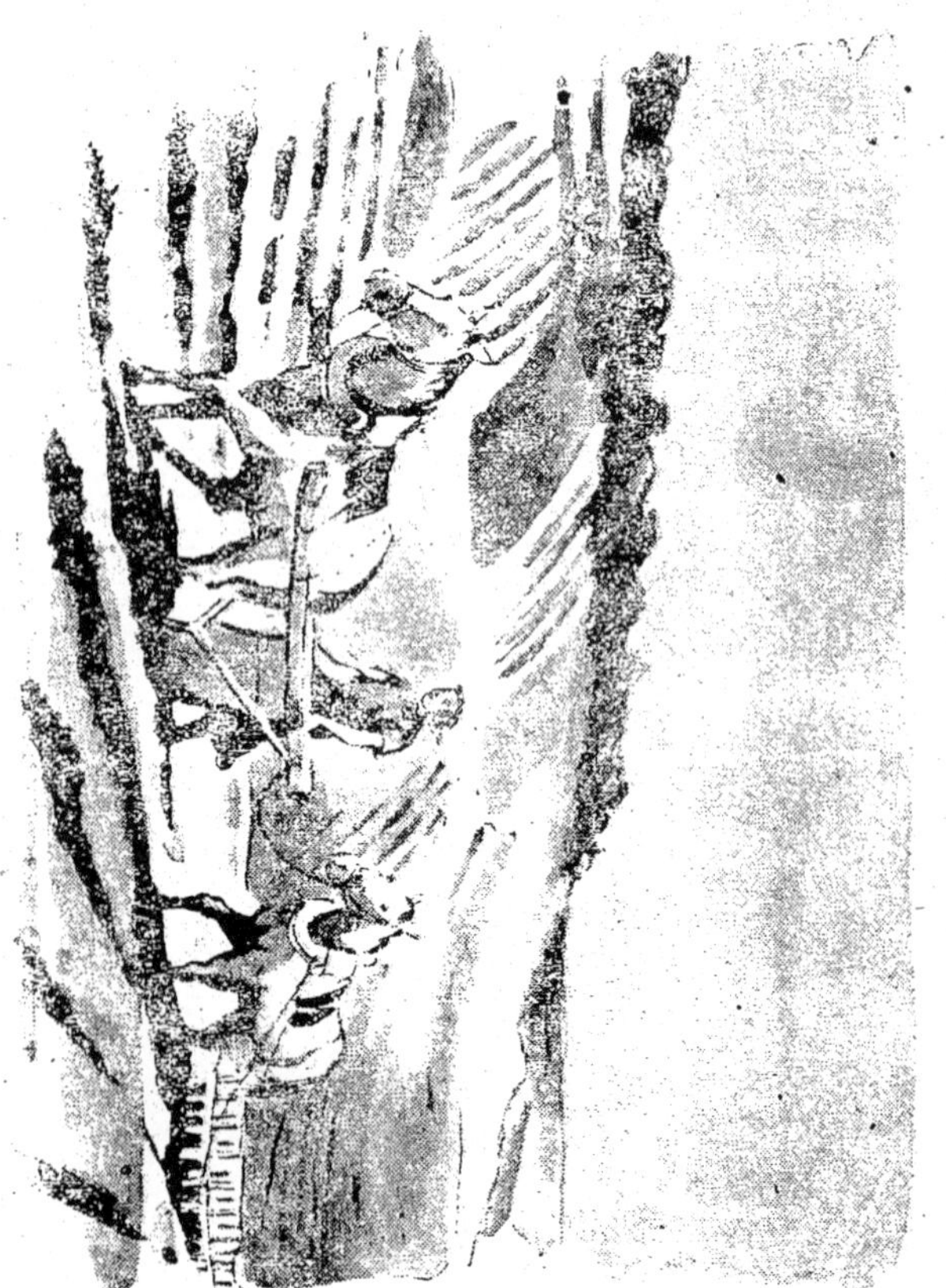

ハイラル近へ

夜中に私は歩哨に立つた。歩哨の位置まで行くのに、暗くて方角がわからなくなつて困つた。だいたいの見當で歩いて行つて、いい加減のところで、たうとう伏せをした。伏せをして、眼をこらすと、闇の中に、ヌーツと歩哨の立つてゐる姿が黒く見えた。

歩哨に立つてゐる間に、氣味のわるい遠吠えをきいた。それは狼らしかつた。

そのうちにもう夜が明けてきて、三時、私達はまた長い車の列を作つて出發した。

○第二日

夜があけるなり、この日も暑かつた。併し、お蔭で空氣が乾いてゐるから、汗で體がベタつくといふことがない。

いつ頃だつたか、水のあるところへ着いた。水鳥がたくさんゐた。晩のおかずにと思つて、みんな急いで石をぶつけたが、そのひとつも當らなかつた。

これから先きの水は、敵が飛行機でチブス菌をばら撒いたから、ぜつたいに飲めないといふことであつた。私達はそれをきくと水筒をいつぱいにした。

そこへ前方から、砂煙りをあげて〇〇車が〇〇臺位つながつて來た。私達の前でとまると、

車へ水を入れだした。その〇〇車に乗つてゐた兵隊にきくと、前方には八十臺ぐらゐの敵の飛行機が現れてゐるといふことだつた。その顏色からは、明らかに友軍の激戰の狀態が讀みとれた。

昨日も今日も、同じやうな平原を進む私達には、それがどのぐらゐの前方で行はれてゐるものか、づつとまだ遠い氣もしたし、また、今見えてゐる地平線の、すぐ向ふの氣もしたし、距離の想像といふものがつかなかつたが、砂ほこりを浴びて、激戰の中から來た車をみると時間的にいつて、近いうちに私達もそのなかへ飛び込むのだと思つた。

間もなくその水のそばを離れて行軍して行くと、

「アツ、聞える、聞える」

といふものがあつた。

「大砲の音だ、大砲の音だ」

それで、みんな耳をすますと、かすかに、そして、間遠に、ドーン、ドーンと、天地を震はせる音がしてゐた。けれども私達は、この目で戰闘といふものを見ないうちは、それがいつもの演習のやうに思はれて、そのまま音のする方角へ進んで行つたが、まだ平氣だつた。

目的の〇〇〇〇へ着くと、大砲の音がまるでお祭の太鼓のやうに鳴りつづけてゐた。そこには先着の部隊がゐたが、どの兵隊の顏もまつ黒に陽に灼けてゐて、目つきが凄かつた。彈の音のなかで、やけに落着いてゐた。私達とはもうだんの違つた態度があつて、すつかり威壓された。

「今に驚くな」

私達を見る眼がさういつてゐるやうであつた。飯を炊いたりしてゐると、放列を敷けといふ命令が出た。

私達は前方へ掩帶壕を掘りに出た。砂地を掘りにかかつたが、なにしろ暑いので、みんな裸になつた。あひかはらず音はするけれど彈はこない。なんとなしに呑氣な氣になつて、おけさ節を唄ふ兵隊もゐた。七、八ぶも壕が出來たときだつた。

一發、ドカーンと二百米ばかりのところへ落ちた。思はずピタツと伏せた。倖ひになんともなかつた。ソーツと顏をあげると、誰の顏も血の氣が引いて、まつ白だつた。唇の色までまつ白だつた。

「オイ、お前の顏はまつ白だぞ」

ハイラル街頭

さういふ兵隊の顔もまつ白だつた。

私達は急いで壕の仕上げにかかつた。途中サーッと夕立ちがあつた。

壕を仕上げて〇〇〇〇へ歸ると、私達は戰友に、一發洗禮を受けて來たと話をした。戰友は、はじめて少し驚いたやうな顔をしてゐた。

まつたく前觸れもない最初の一發には膽を冷やした。

〇三日目

壕へ大砲を引き込み、いつでも火蓋が切れる準備をし終つたが、この日は非常に霧が深くて目標が分らない。そのうちに霧が晴れたので、撃ちだした。いよいよ戰鬪がはじまつたのだつた。いい氣持で一發、二發、三發、砂丘の稜線の向ふへうち込んでゐると、敵の偵察機が、ま上に飛んで來た。たいへん高かつた。

「敵だ」

「畜生ッ、敵の飛行機だ」

と騒いでゐると、その偵察機は、私達の上の空をグルグル廻りながら、黄色い煙をパッと吐い

て逃げた。

「何だ、何だ」

私達はポカリと私達のま上に浮いた黄色い煙のかたまりを見てゐると、ドカン、ドカン、敵彈が私達の周圍へ落下しはじめた。

「畜生、あれが目印なんだ。この下に敵がゐるといふ目印なんだ」

やつと分つて、此方も負けずに應戰した。つづけざまに五百發ぐらゐうつたが、敵もずゐぶんせつかちに射つて來た。

けれどもそれは、百米ぐらゐはどれもこれも私達からはなれて落ちた。

彈といふものは、なかなか當らないものであつた。

夕方になると、ピタツと敵の砲撃がやんだ。十分間に一發ぐらゐになつた。

「敵の野郎、晩めしを食ひはじめたな」

私達は申し合はせたやうに、ゾロゾロと掩帶壕を出て、草の上に坐つた。どの顔も、一日の戰鬪で頭から砂ほこりをかぶつて、目ばかりギョロギョロさしてゐた。

給水車のある風景

〇掩帶壕

氣がつくと、みんな自分の掩帶壕のうへへ、せつせと土砂を盛りあげてゐた。掩帶壕といふのは、だいたい大砲を引き入れるために、それだけの凹地を砲兵は掘るが、さらにまたその大砲のうしろへ、人間の入れるだけの穴を掘る。それが掩帶壕で、私達は彈を射つと、この掩帶壕へ飛び込んで、敵の彈から身を守るのだ。

此處へ着いて、掩帶壕を作つたとき、天井へはなるべく土砂を厚くかけろといはれた。天井は木材を井桁に組み、その上へ土砂をかぶせるのだが、誰もたかをくくつてゐて、厚くかぶせなかつた。

それを第一日の經驗で、砂をかぶせてゐるのだ。實彈の凄さを知るとともに、天井の土砂の厚みこそ、自分の身を守る唯一のものだと知つたからであつた。

天井を木材で組むことには、なかなか技術を要した。ちよつとではうまく出來なかつた。ひとり、それを非常にうまくやる兵隊がゐた。それが例の內地を立つとき、居眠りをして海へ落ちてから「海と兵隊」といふ立派な名前をつけられた兵隊だつた。彼は汽車の中でもずゐぶんそのことで戰友達からからかはれてゐたが、戰地へ來てみると、彼一人、この天井の木組みがうまかつ

た。彼は方々の隣りの隊へも招聘されて、壕の木組みをしてやつた。「海と兵隊」は、私達の陣地ではなくてはならぬ人間になつた。

「さ、遠慮なくいつとくれ。こんな仕事はお素人衆にはちよつと無理だよ」

得意な彼は大工だつた。

私達はそれからといふもの、ひまさへあれば自分の壕のうへへ土砂をかぶせた。をかしなもので、一握りの土でも自分の壕のうへへかぶせた。

然し、壕のなかにゐると、敵の弾が近くへ落ちるたび毎に、天井の木組みの隙からひどい砂が落ちてきて、目もあけてゐられなかつた。

それで私達は、お互ひが國を出るとき、それぞれに貰つた國旗を出して天井に張つた。同じ壕に吉田もゐた。ところがこの吉田だけはモジモジしてゐて國旗を出さうとしなかつた。

「オイ、吉田、お前も持つてゐるんだつたら出せよ。少し足りないんだ」

私がさういふと、吉田はやつと思ひ切つたやうに、腹に卷いてゐた國旗を出した。

私はその國旗をみて驚いた。

「吉田、こ奴は凄えぞ」

國旗には、荒木貞夫、近衛文麿などとあつた。

「大した顔ぶれぢやないか」

うつかり者の私は、彼が當時の厚生大臣吉田茂氏の子息とは知らなかつた。さういへば原隊を立つてくるとき、汽車が〇〇にとまると、堂々とした紳士夫妻が驛に出て、彼にたくさんのお菓子を窓から入れてやつてゐたが、あれが彼の御兩親であり、吉田厚生大臣夫妻であつたのだ。

〇夕　陽

それからの毎日は、夜があけると激しい撃ち合ひであつた。味方にもおひおひと犠牲者が出ていつた。

夕方、敵味方の撃ち合ひがちよつと途絶へて、壕から這ひ出すときは嬉しかつた。

「ヤレヤレ、今日もまづ一日無事だつた」

さういつた氣持で草の上に腰を下ろすと、煙草を吸ひながら、夕陽の沈むのを眺めるのだつた。

夕陽は沈みかけてからずゐぶん時間がかかつた。ボトンと地平線の上へ落ちさうなところまで

ハイラル出發

きてそれからなかなか落ちなかつた。ぢつととまつたやうになつてゐて、だんだん赤くなり、そして大きくなるのだつた。それは、線香花火の火の玉のやうに赤くなりながら、大きくなるだけなつた。これ以上、赤くも、大きくもなれないといふところまでふくれ、燃えただれると、丸い夕陽はすこし上下が縮まつて、未練たらしく、平原の上に澱んだ砲煙のなかへ、やうやくのことで入るのだつた。

それが九時頃であつた。夕陽が入つてしまふと寒かつた。晝間は百二十度もありながら、夜は零下七、八度までさがつた。

最初撃ち合つた日のことだつた。

その日も終りかけて、敵からの弾が十分間に一發ぐらゐしか來なくなつたので、私達は我慢がしきれなくなつて、壕を這ひ出した。そこには草の上を流れる新しい空氣と、ヂリヂリと沈みかけてゐる夕陽とがあつた。

私達は默つて夕陽をみてゐた。人さへものをいはなければ、じつに寂寞とした荒野であつた。

風が冷たくなつたので私達は壕のなかへ入つた。併し、たつた一人、來る途の車中でパチンコに夢中になつてゐた橋本ひとりは、壕へ入らなかつた。咽喉自慢の彼は、草の中に膝まで沒しな

から立つて、夕陽に向ひ、彼が好きだつた例の唄をうたつてゐた。

「橋本、入れよ」

「彈が來ると危いぞ」

私達はさう注意はしたが、夕陽に映える壕のなかで、橋本の激しい情熱をこめてうたふ唄に耳をかたむけてゐた。

ガーン！

突然、まぢかな炸音と、震動だつた。私達はとつさに壕の壁に飛びついて、身を縮めた。

彈は一發きりだつた。間もなく硝煙と、あの大砲の彈が炸裂したときの特有の、甘い變な匂ひが消え去つた。それと同時に、橋本の唄ふ聲も聞えなくなつた。

「橋本ツ、オイ、橋本」

「橋本、大丈夫か……」

壕から這ひ出してみると、橋本の影も形もなかつた。敵の十五糎加農砲彈を、橋本はぢかに喰つたらしかつた。

「畜生ツ」

牛糞（ホロンバイル風景の一）

それが最初の犧牲者であつた。私達は背を決してはるかな砂丘の稜線をにらんだ。

汽車中は、ひとがせつかくいい氣持で眠つてゐるのも構はないで、その頬ぺたへパチンコで紙つぶてを當てた橋本だつた。私達の誰ひとりとして、橋本にパチンコでやられないものはなかつた。私達は砂に吸ひこまれる橋本の血をみながら、そのときの頬の痛さを思ひ出した。

頬の痛さがなつかしかつた。

「橋本、待つてろ、仇をとつてやるからな」

私達はすつかり暮れてしまつた草原に立ちつくしたままだつた。

○カフエ・ノモンハン

毎日炎天の下に激戰がつづいた。後方からの糧食補給も途絶へがちだつた。私達は一發一發、敵彈の炸裂する毎に、舞ひあがる砂を頭からかぶつて、飲まず喰はずで敵陣をにらんでゐた。

夕方になるのが樂しみだつた。蚊には參つたが、彈がときどきしか來なくなることと、風が涼しくなるからだつた。

「オイ、變りはないかね」

私達はお互ひの壕へ訪問しあつた。

一日一日、戰友の顏は陽に灼け、砲煙にくすぶり、目が凄くなつていつた。

安西上等兵と、馬場准尉の入つてゐる壕がなかでもいちばん人氣があつた。安西上等兵は面白い人間で、よく私達を笑はせてくれた。馬場准尉も暢氣な、ボーツとした人で、誰をも氣持よく迎へてくれた。だからしぜんとこの二人のゐる壕へみんな集まつて、いろいろの話をした。

いろいろの話といつても、主に食ふ話であつた。二人の壕は名からして、カフエ・ノモンハンとなり、准尉が色白でボチャボチャとして、年增の肉づきを思はせるところから、マダムとよばれるやうになつた。

なにしろカフエ・ノモンハンの人氣といふものは、夕方、その日の戰鬪が終つて、愚圖々々して出かけやうものなら、もう中のはうへは入れなかつた。壕も狹いとは狹かつたが、ちよつと遲く行くと、滿員などといふ札が出てゐた。

カフエ・ノモンハンには、なにひとつ食物で不自由なものはなかつた。話だけであつたが、食物といふ食物はぜんぶ揃つてゐた。

一人があん蜜が食ひたいといふと、

「あん蜜か、ところてんのプリンプリンした舌ざはりがたまらねえなア」

「俺は豆の多いはうが好きだ」

「溶けるやうにキメの細かい餡こが傍にから盛りあげてあつてなア」

「そいつを掻き廻して、ちよつと匙でかうすくつてなア」

「ところてんがプリンプリンさ、豆がポツンポツンさ、鹽の味がちよつとつけてあつてよ」

かういつた工合で、一應はなんでも味はふことが出來た。

ある晩、トンカツの話が出た。その晩は、トンカツを揚げる油のことから、たつぷりある肉の厚みのことから、どこがうまいのうまくないのと、豚カツの話で持ちきつた。その晩のカフエ・ノモンハンの料理は豚カツといふわけであつた。

翌朝、なにしろ夜の明けるのが早いので、みんな睡眠不足の眼で壕を這ひ出すと、カフエ・ノモンハンの戸を押しあけて安西上等兵が腹を抱へながら飛び出して來た。

「オーイ、みんな聞いてくれ」

私達が安西上等兵を取りまくと、彼の話はかうであつた。

昨夜(ゆうべ)はあんまり豚カツの話をしたものだから、馬場准尉が豚カツの夢をみたといふのだ。なん

パオ（ホロンバイル風景の三）

でも草ツ原をマダムの准尉があるいてゐると、向ふから豚があるいて來た。かぞへてみると五十匹ぐらゐゐる。准尉は喜んだ。これだけあれば、みんなにふんだんに豚カツが食はせられる。准尉は急いで拳銃を出して豚に狙ひをつけた。すると、その五十匹の豚が、准尉の顔をみてゲラゲラ笑つたので、たうとう撃てなかつたといふのだ。

私達も腹を抱へて笑つた。然し、夢のなかにまで豚を見た途端、みんなに食はせてやらうと思つた准尉の好意が嬉しかつた。

その晩はまた豚の笑つた夢の話と、豚カツの話がむしかへされた。

○酒　樽

さうしてゐるうちにも、だんだん敵の戰車がハルハ河を渡つてやつて來た。輜重の補給がそのためにますます困難になつた。必要なものは自分達で後方へとりに來いといふことになつた。

それで私達の隊からもトラックを五臺出した。

「水ばかりでなしに、なにかいいものも貰つて來いよ」

さういつて出してやると、夕方歸つて來たが、遠くからなにかどなりながらやつてくる。みん

なが壕から出てみると、二臺のトラックは水だが、後の三臺はべつのものを積んでゐる。

「奴さん達、なにかいいものを貰つて來たらしいぞ」

「なんだい、あれは……？」

「菰かぶりらしいが、まさか酒ぢやあるまい？」

「冗談いふなよ。酒をトラックに三臺もくれるものか」

然し、それは酒だつた。然も灘の生一本といふのが七樽もあつた。

「ウアツ、酒だツ」

これには私達はE十七の空襲よりも驚いた。

「凄いなア、おい」

樽をとりまいたものの眼が光りだした。

「これだけあればたうぶんいけるぜ」

「さつそくやつつけようぢやないか」

私達は鏡をぬいた。プーンとくるいいにほひ、なみなみと湛へた黄色の水。

「たまらねえ」

蒙古人（ホロンバイル風景の三）

水飲みでグイとしやくつてキユーツとやる男がゐた。

「オイ、俺に貸せ」

水飲みが手から手へ移つた。酒はハイラルのキヤバレーで飲んで以來、久しぶりの對面だつた。私も酒が好きだ。

「駄目だ、駄目だ、俺にも飲ませろよ」

順番が待ちきれなくなつて、戰友の手から水飲みをもぎとるやうにして飲んだ。うまかつた。じつにうまかつた。芳醇な香にむせながら、冷たいやつをグイとやると、腹の底からホーツと火照つてきて、じつになんともいへずうまかつた。

戰友のどの顔をみても、眼をトロンとして、舌なめづりして、まるでもう極樂で戰爭をしてゐるやうだつた。このうへはもう、なんの望みもない顔であつた。

日ごろ水に渇してゐるので、私達は酒を水代りに飲んだ。壕の出入りに、チヨイとしやくつてグイとやつた。

「ヘツヘ、こんな戰爭なら俺大好きだよ」といふ男もゐた。

しかし、あとになつてひどく困つた。カツカと照りつけられながら、グイグイとやつたあと、

さて醉ひ覺めの水となつたとき、その水が乏しかつた。これはいつもの水の不足のときと違つてじつに苦しかつた。咽喉が燃えるやうであつた。

「わアい、助けてくれ」

まつたく死ぬ思ひであつた。

これからは、誰も酒樽を見向きもしなくなつた。すつかりこりたからであつた。

後方ではそんなことを知らなかつた。あとからあとからと酒を送つて來てくれた。その酒が樽で四十樽も砂のうへにならべられた。

私達も飲みたかつた。併し飲むとあとが怖かつた。

敵の彈がきて樽に當ることがあつた。樽から酒がほとばしり出て、ノモンハンの砂がこれを吸つた。

「砂の野郎、あとで咽喉がかはくぜ」私達は砂に腹を立てながらそれを見てゐた。

○クローバ

御飯のおかずは罐詰ものが多かつた。罐詰も鰹のが多く、こいつも氣をつけないとあとで咽喉がかはいた。

牛罐は一人について一週間に一つぐらゐで廻つて來た。ふだん、そんなものの廻つて來ないときは、乾燥野菜で作つたおみお汁を吸つてゐたが、これは少しも味がなかつた。

あるとき、なにかの用事で、炊事班のところへ行つたことがあつた。すると、炊事班が十人ばかりで敵の彈の飛んでくる原ッ場に腰をかがめてウロウロしてゐた。

「オーイ、危いぞ、なにをしてゐるんだ」

さういひながら近づいて行つてみると、炊事班の連中は、なんだか一生懸命、草を摘んでゐた。

それはクローバだつた。

「クローバなんか摘んでどうするんだい」

私が訊くと、なかの一人が、

「あんまり乾燥野菜で氣の毒だから、なにか青いものを食はしてやらうと思つてなあ」

それで、鬼のやうな男が、彈のなかで摘み草をしてゐるのだつた。

私は胸が熱くなつた。

「いいよ、もういいよ。無理してくれるなよ」

「然し、あんまり乾燥野菜が殘るんで、なんとか料理をかへようと思つてなア」

私はすまないことをしたと思つた。歸つてこのことを報告すると、

「さうか、畜生、さうか」

みんなにも炊事班の志が嬉しくひぴいたらしかつた。

○甘 黨

上戸が酒にありついてかへつてひどい目に遭つたのを、下戸は笑ひながらみてゐた。然し考へてみると、ひどい目には遭つても、いち度たらふく飲んだのだからよかつた。下戸には、たらふくどころか、ひとかけらの甘いものもとなかつた。

「濃いお茶をいれてなア、ふつくらした饅頭をよ、パクリパクリとやつてみてえ」

「俺は絶對羊かんだ」

「さうだなア、いい羊かんを分厚く切つてなア……」

口にいふばかりでなく、いく晩もつづけて夢にみる兵隊もゐた。

戦 闘 篇

ラマ廟（ホロンバイル風景の四）

そこへ關東軍司令官からお菓子が届いた。これはドーナツツの中に餡の入つてゐるのと、羊かんが一人に一本だつた。

「凄え、凄え」

上戸の私達まで踊りあがつて喜んだ。

私なんかはガブリガブリと、たちまちにして平げてしまつた。そこへゆくと、ふだん夢をみつづけた男は、ひと口に食つてしまふのが惜しいので、少しづつ削つては樂しんで食つてゐた。それを、私達ひと口にやつたものは、夜中にこつそり頂戴してがつかりさせたものだつた。

○面會人

ある朝、まだ壕のなかで寢てゐると、

「面會人だよ、面會人が來たよう」

といふ聲がした。陣地にぢつとしてゐると、誰かよそから來てくれるのがいちばんの慰めだつた。それを私達は面會人といつてゐた。それは輜重でもなんでもよかつた。よそから來る人間のことを面會人といつてゐた。

滿人軍夫

私も飛び起きて、どんな面會人か、はやく顔をみたいと思つて壕を出た。妙な、まつたく得體の知れない面會人が、私達の隊のものの案内をうけてこちらへ歩いて來てゐた。ちよつと見たときは見當もつかなかつたが、近よつてみるとそれは敵兵だつた。一晩ぢう蚊にさされたとみえて、顔が腐つたトマトみたいに赤くはれあがつてゐた。

路に迷つたのか、フラツと陣地の近くへ現れて、ハンケチを振つてゐたといふことであつた。隊長の前へ連れて行き、通譯がいろいろと訊問してゐたが、この面會人、風邪をひいてゐると見え、クシツ、クシツとくしやみばかりしてゐた。

みんな、敵の顔をみるのは、これがはじめてであつた。

○慰問袋

慰問袋が屆いたときも、みんな踊りあがつて喜んだ。

なんでもだいぶ前から、慰問袋が來るといふ噂があつた。それで私達は首をながくして待つてゐた。

ところが、來てみると、五人に一つづつといふことだつた。それでも喜んだ。五人が一組にな

つて、ひとつの慰問袋をかこんだが、嬉しくつてなかなか開けられなかつた。

やつとのことで開けてみると、いろんなものが入つてゐた。私達はそれを籤引きでわけた。

罐詰やキヤラメルに當るものもゐたし、ぜんぜん食ひ物には當らずに、風船とか羽子板を貰つたのもゐた。然し、まづ衣食足つて禮節を知るで、第一は食ひ氣だつた。風船や羽子板の當つた兵隊はあとで仲よくつかしてやることを條件に、キヤラメルをわけて貰つたりしてゐた。一人に一つづつあたればこんな騒ぎもなかつたのだが、然しそれはまたそれで、樂しかつた。私達は仲よく食ひものをわけて食ひ、そのあとで羽根をついてみた。

手紙がひとつ入つてゐた。小學生の書いた手紙だつた。

「寒い寒い北支の兵隊さん……」

といふ書き出しであつた。

「寒い寒いはねえだらう」

百二十度の炎熱なので、私達はすこしその見當外れが淋しかつたがそれでもなん度もその手紙を出して讀んだ。純眞な子供のたどたどしい手紙は、私達を十分に慰めてくれた。またそのたんびに、北支にゐる兵隊のことも考へやられた。

北に南に、自分達は今天業翼賛の長い戰線をはつてゐるのだ。

「しつかりやれよ」

子供からの手紙を讀む毎に、「寒い寒い」そしてまた、遠い遠い「北支の兵隊さん」に心の中でよびかけた。

○野戰酒保

後方に野戰酒保がひらかれたといふ噂が立つた。なんでも巡廻自動車も來るさうだといふ噂も立つた。かならず來るといふことだつたが、待つてゐても來なかつた。

みんなもう噂にしてもさう聞くと、來るのを待つてゐられないらしかつた。

「俺は甘いものが食ひたい」

「俺は煙草だ」

そんなことを言ひつづけてゐた。そこで、隊長に買ひに行つてもいいかどうか訊くと、いつて來い、といふことだつた。

「小川、行からぢやないか」

それは馬場准尉だつた。私達は思ひきつて五人で後方へ出かけることにした、

「頼むぞ。俺には羊かんを買つて來てくれ」

「よし、よし」

「俺は餡パンがいいな」

「よし、よし」

私達はいちいちそれを手帳につけた。

「オイ、忘れるなよ」

「早く行つて早く歸つて來てくれ」

みんなは私達五人を何樣かのやうに、大騒ぎして送つてくれた。

「氣をつけて行け」

私達は後方へ自動車を走らせた。

併し後方のどこへ行つても酒保の酒の字もなかつた。そんな筈はないがと、一日ぢう走り廻つて方々で聞いてみると、やつと野戰郵便局のあるところへ出た。そこで訊くと、それならここから一里ぐらゐ後ろに行つたところだと敎へられた。

やれやれと思つて喜んで自動車を飛ばすと、なるほど酒保はあるにはあつたが、すつかりもう賣りきれてしまつて、塵紙だけが殘つてゐた。仕方がないから、せめてもその塵紙を買つて、辿り辿り、部隊へ戻つて來ると、

「オイ、約束が違ふぢやないか、これが餡パンか」

と、本氣でみんなに怒られた。

戰友は私達が歸つて來さへすれば、

「ホイ、餡パンだ」

「ホイ、羊かんは誰だ」

と渡されるものと思つてゐたのだ。

叱られる私達自身も、一日ぢう自動車を乘りまはした揚句、塵紙ではなんとも恰好がつかなかつた。後方へ行くときは、だいたい夜だと北斗七星を目當てにすればいいと敎へられてゐた。ずゐぶん漠然とした話だが、それでも大丈夫ノモンハンに出られた。

部隊へ歸つて來るときは、ソ聯が打ちあげる照明弾の赤い火、青い火が三里ぐらゐのところから見えたので、それが目印になつた。これも大ざつぱな話だが、それでちやんと部隊に歸つて來

ホロンバイルの月

られた。

夜空に仰ぐ照明弾は綺麗だつた。それは戰爭とも思はれなかつた。ちやうど兩國の川開きのやうであつた。自動車を運轉しながら、

「玉やア」

「鍵やア」

といつたものだつた。

そんなときに、ヒョイと東京が思ひ出されることがあつた。部隊からはなれて、二三人で自動車を走らせてゐるときなど、東京が、明るい東京の街が思ひ出された。

酒保では失敗したが、然し思ひがけない、敵の酒保の訪問をうけたことがあつた。

ある朝、陣地の前方二十米ぐらゐの所に、一臺の自動車が止まつてゐるのを發見した。どうもその車の恰好が日本のと違ふ。靄のなかなのではつきりしないが、たしかに日本のではない。

念のために隊長に見て貰ふと、隊長も見馴れない車だといふ。

さうするうちに、自動車の中には五六人ゐて、それが敵兵だと分つた。

私達は壕から壕へそのことをこつそりと傳へた。そして、いち時にワアツといつて圍んだ。相手は七人ばかりゐた。私達の聲に驚いて、いつせいに飛びだした。それを、こちらから射つたが、運のいい奴とみえ、たうとう逃げて行つてしまつた。

さつそく自動車へ行つてみると、それは戰車に補給する炊事の車だつたらしく、肉、ハム、コーヒー、チョコレートなどを滿載してゐた。

これはじつに有難かつた。こちらは後方との聯絡がつかず、不自由してゐたときなので、有難く頂戴することにした。久しぶりに食ふハムや、チョコレートがうまかつた。

私達はそれをパクつきながら、また來るかも知れないから、よく注意しようといつたが、そんな幸運は二度とは廻つて來なかつた。

○女

敵の戰車には女が乘つてゐるといふ噂が立つた。それは、私達を十分に興味づけた。戰車などに乘つてゐる女のことが、いろいろと想像された。女まで乘せて戰つてゐるソ聯といふものが、なにか執拗なものにも思はれた。

さうすると、私達から〇里ぐらゐはなれた左翼の部隊で、戰車を四臺擱坐さしたといふことをきいた。その戰車には胸に赤い星をつけた女がゐて、戰車から逃げようとして飛び出したところを彈に當つたのだといふ。

女性の手先きの器用さと、敏感さとから、ソ聯では女を戰車にのせて、無電の通信聯絡をやらせてゐるさうだつた。

○お守

戰鬪は日に日に激しくなつて行つた。私達は夜があけると、敵の空へ彈を送りつづけた。私達は內地を立つときに方々でたくさんのお守を貰つて來てゐた。私達はそのお守を大砲の砲身に貼りつけた。どうぞこの大砲にだけは敵の彈も當らず、故障も起きないやうにと念じて、砲身にお守を貼つた。それから、こちらから擊ちだす砲彈の尻へは、これも一枚一枚、お守をくれた人の氣持も活かすつもりで、貼りつけた。

敵のはうはよく彈を擊つてきた。夜中でも三十分に一發は擊つてきた。

「敵のはうには不寢番でもゐて、そ奴が擊つてゐるんぢやないか」

夜空に嘶く

といふものもゐた。するとまた、

「いや、さうぢやない」

といふものもゐた。

「俺の考へるのには、晝間のうちに照準をつけて彈もこめて置くんだね。そいつを、小便に起きたやつが、序にドカーンとやることになつてゐるんぢやないかと思ふんだ」

私達は日によつて砲列の位置を移した。甲の地點から乙の地點へ移つた晩など、もとの甲の地點へ忘れ物があつたりして、こつそり取りに行くと、その誰もゐない、なにもない地點へ、ドカン、ドカーンと彈が落ちてゐることがあつた。それはちよつと不氣味なものであつたが、馴れてくると、彈と彈のあひだに、時間があることが分つたので、そこをねらつて敵彈のるつぼの中へ飛び込み、忘れものを取つてくることも出來た。

この彈と彈のあひだに時間のあることでは、私達は夜を待つて、そのすきに糞をしに壕から出た。どこでも暗い原ツ場なのだから、氣のむいたところへすればいいのだが、やつぱり自分の身をかくす場所をえらんだ。それには調法な彈の落ちた穴が方々にあいてゐた。どうも汚い話だが、言ひ合はせたやうに、みんながその彈のあとへ入るので、間もなくして、自分のしたものはかならず深く砂をかけて置くこと、露出させておいてはいけないことになつた。

それからは敵弾が間遠になる夜を待つて、みんなシヤベルをかついで壕を出ることになつた。なんだかその恰好がものものしくてをかしかつた。

壕のなかは寒いので、戰友同士體をすり合はせるやうにして寢たが、暫くすると、どの兵隊も體をぼりぼりやりだした。裸になつてみると、だいじに肌にまいた千人針へ、ぞろぞろと虱がわいてゐた。

○空　襲

これも戰鬪がはじまつて間もないことであつたが、夕方、兩方の射撃がやんで、草ツ原で飯を食つたり煙草を吸つたりしてゐたときだつた。急にキーンといふ鋭い音が空にしたので、みると翼に赤い印がついてゐる。

「なんだ、友軍かあ」

さういつて、暢氣に構えてゐると、バババババツといふ音と共に、私達のまはりの草の中に、土煙りが立ちはじめた。

「わツ、敵だ」

「空襲だ」

驚いて私達は體を投げ出して草の中に伏せをした。然し、伏せたものの、體は空からはまる見えに違ひない。すぐま上にキーンといふプロペラの音、バババババツといふ機關銃の音……。私達はまつたく、これは間違ひもなくやられたと思つた。翼の日の丸と見たのは赤い星だつたのだ。さうするうちに、また別な爆音が聞えだした。すると、キーンといふ音がサツと遠のいた。それにつづいて、別な爆音も私達の上を通りすぎて行つた。

靜かな空になつた。私達は怖る怖る顔をあげた。

「大丈夫か」

「オーイ、みんなやられた奴はゐないか」

口々にお互ひの身を案じて叫びあつた。倖ひ誰もやられなかつた。

彈といふものはなかなか當るものではない、それは不思議なくらゐで、あるときの敵の空襲に、段列にゐた一人の兵隊は壕へ逃げ後れて、テント張りの中に一人殘つた。なにしろ彼の體をかばふものといつては、張られたテントだけなのだ。敵機はこのテントを目標にして空から射つて來

た。ブス、ブスと天幕に穴があいた。彼は覺悟をきめてその下に大の字になつてゐた。しかも彈は彼に當らなかつた。天幕は穴だらけになつてゐたが、敵機が引き上げて行くと、ノコノコと彼は起きあがつて天幕を出て來た。

併し、それは後のことで、はじめて空襲をうけた日は驚いた。掃射されるまで、友軍機だとばかり信じて、あぐらで煙草を吸つてゐたのに、そこへバババババツと彈が來たのだから、不意をくらつてよけいに驚いた。

私達のところから二丁ばかりはなれたところに炊事班がゐたが、炊事班はそのときちやうど飯を食つてゐた。そこへ空襲だつた。ワツといつて草の中へ伏せた。敵機が去つてから起きあがつてみると、みんな手に食ひかけの飯盒を持つたまま伏せてゐた。

それといふのも、米の飯は一日にいちどだつたからである。これは、米がないといふのではなく、晝間は烟りを出すと敵に所在を發見されるから、炊事は夜にした。だから一日に一回分しか渡らなかつた。その貴重な米の飯だから、空襲にあつてもみんな手からはなさなかつた。

けれども考へてみると、いま死ぬかも分らないのに、後生だいじに飯盒を抱いて伏せてゐる恰好はをかしいものであつた。敵機が去つて、やれ助かつたと安心すると、急にみんなが吹きだし

た。そのあたり一帶に、笑ひが爆發した。

ハイラルのはらから友軍機に追はれて逃げて行くソ聯機が、私達を掃射したのだつた。

○E十七

その頃から、ソ聯の飛行機でE十七といふのが出て來た。こいつは非常に速力のはやい奴だつた。きまつて明方か夕方かに、强烈な太陽の光線を背にして飛んで來た。射たうと思つても、高い空に機關銃の音がするばかりで、やつと姿を發見しても、それは空高く舞ふ木の葉のやうで、ただキラキラとしか見えなかつた。

そんなときに友軍機が二三臺も駈けつけて來てくれると、スーツとE十七は逃げて行つた。

私達は空中戰がはじまると、高見の見物だつた。空中戰になると敵機は掃射するひまがなかつたからである。暢氣にといつてはをかしいが、草の上にあぐらをかいて、友軍機に聲援を送りながら觀戰するのだつた。

日本の飛行機は强かつた。ソ聯機はよく近くまでおびき寄せられて、バツと射ち落された。火を吹き出したと思ふと、ぜんぜん飛ぶ力を失つて、一つの非常に大きな重いものになつて、眞逆

飯盒炊爨

さまに墜ちて行くのだつた。

ソ聯機が射ち落されると、きまつて搭乘者はパラシュートで逃げ出した。私達はじつはそれを待つてゐた。

「やつたツ」

「それ一臺やつつけたツ」

友軍機が相手に火を吹かせると、私達はその前から、下で自動車にエンヂンをかけて、ソ聯兵がパラシュートで飛び出すのを待つてゐた。

「出たツ」

「それ、パラシュートだ」

となると、風に流されるパラシュートを自動車で追ひ駈けた。

パラシュートの布が、夜寢るとき、毛布がはりにもなるのと、壕の天井に張ると、砂が落ちなくていいからであつた。

私も砲列からあとの段列にゐたとき、パラシュートを取りに行つたことがあつた。

夕方、また頭の上で空中戰がはじまつたので、自動車に乘つて待つてゐた。すると一臺、敵機

が火を吹き出したとみる間に、スーツと白いものがその飛行機から流れでた。それはパツと開いた。私はそのパラシュートを追つて自動車を走らせた。

自動車には私のほかに、戰友がもう二人ゐた。その二人とも、急いだので拳銃を持たずに來たといつてゐる。なんにも武器なしではちよつと危い。なにかないかと思つて運轉しながら、腰かけをさぐると、有難いことに拳銃のサックがあつた。私はそれを後ろの二人へ投げてやつた。

さうするうちにもパラシュートは遙かの草の上に降りかけてゐる。急いで自動車を飛ばして行くと、ちやうどソ聯兵はパラシュートを體から脫さうとしてゐるところだつた。私達は自動車から出るなり、その奴の上へ折り重なつて摑まへてしまつた。體をさぐるとピストルを持つてゐる。それから、まださがすと、先きのとがつたナイフを持つてゐた。二つとも取りあげたが、異人種といふものは氣味の悪いもので、油斷がならないといふので、念のためにパラシュートの綱で體を縛つて連れて歸つて來た。

もつと勇敢にやればいいものを、こ奴はもうはじめからぜんぜん戰意を失つてゐて縛られると私達に煙草を吳れなどといつたりした。なんだか吾々日本人としてはそれが分らない氣持で、そのおとなしさに腹が立つて仕方がなかつた。

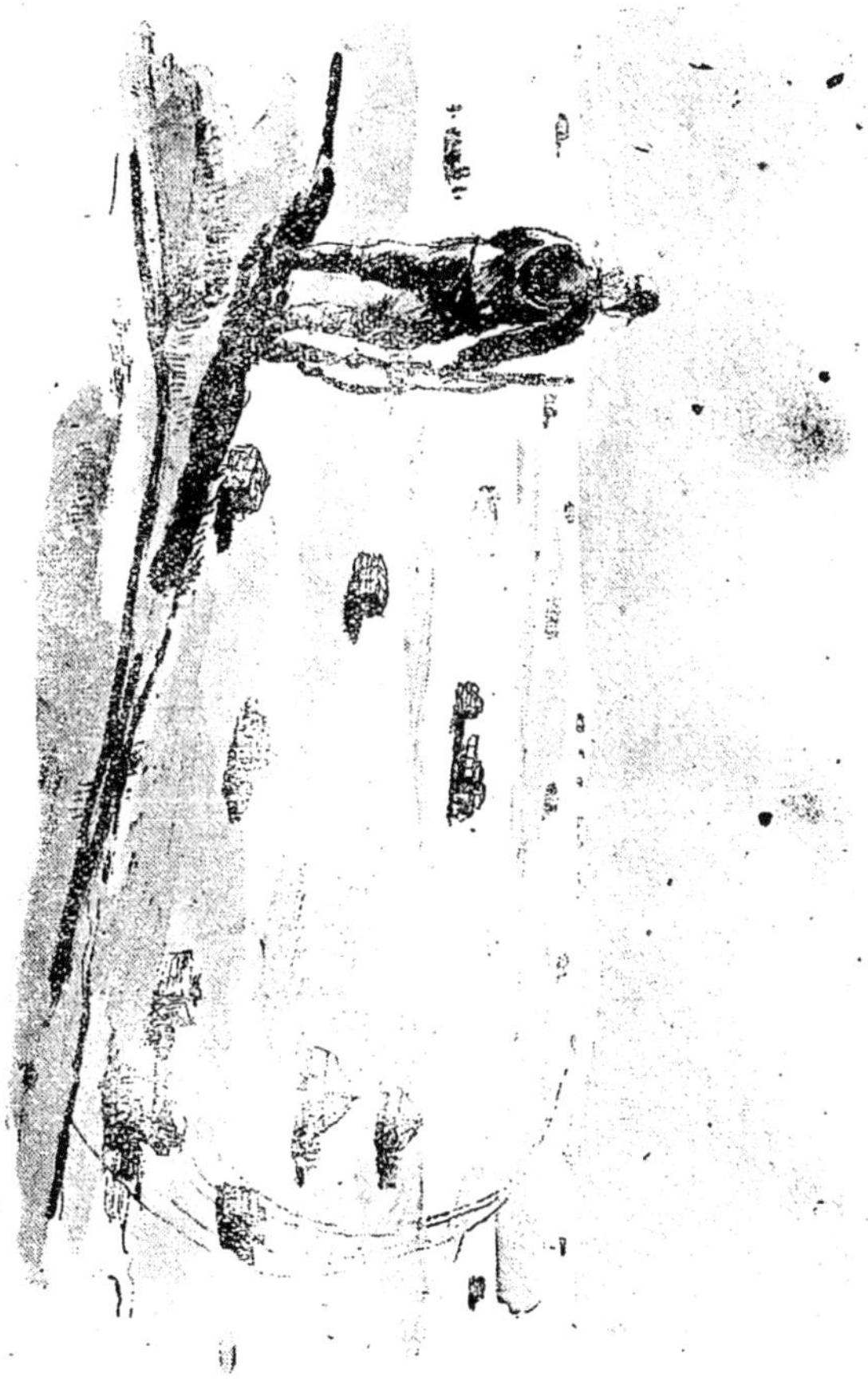

[illegible]

○友軍機の自爆

日本の輕爆機が敵地を爆撃するのも毎日のやうに見た。

十四機ぐらゐの編隊で行つて爆撃をするのだが、そのたんびに、味方の陣地まで震動した。日本の爆弾の火力は敵のそれよりも强く、彈が落ちると、爆煙と、砂や土が、ちやうど瀧を逆さにしたやうに、一本の柱になつて空を衝いた。そのあとには、モコツとした煙の山が出來た。

ある日、敵の陣地の上で、さうして友軍機が爆撃をしてゐた。

なん回もなん回も廻りながら、そのたんびにポトツと黑いものを落してゐるのがよく見えた。

地上には煙の柱がニヨキツ、ニヨキツと生えて、炸裂する音は、敵味方の天地をゆさぶつた。

やがて爆撃が終つたらしく、編隊は引きあげて行つた。然し、たつた一機だけ殘つた。味方の編隊が、瞬く間にポツンと黑い點になつてしまつても、その一機はゆつくりと敵の空を廻つてゐた。愼重に最後の一彈のやり直しをしてゐるのであつた。

そこへ敵のE十七が三機もヒヨイと現れて、最後の一彈を落さうとしてゐる日本の輕爆に食ひさがつた。

「アツ」

見てゐた私達が思はず聲をあげたほどに、その三機の現れ方は突然であつた。

敵の三機と味方の一機の空中戰がはじまつた。一機は三機から離れようとするのだが、身の輕いE十七のはうは三機ともくつついてはなれなかつた。息づまる戰鬪のうちに、

「アツ、當つた」

「畜生ツ、やりやがつた」

日本の飛行機がまつ黑な煙を吐きだした。

「オーイ、早くこつちへ來い」

「早く歸つて來い」

私達は立ちあがつて叫んだ。叫んでも聞えるはずはないのだが、傷ついた友軍機の、形勢不利な死鬪を默つてみてはゐられなかつた。

くつついて離れないE十七の、三機の中の一機がパツと火を吐いた。と見る間に、黑い煙の尾をひいて、サツと墜ちて行つた。

「やつた、やつた」

私達は喜んで飛びあがつた。友軍機は煙を吐きながらも、よく鬪つて、敵の一機を叩き落したのだつた。

あとに敵は二機になつた。併し、その二機は、もう少しだと思つたのか、煙を吐いてゐる日本の飛行機からはなれなかつた。

そのままで、空中戰が私達の頭のうへに移つて來た。

「さうだ、さうだ、よく歸つて來た」

「さ、降りてくれ。味方の陣地へ降りてくれ」

私達は急いで草原に布板をひろげて部隊記號を知らせた。

友軍機はそれに對して翼を振つてみせた。

「分つた、分つた」

私達はその友軍機が降りて來るものと思つてゐた。ところが友軍機は降りて來なかつた。敵の二機に食ひさがられたままで機首をふたたびハルハ河へ向けた。

「オーイ、違ふよう」

「そつちは敵だよう」

私達は、友軍機の氣持が分らなかつた。せつかく布板で知らせてゐるのに、自分でもそれが分つて翼まで振りながら、降りて來もせず、そんな體でまた敵のはうへ飛んで行くなんてと、心配を通りこして腹が立つた。

「オーイ、どうして降りないんだア」

「いつたいどうするつもりなんだア」

私達は泣きながら怒鳴つた。

友軍機は敵の上へ飛んで行つた。さつき最後の一彈を落さうとして、落し得なかつた敵の眞上へ飛んで行つた。そして、ヒラリとその最後の一彈を抱いたまま敵の中へ體當りをくれた。もの凄い音であつた。もの凄い煙であつた。そのあふりを喰つて、追ひ駈けてゐたE十七の一機が、ガクンと墜ちて行つた。

私達は聲も出なかつた。ポカンとして見てゐた。

みごとな、鮮かな自爆だつた。

はじめ私達は、その飛行機は方向を間違へたのだと思つたが、間違へたのでもなんでもなかつた。機關部をやられて、たうてい駄目だと分ると、體ごとぶつつけるために敵の空へわざわざ引

命令受領

き返して行つたのだつた。

翼を振つたのは、有難うといつたのだ。そして、さようならといつたのに違ひなかつた。誰だらう、あの飛行機に乗つてゐたのは誰だらう。私にはふと、ハイラルでかつて別れた、あの沈着さうな飛行將校の顔が思ひ出された。

はじめてみた自爆の壯烈さに、からだが震へて仕方がなかつた。みんな、草の上に坐つて泣いてゐた。ガソリンを積んだままの自爆といふものは爆彈よりももつと凄く威力があるといふことを私はあとで聞かされた。

○吉田照準手

晝間は相變らず激戰がつづいた。あるときは一分間に三十八發も敵の彈が落ちた。彈の音がシユツ、シユツとするのは、その音がしたときはもう彈は頭の上を通り越してゐるので、怖くはなかつたが、近いのは、掩體壕の中へパツと白い光りが入ると同時に、ダーンといふ炸音であつた。目をギユツと閉ぢてゐないと、たいへんな砂けむりであつた。しかもその瞬間には、もう次ぎの彈がまた落ちてゐるのであつた。私達はそれで敵の集中射撃のことを睡眠藥といつてゐた。

兵站部附近

こんな釣瓶撃ちを二時間もつづけてやられると、體がクタクタに疲れて、たまらなく眠くなるからであつた。

犠牲者もだんだんでてきた。

八月になると、私達の分隊は、段列から砲列へ廻された。いままでは大砲の並んだ位置から少し離れたところにゐたのだつたが、こんどは直接大砲を撃つはうに廻された。

凄い顔觸れの署名がある國旗で私を驚かした吉田一等兵は、私達の照準手であつた。年が若くて、頭腦が明敏だつたからである。照準手といふのは、速く細かい計算をしなくてはならないので、だれにでも出來るといふ仕事ではなかつた。

吉田は立派にこの仕事をしてゐた。

その吉田があるとき腸をこはした。それは苦しさうであつた。私達が、吉田、休め、誰かがそのあひだ代つてやつてゐるからといつても、責任感の強い吉田は休まうとしなかつた。

我慢しながら照準手の位置についてゐた。たうとう、腸をこはしてから四日か五日目になつて、彼は非常に惡い顔色になつてきた。私達は、

「おい、休めつたら休め」

と強くいつた。彼もさすがに我慢が出來ないと見えて、

「ぢや少し休まして貰はうか」

といつて壕の中へ入つた。

壕の中で、吉田は二三日からだを養つてゐた。

そのとき、敵彈が私達の分隊のま上へきて、分隊からも犠牲者が出た。それは、吉田に代つて照準手となつた兵隊であつた。その死んだ位置は、いつも吉田の立つてゐるところであつた。

吉田はこれをたいへん氣にしてゐた。

「彼奴は俺の代りになつてゐて死んだんだ。俺が殺したも同様なんだ」

これで吉田が、吉田自身を責めることは非常なものであつた。

「それは人間の運、不運といふものだ」

さういつて私達は慰めたが、吉田は私達の言葉に耳をかさなかつた。

「済まない、彼奴にすまない」

さういつて、すつかり無口になり、私達ともあまり口をきかなくなつた。

吉田は然し、無口になつたといつても、蒼白い憂鬱な兵隊になつたのではなかつた。おそろし

く強い兵隊になつたのだつた。

彼は照準手として、まつたく彼の全生命を、彼の受持ちの大砲に注ぎはじめた。大砲即吉田、吉田即大砲であつた。敵彈が間近かに落ちると、私達はハツと掩帯壕の中へ入るのだつたが、吉田はそんなときも大砲の傍を離れなかつた。時には大砲の下へ身をかはすことはあつても、その爆煙がサツと風に吹き拂はれて行くと、大砲の傍に凛然と立つてゐるのは吉田照準手であつた。

なにか吉田と大砲とには相通ふものがあつた。吉田の勘といふものは、精密な機械による觀測よりも的確なことがあつた。

私達は吉田が大砲の傍に立つて敵陣を睨みつけてゐるかぎり、私達の撃ち出す砲彈は、確實に一彈一彈、敵陣地を爆破し、敵兵を空へ舞ひあがらせてゐることを信じてゐた。

その吉田照準手も、ある日の戰鬪に、見事散華した。かつて彼の身代りとして一人の戰友が飛び散つたと同じ場所で同じやうにその一命を國に捧げたことは、彼の本望に違ひなかつた。

無口な、冷靜な、動かすことの出來ない強さを見せて、私達のよき戰友であつた吉田をとられたことは、私達分隊の大きい損失であつた。

その後、大砲さへみれば私達は吉田照準手を思ひ出してゐた。

砲列陣地

○爆　撃

ある日、非常に高い空の上で、ヒューといふ、妙な音がした。砲彈の音かと思つたが砲彈の音でもない。なんだらうと思つて壕から出てみると、それは八十機ぐらゐの、敵の大編隊だつた。

「ヤツ、敵の重爆だ」

といふ間に、ダーン、ダーンと爆撃がはじまつた。

私達は壕へ入る間もなく、草の根にしがみついた。三十米ぐらゐの距離に落ちるやつは、私達のからだを一尺も空へ吹きあげた。三十米以内に落ちられると、命がなかつた。

次ぎ次ぎと周圍の地面が掘りかへされて行つた。然し、敵の高度があまりにも高すぎるので、倖ひに命中はしなかつた。

さうした空爆は晝間ばかりでなく、夜も行はれた。夜のはうが不氣味であつた。

砲聲がハルハ河の兩岸にやんで、夜がくると、空襲があつた。

爆音がすると、私達は壕を出て空をみるのだつたが、よく見てゐると、澄んだ空に、一面にまき散らされた星の中に、チラ、チラと明滅するものがあつた。その星の下を、爆撃機が通つてゐ

るのであつた。いつも非常に高かつた。だから落す彈も當らなかつた。然し晝間よりも、姿が見えないだけに、なんとなく無氣味だつた。

晝はおひおひと馴れて行つた。地上掃射を受けるときでも、キラツと敵機が火を吐いてから、彈が地上に届くまでには、ほんの僅かだが時間があつた。そのあひだに私達は壕の中に飛び込むことが出來るやうになつた。

敵から掃射されても、なかなか彈には當らなくなつた。私達は壕へ飛びこむことがまづ第一に早くなつた。そして、もし敵機が右から來た場合は、右側の壕の壁に身を押しつけた。左から來るときは、左側の壁にぴつたりとへばりついて掃射に備へた。さうすれば、完全な死角に入るわけであつた。

空襲ではこんな可笑しいことがあつた。

私達は一人の俘虜を炊事のはうに使つてゐた。暢氣といふのか、俘虜はぜんぜん私達に心を許してゐて、なんでもよく働き、私達のうちの人氣者だつた。

この俘虜は、ソ聯の飛行機が飛んで來て、私達の陣地を掃射するとき、私達が壕へ飛び込んで小さくなつてゐるのに、ひとり、自國の飛行機だとばかり、草の上に泰然としてゐた。そのかは

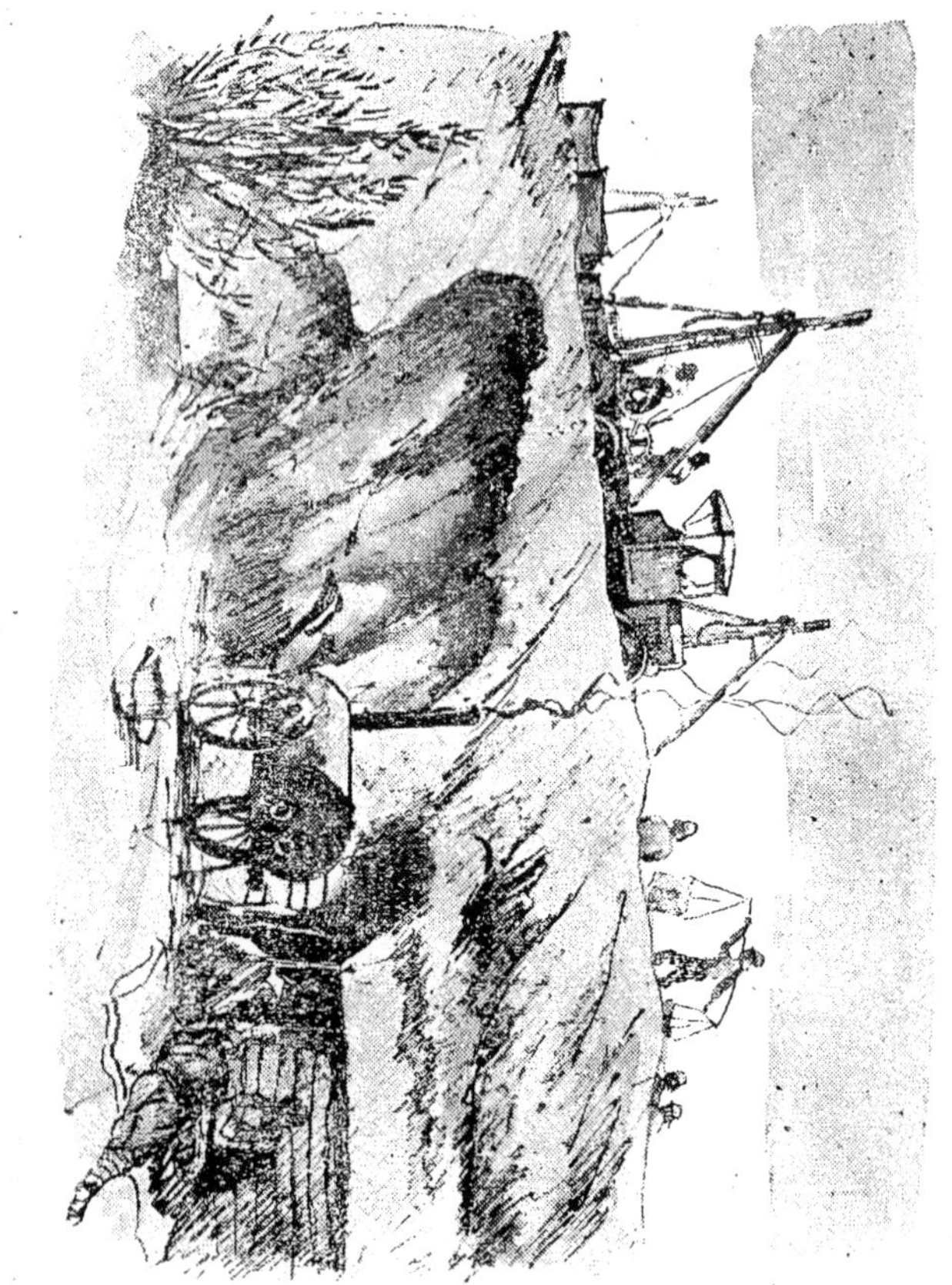

露排作業

り、友軍の、日本の飛行機が頭上へくると、自分が日本の陣地ゐることを忘れて、草の中へでも、荷物の中へでも、頭をつつこんでゐるのだつた。

はじめのうちは、敵機の音さへ聞けば、自分達をねらつてゐると思つて壕の中に逃げこんでゐたが、なれて來て、よく注意してみると、隣の隊をねらつてゐることもあり、後方を掃射してゐることもあつた。それからはおひおひと、音がしても、まづよく空を見るといふ主義をとることにした。

だんだん馴れると、たうとうこれを射ち落してやらうといふことになり、小銃でよく射つた。渡邊隊長から、一臺落したものには官給品の羊かんを一本やるといふ懸賞が出た。私達は、我こそ羊かんをせしめてやらうと、飛行機が來ると小銃を持ちだして射つたが、なにしろ相手は非常に早いので、なかなか當らなかつた。從つて殘念なことに羊かんをせしめたものもなかつた。

日本の飛行機はたいへんスマートで、色も銀いろして胴體が長かつたが、ソ聯のE十六、E十七といふやつになると、色はダークグリーンで、形がづんぐりとしてゐて、それに赤い星だつたから、すぐにそれと分つた。

音も違つてゐた。

だから壕にゐても、敵か味方か、音で分つた。

ソ聯の飛行機はづんぐりしてゐる形が虻に似てゐるところから、虻といふ名がついた。虻だッといへば、ソ聯の飛行機が來たといふことであつた。

○水

空襲には參らなかつたが水には參つた。水は輜重が自動車で搬んで來てくれて、後方の段列に置いてゐるのだつたが、私達は砲身が赤くなるまで、敵に彈を浴せかけてゐて水を取りに行くひまがなかつたし、よし取りに行けたとしても敵の砲彈はひつきりなしに飛んでくるし、這つて取りに行く途中で地上掃射をうけたりした。

それでもまだ輜重が搬んでくれるうちはよかつたが、ハルハ河を睨んで、大砲を撃ちあつてゐるうちに、敵の戰車が後方へ廻つて、輜重も自由に搬んで來られなくなつた。

なんにしても炎天の下の戰闘なので、咽喉が非常にかはいた。それなのに、水は不自由になるばかりで、それまで一日にコツプ二杯は飲めてゐたのが、たうとう一杯にされてしまつた。しかもドラム罐の傍に歩哨が立つやうになり、この歩哨がチャンと手帳につけてゐて、二杯のまうと

思つて行つても、

「オイ、お前はもう今日は一杯飲んだぢやないか」

といふふうで、嚴重になつた。

さうしてゐると、だいじなそのドラム罐の中にぼうふらがわきだした。私達はそのぼうふらのわいた水も構はずにのんだ。フツと吹いてやると、ぼうふらは息で少し向ふへ流れて行つた。その隙にグツと飲んだ。二三匹は口へ入ることもあつた。

なんとかして水がないかと思ひ、壕の中を四尺も掘ると、水はジクジクと出るには出たが、それはまつ白な曹達分を含んだ水でとても飲めなかつた。

水の不足は死ぬ思ひだつた。

しかも私達の陣地から十丁ほど行つたところに、ハルハ河の支流ホルステン河が流れてゐた。そのきれいな流れは、私達の陣地から左手にいつもよく見下ろせたのだつた。けれども、私達の陣地からもよく見えれば、敵のはうからもまる見えなので、そこへは汲みに行けなかつた。

併し、そんなことは言つてゐられなかつた。ある日十人の決死隊が募られた。十人の決死隊は一人で五人分ぐらゐの水筒を身につけてホルステン河へ水汲みに行つた。うまく行つてくれれば

飯炊き

いいと、私達が咽喉をグビグビいはせて待つてゐると、その方角へやたらと大砲の彈が落ちた。十人の決死隊は、はふはふの態で歸つて來た。水筒の中には、入つてゐるものもあり、入つてゐないのもあつた。けれども、大砲の射撃をうけながら、十人が十人とも無事に歸つて來た。

そのことが私達を大膽にした。なんといふのか、咽喉を掻き破りたいほど水が欲しかつたので、私達は、ぢやア、みんなで行かうと、死ぬこともなにも考へずに、ホルステン河へ出掛けた。

ホルステン河は、河幅が二丁ぐらゐあつた。然し、水の流れてゐるところは、そのまん中の四間ぐらゐの間であつた。私達が河岸へ着くと、敵はまたも大砲を射つて來た。彈は豐富だと見えて、盲滅法に射つて來た。そのときも二百發ぐらゐ射つてきたが一發も當らなかつた。

「敵の彈が當るもんか」

水の飲みたい一心から、雨と降る砲彈の中を、沼のやうななかへ足を入れて、中流へと歩いて行つた。

一丁ほどゆくと、冷たい流れがあつた。深さは胸まであつた。底は石と砂であつた。

私達はグイグイと、その水を飲んだ。ホルステン河を渡らうとして、日本の彈に當つて死んだ敵兵の屍體があつて、それが堪らなく臭かつたが、私達は構はずにその水を飲んだ。

歸つて來て隊長に報告した。あんなに彈が當らないんだつたら、虱のわいてゐる褌なんかを洗濯してはどうでせうかといつた。

「それぢや、四五人づつで行け」

隊長からも許しが出た。

私達は四五人づつ交代でホルステン河へ泳ぎに行つた。みんな洗濯をしたり、からだを洗つたりした。

そのなん度めかの組のときであつた。敵の彈が二十米ぐらゐのところへ落ちだした。みんなは吃驚して岸に飛び上ると、そこに脱いであつた軍服をつかむなり、まつ裸で駈け出した。

馬鹿にしてゐた敵の彈も、やうやく照準がついたらしく、私達の洗濯場へ當りだしたので、ホルステン河へも行けなくなつてしまつた。

いつ方、輜重からの水はますます缺乏して、三日間にコツプ一杯といふことになつた。

百二十度の草原で敵と間斷なく鬪ひながら、三日間にコツプ一杯の水では、苦しさを通り越して、眼はギラギラするし、咽喉は破れさうに痛いし、體も動かなくなつてくるのだつた。眠ると水の夢ばかりみた。米も一日に一度ぐらゐしか食べなかつたが、夢といへば水の夢であつた。

觀測所

そんなに私達の隊では水に苦しんでゐるのに、私達から二十丁ほどはなれたところにゐる〇〇部隊には、いい水が豐富にあつた。なにしろ三尺も地面を掘ると、きれいな水がドンドン湧くのだつた。〇〇部隊では朝それで顏を洗つたり、風呂を焚いて這入つたりしてゐるといふことであつた。

私達の渡邊隊長も、敵に射たれないやうに、隣りの部隊へ行つて、顏を洗つて來いといつたが、そのときには砲列の人數が減つてゐて、一人が三役ぐらゐ受け持つてゐた。觀測所からはいつ射てといつてくるか分らないし、そんなときに一人でもゐないと支障をきたした。水よりも命令がだいじであつた。隊長のやさしい許しは出たが、私達は命令を待つて砲列から離れることが出來なかつた。

それが、どうしたことか、隣りの部隊へ分つたものらしかつた。あるとき、突然、何かのついでに水を先方から持つて來てくれた。それは綺麗な、いい水であつた。

「水だ、水だ」

私達はこれをむさぼり飮んだ。それから、ちよいちよいつづけて持つて來てくれるやうになり、三日にコツプ一杯といふ苦しい狀態はやや緩和された。

夜になつて、こつそり取りに行けばいいやうなものの、夜出て歩くと、なにしろ目當てになるものがないので、よく道に迷つて危險だつた。

○葛　湯

私達の隊長は夕方、砲撃がやむと、かならず自動車に乘つて觀測壕から私達のところへ歸つて來た。そして、部下の狀態を見て廻ると、ふたたび觀測壕へ引き返して行くのだつた。

觀測壕といふのは、大砲の据はつたところから、いつも一里も二里も先きへ進出してゐて、敵の狀況をよく觀測しながら、後方の砲列へ、方向、距離を知らせて、砲撃の命令を電話で下すところで、そこには隊長が部下の將兵を連れて出張つてゐた。

ある日、れいの通り、一日の砲撃がすんだ夕方、隊長は自動車に乘つて私達のところに歸つて來た。

そして、壕から壕へ、いつものとほり部下を見舞つてくれた。

炊事班は隊長の顏を見ると、隊長のために葛湯を拵へにかかつた。

「部隊長殿、いま葛湯が出來ますから、飮んで行つて下さい」

炊事班がさういふと、

「いや、有難う、仕事が忙しいから、さうしてはゐられない、今日はこのま歸る」

隊長は葛湯の出來るのを待たずに、自動車へ乘ると、觀測壕のはうへ歸つて行つた。

それから、十分か、二十分まではたたなかつたと思ふ。電話がかかつて來て、觀測壕が全滅したからすぐ來いといふことであつた。

私達は自動車をぶつ飛ばして行つた。

彈といふものは不思議なもので、觀測壕の上の、一尺ぐらゐの穴から入つて、中で破裂したのだつた。隊長はじめ、八人の將兵は壯烈な最期だつた。

私達は遺骸を假繃帶所へ送り、そこで一人づつ毛布にくるみ、サイダーやタバコを供へた。方々の壕からも交代で亡き隊長の部下が來て、お別れを申し上げた。渡邊隊長はほんとにいい私達の「隊長(おやぢ)」だつた。原隊を出るとき、諸子の命を俺にくれといはれた。私達は喜んで隊長に差し出してゐたのに、その隊長が先きに死なれた。

ノモンハンに着いて、バルシヤガル高地に陣を布いてからのことであるが、隊長は觀測壕、私達は砲列と、晝間こそ遠く離れてゐたが、それでも電話がそのあひだに通じてゐて、夕方、砲撃

彈薬到着

がやむと、きまつて觀測壕のはうから自動車に乘つて隊長が後方の砲列へやつて來た。

「ご苦勞ご苦勞、變りはないかね」

さういつて、部下のこの日いち日の勞をねぎらふのが隊長の日課であつた。

この日も、もし炊事班の作りかけた葛湯を待つてゐて、食べて行つてくだすつたら、敵の彈になんか當らなくつてもよかつたのに、わざわざ私達は、隊長、ちよつと待つて下さいと、炊事班の引きとめてゐたのを見て知つてゐるだけに、諦めようとしても諦めきれないものがあつた。

ひとり來、ふたり來、壕からお別れにくるが、みんな隊長の傍から離れようとしない。たうとう兵隊が五十人ぐらゐも集まつた。まつたく肉親の親に別れた思ひで、早や秋の末を思はせるバルシヤガルの夏の夕方にぢつと頭を垂れてゐると、そこへ鷹司部隊長が入つて來られた。

鷹司部隊長は私達のまん中に立つて、渡邊隊長へ心からの敬禮をされたが、沈痛にただ默々と敬禮をされるばかり。やがて私達の方を見廻され、

「明日から隊長の仇を討つんだ」

ひと言、強くさういはれた。私達は、

「ハイツ」

とお答へした。それで、ふたたび力が湧いてきた。

(畜生ツ、隊長の仇だ)

私達は壕へ走つて歸つた。

然しその夜はなかなかにみんな眠れなかつた。

戰場へ來ると、お互ひを思ふ心といふものは、男とも思はれないほど細かいもので、戰友の死に對しても、私達はその戰友が最後の血を流した白つぽい砂の上には、かならず、誰某戰死のところと、棒杭に書いて立ててやつた。

晝間は戰闘で忙しくて見に行つてもやれないが、夜、小便に起きたときなど、あいつはいま頃さびしいだらうなと思ふと、その棒杭のところへ行つてやるのだつた。

「オイ……」

さういつて、砂に吸はれた血によびかけるのである。

「待つてろよ、俺もあとから行くからな」

生きてゐる者にいふのと同じやうに話をする。

夢をみたり、寒さで眼がさめたりして、夜中に壕を出てみると、降るやうな星の下に、さうし

插畫 一

て亡き戰友の墓標の前にうづくまつてゐる姿が點々と見かけられた。さうしては自分自身も、仲のよかつた戰友の最期の地へ行つて、ものを言ひかけたり、草を供へたり、石を積んでやつたりするのだつた。

○草場隊

ある日、友軍のある隊がノロ高地へ移るから、敵と間違へて撃たないやうに、といふ注意があつた。

氣をつけてゐると、その晩、暗くなつてから、私達の前を、砲兵の一隊が默々として通りかかつた。

それは、黒い影繪そつくりだつた。肅々としてホルステン河のはうへ傾斜を下りて行つた。なにか聲をかけたい衝動にかられたが、私達は一語も發せずに、ぢつと通りすぎるのを見守つてゐた。あとで聞くと、それが「ノロ高地」の著書で名高い草葉隊であつた。

○戰車

味方もずゐぶん頑張つて撃つが、撃つても叩いても、すぐに新手が加はつて、かずの減らない敵にはすこし呆れた。

あるときホルステン河のはうから、工兵が走つてきて、ノロ高地に戰車が現れたから、すぐ撃つてくれといつた。

それまで前方の砲兵を叩いてゐた私達は、よしツといつて、一門をノロ高地に向けた。高地にはなるほど四臺ゐる。傍若無人といふのか、敵兵が車上にすつかり姿を現して、獲物をさがしてゐるやうすだ。遠くからみるとノロノロ動いてゐる。

「畜生ツ」

腹の底から憎くなつた。高地から高地へ、直接照準でドカーンと打つぱなした。

途端に戰車のはうも頭を立て直して、ビューン、ビューンと戰車砲を撃つてきた。

「なにをそんなヒョロヒョロ彈が……」

二發、三發と撃つてゐると、パツと戰車から黒い煙があがつた。黒い煙の中に、メラメラと白い火の舌が見える。

「萬歳ツ、やつた、やつた」

私達はそのとき四人の戰死者をみた。そのかはり、敵の戰車を二臺やつつけた。

擱坐した戰車は夜中になつてもノロ高地で燃えてゐた。

それが、私達と戰車との初對面であつた。

その日以來、ずゐぶん戰車も叩いたが、なにしろそのかずが多く、夜となく晝となく、四方八方へ現れた。

なんとなく事態容易ならざるものが感じられて來た。

それは、草葉隊の移動する少し前だつたと思ふ。日にして八月の廿日前後であつた。

○夜　襲

それから私達は警戒をいつさう嚴重にしてゐると、夜になつて敵戰車が後方へも廻つてゐるといふことだつた。私達はおよそ私達のいま直面してゐる戰況が直覺できた。

急いで大砲を四方へ向けた。一刻の油斷もならなかつた。みんな大砲の傍へ附きつきりで一睡もしなかつた。

すると、左のはうで、なんだか、ガサガサと音がした。ソツと稜線から覗いてみると、闇の夜を這つて百人ぐらゐの敵が、私達の陣地へ肉迫して來てゐるのだつた。

あまりにその距離が近いので、思はずアツと聲を立てるところであつた。

「オイ、敵だ、敵だ」

私達は耳から耳へ傳へた。そして、その方向へむけて、零距離射撃の照準をつけた。

敵はソロソロと這ひ寄つて來た。

ガーン！

私達の大砲から出た彈は、砲口を出るなり破裂した。

ガーン、ガーン！

私達は肉迫して來た敵に對し、三發ほど零距離射擊をくはしてやつた。

あたりは濛々とした爆煙でなにがなんだか分らなかつた。私達は大砲にしがみついてゐた。

夜があけてから飛んで行つてみると、陣地の前には、約八十人ほどの敵兵の死骸が四散してゐた。

そのころから、次第に敵味方は入亂れ、私達の陣地へは、ハルハ河を越えた敵が群をなしてやつて來た。

前線空軍基地

ちやうどそのとき、突き出したある盆地に陣取つてゐた私達の隊へは、約八十臺の戰車が攻め寄せて來た。

然し、そんなものは平氣だつた。といふのは、私達は、砂地に出來た小山の、その火口の中にゐるも同樣であつたから、戰車が私達へ近づかうとするには、いち度傾斜をのぼつて來なければならなかつた。ところが、砂の山なので、戰車は車輪が空廻りしてあがつて來れなかつた。戰車砲を射つにしても、ぜんぜん死角に入つてゐるので射てなかつた。

私達はさうした地の利をしめて、ハルハ河に近い一點を固守しつづけた。右にも左にも、友軍が激闘してゐた。

私達は、自分達だけでもかならず、此の地點は確保してみせる、一步も敵をこれより內へは入れない、と誓つてゐた。

私達の前方へは、步兵が出てゐるはずであつた。その掩護のためにも、私達はこの一點を死守しなければならなかつた。

戰車は、ハルハ河に近い濕地の一方だけを殘して、さア、どうだといはんばかりに、ぴつしりと私達の陣地を圍んでゐた。

飛行機修理工場

私達はそれでも平氣な顔をしてゐた。友軍の飛行隊とも聯絡がとれてゐたからである。敵の戰車にまはりを取りまかしたまま、私達は其處に根を生やしたやうに居据つた。

双方對峙すること一日、二日……。

敵はいらつて、登れない山へ輕戰車を無理に登せてくる。その後ろから狙撃兵がやつて來るのだ。重機を四挺ぐらゐ持つて登つて來る。分隊長の、進めとか登れとかいふロシア語の號令がよく聞える。狙撃兵もウラーと叫んで登つて來る。それが、手にとるやうに聞える。

私達は、面倒くさいから聲だけで威さうといふことになつた。

ウラーとくる奴を、一二三で、ワアーツとやると、驚いて逃げて行つてしまふ。ひと晩なん回となくこれをやつた。結局突込んで來た敵はなかつた。

私達の中には、ワアーツといひながら、シャベルを持つて、逃げる敵を追つた兵隊もゐた。

敵はゆつくりと構へて、包圍を解かない。かうして吾々の自滅を待つつもりらしい。ただ狙撃兵が夜も晝も私達が頭を出すのを望遠レンズを覗いて待つてゐる。

敵の狙撃兵は、さすが氣がながい民族だけに、どれをでも、出て來た奴を射つのではない。彼處に壕があつて、あの壕には顔の丸い兵隊がゐる。その兵隊が頭を出すのは、いつもあの場所だ

――と、さう分ると、其處へ照準をきめて、氣永く、その顔の丸い兵隊が頭を出すのを待つてゐる。そのかはり、頭を少しでも出したが最後、バツと引き金(かね)をひけばいいのだ。

射撃は非常に正確で、狙撃兵の彈にやられた兵隊は、みんな額のまん中を射抜かれてゐた。それで私達は、壕から頭を出して敵狀を窺ふときは、まづシャベルを身代りにヒョイと出した。するとかならず、バツと來た。その際に、頭を一二寸出して、瞬間的に視て引つ込めるのだつた。シャベルはいつもまん中をきれいに貫かれてゐた。

うつかり頭も出せなかつた。

三日、四日……。對恃した敵はいつから突込んでは來なかつたが、吾々は食ひ物のないのに困つてきた。圍まれて以來、一滴の水も飮まず、一粒の米も腹へ入れてゐないのだ。

なにかないか、なにかないかとさがしてゐると、用意のいいのが乾パンを少し持つてゐた。それを一人に一つづつ分けてやつた。頭を出すと命をとられる壕から壕へ、見當をつけてポンと投げてやるのだ。

生憎その一つが、壕と壕の間へ落ちた。腹の空いてゐる兵隊は、それを取りに出ようとする。ちよつと頭を出してさへバツとやられるのに、ノソノソ這つて出たら體は蜂の巣のやうにな

る。やつと夜になるのを待つて私が取つて來た。

年の若い兵隊は、元氣で、勢ひがいいが、かうした狀態の戰爭になつてくると、年長の兵隊になるほど落着いてゐた。年長者がなつかしい〇〇歌を唄つて士氣を鼓舞してゐた。

〇エンヂンの水

そのうちに、山縣部隊の×隊と無電の連絡がとれた。それによると、すぐ近くに、山縣部隊の〇隊が頑强に應戰してゐるといふことであつた。

「吾々は一兵たりとも現在のところを引かないから安心されたし」

といふ無電がたびたび來る。それを聞くと、歩兵は元氣がある。なに、此方とつこ負けるものかと、非常に元氣になつた。

敵のはうでは、私達がだいぶ參つたものと思つたらしい。ソ聯らしい戰法に出て來た。

赤い星のマークをつけた飛行機が飛んで、青いカードを撒いた。

「何をいつてるんだ」

もちろん、私達はそのカードを手にとらうともしなかつた。

抵抗線に就く

山縣部隊の〇隊は頑强に鬪ひつづけてゐるやうすであつた。

私達はしつかりやつてくれと、その戰鬪の音をききながら、凹地の中から聲援を送つてゐた。

さうするうちに、機銃の音がなくなり、無電も怪しくなつてきた。どうしたんだらう、傳令を出してみようか、といつてゐるところへ、夜中に、十七人の兵隊が私達のゐる凹地に駈け込んで來た。

「どうした、後はどうした」

といふと、はじめから十七人で戰つてゐたといふのだ。吾々は一兵たりとも後へは引かじと、あの雲霞のやうな赤軍を食ひとめてゐたのは、この十七人だつたのだ。

「よくやつてくれた。ご苦勞さま、よくやつてくれた」

私達はその十七人の兵隊に抱きついて泣いた。

十七人はまた、

「申譯けありません。彈は最後の一發までうつたが、重機が燒けきれて、重機が燒けきれて動かなくなつてしまつたので……」

と泣いてゐた。

私達はこの神樣のやうな十七人に、私達としていちばんだいじな自動車のエンヂンの水を飲ました。それはガソリン臭い、機械臭い水だつたが、十七人の人達は喜んでくれた。

なにか食ひものもあげたかつたが、グリコが一粒に乾燥人參が少ししかなかつた。それを食べて貰つた。グリコはナイフで少しづつ削つて十七人にわけた。十七人はそれでも喜んでくれた。

山縣部隊の兵隊がそんなものでも喜んで食べてくれると、私達はそれが嬉しくつてまた男泣きに泣いた。

〇手榴彈

そのあひだも、敵の戰車はどうにかして登つて來ようと努力してゐた。けれどもやつぱり砂なので登つて來られない。

すると、戰車が登れるところまで登つて來ると、そのなかから狙擊兵が出て來て、手榴彈を投げ出した。

その前までは、シャベルなどを持つて、聲でおどかしてゐたが、戰法が手榴彈と變つたので、私達も工夫した。よく研究してみると、敵の手榴彈は、地面に激突するとすぐ破裂するが、手で

敵戰車を擊つ

受けとめれば大丈夫といふことが分つた。

それは危險なことであつた。受け損じてやられた戰友もゐたが、さうしなければ尙更犧牲が多かつた。私達は圖體の大きい狙擊兵が、少しのろまなモーションで手榴彈を投げてよこすと、ヨイショと受けとめて、すぐ投げかへしてやつた。

死のキャッチボールだつた。受け損じたら死ぬのであつた。

受けるのはコツがあつた。手で受けるか、からだで受けるかするのだつたが、野球の要領で、受けた瞬間、ヒョイと引いて受ければ、それだけやはらかく受けられるのだつた。

〇聯　絡

私達の部隊でも、負傷者を後方へ運ぶことになつた。馬場准尉がその命令を受け、

「小川、お前運轉しろ」

といつた。私達は後方へ聯絡のある重い任務も負はされた。

私達は一台の自動車を用意した。窓硝子は射たれたとき危いので全部はづしてしまつた。

エンヂンを調べると、エンヂンは調子がいい。

月は明るかつたが、夜中の二時から三時まではまつ暗になる。その間をねらつて出ることにきめ、夜を待つた。

いよいよその時期が來た。負傷者を八人、座席へ詰めた。馬場准尉と私とが運轉臺へ乗つた。屋根にも三人の護送の兵隊がかぢりついた。

行かう、死んでもとの圍みをつき破つて行かう。エンヂンをかけて、闇をすかしてみた。大丈夫らしい。私は馬場准尉の顔をみた。

「小川、やれツ」

准尉は低いが、つよい語調で命令した。然しその眼は、前方をみつめたままであつた。

私はソロツと自動車を出した。自動車は砂の上を、やはらかくゆれて前進した。前方が空ばかりになつたときガクンと前部が下を向いた。盆地の外の斜面を下り出した。射つて來ない。有難いことに分らないらしい。

「奨ツ」

私は力いつぱいアクセルを踏んだ。

ガツと自動車が走り出した。

なにがなんだか分らなかつた。ただ、自動車の頭を北へ向けて、走りに走りつづけた。

十分、二十分、三十分、私達は無事に重圍を脱したと思つた。

そのとき、ババツとうたれた。私達の自動車は、なにかに蹴つまづいたやうに止まると、フワりと宙に浮いて、横へ倒れた。

屋根にゐた兵隊は反對側へ飛び降りてゐた。私達も運轉臺から飛び出した。私達の行手に戰車の黒い影がボーツと二つ見えた。自動車は車輪をやられたらしかつた。

私達は急いで負傷者をかつぎ出し、ひとかためにして草でかくした。それから、五人で抵抗線についた。

あたりへ眼をくばつてゐると、すぐ夜があけた。すると、ガーツと音がして、さらに敵の戰車が六臺ぐらゐ來た。

私達をさがしてゐるが、分らないらしく、グルグル廻つてゐる。

と、また一臺のトラツクに狙撃兵が十八、九人乘つてやつて來た。

私達は柳の枝を頭からかぶつて凝乎としてゐた。

然し、私達の誰かが動いて、その氣配で所在が敵に知れたらしい。トラツクから狙撃兵が降り

空爆

て散開した。

ババババツ、ババババツと輕機を撃ちながら進んで來るが、私達は壕に入つてゐるので、頭の上を通つて行く。

「小川、近寄つて來てから撃てよ」

馬場准尉がソツといふ。

そのうち五十米ぐらゐに近づいて來た。敵の顔がよく見えた。

バーン！

私は右手で拳銃をつき出したが緊張しすぎてゐるせゐか、ぶるぶる手先がふるへて狙ひがつかないのだ。馬場准尉が傍から「兩手で撃て！　兩手で撃て！」と怒鳴つてゐる。私は兩手にしつかり拳銃を握つて撃つた。面白いほど敵がひつくりかへつた。それでも敵は、三十米ぐらゐにまで近づいて來た。そのうち私も度胸がきまつて、右手ひとつで撃てるやうになつてきた。

（畜生、負けるものか）私はもう壕から頭を出して、照準をつけて射つた。命のある限り、だいじな負傷者は渡せないのだ。

そのとき、私は右手をガンとやられた。まつたく丸太ん棒でぶんなぐられたやうな感じだつた。

ふり振くと私達の背後にはいつの間にか敵の戰車が廻つてゐた。しかも、それが三臺で、戰車の上には上半身を現した敵の將校がひとり、煙草をくゆらせ乍ら、あれを撃て、これを撃てといふやうに、私達五人の背中をいちいち指さしてゐるのまではつきりと見てとられた。

私のまへに居た戰友が撃たれたので、私は心配で、ヒョイと立ち上がつたところを後ろからやられたのだつた。アツと思ふと同時に、そのとき又、前方の輕機で顏をガンとやられた。口に燒火箸でもつつこまれたやうな氣がした。それからどやどやと敵兵が雪崩れてきたまでは憶えてゐるが、それからあとは朦朧としていつしか私は意識を失つてしまつた。それはたしか、九月廿八日のことであつた。

○星　空

あんまり寒いのでフツと眼をあけると、私の上には、澄みきつた空が大きくかぶさつてゐた。キラキラ光るものを、瞳をこらしてみると、それは美しい星だつた。

靜かであつた。なんだか夢のやうな氣持だつた。ソツと顏を動かすと、私は草の上に寢てゐるらしい……。

空爆孔

首からうへの感覺がぜんぜんないので、自分にも首があるのかないのか分らない。然し、ともかく首もある、生きてもゐるといふことも分つた。

けれども、生きてゐてももう駄目だと思つた。まつたく、見るものが黄色く見えて、法がないほどに眠い。

ソツと手を見ると、右手の手首がない。これは繃帶をしなければと思つたが、繃帶は上衣の左の奥に入つてゐるので出せない。仕方がないのでゲートルを解いて、クルクルと卷きつけた。

それから、負傷者はどうしたらうと思つた。

すると、一人、同年兵で、私と一緒に負傷者を運んで來た青柳上等兵が生きてゐるのに氣付いた。

這つて行くと、

「小川か」

といつた。水がほしいといつたが、水はない。

私は青柳上等兵の手を握つてゐた。私も自分は駄目だと思つてゐたので、死ぬなら一緒にと、青柳上等兵の手を握つて、星を眺めてゐた。

そのうちに、青柳上等兵が私の手をギューツと握つた。

「青柳、オイ、青柳――」

青柳はもうなにもいはなかつた。

私も朦朧としたままで死ぬのを待つてゐると、零下七八度の寒さが、おもはず意識をよびさましてくれた。

私は負傷者のことが氣になつた。

心覺えの、草でかくしたところへ行つてみると、星の光りに、負傷者は美しい顏をしてみんな死んでゐた。

それを守つて、馬場准尉も、他の二人の戰友も、なす可きことをなし果した、神樣のやうな顏で死んでゐた。私はその中へ、崩れ折れると、そのままふたたび意識を失つた。

○ノモンハンへ

曉方近く、三度び私は生きかへつた。

私は、さうだ、自分達には重い任務があつたのだと氣がついた。死んではならないと思つた。フラフラと立つて歩き出した。闇の中を少し行くと、ボーツと白いものが砂の上に見えた。それは自動車の往復した跡であつた。私はこれがノモンハンへ行く最短距離だと思つた。

ホルステン河が白く下のはらに見えた。と、思ふとまた寢てしまつた。

私を蹴飛ばす奴がゐた。私はねむつてゐたらしかつた。それがなん度めかの眠りか、それがどこか、そしてまたそれが何日なのかもわからなかつたが、ともかく私はねむつてゐた。

私は敵だと思つた。とつさに拳銃と思つたが拳銃はない。牛蒡劍をぬかうとしたが抜けない。焦つてゐると、

「オイ、オイ」

と聞える。

それは、味方の三人の聯絡兵だつた。

「こんなところに寢てゐちや仕方がない。僕らと一緒に歩かう」

といふ。

それから四人になつて、いたはられながらあるきだした。

ホルステン河の岸に出た。沼のやうな泥をわけて、半丁ぐらゐのホルステン河を渡るのに、四時間ぐらゐかかつた。

向ふへわたるとなにか光るものがあつた。

見ると敵の炊事をしたあとに、牛罐の空があつた。その底に少し牛肉が殘つてゐた。

私達はそれを食つて、ホルステン河の水を飲んだ。夜があけると穴を掘つて、穴で寢た。

それからは晝になると楊柳の間にねて、夜歩くことにした。

夜は霧が深くて、ぜんぜん方角もなにもわからなかつた。

併し私達は北斗七星をたよりに、見當をつけて歩いて行つた。

また朝になつた。

沙漠に出た。ぜんぜん砂だつた。そこを四時間ぐらゐかかつて歩いて行つた。こんどは晝間でも構はず歩いた。砂の上はスリツプするから戰車が通らないと知つてゐたからである。

砂の上の晝間は暑かつた。傷ついた身には、暑い砂の上を行くことは、一歩一歩が、たいへんな努力であつた。

四人のうちの二人が、もうノモンハンは近い、俺達で行つて、迎へに來てやるから、二人は此處で待つてゐろ、といつた。

私と、峰田といふ、中學校の英語の先生をしてゐたといふ兵隊が殘ることになつた。その兵隊は手と足をやられてゐた。

二時間ぐらゐ待つてゐたが迎へは來ない。これは待つてゐても仕方がない、二人の足跡をつけて行かうと、歩きだすと、一時間ぐらゐで沙漠が切れた。

草原へ入つて二丁ばかり行くと、そこに二人ともやられてゐた。そこには戰車のキヤタピラーの跡が、グツと急轉廻したらしくついてゐた。

これは危いといふので、二人とも穴を掘つてまた夜までその中で待つことにした。

夜になつた。然しもう歩く元氣がなかつた。

その夜は寢て、翌日、明るくなつてから私達は歩きだした。

四時間ぐらゐ行くと、私はもうまつたく參つてしまつた。

その時、つれの峰田といふ聯絡兵は私の前二丁ほどのところを先きに歩いてゐた。

少し、上りになつたところがあつたが、そこへ來ると、峰田が急いで私のところへ引き返して來た。

「しまつた。敵のはらへ出てしまつた。あの小高いところの向ふは、敵の自動車でいつぱいだ」といつた。

野砲隊の移動

「よし、俺が見てみよう」

私は峰田と傾斜面を這つてのぼつて行つた。

頂上に行つて、稜線からソーツと覗いてみた。なるほど、自動車がはるかの低地にゐる。らんと集結してゐる。

「有難い」

私は思はず叫んだ。それは友軍だつた。自動車の形で分つた。それは見なれた國産のが多かつた。

私は立ち上がつた。

峰田は私に飛びついた。

「危い、馬鹿なまねをするな」

然し、私に見誤るはずはなかつた。

「友軍だ、あれは友軍だ」

「馬鹿をいふな。なにが友軍だ」

峰田は私を離さなかつた。


「よし、それぢや見てろ」

私は峰田をふりほどくと、片手を振りながら傾斜面を向ふへ駈け下りた。それと見た友軍からは、なん人かの兵隊が、銃を持つて私のはうへ駈けあがつて來るやうすであつた。

倒れさうになるのを、一歩、一歩、私は手を振つて友軍のはうへ近づいて行つた。

友軍にも、私が負傷した日本兵だと分つたらしかつた。バラバラツと駈けつけて來てくれた。

「オイ、しつかりしろ。味方だぞ」

私は救はれた。

峰田も救はれた。

なん日、いつたい、なん日間、私は友軍に會はうとして歩いて來たことであらう。私の任務はいま果されたのだ。

同じ血の兵隊は私達に水をくれ、飴をくれた。

私はただ合掌するばかりであつた。

そこに集結してゐた精鋭なる友軍の大部隊は、これからハルハ河へ向けて、敵を驅逐し、殲滅せんとして行くところであつた。


「よし、俺達が引きうけたから安心しろ」

私は野戰病院へ送られることになつた。

第三章 更生篇

165

○野戰病院

天幕張りの野戰病院へ運ばれて行つた。そこはまたハイラルに遠いところであつた。

顎髯の生えた軍醫が私をみるなり、

「これはハイラルまではもたん。すぐやつてしまはう

といつた。

紙に包んだ蠟燭の灯の下で手術がはじまつた。やつと注射藥が二本あつたので、それをうつてくれた。

右腕のつけ根のところをゴリゴリやられた。痛くないだらうと思つたら、痛かつた。

軍醫が、

「なんだ、こんな擦傷ツ」

といつた。

二分ぐらゐで私の手術は終つた。私は私の右腕と別れたのだつた。

繃帶をまいて貰つてゐると、敵の戰車の襲撃を受けた。私は足を持つて、ソーッと壕の中へ引き摺り込まれた。

衞生兵も應戰してゐるらしかつた。私はまつ暗な中で顔などを踏まれた。

倖ひ近くに歩兵がゐて、敵をすぐ速射砲で追つ拂つてくれた。

繃帶がすむと、ハイラルへ歸るトラックの便があつて、これに乘せて貰つて野戰病院を立つた。

その頃から傷が猛烈に疼きだした

一緒に乘つてゐた兵隊が上衣をかけてくれた。煙草を吸はしたりしてくれたが、その煙草は傷のためによく吸ふことが出來なかつた。

ハイラルに近くなつてソ聯の飛行機の地上掃射をうけた。

乘つてゐた兵隊は飛び下りて應戰にかかつたが、負傷者は降ろせない。

私は觀念してぢつとしてゐた。

彈は外套を、ブスツ、ブスツと射拔いてゐたが、からだには當らなかつた。

そんな道程を經てやつとハイラルへ來た。

「ハイラルへ來たぞ。もうすぐだぞ」

と、敎へてくれる兵隊もあれば、

「安心しちやいかんぞ。安心しちやア死ぬぞ」

と、怒るやうに言つてくれる兵隊もゐた。

トラックの上に仰臥したまま眼をあけてゐると、サツと走つて行く電柱をみた。

それから、汽車の蒸氣を吐く音をきいた。

「ほんたうにハイラルへ來たんだな」

やつと人里へ出て來た思ひがした。

併し、この町には電燈一つついてゐなかつた。完全な燈火管制中であつた。

○ハイラルの病院で

ハイラルの病院へ着くと、部隊名と、姓名をきかれたが、口があけられないのでいふことが出來ない。それぢや紙に書けといはれたが、左手だし、書く氣力もなかつた。

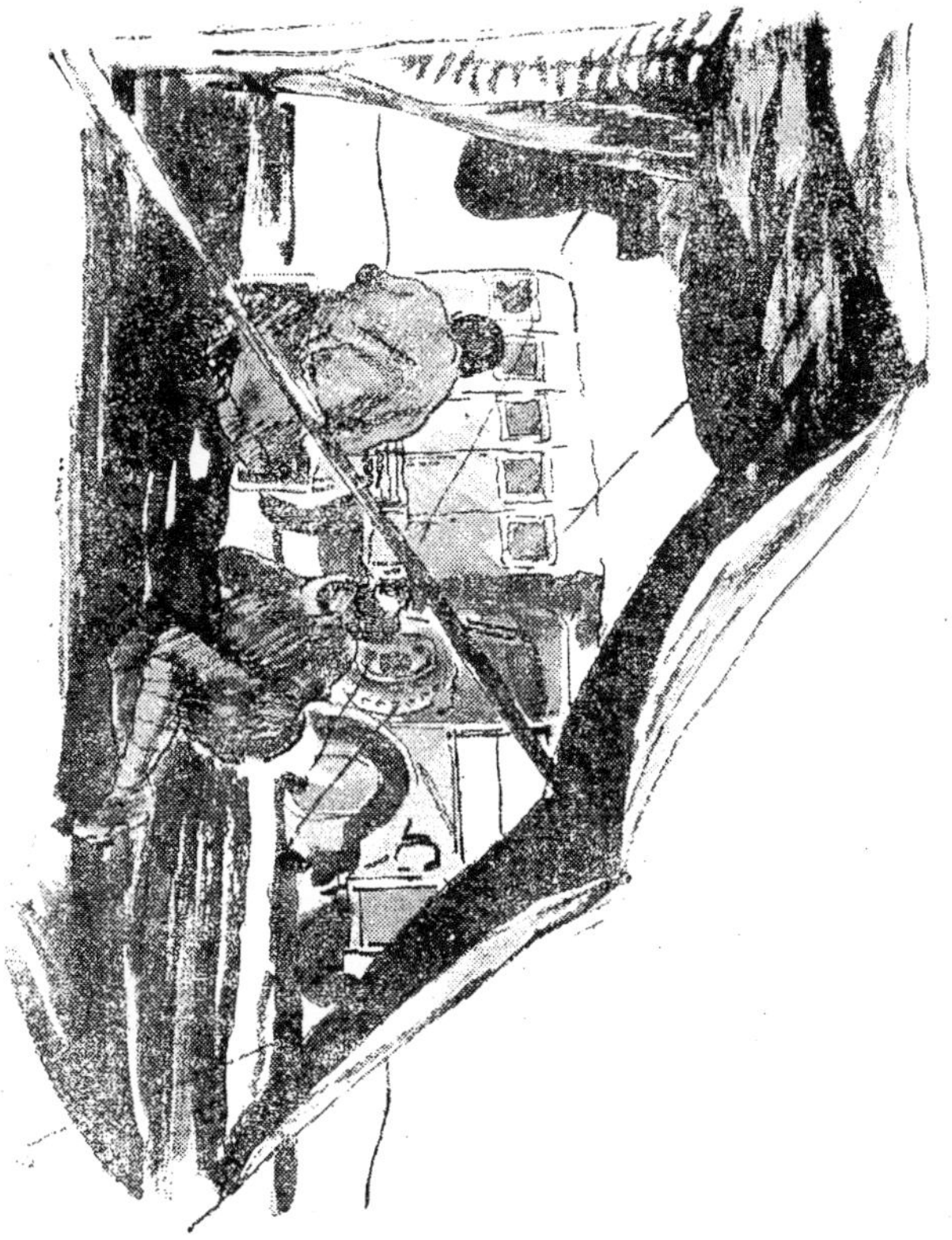

夜の二時ごろ、手術室へ運ばれて行くと、軍醫が十人ぐらゐゐた。軍醫は飯を食ふひまもないのか、手術臺の傍に握り飯を置いてやつてゐた。

若い軍醫は私の傷を一應診ると、

「よく働いた。褒美にいいものをやるぞ」

さういつて、私の口に煙草をくわへさせてくれた。

「恩賜の煙草だぞ、そのつもりで戴けよ」

私はハツとなつた。涙がドツと出た。褒美といつて、それ以上の褒美があるだらうか。もつたいないと思ひながら吸つたが、然し、傷のためにやはりうまく吸へなかつた。

煙が咽喉へ殆んど入つてこない。

「あツ、さうだ、さうだ」

さもそれが自分の手落かなにかのやうに、若い軍醫は大きい聲を出した。

私も恩賜の煙草の有難さに、瞬間、傷のことを忘れてゐたのだ。

私が笑ふと、軍醫も笑つた。

けれども、舌に殘つた煙草の味は、有難く、おいしかつた。


咽喉が非常にかはいて來た。私がまた、軍醫にそれを訴へると、

「よし、それぢや、コーヒーをやらう」

親切な軍醫であつた。自分は飯を食ふひまもなく、血に染まつた手で握り飯をほほばりながら働いてゐるのに、よく私達のことに氣をつけてくれた。

その軍醫は、一人の看護婦さんに、軍醫の部屋からコーヒーシロツプを持つて來いと命じてくれた。

私はコーヒーと聞くと耳を疑つた。なにか別なものの名前を軍醫はいつたのではないかと思つた。それだけに、コーヒーが飲めると分つたときは嬉しかつた。

然しその看護婦さんも用事が多くて、取りに行けない。私はぢつと待つてゐられなかつた。

通りかかつた看護婦さんに、軍醫さんが部屋からコーヒーシロツプを持つて來いといつてゐるといつたが、これがぜんぶ手眞似なので分らなかつたらしい。

その代り、蜜柑の罐詰を持つて來てくれた。

おつゆを吸はせて貰ふと、甘くて、非常にうまかつた。實を食べようとしたが噛む力も、飲み込む力もない。看護婦さんが自分で噛むと、いきなり口移しで私にたべさしてくれた。

私は恐縮した。然し、その顔も、名前も覺えてゐない。訊く力もなかつたし、眼も見えなかつた。お禮さへ云へなかつたが、その看護婦さんの白衣が、負傷者を抱くので、まつ赤だつたことだけを覺えてゐる。

○ハルビンの病院

翌日、ハルビンの病院へ送られた。

病院列車へのせられた。廣軌なので、車内がゆつたりして氣持がよかつた。擔架にのつたまま窓から入れられるので、ちよつと怖かつたが、衞生兵は馴れてゐて少しの危氣もなかつた。

年をとつた衞生兵がゐたが、非常に親切にしてくれた。女のやうに細かい心遣ひで、よくいたはつて、なんでもしてくれた。

この老衞生兵は殆んどもう一年、汽車に乘りづめだといつてゐた。北支、中支、ノモンハンと戰場を三つも移つてゐて、その間ぢう汽車に乘りづめだといつてゐた。

それで、汽車が驛にとまると、すぐに飛び降りて、土の上をさもなつかしさうに踏んでゐた。

○○○といふ驛につくと、たくさんの賑やかな見舞ひ人があつた。その中に白系露人の女や子供もゐた。

さも親しさうに、人のいい笑みをたたへながら、花をくれたり、グラフの古いのを呉れたりしたが、ついさつきまで、殺すか殺されるかの戰ひをして來た露西亞人に、たとへ色は白色でも、かうして慰問されるといふことは、なんだか私には割りきれなかつた。

だいいち、彼らの氣持を想像しても、自分達と同じ血の通つてゐる者と殺し合ひをして來た異人種を、あんなにも平氣で慰めることが出來るだらうかと思はれた。

彼女達は、ほんとに人なつこさうに慰問してくれた。然し、さうであればあるほど、私達、病院列車全部の兵隊には、なにか分らないものがあつた。

彼女達が降りて行くと、なまめいた脂粉の香と一緒に、腋臭のやうな、異人の體臭が車内に殘つた。然し、子供達は可愛いかつた。子供達は青い眼をクリクリさせて、私達をさも痛いだらうといふふうにみたり、なにか慰めようとする好意から、可愛らしく笑ひかけたりしてゐた。

車内で新聞や雜誌を見せて貰つたが、これはまた別な意味で、生きかへつた氣がした。それほど嬉しかつた。

九月六日、ハルビンの陸軍病院へ入つた。

ハルビンは涼しかつた。

ずつと市街の外れにある陸軍病院へは、自動車で運ばれて行つたが、私はハルビンの街が見たいので、痛いからだを横にして、自動車の上から眺めて通つた。

がつしりとした重厚な建物がならんでゐた。そこに書かれてある看板のおほくは、一風變つた露西亞文字で、靴屋の看板も、パン屋の看板も珍しかつた。

道はゴロゴロした丸い石で鋪裝されてゐた。その石の上を、馬車が、カツ、カツと音を立てて走つてゐた。

馬車、自動車、人、その中を縫つて私達の大きい自動車は走つた。

露西亞人の男女をみた。それは戰線でみた殺風景なものではなかつた。

女の、スラツとしたからだが、美しかつた。さつさと歩いて行くのが、さも輕さうだつた。つんとした鼻、紅い唇、逞しい首すじ、張りきつた胸、いろいろなものが、私の網膜へスケツチされた。

寺院があつた。尼さんがゐた。それも眼の底に殘つた。

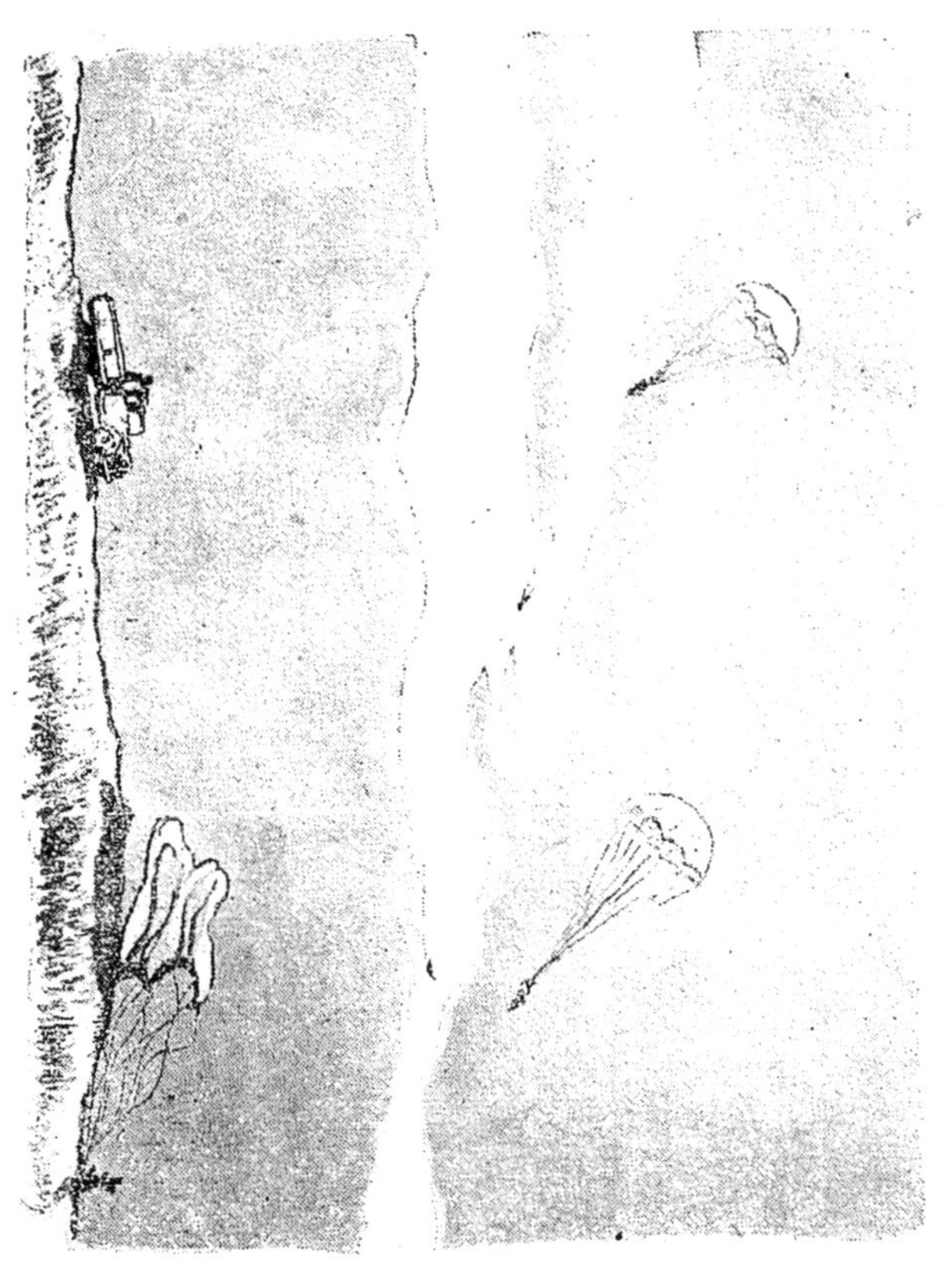

敵のパラシュートを追ふ

ハルビンの病院は、まるで外國の病院にゐるやうであつた。

窓から、澄んだ、高い空と、アカシヤの葉とを見上げてくらすこと一ケ月、私の傷もだいぶよくなり、元氣も出て來た。

私は新京の病院へ移されることになつた。

その前に私は、賴んで衛生兵に附添つて貰ひ、もういち度お名殘りに、ハルビンの街を見ることを許して貰つた。

私達は自動車で、ほんの一時間ほど、ハルビンのキタイスカヤ通りだとか、日本人のゐるところだとかを走つた。殘念なことに私について來てくれた衛生兵もハルビンをよくは知らず、詳しい説明をだれにも聞けなかつたが、ハルビンのなにもかもが、私の畫心をそそること非常なものであつた。

私は、このエキゾチツクな街を、燃えるやうな眼でみて通つた。

○新　京

新京の病院には、大きな、それは新橋演舞場ぐらゐの大きさの演藝場があつた。そこで私は慰

問に來た淡谷のり子の歌を聞くことが出來た。

私は淡谷のり子が唄ふときくと、音樂に飢ゑてゐたので、聞きたくて堪らなかつた。まださう歩けないのを、たうとう二丁ほどの廊下を、手すりにつかまりながら、歩いて行つて聽いた。

眼がよく見えないので淡谷のり子の姿もさだかではなかつたが、ぢつと聞いてゐると戰場以來の氣持が落着いて行くのが分つた。

○旅　順

十月二十五日、旅順の陸軍病院へ移つた。

旅順の戰跡を自動車にのつて見せて貰つた。

二〇三高地、鷄冠山など、まざまざと自分の戰つて來たところを思ひ出されて感銘深かつた。

二〇三高地では、よくもこんなところが奪れたものだと思つた。それを私達の父の時代の人は血と肉とで奪つたのだ。私には彼等がどんな恰好をして、どうして其處をとつたかよくわかつた。

そして私達日本人の、大陸經營の根の深さを考へた。

それは大きい犧牲であつた。この犧牲に對して、私達はただ、私達に足りないものを得るとい

居住艙

ふことでいいのかと思つた。日本にない物資を、金錢のかはりに、血と肉とで買ふといふ、さうしたことで終つていいのかと思つた。

もつと日本は積極的に、大陸に日本の色を染めつけていいのだ。それでゐて大陸は決して迷惑なんかすることはないのだ。

日本ほど正義な、日本ほど正直な國があらうか。日本ほどお互ひを思ひやる國があらうか。ないと私は言ひ得る。私はそれを戰場で知つて來たのだ。

天皇を戴く國日本が、もつと積極的に働きかけてこそ、大陸にはほんたうの平和が來るのだ。

私は父の時代に流された血のあとを旅順にみて、深くさう思つた。

二日後の十月廿七日、○○から病院船にのせられた。内地へ還送されるといふことであつた。

この船は、最新式の、快速力を持つた船だといふことであつたが、それよりも私達を驚かせたのは、船の看護婦が白粉をつけてゐるといふことであつた。私達はこの船に乘つてはじめて、白粉をつけた母國の若い淸淨な女をみたのだつた。それはどんなに私達の心を和げ、樂しませてくれたか分らなかつた。彼女等は忙しさうであつた。あれでいつたい、いつ眠るのだらうと疑ふほどに忙しさうであつた。それでゐて、キチンと白粉をつけて、女の身嗜をして働いてゐた。

その船では、殺ばつな氣持はもう不必要であつた。

船が○○沖へさしかかつたときは嬉しかつた。

内地が見えるといふ聲に、デツキに出てみると、遠い右手に、綠濃い陸地が見えてゐた。

どこをみても、内地は綠色で、いかにもふつくらと和らかさうであつた。水蒸氣でふくれてゐるのであつた。うるほつてゐるのであつた。

それに靜かであつた。平和であつた。

私達はすつかり喜んだ。心強くつて堪らなかつた。

母國はどつしりとしてゐた。靜かに、波のむかふに根を生やしてゐた。

○○○を過ぎるときは、港の船といふ船が汽笛を鳴らして歡迎してくれた。

船や陸から手を振つて吳れる人、それは内地の人々であつた。

停戰協定の成立したことはハルビンできいた。ともかく、私達はソ滿國境を守つて來たのだ。

「ただいま、ただいま……」

私達も船から手を振つた。

船は○○を通つたが、なんとまあ日本といふ國は美しい國であらう。

靜かで美しい國日本、私は日本に生れたことをつくづく嬉しいと思つた。

ただところどころに、日の丸の旗がひるがへつて、戰時の國民の心意氣をみせてゐたが、それさへも美しかつた。

綠の中にひるがへる白地に赤い日の丸の旗は美しかつた。

○母國の土

十月卅一日の朝、○○へ着いた。船に乘つたときはだれも行先きを知らなかつた。看護婦達も知らなかつた。私は××だらうと思つてゐたら、思ひがけなく○○へ着いた。

船からみると、まだ明けきらない靄の中に、倉庫がズラリとならんでゐた。この倉庫のむかふに、なつかしい○○の街が眠つてゐた。

上陸する前に、宮樣がたがおほぜいでお出迎へ下すつてゐられるから、態度に氣をつけろと注意があつた。

これはまだ朝といつても四時を少し廻つたばかりであつた。十月末の曉け方の潮風は、手足をしびれさせた。

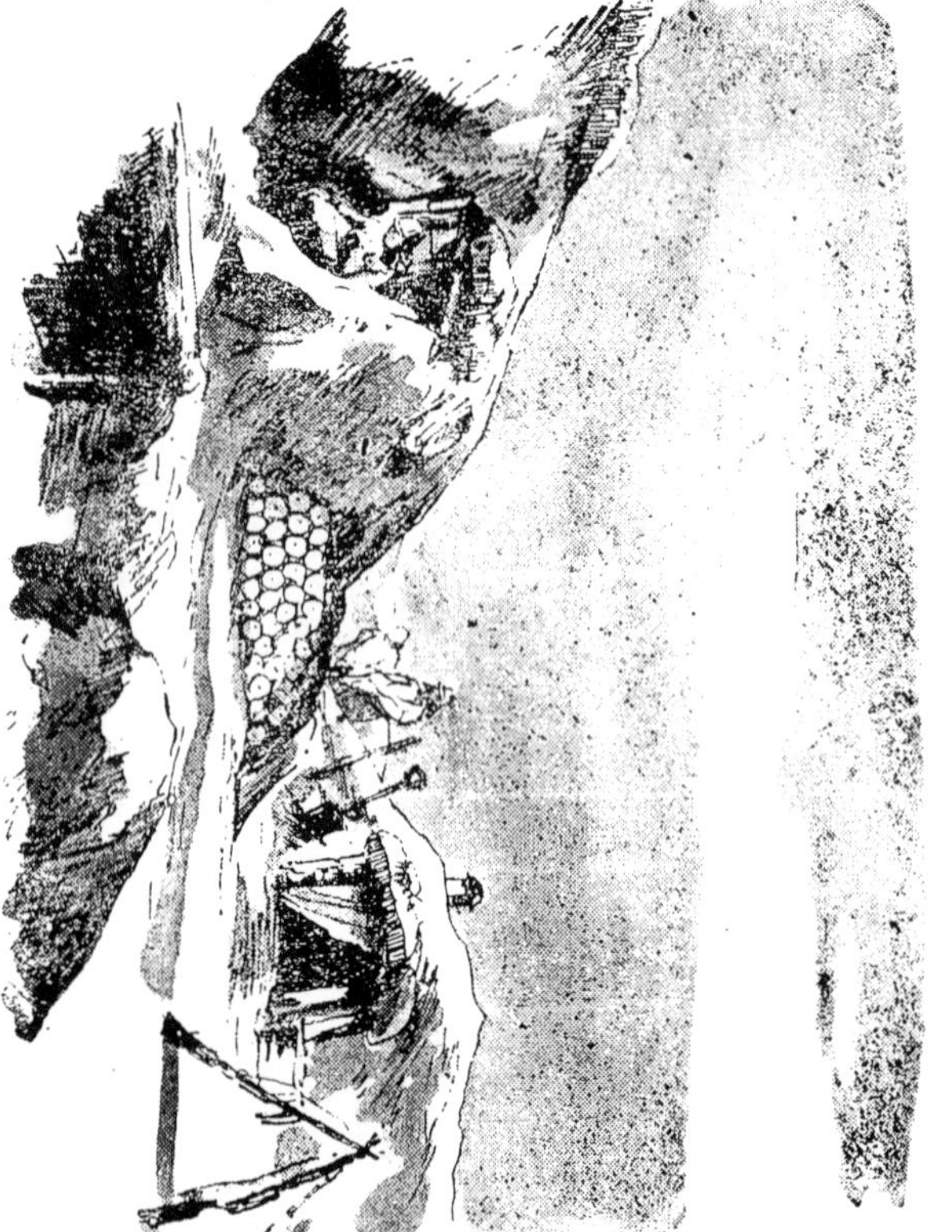

タラツプを降りると、そこに、十幾方かの宮樣、女性の方々ばかりが、吹きさらしの中につつましく立つておいでになつた。

私達はその御前を通るのだつたが、お出迎へ下すつた宮樣方は、私達の不自由なからだを御らんになつて、不自由なからだの行列を御らんになつて、泣いていらつしやつた。

萬歲の聲もなにもない、朝早い、靜かな岸壁の上であつた。恐れ多いことに、吹きさらしの中に女性の宮樣方が、なん時間も立つて、私達を迎へてゐて下すつた。

宮樣方は、みんな白いハンカチを眼に當てて泣いてゐて下すつた。すすり泣きの御聲さへ聞えた。

勿體ないと思ふと、私達も涙で敬禮が出來なかつた。齒を喰ひしばつて、横を向いて、急いで御前を通りすぎた。

こらへられなくなつて、わツと泣き出す兵隊もゐた。泣いて、前へ進めないのを、

「もういい、もういい」

と、憲兵がやさしく、背中を押してやつてゐた。然し、その憲兵も泣いてゐるのだつた。

それからすぐ○○臺のバスで○○陸軍病院へ入つた。

沿道は、どこもかしこも、いつぱいの人で、心から私達をいたはり迎へてくれた。

こんなにして貰つてと思ふと、涙が出て、負傷の身もなにも忘れてしまひ、唯々嬉しかつた。

牛込の第一陸軍病院へ移つてからは、腕のはらの手當も、顏の治療も、どんどんはかどつた。

切斷したところの、腕の骨が少し出つ張つてゐるから、義手をつけるときに痛むだらう、少し削つてやらうかといはれたが、それはお斷りした。

顏のはうの傷が、腕よりも手間どつた。四回手術をうけた。

旅順から手紙を出したし、病院へ來てからも知らせたので、妻と弘太郎がすぐ會ひに來てくれた。

國を出るときは、妻をも子をもないものとおもつて出て行つた私であつたが、內地に還送されて、しかも同じ東京の空の下に住んでみると一日もはやく會つてみたかつた。

會ふとすれば、半年ぶりに會ふのであつた。

六ケ月といへば、どう變りやうもない短い期間なのに、妻も子も、どんなに變つてゐるだらう

洗　顏

と、會ふのが急がれるのであつた。

私は會ふときのことを想像して樂しんでゐた。

これは樂しい想像だつたが、然し、ただ一つ、氣になつたのは、右手のことであつた。どうにかして、弘太郎に、右手のなくなつたことを知らせたくないといふことであつた。

もしそれで、私の弘太郎が、幼な心に戰爭を怖いものと思つて、行く末卑怯な子になつてくれては困ると思つたからであつた。

たらたら、ある日、妻と子が面會に來てくれた。

「よう、來たね」

私は大きな聲でいつた。

「お歸りなさい」

なつかしい妻の聲であつた。いつも聞いてゐた妻の聲であつた。

「ご苦勞さまでした」

弘太郎は私の繃帶した顏をぢつとみてゐた。

「さ、お父ちやんよ。お歸りを仰有い」

妻がいつたが、弘太郎は默つて私の顏をみてゐた。

「坊主、どうしたんだい」

まさか、父親を忘れはしないだらう、をかしな奴だ。

「どられ、それぢや、お父ちゃんが久しぶりに抱つこしてやらうかな。おいで、坊や、抱つこしてやらう」

さういつて手を出すと、弘太郎は忘れてもゐなかつたらしい、傍へ寄ると兩手をさしだした。

「よいしよ」

私は抱いてみた。左手で抱いてみた。

重かつた。幼い我が子が重かつた。弘太郎の重みは左手だけへかかつて、からだの調子がとれなかつた。

私はこれを、そのときだけの重さとは考へなかつた。自分のこれからの一生、ぜんぶの重みが、みなこの左手にかかつてくるのだと思つた。

二度目に妻が來たとき、そつと氣がかりのことを訊いてみると、弘太郎は私に右手のないことを氣付かなかつたらしいといふことであつた。

「それはよかつた……」

私は安心した。

いづれは知れることだらうが、幼い兒に、急な刺戟を與へたくなかつた。

○同　室

私のゐる病室には、二十九發も、からだに彈の破片を受けてゐる飛行機の操縱士がゐた。彼の繃帶交換や、ガーゼ詰換へには、さすがの軍醫もだれ一人として音をあげないものはなかつた。なにしろ一人で廿九ケ所のガーゼ詰換へなのである。

「お前には參るよ」

心易くなつた軍醫はよくさういつてゐた。軍醫が參ることは、患者が勝つてゐるといふことであつた。事實患者は勝つてゐた。廿九ケ所の負傷にビクともしてゐなかつた。その强靭さに呆れかつは喜んで、それを軍醫は「お前には參るよ」といふ形でいひ表してゐるのだつた。

「まつたくお前には參るよ」

さういつて軍醫も笑ひ、患者も笑つてゐた。

決死の水汲み

あつちこつち、廿九ケ所の詰かへをするうちには、どこをやつてどこがまだだつたのか、分らなくなることもあつた。といつて、軍醫はおろそかにするわけではなかつたが、何にしても、全身これ傷痕なのである。まづその日の詰かへを終つて、軍醫がホツとして汗を拭きにかかると、

「軍醫殿、まだここにもありますよ」

とよく患者に駄目を出されてゐた。それほどに傷がおほかつたのである。それでも、それほどの傷をうけても、彼はまつたくそれくらゐの傷には負けてゐなかつた。

同じ部屋には少年航空兵出の若武者もゐた。彼はある時の戰鬪に、北滿の某基地から、敵陣を爆擊に出かけた。彼は選ばれて隊長機の操縱をして行つた。そのとき、彼の重爆はぞんぶんに爆擊の目的を達し、空中戰では敵機を三機まで擊墜した。然し、彼の機も敵彈にやられ、片發になつてしまつた。それと見るや、片發の、この傷ついた隊長機に敵は食ひさがつて來た。重爆を擊つには、重爆が少し下げ舵をとつたときに、背後から攻擊すればよかつた。敵機はその機會を狙つて、どこまでも追つて來た。彼は次第に高度の下がる隊長機を操縱しながら、やつとのことで、基地まで戻つて來た。然し、執拗な敵は、基地まで喰ひついて來た。基地へ着陸の態勢をとつたとき、そのときやつつけようといふつもりなのだ。やられてなるものか。彼はそこに立ちこめて

ゐた雲の中へ隊長機をかくした。

敵機をまいて、やつと雲から出たとき、高度は五十米しかなかつた。ハッと思つた瞬間、彼の後から、隊長が手をのばして操縦桿を引いてくれた。然しもう、浮揚力を失つてゐた彼の重爆はふたたび飛昇できなかつた……。

彼の病床へは、そのときの隊長未亡人が見舞ひに來た。隊長の命日には、かならず未亡人がお菓子などを持つて見舞ひに來た。

彼もそのとき足を折つた。彼の足は、それ以來曲つてゐた。然し、彼は剛毅の若者で、傷についてはなんの苦痛のことばももらさなかつた。いつも快活に、よく同室のものを笑はしてゐた。その彼が、隊長未亡人の見舞ひを受けると、それまで口を大きくあけて笑つてゐても、ピタリと笑ひをとめ、ぢつと下を向いて、なに一ことはなくなつてしまふのだつた。

自分の未熟から隊長を殺して申し譯けないと、未亡人に詫びるのだつたが、若い彼には詫びる言葉も見當らないのだ。純眞な彼は、ただもう息をつめ、頭を垂れて、己れを責めるのだつた。

私は吉田を思ひ出した。吉田もああして己れの代りに死んで行つた戦友を思つて、自分を責めてゐた……。

敵機の地上掃射を避く

けれども、若い操縦者は、それ以外のことではいつも陽氣であつた。彼も傷には負けてゐなかつた。

だいたい、私達の部屋にはさうした經歴の負傷者がベッドをならべてゐた。

九里田といふ兵隊がゐた。

彼は富山縣の人間で、母親はあねご肌の人で、九里田が二歳の時にある孤兒の姉弟をひきとつて、九里田と兄弟のやうにして育てた。姉弟の弟のはうは九里田と同じ歳であつたので、九里田が召集を受けた時、彼も同じく召集を受け、九里田と同じ部隊で出征したのであつた。

その弟は不幸にして戦死をとげてしまつた。

姉はやはり富山で結婚して、幸福な生活を送つてゐるのであつたが、九里田は弟が戦死したことを、ひどく氣に病んでゐた。

「自分が代りに戦死をしてやればよかつたんだ」

と、彼は自分を責め、私たちによくその話をするのであつた。

自分にはまだほんたうの兄弟もゐれば、妹もゐる。併しあの戦死した弟は姉弟ふたりきりで兩親もなく、そのほかに兄弟とてもない。だからただひとりの弟の死を、姉はどれだけ悲しんでゐ

るかもしれない。

「あいつの代りに、自分が死んでやればよかつたんだ」

と、彼は自分の負傷の身も忘れて、死んだ弟の寫眞を枕元の手函の上に飾り、姉の悲しみばかりを氣にしてゐるのであつた。

そのうちに母から、その姉とともに、上京して面會にくるといふ便りがあつた。

彼はその日からさらに悶々として、私たちともあまり話をしなくなつてしまつた。

「自分は、あの姉さんに會はす顔がない」

と、しよげきつてゐるのであつた。

私達は、

「そんなことはないよ。それが戦爭ぢやないか。だれが死んでも、生き殘つても、済むも済まないもないぢやないか」

と云つても、

「うん——」

と云つて肯くのではあつたが、やはり晴れ晴れとしないふうであつた。

やがて、母とその姉が上京して、彼を見舞ひにやつてきた。

九里田はなんとなく怒つたやうにむつつりとして、眼を窓外のはうへばかりむけてゐた。

やがてまつ先に姉が、ハンカチを眼にあてて泣きだした。

私は九里田のベツドからは少し離れてゐたので、三人の會話は聞きとれなかつたが、姉がなにか云つたと思ふと、九里田は不自由な脚でベツドの上にきちんと坐り直して、

「濟みませんでした。ほんたうに濟みませんでした。僕が身代りになればよかつたんです」

と、大きな聲で詫びるやうに云つて、つつましく兩手をついていく度も頭をさげるのであつた。

いい兵隊だなあ、と、私は心の底からさう思つた。

病室へ運ばれて來た當時は、さすがにだれも戰爭の話をしなかつた。戰場で燃やした心のほとぼりが、東京へ運ばれて來てもなかなか冷却しなかつた。寢てもさめても、やつぱり戰場にゐる氣持がしてゐた。

夜、電燈のついてゐるのを見ては、敵機のことを考へて大丈夫だらうかと思ひ、演藝場で踊りを見てゐても、突然そこに敵の戰車が現れる氣がしてゐた。

見る夢といへば、天に冲する爆煙であつた。

戰列附近

あるひは、戰友との悲しい別れであつた。

みんな白いベツドを、己れ一人の壕にして、寢てもさめても、まだそれぞれの戰線で鬪ひつづけてゐた。

戰爭の思ひ出話がボツボツと語られだしたのは、よほどたつての後のことであつた。父母、妻子、友人にも會ひ、たびたびの慰問演藝などで心を和げた後のことであつた。はつきりと、自分がもう戰場にゐないのだ、自分は東京に歸つて來てゐるのだと知つてからのことであつた。

○馴れないからだ

私の同室の者は、病兵よりも負傷兵ばかりで、私は右腕を失くしてゐたし、また脚や眼を負傷してゐる者もゐた。併しだれもかれもまだほんたうに自分は片脚を失つてゐるのだ、片手を失つてゐるのだ、と思ひこめてゐないので、なにかの拍子に、自分はまだまんぞくなからだなのだ、といふ錯覺に陷いることがあつた。

私などはさうしたことは屢々で、特に夜睡眠してゐる時には、右手があるものだと思ひこみ勝ちだつた。脇腹がかゆくなつてきて、掻かうかな、と思ふと右手がない。なるほど右手がなかつ

たんだな、とはじめて氣づくのであつた。

朝などいい氣持で目をあけて、天氣のいいのを窓から眺めて、よいしよ、とベツドに兩手をついて起き上らうとすると、右腕がない。いけない、右腕がなかつたんだ、と氣づいたときにはもうベツドから轉げおちてゐるのであつた。

片脚のない者は、ベツドから勢ひよくとびおりて、やはり轉げてゐた。毎朝そんなふうにして轉げる者が二三人はゐた。

當人は照れて轉げながら笑ふし、部屋ぢうがまたそれを見て笑ひあふのだつた。そしてそんなふうにその日は人を笑つておきながら、翌日には自分がまたうつかり轉げる番になるのだつた。

「お前の轉げ方つたら、なつてないな」

と、手を貸してやりながら、兵隊達はそんなことでは、少しも心を暗くされなかつた。

かへつて朝々の遊戲のやうにさへなつてゐた。

左手でなにか出來ないことがあつて、近くの者に用を賴むと、

「右手を出せ、右手を」

と、すぐ云はれるのだつた。

負　傷

片足のない者には、

「左足を出せ、左足を」

と、云つた。

それはなにもお互ひに憎まれ口を利いてゐるのではなかつた。私たちはまだ自分の不自由な身體には馴れてゐないので、ちよつとしたことでもすぐ近くの者や看護婦さんに賴んでしまふのであつた。

そんな依賴心は、早く捨てなければならない。それでお互ひに、そんな口を利きあつて、どんなことでも早く自分ひとりで處理をつけることが出來るやうにならなければならないと、努めあふのであつた。

兵隊たちは心底には、お互ひに勞はりあふ氣持が强かつた。

誰かが手術を受けるために軍醫學校へまで行く時には、かならず同室の者が二三人つき添つて行つた。手術は時間のかかることがあつた。併し二時間でも三時間でも、彼等は手術室の前で、自分も不自由なからだでありながらぢつと待つてゐるのであつた。

○將　來

看護婦さんは氣の毒なくらゐ忙がしかつたが、その手厚い看護によつて、傷がおひおひと癒つてゆき、胸の中から戰場のほとぼりが冷めてゆくと、陽氣になるべき病室が、時として陰氣になることがあつた。

みんなは各自の將來のことを考へ出したのだつた。

あるとき、各自の考へを語りあつたことがあつた。すると、それは言ひあはせたやうに氣の弱い考へであつた。あんなにも戰場で暴れ廻り、傷に對しても、痛いとひと言ももらさなかつた兵隊が、ひとりこつそりベッドの上で考へてゐたことは、言ひあはせでもしたかのやうに、じつに氣の弱いことであつた。

ある兵隊は、

「俺は恥しいけれど、煙草屋でもやつて行きたいと思つてゐる」

といつた。するとまた別の兵隊は低い聲で、

「俺もあんまり動かない、家にぢつとしてゐる商賣がしたい」

といつた。

軍人としての精神は、火の中、水の中をも厭はない熾烈さで、立てといはれれば、片腕片足なくともただちに立ちあがる用意はいつもできてゐるのに、ふたたび世間に出ることを考へると、勝手の違つた、心細さを感じるのだつた。

ひとつは長い病院生活が氣を弱くした。妙に臆病で遠慮深くて……。それが、もういち度世間へ歸つて行くにしても、他をかきわけて、勇敢に突入して行く勇氣を抑へてゐた。

またひとつには、以前と違つたからだの狀態から、ふたたび激しい、いはゆる「生存競爭」をする自信がもてなかつた。

私にしてもさうであつた。

妻はときどき、面會に來た。

妻は生活のことにはなにも口をださなかつたが、なにも語らないだけ、私は妻の顏色からその不安を讀みとることが出來た。

私は恒產を持つてゐるわけではない。あしたからでもすぐ働いて、口を糊せねばならぬ身體なのだ。

妻がゐる。弘太郎がゐる。私も煙草屋でも始めようかな、と氣弱くそんなことを考へるのであ

野戦病院

つた。

私はいつか妻が弘太郎を連れて面會に來た時、弘太郎を左手で抱いた時の感觸を思ひだした。弘太郎はどつしりと重かつた。私はあの時その重さは、體重の重さだけではなく、將來私のうへに蔽ひかかつてくる家庭の重さだと考へた。私は父親として、どうにでもして子供をのびのびと育てあげねばならぬ義務が、責任が、あるのだ。

私はどうすれば、生活の途を見出すことが出來るのであらうか。

それを考へると、心が暗くなつた。

○繪　筆

私は畫家であつた。すくなくとも、一生を繪筆に托して行かうとする人間であつた。それが、右手を失つてゐるのであつた。私の生きて行く道はそこで絶えてゐるのであつた。

私は右手を失つたときから、繪のことは諦めてゐた。もう二度と私は繪が描けないと思つてゐた。切り落された右手と一緒に、「繪」も私から切り離されたと思つてゐた。

それでも諦めきれずに、こつそりと手紙を書かうとペンを持つたときなど、左手で便箋の端に

206

病院列車

○や△を描いてみたこともあるが、左手では、○にも△にもならなかつた。歯がゆさを越した絶望であつた。ペンを投げすてたい絶望であつた。

繪筆を捨てて、生活はどうなるのだ。

それよりも私には我慢のならぬことがあつた。

それは、繪筆を捨てるといふことである。繪筆を捨てなければならぬといふことである。私は「繪」を、男子一生の仕事として志してきたものだ。繪畫の藝術に、たとへどんな端くれとしてでも、それに携つてゐるといふことに、滿足と喜びを味つて生活を送つてきた人間なのだ。

私から繪をとり去れば、なにが殘るだらう。なにも殘らない。零だ。

私はせめてこの世に生れてきた以上は、自分のもつとも得意とすることで、精いつぱい世の中と鬪つてゆきたかつた。自分がどこ迄ゆくことの出來る人間なのか、鬪つて鬪つて鬪ひぬいてみたかつた。それで破れれば、もうそれは仕方がないのだ。

とにかく出來るだけはやつてみようと思つてゐた。

その努力の道を、私は繪畫に求めてゐたのだ。私に他の才能があれば、さうした努力の道を、科學者に、事業家に、あるひは商人に私は求めてゐたかもしれない。併し私にはさうした他の才

207

能はなにもないのだ。

私の貧しい才能の中で、ともかく體のめりの努力をつゞけてゆけるものは、「繪畫」の道だけなのだ。その他の才能はなにもないのだ。だから、私は繪の道を歩んできたのだ。

その繪を、私は捨てなければならない。

ああ捨てたくない、捨てたくない、と思ふ。

病床に日を送るうち、不器用だつた私の左手は、そろそろと小さい用を足しだした。私の左手は、箸を持つことを習ひ、ペンを握ることを覺えた。

私の左手は忙しかつた。たどたどしい手紙を書いてゐるとき、蝿がとまると、ペンを擱いて蝿を拂つた。そしてまたペンを持つた。茶がのみたいと、ペンをはなして湯呑みを持つた。湯呑みを置くとペンを持つた。

私はその忙しい左手に、もうひとつ重い役目をいひつける氣がしなかつた。私は繪を諦めてゐた。頑固に、繪から離れよう、遠ざからう、としてゐた。

繪といふものには、顔をそむけて暮した。繪をみると淋しかつた。繪をみるのが嫌だつた。病院では患者の無聊を慰め、趣味を植ゑつけるために、碁を敎へ、尺八を敎へ、活花を敎へ、その

他いろいろなものを敎へてゐた。美術部といふのもあつて、美術學校の先生が一週に三回きて繪を敎へてくれた。繪の好きな患者はその先生について、大喜びで繪を習つてゐた。

その日は患者が鉛筆をとがらせたり、スケツチブツクを用意したりして、朝からたいへんだつた。なにか一つ描きあがると、それをまたみんなで見せあひ、批評しあひ、惡口をいひあつてひどく賑やかだつた。

私はその日がいちばん嫌であつた。苦しかつた。私は目をつぶつて默つてゐた。自分が繪描きの端くれであることを人に知られることさへ怖れて、なにもいはなかつた。

同室に繪のうまい患者がゐて、その兵隊が美術部で習つてきた繪を私のところへ持つてきて、

「どうだ、小川、うまいだらう」

と、見せることもあつた。

「うまい、ひどくうまいな」

と、合槌をうちながら、私の心は落莫としてゐた。

ああ、私にも右腕があつたらなあ。

私は、ノモンハンの砂地の中へ埋めてきた右腕のことを考へた。

あの右腕に、私のなにもかもすべての希望も覇氣も、生命も托されてゐたのだ。右腕を失くしたいまの私のからだは、なんにもない空つぽのやうな氣がした。

私の繪の師匠である松野一夫先生が私の將來を心配してくれて、病床を訪れてきてくれては、いろいろと心を遣つてくれたが、私は繪のことに關するかぎり默つてゐた。

妻もたびたび來たが、繪のことは向ふから觸れようとはしなかつた。

いへばいふで心が亂れ、いはなければいはないで心が焦らだつた。

みんな私の右手を失くしたことにこだはつてゐた。

そのとき、出征前の私にさし繪を描かしてくれてゐた文藝春秋社の「オール讀物」の編輯者香西さんが、吉川さん、石井さんと一緒に見舞ひに來てくれた。

香西さんは私にチヨコレートをお見舞ひにくれた。そのチヨコレートの次ぎに、默つて、ニユーツと私に一冊のスケツチブツクと鉛筆をつきつけた。そして歸つて行つた。

それは、

「左手で描け」

簡單な、友情の溢れた無言のことばであつた。

ハルピン街頭（二）

私は、右手で描いてゐたときさへ人に伍してせいいつぱいであつたのに、左手で描いて他人に勝つてゆけるものか、と、その好意のこもつたスケツチブツクを見るのさへ嫌で、手函の中へつつこんで、それを忘れてしまはうとした。

が、……私は、未練な男なのであらうか。手紙を書いてゐる時に、我知らず便箋の餘白にいつのまにやらまた○や□を描いてゐた。○を描き□を描き、そんなことをしてゐるうちにそれがだんだんうまくなつてきた。

おやおや、と思つた。この小さな發見にびつくりした。だんだん○や□が自分の思ひ通りに描けてくると、

「ちよつと、繪を描いてみようかな」

と、そんな惡戯つ氣が出てきた。書いてみると、まづい繪だつた。併しどうやら繪のやうなものは描ける。

私は日が經つに從つて次第に面白くなつてきた。それは、この左手に繪筆を握つてふたたび畫家にならうといふのではなかつた。繪はそんな輕はづみなものではない。もつと神聖なものだ。左手で人に伍してゆける繪が描けるものではない。

併しとにかく左手で繪の眞似ごとのやうなものでも描けるといふことが、私には不思議に思はれてたまらなかつた。左手が、失くなつた右手の眞似をしてゐるのだ。

面白い。

「この左腕め！」

と、私は笑ひながら、頭に浮ぶままの構圖の、幼稚な繪を描いてゐた。

毎日、私は便箋に○や□や、それから繪の眞似ごとのやうなものばかりを描いて暮した。便箋に書いてゐると、他の患者たちは私が手紙を書いてゐるのだと思つて、覗きこみにくる者もなかつたので、氣を樂にまづいのも構はずなんでも描けた。

そのうちに、便箋では物足りなくなつて、スケツチブツクに描いてみたいと思ひだした。私は香西さんから貰ひ放しに手函の中に收めてあつたスケツチブツクをとり出した。左手で握りしめると、今まで忘れられ、じぶんで押し殺し、そしてもうすつかり消えてしまつてゐたと思はれてゐた畫心が湧いてきた。

まだなにも描かれてゐないスケツチブツクの白い紙が、私の畫心をそそつた。

繪を描く。——子供の頃、なんの邪心もなく、ただ繪が好きで描いてゐた時、小さいスケツチ

ハルビン街頭（二）

ブツクをはじめて母から買つて貰つた時のやうな喜びが、湧きあがつてきた。

やはり私は繪が好きなのだ。いつまで經つても繪の子供なのだ。

私はそれでもひとの前で描くのは嫌だつたので、スケツチブツクを懐に庭へ出て、人目につかぬところであたりの風景を描いた。

描けた。

どうやら描けた。

併しこの時もなほ私はふたたび畫家で立たうといふ氣持はなかつたのであつた。それはもう諦めてゐた。ただ繪を描くことがやはり私には樂しみであつたのだ。

毎日、庭へ行つて、ひとりで風景ばかり描いてゐた。

○左　手

すると間もなく、「新青年」から電話がかかつてきた。

「なんだらう？」

と、訝みながら電話口に出てみると、「新青年」の編輯長の水谷氏からの電話で、病院内のスケ

ツチを四、五枚描いてみないか、といふことであつた。その口調がいかにも輕く、

「どうだ、小川、スケッチを描かないか？」

といつたふうであつたので、私もつひにうつかりその輕い調子に乘せられて、引き受けてしまつた。

電話を切つてから、私はこれはたいへんなことを引き受けてしまつたのだ、と氣づいた。私には右腕がない。右腕がなくてどうして「新青年」へ掲載する繪が描けやう。

私はいかにも自分が描けるやうに、引き受けてしまつたことに對する恥しさと、迂闊さに顔が赧くなつてきた。

困つたな。

しかし、私は描かうと思つた。

厚い友情の籠つたスケッチブックといひ、この電話といひ、みんな私を好意で見護つてゐて下さるのだ。もういち度自分を再起させようと、蔭で心配してゐて下さるのだ。

描かう。

描かなければならない。どんなまづい繪でもいい。とにかく描いてみよう。


あの人たちの好意に對して、自分は繪筆を握つてみよう。

併しなにしろはじめての左手で、四枚のスケッチを描くことは大役であつた。

私は仕事をはじめだした。病院は九時に消燈になる。私は繪の方が遲々として渉らないので、徹夜をしてでも描き上げたかつた。ごく私と親しい戰友二三人が、私が「新青年」への繪を描いてゐるのだといふことを知つてゐた。

その戰友たちが看護婦さんに電燈のことを交渉してくれた。すると中村といふ看護婦さんであつたが、これを自分のことのやうに喜んでくれて、私のベッドの上の電燈を空襲の時のやうに、風呂敷でながく蔽つて、その電燈だけ消さないでくれた。

そして自分で出來ることはなんでも手傳ふからと云つて、鉛筆の芯を削つてくれ、ゴム消しで消すところは、私に代つて消してくれた。

私は殆んど一年ぶりに、仕事に向つてゐるのだつた。蜜柑箱を臺にして描いてゐたが、夜も遲くになつた。私の親しいふたりの戰友は、繪の出來榮へを案じて、いつまでもつき添つてゐてくれた。

その戰友の視線に守られながら、私は渾身の力を左手にふりそそいで描いた。

ハルビン街頭（三）

これが私の甦生への門出になるか、どうかといふときであるだけに、一點、一線をもおろそかにできなかつた。

さうして深夜の二時過ぎ、私はやうやく四枚のスケッチを描きあげることが出來た。からだがすつかり疲れてゐた。左手が痺れるほどであつた。

私はその出來上つた繪を見るのがこはかつた。

戰友たちは、

「うまい、うまい、小川、大丈夫だよ」

と賞めてくれた。

私は決して良い出來榮へだとは思はなかつたが、いまの私にはこれ以上の繪が描けなかつた。

これが精いつぱいであつた。

私の身體中に力が漲つてきた。努力をすればなんとかなるかもしれないといふ希望が、この時かすかに湧いてきたのだつた。

ふたたび繪筆をとれるかも知れないと思ふと、私はそのままそこへぶつ倒れてしまひたいくらゐ嬉しかつた。

更生篇

救はれたのだ、と思つた。手をあはせて合掌したかつた。

この繪が駄目ならば、駄目でもいい。もつと努力をしよう。さうすればなんとかなるかもしれない。

なんとかなるかもしれない、とその思ひに、その夜ひと晩ぢう私はすこしも眠れなかつた。眼を大きくあけて、左手を宙に振つてみた。この左手だ、とひとりで力んでみた。

私は描けるのだつた。左手でも描けるのだつた。右手は切り落されたが、畫心は胸の奥に殘つてゐたのだつた。

有難い。描ける、描ける……。

私は、翌日、人前へ飛びだした。

「おい、お前の顏を描いてやらう」

戰友の顏を描いた。

「おい、君の顏を描かしてくれ」

看護婦さんの顏をスケッチした。

私は起ちあがらう、もういち度、左手に鉛筆を握つて起ちあがらう。

221

見送られて

更生篇

陛下の光榮ある部下が、戰場だけで強く、銃後では弱くあつてどうしよう。戰場も、銃後も、みな戰場なのだ。生ある限り　陛下の御爲めに起ちあがつた戰場なのだ。氣持はいつも、あのバルシヤガルの高地で、敵の重爆をにらみ、戰車に向ひ、八日十日の飢餓にも耐え忍んだ、あのギリギリと齒をくひしばつた烈しい魂であるべきなのだ。

私のことを案じてくれる先輩や友人の厚い情けに對しても、妻子のためにも、私が弱い氣でゐてどうなるのだ。

私はさつそくこの轉換を松野先生に報告した。松野先生は死んでゐたものが生き返つたほどにも喜んでくれた。

そして、こんなことを私の再出發に當つていつてくれた。

「繪を左手で描くと思つて甘へるな。飽くまでひと同樣、馴れた右で描いてゐると思へ」

私は夜も晝も、鉛筆をはなしてゐるときは、指で宙に繪を描いた。眼で心に繪を描いた。

あるときはそのはがゆさに獨り泣いた。そしてまた起ちあがつた。

やがてあの深夜までかかつて描いた繪は私の不安をぬぐつて、「新青年」に揭載された。あのとき夜の二時まで私につき添つてゐてくれた戰友は、私の再起を喜んで、

223

隻手に生きる

「小川よかつたな、小川よかつたな」

と言ひ、これは小川が描いたんだといつて、雜誌をみんなの手から手へ渡してくれた。

そのうちに、その繪にたいする稿料が届いた、お初穗であつた。私はそれで菓子を買つて戰友に食つて貰つた。

菓子を食ふ戰友の顏も晴れ晴れとしてゐた。みんな、なにか將來に對して、明るさを感じてゐるやうであつた。私は心の中で、

「どうぞ明るく再起してくれ」

と戰友の一人一人の身のうへを祈つた。

○白　衣

私がかうして甦生したやうに、一人一人の白衣の兵士も、それを取卷く肉親や先輩友人の眞情にふたたび血の勇む心を、體を、とりもどした。

溫い心、國を通して通ふ溫い心ほど嬉しい、力のあるものはない。それは、じつにやはらかいが、かたまれば、どんなものにも負けないのだ。それでゐて、すべてのものを育て、蘇らせるの

224

だ。病院では、傷ついた兵隊は手厚い看護との温い心に、みんな日いち日と、元氣になつて行く。

寝たきりの者は、早く歩けるやうになりたいと思ふ。歩けるやうになると、早く散歩に外出したいと思ふ。

一生にいち度でも、病院の門の外へ出てみたいと思ふ。

だから、何月何日、どこそこへ外出と布令でも出ると、それはもうたいへんな騒ぎである。

もう大の男も、鬼のやうな男も、氣をわくわくさせてしまつて二三日も前から夜もねむれないのだ。

當日となると、ふだんはひどく寝坊な人間も、夜のあけない前から眼をさます。

いざ出發となつて、電車に乗り込むと、みんな席を讓りあつて坐りたがらない。坐ると外が見えないからだ。三十面さげた、髯の男が、幼稚園の子供のやうに、窓に額を押しつけて、「街」を見て樂しむのだ。

先方へついて、芝居をみることも、野球をみることも嬉しかつたが、白衣の兵隊には往復の電車から、そのままの、かつてはそこで暮し、やがては自分の歸つて行く「街」をみることが、「生

病院船

活」をみることが樂しいのだ。

慰問演藝もずゐぶんある。一日置きぐらゐにある。然し演藝場が餘り大きくないので、全部の兵隊をいち度に見せるわけにはゆかない。そこで慰問演藝係が切符を發行して、今日はどこの何病室と指定して來る。

その切符が廻つて來る迄のもどかしさ、待ち遠しさときたらない。そんなに待つてゐて、しかも廻つて來たのが、堅苦しい慰問の切符だつたりすると、泣きたいほどがつかりする。

兵隊のいちばん喜ぶのは眠ることと食ふことの二つである。生れかはつた大きな赤ん坊は、よく眠り、よく食ふ。病院では眠る方は十分出來るから、いつも兵隊は主に食ふことを考へてゐる。

ときどき東京鮨商組合が、演藝場に立喰席を作つて、鮨サービスなどをやつてくれたが、そんな豫定があると、三日も前から兵隊は鮨の夢をみた。

當日になると、その立喰場へ、部屋別に食券を持つてゾロゾロと、そしていそいそと出掛けるのだが、一人で八つも遠慮なしに食ふのがゐた。

病室の中は、明るいものに變つてきた。それは患者たちが、不自由な身體に馴れてきたせゐで

もあつた。もう誰もベツドから轉げ落ちる者はなくなつた。

不自由な身體でも、これが自分の身體だといふことが誰にもはつきり判つてきたのだ。

そして甦生の氣が、序々に動いてきつつあつた。やはりそれはまつ先に身體の上にあらはれてきた。

朝、顔を洗つてゐる時、ひとりが水道の蛇口に手拭をひつかけて、うまくしぼつて、

「どうだい。この專賣特許は？」

と、傍の者に自慢する。

すると翌日からは皆がそのやうにして、他人の手を借りるものが無くなつてしまつた。

僅かにそんなことが出來るやうになつただけでも、嬉しく、心が柔らいでくるのであつた。

食事の時、看護婦さんが、箸は不自由だから、匙でお喰べなさいと匙を借してくれてゐた。

併しだいに箸を使ふこともうまくなつてくる。なんでもはさんで喰べることが出來るやうになつてくる。

そんなふうにだんだん身體が以前に自由であつたときと同じやうに使へてくると、皆は元氣をとり戻してきた。

これならばどうにかなるといふ自信が、このからだでどうなるのだらう？ といふいちばん大きな不安を追ひ拂つてくれて、皆の氣持は日いち日と明るくなつてくるのであつた。

片手でキヤツチボールをすることが出來る者も出てきて、病室内は喧騷に、樂しくなつていつた。

變つた兵隊は、病院の空地にいろいろなものを栽培して樂しんでゐるのもゐた。茄子、胡瓜、トマトなどを作るので、無聊を慰めるひとつの手段ではあつたが、そんなところにも、傷つきはしても次第にまた建設的な面へ向いて行く兵隊の心がうかがはれた。

風流なのは音樂を習つてゐた。さうたら年配の婦人が病院を訪ねて來ては、エレベーターの入口の踊場を音樂教室にして、四十人ばかりの俄音樂生にギターを敎へてゐた。なかにはひどく音痴なものもゐて、まはりを取卷いて聽講してゐる兵隊を吹きださせた。

運動は恢復の程度に於て、なんでもやつた。野球もやつた。それはなかなか珍プレーの續出であつた。然しそれが珍プレーであらうとなんであらうと、やつてゐるものも見てゐるものも嬉しくて堪らなかつた。

いち度はみんな、生きることを諦めた者ばかりであつた。それが、一人は走れるやうになるし、

病室

一人は傍に立つてその走るのを見てゐられるのだ。珍プレーに笑ふ兵隊は、お互ひにそれまでに至つた甦生を聲に現して喜んでゐるのだ。

將棋や碁も喜ばれた。

をかしいことに、病院の看護婦さんはいつのまに覺えるのか、じつに強いひとがゐた。

「貴樣また負けたのが、女だと思つて鼻の下をのばしてゐたんだらう。よし、俺が行つてやる。俺が仇をとつて來てやる」

さういつて出て行く兵隊もやられて歸つてくるほど強いひとがゐた。

そんなふうにみんなが元氣になつた頃、私たちよりも先に退院をして行つた兵隊から手紙が來た。

その兵隊はこの病室にゐる時、慰問に來てくれてゐた娘さんと結婚をした兵隊であつた。

娘さんのはうから結婚を申しこんできた時、彼は、自分はこんなからだであるから、さうした厚意は受けられないと拒つたのであつたが、娘さんの父親が見えられて、そのお父さんと話しの末、つひに結婚をしたのであつた。

その戰友は、鐵道員で、戰爭に行つてゐる間も在勤中の月給を貰つてゐた。それで自分はこんな身體になつて、もし復職が出來なかつたならば、月給を貰つてゐただけに心苦しいと云つてゐたが、さうしたことは杞憂であつて、無事に復職することが出來て、以前の職場で元氣に働いてゐるといふ報らせであつた。

みんなその手紙を讀んで彼の幸福を祝つた。自分たちの仲間から、そんなふうに甦生して幸福になつてゆく人の姿を見ることは、嬉しく、自分たちにとつても心強いことであつた。

「自分も早く社會に出て……」

と、皆は、そんな張りのある希望に、明るい氣持になつてゐた。誰ももう、煙草屋を開きたいなどといふ者はなかつた。それぞれ甦生のプランを祕めてゐるやうであつた。

○巣立ち

退院をする者が多くなつてきた。彼らは傷も癒えて退院することの出來ることが嬉しいのであつたが、戰友をそこへ殘してゆくのが心苦しいので、

「濟みません、濟みません」

と、なにかひどくバツの悪いことをでもした時のやうに、各室を詫びて廻つた。そして酒保から煎餅を買つてきて、みんなでたべて貰つたりしてゐた。

私たちも、そんな元氣な姿になつて出てゆく退院者を見ることは樂しかつた。

「しつかりやれよ」

と、冗談のやうに、どんと肩をたたいて勵ましてやるのだつた。

それからみんなで門のところまで送つてゆくのが例になつてゐた。

「しつかりやれよ！」

「さよなら、頑張れよ！」

お互ひにそんな平凡なことを云つて、別れるのであつた。

あいつも、ここから巣立つて行つた……そんな感慨で、その戰友の将來を見送るやうに、赤十字のマークのついた白い病院自動車の後ろ姿を私たちは見送るのであつた。

さうして幾人かの人を送つてゐるうちに、いよいよ今度は私が送られる番になつてきた。

私は病院自動車に乘つた。皆がやはり門のところまで見送つてくれた。自動車が動きだした。

「さよなら」

散歩

「さよなら」

私は後をふり返つた。戰友たちはまだ見送つてゐた。

陸軍病院の建物の全體が見えた。

陸軍病院は、病み、傷ついた兵隊が、これからの半生を闘ふ爲に教練をうける白い兵營であつた。私はそこですべての傷を癒やし、力に滿ちてそこを巣立ち、ふたたび社會の生活へ、第一歩を印したのであつた。

○家

私の妻は、私がお召しを受けて出征したのち、一軒を借りてゐるのはもつたいないからと云つて、麻布の伯母の二階を借りて棲んでゐた。

私はそこへ歸つてきた。

見馴れぬ家、見馴れぬ部屋なので、私は自分の家へ歸つてきたといふ氣がしなかつた。これが戰場で毎夜夢に見てゐたわが家であつたのかと、部屋のなかを見廻した。

子供の洋服、壁にさがつてゐる妻の着物、タンスや、私の机……そして私の傍には、弘太郎

音樂を娯む

と妻がゐる。私はだんだん氣持が落着いてきて、ここが自分の棲居だと思はれてきた。

妻と子供が、これからの私の戰友なのだ。妻と子供と私の三人が一ヶ分隊で、私はその分隊長なのだ。

私は、あけ擴げた窓際に腰をおろした。

その窓からは、附近の家々の生活が間近かに眺められるのであつた。

二階の物干竿に洗濯物が飜つてゐる。その家の奥さんが、洗濯物の乾いたのをとり入れてゐた。私を見てちよつと怪訝な顔をしてゐたが、私が弘太郎を膝にしてゐるので主人だといふことが判つたのであらう、慌てて會釋した。

他の家の部屋が、二三見える。

庭も見える。

庭では女の子が、なにをしてゐるのかひとりで、小さい枇杷の木の蔭にしやがんでゐる。

すべて、落着いた、なんの不安もない靜かな生活であつた。それは蜂の巣の中のやうに、悠然としてゐた。

私は戰場が思ひ浮んだ。そしてこの靜かな人々の生活をゆつくり眺め廻した。

みんなが戰爭のことは別として、落ついて、靜かな、ゆるぎない生活をしてゐてくれるのが嬉しかつた。

良い國だと思つた。ほんたうによい國だと思つた。

強い國だ。

支那と、ソ滿國境と、あんなに宏大な地域で、あれほどの大戰鬪を行ひ、支那ではいま猶戰ひを繼續してゐながら、銃後の生活はこのやうに泰然としてゆるぎがないのだ。

私は、窓に腰をおろし、ほつとおほきく息をつきながら、

「さア、いよいよこれからだ」

と、呟いた。

私は、これから、生活と闘はなければならないのだ。それを克服しなければならないのだ。私は責任のある分隊長であつた。

私は病院を出ると、着物を着て、毎日出て歩いた。

みんな、それぞれに仕事を勵み、生活を樂しんでゐるやうであつた。つくづくと國の强さが、モリモリと盛りあがつた國の强さが嬉しかつた、その中に、銃後のきびしい自戒が方々に見受け

られた。これも嬉しいことであつた。

街を行く女は特に美しかつた。ケバケバしいことは、非常時でなくつてもいけない。それは調和を破つてゐるからだ。けれども、調和を保つた美しさは、いつの場合にでも女性に求めたい。

戰時においても、調和の美を保持することは女性の責任なのではないか。

生れかへつた繪描きが、久しぶりに見る母國の女の美しさに氣をとられて、ポカンと銀座の舗道に立つてゐたら、一緒に病院にゐた、あの廿九ヶ所の傷を一つからだに持つてゐた戰友も、いまでは退院して、早稻田の理工科へ入つたといふことを聞かされた。

私は嬉しかつた。

さうだ、その調子で、みんな強く起ちあがつてくれと祈つた。

私は仕事を始めた。

「繪を左手で描くと思つて甘へるな。飽くまで他人と同樣、馴れた右手で描いてゐると思へ」

といふ言葉を守つて。

夜おそくまで仕事をしてゐると、部隊の兵隊たちが、演習から歸つてきたのであらう、軍歌を歌ひ、軍靴の音をひびかせて遠くを通りすぎてゆく。

私はその軍靴に勵まされて、繪筆を握り直すことも屢々であつた。

また、見知らぬ人から、自分も白衣の兵隊であつた、どうかしつかりやつて欲しいといふ、激勵の手紙を貰ふこともあつた。

○慰　問

モダン日本社の主催で、挿畫々家五、六名が横須賀の陸軍病院へ白衣の兵士を慰問に行くことになつた。

私は陸軍病院にゐる時、多くの人から慰問を受けたが、こんどは私が慰問に行く番になつたのであつた。

向ふへ着くと、私たちがスケツチを描いて贈呈をするといふので、白衣の兵士たちは大喜びで、どつと私たちのテーブルへ詰めかけてきた。

私たちの一行は、林唯一、小林秀恆、田代光、志村立美氏等であつた。他の人達はもうみな挿畫では一家を爲してゐる人々であり、世の定評のある人々であるのにひきかへ、私ひとりがまだ未熟者であつた。

それで、小林氏や田代氏のところへは、兵隊たちがひとりのところへ二百人も押しかけていつて、辛棒強く順番の廻つてくるのを待つてゐるのであつたが、私のところへは七、八人しか來てくれる人がなかつた。

私は自分の描く人がゐなくなると、白衣の兵隊たちを眺め、早く良くなつてくれることを祈り、自分の病院生活を追想し、また志村氏や小林氏を眺めて、自分はもつともつと勉强をしなければならない、と自戒のことばを自分の心に囁いてゐた。

やがてお晝になつたので休憩し、午後からまた始めることになつた。

午後、私たちがまたそれぞれの椅子に腰をおろすと、

……いつたい、どうしたことであらう。

私のテーブルの周圍は、白衣の兵隊さん達でぐるりととり圍まれてしまつたのであつた。

私はやがてその出來事を了解した。私が嘗つてその兵隊たちと同じやうに、白衣の兵隊であつたといふことが、この人達のあひだに、どうしてか知れたのに違ひない。

この人たちは、さうした私の甦生を喜んでくれ、私を激勵する意味で、未熟な私のところへかうして集まつて下さつたのだ。

私は嬉しさに頭を垂れた。繪筆がとれなかつた。涙ぐむばかりであつた。

私は左手で描くので、他の人のやうには早く描けないので、いち度にこんなに多くの人に押しよせてきて貰つては困るのであつたが、そんなことは云つてゐられない。私は腕のつづく限り描いた。なにもかも忘れてただ沒頭して描いて、私のまづい繪を兵隊さんに受けとつて貰つた。

繪のうまいまづいは、私には問題ではなかつた。この人達の好意に報いる爲に、私はせいいつぱいのスケツチを描いて、貰つてもらへればそれで本望であつた。

「有難う、有難う」

私は感謝の言葉をつぶやいた。

私は、ひとりの挿畫々家だ。しかし、私はひとりつきりではない。かうして多くの白衣の戰友達が、私をいつでも激勵してゐてくれるのだ。

私は頑張らなければならない。

「有難う、どうも有難う」

私は心の中で叫びながら、左腕の疲れるのを忘れて、スケツチを描いてゐた……。

私はまた、これから生きて行くについては、すべてに信念を持つて行くことのだいじさを考へてゐる。

戰場にゐても、はつきりと目標をつかんで、信念を持つてそれに進むとき、たとへ全身を敵の前に曝しても、彈にはなかなか當らないものである。

私のいま願つてゐることは、謙讓であるといふこと、謙虚であるといふこと。私のこのいまの生活は、夥しい人々の、溫い心によつて支援されてゐる。今の私は、溫い心を乳として吸つて育つた赤ん坊も同樣なのだ。私は恩といふことを考へる。そして、謙讓であれ、謙虚であれと自分自身を戒めてゐる。

九段にゐる神々、私の嘗ての戰友達、君達が死をかけて護つた祖國は日増しに隆盛を加へてゐる。祖國は躍進してゐる。どうか安心してくれ。

一億の生命は、力をあはせ、聲をあはせて、祖國を前へ前へと押し進めてゐる。生き殘つた私達はたとへ片腕、片足でも、この輝しい行進に、榮ある行進に遲れまいと、一生懸命汗を流してついて行つてゐる。

有難いことに、みんなが來て、私達をたすけてゐてくれる。

（完）

あとがき

この本は私が昭和十四年六月お召しを受けて出征し、同年八月下旬ホルステン河畔の戰闘に參加して負傷し、のち十月末に東京第一陸軍病院に轉入されて手厚い看護をうけ、越えて十五年九月中旬に快癒して退院し、ふたたび畫筆を左手に持つて新しい生活の途を見出すまでをつたない筆に託して綴つたものでした。いま私はこの「隻手に生きる」が上梓されるにおよんでただひとつ氣懸りなことは、自分のやつてきたことをなにか特別な大したことのやうに、文章を藉りてひとに誇示してゐるやうに、傍からは見えがちになるのではないかといふ懸念が跡をひくことです。私はかつて自分と一緒に銃をとつて戰つた亡き仲間たちを偲び、ひとつには小さな自分の生涯に起つた一つの記錄を殘すために、この文を書いてみたのにすぎませんでした。

そして、この覺書がまづしいなりにもここまでに纒めあげられたのは、菊池寛先生をはじめ、「オール讀物」の編輯部を中心としてつくられた礫々會の會員の方々などに、それこそ親身も及ばぬ御面倒や御世話を頂いた賜でした。

246

表紙並びに本文中に挿入された七十餘枚の畫は、第一陸軍病院を退院後、いづれも描いたもので、左手ひとつの仕事であつた爲め、わづかこれだけのものにまる三ヶ月も費してしまつたありさまでした。

なほ末筆ながらこの上梓に際して、序文を賜つた吉田茂閣下、題名及び序文を賜つた菊池寛先生に改めて厚く御禮申上げる次第です。

昭和十六年七月

小川眞吉

247

隻手に生きる

㊫ 定價 壹圓八拾錢

昭和十六年八月十五日印刷
昭和十六年八月二十日初刷發行
昭和十六年十月三十日再刷發行
昭和十六年十二月二十日三刷發行
昭和十八年四月二十日四刷發行（二、五〇〇部）

認可號
承
協 450398
文
出 あ

著者 小川（をがは）眞吉（しんきち）
發行者 小田部諦
東京市日本橋區本石町三丁目六番地
印刷者 新里鋭三郎
東京市牛込區榎町七番地
印刷所 大日本印刷株式會社榎町工場
東京市牛込區榎町七番地
發行所 株式會社 六興商會出版部
東京市日本橋區本石町三丁目六番地
電話日本橋(24)二五五二番
振替口座東京八三一九六番
文協會員番號一四三五〇二番
配給元 日本出版配給株式會社
東京市神田區淡路町二丁目九番地

(停)定價壹圓八拾錢

宮川三千藏

遠藤書店刊

傷病兵の心理

宮川三千藏著

序

廻山は支那に於ける靈山の一つである。その靈山に於て有史以來未だ嘗つてない戰ひが行はれた。東京部隊たる飯塚、外各部隊の攻撃がこれである。廬山の激戰は武漢作戰の華として謳はれ、壯烈極まりない戰闘が展開された事は未だ記憶に新な事である。

飯塚部隊の一人として、此の激戰に參加した宮川君が、廻山攻略後間もなく病に倒れ、第一線の野戰病院に收容されて約三ケ月、不自由な生活の中にあつて戰病兵としての貴重な體驗を通じて書かれたのが本書である。

今事變始まつて以來既に五星霜を經んとしてゐる折柄、戰場の實相を忌憚なく赤裸々に畫いた點に於て眞に意義深いものと思ふ。銃後國民をして、更に傷病兵に對する認識を新たにするものと信じて疑はない次第である。

前大政翼贊會事務總長　伯爵　有馬頼寧

目次

傷病兵の心理

宮川三千藏著

野戰病院の表情

一

十一月の中支は可成り寒い。永修から約一里程距つた山口埔の野戰病院はもうすつかり冬支度になつてゐる。七、八戸の農家は全部病院に當てられてゐて、私が入院した時は既に一杯だつた。

診斷室はその部落の眞中にあつて、まるでお寺の様な恰好をしてゐる。私が始めて此處で診斷を受けた時は、未だ何か佛像でもありさうな氣がしてならなかつた。病室は診斷室から、六七間距つた一棟の農家の眞中にあつて、壁が壊れたのであらう、軒から下迄藁を互ひ違ひにして張り圍らしてある。入口は筵が一枚だらりとたれてゐて、筵を開けて入つて見ると中は眞暗である。

「馬鹿に暗いですね」

「いや馴れゝば此れで結構本が讀めるんですよ」

衛生兵は入口の端が空いてゐるからと言つて毛布を下ろすと寢て居る患者に向つて

「今日から此の人が入りますからお願ひします」

といふと室を出て行つた。

場所が空いてゐるといつても二尺と幅はない。隣りの患者が少しずつてくれたのでやつと五寸計り廣くなつた。土間の上にぢかに藁を積んであるので、寢床は五寸位の廣さになつてゐる。その上に毛布を一枚敷くと、體の上に毛布と外套を重ねて掛けた。枕といつても何もないので背嚢をそれに當てる。

「何處の部隊だね」

「飯塚部隊だ」

「さうか何中隊！」

「第二機關銃隊」

隣りの患者は私が眠りかけると熾んに話しかけて來る。同じ飯塚部隊だといふので矢張り懐かしいのだらう。

目が馴れて來るとやつと室の中が分つて來た。室の廣さは十五坪位で壁は皆支那煉瓦で積んである。軒の下二尺計りが空いてゐるので其處から少しづゝ光りが洩れる程度だ。入口を境にして兩側に一例になつて患者が寢てゐる。全部で十、六七人寢て居る樣だつた。眞中に一個所圍爐裏が作つてあつて、元氣な患者が四、五人當つてゐる。

火が燃え出したので暗い室の中がぽーつと明るくなつた。室の中は全く冷え切つてゐるので毛布と外套だけではどうにもならない。直ぐ側は藁で壁の代用になつてゐて、其處から風が絶え間なく吹き込んで來る。

間もなく衛生兵が食器を持つて來てくれた。

食器だと思つてゐるとそれは食器でなくて牛乳を呑む器だと注意してくれる。食事の度に

配りに來るのだそうだ。私は半身起して衛生兵からそれを受け取ると、背嚢の側に置いて紙を覆せた。

「よお、ミルクを貰えるなんて羨しいね、俺は幾ら頼んでもくれんのに」

隣りの患者は餘程羨しいと見えて頻りに言ふ。

ぢつとしてゐるとたまらなく寒いので兩足を動かして見たが大した効果はない。しかたがないので思ひ切つて外套の頭巾を頭から顔一杯に覆つてみた。

初めの中は息が苦しかつたが段々馴れて來ると如何にも具合が良かつた。外套の頭巾を覆つただけでもう體全體が暖まつて來る。必配したマラリヤの發作も今日は無さそうなので幾分樂である。こうなると足が一番冷い。此處だけはどうしても暖まらないので間斷なく兩足をすり合せて痛くなる程こすつて見た。

その中どうやら暖か味を感じて來たが暫らく放つて置くと亦元の冷さに還つて了ふ。毛布を折つて足に巻いて見たが矢張り効き目はない。餘りこすつたので兩足がたまらなくだるくなつて來た。指先が急に痺れてとてもいやな感じだ。だるさと痺れでとても寢て居られない

ので半身を起して靴下を取つて見た。

兩足共に指先から踝迄腫れ上り、親指で押すと押したまゝの跡がその儘殘つて如何にも痛そうである。起きてゐると藁の垣の隙間から風がすう〳〵入つて來る。

「當りに來んかね、話しでもしようや」

火を起してゐる患者が私を呼んで呉れたので起き上つて側に行つて見た。

「第二機關銃だつて、それぢや高橋準隊だなあ」

室長らしい患者が私の中隊を知つてゐるらしく頻りに聞く。當つてゐる患者は皆飯塚部隊の所屬らしく、中には見覺えの患者もゐる。俺は小石川だなんて言ふ患者が居たので私は急に懐しくなつて來た。殆んど東京市内出身の者で言葉も全くの東京辯である。

火に當る場所が狹いので私は中腰になつて坐つた。圍爐裏は丁度三尺四方位の大きさで、その中に丸太棒が二本横になつて燃えてゐる。中腰になつた爲か四、五分すると足が痺れ、手が痺れて來た。遂々耐えられなくなつて其處へ坐つてしまつた。

「君此處へ坐らんか、俺は寢るから」

顎に髭を一杯生した患者が私に代つてくれたので火の前に坐つた。私の直ぐ左に坐つてゐる患者は日本橋の生れだといひ、直ぐ前の患者は小石川だといふ。その隣りの小柄な患者は四谷の傳馬町に住んでゐるといつた。右隣りの患者は京橋生れで生粋の江戸ッ子ださうである。成程自己紹介の結果、皆東京在住の人達計りで所謂江戸ッ子部隊である。此ういふ人達は恐らく親代々東京に生れ、東京に育つて來たのであらう。

獨り私の様な一代限りの江戸ッ子とは違つて言葉付きが完全に江戸ッ子に成り切つてゐて如何にも歯切れがいゝ。日本橋の患者は建築請負師、小石川は乾物屋、四谷は材木屋、京橋はサラリーマンといつた顔ぶれである。それに私を加へて五人の患者が皆それ〴〵一家を成してゐる人達だ。建築請負師はもうそろ〳〵四十に届かうといふ年配か、むつくり肥つて艶のある顔が火に照されて一層赤く見える。

それに引きかへ、乾物屋は痩ぎすの背の細長い如何にも商人風なタイプである。小學校は礫川だといふのでたまらなく懐しくなる。春日町の古い頃も良く知つてゐて、右京山が未だ野原であつた頃も良く遊びに行つたといふ。事に依ると私も此の乾物屋と一緒に右京山で遊

んだのかも知れない。

講道館の近くの喜樂館に五錢で入つた事や、お茶の水が今の様に改修されない前に良く、粘土を取りに行つた事なども、全く私の子供の頃と變りはないのである。材木屋はどうかといふと商賣に似合はず小さな男で、口だけ馬鹿に發達してゐてぺら〳〵しやべりまくるといふ。一寸見ると此れが病人とは思はれぬ位元氣だ。病名はマラリヤに神經痛の合併症で、寒い日はとても我慢出來ないといつて細々と病狀を説明してくれる。

サラリーマンは三大隊の衛生兵でなか〳〵の色男だ。銀座のあるビール會社に務めてゐるので銀座がとても戀しい等と私に話し掛ける。喉が自慢らしく物眞似なら何んでもやるといふので歌舞伎物はどうかと注文すると、歌舞伎は私の十八番ですと得意になる。

「自分は此れでも師匠について習つたものですよ、三味線位は何んとかね。」

サラリーマンは手を變え、品を變えて自分の多藝ぶりを新参の私に説明するのである。

此の四人の患者はマラリヤに内臓疾患を伴つてゐる者計りで、外傷患者は一人も居なかつた。從つて皆一様に顔が蒼い。

「燃やす物を入れんか」、

請負師は乾物屋に顎で命じた。乾物屋は素直に起つて、入口の側から棒切れを持つて來た。フト肩章を見ると乾物屋は軍曹である。

恐らく請負師は曹長位かと思つて肩章を見たが付いてゐない。

私は小聲でサラリーマンに「お髭は偉いのか」と聞くと「なあに奴は一等兵だよ」といふ。一等兵の請負師が軍曹の乾物屋を顎で使ふのである。お髭の手前一等兵の肩章では淋しいのであらう。消えかゝつた火がぺら〳〵燃え出して來た。誰れが作つたのか針金で火箸が出來てゐる。その火箸で請負師が灰をかき廻してゐると、ひよつこり薩摩芋が出て來た。

「こりや良く燒けてる」

ふう〳〵言ひ乍ら請負師は灰をはたいて皮をむき始めた。鬼の様な大きな太い手で無中になつてむき始める。小さな可愛い口をとがらせてふう〳〵吹く。

今迄默つて居た材木屋がその芋を見ると腰を乘り出して來た。

「お髭さん、それは俺の芋だよ」

「そんな事あるか、此れは俺のさ、第一場所が違ふぢやないか」

請負師はてつきり自分の物と思つてゐるのでなか〳〵承知しない。色々聞いて見ると、どうもその芋は材木屋の物らしかつた。而し請負師はお髭の手前そう易々と手を引きさうもない。

材木屋も日頃の請負師を良く知つてゐるのでそれ以上言はなかつた。半分喰べかけた芋が請負師の手の上でどうやら冷めたらしい。

矢張りきまりが惡いのか左手で芋を摑んだ儘どうしたらいゝのかといつた恰好である。

切角貰つた薩摩芋も自分の口に入らず、請負師の腹に入つてしまつたので材木屋は至つて不氣嫌である。

芋の置場に困つた請負師は遂に圍爐裏の縁へ置いて了つた。私がふと後を振り向くと寢てる者や、半身起して本を讀んでゐる者、皆それ〴〵いろんな恰好をしてゐる。その中には病氣の重い者もゐるし、輕い者もゐる。寢てゐる者が概して重いらしく、中には唸つてゐる者もゐた。

火にあたつてゐる四人の患者は恐らく輕症であるに違ひない。此の病院が出來て直ぐ入院

して來たといふ古參の患者が請負師ださうである。マラリヤから脚氣になり、脚氣から腎臟になつたといふ病氣の問屋見たいな男だといつてサラリーマンが頻りに蔭口をきく。

「何にしろ奴さんは心臟者でなあ、とても俺達には敵はんよ」

私の耳にそつと口を寄せて囁いた。病院が出來て未だ一ケ月少ししか經つてゐないといふから、請負師は入院してからやつと一ケ月程度のものらしい。

二

日が經つにつれて入院一ケ月といふのは最古參だといふ事が分つた。三日目位になるとやつと室の樣子も分る樣になり、圍爐裏にくべる薪も皆患者が無理して外から運んで來る事も知つた。衞生兵はいろんな雜用の爲手が一杯で、とても患者の薪の心配迄手が屆かないのであらう。

請負師にそんな事を尋ねて見ると、今でも一應衞生兵が運んでくれる建前になつてゐるが、

それだけではとても足らないのだといふ。

「俺なんか毎日薪拾ひだ、とうなると元氣な者は損だよ」

診斷が終つて歸つて來た所なので圍爐裏の火も殘り少くなつてゐる。私は入口の薪を取つて二三入れて置いた。寒いので寢やうと思つてゐると、隣の患者が「もうすぐ飯だぜ」といふので外套を着たまゝ圍爐裏の側に坐る。

未だ診斷室から歸つて來ない患者もゐるので室の中はがら〱である。診斷が終つた連中は皆圍爐裏の側に寄つて、今日の診斷の結果を話し合ふ。診斷日は一日隔きなので患者はその診斷日を殊の外氣にする。診斷日には必ず二、三人の原隊復歸者があり、今日は誰れだ、此の次は誰れだらうといふ樣にお互ひに原隊復歸を待ち焦れるのである。

「今日は室長かも知れんな、先刻山本軍醫が再診するから待つてゐろといつてゐたよ」

乾物屋が私の橫から兩手を出してあたり乍ら診斷室の樣子を話す。

そうこうする中に飯を運んで來た。

「おゝ飯だ、早くしてくれ」

衞生兵が氣合を掛けるので殘づてゐる四、五人の者で全部の患者の飯を盛つて置く、大きな桶に飯が山盛りに盛つてあつて、それを一人で盛るのでとても忙しい。

お茶は別の衞生兵が同じ樣な桶から皆に分けてくれる。室の入口で分けるので藁の上が御飯粒とお茶で汚れてしまふ。飯盒を十七並べて藁の上に置くと、中盒と飯盒の名前を合せて皆の寢場所の上へ置いて廻つた。足を上げる度に痛むのでとても骨が折れる。

「皆さん有難たう、俺はお蔭で原隊復歸だつて、やつと助かつたよ」

室長が歸つて來るなり嬉し相な顏して皆に報告する。乾物屋の豫想は見事に當つたのである。

自分の寢床の上で飯盒飯を喰べてゐると、室長が原隊復歸だからといつてドロップを紙に分けて配つてくれた。室長は餘程嬉しいと見えて飯をそつちのけで、身の廻りの整理を始めた。室長に續いて殘りの患者が歸つて來た。

「俺も原隊復歸だ」

小柄な患者が室長の側へ行つて原隊復歸の旨を傳へる。今日の診斷で原隊復歸者は二名と

いふ事が分つた。室長の澁谷軍曹は子供の樣な氣持に還つて先刻からはしやいでゐる。飯も未だらしく、背嚢と雜嚢を出して中を盛にかき廻してゐる。私が飯を喰べ終る頃になつても未だ何かがちや〱やつてゐた。間もなく衞生兵が藥罐を提げてミルクを配りに來る。

入口の莚を開けると

「ミルクの患者」

と大聲で怒鳴る。此の室では私だけなのでアルミニュームの食器に一杯入れてくれる。相變らず今日も水の樣に薄くミルクの味すらしない。一罐のミルクで何十人分かを作るのだといふから薄くなるのも無理は無いと思つた。食事が終ると患者は各々飯盒を持つて診斷室の側の洗場に行く。

私は先刻起きたのが惡かつたのか兩足がとても痛んで來た。飯盒と食器を持つた儘毛布の中に兩足を突ツ込んでゐると、隣りの患者が洗つてやるからといつて私の手から飯盒と食器を持つて行つた。

「ぢや濟みませんがお願ひします」

其の儘寢込むと急に寒氣がし出した。どうもマラリヤらしい。入院以來一度も起きないのでどうしたのかと思つてゐた所である。

發作は益々ひどくなつて行く。全身が震え出してどうにも我慢出來なくなつて來た。口がわく／＼動いて終ひには唸り出す。外套の頭巾を頭一杯に覆つて見たが寒氣は一向止まない。

「どうだね、俺の毛布でも掛けておこう」

飯盒洗ひから歸つた隣りの患者が自分の毛布を一枚はいで私の背の上に掛けてくれる。

頭ががん／＼鳴る。なにかで押えられる様な默つてゐられない氣持になつて行く。此の發作が四時頃迄續いた。五時頃になるとやつと樂になつた。四時間の發作で頭が變になる。

氣分が良くなつたので半身を起して見た。背嚢の横に置いてある水筒を取つてぐつと一口飲むと冷えきつた水が喉からぐつと腹の中に入つて行くのが良く分る。

「先刻毛布を有難う、助かりましたよ」

「いや、マラリヤぢや僕も苦しんだからなあ、未だ良くはなつてゐないんだ、まあお互ひ様さ」

隣りの患者は思つたより更けてゐて三十五、六にならうといふ年頃である。

「東京ですか」

「えゝ中野です」

口振りから言つて如何にも温厚さうなので勤人か、それとも商人かとさへ思つたが、良く聞いて見ると巡査だといふ。

「巡査をやつてもう八年になるんです」

「さうですか、僕は始め勤人かと思つたんですが」

名前は黒田といふのださうで、階級は上等兵である。呉淞クリークで左腕に貫通銃創を受け、廬山で肩に迫擊砲彈の破片で負傷し、今度の戰病で三回目の入院だといふのである。

「今の病氣は出征前からあるにはあつたんです、此の年になるとなか／＼治らんさうですが」

黒田巡査は自分の病氣が不治の病だといふ事を良く知つてゐるので、別に悲しんだり、憂欝になつたりする様な事はなかつた。微熱が毎日出るといふので夕方になると飯も喰べずに寢て了ふ。何時かミルクを慾しがつた事も私はこれで分る様な氣がした。そんな事を思ふと

私はなんだか黒田巡査が不愍の様な氣がしてならなかつた。明日ミルクを貰つたら早速飲ませてやらう、私は心でさう極めた。

「お子さんはあるんですか」

「もう四人もゐるんですよ、一番上は小學校の五年ですからね」

「ぢや大變ですね」

無性髭が五分位伸びて、黒田巡査の顔が如何にも淋しい。

幾分痩せすぎの體に無性髭が尚更貧相に見え、陽が落ちると寒さが身に沁みる様に感じる。藁の隙間から風がスー／＼入つて來るので首から肩にかけていやに冷える。おまけに寢床の藁が薄くなつて下の土が見え出して來た。床が冷える／＼と思つてゐたが、どうりで此れでは冷える筈である。

夕飯が終つてから寢る前に寢床の藁を平にして見たが、藁が少いので充分には行かなかつた。寢た所だけがすぐ凹んで地面にくつゝいて了ふ。藁が薄いので毛布を通して冷えて來る。足の所は丁度入口なので、其處から入る風に直接當つて兩足が凍える様だ。餘り寒いので足

の所を天幕で折つてその中に毛布を上下に折つて見た。

天幕で毛布の上を覆つてからやつと冷さが和らいで來た。足に靴下を二足穿いて兩手に軍手を嵌めて寢た。始めの中は首だけ出して寢たが、藁の隙間から入る風が強くなるに從つて顔だけ出してゐる事もつらくなつて來た。そして遂に顔も外套の頭巾で覆せてしまつた。頭巾を覆つて寢ると息をする度に頭巾の中が息で一杯になる。それだけでも可成寒さしのぎになつた。

それから約一ケ月の間は殆んど朝から晩迄寢たきりだつた。診斷日等は良く赤い目をし乍ら出掛けて行つたものである。私の室から診斷室は五十米となかつたので。他の室に較べては近い方だつた。私の室は一棟の眞中で一番端が牛小屋だつたらしく、藁の下には牛の糞がうんとあつたといつてゐた。さうすると診斷室寄りの室が物置だつたのかも知れない。

私はその五十米位の間を外套の儘、地下足袋をつゝかけて診斷に出掛けるのである。診斷室の入口は冬といふのに色のあせた蚊帳が下つてゐて診斷室の中が外から丸見えになつてゐる。

室の中は机が三つに椅子が五つ許り、三つの机に軍醫が一人づゝ腰掛けて順番に診斷する。診斷を受ける患者は軍醫の前に腰掛ける前に半裸になつて行く。

室がだゞつ廣くて外套のまゝでも寒氣のする様な感じで、半裸になると、もうぶるつと震える。待つてゐる患者は殆んど皆立つて、上衣のボタンをはずしてゐる。患者の中には襦袢の上に這つてゐる虱を追駈けてゐる者もゐる。

襦袢の上を這つてゐる様な虱は恐らく皆長さ二分位の大きな奴計りである。私の前にゐる患者が腰掛けて診斷を受けてゐると、顔馴染みの山本軍醫が聽診器を當て乍ら頻りに足をかいてゐる。

「足が先刻からむづかゆいんだが虱かな」

笑ひ乍らそんな事をいゝ乍らズボンをまくつて股引の裏を見ると眞赤な血を吸つた虱が一匹這つてゐる。

「いや大した奴だ、えらいものをしよつたなあ、患者から移つたらしいぞ」

手で摘み上げると側にゐる患者に見せて棄てると靴でこすつて潰した。後を向いてゐる患

者の背中を見ると虱をかいたのであらう、縱横に爪でかいた跡が白くなつてゐる。

「大分蟲がゐるらしいなあ、襦袢にゐるんだらう、自分で洗へなかつたら、元氣な患者に洗つて貰えよ」

餘りひどいので山本軍醫も聊かてれたらしい。

私は入院した許りなので未だ虱は集らなかつた。側に居る患者を見ると皆上衣のボタンを取つて襦袢を裏返し乍ら虱探しをしてゐる。入院も一ケ月もすると誰れも彼れも、わくらしく、幾ら洗濯しても駄目だといふ。殊に普通の患者では洗濯するなどといふ元氣があらう筈がなく、マラリヤ患者等は熱の爲に汗が出て、それをその儘着てゐるので尚更たまらない。

診斷が終つた者は襦袢を着る前に一度裏返して丹念に虱探しをやる。軍醫もしやうがないといつた顔付で時たまその虱探しを横目でちらりと見る。私が上衣を着やうとしてゐると、私の前にゐる患者の服の上に虱が這つてゐる。私は外套を着る時入念に調べて二、三度振つてから出て來た。

診斷室の前からずつと兩側に四、五軒の家がついて並んでゐる。その家屋は全部病室に當

てられて一室三坪位の狭い室もある。病室では此の右側の家屋が一番陽當りが良く、一日中陽が當つてゐた。その爲か此處の病室の前は虱探しの患者で一杯になつて了ふ。

今日診斷の無い病室は患者が皆室から出て日向ぼつこしてゐる。朝も十時頃になるとそろ〳〵暖くなるので、病室の前は一列に患者が列んで場所を取るのも容易でない。私の病室は東向で陽當りは一番悪いので、元氣な患者は皆外へ出て日に當る。

風がないので壁に寄り掛つてぢつとしてゐると、冬だといふのにまるで燒ける様に暑い。室の前にある物置の横には藁が山の様に積んであるので、皆その藁を敷いて寢ころぶ。

「宮川、何時來たんだい」

私の名前を呼ぶので寢た儘顔に覆せた手拭を取つて見ると、同じ中隊の齊藤だつた。

「何んだ齊藤か、君こそ何時來たんだ」

「俺は未だ十日だよ」

「さうか、俺は五日目だ」

齊藤は私の現役當時同じ班にゐた男で、除隊後も良く東京で會つてゐた。そういふ關係か

ら今度の事變にも私より先に出征してゐる事を知つてゐたので、何時か會ふだらうと思つてゐたのである。最初會つたのは上海で、廬山へ來てからは始めて會ふ譯だ。現役當時から非常に弱々しい性格で、寧しろ女性的なタイプだつた。

兩親に早く死別して、今では姉一人といふ淋しい境遇に置かれてゐた。その姉も新橋で自前の藝者をしてゐるといふので良く戰友達からひやかされた事がある。除隊後は友人の家を轉々としてゐたので姉は常に心配してゐた。折あつて私がその姉の家を訪問した時、姉はしみ〴〵と齊藤の不身持を語つてくれた。

「弟はどうゆうものですか意氣地がないのです、御世話になつた御友達にも御迷惑ばかり掛けてゐますし、今度も日本橋の山岸さんの御店の物を何か悪い事をした相で、どうもほんとうに困つてゐます、あなたには何か御迷惑を懸けなかつたでせうか」

五、六年前ミス東京に選ばれたといふ此の姉は見るからに上品なとても藝者と見えない様な顔を、そして目をまばたき乍ら私に聞くのだつた。

その時の姉の顔を今でもはつきり覺えてゐる。齊藤の顔を見るとその姉の事が急に頭に浮

んで來た。

「何處が惡いんだ」

「腎臓とマラリヤだ」

どうりで顔が馬鹿にむくんでゐる。廬山以來の無性髭が大分長く伸びて人相が變つて來た樣だ。

「齊藤の室は何處だい、一番奥か」

「さうだ、一番奥の潰れかゝつた家さ。雨が降ると物凄く漏るんでね、どうにも弱つてゐるよ」

齊藤は私の側に腰掛けてごろりと寢轉んだ。日がさん〳〵と照り付けるので服を通して背中が焼ける樣である。

三

農家の軒下に日向ぼつこの患者が集まると皆一齊に服を脱いで虱取りが始まる。裸になつても寒くないので襦袢を脱ぐと裏を返して縫目に巣喰つてゐる卵を兩手で「プツ〳〵」と潰して行く。

たまに虱探しをやる患者は殆んど皆物凄い奴が遣つてゐる。ひどいのになると服の衿の縫目に卵がずらつと一列に白くなつてゐるのもゐる。此等は比較的悪性の方かも知れないが、最近では私の室だけでも五、六人ゐたから未だ〳〵蔓延の徴があるのだらう。元來虱は衣服の内側にだけゐるものと思つてゐた私は、此れで虱といふものは衣服の外にも巣を作るものだといふ事を知つた。

隣合つて虱探しをやつてゐる患者はもう夢中になつて卵探しである。親指の爪が眞赤になつてもそれを拭こうともしない。此の患者には恐らく襦袢は虱だらけであらうと思つた。成程服の虱を探し乍ら片手で背中を熾んに掻いてゐる。廬山以來の襦袢であらう、垢で眞黒になつて如何にも汚ない。私と同じで首から上は垢と陽焼けで何んとも言へない顔である。

顔はもう二ケ月計りは洗つた事がないので皮がしまつた樣な感じだ。隣りの患者の顔を見

て私はそつと自分の顔をなでゝ見た。無性髭が大分伸びたので觸るとざわ〳〵する。

服のポケツトから煙草のケースを取り出すと蓋を開けて顔を見た。どうやら鏡代用になるのでぼんやりと陽焼した顔が映る。

こうして顔を見ると隣りの患者以上に黒さうである。手足は既に垢が滲み込んで相當に黒い。是等は診斷の時見た時でも垢だらけの上に腫れてゐるので尚更氣味の悪い位な色をしてゐた。今迄履いてゐた地下足袋も足が腫れて思ふ樣に履けなかつた。しやうがないので足を半分突つ掛けて歩く樣にした。靴下もその爲か踵の邊は土が付いて穴があいてゐたが今迄はてんで知らなかつた。足の底が硬くなつて感覺が無くなつてゐたのであらう。

日向ぼつこをし乍ら靴下を脱いで見ると足全體が腫れ上つて押すとぶく〳〵凹む。手でつねつても丸で感じなかつた。靴下を振つて見ると中から皮のむけた殼が出て來る。襦袢下の裾の邊りをほどいて見ると、同じ樣に皮のむけ殼がぼろ〳〵出て來た。私の體には未だ虱が湧かないので他の患者の樣な事はなかつた。

而しもう間もなく湧くのであらうと思ふと體中がぞーとして來る。日が餘りにも暑く照り付けるので私は頭に手拭をかぶつた。暫らくすると頭が馬鹿に痛くなつて眩暈がしさうになつて來る。

「マラリヤかな」

獨言を言ひ乍ら兩手で頭を押えると壁に寄り掛つて目をつぶつた。

急に寒氣がし出してがた〳〵震える。口が異樣な震え方をして頭が押えられる樣に痛んで來た。私はマラリヤだと分つたので急いで室の中に駈け込む。寢床に入ると毛布が冷えてゐるのでとても寒い。毛布の上に外套を掛けて頭巾を頭一杯に覆ると體を横にして寢た。何時ものマラリヤで、此の所毎日續いてゐるが今日のは特別ひどい。

時間的に午後出るものと決つてゐるものが、今日は午前中に出てしまつた、日向ぼつこが原因したのかも知れない。兎も角今日は矢鱈に痛む。寒氣も先刻より更に加はり、毛布一枚と外套だけではどうにもならなかつた。熱にうかされた五時間は實に永い。もう夕方かと思つて腕時計を見ると未だ三時である。

晝食をぬいたので腹は減つたが喰べる氣にはなれなかつた。未だ頭がガン〳〵鳴る。外は

まだ日が高く、日向ぼつこをしてゐる患者もゐる。喉が乾いたので水筒の水を一口飲んで見た。飲んだ後で亦下痢だなと思ふと聊か憂鬱になつてくる。

その夜豫想に違はず可成猛烈な下痢に惱まされた。始めの中は一時間隔き位だつたが、午前零時を過ぎる頃になると三十分隔き位になつて便所から歸つて寢ると亦直き起きるといつた樣に、一つも寢る暇はなかつた。夜は室の中が眞暗になるので圍爐裏の火が唯一の頼りになる。それも九時、十時と過ぎて行くと殘り火もなくなるので全くの暗闇になつて了ふ。

たまに寢られないといふ患者が居ると十二時、一時迄火を燃やしてゐるので、そうゆう時は可成助かるが、そうでもなく早寢でもされると私はたまらなくなつて泣きたくなる事さへある。

五度目の下痢に起き上らうとすると腰がふらついて思ふ樣に立てない。漸やく藁垣の壁につかまつて入口迄足を運ぶと、地下足袋に足をつゝ掛けるのさえ退儀である。藁で編んだ戸を開けるともう我慢出來なくなつた。腹自體が既に力がないので暫らく立つた儘で居たが急にその場に坐つて了つた。外は身に滲みる樣な寒さである。暫らくの間は立つにも立てない

ので坐つた儘何んとも言へないといつた表情になる。六、七分經つとやつと治つたので急いで便所に駈け込む。

死ぬ程苦しみ拔いた十分間で私の頭は馬鹿になつた樣な氣持にさへなる。盧山以來の大腸炎が未だ治り切らずに再發したらしく、手探りで十間位ある室迄歸つて來るともう入口の所で自分の體を支える力がなくなつてゐる。どうやら寢床に入ると體が冷え切つてゐるのでたまらなく寒い。兩足が縮まつた儘でどうにも伸びない。

外の患者は皆よく寢てゐるらしく鼾をかいてゐる者もある。私は寢床に入つてほつと息をつく間もなく亦六回目の下痢に立たねばならなかつた。もう起き上る氣力もなく、そうかと言つて起きない譯には行かなかつた。痺れる兩手で腰を起すと亦壁ツ・に寄り掛つて入口から外に出た。こうして明方迄に十七、八回も便所に通つた。身體は全く眞から冷え切つてぐつたりと疲れてしまつた。疲れの爲か朝飯も知らずに晝近く迄ぐつすり寢る。昨夜迄の下痢も朝になるとずつと良くなつて晝迄一度も行かなかつた。

午過ぎに衞生兵がやつて來て新患者が入る旨を傳へて行く。間もなく衞生兵に連れられて

二人の新患者が入つて來た。

「室長さん、狹い所無理ですが、一つ我慢して何んとか御願ひします」

衞生兵が懇願する樣に何度も〳〵頼む。

「何んとかしませう、その代り雨が漏る所しか空いてゐないんですがどうですか」

室長の答えに衞生兵は後の新患者に相談すると、新患者はそれでもいゝと言つた。

「雨が降ると大變ですよ、とても寢られませんからね」

衞生兵から毛布を受け取ると、新患者は雨の漏るといふ三尺位の空いた床の上に毛布を敷いた。餘り狹いので室長は兩隣りの患者を少しづゝづらせて一尺計り廣めると、やつと二人の患者の寢られる場所が出來た。雨が漏つて藁が腐つてゐるので其處だけ穴が開いた樣に凹んでゐる。一通りの準備が終ると更めて室の者に挨拶をした。

「よろしくお願ひします」

一人の患者は馬鹿に體の大きな男で、もう一人の患者はそれとは反對に五尺足らずの小男である。

室長が所屬部隊を聞くと、鳥海部隊だといふ。どちらも補充兵で二等兵である。私は丁度診斷から歸つた計りの時だつたので、寢床に半身入れて新患者の方を見てゐた。他の患者は室長を除いて皆寢てゐる。隣りの巡査は私の寢る物音に目を醒して毛布の中から顏を出す。

「又新患者ですか」

私は無言の儘頷くと顏を上げて新患者の方を見詰る。

「若い人はいゝですね、病氣だといつても矢つ張り何處かしら元氣な所がありますよ」

「あの二人は又特別若いですね、顏に艶があつてまるで少年の樣ぢやありませんか」

赤い頰をした小男の患者はどう見ても少年にしか見えない。恐らく廿二、三を越えぬであらう。言葉の訛りから農家出の兵隊かと思つて聞いて見ると神奈川縣の在だといふ。

「神奈川のどの邊ですか」

「湯河原の近くなんです」

小男の患者は妙な言葉訛りでこういふと私の寢床の側へ寄つて來た。

「湯河原は生れた所で、今居る處は東神奈川なんです」

話が好きと見えて巡査が半身起すと、私と巡査の間に坐つて自慢話を始める。此の患者は戰地に來て未だ三ケ月目だといふから、廬山の攻撃から始めて戰闘に參加した譯である。馬にも未だ馴れないので車の後押し計りが專門だつたと話す。

「自分は出征前迄淺野セメントに出てゐたんです。根が百姓ですから勤めは駄目ですね。會社に入つてもう一年ですが、周圍の者が悪い者計りなんで、いゝ事は一つも覺えませんよ。酒も悪い遊びも一通り卒業してしまつて、今度若し生きて歸れたら田舍に歸らうと思ふんです」

赤い頬をし乍ら若い患者は私に向つてどうしたらいゝもんかといつた相談である。

横から隣りの巡査が口を出して若い患者に聞いて見た。

「あんたの言ふ通り田舍に歸つて百姓をやる方がずつとましですよ、あんたは未だ若いし、田舍でみつちりと精神を鍛へた方がいゝ、今度の出征はそうゆう意味からも亦とない心の轉換期です、どうです、あんたはどう思ひます」

若い兵隊にはそれが兄の言葉の様に聞えたのか滿足げに首を下げてにつこり笑つた。

四

先刻から默つてゐた大男の患者も小男の話に釣られて私達の間に入つて來た。

「私の名前は古賀といふんです。よろしくお願ひします」

名前を名乘ると古賀は眞黒な顔を私の前に突き出す。神奈川の小男に比べて此の古賀の風貌は眞に何んて言つて良いのか形容の仕様もない位グロテスクな格好である。天井を向いた鼻がいやに又大きく、その上目がぎよろりとしてゐてどう見ても普通の人間とは思はれない。

「私は小村と同じ神奈川ですが、生れは煙草で有名な秦野です。百姓といふより山家育ちの人間で、まあなんて言ひますか炭燒や、木樵、それに猪狩りが主な仕事でしてね」

古賀はそう言ふと青筋の立つてゐる兩手をこすり始める。やつぱりそふなのかと私は古賀の職業を聞いてふうんと頷いた。

小村より年を取つてゐるらしく、どつしりしてゐる。此の男が補充兵かと思ふと小村との對象が可笑しく感じられる。

所謂山男といふのであらう。古賀の體付きからして昔の駕籠舁きを想像して見た。

「丹澤なら隅から隅迄知つてゐますよ、あすこは僕の根城ですから、良くハイキングの人達を案内したもんです。未だ〳〵猪がゐるんですからね、ほんとうの山らしい感じがしますよ」

古賀の話はなか〳〵盡きない。山男に似合はず話上手で、次から〳〵と話を續けて行く。

寢て居た巡査も遂に起き上つて古賀の話に耳を傾ける。

「丹澤に猪が居るなんて何んだかほんとうとは思はれませんね。ほんとうなんですか」

不審さうに聞く巡査に向つて、古賀は飛んでもないといつた顔付きで

「僕のいふ事信じないんですか、丹澤を知らないでそんな事言へませんね。現に僕は出征の少し前に一頭射止めて來ましたよ」

自信あり氣な古賀の言葉はそれ以上巡査の質問を封じてしまつた。古賀は今自分が兵隊であるといふ事を全く忘れて、出征前の山男に還つた様な態度になつてゐる。戰地へ來ても矢

張り話の序に出て來る郷里の事がたまらなく懷しくなるのであらう。いや一つの自慢かも知れない。野猪を射止めるといふ自分の力を十二分に皆に知らせたかつたのである。その話をする事に依つて滿足感を得るのかも知れない。

山男の純眞さがその話の中に滲み出て私はなんとなく此の男が憎めない様な氣がして來た。嘘を平氣でしやべる都會出の兵隊より餘程此の男の方が親しめる様に思えた。俺は百五十圓の月給取りだなんて自慢氣に話す青白い兵隊より、ありの儘の生活を卒直に話す方が聞いてゐる者に取つてどれだけ嬉しいか知れない。

なにしろ東京者許り居る此の病室に山男丸出しの古賀が入つて來た事はどれだけ私をよろこばせたか知れなかつた。

「僕は此んな男ですから氣がとても荒いんです。ちよつと氣が向かないとむかつ腹を立てるし、喧嘩もよくやりましたよ。而し病院に入つちやどうにもならんですね。神經痛ぢや尚更ですよ」

大口を開いて古賀は思ひ切り笑つた。山男らしい大きな笑聲に私まで可笑しくなる。

間もなく古賀は診断室に呼ばれて行つた。巡査と私は顔を見合せてフ、ンと笑つた。

「なか〱豪快なんですね、山男つてあんなに純情なもんですかね」

床に入り乍ら私にそう言つて感心する。二週間も續いたマラリヤも今日は治つたのかその時間になつても氣分は何ともない。用心して寢て見たが熱も寒氣もしないので脈を計つて見る。

今日は六十六以上にならないから、普通より三十位低い。確かに治つたのである。而し下痢と脚氣は日増しに悪化する一方で、良くなる見込みは今の所先づない様に思えた。

注射は毎日した。鹽野のパラヌトリンにメダボリン、それにオリザニンといつた注射液を代る〱うつてくれた。衛生兵もすつかり馴れて

「君の腕は馬鹿に硬いね、一度君の腕にうつと針が曲つちやつてね、ほれ此んなに曲るんだよ」

成程衛生兵の言ふ通り針は曲つてなか〱入らない。入らないと何度も刺すのでとても痛い。時には血がふき出る時もある。

「犬や猫ぢやあるまいし、そう突つゝくとたまらんね」

私が悲鳴をあげると衛生兵は笑つて

「何んだね此れつぱかし、我慢しろよ」

と私の腕をしかと握つて無理に突き刺す。おまけにパラヌトリンをうたれると飛び上る様に痛い。

注射をうつと、午後は鹽規を飲む。マラリヤの特効劑で之が亦とても苦しい。飲んで一時間位の間我慢出來ない位にいやな思ひをする。此の鹽規を悪用する者が出てひどい目に會つた患者がある。丁度古賀が入つて來た翌日である。

悪性のマラリヤ患者が一人割込んで來たので室の者は餘りいゝ感じをもたなかつた。殊に京橋のサラリーマンは自分の隣りに來たといふのでとても氣嫌が悪い。

「馬鹿にしてろよ、俺の寢床が半分になつて、おまけに夜中うなるんぢやかなわんからな、なんとかして貰はなくちや」

マラリヤ患者が診斷に行つた留守に彼は不平だら〱を大聲で怒鳴つてゐる。其處へマラ

リヤ患者が歸つて來るとヂロ〱その患者を見つめて意味あり氣な顔をする。

「濟みませんが、此の藥どうやつて飲むんですか、軍醫殿に説明して貰つたんですが、一粒を半分に割るとか何んとか言つてたんですが忘れてしまつたのです」

京橋のサラリーマンは何を思つたのか、につこり笑ふと、

「此の藥は鹽規つて言ふんですが、一粒を二つに割つて二回に飲むんです。飲み方は唯ぐつと飲むだけでなく、良く嚙んで飲むんですね、でないと效能がないんですよ」

そんな事を言ふと自分の枕元から水筒を取つてニユームのコツプに水を注いだ。マラリヤ患者は言はれた通りに一粒を半分に割つて口に入れると嚙んだ。忽ち「うはあ」といふと吐き出して

「あゝ苦い、何んて苦いんだらう」

苦蟲を嚙み潰した様な顔をすると指を口の中に入れて、あはてゝ爪で舌をかいた、いくらかいても苦さが取れないのでサラリーマンの持つてゐたコツプを取るが早いかぐつと飲みほす。それでも駄目なのか、いとも深刻な顔をして室の外へ飛び出した。

「あは……うは……」

サラリーマンは腹の皮がよじれる様な笑ひをすると立ち上つて室中を飛び歩いた。

「なんて痛快なんだらう、あゝ可笑しくてたまらん」

獨りではしやぎ廻るとそつと入口から外をのぞいて見る。

「宮川さん、奴さんなんて悪い事するんだらう。鹽規は唯飲んでさへ苦いんだから、嚙んだらたまらんですよ、悪い奴だね」

黒田巡査はマラリヤ患者に同情してそう言ふとそつとサラリーマンの方を向いてこん畜生といつた顔でにらむ。

「悪氣でやつたんぢやないでしよ。奴さんは少し茶目な所があるからね」

サラリーマンはやつと平常に戻ると私の側に來て坐つた。生粋の江戸ツ子と自稱するサラリーマンからは、矢張り何處か江戸ツ子らしいものを感じる事が出來た。實に良くしやべるし、亦實に良くあらゆるものを知つてゐた。

銀座マンは俺だと言つた事を良く自慢氣に話してゐる事を聞いてゐた。

「銀座なら知らん所なんてないぜ。日に五、六回は歩くんだからね。喫茶店の女の子だって大概俺の顔は知つてゐるよ」

良く此んな事を言つては銀座の路地のおでん屋、さては四丁目のブラックバードにゐる誰がシャンだとか、天ぷら屋の女將はどうもおかしいとか實に良く次から〳〵しやべりまくるのである。

恐らく軟派型なのであらう。顔ものつぺりしてゐる所から押しても只の鼠ぢやなささうである。まあおまけ半分と見ても相當の强者かも知れない。自稱銀座マンを任じてゐるのであるから少し計り知つてゐる私達の及ぶ所ではない樣だ。

「宮川さんどうです今のは、鮮やかなもんでしよ、マラリヤの奴さん僕の言ふ通りに嚙むから面白いぢやないですか」

得意氣に言ふと、サラリーマンは今迄の經過を細々と繰返す。折角寢かけた黑田巡査もサラリーマンの聲で目を覺す」

「それや餘り良くないなあ、マラリヤで唸つてゐるんだから可哀相だよ。鹽規をまともに嚙んだのぢやたまるものか、唯飮むだけでも苦いんだもの」

私の言葉にも耳をかさず彼は再び鹽規の話を續ける。とそこへ先刻の患者が入つて來たのでサラリーマンは急に話を止めて、話題を代へた。

マラリヤ患者は未だ苦くてやり切れんといつた顔をし乍ら入つて來ると、私の側に居るサラリーマンを見付けてつか〳〵とやつて來た。

「先刻の藥ですが馬鹿に苦いですね、あんなに苦いとは思つてゐなかつたんです、あれぢやもう飮めませんね、もう一度でこり〴〵です、口の中が未だ苦いんですよ」

怒ると思つたその患者が意外に素直なので、サラリーマンもほつとして胸をなで下ろす。暫らくどう言つてい〻のか間誤ついてゐたが、患者の顔を見てにやりと笑つた。

「あの藥は苦いんで有名なんですよ、患者でも正直に飮む奴は少いんぢやないですか、僕等は一遍にこりてしまつたんですよ、今ぢや勿論飮みませんがね」

場當りの思ひ付きを言ひ譯にしやべると、その患者は感心した樣にうなづいて、自分の寢床に歸つて行く。

五

寒さは日一日と嚴しくなつて來た。木の葉も全く枯れ落ちて寒風が始終吹きまくり、夜になるとヒュー〳〵といふ風の音でよく目をさます。藁の隙間を通つてその寒風が私の肌に服を通して滲みる。時には毛布の上から直かに風が肌に通つて體が全く冷えてしまふ事もあつた。

十二月の半ばといふと此處鄱陽湖畔も可成寒い。殊に朝方は指が千切れる樣に冷く、頰がこわばつた樣になつて鼻汁が拭いても〳〵出て來る。病室も旣に超滿員の盛況で定員十五名を超えて二十三名となつて了つた。そうなると私は愈々隅に押しつけられてどうにもならなくなつて了ふ。患者が增えて來て圍爐裏が狹くなると、どんなに縮まつて當つても七人以上は無理だつた。

殊に室の天井は筒抜けになつてゐるので、寒風が天井から吹きさらす。風の吹き樣如何に依つては砂塵が天井から室の中へ吹き散らす事もある。そんな時には寢て居る顔が砂ぼこり

になつて眞黑な顔をお互ひに笑ひ合つたりする。而し患者が增えたので前よりも餘程室の中が暖い樣な氣がする。

それ許りでない。直ぐ裏の物置きを潰したのでその小屋の柱や板を入口の側に置けるだけ置いた。薪が豐富になつたので圍爐裏は何時も景氣良く火が燃える樣になつた。その薪運びは遂に最後迄私は手傳ひ出來なかつた。運んだ患者は皆元氣な者で、退院間近かの患者が多かつた。間もなく薪がなくなると衛生兵が山から色んな雜木類を運んで來てそれを分けてくれる事になつた。いざ分ける段になると室に對する分配方法が思ふ樣にいかないので、結局一室當り三日分位の薪しか貰えなかつた。寒さがひどくなる度に薪も多くいつたので衛〻の分配のみに賴つて居られなくなつて了つた。

愈々薪が缺乏すると、裏の物置小屋の跡に置いてある病院用の薪置場に取りに出掛ける。

十五夜が過ぎて眞暗になつたある日の夜である。

「どうだね、今晩一つ裏の薪を失敬しようぢやないか、何人位で行くかな」

サラリーマンを中心に大體の下準備は出來てゐるらしく、後はたゞ人間だけが殘されてゐ

たらしい。

「餘り大勢ぢや見付かるから二人位で行くんだね、一人は張り番で、一人が取り出すんだ」

乾物屋が珍らしく薪泥棒の片棒を擔がうといふのである。結局サラリーマンに乾物屋が試しにやつて見ようといふ事になつた。外は月がなくて暗いので仕事には絶好の夜である。

「ぢや行つて來ますから入口迄運んだあとは頼みますよ」

サラリーマンは片手に懷中電燈を持つて、乾物屋は縄を持つて出掛けた。間もなく私も便所に行つた歸りがけ、寄つて見る心算で診斷室の側から私達の室の裏に足を運ぶと、黑い影が二つごそ〳〵働いてゐる。

農家の柱や板等が山の如く積まれてその上に藁縄が二重、三重に掛つてゐる。餘程强くしばつてあるのだらう、なか〳〵拔けない。衞生兵の監視は夜になると幾分緩やかになるので一時間置き位にしか廻つて來ない。その代りランプが一個その薪の上に置いてあつて無言の監視をしてゐる樣である。

サラリーマンと乾物屋は交代に一本の柱を引き拔かうとして懸命になつた。二人共直ぐ後

に私が居る事を知らないのだらう、目をきよろ〳〵し乍ら薪の側へしやがむと、小さな聲でうん〳〵いゝ乍ら引つぱつてゐる。

邊りは全くしんとして靜まり返つてゐるので、引つ張る度にギイ〳〵鳴る。たまに大きな音がすると驚いた樣に急に手を引く。一番奥の病室から便所に行く患者が起きて來ると、急いで物置きの蔭にかくれる。そうこうする中に引つ張りかけてゐた柱が遂に拔けて、それを二人で持ち上げ樣とすると重くてどうしても、もち上がらない。

可成重いのだらう。直經一尺位ある丸太棒なので目方も四、五十貫はありそうだ。

「手傳はうかね」

闇の中から突然聲を掛けたので餘程びつくりしたらしく、持ち上げかけた丸太棒から手を放して後ろを見る。

「なあんだ、宮川さんか、驚いたよ、胸がどき〴〵して震えたよ」

「そう驚かんでもいゝさ、僕だからいゝけど衞生兵に見つかつたら少しはうるさいぜ」

兎も角その丸太棒を早く運ばなくてはならないので、私も腰を曲げて手を掛けたがどうし

ても力が出ない。ふと入院の時「君は榮養不良だね、此れぢや駄目だよ」と言つた軍醫の言葉を思ひ出して未だいけないのだと思ふとそつと手を引いた。

「僕ぢや駄目らしいから呼んで來よう」

急いで病室に歸ると、皆に相談した。

「ぢや俺が行こう」

「俺も行こう」

忽ち四、五人の勇士が出て、そこへ駈けつける。餘り時間を取ると見付かる恐れがあるので早速その丸太棒を運ぶ。

入口から入れて見たが餘り長いので二、三尺入口の外に出てしまふ。室の眞中に丸太棒が一本横に通ると、眞中の通路は塞がれて室を半分に區切つた樣に感じられる。

「いや御苦勞、此れで一週間はもつだらう」

端から燃やしても此の太さなら悠に一週間はもちさうである。意外なものが入つて來たので寢て居た患者も皆目をさまして

「御苦勞でした、どうも濟みません」

「御苦勞でした」

皆が口々に禮を言ふ。こうして骨折づて薪を運んで來ても、別段俺が持つて來た等といふ顏をしない。誰も彼もその苦心談を面白げに話すのである。お互ひが出來るだけ愉快に暮さうといふ氣持を持つてゐるので、自然に物事が圓滑に行く。

戰場に來てゐるといふ今の自分を非常に强く意識するのである。例へ自分の氣に向かない事があつたとしても、それは出來るだけ耐えて皆と一緒に樂しもうといふ以外に何物も考えないのである。

自分が兵隊だといふ自覺は、出征前の一社會人としてよりも一層自重する。責任を感ずるのであらう。それは吾々が出征前に想像した以上のものがある。

暗い室の中がパツト明るくなつて當つてゐる患者の顏が赤く見える。寢てゐる患者の數が增えて、丸くなつた毛布がくつついて藁の上に列んでゐる。どれもこれも頭は皆頭巾を覆つてゐるので見えない。枕元は一樣の背嚢や鐵兜でぎつしりしてゐる。その上の練瓦壁には

木の枝を折つて刺し、それに雑嚢や、水筒、手拭等がぶらさげてあり、その壁がそれから六、七尺伸びて、其處で切れ、それからあとは天井迄空いてゐる。天井から下つてゐる赤い紙片が風に吹かれてフワ〳〵してゐる。

時折サツーと風が天井から入ると園爐裏の火が急に消えさうになる。

「おゝ寒い」

當つてゐる體を縮めると園爐裏に手を伸ばす。時計を見ると午後八時過ぎである。サラリーマンは早速今持つて來た計りの丸太棒の端を園爐裏に入れる。

「なんか匂ひがするなあ、薩摩薯かな」

灰の中から焼ける煙りが出てたまらなく食べたくなる。今日は何時もと違つてうんと入つてゐるらしく、灰が高く盛つてある。

「丸太棒を運んだ御禮に先刻から入れてゐるんですよ、うんとありますからね、たら腹食つて下さい」

新患者の小男が何處から仕入れたのか自分の枕の側に薩摩薯が十計り置いてある。鳥海部

隊の一部は此の近くに居るといふから、恐らく戰友が持つて來たのであらう。

「今日隊から持つて來てくれたんです。鑵詰も大分ありますから慾しい人は言つて下さい」

暫らく鑵詰にもあり付けなかつた私達には、その言葉がいやに腹に滲みる。「鑵詰がうんとある」何んて耳寄りな話だらう。そうだ小村は輜重の兵隊だつたのである。殊に師團輜重である。大隊の輜重と違つて糧秣はうんとある筈ではないか、こりやいゝ事を聞いた。そう思ふと私の頭に急に浮んだものがある。廬山以來一度でいゝから食べたいと思つたものがあつた。鰯の鑵詰である。その鑵詰は焼いてあつてとても旨いものだつた。「よし賴んでみやう、場合に依つたら買つてもいゝ」と思ふと矢鱈に嬉しくなる。

薯が焼けて灰の中から取り出すと、皆大きい。

「どうです慾しい方は勝手に食つて下さい」

一つの薯をむき乍ら小村は盛んに奬める。こうして火に當り乍ら薯を食つてゐる様を見てゐると、此れが病人とはどうしても思はれない。髭はぼう〳〵としてゐるし、顔の色はどす黒く、どう見ても山男としか見えない。

中には外套を着て而も頭に鉢卷をしてゐる者もゐる。マラリヤが出なくなつてから、毎日の午後は前より餘程樂になつた。その代り手足の痺れは段々悪くなつて行く一方である。今では腕の邊り迄痺れ、そして口が痺れる様になつて來てゐる。かうやつて園爐裏の前にあぐらをかいてゐるのも、決して樂ではなかつた。小村から貰つた薯を一つ食べ終ると私は早速床に入つた。

園爐裏の周りは未だなか〳〵賑やかである。焼けた薯が次から次へ食べ盡された。間もなく薯を食べ終ると、今迄默つてゐた講釈師が浪花節を唸り始める。

「壽々木米若の佐渡情話の一節」

喉自慢で聲も大きい。三味線が居なくては調子が悪いといつて、サラリーマンに賴むと直ぐ引受けてくれる。何もないので唯口で『ベロン〳〵』と三味線の眞似をする。

邊りが靜かなので唸る音が遠く迄聞えるのか、唸り始めて間もなく診斷室に居る不寝番がやつて來た。

「なか〳〵元氣ですね」

衛生兵は室の中につか〳〵と入つて來ると、園爐裏の側に坐つた。此の室の掛りなので既に顔馴染である。辻部隊は皆年取つた者が多く、この衛生兵も四十近い齢なのか、子供も小學校を出たといふ事を聞いてゐた。秩父在の農家だとか、言葉訛りもなんとなく朴訥さを感じる。食事の時間になると決つてこの衛生兵は室を覗きに來るのである。

「皆さん飯は充分にありますか、なければ入れて來ますよ」

良くこんな事を言つて廻つて來る。たまに退院間際の患者がお代りを賴むと、喜んで飯盆に一杯入れて持つて來る。

そんな時は必ず何か鑵詰を持つて來て

「此れお菜にして下さい」

といつてにこつと笑つて行く。

先刻の丸太棒に火が付いて室中が急に明るくなる。寝ようと思つて床に入つたが、浪花節の爲に寝られない。それに火が良く燃えてゐると、どうゆうものか眼が冱えてくる。寝かけた患者も皆眼を醒して聞いてゐる。

圍爐裏に當つてゐても背中は寒いので、當り乍ら震えてゐる。衛生兵は暫らく當つてゐたが時間だからと言つて歸つて行つた。

米若の佐渡情話が終ると虎造の次郎長、それに篠田實の紺屋高尾と次ぎ〳〵に語つて行く。十時過ぎになると丸太棒の火を消して殘り火だけになつた。圍爐裏の周りは請負師とサラリーマンの二人だけである。寒さも十時を過ぎるとぐつと冷える。十一時になつても未だ止めなかつた。遂に隣りの室から止めてくれと言つて來た。それに續いて衛生兵が注意しに來た。

「ぢや止めませう」

請負師はおとなしく止めると、衛生兵を呼んで自分の雜嚢からウヰスキーを取り出して、注いでやる。

「どうだね、僕のは」

ウヰスキーを注ぐ手が震えてゐる。

「なか〳〵お上手ですね、而し體にいけませんよ、それに此れは餘り良くありませんね」

衛生兵にウヰスキーの瓶を指されると、てれくさ相に苦笑ひする。

六

雨が續いた。今日で一週間も降り續いてゐる。漏らないと思つた私の寢てゐる直ぐ上の屋根からぽた〳〵漏り出す。毛布の上に雨水が溜るとそれが段々滲みて行く。今では天幕を通して毛布がしめつぽくなつて來た。寢床の藁が濡れてぺしやんこになつてゐる。それが赤くなつて腐る匂ひがして來た。その爲藁も薄くなつて土の肌が見える樣になつた。

入口の藁の上は靴や地下足袋で上る爲か、泥々になつてゐる。室の前から診斷室にかけて、道がぬかつてうつかり歩けなかつた。地下足袋に五分位も泥が着いて、それが終ひには一寸位になつて了ふ。

力の無くなつた私は水を汲みに行つても良く歸りに轉んだ。診斷室の横にある湯沸し所も茲一週間許りは使えなかつた。その爲に患者は皆其處から水筒に水を汲んで歸り、室の圍爐裏で沸した。食事前になると圍爐裏の周りは湯を沸す水筒で一杯になる。請負師の好きな蘆

摩藷も、雨の降つてゐる間は水筒が湯沸しになるため出來なかつた。

朝起きるから夜寢る迄圍爐裏の周りは水筒で立ち並んだ。雨が十日計り降り續くと、もう病室の周りと言はず、何處と言はず全くの泥濘と化して、どうにも歩き樣がなかつた。食事時に飯を運ぶ衛生兵も、各病室を一軒〳〵持ち廻るのに汗だくになつた。飯を運ぶ桶に蓋がないので、室の入口で飯を盛る間に雨がどん〳〵降り掛る。

忽ち飯の上に雨が、そして飯が水浸しになつて了ふ。

「雨の茶漬けか」

「風流ぢやないか、戰地の茶漬けと思つて食ふんだね」

飯盒に盛つた飯がぐちゃ〳〵になつてゐる。後から運んで來たお菜の桶も今日は汁なので大分雨で薄くなつたらしい。

「今日の汁は少し薄いかも知れんですが、我慢して下さいね、雨が大分入つてゐるんです」

衛生兵は謝る樣に斷り乍らどしや降りの中で汁を盛るのに大變だ。元氣な患者は先に一杯貰ふとそれを空罐に入れて、もう一度貰ひに來る。

「あんた先刻あげたでしよ、足んないからもう駄目ですね」

「良く覺えてゐるなあ、ぢや止めて置こう」

いま〳〵しさうにその患者は手を引つ込めた。

患者の中で二度貰ふのは良くあつた。狹い入口から大勢の患者がワイ〳〵言ひ乍ら飯を盛つて貰ふので、大概の衛生兵は誰れに盛つたのか覺えてゐる者はゐない。

それを利用して先に貰つた患者が再び大勢の患者の中から顏を出して飯盒を出すのである。飯だけならいゝが、たまにお菜がいゝと二度も三度もその手を使ふ。すばしこい患者は外の病室に迄遠征して其處から亦貰ふのである。

「何もないんだもの、それ位しようがないさ、唯三度の飯が樂しみなんだ」

私は良く此んな事を話した。此の山の中の野戰病院に一體何があるといふのだらう。永修迄一里半、德安迄六里、而も永修の對岸は敵が頑强な陣を構築してゐる。來年の二月頃迄對峙しなければならないといふ。慰問袋も來るのか來ないのか聞いた事がない。さういふ中にあつてたまに渡される下給品が唯一の慰安であつた。

それが輸送の關係で途切れるとたまらなく甘い物が慾しくなる。そうなつては何んと言つても飯以外に樂しみはなかつた。例へ飯が喰えたくても唯箸だけでも付けたかつた。それだけで氣が濟んだのである。飯の來る時間は殆んど決つてゐた。朝七時、晝は十二時、夕食は五時頃だつた。時間が來ると患者は皆腕時計を見乍ら

「あと三十分だ」

「いや二十五分だろ」

等と僅かの時間の差を待ち遠し氣に云ひ合ふのである。

雨の茶漬を不味相にかき込んでゐると古賀が私の好きな燒鰯を持つて來てくれた。

「黑田さんどうです、鰯の燒いたのです」

半分黑田巡査に奬めると喜んで食べる。圍爐裏の前は一杯になつて身動きも出來ない。私の寢床は雨が漏るので枕の側に寄つて食べる。毛布の上に置いてある空罐の中に落ちる雨がはねて飯を喰べてゐる私の顔にしぶきとなつて當る。

雨漏りは室の至る所に出來て、空罐が方々に置かれた。寒さの爲に手が震えて箸が持てな

くなつた。思ひ出した樣に雜嚢からホークを取り出して箸の代りにする。ミルク用にくれたニユームの食器を飯の食器にしてゐるので食べよかつた。

普段から暗い室の中は雨の爲に一層暗い。うつかりしようものなら鼻に飯が付きさうである。飯が終ると食器に水筒の水を入れて手で良く洗つた。這ひ乍らその水を入口から外に棄てると布で食器をふく。

玆暫らくの間私は食器洗ひに出た事は一度もなかつた。殊に雨が降ると兎角元氣な者でも外に出るのをおつくがつて洗ひに行かない。

そうなると診斷以外の日は一日中室の中に寢つ切りである。晴れた日が一日もないと氣持が矢鱈にむしやくしやしてくる。外は外で道がどろんこの樣にぬかつて、脚氣の私等は足をさらはれて僅か二十間とない診斷室迄十分位かゝる事がある。病室の壁につかまつて歩くので、ちよつとでも滑ると、はつとして全身に冷汗をかく。足が腫れてゐるので地下足袋も唯突つ掛けてゐるだけだし、勿論コハゼをはめてないので、餘り土がねばると足袋から足が拔けて了ふ。

倒れまいと努力しても脚氣にはどうしても抵抗出來ない。

昨日も昨日で黑田巡査が服をどろんこにして歸つて來た。そう思ふと、もうどうしても出る氣になれない。飯を終つた連中も今日はどうしたものか誰も出ない。皆水筒の水を飯盒や食器の中に入れて洗つてゐる。

「どうだね、今日は診斷もなし、何もないから一つ旨い物の話しでもしようぢやないか」

食器を洗ひ乍ら乾物屋がそう言ふと、請負師が待つてゐましたと許りに圍爐裏の側にやつて來た。

「今何んにもないんだから丁度いゝ、なるたけ旨いもんの話しがいゝ」

圍爐裏に集る連中はもう決つた樣に五、六人である。飯どきは別として雜談をするのは話好きの連中計りだ。あとの患者は熱や、寒さの爲に皆寢て許りゐた。私も比較的寢てゐる方だつたが、こういふ時は無理しても圍爐裏の側に寄つた。根が喰辛棒だつたからかも知れない。

「此の中で誰れが一番喰ひ道樂だな」

「喰ひ道樂と言ふより喰辛棒の方だらう」

材木屋がちらりと請負師の顔を見ると苦笑ひする。燒薯で紛爭して以來、請負師はすつかり喰辛棒にされてしまつた。

「僕は虎屋の羊羹が食ひたくなつた、あの太い奴ね、甘くて顎が取れさうぢやないか」

食通と自稱するサラリーマンは甘辛兩黨で何んでも彼でも良く知つてゐる。

「虎屋の夜の梅か、甘いんぢやあれに越すものはないだらう」

「羊羹と虎屋、思ひ出すと涎れが出そうだ」

請負師が濃い顎鬚をなで乍ら唇を舌でなめ廻す。

「一口でいゝから食ひたいね、濃いお茶で夜の梅を一口、いゝね、なんとも言えないぢやないか」

濃いお茶ならどんなお茶でも飲むといふ私は、羊羹にお茶をくつゝけて羊羹の味を思ひ出させ樣とした。暫らくの間、てんで甘い物を口にしない私達は羊羹の話をするともうたまらなくなつて來る。涎れが口一杯になつて今にも口から垂れさうになる。

「羊羹で思ひ出したんだが、淺草の三河屋知つてゐるかね、薯羊羹では相當有名だよ」

「甘酒屋の前にあるんだろ、ありや古いね」

薯羊羹の三河屋は既に昔から名の通つてゐる店である。その前の甘酒屋も三河屋と同じく可成古い。

「しるこはどうだね、先づ梅園を筆頭にして銀座の若松か」

「梅園なら知らん者はないだらう、僕などは若い時は毎日通つたもんだ、一日一回どうしても行かないと寢られないんだね、一種の病氣なんだ」

甘黨で梅園の名を知らないのはもぐりだと良く請負師は言つた。淺草仲見世の梅園、人形町の梅園、請負師のいふのは恐らく人形町の梅園なのであらう。大酒家の樣な請負師が果して甘黨かどうかは知る由もないが、あの髭であの恰好で一體どんな顏してしるこを喰べるのかと思ふとフト可笑しくなる。

甘黨であると共に大酒飮みである事も確かである。甘辛兩黨が兩立する事は今迄あまり聞かない。而したまにはそういふ人もあるといふから滿更ない譯ではない。請負師はそのたま

にあるといふ人の部類に入るのであらう。

「僕は殘念乍ら銀座の若松へは入つた事がないんだ、どういふもんか女の子計りでつひ遠慮して了ふんでね」

しるこ好きの友人が若松〳〵と良くいつてゐたし、若松のテーブルは樂書が一杯してあつて、それが而もナイフで掘つてあるなどといふので一度は入つて見やうと思つたが、戸を開ける時は、どういふものか良く混んでゐて、それが殆んど女の子計りの時が多かつた。私はそれに獨りなので遂ひ遠慮して了ふのである。

「未だ可愛い所があるんだね、若松は女の子が來る所がいゝんだよ、男計りだつたらしるこも旨くはないさ」

サラリーマンの言ふ事は確かに眞實である。樂書と女の子、それが若松の生命から知れない。

話は餠菓子に轉じて乾物屋の舞臺になつた。

「餠菓子ならまあ岡野榮泉、鹽瀨、それに榮太樓なんかいゝ方だらう」

「まだあるぞ、上野のうさぎや、京橋の松月等は老舗として有名だよ」

餠菓子の話しで夢中になつてゐる私の後ろで、古賀と小村の二人が外套を着た儘ぽつねんとして聞いてゐる。東京に餘り出た事のない二人は、聞く事總べてが珍らしいのである。

小村の枕元にはひどく雨が漏るといふので飯盒を置いてあるが、とても寢られぬといふ。

「當らんかね、寒いだらう」

私が少しずると皆が少しづゝ開けてくれる。

「東京で一番賣れる餠菓子屋を知つてゐるかね、僕の言ふのは大衆向の奴だ」

私は前から高級な菓子屋には餘り緣がなかつたので、大衆向の店なら實に良く知つてゐた。所謂下町の餠菓子屋で勞働者やエプロン姿のお神さんが氣輕に入れる樣な店である。

「自分で聞き乍ら自分で言ふのは可笑しい樣だけど、下町の餠菓子屋で賣れる店なら大概知つてゐるね」

「亦良く歩いたもんだね」

それやそうさと自慢したくなつたが、安い餠菓子屋を知つてゐる事を餘り自慢したくなか

つた。なあーんだ安菓子屋なんか知つていやがつて、と言はれては餘りいゝ氣持ちでないからである。戰地に來ると兎角出征前の自分といふものを幾分色を付けたがるものである。

それはあらゆる場合に行はれる。自分は何々會社の課長だとか、俺は警察の巡査部長だとか、今迄の自分がそうでなくても、おまけを付けて言つて見たいのである。それが例へ嘘であらう事が分つてゐても、別に責める氣持にはなれない。戰地に來てゐる兵隊である以上、何時死に直面するか分らない。そうだとすればそれ位の嘘は私は敢て差支へないと思つてゐる。許してやつていゝものと思つてゐる。それは恐らく私だけではないであらう。

戰地に來てゐる兵隊全部の共通した氣持ちであらう。私はそれを堅く信じてゐる。今迄不味いものを食べてゐたとしても、俺は旨い物を食つてゐたんだと言ひたいものである。出征する迄毎日一膳めし屋でめしを喰つてゐても、俺は今迄安めし屋に入つた事がないんだといつても別に惡いといふ譯ではない。

何時でも死を恐れぬ覺悟を持つてゐる兵隊に、此れ位の嘘は許してやつていゝと思ふ者は私だけではない。そう言ふ樣な譯で私は少し計りその樣な氣持に駈られてつひ遠慮勝ちにな

つた。而し言ひかけた事は言つて了はうと思つた。

「三好野は大衆向とも言へるけど、もつと安くて賣れるのが良くあるんだ。名前は伊勢屋といふんで淺草、本所、龜戸、深川といつた方面に多い。まあ一つのチエーンになつてゐるんだね、何處の伊勢屋も店は大きいが品物のある事も大したもんだね、何時買ひに行つても山に積んである。それが又安いんだ。殊に赤大福は此處の名物かと思はれる程多い。冬になるとしるこや、あづきをやるが、大丼に一杯で五錢だから安いよ。僕なんか甘黨だからそれを二杯も飮むが、まあ普通の者だつたら一杯で、もう腹一杯だらう、淺草の泪橋、手つ取り早く言へば田中町の木賃宿の側にある伊勢屋は又振るつてゐるよ。お客が實にありとあらゆる階級を網羅してゐる。木賃宿を根城にしてゐる淫賣婦、それにルンペン、日雇勞働者、店員、近所のおかみさん等と、まあありとあらゆる人達が此處に入つて來るんだね、何時行つても人で一杯になつてゐて、それが大概お代りするんだね、淺草だけでなく何處でも殆んど同じ様に賣れるらしいんだよ」

少し脱線したと思つたけれど矢張り經驗が物を言つてつひ默つてゐられなくなつてしまふ

のだつた。伊勢屋の話から、志るこ屋に飛んで人形町の金時、柳橋の福助といつた、いはば大衆的なしるこ屋の話に迄發展した。

「宮川さんは餘程甘黨なんだね、人形町の金時を知つてゐる者は割に少いよ、私なんか商賣柄知つてゐるけど、まあ良く歩いてゐる方だね、福助だつて一般の人は知らんでせう」

商賣柄確かに乾物屋は良く知つてゐた。人形町の金時を知つてゐると聞いて私はなんだか急に懷しくなつて來た。その金時は浪花電話局の直ぐ横にあつて、夏でも舌の燒ける様なしるこがあつた。額に汗をかき乍ら、ふう〳〵言つては飮んだものである。夏場舌の燒ける様なしるこがある店は東京廣しと言へど、そうざらにあるものではない。しるこ好きの私は夏やつてゐるといふのが、いかにも嬉しくて毎日の様に飮みに來たものである。

同好の士は私だけでなく、近くの藝者から、果ては品川の方からもわざ〳〵食べに來るものもゐたらしい。從つて實に良く賣れた。私だけしか知らないと思つた金時を、意外にも乾物屋が知つてゐたので尚更その金時が思ひ出されて來る。

「餅菓子の賣れるのは伊勢屋も大したもんだけど先づ一番賣れるのは矢張り淺草泪橋の市電

停留場の少し手前にあるんですよ、丁度田中町の夜店の入り口の右角にあるんです、名前は忘れたんですが、賣れるんでは恐らく此所が東京一でせう」

知らないと思つた乾物屋が亦實に良く知つてゐる。先手を打たれさうなので私は此處で方向を變へ様と思つた。

「どうです、今度は天ぷらの話でもしませうか」

天ぷらの話だけでもたまらないといふサラリーマンは、私の顏をのぞいてにやり〳〵と笑ふ。築地の魚河岸の天ぷらは良く出る話で、天ぷらの話が出れば必ず魚河岸の名が出ない時はなかつた。

七

築地に次いで銀座である。一般的な天金邊りから銀座裏の小店等を一々擧げる。

「赤坂と上野に外人達が行く店があると言ふぢやないか」

「座敷天ぷらと言ふ奴だな」

上野の花むらといふ天ぷら位はチヤツプリンの行つたといふので有名だといふ話は知つてゐた。赤坂は確か幸樂の近くだと覺えてゐる。おぼろげな記覺を辿つて私は馬鹿に生意氣な話を持ち掛けた。一度も行つた事はなし、從つて味がいゝとか悪いとか批判する資格もないのである。而し天ぷらと言ふ話しが出ると、知つてゐる話は如何にも良く喰べに行つたといふ様な顏で話したがる。天ぷらと言へば淺草六區の壽司屋横丁、さてはその邊りの二十錢均一といつた安天丼位しか食つた事がないのである。

安物喰ひの私であるからたまに行く銀座の天ぷら屋も名の知られた所へは殆んど入つた事がなかつた。たまにいゝ所へ入る時は決つて誰かに連れられて行つた時である。四丁目で有名な天金も、前を通る度にのぞくだけで、一人で入つた事はてんでなかつた。

而しそんな野暮天であり乍ら、上野の花むらに、赤坂の座敷天ぷらはどういふものか家だけは知つてゐた。

「築地の天ぷらもいゝが、淺草の二十錢均一の天丼も懷しいなあ」

乾物屋が私の思つてゐた事をいふので、矢張り私の同類がゐるものだと思つて可笑しくなる。

「いや安いんならうんと知つてゐるぞ、綿糸堀の三岩ぢや十五錢に汁が付いてゐるよ」

安物に就いては餘り言はない事にしようと思つてゐたが、遂々口に出してしまつた。而し一口に三岩と言つても知つてゐる者は少い筈である。所謂ほんとうの意味で大衆的である飯屋兼酒場といふ樣な店だからである。綿糸堀を總本店として東京市内に數十ヶ所の支店を有する一種のチエーンストアー的な組織を持つてゐる店である。

綿糸堀の總本店は場所柄だけあつて勞働者や襦袢着が多い。殊に千葉へ往復する運送屋等は此所を休憩所としてゐた事な餘りにも有名である。此處の調理場はお客の食べる場所からすべてが見えるといふのが特色でもあり、それを店の誇りとしてゐる。

私は嘗つて大島で消費組合の仕事をしてゐた頃長く此の店へ來て飯を喰べたものである。天丼や親子丼が安いだけでなく、三岩名物のヤスケ（壽司）は又べら棒に安かつた。昭和十一年頃は九つ十五錢だつた。當時一般の飲食店で九つ十五錢といふ店は東京廣ろしと雖へど

恐らくなかつたであらうと思つてゐる。

その一皿のヤスケで私等は結構腹の足しにしたのである。而し今そのヤスケも果してどうなつてゐるかは知らないが、兎も角安い事をモツトーとしてゐた店だけに、今でも恐らく他の店より安いのであらう。想へば三岩のヤスケがたまらなく喰べたくなつて來た。

「三岩といふのは名前は聞いてゐたが、行つた事はないよ、あすこは壽司が安いといつて友人が良く話してくれた事があるね、今宮川さんの話しで想ひ出したんだけど、確か新宿にもあるといふ事を聞いてゐるんだ」

雨手をこすり乍ら請負師が私の言葉について話し出す。雨がいくらか小降りになつたのか古賀と小村の寢床に落ちる雨漏りの音がたまに聞こえるだけだつた。小雨になつたのかも知れない。

「三岩つて言ふのは僕知らんが、野ロバーとか荒井屋バーと同じ樣なもんぢやないかね」

「まあ同じ樣なもんだね、而し安い點では三岩にはかなわんだらう」

野口バーは淺草で有名だし、荒井屋も同じく天ぷらの安いんで割合に知られてゐた、淺草

で安飯を食わうといふ連中は、野口や荒井屋の名前は親しみ易い筈である。

「バーと見へば雷門に神谷バーがあるぢやないか、電氣ブランで有名だね」

淺草には數えられぬ程色んなバーがあるが、雷門の神谷バーは酒の味を知らない私でさへ知つてゐる。

何時前を通つて見ても人で滿員だつた。此處の客は勞働者やサラリーマンといつたあらゆる階級を含んでゐて、殆んど酒豪といふ樣な人達である。今六十年配の人でも神谷バーの名前は覺えてゐるといふそれ程神谷の名は古いのである。電氣ブランと言えば神谷を想ひ、神谷と言えば、電氣ブランを思はない者がない位一般的に知られてゐる。

「神谷の電氣ブランは强くてとても駄目だよ」

「僕なんか一杯以上やれんね」

元來酒は强くなかつたといふ乾物屋は電氣ブラン一杯で醉つて了ふのかも知れない。天ぷらの話から電氣ブランの話しに轉じて來ると、おでん屋の話に入つて了ふ。

おでん屋と言へば直ぐ一種の飲屋と思ふのが一般であるが、私は酒が飲めぬ關係から、お

でん屋は簡單に飯を喰ふ所と思つてゐるのである。海苔茶とか茶漬で簡單に食ふのは又格別味のあるものだつた。私は丁度出征前のある日、友人と一緒に新橋の、とあるおでん屋に入つた。友人の話しに依ると此のおでん屋は新橋でも有名だといふのである。

入ると早速友人は私の爲に銚子を一本取つてくれる。相憎私はその二、三日は觀送會や何にかで毎日酒攻めだつた爲にどうしても飲む氣にならない。

「とても駄目なんだ、勘辨してくれ」

私の甘黨は前から良く知つてゐたが、今日は別だといふのである。いくら斷つてもどうしても承知しなかつた。

止むなく私は一口飲むとそれで勘辨して貰つた。

「此れ一本開けなくちや、東京の酒も最後だぞ、まあ行け」

友人も可成醉つてゐたので、私に奬めた豬口を自分の口へ持つて行つて、何時の間にか獨りで飲み始めた。

酒を飲まない私は獨りでぽつねんとしてゐるのも變なものなので、何か御飯物と思つて壁

を見ると、茶漬、海苔茶と書いてある。海苔茶は良く喰べてゐるので知らない家では餘り喰べない事にしてゐた。而しそれかと言つて他にはおでんがないので結局海苔茶を賴んで見た。

間もなく運んで來た海苔茶を喰べて見ると如何にも旨い。今まで喰べた海苔茶の中で恐らく一番旨いと思つた。

「此處の海苔茶は旨いね」

醉つてゐる友人に顏をくつゝけて言ふと、彼は眞顏になつていふ。

「此の家は家こそ狹いが、海苔茶では昔から有名なんだ、おでんより海苔茶の方が專業といつた店なんだよ」

入つた時から狹いと思つたが、もう一度見廻して見たが、狹いものは何度見ても狹い。やつと四坪半位の廣さで、お客が六、七人でもう一杯になつて了ふのである。創業以來數十年といふから恐らく明治年代からあるものかも知れない。殘念な事に此の店の名前[illegible]

場所は新橋のお多幸の二、三軒隣りである。

今でもやつてゐるんだらうと思ふとあの時喰べた海苔茶が未だに忘れないのだ。

「僕は今想ひ出したんだけど、新橋のお多幸知つてゐるね、あすこのそばに旨いおでん屋があるよ、其處の海苔茶は素晴らしく旨いんでね、今その時の事を想ひ出して、思はずよだれが出そうになつたよ」

「そういふとあるな、名前は僕も忘れたが、小さな店で海苔茶で有名な所なんだよ」

銀座通を自稱したサラリーマンも名前を忘れたと云ひ、請負師も行つた事はあるが、やつぱり忘れて了つたといふのである。

「今食つてゐる飯盒めしと違つて海苔茶でサラ〳〵とかつこむのもいゝもんだな」

「まあ銀座を愛する人間はすべからくおでん屋を愛するね」

酒が飲めなくてもおでん屋は入れるといふのがおでん屋の特徴であつて、おでんの味を酒飲みだけに獨占せしめないといふ此の自然の習はしは、甘黨の人達に取つてこんな嬉しい事はない。サラリーマンは酒飲み通有の偏見的な所がなく、非常に明るい性格を持つてゐる。

「近頃ぢやおでん屋に女の子が堂々入つて來るんだよ、これ等はおでん屋が飲屋ぢやないと

いふいゝ證據だな」

サラリーマンの言ふ通りそれは、ほんとうだと思つた。女の子が入つて來るといふだけでなく、家族連れが非常に增えたのは確かであると、サラリーマンは言ふ。

「お多幸邊りは家族づれが多いね、第一僕なんかよく家内に子供を引つぱつて飯を食ひに行くんだ」

「いやあんたが行くとおでんだけぢや濟まんでせう」

痛い所を衝かれたので請負師は「勿論酒を飲むさ、而し家內の居る所で飲むと安心するんでね、へ、へ、へ」と聊かてれた。

「おでんで一番旨いのは何んだな」

人に依つて違ふので私が聞いて見た。私なら袋だといふのであるが、サラリーマンや請負師が何んと答えるか聞いて見たくなつたのである。

「まあ袋だらう、此奴は値も高いが」

案の定請負師が私の思つてゐる通りいふので、誰れも旨いものは旨く思ふのだと思つてみ

た。

「うん十錢は取るだらう。」

「最近では飯だけ喰ふ客がとても增えたさうだよ、一つには安いからだらう」

私等は差し當りその安い客の一人だつたのである。小食の私には海苔茶一杯で充分だつた。それであるから、たまにおでんでも注文しようものなら腹一杯になつて動きが取れなかつた。

「おでんの話しをしてゐると何んだか喰ひたくなつてくるね」

「あの大きな袋を口一杯に入れて食ふのも、いゝもんぢやないか」

お髭をしごいてゐる請負師は熾んに喉を鳴らしてゐる。薪が少くなつたので乾物屋が入口から持つて來てくべる。

「おーい下給品だぞ」

衞生兵が大きな聲で怒鳴つた。寢てゐる患者も下給品といふ言葉に皆半身起して入口の方を眺める。

「此の室は何人だつたかな」

「二十八人です」

乾物屋が立つて受け取りに行つた。入口の側の私の寝床の上にバラ〳〵とキヤラメルが轉る。續いて〃ほまれ〃が積まれる。雨の爲に〃ほまれ〃もキヤラメルも濡れて滿足なものは一つもない。

「煙草は皆濡れてゐるから乾かして下さい」

大きな箱を背負つて衛生兵が出て行くと、乾物屋が會社の社長といつた格で、皆の寝床の上に〃ほまれ〃二つにキヤラメルを一つゞゝ配つて歩いた。

甘い物が久し振りに届いたので患者は皆元氣になる。おでん屋の話も下給品の配給で中斷されて了つた。圍爐裏で當つてゐた私達は煙草とキヤラメルを持つてくると再び圍爐裏の周りに集る。

寝てゐる患者はもうキヤラメルをしやぶつてゐる。雨の爲にしばらく下給品が來なかつたので、今日のキヤラメルは沙漠のオアシスの様に嬉しい。

「久し振りに人間らしくなつたよ、お腹の蟲も驚くだらう」

キヤラメルを嚙んでゐるとなんだか氣持が晴れ〳〵してくる。暗い室の中でキヤラメルを嚙む音が異様に聞える。

私は濡れた〃ほまれ〃を一本〳〵圍爐裏の緣に置いて見たが、どれもこれも滿足なものは一本もない。皆崩れて中の葉が出てしまつてゐる。幾ら乾して見た所がとても喫えさうにもないので、いつその事棄てゝしまわうかとも思つたがもう一度考へ直して見た。

「さうだ紙で卷いて見やう」

さう思つたので崩れた煙草を濡れた儘固めて紙で卷いた。卷いた煙草を一本〳〵火に乾して見ると結構喫えそうになる。

「どうだね、煙草らしくなつたよ」

一本取り上げて皆に見せると

「成程旨い事考へたね、俺も眞似して見よう」

側に居た患者は皆私の煙草を見て眞似し出す。

駄目だと思つた〃ほまれ〃がどうやら喫えそうになると、自分の作つた煙草を見て「此りやいゝ」と感嘆する。寝てゐた患者も私達の煙草を見て默つてゐられないのか、ぼつ〳〵起きて來る。

「どうするんですか、自分のも此んなに濡れて崩れてゐるんです」

中には卷いてある紙が全然取れてしまつてゐるのもあつて、それを紙の上に乘せてくる。

「これはひどいですね、然し卷けますよ」

バラ〳〵になつたものを固めて紙で卷いて見ると、凸凹になつて餘り旨く卷けない。でもその患者は卷いた煙草を一本とつて

「良く旨く卷けますね、ぢや、あとは自分でやつて見ませう」

危うげな手付きで紙を卷いて見たが、私の様に旨く卷けない。段々と卷いてゐる中に馴れてどうやら上手に卷ける様になる。

始めは私だけの煙草だつたものが、終ひには圍爐裏の周りは乾す煙草で一杯になつて了ふ。煙草の葉は眞から濡れ切つてゐるのでとても一日では乾きそうにもなかつた。おまけに外は連日雨續きだ。既に毛布や布團代りの藁迄がしめつぽくなり、ひどい所は藁がびしよ〳〵に濡れ切つてゐて、やつとその上に板を敷いて寝てゐる所もある位だつた。そんな所は土間と毛布の間が一寸そこ〳〵しかないのである。

壁になつてゐる煉瓦もしめつてゐて手を觸るとぬら〳〵する。煉瓦壁に掛けてある鐵兜の上に蒸氣がかゝつた様になつて「ナメクジ」が這ひそうな感じがする。そんな具合で室中が全くしめつてゐるので、物を乾かすといふ事は大變な事だつた。

薪も思ふ様に燃やせず、乾し乍ら燃やしてゐるといふ狀態が續いたのである。さて煙草を乾かそうといふのだけど一體幾日位掛るのだらうと思ふと心細くなつた。雨が止んで陽が照れば別である。陽當ぼつこが出來る様になれば一日でも乾くかも知れない。

そんな事を考へ乍らも久し振りに配られた煙草である。例へ何日掛らうが喫える迄待たう。やがて何時かは乾いて喫えるであらう。此の儘棄てゝは一體何時喫えるのか分らないのである。そう想へば待つ位なんでもないと思つた。

「一週間は掛るかね」

「もつと掛るかも知れんぞ、なにしろびしよ濡れだものな」

「いくら掛つてもいゝさ、何時來るか分んない煙草を持つよりよつぽどましだよ」

患者達は今はもう唯煙草を一服飲みたいといふ以外望みはないのである。唯一服でいゝのである。唯スート吸ふだけで滿足なのである。口が煙草にこがれてゐたのである。唯それだけなのだ。

　煙草好きでない私も皆の患者と同じ様に煙草が馬鹿に吸ひたかつた。私がそんなに思ふ位であるから煙草好きな患者は尚更だと思ふのである。

「何時雨が上るか知らんが、キヤラメルも此れで當分こんかも知れんな」

「キヤラメルも一遍に食つてしまふとあとが淋しいな」

今迄やたらにむしや〱食つてゐたが、そう言はれると成程うかつに食えない。何時かもそうだつた。二―三日すれば又くるんだらう位の調子で配られると直ぐ喰べて了つた事がある。それから五日經ち、十日經つてもこなかつた。

　待ち切れなくなつて衛生兵に聞くと

「こんどは當分來ない相ですよ、糧秣だけで一杯らしいんです、それに道路が不完全ですか

らね、まあ暫らく辛棒するんですな」

といつてくれる。それを聞くと私はがつかりした。

　そんな事を想ふと今貰つた許りのキヤラメルを一遍に二つも三つも口に放り込んだ事を如何にもうらめしく思つた。「そうだつたのか」と思つたがもう遲いのである。キヤラメルの箱の中を覗くともう三つか四つしかない。殘つたキヤラメルを大事そうに内ポケツトに入れると、ほつとした。

　急に靜まり返つた室の中で、キヤラメルの話しが出ると外の患者も皆言ひ合はせた樣にキヤラメルの箱を納ふ。又何時とも知れない下給品の來る迄、此のキヤラメルを大事に持つてゐやうと思つた。

傷病兵の氣持

一

圍爐裏の周りは何時の間にか患者が集つてぎつしり一杯になつて了ふ。雨が未だ續いて薪に愈々困つて來た。裏の薪の置場も殘り少くなつて、つひ二―三日前迄あつた薪を炊事場に運んで了つた。私の室も遂に薪が無くなつたので、時折申譯的に持つて來てくれる衛生兵の薪で夜だけ燃やす事にした。そうなると晝間は全く火無しで幾日か過ごさなければならなくなつた。

　そんな火の無い寒い日が毎日繰り返されてゐる間に、今迄居た患者が大分原隊復歸して行

く。而しその多くの者は皆原隊復歸を軍醫に懇願した者許りである。近く總攻撃があるといふので患者はもう默つて居られなくなつたのである。

「俺は今日軍醫殿に頼もうと思つてゐるんだ、早く出て原隊に歸りたいよ、皆戰友が待つてゐるんだからな」

「誰だつて皆同じさ、俺なんか病院に入つた事を不名譽に思つてゐるよ、第一こんな事を内地に知らされて見ろ、恥かしくて手紙も出されんぞ」

今迄寢て居た患者も永修對岸總攻撃の話を聞くと、皆起きて來て原隊復歸の事で夢中になる。間もなく診斷があるといふので、呼ばれた患者だけ外套を着て仕度する。私はないといふので寢乍ら慰問袋で貰つたサンデー毎日を讀んで居ると、隣りの黒田巡査が診斷室から歸つて來た。朝からこれで二回目である。顔色がすぐれず、此の所毎日熱が續いて段々瘦せて行つた。

「宮川さん、遂にお別れです、殘念ですが九江へ送られる事になりました。」

自分の寢床にどしつと膝を折つたまゝ首をうなだれ、靑い顔が一入淋しく見えて氣の毒に感

じる。

「何時ですか、早いんでせう」

「急ですが明日なんです、九江へ送られるのはとても嫌なんですが」

應召前警視廳巡査を拝命してゐた黒田上等兵にして見れば、此れは如何にも耐え難い事かも知れない。後送の話は前からも萬更無いではなかつた。而し話しがある度にそれを斷つてゐた。軍醫も黒田巡査の立場に同情して一應認めてはゐたが病狀は許さなかつた。そして遂ひに最後の斷が下されたのである。

「まあ無理しないで行くんですね、九江で良くなつたら亦一線へ來て下さいよ」

最近の病狀も大體私は知つてゐたので、九江への後送は絶對だと思つた。今、後送されるとしても、途中のトラックで恐らく參つて了ふだらうと思ふと、私は急に黒田巡査の氣持に同情したくなつて來た。「俺はどうしても後方へ退れんよ、巡査として、とても行けん、第一、子供に笑はれる」此れがほんとうの言葉なのであらう。黒田巡査は、つと立ち上ると外套を着て診斷室へ行つてくると出て行つた。

その悲壯な氣持は私に良く分つた。而し病狀は既に此の病院に留まる事を許さなかつたのである。恐らく再起の見込はないと想像してゐる。

「氣の毒に」

戰ひ半ばで倒れた黒田巡査、家の子供が笑ふだらう、そう言ふ黒田上等兵の胸の中は私達の想像以上のものであらう。確かに苦しいに違ひない。而し後送はもう決定的のものになつてゐた。

「やつぱり駄目ですよ。後送が嫌やだといつたら軍醫殿に怒られましたよ、お前は死んでもいゝのかつて」

外套を着た儘黒田巡査は坐る。私が色々慰めると「そうですね」といふ許りで一向頭を上げない。眞面目な人だけに死を賭して迄も此處の病院に踏み止りたいのである。

「黒田さん、あんたの氣持は分るが、體が何によりですよ、今が一番大事な時なんです、こゝで無理したらあとはどうなると思ひます、はつきり言へば死んで了ふんです、戰爭で死ぬんぢやないですよ、病氣で死ぬんです、どうです、一度後方へ退つて治して亦くるんです、

ね分りましたか」

大人が小供を悟す様に懇々と言ひ含めた。幾ら私が話しても一言も返事しない。もうせつぱつまつた氣持になつて了つたのかも知れないと思ふと、ほんとに氣の毒な感じになる。

「お父さん、僕達は四人共皆元氣です、學校も一郎は今度優等で御褒美を頂きました、これも皆お父さんの言ひつけを守つたからです。一番下の隆子が早くお父さんが立派な働きをして凱旋すればいゝなあといつて毎日お母さんにその話をしてゐます」 何時だつたか、こうゆう手紙を見た事があつた、黒田巡査は「子供は可愛くてね、早く立派な働きをしてくれ、などと言つてくると、今病院に居る事が恥しくてどうにもなりません」と良く言つてゐた。

〃子供が可愛くて〃 〃子供の爲にも病氣なぞになれるもんぢやないんです〃そう言つて如何にも口惜しがつてゐた事もある。もうこうなると私達の言葉などてんで耳に入るものではない。唯子供の爲に、もしも父親が武勳をたてゝ凱旋する日を待ち兼ねてゐる子供の、あのがんぜない氣持を、どうしても傷付けたくないといふ黒田巡査の胸の中は良く分つた。

〃此れが日本人の強い所だ〃 〃大和魂とはこの事をいふのであらう〃私はそう思ふとそう矢

鱈に何かいふ事も考へものだと思つた。自分の氣持をありつたけ生かすのは、こうゆふ時にはつきり表れるものであり、そしてその氣持は肉體をある程度制服する偉大な力を持つものであると思つた。不治の病と知り乍ら尚戰ふといふ止むに止まれぬ軍人精神こそ、尊くも亦崇高なものである。

起きてゐるのが苦しいのか、暫らくすると寢て了つた。頭に外套の頭巾を覆ると寢られぬ苦しい氣持を胸に疊んで息が大きく、そして毛布がその度に動く。室の中にゐる患者は皆私と黒田巡査の話しを緊張して聞いてゐたのかしーんと靜まり返つてゐる。

圍爐裏の周りも火がないので誰れもゐない。白い灰がうず高くなつて、その中には木の枝一つない様だ。針金で作つた火箸が二本、火のない圍爐裏の隅に刺してある。寢床に入つてゐる患者は皆思ひ〳〵に雜誌を讀んだり、日記を付けたりしてゐる。

黒田巡査の悲痛な動作を見た時、それ等の患者は一齊に黒田巡査の體に眼を注いだ。今目の邊りに見た黒田巡査の如何にも軍人らしい態度に皆感激したのである。それ等の患者の中にはやがて黒田巡査の様な事が來るであらうと考へてゐる患者も居るに違ひない。第一此の

病室には戰傷患者が一人も居ないからでもあるし、戰病患者だけの室であるからでもあらう。そんな事を考へ乍ら雜誌を見つめてゐる患者があるとすれば、それ程苦痛なものはあるまい。

火の無い室の中は如何にも薄暗く、まるで廢墟の樣な感じである、雨が降り續く間恐らく火なしが當分續くのであらう。そんな事を思ふとたまらない氣持に襲はれる。黑田巡査の後送決定が外の患者に意外な影響を與へたが、それに增して圍爐裏の火が消えた事はとり分け淋しい。起きてゐる患者は一人もなく、皆寢た儘何かしてゐる。たまに起きてゐると思ふと虱取りである。

入口が急に開いて軍醫と衞生兵が入つて來た。長身の山本軍醫は少し腰をかゞめて戶をくゞると暗い室の中をきよろ／＼見渡す。

「黑田は何處だな」

雜誌を讀んでゐた患者が山本軍醫の顏を見ると直ぐ

「黑田上等兵!」

と怒鳴る。その聲で私も氣が付いたので、黑田上等兵の頭巾を取つて軍醫の來てゐる事を知らせる。ハツトして起き上ると毛布の上に坐つた。

「あゝ起きんでもいゝ、寢てゐろ、お前が心配してゐるといふからやつて來たんだ、後送されたからと言つて別に心配する事は無いんだよ、治れば亦前線にこられるんだ、先刻衞生兵にも相當無理を言つたさうだが、あんな事言つちやいかん、お前がこの儘此處に居たら死んで了ふんだぞ、此處にはお前の病氣を治す設備が無いんだ、それだから後方の病院で治す樣に送る事になつたんだ、な分つたか。」

首を垂れて默つて聞いてゐたが、フト頭を上げると、もう分りましたといつた表情で軍醫の顏をみつめる。

「分つたか、まあ心配せんで病氣を治してこい、」

山本軍醫は黑田の觀念した顏を見て歸つて行くと、衞生兵が殘つた後送の時刻や準備を細々と話して歸る。

間もなく乾物屋が呼ばれて行つたが、歸つて來ると明日の後送患者の名前を讀み上げる。

久し振りに大量の後送が行はれる。

「以上全部で五人です、今讀みあげた患者は明朝午前八時に診斷室前に集合する。服裝の準備は今日中にして下さい。飯盒に晝食一食分を入れる事、」

後送患者は意外にも黑田上等兵以下四人といふので皆驚く。その一人に材木屋も入つてゐる突然の後送命令で材木屋は、何んとも言へない表情で、乾物屋に色々聞いてゐる。

そこへ室附の衞生兵が入つて來たので理由を聞いて見ると手術を急ぐ關係だと言ふ事が分つた。

「後送患者は全部水筒に湯をつめて行く事、此れは途中に何もないからです、それに外套は必ず着用して風邪を引かぬ樣に注意して下さい、」

一應の注意が終ると今迄貸してあつた食器を引上げて行つた。

雨も漸やく小降りになつて霧雨の樣になつた。今迄の後送用トラックは全然雨の用意がしてなかつたので、雨が降つた場合患者はびしよ濡れになつて行くより仕方がなかつた。

五人の患者は各々後送準備を始めた。黑田上等兵も私の隣りでせつせと背嚢と雜嚢の中に

持物をつめられるだけ詰めてゐる。

「黑田さん、南昌攻擊迄には治つて來て下さいよ、待つてゐます、」

「必ず來ますよ、」

背嚢に持物を詰めてゐる手も何時しか停つてホツト息を付く。

愈々黑田巡査ともお別れかと思ふと何かしら淋しいものが胸に迫つて來る樣である。入院以來二十餘日、短かい期間ではあつたが、黑田巡査の性格は私の氣持に一脈相通ずるものがあつた。その夜撰定された後送患者の名殘りを惜しむ會は、遂ひに火が無いので出來なかつた。夕食が終るともう水を打つた樣に靜まつて、それを雨の音がかき立てる樣に如何にもしんとした夜である。

氣の利いた患者が衞生兵に賴んでローソクを一本貰ひ、それを室の中央に立てた。圍爐裏の眞中に雨がぽたり／＼と落ちる。今迄漏らなかつた圍爐裏の中に、何時から漏り始めたのか、此の分だと可成大きな穴らしい。

風にゆられてローソクの火がゆら／＼する。

火が無くなつて以來夜火の明りを見るのは久し振りである。せめて此れが後送患者に對する吾々の唯一の餞けである。

「宮川さん、亦今晩子供の夢を見そうですよ、私の凱旋した時の子供の喜ぶ有樣がまざ〱と夢の中に出てくるんです、どうも此れだけは見るなと言つてみた所で抑へられるものぢやなし、苦しいですね」

「いや必ず凱旋出來ますよ、子供さんがきつと喜んでくれるでせう、私は必ずそうなると思ひます」

頭巾を覆らずローソクの光りにぽーと明るい室の中で、黑田巡査の顔がかすかに見える。目をこすり乍ら私に話し掛ける聲も何んとなく弱々しく感じる。

材木屋も奥の方で直ぐ隣りの乾物屋と先刻から頻りに話しをしてゐる。口から吐く息が白い煙の樣に見える。外では風が出て來たのかヒュー〱鳴る。

「此の分だと明日は寒いですよ、服の下にありつたけのものを着ていくんですね」

黑田巡査の病氣には寒氣が一番いけないといふ事である。

〔二〕

目の醒める前から馬鹿に寒かつた。肩の隙間から入る風が身に滲みる樣にこたへる。頭から外套の頭巾を覆つてはゐるが全身凍えさうである。朝飯の時間になつても誰れも起きない。一番端の一號室で朝飯を配つてゐるのかざわ〱する。隣りの二號室に來てから起きても充分間に合ふので目糞を取り乍ら朝の洗顔をする。

入院以來一度も顔を洗つた事が無いので顔が油ぎつて鼻の毛穴に油が一杯たまる。近頃では目糞を取るのに馴れて、寢乍ら一―二度目をこすると綺麗にとれて了ふ。

「おゝ飯だよ」

威勢のいゝ衞生兵がどかんと戸を開けて「まだ寢てんのか」と嘯き乍らもう一度大きな聲で「飯だよ」と怒鳴る。

皆飛び起きると急いで飯盒を持ち出す。中には慌てゝ圍爐裏の中に足を突つ込む者もゐ

る。寢床の上を歩き廻るので毛布がずれて、隣りの患者の毛布とゴチャ〱になる。

後送患者は二食分とお藥を貰つた。炊いた許りの飯も可成冷えて、粉味噌の汁は水の樣である。今朝は特別福神漬が附いたので汁は餘り賣れない。

飯が濟むと後送患者は直ぐ整列に行かなければならない。昨日殆んど仕度が出來てゐたので今朝は早かつた。ふくらんだ背嚢にはち切れさうな雜嚢、それに一抱もあり相な背負袋を腰につけると、入院前の元氣な兵隊に還つて了ふ。衞兵所から小銃を持つてくると、どう見ても此れが後送患者と思はれない。

霧雨の中に約二十四、五名の後送患者が列ぶ。診斷室の中から主任の大橋軍醫が出て來てひと渡り點檢する、人員點呼が終ると、大橋軍醫の後送に關する注意があり、それが終ると丘の上に待つてゐるトラックに向つて歩いて行く。各室の患者は皆出て來てトラックの側迄送りに來る。

「氣を付けろよ、」

「早く治つて又やつてこいな、待つてるぞ」

トラックが走り出すと、私達は手を振つて見えなくなる迄送つてやる。此れで私の室から五人の患者が出て行つた事になる。殊に黑田巡査は雨の降り懸るトラックの上で悄然と立ち乍ら、丘を越す迄ぢつと私達を見つめてゐた。他の患者の樣に手を振るのでもなく、唯無言の儘、そしてその胸の中には何にかしら言ふに言はれぬ思ひを疊んで、目には涙さへ浮べてゐた。

黑田巡査の胸中如何許りか、不本意乍ら一線を退る氣持は、恐らく私達の思ひ及ばぬものがあるであらう。彼は遂ひに後送された。あれ程迄に頑强に突張つた彼の意志も、軍醫が一言いつた「病氣で死ぬんだ」の言葉が意外に彼の臟腑を抉つたのであらうと思ふと、丘の彼方に消えた病院のトラックが亦再び彼を乘せて歸つて來る樣に思える。

軍靴や地下足袋を突つ掛けて出て來た患者達は、皆外套の頭巾を覆つた儘暫らく立つてゐたが思ひ〱に各室に歸つて行く。部落の一帶はもう至る所ぬかつて、高低のはげしい此の邊りは、うつかり歩こうものなら忽ち軍靴や地下足袋を置いてきぼりにしさうである。久し振りに外に出たので目が馬鹿に痛い。

一日中便所以外に出た事のない私は、今日の様に衛兵所の近く迄來た事は一度もなかつた。衛兵所と言つても名許りで、此の野戰病院には塀がある譯でもなく、何の區劃もない。從つて部落の家々が診斷室であり、病室であり、炊事場でもあつた。衛兵所だからと言つて別段部落の一番端にあるといふのでもない。第一此處の衛兵所は部隊が作つた道路からずつと離れた丘の一隅にあつたのである。

詳しく言へば入院患者の初診斷室であり、携行の小銃、彈藥の保管所でもある。私も此處の病院に始めて入院する時、天幕張りの衛兵所に入つて行くと、藥盒が山の様に積まれてあり、その奥にある小銃に名札が付いて立てゝあつた。その時丁度衛生兵がその小銃や藥盒を丁寧に油でふいてゐた。私は此處でこう言ふ事實を見ようとは思つてゐなかつた。衛生兵と言ふものは唯患者の看護のみと思つてゐたが、患者の小銃迄手入れするものとは、ほんとうに思ひよらぬ事だつた。

それから入院して二十餘日、私はある日の事、診斷の歸りに又も衛兵所の側で、四、五人の衛生兵が盛んに小銃の手入れをしてゐるのを見る事が出來た。私の室の入口から衛兵所迄二

— 96 —

百米と離れてゐなかつたからである。私はそれを見て何んとなく嬉しさを覺えた。有難いと思つた。近ければ「有難う」と御禮を言ひたかつた。

手入れをしてゐた衛生兵は皆三十五、六過ぎた人達で、私より七つ八つ年上の者許りであつた。それを見てからといふものは衛生兵に對する私の態度は從前より餘程變つたものになつてゐた。そういふ過ぎ去つた事どもを思ひ出し乍らやつとの事で室迄歸つて來ると、もう既に寢床の移轉が行はれてゐる。私も早速入口から奥の方へ移る事にした。古賀と小村の兩側が空いたので、雨の漏りさうでない場所を選ぶと、前の藁小屋から藁を一抱え持つて來て寢床へうんと入れる。今迄二寸位しかなかつた藁床が五寸位に厚くなつた。

「こりやいゝ」

獨語を言ひ乍ら藁を平にすると、今迄居た患者が殘して行つた毛布を一枚餘計に敷いて寢床を作つた。

室の一番奥だけに暗い事は暗いが、入口の側より餘程暖かさうである。第一圍爐裏が直ぐ前になつて寢れば足元が圍爐裏になつてゐる。寢床の移轉は簡單だつた。荷物と言つても背

— 97 —

嚢雜嚢、それに色んな雜品と毛布だけである。移轉が終ると入口の兩側は空いて皆奥の方へ寄つてしまつた。

新らしい寢床に落着いてほつとすると、何んだか氣持が急に變つた様な感じがする。殊に圍爐裏の側に來たので「暖まれる」といふ嬉しさがどう抑え様としても遂ひ笑顔になる。寢るには、もつたいない様なので起きてゐて皆に話し掛ける。火の無い圍爐裏に向つて自然に兩手が出る。

「急に減つて淋しいね」

「淋しいよりか寒いだらう、今迄くつゝいてゐたんだから、矢張りこう空いて來ると何んだか氣持ちだけでも寒いよ」

移つた患者で寢た者は誰れもゐない。私の左隣りには乾物屋、その隣りにサラリーマン、請負師と並んだ。

乾物屋は私と小學校が同じなので、斯うして隣りに寢る様になると尚更懷しさを感じる。今日から思ふ存分小石川の話しが出來ると思ふと一種の樂しみが湧く。もう再び東京へは歸

— 98 —

れないかと思つても矢張り生れ故郷の東京は忘れ難い。小石川で生れ、小石川で育ち、長じて朝鮮に渡つた私ではあるけれど、東京は何んと言つても生地である。

此の儘支那の土になるとしても東京の夢だけでも見たいと思ふ。それで私は充分に滿足である。そう思ふと東京の話しを何時迄も續けて見たい。考へれば考へる程東京が思ひ出される。

乾物屋が隣りに居る事はそういふ意味からも私には大變嬉しい感じがする。

「雨が上がんないと困りますね。燃やすもんがないし、此の儘ぢやどうにもならんでせう。」

如何にも心配相な顏して乾物屋の岸田軍曹が私に話し掛ける。圍爐裏に火が消えて既に一週間になる。而し此の二、三日前からは火無しに馴れて幾分平氣になつてゐた。

「もうそろ／＼止むでせう。雲が動いてゐるさうですよ」

朝からの寒さが晝少し前には大分和らいで全く小降りになつた。

「天氣になるぞ、天氣だ」

「雲がどん／＼動いてゐる」

— 99 —

患者は一人立ち、二人立ちして皆外に出る。

室の前は赤土でどろ〳〵になつてゐる。狹い入口に首を出して空を見てゐると、殘つてゐた患者も私と一緒に首を出す。

薄雲が走る樣に動いてゐる。そして段々明るくなつて來る。雲の動きが更に早くなつた。他の室でも入口から患者が首を出して夢中で空を見守つてゐる。元氣な患者は此處から四丁もある小川迄水汲みに行く者もゐる。肩から水筒を五つ六つ下げて、泥濘の道を杖ついて行く。

雨が全く上がると急に患者が外へ出る。十數日の雨に氣が腐つてゐたのであらう。大きな口を開けて思ふ存分あくびをしてゐる者もゐる。衞生兵が診斷室への通路に藁を敷き、その上に薄板を乘せてゐる。診斷室橫の湯沸し釜も此處十日許りは全く使へなかつた。今日はそれを使ふのであらうか、薪を運んでゐる。滑るので冷汗をかき乍ら便所へ行つた歸り、ふと見ると盛んに薪を割つてゐる。久し振りに湯沸し場に煙が上がると、もう元氣な患者は當り乍ら湯の沸くのを待つてゐる。

此の湯沸し場は屋根もなく、唯煉瓦を積み重ねて作つた簡單なかまどになつてゐて、雨が降ればその煉瓦が崩れるといふ至つてお粗末なものだつた。今日は先程迄その崩れた練瓦を積み上げて修理してゐたものらしく、未だその跡片附けはしてなかつた。

天氣になつて青空さえ見え出して來た。二十日振りに見る青空がまぶしい樣に感じる。便所から直ぐ室に歸るのは惜しい氣もするので、湯沸し場の橫にしやがむと如何にも暖い。薪をくべ乍ら衞生兵は私にもつと側へ來なさいと言つて自分の位置をづつた。

「どうも濟みません」

「室の中は寒いでせう。燃やすものがないし、困つたもんですね」

橫に置いてある丸太も餘り豐富でなく、湯沸しだけに持つて來たものらしい、大切さうに燃してゐる。

釜が大きいので薪も馬鹿に要る。而し沸くのも早く、もの丶十五、六分もすると湯氣が出て來た。

「患者さん、薪が慾しかつたらあとで取りに來なさいよ。少し位ならありますから」

親切に言つてくれるので御願ひしますと言つて衞生兵の名前を聞くと「殿岡です」といふ。そうこうする中に釜の周りに患者が一杯たかつて來る。寒いせいもあるがお湯が欲しい事は勿論である。

周りに立つてゐる患者は皆それ〳〵水筒を提げてゐるが、中には五つも六つも兩肩から提げてゐる者もゐる。

「沸かんでもいゝんだがな」

「薪が勿體ないんだからもう貰わうぢやないか」

「衞生兵さん、汲んぢやいけませんか」

患者は唯水さへ貰えばいゝのである。雨が降つてゐた間は水の用意も少いので自然全部の患者には行き亘らなかつた。雨の降り續いた二十餘日、水が思ふ樣に使へなかつたので水を得るのに私達はとても苦心をした。寢てゐて水を貰わうと言ふのであるから無理だつたかも知れない。そんな風であるから水では想像以上の苦勞をした。今目の前で水があるといふからたまらない。不便をしのんでゐた患者達はもう我慢出來ないのであらう。

「沸く迄待つて下さい。いゝですか」

衞生兵は頻りになだめてゐるが周圍の形勢は意外に險惡になつて來た。衞生兵は一人である。患者は二十數人といふ絕對多數だからたまらない。患者の動勢はもう我慢出來ないといふ所に迄到達してしまつた。

一番近くに居た患者がそつと蓋を取るが早いか忽ち杓子で水筒に入れる。續いて我れも我れもと自分〳〵の水飲みで水筒に入れる。炊口にゐた衞生兵は遂にその場に居たゝまれなくなつて了ふ。もうこうなつてはどうにも止め樣がなかつた。衞生兵はしようがないと言つた顏で默つて見てゐる。

私もあつけに取られた形で暫らく呆然としてゐた。

「驚いたなあ。此れぢや止め樣がない」

釜から少し離れて見てゐると、衞生兵が私の肩を叩いて苦笑する。もの丶五分も經つと釜の湯は綺麗に無くなつて了つた。切角燃やした薪も無駄と言へば無駄だつた。用意した薪も半分使はずに湯が無くなつて了つたのである。

「患者さん、殘つた薪あげますから持つて行きなさい。」

藁で束ねると私の肩に乘せてくれる。薪を貰へば湯を貰ふより嬉しい。

「此りやどうも、皆喜びますよ。今迄火が無かつたんですからね」

御禮を言ふと泥々にぬかつた道を冷汗かき乍ら室に戻つてくると、入口に突つ立つてゐたサラリーマンが眼を丸くして私の側に寄つて來た。

「何處から持つて來ました。こりやすごい。」

と言つて私の肩から薪を下ろしてくれる。病弱の私には可成重かつた。而し持つて來た薪だけでも半日か一日はもつであらう。そう思ふとなんだか嬉しい。

「おーい薪だぞ、喜べよ」

兩手に抱へた薪を圍爐裏の横に置くと、寢てゐる患者にも知らせる。

「おゝ久し振りに薪さんか、珍らしいな」

お髭の請負師が我が事の樣に喜ぶ。而し一體何處から持つて來たのかと言つた風に私の顏をぢろ〳〵眺める。

「どうも御苦勞だね、而し良くあつたね、こりや殊勳甲だ」

隣りの室にも聞こえる樣な大きな聲で賞めそやすので、聊かてれたが內心たまらなく嬉しい。目の前に薪があると思ふと火が燃えてゐなくとも、氣持は既に暖くなつてゐる。薪を前にして暫らく雜談が續いた。

薪を圍んでもう燃やした樣な氣持になつて久し振りに大はしやぎだ。晝飯の來たのも知らずに無中になつて話す。飯が終つても火を炊とうといふ者はゐない。

「もつたいないから夜燃やそうぢやないか」

請負師の言葉で夜迄燃やさぬ事にした。

三

午後になると空はすつかり晴れて陽がカン〳〵照つて來た。暮近い冬の空とは言へ、秋を想はせる日和である。風も凪いで靜かな丘の野戰病院に衞生兵や患者の姿が散々伍々と見受

けられる。

雨上りの天氣なので永い間憂鬱だつた私達には、過去の一切のものを拭ひ去つて了ふ樣な感じがする。重い足を引きづつて、裏の丘に上ると胸一杯に息を吸ふ。丘續きに灌木が茂り合つて、その間に松の木が點々と遠く延びてゐる。此の邊りは一帶に山といつたものでなく皆丘の連りである。此處から一里弱の永修迄は矢張り小高い丘が續いて、その間に所々低くなつて水田になつてゐる。

そこから七里そこ〳〵の德安迄はそれより幾分高めの丘が續いてゐるが、丘の上には灌木許りで鬱蒼たる森林といふものは全くない。此の丘に立つて四方を眺めてゐると今にも支那兵が飛び出して來そうな感じがする。今私が此の野戰病院に入つてゐるといつても、病院とは名許りで病室も警備中の農家と同じく、而も病氣だからと言つて白衣を着る譯でもなく普通の軍服の儘である。

その爲か未だ第一線陣地で敵と對峙してゐる樣な氣がしてならない。盧山に於ける二ケ月の戰ひが私の腦裡から未だ去らうともせず、あの生々しい激戰の模樣が今目の前に浮びさ

うだ。硝煙の匂ひが鼻から未だ消えず、目をつぶれば迫擊砲彈やチエツコ彈の異樣な匂ひが嗅げさうである。

軍服の左腕の一部には、戰友の血が滲んで今では黑ずんで見える。斯うやつて立つてゐるとその血の跡を思ひ出して今自分は戰ひをやつてゐるんだといふ氣持に還つて腰に帶劍が、足に卷脚絆のないのが何んだか可笑しくなる。そして丸腰の自分が淋しくも感じる。

ふと我に還つて中隊に居ないのだと思ふと始めて野戰病院に居る事に氣が付く。

「そうだ此處は中隊ぢやないんだ。軍服こそ着ては居れ、病院の患者なのだ」

而しどう考へても自分の姿を見て病人とは思へない。私の足の直ぐ下には農家が二、三軒隔きに並んではゐるが、永修城內の中隊の宿舍と全く同じである。唯變つてゐると言へば時折消毒衣を着てゐる軍醫に衞生兵が步いてゐる位である。

帶劍の無いのは中隊も同じだ。家を見ただけで中隊と野戰病院の區別は恐らくつくまい。それは恐らく私の感じだけではなさそうである。

病院から二丁程離れた軍用道路を往復する連絡兵や、輜重兵等が始めの內、よく此處を步

兵の宿舎と思つて寄つて行く者もあつて、

「何んだ病院か、ぢや用がないよ」

と言つて舌打ちをし乍ら歸つて行く兵隊も居た。それから間もなく野戰病院の標識をしたのであらう。私が入院した時は既に、道路の要所〳〵に「山口哺野戰病院」と書いた紙が貼つてあつた。

若しその貼札がなかつたら恐らく此處を野戰病院と思ふものはゐまい。そう考へ乍ら暫らく立つた儘でゐると、兩足が痺れて痛んで來る。足の痺れを感じると
「俺は病院に居るんだ。患者なんだ」

胸を衝く様に強くハツト我れに還る。突つ掛けて來た地下足袋を見ると上海以來、そして江北から廬山の激戰を經て來た事を想ひ出す。それが今では野戰病院の裏の丘で獨り思ひに沈んでゐるのである。

枯葉を踏むとガサ〳〵とうるさく鳴る。切株の多い丘を少し歩いて枯葉の上に腰を下ろした。未だ乾き切らずじめ〳〵濕つてゐるのでひやつとする。


急いで立ち上ると又歩き出した。先刻の思ひは未だ拭ひ切らず、頭の中が混亂して來る。途中で木の枝を拾ふと杖にして、火葬場から急な坂道をゆつくりと下りる。他の室の患者が二、三人で松の木を切つて細かく折つてゐる。薪にしても恐らく燃えまい。それを丹念に藁でくゝつてゐるのである。

火の無い凡そ味氣ない生活が續いて、やつと雨が上つた。患者はもう暖を取る以外に何物もなかつた。唯薪慾しさに燃えさうなものなら何んでも持つて來た。中には譯の分らぬ丸太棒を運んで燃やして見ると、それは木でなくて輕い金物だつたりした事があつた。

そうなると松の木ならまだいゝ方である。たとへ濡れてゐやうが松の木は松である。生でも燃えるといふのが松の木だ。而し松の木ではパツト燃えて直ぐ消えて了ふ。そんな事は患者でも良く知つてゐるのである。唯少しでも火に當りたいといふ一念で一杯であつたのである。

私はそれを見乍らぬかる道を診斷室の前から室に戻らうとすると、診斷室の前にビラが張つてある。何氣なく側に寄つて見ると
〃近衞内閣成立す〃

その脇に〇〇部隊と書いてある。部隊のニユースでラヂオで聞いたものを印刷したものらしく、中にラヂオ云々としてある。十一月といふのであるからもう彼れ此れ一ケ月も經つてゐる。

「何んだ先月のニユースか」

期待したものが得られなかつたといふ様に私は一時そんな風にも考へたが、矢張り近衞内閣の成立に依つて何かしら新な意義を見出すかの様に〃そうか〃と獨りで呟やいた。

東京では色んな話しが出るであらうに、事變の成行や、蔣介石の問題、それにからんで近衞さんの出馬は確かに重大意義がある。久し振りに内地のニユースを知つてほつとした様な氣になる。私がその掲示板を見てゐる間に患者が大勢集つて來た。

永い間の雨天で腐り切つてゐた患者達はもうぢつとしてゐられなかつたのであらう。軒端に腰掛けてゐる者、歩いてゐる者、そして診斷室の周圍に、皆寄るとはなしにやつて來る。そうこうする中に掲示板の前は患者で一杯になると、お互ひに近衞内閣の事等を話し合ふ。

「遂に近衞さんがなつたね」


「最後の切札なんだらう」

「所謂戰時協力内閣といふんだよ。内地も大變だ。」

掲示板のニユースが馬鹿に誇張されたり、曲解されたりして兎も角、近衞内閣の成立は私達に異常な關心を持たせた。玆暫らく手紙が杜絶えてからといふものは、目で見るものが制限され、古雜誌や、古新聞以外に内地の動きを知るものがなかつたのである。なんでもいゝから知りたい。そういふ氣持で頭の中が一杯になつてゐた時である。唯内地のニユースを夢中で待ち焦れてゐた。そこへ偶然にも部隊のニユースが貼られたのだ。

而しそのニユースは多少遲れてゐたが、そんな事は問題にならなかつた。近衞内閣成立の六字は患者達をどんなに安心せしめたゞらう。私ですら重荷を下ろした様な氣持になる事が出來たのである。こうして戰地へ來てゐると、兵隊達は内地に居た時より以上に政治に關心を持つ。

てんで政治問題に無關心だつた農村出身の兵隊も、私より更に熱心だつたし、暗い室の中で大きな聲を出して讀んでゐる者もゐた。國を想ふ兵隊の氣持は確に涙ぐましいものがあ

る。それは内地に殘した妻や、子や、そして年老いた兩親の事以上に思ふのである。

妻や子や兩親達には、既に戰死するものとして勇んで出征して來てゐる。生きて再び還るといふ事は恐らく誰しも考えまい。こうして兵隊達が靜かに想ひを故國に巡らす時、瞼に浮ぶものは結局内地の事である。

政治に關心持つ事は至極當然な事なのである、たま〳〵外の事を思ふとしても、それはお正月や盆が平年通りやつてゐるであらうかと言ふ事である。年中行事が若し行はれない様な事があると、我が事の様に心配する。銃後への關心は想像以上に強く、銃後から戰地への心配以上により深いものがある事は戰地に來て始めて知る事である。此の掲示板を見て胸に强く感ずるのは、兵隊の共通したものである事を良く知るのである。

「これで内閣も漸やく戰時體制になつたんだね。今迄は充分とは行かなかつたんだ。近衞さんでがつちりするだらうな」

軍曹の肩章をつけた患者が頻りと話し合つてゐる。そんな圓陣が幾組も出來て、皆近衞さんの噂さである。

診斷室の簾が開いて大橋軍醫が出て來た。

「何んだ、賑やかだな」

つか〳〵と掲示板の側に寄ると、患者の後ろからぐつと首をのばす。

「近衞内閣成立だ、うーん、そうか」

如何にも感心したやうに呟く。患者が掲示板の周りから放れて行くと、軍醫はずつと前に出て細かい字を讀み出す。

朝方迄は診斷室から病室迄はひどいぬかるみだつたが、先刻からの天氣で大分乾いて來た。その上患者達が急に歩き始めたので、どん〳〵乾いて行く。衞生兵の氣轉でアンペラの惡いのを所々に敷いたので餘程歩き良くなる。掲示板のニュースを讀み終つた大橋軍醫は、一號室から順次に廻り始める。

診斷室の直ぐ隣りが一號室で、これは今迄炊事場に使つてゐたのであらう。竈がその儘になつてゐて六疊位の土間に五、六人寢てゐるやうである。竈の上には鐵兜や雜嚢、背嚢等がぎつしりのせてある。煤けた壁に日の丸の旗が二、三貼りつけてあり、天井からは慰問袋で

貰つたのか風船がぶら下つてゐる。その室から一段下つて別棟の小さな家が二號、三號、四號と三室に區切つてある。

皆四疊半位な狹い室で、どの室も藁が七、八寸位迄に積んであり、圍爐裏も入口の直ぐ横に作つてある。場所が無いので圍爐裏はほんの申譯的に作つたやうに如何にも貧弱だ。煉瓦を積んで作つてあるが、二人で當るのがやつと位である。患者は四人計りで皆寢てゐる。最も一、二、三號の各室は皆重傷病室で、出て歩く様な患者は餘り見受けなかつた。

隣りの三號室も二號室と同じやうに圍爐裏はあつても當る様な患者はゐない。

圍爐裏は作つてはあるが、一度も燃やした事がないのか灰が全く見えない。大橋軍醫は寢てゐる患者の側迄入つて行つて一人〳〵聽診器をあてゝ診斷する。永く寢てゐる患者は殆んど襦袢に虱が湧いてゐるので、ボタンをはずし乍ら這つてゐる虱を手で取ると外へ棄る。もうすつかり馴れてゐるのか、虱を取る手付きも地に付いてゐる。長靴をはいたまゝ寢床に上つて診斷するので、思ふ様にゆかない。

大橋軍醫は診斷し乍ら腰の邊りを熾んにかいてゐる。恐らく虱が移つたのであらう。こう

して患者の側にゐれば診斷の度に移つて行くと思ふと、何時か山本軍醫が診斷の時に、「虱がうつたらしぞ」と云ひ乍ら大きな虱を一匹私に見せてくれた事を思ひ出した。

この重症病棟は診斷室に近いのと、陽當りのいゝので他の患者達に羨しがられてゐた。今日は室一杯に陽が入つて寧ろ暑い位である。三號室が一番端になつてゐて、その横は直ぐ田圃になつてゐる。この室からすこし下つて千米位の間迄ずつと水田が續き、その兩側に小高い丘がぐつと迫つてゐる。兩側の丘の間に田圃の中を車輛道路を作つて、毎日德安と永修の間を輜重車が往復してゐる。凸凹の激しい速製道路なので、普段の日でもガタ〳〵揺れる。音がうるさい程私達の室迄聞こえる。今では水の入つた田圃のやうになつて、輜重の活動は全く阻止されてゐる。

病院の飲料水は道路の直ぐ脇にある、小川から汲んでゐた。中支でこんなに綺麗な水があるかと思はれる位すき透つてゐて、炊事掛の衞生兵は石油罐の空罐を擔いで、三百米位ある炊事場迄運んでゐた。患者も皆此處の小川迄來て水筒に水を入れて行く。而し今では湯沸場で間に合ふが、時間過ぎると釜が空になるので、皆此處迄汲みに來るのである。

三號室から見える外の風景は皆そんなもの許りで、たまに來る糧秣や下給品のトラツクが來ても此處の患者には餘り用がなかつた。陽がカン〳〵當る三號室の前の特別室は、此れは又なんと不潔な室なのだらう。一室獨立してゐて患者は一人しかゐない。その隣りは今迄空いてはゐたが二三日前急に患者が入つて來た樣である。此處の室には外傷患者もゐて腕や頭に繃帶してゐる。

重症病棟に特別室、外傷患者の室の診斷が終ると、大橋軍醫は一應診斷室に歸つて行く私達の室に診斷に來るなどといふ事は恐らくないので、患者心理といふのか軍醫が來てくれないと如何にも淋しい氣持を抱く。

「軍醫殿も大變だな、あの病棟は毎日か一日隔きに診斷するんださうだ」

「患者がきたないから、たまらんね。中には虱だらけの奴もゐるだらうし」

診斷室の壁に寄りかゝつて患者達がひそ〳〵話し合つてゐる。立つてゐるのが辛いので一號室の壁に寄り掛つてしやがむと、兩足が急に痺れる。手で觸ると大根の樣に太く腫れた足が少し冷い。

「此れやいかん、室へ歸つて寢やう」

急いで室に戻ると室には誰れもゐない。入口から外を覗くと室の前で大勢日向ぼつこしてゐる。

ガランとした室の中で獨りで床に入るとどうゆうものか落付かない。頭が痛むとか熱があるといふのではなく、手足が痺れるとたまに痛むといふだけなので寢るにも寢られないのである。入口が閉つてゐるので室の中は眞暗だ。藁垣の間からもれる光が幾筋となく室の中に差し込む。

こんな久し振りの天氣に寢るなんて、と私はこんな事を考へたりして元氣な患者達が羨しく思はれる。私の兩側を見ても唯毛布だけが波打つたやうに見えるだけである。外は暖いが室の中は全く寒い。永い雨で煉瓦が濕つてゐる爲でもあらう、斯うやつて寢てゐるとぞくぞくと身體中が寒氣を催す。今迄外に居て急に室に入つた關係か、暫らく眞暗と思つてゐたが、馴れるとどうやら薄暗い程度になつて來た。

「宮川上等兵ゐますか」

入口から首だけ入れてガランとした室の中をキヨロ〳〵見渡してゐる。

「俺だよ、何んだね」

起きて見ると彈藥小隊の倉下一等兵だ。入院する迄常に一緒に居たので一番親しい戰友である。その彈藥小隊は永修の本隊から別れて、永修後方一里そこ〳〵の地點に獨立して駐屯してゐる。この病院から眺めれば五百とない地點なので、彈藥小隊の居る一軒家が小さく見える。

歩いても十分も掛れば樂につく場所なので、時たま用を見付けては寄つてくれる。そしてその度に中隊の模樣や、下給品の剩つたものを持つて來てくれた。今日も何か持つて來たのか背負袋が脹らんで、肩から下ろすと室の中に入つて來て、私の寢てゐる横に坐る。

「どうだね、體の方は」

「有難う。俺のはどうも惡性の脚氣らしくてね、手足が痺れるんだ」

「そりやいかん、心臟脚氣だ、危いから充分氣を付けるんだね」

暗い室の中で圓く太つた倉下の顏が緊張する。心臟脚氣は死病だと思ひこんでゐる彼には、

私の病狀がそんなに惡いのかと始めて分つた樣に心配する。

廬山の激戰中は常に離れなかつた倉下である。いはゞ倉下は無二の戰友でもある。廬山で再三再四マラリヤに罹つた時も、お互ひに助け合つたものである。私が寢れば倉下が飯を炊き、倉下が寢れば私が飯を炊くといふやうに、雨の中、風の中を二ケ月の間生死を共にして來た戰友である。

戰友とは……斯ふいふものであらう。倉下こそは私にとつて亦とない戰友である許りでなく、自分の過去一切をぶち撒けて私に批判を乞ふ彼でもある。金輪峰の戰ひでも東京に殘した家族の事を胸に疊んで、彼は勇敢に戰つた。戰ひの合間には良く自分の歩んで來た茨の道を話してくれる。さういふ過去を持つ彼であり乍ら、何時如何なる時でも朗らかだつた。その彼が雨上りの今日尋ねて來れやうとは思つてもゐなかつたのである。

「薩摩を持つて來たからね、蒸してあるから直ぐ喰べられるぜ」

背負袋をあけると蒸したての薩摩芋が未だ湯氣をたてゝゐる。

「旨さうだね、此處ぢや何もないから飢てゐるんだよ」

久し振りの薩摩なので喉が頻りに鳴り出す、奬められる儘に一つ口に頰張るととても旨い。山盛りになつてゐるから二、三十はあるのであらう。これだけ喰べられるのかと思ふと何んだか嬉しくなる。

「此んなに貰つていゝんかね」

「彈藥小隊にはうんとあるんだよ。裏には芋畑が二、三十續いてゐるから、まあ當分大丈夫さ」

火が無いので薩摩に兩手を當てるとぽか〳〵暖い。先刻迄の痺れも薩摩に夢中になつた爲か今こうしてゐると忘れてしまつた樣である。

「時間が無いから歸るぜ、又近い内に來やう」

つと立ち上ると倉下はそう言つて室から出て行く。

後に殘された私は薩摩を風呂敷ごと抱えると暫らくぽかんとしてゐた。寒いので寢ても薩摩を抱えた儘放さなかつた。

— 120 —

四

晝間の暑さに引き換へ、夜になると急に寒くなつた。

「宮川先生、早速燃やしますよ」

待ち切れなくなつたのか、サラリーマンが新聞紙に火を付けるとパツト燃え上つた。室の中が急に明るくなつて、天井の裏迄が良く見える。薪が細いのでめり〳〵と音をたてゝ燃える。今迄寢てゐた患者も皆起きて來て圍爐裏の側に寄る。當れない患者は立つた儘側に寄つて來る。

「久し振りだな、こうやつて當つてゐると矢張りいゝね」

「火を見るだけでもいゝんだ。やつと人間らしくなつたよ」

「虱が喜んでしようがないぞ、奴さん驚いて目を廻してゐるだらう」

餘り賑やかなので起きやうと思つて兩手を強く支えて見たが腰が立たない。兩足の痺れが

— 121 —

手にきて肩の邊りから指にかけてひどく痺れて來た。

脚氣が昂進したのであらう。兎も角餘りいゝ狀態ではない。

起きるのを止めてぢつと寢てゐる事にする。折角貰つて來た薪ではあるがどうにもならない。久し振りにゆつくり當らうと思つたがそれも出來ないと思ふと殘念でならない。而し室の患者が喜んで當つてくれゝばそれで私は滿足である。兩手、兩足の痺れは益々ひどくなつて我慢出來なくなつた。皆は私に「有難たう」と笑顏を送つてくれる。私も痺れを耐えて、それに笑顏で答える。

「どうですか、起きて來ませんか、あんたがゐないとどうも遠慮勝ちでね」

請負師が後ろを向いて氣まり惡そうにそういふ。續いて乾物屋も毛布の上を叩いて起きないかと促す。

「實はひどく痺れるんだ。濟まんが衞生兵を呼んで貰いたいんだけれど」

言はずに我慢しやうと思つたけれど、遂々呼んで貰ふ事にした。

「そんなにひどいんかね。早く言へばいゝぢやないか、遠慮はよせよ」

122 —

室長といふ名前を貰つてゐるので、乾物屋は急いで出て行つた。間もなく室附の衞生兵がやつて來て容態を調べると、軍醫殿を呼んで來るといつて歸つて行く。

「注射すれば大丈夫だ、まあ心配せん方がいゝな」

痺れの具合が今迄のと餘程違つて來て、氣持が惡い位である。マラリヤと下痢で衰弱した事も確かにその原因である事は頷ける。乾物屋と私が話してゐる所へ山本軍醫が入つて來て。圍爐裏の周りに大勢患者がゐるので驚く。

「馬鹿に賑やかだな」

太つた體を重そうに私の側に來ると、衞生兵に自轉車用の電池を照させる。圍爐裏に當つてゐた患者達も皆山本軍醫に敬禮して、私の寢てゐる所へ寄つて來る。乾物屋は眞先きにやつて來て色々と世話を燒く。毛布を取ると上衣のボタンをとつて襦袢の間から聽診器を當てゝ丁寧に見てくれる。

診斷が終ると「葡萄糖の二百五〇瓦を一本持つて來てくれ」といつて衞生兵に取りにやらせる。葡萄糖の注射といふ言葉を聞くと私はぞつとした。疊の針の樣な太い針を股のぶくぶ

— 123 —

くした所へ打つのである。食鹽注射を股に打つのをよく見てゐる私には「痛いんだな」と思ふともうあの太い疊の針が目の先にちらついて、頭の中が注射の針の事で一杯になつて了ふ。

此の前後送されて行つた第三機關銃の患者が何にかで苦しんでゐた時、食鹽注射を打つた。彼はその時軍醫にとういふ事を言つた。

「鐵砲の彈はなんともないが食鹽注射は死ぬ苦しみだ。もう止めて下さい、此れで死んだら恥曝しだ」

大きな聲で夢中に叫んだ。その聲を聞いて私は顏をそむけた事がある。鐵砲の彈より痛いといふ彼の言葉は確かに日本兵として此んな面白い言葉は無いと思つた。

鐵砲の彈で死ぬなら本望だけど、病氣で死ぬのはいやだといつた黑田巡査の言葉と全く共通するもので、その患者の氣持が分る樣な氣がした。

暫らくすると衞生兵が注射用器を持つてくると、ガートルに葡萄糖を入れて衞生兵が立つた。私は息を吸つて目を瞑ると

「痛くなんかないぞ」

と言い終らぬ中に疊の針の樣な太い奴を右股の所にズブリと刺す。その瞬間ハツトと思つたが案外痛くない。

「どうだ痛くないだらう」

そう言はれると少し恥しくなる。

「えゝなんともありません」

ガートルから下つてゐるゴム管を通つて、葡萄糖が除々に針から股の太肉の中へ、ゴム管がゆれる度に股の肉が抉られる樣である。私の周りに靜かに立つてゐる患者達は、ぢつと息をこらして針の所を見守つてゐる。

「痛くないか」

中には私の耳にそつと口を當ててくれる患者もゐる。見てゐると如何にも自分の體に針が刺さつてゐる樣に感じるのか、ゴム管がゆれ、私の顏が緊張する度に目をしかめて口が閉る

ものゝ五分も經つとやつと首を上げて針の刺してある場所を見る元氣が付く。針を刺してある周りが次第に脹らんで來て、蛇が蛙を飮んだやうな恰好である。脹らんで來るとだんだん痛くなつて來る。

ガートルを見てゐるがなか〳〵減つてこない。いつその事見るのを止めて了をうと思つても遂ひ見たくなる。痛いと言ふより寧しろ氣持が悪いといつた方が適當かも知れない。だん〳〵と變な氣持に襲はれて來て、第三機關銃の患者の言つた言葉と、黑田巡査の悲愴な氣持を聞いてゐた私には、その先入感の爲か痛いといふ感じで頭が痲痺してゐるのであらう。

なにしろいやな思ひだ。早く終ればいゝとそれを願ふ許りである。

「大分脹らんだな」

「角力の足見たいぢやないか」

立つてゐる患者は皆ひそ〳〵話し合つて私の足を見つめてゐる。

十四、五分は掛つたのであらうか、山本軍醫が

「さあ終つたぞ」

といふ聲で私はハツト我れに歸つた。針を取るとその跡に大きな絆創膏を貼つた。

「うんともんで下さいよ」

片手で力一杯もみ乍ら衞生兵が注意する。山本軍醫と衞生兵が歸ると、私は獨りでもんで見たが、もむ度に葡萄糖が流れる。袴下を取つてあるので兩足がガタ〳〵震える。私の爲に圍爐裏の端をあけて、私をその側に寄せてくれた。

乾物屋が手を貸してくれたので、周りから除々にもむ。而しどうしたものかもむ度に葡萄糖がぢく〳〵出て來て、毛布の上がぐつしよりに濡れる。どうにもしようがないので、タオルを卷いて袴下をはいた。再び寢床に入るとタオルを通して毛布迄濡れて來る。流れ出た葡萄糖が終ひには腰の當りに迄傳つて來て氣持が悪い位である。

私がとうして葡萄糖の注射をして寢てゐる間に、圍爐裏の火は調子良く燃えて來た。どうやら周りの藁も暖くなつて來たらしく、私の足が圍爐裏の煉瓦に觸れるとむく〳〵と暖かい。その上煉瓦からの熱で藁が程良く暖まつて來た。段々時間が經つと先刻迄立つてゐた患者も床に入つて、起きて當つてゐる患者は尠くなつた。

相變らず東京のグループと、めつたに當らない患者が二人許りである。年の暮れを間近かに控へて、此の野戰病院も何かしら忙がしい樣な氣配が見えて來てゐる。そう思ふのは私の

氣持だけかも知れない。唯寢てゐるだけでも矢張り正月の樂しみは格別である。

「正月はあと何日あるのかな」

髭もぢやの請負師がふと氣が付いたやうに聞くと

「あと五日許りだよ、お髭さんも矢つ張り正月は嬉しいと見えるね」

半ばひやかし乍らサラリーマンがそう言ふと側で乾物屋がにやり笑ふ。

「それはそうと餅はどうなるんだ」

心配そうに請負師が皆に聞く。

「内地からはどうか分らんさうだ。第一こんな所へ來るなんて言ふのが可笑しいよ」

「而しこつちの糯米を臼で搗いて作ろといふ話もあるにはあるんだが」

今夜始めて當るといふ患者がそう云ふので、皆はそんな事もあるのかといつた顔して不審がる。第一餅米は何處にあるかと言ふ事それ許りでない。

例へ餅米があつても、臼や何んかあるのかどうか、あつたとしても餅を搗くといふ事は大變な事である。

「いやほんとうらしいんですよ。昨日自分の中隊から兵隊が來て、近く餅搗きをやるんだといつてゐましたから」

そう言はれて見ると今更それを否定する譯には行かない。

若しそうだとすると此の野戰病院に居ても餅は食へるのである。而も兵隊が搗くといふのだと聞いては何んとなく嬉しくなる。

「そりやほんとかね」

眞面目くさつて請負師が聞くので、その患者は

「嘘ぢやないでしやう。嘘なら言ひませんよ」

前より自信あり氣に言ふので、請負師も「ふゝん」といつて感心する。

餅が食べられる。野戰病院に居る患者に取つて、此れ程嬉しい事はない。正月を間近かに控へて餅の話は色々あつたが、食へるといふ話を聞いたのは始めてゞある。

私は寢乍らその話を聞いて秘かに微笑む。「餅が食へるのか」と思ふと何回繰り返して見ても嬉しい。

「宮川さん、今の話聞きましたか、餅が食へるらしいですよ」

にやりと笑ひ乍ら乾物屋が後を向く。

「そうですつてね。ほんとに嬉しいですよ」

私は心から嬉しいといふ顔を表現した。圍爐裏の火は先刻より餘程強くなつて、毛布迄暑く感じる。私は寢られぬ儘に注射液の流れ出るのを止め様と思つて抑えて見たけれど、一向止まらない。時間が經つにつれて腰から敷毛布迄通して了ふ。

而し毛布を通す頃になるとやつと止まつた。もうその時は袴下がびつしよりに濡れてゐたので、起きると圍爐裏の側へ寄る。袴下を脱ぐと、上から外套を覆つて乾す。

「此の通りですよ。まるで寢小便した樣だけど」

地圖を書いたやうにしみてゐて、べと〳〵する。

「半分は出ちやつたんだね。もつたいないな。なめれば良かつた」

葡萄糖の空瓶を嘗つてなめたといふサラリーマンは、如何にも惜しさうに言ふ。葡萄糖は甘いもんだといふ事を聞いてゐたが、一度もなめた事はない。そう思ひ乍ら流れ出るのを止

めるのに夢中になつてゐたので遂ひ忘れてゐたのである。

腰から下は何も履いてゐないので寒いが、火に當つてゐるのでどうやら暖まる。私の床の邊りは藁がうんと入れてあるので、圍爐裏の煉瓦の上に藁が出て來て、その藁に良く火がついて燃える事がある。

襦袢を乾かしてゐる間に、何時の間にか二、三本の藁に火がついて私の膝の邊りで燃え出した。

「あゝ大變だ」

立ち上ると急いで外套をその上に覆せる。三助のやうな恰好してゐる自分が如何にも可笑しい。

火が消えると圍爐裏にはみ出た藁をきちんと煉瓦の仕切りの所へつめる。再び襦袢を乾し乍ら當つた。

「正月は南昌でと思つたんだけど、こんな野戰病院ぢやどうにもならんな」

「寢て正月を迎へるなんて俺は始めてだ」

私が戰地へ來て始めての正月は上海である。今度は二度目を迎へる譯だ。而も中隊で迎へるなら別だが、野戰病院とは思ひもよらなかつた。

「せめて中隊で迎へたかつた」

私はこう言ふと

「誰れだつて同じさ、野戰病院で正月を迎へるなんて言ふ事を好んでゐる奴は恐らく一人もゐないだらう」

皆もそうだらうと言はん許りにお髭さんが自分の心境を口に出す。

「まあそうだらうな。中隊なら何んとかなるが、此處ぢやしやうがないだらう」

正月の話しで持ち切ると、もう正月が明日か明後日のやうな氣持ちになつて、はしやぐ。

「早く中隊に歸りたいよ、病氣なんて眞平だ。御蔭で正月も駄目か」

棄鉢的な氣持ちが自然に正月といふ事と、からんで出て來る。それは抑え難い兵隊の僞らぬ眞の氣持である。正月の樂しみは子供から大人に成長しても、依然その差はあらうが大した變りはない。異郷の地にあつて遠く內地の正月を想ひ、正月を祝ふ。その心そして其の勇

ゝしき中にも奥床しい武人の氣持を見る事が出來る。

後に殘して來た父や母、そして妻や子等が、果して滿足に正月を迎へるであらうかと思ふ時、兵隊は皆思ひ〳〵に內地の空を見遙すのである。

正月と兵隊、殊に野戰病院にゐる兵隊の氣持は殆んど皆、自分の不甲斐無さを嘆じてゐる。「なんて自分は運が惡いんだらう」かと。今迄そんな事を一度たりと考へてゐなかつた兵隊達だけに、正月が愈々間近かに迫つてゐる事を知ると、始めて自分が病院にゐる事を知るのである。

軍服を着てゐる病人姿の自分がたまらなく淋しくなる。そう思ふと、度々連絡に來る中隊の兵隊の元氣な顏を見ると、その顏を見たゞけでうらやましくなる。

「あの兵隊は中隊で正月をするんだ」

と思ふと、俺は亦なんて馬鹿な事をしたんだらうかと、自分の胸に問ひ質して見る。「病氣なんかになつて」と幾度思つたか知れない。

正月といふ事を聞いてから、私は健康といふ事をつく〴〵考へて見たくなる。若し健康で

あつたならば私は今頃中隊にゐた筈である。そして皆の兵隊と一緒に、愉快に樂しく正月を迎へられたのである。それだけではない。永修前面の敵に對して思ふ存分戰ひが出來たものをと常に考へさせられる。

唯脚氣兼マラリヤといふ病名で、野戰病院に入り、そして入る時は差程でもなかつたが、時が經つにつれ、中隊や他中隊の元氣な兵隊が連絡に來る度に、「いゝなあ、元氣で、君の顏を見ると俺はたまらなく羨しくなるよ」等と言つて自分が今寢てゐる姿と較べて、聊か氣まりが惡くなつた事さへある。

此れは確か私が入院する前の事だつたと思つてゐる。彈藥小隊に居る內田一等兵が猛烈なマラリヤにやられた事があつた。十日許り連續して起きたので食事は全く攝れず、普通以上の高熱とそれに大腸炎を併發して相當重態ではあつたが、遂に入院しなかつた。

「入院はいやです。絕對いやです。村に知れたら歸れません」

高熱にうなされ乍ら入院はいやだと言つて頑張つた。入院すると軍隊手帳に付くといふのである。そんな不名譽はどんな事があつてもいやだと言ひ張り、死んでもいやですとさつば

り言つた。

分隊長がいくらなだめても彼は承知しなかつた。遂に分隊長もあきらめて、彼を特別の室に移して出來るだけ看護をしたが、病勢は益々惡化する許りだつた。此の儘放つて置けば死ぬ事は分つてゐた。部隊付の軍醫も困りぬいた果に一策を考へ、內田を輜重の車で運ぼうとした。

自動車に乘せれば駄目だらうと思つたからである。その日五、六人の兵隊で內田を外の室に移すからと言つて擔架に乘せ、自動車の側迄行くと、折惡しく發動機がうなり出して了つた。皆がハツトとした瞬間、內田は擔架の上から轉り落ちると、むつくと立ち上つて二、三間走つたがばつたり倒れた。

「いやです。いやです。病院はいやです

苦しい息の中から此れだけ言ふと、彼はもうそれ以上言へなかつた。

側に居た兵隊は皆あつけに取られて、內田の倒れた方を見た。バラ〳〵と二、三人の者が馳け寄つて起すとぐつたりしてゐる。

「軍醫殿を呼んで呉れ、早く、大變だ」

容體が急變したのか、顏面は蒼白になつてゐる。中隊で打合せをしてゐた軍醫が急いで駈せつけた時は既に遲かつた。

「駄目だつたか」

脈を計つた手を下ろすと、內田の兩手を胸の上に合はせてやる。

「可哀想な事をした。もう少し早く入院すればなんでもなかつたんだ」

分隊の者は皆內田の周圍を取り卷いて心から默禱を捧げた。兵隊の知らせで中隊長が飛んで來た。

「一體どうしたんだ」

內田の變り果てた姿を見て、中隊長も呆然とした樣子だつた。分隊長から逐一報告があると

「そうだつたのか、而し偉い奴だ賞めてやらう」

內田の手を握ると、顏をぢつと見つめる。間もなく內田の體は中隊本部の室に置かれ、そ

の夜、中隊全員で代る〳〵御通夜が行はれた。

內田の死に方は華々しい戰死ではなかつた、而しその精神に於ては壯烈なる戰死に勝るとも劣るものではない。中隊長は內田の死に對して中隊全員に此の樣に話した。

中隊の誰も彼も、內田の事を聞いて感心せぬものはなかつた。軍人として立派な死に方だつたのである。戰爭で死ぬ事は常り前ではあるが、病氣で死ぬ事は軍人として恥だとしてゐる。それだけに兵隊は病死といふ事を非常に嫌ふ。戰死と戰病死の違ひは軍人の名譽にかけて戰病死といふ言葉をいやがるところにある。

若し自分が病氣で死んだ場合、內地の遺家族へは戰病死として知らされる。その場合若し此れが戰死であつたらといふ家族は恐らく日本人の總てゞあらう。いやしくも出征家族であるならば例へそれが戰病死であらうとも、戰死の間違ひであつてくれゝばいゝがと願ふのは普通である。內田はその樣な氣持を良く知つてゐた。知つてゐたゞけに入院する事を好まなかつたのである。病氣の體を敵陣の中で潔よく戰死した方が內田の氣持を滿足せしめたゞらう。病氣で後送されるのは一つの屈辱と考へてゐた許りでなく、自分自身としても耐えられ

なかつたのだらう。

而しなんと言つても內田の死に方は、私達の氣持をいやが上にも引きしめてくれた。その事があつて約一週間後、私は內田の餘りにも偉大な軍人精神に反して心ならずも入院して了つた。それから既に一ケ月を過ぎてゐる。

そんな事を想ふと內田の死んだのがまるで昨日のやうに思へる。結局內田の行爲は日本人の眞の性格をそのまゝ表現したものとして、私は賞讃すべきものであると今尙思つてゐるのである。今こうして正月の事を考へ乍らフト內田の病死を想ひ出して私は自分乍ら、地下の內田の靈に對して恥しいことさへ感じる樣になつた。

圍爐裏の火の燃えるのを見てゐる內に、何時しか私の頭の中は、燃えさかる圍爐裏の火で一杯になつた樣に感じる。それは內田の病死の事が正月の話しと結び付いて不動明王の如くに燃え上る。目が充血して顏が、手が、燃える樣に暑い。頭が錯亂する。襦袢を乾かす手が何時の間にか膝の上に落ちて、呆然としてゐる。

「どうしたんだね」

その聲でハツトすると、私は首を上げて皆の顏を見る。

「いや中隊で病死した兵隊の事を想ひ出してね」

再び襦袢を兩手で乾すと、內田の事が甦つて來る。

「君がしんみりすると、折角の火が暖かくないよ。淚火になつてね」

外套の頭巾を覆つて猫の樣に丸くなつてゐる乾物屋が、横眼でちらりと私の方を見る。そう言はれると急に眼を瞑つて、考へ直した。

「何か亦喰べ物の話しでもやるか」

この場を賑やかにする爲、食ひ物の話しが一番いゝと思つたので、壽司の話しでもしようと思つた。

「いゝな、此の間の續きでもやるかな」

「今晩は壽司の話しと行こう。先づ俺から始めやう」

サラリーマンが得意の手付きで始める。私は圍爐裏に向つて四つん這ひになると、上から毛布を掛けた。頭を反對にしたので、圍爐裏の前に顏が向く。

その儘寝て了ふのは惜しいので、皆の話しに耳をかたむける。

「新宿に旨いのがあるね。驛前の食堂横町の龜壽司、彼處の壽司は大きいんでね、一遍に口に入らんよ。女の子が立つて大きた口を開ける圖は亦愉快だよ」

こうやつて口へ入れるんだと言つて、口を開いて入れる眞似をする。

「近頃は女の子が多いね。而も洋服を着たモダンガールが堂々と入つて立ち喰ひしてゐるんだ」

「眞赤な口紅が壽司に付いて、喰べた後は、はげてゐるんだ。まあ見られたもんぢやないよ」

眠りかけてゐた患者も、壽司の話しになると眼をこすつて緊張する。殊に女の子といふ言葉が出て來るともう默つてゐられないのか、話しの切れるのを待ち構へてゐる。

「女の子の壽司の立喰は別に珍らしくはないですよ。銀座ぢや燒鳥を平氣で食つてゐますよ」

顏を見ると何んとなく垢拔けした顏をしてゐるので、亦江戸ッ子が增えたなと思つた。

「燒とりだけならいゝんですよ。バーを飮み歩く强たか者がゐますからね。まあ近頃の銀座と來ては驚きますよ」

自信あり氣な物の言ひ方は、餘程銀座通なのであらうか。皆は意外の伏兵に聊か驚く。どうやらサラリーマンと較べると、可成り距りがあるらしく見える。

「少し脫線しちやつたな。女の子がゐないからつたつて、そう夢中になるなよ。壽司は矢つ張り壽司だよ」

今迄默つてゐた請負師も、女の子といふ言葉を聞くと、しやくにさわるのか、それとも自慢のお髭が承知しないのか、けしからんといつた顏付きで皆を見廻す。

お髭さんの一言はその患者には痛かつた。暫らく默つてゐたが話題を變へて亦話を續ける。

「龜壽司は神樂坂にもありますね。確か飯田橋の驛の方から行つて右でしたね。新宿と同じで握りが大きいですよ」

値段は一つ七錢だと記憶してゐる。値は高くても旨いので評判の壽司だつた。

「而し立喰ひ專門ぢや新宿の紀ノ國屋の側にある屋臺だね。入る事も入るがなか〱旨いよ」

寢そべつてゐる私は横から口を出して、誰れも言はない新宿の龜壽司を自慢氣に話す。如何にも馴染の樣な言ひ振りで自分乍ら可笑しくなる。

「どうだね、脂ぎつたトロと來ちやたまんないね。口の中で溶けさうな奴なんかなんとも云えんぢやないか」

「ほんとだな、そんな事言ふと涎れが出そうだ」

私の腹はさつきからグウ〱鳴つてゐたし、口の中に涎れが一杯溜つてゐた。今うつかり喋らうものなら忽ち涎れが淹れてしまふかも知れない。皆がそうして喋つてゐる間、私の頭の中は東京の壽司屋が次々と浮んで來る。

眼の前に立喰ひの壽司が並べられて、それがくる〱廻る。二年前に喰べたトロの味が甦つて來る。シヤコの味、赤貝の舌觸り、それにこり〱してゐる、イカそして奈良漬、それ等がまるで今喰べた許りの樣に思ひ出される。

「壽司の話しもいゝが、あとがどうも困るんでな、話しの濟んだ後暫らく壽司の事で頭の中が一杯になつて了ふんだ」

我慢出來ないといふのは私だけではない。話してゐる患者の誰れでも私と同じ氣持だらうと思ふ。

而し今こうして壽司の話しをしてゐても、さて此處で壽司を出されたとして、いや恐らくその樣な事はないであらうが、それは最初鱈腹喰ふであらうが、それが續けば飽きるにきまつてゐるのである。そんな事が例へ分つてゐたにしろ、私達はそんな事を考へ乍ら食ふのではない。

唯喰べたいと言ふ氣持以外に何んにもないのである。無ければ欲しく。ありすぎれば欲しくなくなるといふのは戰場でも內地でも同じである。唯戰場では欲しくても無いだけでなく、中には羊羹が喰べたいと言つて死んで行く兵隊もあれば、內地の水が唯の一杯でいゝ……飮んで死にたいと言ふ兵隊もある。

欲しいものが得られずに死んで行く、それは餘りにも哀れである。殊に息を引き取る際に「唯一杯でいゝ、內地の水が飮みたい」と言ふ言葉を聽くと斷腸の思ひがする。クリークの水や、雨水を飮料水とする支那にあつて、兵隊は殊の外水に不便するし、水に惱まされる。それ等の水が悉く皆沸して飮まなければならないといふ事は、水の綺麗な內地に育つた兵隊達には格別不思議でもあり、亦不便な感じを抱かせるのである。

と言つても戰場には內地の樣な水が全然ないのだ。水道の水を見たくも見られないのである。無いものが無いものとして置かれる。慾しくとも無いものはないのである。無い儘に見られぬ儘に死んで行く。

兵隊はそれでも滿足してゐる。東亞新秩序の礎として自分の戰死が役立てばと……心から其れを願つて死んで行く。戰友が死に際にその樣な事を言ふと、側に居て私達は何んとか無理してその願ひを入れてやらうと思ふのである。而しそれは思ふだけで、氣持だけで終るのが普通である。

壽司の話しが出ると極つてもう一度でいゝから喰べたい。恐らく內地へ生還するなどとは思つてはゐないが、それだけに一度喰べてから……と誰しも皆同じ事を言ふのである。此の氣持だけは兵隊の共通したものであらう。

私は我慢出來なくて、唾を二、三度ぐつと飮み込んだ。壽司の話しが高潮に達してたまらなくたつて來たのである。サラリーマンが壽司の食ひ方の講義をやり出し

「先づ最初に生姜を二、三枚喰べて、それから壽司を食ふんだな。海苔卷は一番最後に食ふ

事になつてゐるんだ」

右手の指を二本器用にこなして、喰べ方、持ち方を細々と敎へる。

「海苔卷に紫を付けるのは素人だね。通人は絕對に付けん」

話し乍ら湯吞茶碗だと言つて、ニユームの食器を持ち出して喰べ方の眞似をする。講義し乍ら涎れが出て來たのか

「あゝたまんねえや」

と言つて右手で口唇を拭く。

「思ひ出すといかんな、昨日は夢を見てね、銀座の壽司屋で立喰ひしてゐる所なんだ。鮪の旨い奴でたまんなかつた」

暫らく默つてゐた乾物屋が私の顏を上から覗いて、如何にも惜しかつたと言ふ樣な顏付きをする。

「俺も夢を見たいな。暫らく夢も見ないんだ」

そう言つて乾物屋を羨しがる請負師、「夢でいゝから壽司に御目に掛りたいね」なんいふ

始めての患者、夢で壽司が食へれば此んな嬉しい話はないといふのである。

成程戰地にない物はなんでも夢を見るのが一番の早道である。壽司が食ひたいと言へば壽司の夢を見る。羊羹が慾しいと言へば羊羹の夢を見て、うんと喰べればほんとに喰べたと同じ樣な氣持になる。

「いゝ事を聞いた。これから每晚夢見るかな。寢る前に一應今日は何にしやうかと考へて置くんだね」

私はそれを聞いて早速今晚壽司の夢でも見やうと思つた。差し當り新宿の龜壽司に行く事にしやう。値段も決めといて間誤つかない樣にするんだと自分でそれ〴〵の手筈をきめた。

大晦日の追想

一

正月が近づくと何かそわ〳〵して來る。診斷室の前には早くも松飾りが出來た。東京で見る銀行、會社邊りの玄關にあるものと殆んど違はぬ立派なものが出來た。衞生兵の中に植木屋さんや、鳶職等がゐるのだらう。竹の切り具合、繩の卷き方、松の飾り付け、兎に角本職が手を入れたのか、戰地邊りではもつたいない位である。

各病室にもしめ繩が張られて、入口に松の枝を立てた。どうやら正月らしい氣分が湧いて來る。部隊でも餅の心配をしてゐるのか、餅米にしてそれから餅を搗こうといふのである。而

し籾を脱殼してゐたのは一週間位前だつたから、もうそろ〳〵餅搗が始まるのであらう。餅臼は附近の農家にあつたといふので早速それを使ふのだといふ。天氣が續いてゐるので朝早くから毎日搗いてゐるらしい。

「お早やう。今日は暖いね」

室附の衞生兵が入口をあけて入つて來る。外から强い光りが暗い室の中にさつと射し込むと、その瞬間目がまぶしい位である。

「衞生兵さん、餅は何時くれるんですか」

誰れかの聲に起きてゐる患者は皆その返事に耳をそばだてる。待ちに待つた餅なのである。

「大晦日の日だから明後日ですね。一人に二切れだから少いでせう」

二切れといふ言葉を聞くと皆は意外な顏をする。二切れぢやどうにもならないと言ふのであらう。恐らく貰へないと思つた餅だつたけど、いざ貰へるとなると出來るだけ餘計に慾しいと思ふのである。

〃中隊に居れば幾らでも食えるものを〃と誰しも愚痴をこぼす。

「あゝ、つまらないなあ、早く中隊に歸るんだ」

「こんな所に居るやうぢやしやうがないぞ」

「第一餅が食えないしなあ」

當がひ扶持の餅だけぢや胃袋が滿足しないといふのは、あながち二、三の患者だけではない。私も亦その一人であつたのだ。

「正月前に歸らうぢやないか、一つ運動するか」

皆の氣持ちがもう此の病院に居る事に耐へられないといふ風になつてゐるのであらうか、兎も角じめ〳〵した陰氣な空氣に抵抗出來ないのであらう。活氣に滿ちた中隊の空氣に早く接したいと思ふのは皆同じである。

矢張り兵隊のほんとうの氣持は兵隊の本分に還る事である。戰爭目的に副ふやうに常に健康は即ち明朗であり、健康であつて始めて兵隊の任務が達成されるのである。不健康は其の意味で頽癈的である許りでなく、戰爭と相容れぬものである事は今更いふ迄もない。

人間は兎角病氣になると、氣持が著しく弱くなるのが普通である。厭世的になると共に悲

觀的になる。凡そ此の世界を否定したがるものである。兵隊が病院に入つた場合、殊に戰傷でなく、戰病で入院した場合に於ては殊更厭世的になる。

それは特に軍人精神の旺盛な兵隊程その度が强い。農村出身の兵隊に於てその例を見る事は屢々である。病死した内田の如く、入院を不名譽と心得てゐる徹底した兵隊もゐたし、それに兵隊は病氣で死ぬものでなく、戰ひで死ぬものだといふ觀念を頭の奧深く秘めてゐる兵隊の如何に多いかを私は知つてゐる。

私達が出征に際しても、近親や、友人達から注意される事は決つて

「體に氣をつけて、生水は飮まぬやうに」

と同じ様な事しか言はない。それは病氣で死ぬなといふ事を他の言葉で表したものである。戰死の事は唯の一言も言はないではないか、それは戰死は當然の事だからである。

「病氣でなんか死ぬな、家の不名譽だから」

近所に顏むけも出來ないといつて、此の事を非常に氣に掛ける。

そういふ日本的な絶對觀は、戰地に於て兵隊は何時如何なる場合でも忘れないのである。

若し出來る事ならば、任務を終つて部隊凱旋をしたいといふ氣持は誰れしも變りはない。病院から早く出て原隊復歸するといふ事は戰地に來てゐる以上、皆同じ氣持ちを持つてゐる。例へ餅が喰ひたいから原隊に歸りたいといふのも、結局は兵隊の任務を遂行せんとする一つの表はれに過ぎない。兵隊は常に明朗である。戰地に於ては殊にそうである。自分といふものがなく、國家の爲に總てを捧げてゐるといふ獻身的なものが自分の一切を支配してゐるからである。

乾物屋はその點馬鹿に强いものがあつた。分隊長といふ自分の地位に對して常に彼は恥しさを感じてゐたらしかつた。留守中の分隊は古參上等兵が代つて務めてゐるといふ事を聞いた事がある。彼がいふ餅の話しは必ず原隊復歸と關聯があり、原隊復歸は彼が入院する時からの念願らしかつた。

入院する際も厭々乍ら無理に連れて來られて了つたと言つて居たから、入院は本人の意志ではないらしい。正月もあと三日といふ間近かに控えて、彼は心にある矛盾を感じたのであらう。餅の話しが出ると急に原隊に歸りたくなつたのである。

「皆が一生懸命やつてんのに、俺だけ病院で樂してゐるんなんて、どう考へても悪い」

長雨の止んだ翌日の事だつた、室の前で日向ぼつこし乍ら彼は私にそう言つた事がある。分隊長といふ責任ある地位にゐる彼にとつて、確かに入院してゐるといふ事は苦痛に違ひない。而も彼の入院は戰傷でなく、戰病であるといふ點である。病氣で入院したといふ事が他の兵隊に對して申譯ないといふのであらうが、それだけでは割り切れないものを持つてゐた。だから彼は何時でも他の患者よりも兎角沈み勝ちだつた。それに彼の弱々しい性格は更に彼をして女性的タイプと迄言はしむるに至つたのである。

「今日は診斷日かな」

側に居る衛生兵に聞くと

「此の室は今日ですね、後から呼びに來ますよ」といふと、乾物屋はにやりと笑ふ。何か考えたのか衛生兵を近くに呼んで何やら話し始めた。

乾物屋の動きはサラリーマンにも影響せずには居なかつた。最近めき〳〵と回復に向つてゐるサラリーマンに取つても、矢張り乾物屋と同じく下士官の地位に畏らう筈はない。彼は

分隊長ではないが、中隊本部附の伍長である。出來れば早く歸りたいのである。

普段あの樣な元氣な兵隊ではあるが中隊を想ふ點にかては乾物屋と何等變りはない。普段元氣だけに病氣が回復すればもう默つてはゐられないのである。

「岸田軍曹と一緒に歸るかな」

獨りごとの樣に、それで居て側の皆に聞こえる樣に話す。今日は朝早くから火が燃えてゐるので、圍爐裏の周りは患者で一杯である。

室の隅でこそ〳〵話してゐる岸田軍曹の擧動が氣になるのか頻りに、後ろを向く新らしく入つて來た患者が三、四人で薪拾ひに行つてゐるので、入口の兩側はガランとしてゐる。もう既に診斷が始まつてゐるのか、他の病室では歸つて來る。

間もなく此の室も診斷が始まるのだらう。岸田軍曹のひそ〳〵話は未だ續いてゐる。暫らくして衛生兵はあわてゝ歸つて行つた。歸ると直ぐやつて來て「診斷ですよ」と知らせる。圍爐裏の火を少くして皆診斷室に出掛ける。室には乾物屋だけ殘つて薪拾ひの患者を待つてゐる。

診斷室も今日だけは何んだか變つた空氣で、再診が非常に多い。原隊復歸の關係だらう。私が病室に歸つてくると、午後再診だといふ患者が四、五人圍爐裏を圍んでゐた。岸田軍曹は未だ歸つて來ない。

「駄目だ〳〵」

突然大きな聲で駈け込んで來たサラリーマンは、いきなり私の肩に手を掛けてふら〳〵言つてゐる、どかつと腰を下ろすと兩手で頭を抱えて兩足をバタ〳〵する。原隊復歸が駄目なので、しやくだといふのである。その儘寢轉ぶと矢鱈に怒鳴る。

診斷に行く時は「必ず大丈夫だ」と言ひ乍ら出掛けて行つたので、私もそれを信じてゐた。いや私だけではない、室の患者もてつきり原隊復歸するものと思つてゐたのである。日頃の元氣に加へて、體の方も非常に良くなつて來たからまあ恐らく文句なしに原隊復歸だらうと誰しも考へてゐた。而し診斷の結果は未だ充分でないといふ判決だといふ。

「その時の顔つたら、まあ一生に一度しか、しないといふ顔だつたらしいね」

そう言ふときまり惡さうに頭をかいて皆に辯解する。

其處へ噂をしてゐた岸田軍曹が歸つて來て

「濟まんね、愈々お歸りだ」

といつて自分の寢床に坐ると、背嚢や、雜嚢を擴げて中の物を取り出す。

「羨しいな俺は、駄目だとさ、もう少しゐろつて腐つちやつた」

乾物屋の側に坐ると、サラリーマンは貴樣は得したと言はん許りに、兩手で肩を振り動かす。

「なんて言つたつて旨くやつた」

背嚢いぢりに夢中になつてゐる乾物屋の顔を下から覗いて、「おい、嬉しいだらう」といふと指で乾物屋の頬を突く。

「嬉しい所ぢやないよ、せい〳〵してゐるんだ。俺の心はもう中隊さ」

横眼を使つてサラリーマンに應酬する。圍爐裏の周りにゐる患者は皆後ろを向いて、岸田軍曹の方を眺めてゐる、午後再診だといふ患者はサラリーマンの事があるだけに、未だ不安らしくそわ〳〵してゐる。

「大丈夫かな、心配だ」

今日の診斷で駄目だとするともう正月には歸れないのである。いはゞ中學の入學試驗と同じ樣なものである。いや正月といふより病院生活が厭になつたのである。兵隊の本然の姿に還りたかつたからである。これは兵隊の止むに止まれぬ僞らぬ姿でもある。

期待のはずれたサラリーマンは、悄然として壁に寄りかゝつて、圍爐裏を圍む患者達を見つめてゐる。「遂に正月は病院か」「あゝ幾ら考へても厭になる」獨りで呟やくと、亦寢轉ぶその横では岸田軍曹が熾んに身の廻りの品を整理してゐる。

背嚢に外套を付けると、今度は背負袋にシャツや、股引を入れる。兵隊らしい恰好になるには大變だ。せつせと夢中になつて仕度をする喜びといふか、病院生活から解放される伸び〳〵といた氣持は、それを表現する言葉がないのであらうか、而し無言の彼の顏は、手は喜びに滿々てゐる。背嚢や、背負袋をいぢる姿にそれがあり〳〵と見える。此の病院生活の中で外套を卷く事は原隊復歸を意味し、それは患者の羨望の的でさへある。

彼は今その喜びの絶頂にあるのだ。彼自身も恐らく他の患者の想像以上に嬉しいに違ひな

い。無言の儘明日の準備に一生懸命な彼の姿は、何處かしら他の患者の樣な暗さがない。時折物をいぢる手に力が入つて、頬がぴくり〳〵とする、眼が背嚢や雜嚢に注がれて一入緊張さを增して行く。

そう言ふ彼の無言の姿もなんとなく明るくそして見るからに、柔弱な彼の體にも日本兵としての氣慨が脈打つ樣に感じられる。兵隊の任務を果すといふ責任感は、今彼の頭の中にひし〳〵と迫つてゐるのであらう。一刻も早く歸らう。中隊では分隊の兵隊が俺を待つてゐるだらう。そう思ふと彼は氣が氣でないのである。殊に彼は體が弱い爲に人一倍總てに苦勞する。精神的な疲勞が病氣の原因にもなつてゐるとさへ言つてゐた。彼は急に私の方を向いて

「あんたともお別れですね。病院を出たら遊びに來て下さい、又小石川の話しでもね」

背嚢をいぢり乍らにつこり笑ふ。大體の準備が終ると、彼は私をそつと呼んで、罐詰が餘つたからあげやうと言ふ。

鰯と大和煮の罐詰を二つ、それに珍奇な鰻の蒲燒の罐詰をくれた。蒲燒の罐詰は半分喰べてあつて紙で蓋がしてある。鰻の蒲燒は廬山の戰爭中に一度戰友から貰つた事があつて、そ

の味は未だに忘れてゐない。「こりやいゝ」といふと彼は半分喰べからしで惡いけどと斷つてくれる。

間もなく晝になると岸田軍曹はとつて置きのおたくふ豆の罐詰を出して私に奬める。

「これは天生港から持つて來たんですよ、彼處の酒保で買つた儘、背嚢に入れて來たんです」

「ぢや半年になりますね、そりや貴重品ですよ」

江北からはる〴〵揚子江を遡り、廬山の激戰を經て永修に至る迄、彼は背嚢の奧深くおたふく豆の罐詰を持つて歩いて來たのである。或る時は重いといつて棄て樣とした事もあらうし、此れが最後だと言つて罐を開け樣とした時もあらう。而しどの樣な場合にも遂に開けずに來てゐる。これがほんとうに最後だと自分から思はれる時は恐らくないからである。

此れが最後だから此れを喰べ樣などといふ事は、私の戰爭の後を振り返つても先づないのである。戰死を豫期する事は特殊の場合である。大概の戰死は突發的の場合が多い。決死隊の如きものは豫め戰死を覺悟してゐるし、萬々一にも生還は期してゐない。戰死を前提として敵地に接近するのである。而し乍ら多くの場合は銃彈の當る事を豫期して前進するものはま

づないのである。「俺だけは當るまい」といふ共通した信念を持つてゐる。それだけにこれが最後だといふ場合は甚だ少いのである。未だ〳〵危險な事に遭遇するだらう。その時迄待つてゐよう。そう思ひ乍ら死線を越え、そして目的地を占領して了つてゐる。目的地を占領すると、今度は此の次の戰爭迄持つてゐやうと考へ直すのである。

岸田軍曹の場合もこの樣な一般的のものであつて、戰死する筈のものが戰死せずに今日迄生き永らへて來てゐる。それに反して廬山の前哨戰で華々しく戰死を遂げた、私の分隊の大久保上等兵は、自分の好きなミルクの罐入れを、廬山を攻略したら飮もうぢやないかと言ひ乍ら、その話しをした翌日、ナマコ山の突角で思ひもよらぬ戰死をしてしまつたのである。それは全く豫期しない戰死であつた。此の樣に死を豫感した場合に喰べ樣と思ひ乍ら、遂ひにその機會を得ずに目的地迄來て了つた岸田軍曹、その一方廬山を攻略したら飮もうと樂しみに持つてゐた大久保上等兵は、廬山の攻略を待たずに戰死してゐる。

戰地ではあらゆる事が殆んど偶發的であり、前以つて豫期する事は困難である。そう思つた事が出來ず、全く思ひがけもしない事が出て來るといふ樣に、內地では凡そ想像出來ない

事柄が多い。それだけに岸田軍曹が奨めるおたふく豆は正に貴重なものである。江北で買つて來たおたふく豆は御用船の中で蒸され、廬山の山の中を二ケ月も背負袋の中に納めた爲、雨に打たれ、風に曝され乍ら持つて來たのである。そして遂に罐詰を開ける機會にぶつからなかつた。廬山の様な激戰が豫想されない以上、もうその様な時はないものと思つて差支へないのであらう。

それに思ひがけない入院といふ問題が起きて彼の心を著るしく變化せしめた。入院から退院へと順調に進んだのでもう罐詰にも未練はなくつてゐたのである。

「味が變つてゐないかと思ふんだけど」

なにしろ古いものらしいので、味は多少變つてゐるらしかつたが、兎に角久し振りに喰べたおたふく豆なので、唯甘いだけでも充分だつた。それでなくとも甘黨の私には、出征前からおたふく豆は大好物なので、古いなどといふ事は問題ではなかつた。

「病院の飯もあと二度ですよ」

そう言はれて見ると成程今晩の分と、明日の朝だけで終りである。話し乍ら喰べるおたふ

く豆の味は又格別に感じられた。

二

晝食が終ると再診の患者は直ぐ呼ばれて行つた。私の室から五人、隣りの室からも三人許り、全部で二十人許りださうである。皆勇んで出て行つた。正月を中隊でやるか、病院でやるかの境目である關係上必死になつてゐる。今迄再診の患者は大概原隊復歸は確定的だつた、恐らく今行つた患者は殆んど歸れるのであらう、そう思ふと私達だけが取り殘された様で如何にもしやくでならない。

淋しい儘に外に出ようと思ふと、サラリーマンが一緒に出ようと言ふ。診斷室の前で中腰になつてゐると、室附の衛生兵が「罐詰の空箱が空いてゐるから持つて行きなさい」と言つてくれる。薪探しに行けない私にはそれは申分ない拾ひ物である。空箱を貰つて炊事場の入口の前で箱に腰掛けてゐると、再診に行つた患者がぼつ〳〵歸つてくる。

ふと眼を小川の方にやると、田圃を道にした軍用道路に、輜重の車が延々と列をなして永修に向つてゐる。正月用の下給品や、糧秣を山の如くに積んで、中には菰の被つた酒樽が一車にぎつしり積んであるのもある。陣中の慰安は酒をおいてこれに勝るものはない。酒に依つて始めて慰安され、酒を飲んで英氣を養ふのである。。その昔、神代の代から戰ひに酒は附物とされてゐる。戰勝祈願の折に、出陣の前祝に、皆清酒を以つて武運長久を祈るのである。それから既に二千六百年を經た今日、依然古えからの慣しをその儘受け繼いで、今尙此の支那事變に幾多の催しや、數々の行事に清酒が使はれてゐる。清酒は元來御神酒とも言つて神前に供へる代表的なものとされてゐる。戰地に酒が來る事は至極當然な事であつて、戰勝を祝ふにこれ程適當なものもない。

大行李の車は幾列となく續いて、馱馬を挽く馭兵の手は如何にも嬉しさうだ。酒樽の車を眺めて正月の來た事をはつきり知る。

「酒の菰被りと言ふ奴は見るからに氣持ちがいゝね」

酒の飲めない私ではあるが、景氣のいゝ事を知らせる一つの形容詞として、酒の話は何時

何處でも氣持がいゝ「あの菰を見ると、喉が鳴つてね元氣が良かつたら走つて行つて樽の匂ひだけでも嗅ぎたい」

鼻をくん〳〵させ乍らたまらないと言つた顔をする。酒を想ひ出すとおでん屋を想ひ出しおでん屋を想ひ出すと、銀座を想ひ出すと言ふのである。それ程酒好きなサラリーマンは今眼の當りに酒樽を見て心が躍るのであらう。何時迄も大行李の列を眺めてゐる。

「此處ぢや駄目だからね、なにしろ歸りたい」

そう呟くと私の肩に手をかけて「室に歸らう」と言ふ。

「酒でも飲んで、病人風をふつ飛ばすんだな」

「酒を飲むには矢つ張り原隊に歸んなくちや」

歩き乍らサラリーマンの顔を覗くとにやりと笑つて「うん」といふ。諦め様と思ひ乍ら諦め切れないのであらう。その心の奥底には自分の不運をなげいてゐる様にも思はれる。

室の前に來ると患者が大勢立つてゐる。側に寄ると再診患者が決つたといふのである。それを聞くとサラリーマンはさつと室の中に入つた。私に續いて再診患者も入つて來る。

「岸田軍曹、皆原隊復歸ですよ」

同じ中隊の兵隊だといふ赫ら顔の上等兵が皆を代表して報告する。

「それぢや一緒に歸れるね」

「明日の原隊復歸はこれで六名である。乾物屋はもう支度も出來たので、皆に明日の出發時間やその他の注意を與へる。五名の患者は早速軍裝準備にかゝつて背嚢を卷くのを手傳つて貰つてゐる。今度は澁谷軍曹の時と違つて五人である。同じ喜びを持つ五人の兵隊が明日の原隊復歸を待ち焦れるのとは可成違つてくる。室の中で一人だけだといふ場合は、他の患者に對して優越感といふものは非常に強い。而しそれが大勢になると他の患者に對するものが餘程弱くなつて來るのであらう。それは一對二十と、五對二十といふ様に、その集中力が分散されて了ふからである。

午前と午後の違ひで斯くも喜びの表現や、受け方が變つてゐる。今ではもう大した騷ぎはしない。けれど歸る患者の氣持は端で見てゐる以上に嬉しいのだらう。入口の側に五人固つて皆助け合ひ乍ら外套を卷く。

「餅がうんと喰へていゝな、羨しいよ」

背嚢に夢中になつてゐるので私の言葉を聞き逃したのかと思つたが、急に一人の患者が頭を上げて

「今度用事があつたら其のついでに持つて來ませう」

その顔はさも嬉しさうである。餅を持つて來やうと言ふのはその兵隊の私に對する優越感である。私はその好意を感謝すると共に、此の兵隊はどんなに嬉しいのだらうと思つて見た原隊に歸つて行くこれ等の患者は、その殆んどが皆近くて一里、遠くて四里、五里といふ距離を歩いて行かねばならない。歸つて行く目的の中隊はそれ〳〵敵と對峙してゐて、修水河を挾んで來るべき戰ひの前夜の感を抱かしめ、銃聲は依然毎日の様に聞えてゐる。我が軍の空爆も敵の主陣地を求めて敢行されてゐる様だ。此の野戰病院は第一戰陣地たる永修に一番近く、四里、五里といふのは病院の後方か、或ひは斜めの位置にあつて、敵との距離から見れば永修の次の地點といふ事も出來やう。迫擊砲の音が身近かに聞える事も良くあつた。二、三日前等は敵の野砲彈が病院の直ぐ後方へ落ちたと言つて、散歩に出てゐた患者が驚いて歸

つて來た事もあつた。直ぐ後ろの丘の上に立つてゐると、野砲の音が殷々と聞える。まるで此處が第一戰かと思はれる様にうるさい。

明日歸る兵隊は病後の體を、重い背嚢を擔いで四里、五里と歩いて行くのである。中には途中で參る者もゐるだらう。此の前の原隊復歸の時も確かそんな事があつた様に覺えてゐる。朝出て行く時は元氣一杯で、背嚢も輕々と擔いで行つた。それが病院を出て一里も歩くと急に發熱して倒れて了つた事がある。それを大行李の兵隊が發見して再び病院に運んで來た。診斷の結果、病狀を隱してゐたと言ふ事が分り、當分駄目だと判決を下されて未だ入院してゐる。軍醫も彼の心根に同情すると共に、病勢の惡化を言ひ聞かせて「病氣で死ぬのと、戰死とはどつちがいゝのか」と懇々と彼の不心得を諭したさうである。彼は漸やく自分の非を諭り、病氣に勝つ事が御奉公だといふ事を本然と誓つたといふ。

それ以來病氣と鬪ふと言つて毎日軍人勅諭を暗唱してゐた。病氣に勝つ事即ち戰ひに勝つといふ事と同じである。必勝の信念は不斷の行ひに依つて得られる。病氣を克服する努力は必勝の信念と相通ずると、彼の鬪病精神は痛く軍醫の心を動かすに至つたのである。私は此の話を途ひ四、五日前に聞いた許りであるが、深く考へさせられた。

此の話しを聞いた私は、明日の原隊復歸者への心配が僅か乍らも湧いて來る。夜になると五人の患者は早く寢て了つた。岸田軍曹は寢乍ら「今度は何時會えるかな」と私の方に體を向ける。圍爐裏の火が消え掛つてゐるので暗い。何時も弱々しい顏をしてゐる乾物屋も、今日だけは如何にも明るさうである。

「南昌で會えますよ」私はそう言ふと、彼の顏をきつと見る。枕元の背嚢には外套がしつかりと卷かれてあり、壁に吊り下げてある雜嚢も普段と違つて膨んでゐる。その上に鐵兜が古びた色をしてかゝつてゐる。「あんたが早く出れば永修で會えるでしよう」私もそう思つてゐた所なので永修と言はれると急に早く歸りたくなつた。

三

がさ〳〵するので眼をさますと、入口の側に居る原隊復歸の患者が二人、新聞紙に火をつ

けてゐる。未だ早いのであらう、外は眞暗であるらしい。時計を見ると六時である。整列は七時といふから早い方ではない。火がつくと乾物屋を毛布の上から叩いて起す。飯も早く上るといふので、暫らく當つてゐたが二人の患者が炊事場に飯盒を持つて出て行く。仕度はすつかり出來たのであらう。もう飯を喰ふ許りになつてゐる。圍爐裏の火は赫々と燃えて、原隊復歸を祝ふかの様に思える。飯盒と朝飯を運んで來ると、原隊復歸の患者は入口に固つて一緒に喰べる。

間もなく整列の由を傳へに來る。急いで軍装をすると

「皆さんお大事に」

皆思ひ〳〵に言葉を殘して名殘惜しさうに出て行く。正月を明日に控えて元氣百倍だ。大橋軍醫の注意が終ると、皆の顔は「此れで歸れるんだ」といふ喜びが原隊復歸の決定した時より以上に現はれてゐる。中隊毎に歸る者を集めると一緒に出て行く。方向の違ふ者は途中迄一緒に行つて別れるといふ様に、成るべく單獨で歩かせぬ事にしてゐた。私達は診斷室の前に列んで彼等の原隊復歸を心から祝つてやる。

「さようなら」

「元氣でやれよ」

お互ひに勵まし合ひ乍ら手を振り〳〵送る。西に東にそれ〴〵別れて行く兵隊は、止つては手を振り、後ろを振り返へつては軍帽を取つてふる。

「よお－、早く來いよ」

段に遠くなるに從ひ、聲が小さく、軍帽を振る手がかすかにしか見えない。

「遂に行つちやつた」

何時の間にか私の横にやつて來たサラリーマンは、くやしげに言ふのである。自分獨りが置いてきぼりを喰つた様な感じがするのであらう。目には涙さへ浮んでゐる。

「無理したつてしようがないぜ」

私の肩に手をかけた儘默つて了ふ。昨日迄は歸るといふ話しだけだつたが、今日は既にそれが現實となつて原隊に歸つて行くではないか、ほんとうに歸つたのだ。そう思ふと矢鱈にくやしくなつたのか、私の言葉も耳に入りさうもない。

「行こう」

背中を腕で抱える様にして歩き出した。大晦日の今日は馬鹿に寒い。外套を通して寒さが滲る。室の近く迄來ると急に駈け出す。室の中はもう寢床の移動が行はれて、入口の兩側は空いて皆奥の方に移つて來る。室附の衛生兵が來て、後任室長は武智伍長にして貰ひたいと言つてくる。私は武智に代つて承諾の返事をする。サラリーマンはこれで私が入院して以來三代目の室長になる譯である。

「あとから餅や下給品を持つて來ますから」

衛生兵はそれを分けてくれと言つて出て行く。愈々大晦日だ餅を配るといふので皆元氣が出る。私の隣りの隣りに寢てゐる歩兵の軍曹は入院以來寢通してゐたが、衛生兵の餅の話しを聞いてむく〳〵起きて來た。顔面蒼白で血の氣は全くなくひどい。大腸炎が治つて亦他の病氣を併發したのだといふ。

「餅くるんですか」

誰に聞くといふのでなく、力なげに言ふので、「今日配るさうですよ」といふと「そうで

すかと言つてかすかに笑ふ。暫らく食事も滿足ではく、殆んど牛乳と葡萄糖で保つて來てゐる。極度に衰弱してゐるので見るからに氣の毒のやうなやつれ方である。

「病氣が複雜して軍醫殿も分らんさうです」

私は何も言はないのに、その患者は自分から話しを切出して來た。出征前から體は惡かつたらしく、殊に冬場はいけないのださうである。「餅は喰べられんでせう」きつぱりそう言ふと急に淋し相な顔になつて、「えゝいけないんです」と力なげに言ふ。私はそう言つた瞬間、惡い事を言つたものだと思ひ直した。言はなくてもいゝのに、と自分の胸が針に刺される様な思ひがする私のその一言は餘程の打撃だつたのか、暫らく默つてゐたが、又寢て了つた。人間は病氣になつて始めて人のつらさが分るといふ事をよく聞く。そして自分の過去といふものを忌憚なく批判出來るといふそふいふ中は未だいゝが病氣が進んで、食物を制限されると、たまらなく淋しさを感ずる。淋しさを感ずるだけでなく、制限されゝばされる程喰べたくなるといふのである。一度大病をやれば必ず一度は經驗するのかも知れない。

チブス患者が遂ひ耐えかねて、赤飯の小豆を一粒喰べて死んだといふ話しはよく聞いてゐ

る。赤飯喰べたさに禁を破つて死ぬといふ事は、如何にも子供じみて馬鹿々々しい話しが世間では實に多いのである。それ程病氣といふものは人間を意地汚いものにする。「喰べてはいかん」と言はれゝば言はれる程喰べたくなるのは人間の情である。

此れは病氣許りではない。隱せば隱す程見たくなり、默れば默る程知りたくなる。そしてなければない程喰べたくなるのは當り前の事である。人間が神樣でない限り常に起り得る事柄でもある。まして病氣である以上、物が欲しくなるのは當然であらう。それを押えやうとしたのは確かに私の至らぬ故であつた。「惡かつた、許してくれ」私は胸の中でその患者に謝つた。その代り餅が貰えたら餘計に取つて置いてやらうと思つた。

四

正月用の薪を溜めやうと相談が一決した。請負師の發案で、裏の小屋の天井の柱を切り取らうといふのである。鋸は既に準備してあるので、方法を相談する。結局四、五人居れば間に合ふといふので、割合に元氣な患者を選んでやる事にした。此の部落の中にはもう何一つ薪にするものがなく、僅か各室々の不用な柱が殘つてゐるに過ぎない。裏の小屋に眼を付けたのは確かに請負師の請負師たる所以である。

相談が纏ると早速仕度に掛つた。鋸を二つそれに繩を持つと裏小屋に廻つた。私は免除されたので、サラリーマンに代つて室長代理を仰せつかる。暫らくすると裏の方でみしり〳〵と音がし出した。續いて鋸を引く音が大きくする。その間請負師の太い聲が頻りに聞える。サラリーマンは恐らく繩を引つ張る役かもしれない。請負師の聲に消されて一つも聞えない。一つの柱が切れると「どしん」と大きな地響きを立てゝ、此の室迄震える。「大丈夫かな」室に殘つた患者は皆で心配する。その地響きが二、三回しても未だ歸つて來ない。もう三、四本は切つたのであらう。而しものゝ小一時間もすると歸つて來た。

入口から入る時は殆んど音がしなかつた。他の病室の者に見付かると眞似するといふのである。邊りに注意し乍ら一本づゝ入れる。一番太い柱は直徑一尺もあらうといふ代物で、長さは一丈を越してゐる。長いので入口から奥迄眞直ぐ寢かしてその上に細い柱を乘せる。全

部で五本の柱が室の中に入ると、入口から圍爐裏を通し、私の寢床を突き拔けて奥の壁にぶつかつてゐる。此の柱を燃やすとすれば悠に二、三日はもつであらう。

「此れで正月は大丈夫だ」

「景氣良く燃やすんだね」

「柱切りに行つた患者は皆圍爐裏の周りに集つて、此れから一晩中うんと燃やそうといふのである。餅や下給品は午後だといふので、兎も角何時配つてくれてもいゝ樣に火の準備をする。私とサラリーマンは今晩徹夜しやうといふ事になつてゐるので、私は食べ物を探して置く事にした。

外の患者に話すと希望者が大勢になつた。戰場の大晦日を一晩中語り明そうといふのである。兵糧は餅に下給品を當てにしてゐるので如何にも心細い。此れは私の提唱でもあるので是非實現したかつた。始めは別にプランといつたものもなく、唯大晦日の氣分を充分に味ひたかつたからである。出征前の私は毎年極つて東京市中を巡り歩いて大晦日を寢ない習慣だつた。夕方から歩き始めて普段から知つてゐる東京全市の喫茶店を廻るのである。喫茶店と

いつても私の言ふ喫茶店は所謂名曲を聽かせてくれる純喫茶といふ部類で、一軒一時間は悠にかゝる。而し夜中喫茶店を廻るのではない。大晦日は特別一時頃迄營業してゐるから、それ迄に一區一喫茶の割で歩く事にする。喫茶巡りが終ると夜風に吹かれ乍ら支那ソバや、壽司、燒とりといつた立喰專門の店を覗いて少しづゝ喰べて行く。それが終ると足を明治神宮に向け、宮城前に歸つてくる頃には夜もあけて元旦を迎へるのである。〃一年の計は元旦にあり〃と謂はれる如く、三十一日から元旦にかけての長距離徒歩は、確かに意義があると思つてゐる。

長い里程を歩き乍ら友人と共に新年の爲すべき事を話し合ひ、批判し合つて、昨年の是正すべき點を忌憚なく檢討し、その上に明日への指標を打ち樹て樣とするのである。

大晦日の徹夜行脚は何年か續けて來た。而し此處での徹夜は全くその意義が異る許りでなく、場合に依つては病院の趣旨と全く相反する結果になるかも知れないのである。だがそれを知りぬいてやらうといふ私の氣持は、より積極的なものを持つてゐた。自分の體を試そうといふ事と、鬪病精神を養はうといふ二つの目的があつたからである。私の企てに贊成する

ものは一應あるにしても、それをやり拔くといふ者は恐らく少ないだらうと想像してゐる。今の場合參加の患者が多いか少いかといふ事は問題にする必要はなかつた。

若しも誰れもゐないとすれば自分獨りでやる迄である。兎も角やつて見やうと思つたのである。幸ひ武智伍長がやらうといつてくれたので聊か心強くなつたものゝ、後からの希望者は餘り當てにならなかつた。今夜の體驗で何物かを得やうと思つてゐるので、朝から心の中が落着いて坐禪をやる前の氣持ちの樣である。

五

待ちに待つた餅が三切れ、それに正月用の栗きんとん、鯛、するめ、サイダー等が一人に五品位配られた。患者は皆子供の樣にはしやいで室の中をあつちに行つたり、こつちに來たりする。意外に餅が少いので不滿だら〳〵を並べて騷ぐ。患者達は今自分が病氣であるといふ事を忘れて、唯普通の兵隊の樣な氣持になつてゐるのかも知れない。戰地に來ると兎角物

に對する慾望は非常に熾烈である。それが戰爭中であらうと、警備中であらうと食慾は至つて旺盛だ。病院に於ても大した違ひはない。元氣になればなる程その度が激しい。餅が喰ひたいといふ事は元氣だといふ事を證明し、その一面に於いては原隊復歸の希望が如何に强いかゞ分る。

原隊に歸れば鱈腹喰えるといふのである。患者達はもう精神的には立派な元氣な兵隊だつた。唯口こそ達者だが體は思つたより良くはない。餅の不足は忽ち室中の話題となつて何んとか餘計にといふ空氣が濃厚になつて來た。

「衛生兵に相談しようぢやないか」

誰かの聲に應じて忽ちそれが衆議一決、結局武智伍長が室長といふ格で陳情する事になつた。

「失敗しても私の責任ぢやないですよ、前以つて斷つて置くからね」

皆の力强い聲に送られてサラリーマンは出て行つた。私は內心惡い事をしたものだと思つた。賴みに行けば必ず斷られるに極つてゐる。室の患者はどう言はうと、私だけはそれを止

め樣と思つたが皆に言ふ譯にも行かない。そう思つてゐるのは恐らく私だけではあるまい。外の患者も同樣だらうと思つた。唯群集心理に動いたゞけなのである。

武智は直ぐ歸つて來た。

「怒られて來た。病人が餘計に喰ふ奴があるかつてさ」

皆の顏を見乍ら大きな聲で言ふ。行つて馬鹿見たと言はん許りに「ふう!」と溜息をつく。そう言はれると皆は默つた儘一言も言はない。「そうだらう、それが當り前だ」誰れかゞ隅でそんな事をいふ。惡い事だといふ事を知つてゐるので、武智に向つて反撥する者は一人もゐない沈默が暫らく續くと、何處かで誰かゞどつと笑つた。

「變な笑ひするなよ」

その一言で急にざわめいて來た。私は三切れの餅を大事に紙に包んで鐵兜の中に入れた。正月用の罐詰を直ぐ枕元に列らべて見たが開けて見たくなつた。栗きんとんの名前がたまらない。

私より早い連中はもう罐詰を開けてゐる。早速鯛ときんとんの罐詰を開ける。指で舐めて

見るとても甘い。一舐めして甘いので亦指で取つては舐める。而しどうしてもそれを思ひ切つて喰べる氣にはなれない。一罐毎に開けては舐め、舐めては蓋をして獨りで樂しむ。外の患者も皆私と同じ樣にこそ〳〵獨りで舐めてゐるのが多い。

開けた罐詰をあつちにやりこつちにやつたり、殆んど手から離さない。そうこうする中に夕食の知らせが來た。

「お茶はうずら豆だぞ」

それが第二の報告である。入院以來始めての甘いお茶だ。患者達はこの甘いお茶をどんなに待ちこがれたであらうか。うずら豆だと言ふ聲を聞いて皆眼を圓くして喜ぶ。餘計に貰はうといふので枕元に置いてゐる空罐を取つて飯盒と一緒に持つて入口に立ち列んだ。

私も慾を張り、食器に空罐を持つて入口から首を出す。今か〳〵と待つてゐると角の一號室で大變な人集りである。今迄貰ひに出た事のない患者迄が外に出て衛生兵を取り卷く。ワイ〳〵とまるで何事か始まつたかの樣な騷ぎである。あの人集りでは大分無くなつてゐるのだらう。入口から首を出し乍らお茶の桶を眺めてヒヤ〳〵する。早く來ればいゝのにと唯そ

れぱつかりを心配してゐる。

その中飯の桶が先に來ると、飯を貰はずにお茶を待つ者許りになつて了ふ。

「飯いらんのかね、入らんなら行つちやふぜ」

衞生兵は嚇かしにそう言ふと、患者は慌てゝ飯を貰ふ。飯を貰ひかけるとお茶を持つて來た。さあ大變である。飯を貰ひかけてゐた患者がどつとお茶の桶の周りにたかる。おとなしく待つてゐたのでは無くなりさうなので、患者は各自に飯盒で杓つた。

「駄目だ〳〵」

雨手で患者を遮ぎると、皆惡いと思つたかさつと手を引いた。結局桶の中に手を入れた者は少しも貰えなかつた。唯手にうずら豆がべと〳〵付いただけである。幾らあせつても餘計に貰えないと知つた患者達は、もう溫好しく待つてゐる。

一通りうずら豆を盛つてやると、桶のうずら豆は馬鹿に減つてゐる。

「可笑しいなあ、これぢや足らんよ」

未だ五室あるといふので大體の分量を許つて見たが、とても足らなかつた。先づ二室分し

かないだらうと言ふ事になり、早速衞生兵は足しに歸つて行く。衞生兵が歸つて行くと室の中は餘分に貰つたといふ患者で騷ぎが大變である。

「俺のは二人分だ」

「自分のはもつとあるよ」

罐詰の空罐の大きい程餘分に入つてゐるのでそれを見せびらかす。何しろ甘いものと言へば、たまに配つてくれるキャラメル以外になかつたので、今日のうずら豆は例へ様の無い程嬉しかつた。而も今日は大晦日である。今晩徹夜をするといふ連中が多いだけに、思はぬ間食が入つてほく〳〵だ。貰ひそこねた患者は先の病室迄遠征してそこで貰つて來た。一度足しに行つて來た桶は四號室で無くなつてしまつた。もう此れしかないと言ふのでお茶をどうしやうかと言ふ事になつた。そうなると五號室以下の患者が承知しない。

而し事實ないものはないのである。衞生兵は炊事場から牛罐を持つて來てうずら豆の代りに配つた。それでもあきらめつかない患者は、自分の知つてゐる病室の患者から少しづゝ貰つて來た。私はそれを聞いて自分の行爲を深く恥ぢた。恥ぢたとはいふものゝ私の貰つた分

は一人前より多少餘分だつた程度であるから、大した事ではなかつた。うずら豆異變は室々毎に色々な話題を生んで、手の早い患者の中には三人分貰つたといふのもあり、それを鼻高々に吹聽する者もゐた。私の室では最高二人分だから一號室の様に優秀な患者はゐなかつた譯である。さて二人分もうずら豆を貰つてもそれを皆喰べる者はゐなかつた。せい〳〵一人分の半分も喰べる者はゐない。なぜかといふと患者は皆それを一邊に喰べて了ひたくなかつたのである。此れを食べて了へば當分喰べられなくなるといふ事を心配して、少しでも長く、少しでも餘計に持つてゐたかつたのである。どの患者の飯盒や空罐を見ても半分以上は殘つてゐる。私もほんとうに惜しかつたので、舐めただけだつた。飯が濟んでもうずら豆の入れてある空罐を開けては眺め、そして指で舐めたりした。

その中大晦日の徹夜組が顏を揃えて圍爐裏の周りをかこむ。

「全部で何人かな」

「六人ですね」

私と武智の外に四人の患者が參加した。徹夜するといふ話しが徹底してゐたので外の患者

は皆早くから寢て了つた。暗くなると入口の戸を固く閉めて風の入る口を塞ぐ。外は月がなく、全くの暗闇である。

如何にも氣味の惡い夜である。唯星の光が僅かにするだけで、入口から覗いた外の暗さは想像以上だつた。

「外は馬鹿に暗いね、狐に鼻をつまゝれさうだ」

入口に立つて後ろを向くと、皆私の方を向いて「ほう」と言つた顏をする。

「こういふ晩はよく逆襲があるんだ。支那兵の得意のチャルメラ夜襲がね」

そう言はれると成程月の無い暗い晩に限つて夜襲があつた事を想ひ出す。支那軍の夜襲は必ずチャルメラの様なラッパを吹きならしてやつて來る。チャルメラで景氣を付けて、敵に精神的な打擊を與へやうといふのである。如何にも支那軍らしいやり方だと皆で笑つた事があつた。

「逆襲があるんなら尙更いゝぢやないか、吾々が監視哨といつた意味で今晩寢ずの晩さ」

今夜の徹夜はそういふ方からも意義があるとすれば満更つまらんものでもない。

此の山の中で、而も野戰病院の一室で、今圍爐裏に當り乍ら、今夜が大晦日とはどうしても考へられない。第一年の暮らしい〻感じがまるでないではないか。なんと言つても變だと私は獨りでそう考へた。而し遠い內地では、いや東京では乾いた道路の上をカランコロンとする音が夜通しするのであらうと思ふと、矢張り東京の大晦日の事が目の前に浮び出て來る。町にはメ飾りの店が出て、餅菓子屋の店先にはのし餅やお供えがうず高く積まれ、それを一晩中賣つてゐるのがまるで昨日の樣に思へる。

「內地ぢや今夜は大變だらう」

「大晦日の夜の氣持と言ふものは亦特別い〻もんだね」

商人だつた患者には大晦日の夜の忙しさがまざ〳〵と眼の當りに浮ぶのか、出征前の年のその日を想ひ出したのであらう。

「自分の店は煮豆屋ですが今晩なんか大變ですよ。家內と一緒にやるんですが大概家內は先に參つて了ふんです」

此の患者が煮豆屋だといふ事は前から聞いてゐた。築地に店があつて日本橋に支店があるといふのである。昨日原隊に歸つて行つた乾物屋は此の患者を良く知つてゐた。日本橋の支店といふのもなか〳〵繁昌する店で、增築しても直ぐ狹くなる程の店だといふ。兎も角煮豆屋とはい〻乍ら立派な店を持つてゐて、軍服を脫げば奉公人の三、四人も使はうといふ煮豆屋の主人である。見た所風才の擧がらぬ男であるが、しやべらすとなか〳〵筋の通つた話しをするし、何んとなくしつかりしてゐた。

「今晩が山ですからね。もうお重の山ですよ。店の者がそれを三人掛つてやるんですが元旦の朝なんか午後迄寢て居ますからね」

自分の店の話しになるともう夢中になつて自慢だら〳〵である。

煮豆屋の主人だといふので早速「先刻のうずら豆はどんなもんですか」と聞くと、「良く煮えてゐますね。此處であれだけ作れば大したもんですよ」意外にも賞めたので私は「成程旨いのはほんとうなのだ」と思つたうずら豆の話しが出た序に、私は自分の枕元に手を延ばしてうずら豆の空罐を取つた。フォークで喰べようとしてふと向ひに眼をやると、もう旣にうずら豆を出してペろ〳〵舐めてゐた。

話しをし乍ら合ひ間を見ては空罐にフォークを突つ込んでは喰べる。片手にフォークを持つてまるでいたづら盛りの子供が何にかを喰べる樣である。請負師も滋々參加はしてゐるもの〻餘り喋べらない。寒いと思つたので外套を着て風を引かない樣にした。室の四隅の隙間や、所々の羽目板の隙間に紙を張つたり、綿をつめ込んだりしたので、風の入る隙間はなかつた。それでも開けつぱなしの天井から時々ぞつとする樣な風が吹き込んで來て、思はず首を縮める事がある。

中支が如何に暖いと言つても十二月の末である。木枯らしが夜中吹き通して寢られぬ晩が良くあつた。幸ひ今夜は風も少く、十二時近くなると生暖い風が天井から入つて來る。

「もう二、三分で正月だよ」

「內地なら除夜の鐘が鳴るんだね。あの鐘の音を聞くと、何んとも言へない氣持になる」

私は腕時計をはずして手に取つた。針が十二時の所に來ると

「さあ鐘がなるぞ」

皆は私と同じ樣に腕時計をはずして十二時を指した針をぢつと見てゐる。

「遂に正月だ」

請負師が眠い眼をこすり乍らにこりと笑ふ。元旦だといふので私は餅を出して手製の金網に乘せた。武智も私の後から一つ乘せる。

「お目出度うを忘れてゐた。さあお目出度う」

「お目出度う」

六人の患者は皆一度にお目出度うを交す。朗らかな空氣が一時に流れて、圍爐裏の火が皆の顏を眞赤に染める。手足の痺れも今夜だけは忘れた樣に出ない。正月の喜びで氣持が勝つたのかも知れない。物に興奮した場合、兎角病氣は忘れ勝ちである。精神の統一は病ひを克服するといふ事は聞いてゐたが、今夜の此の朗らかな氣持は一體どうしたのだらう。十二時といふのに未だ少しの疲れも出ない。張り切つた此の氣持は恐らく目的の夜明け迄持ち續けるだらうと思ふと、私は思はず

「勝つた」

と胸の中で思つた。

六

餅が焼けるとその儘頰張つた。味の無い餅ではあつたが、餅といふ感じでもう内地の事が思ひ出される。一時を過ぎると一人缺け、二人缺けして今では私に武智ともう一人の患者を加へて三人になつて了ふ。人が減つて淋しいので薪をうんと入れて燃やす。私の眼は益々冴えて來て、寢て居る患者の鼾聲が例へ小さくてもはつきり聞き取れた。木の葉の吹かれる音もガサ〳〵と絶え間なく私の耳をかすめる。

と遠くで砲聲がかすかに聞える。續いて大きく、少さく爆發する樣な音がした。それが段々近くなつてはつきりする。「逆襲かな」私はそう感じると、さつきの豫感が適中した樣に思つた。

「砲聲がしてゐるね、近いよ」

一人の患者がつと立つて入口を開けて見た。砲聲が近いといふのである。診斷室に居る不

寢番が山の方に降りて行つた。それから暫らく何も聞えなかつたが、ものゝ小一時間もすると亦銃聲が馬鹿に鳴り出す。パン〳〵といふ音が無氣味に聞える。

「正月の逆襲とはかなわんね」

武智が焼きたての餅を頰張り乍らそう言ふと、私は亦餅が食べたくなる。一度に二切れ焼くともうなくなつて了つた。口が淋しいので鯛と蒲焼の罐詰を出すと、ぼつ〳〵喰べ始める。私が鯛を焼いてゐる間に最後迄殘つた一人の患者は何時の間にか寢て了つた。

結局殘つたのは武智と私だけになつて了ふ。旣に四人の者が棄權すると私はそれだけに餘計今の目的を果して見たいといふ意地が出て來た。「よし頑張らう」胸の中で固く誓つた。

武智は途中で寢た患者の顏を見乍ら「弱いんだな」と呟く。峠は越えたが夜明け迄は未だ未だ大變だ。さつきの砲聲や銃聲は全く止んで前の靜けさに返つた。そうこうする中に時間も經つて三時を過ぎる頃になると急に寒くなつて來た。外套の頭巾を覆ると、圍爐裏に體を乘り出して顏を火に付ける樣にして當る。武智の話しは何時の間にかしるこの話になり、鰻の話しになつた。

「築地に旨い店があつてね。良く行つたもんだ」

此うやつて焼くんだと言つて手眞似をする。今夜は食ひ物の總決算をやらうといふので甘辛兩方を片つ端しから擧げて、今から辛い方に入る序幕に鰻といふ事になつたのである。甘い方では引けを取らぬ私ではあつたが、辛い方と來ては武智の敵ではなかつた。武智は所謂高級料理といつた方で、私は寧ろ下町の下級飲食店といふ樣にはつきりしてゐる。從つて話も共通する所もあるが、多くはお互ひに知らない事許りである。

而し銀座邊りの話しになると大概お互ひに知つてゐるので、あすこは、あれはと店の名前を擧げてそこの特徴を話し合ふ。意外な店を知つてゐたり、其處の誰々はどう言ふ人だとか、馬鹿に瘦せてゐた人ぢやないか。等とお互ひの話しがぴつたり合ふと飛び上る樣に嬉しくなる。

「そうだつた。あの主人は有名な變り者で、一度つむじを曲げるともう絶對に作らんのだ」

銀座裏の天ぷら屋の主人にそういふのがゐたので、まさか知つてゐるとは思はずに話すと、武智は私より以上に良く知つてゐた。何んでも斯ういふ調子だつた。お互ひに知らないと思

つて話す事が、相手はより以上に良く知つてゐる場合が多かつたりした。而し此處だけは知るまいと思つて「日劇の前のガード下に岩崎つていふおでんやがあるんだが知つてる」といふと、彼は飛んでもないといふ樣な顏して「岩崎なら遲くなれば必ず行つたもんだ、第一あすこは朝迄やつてゐるからね。尻の長い僕なんか彼處なら先づ間違ひないな、安心して飲めるんだ」こう言はれると成程私より良く知つてゐるに違ひない。酒が飲めぬ私には凡そおでん屋は緣の遠い存在である。おでん屋といつても私の要求するのはおでんに御飯である。お酒はたゞ飲めと言はれても飲めない私である。だから遲くなつておでん屋に行くのと譯が違ふ。岩崎の良さは安直といふ點にあり、有樂町界隈の人達は晝飯に利用してゐるのが多かつた。而し今も相變らずやつてゐるのかと思ふと、なんとなく懷しく感じる。

外に風が少し出て寒さが急に身に泌みる。不寢番が一時間毎に廻つて來て火の注意をして行く。時たま患者が便所に起きる音がする以外にしんとして何も聞えない。

「寒いね。餅でも喰べて暖まらう」

武智は殘つてゐる二切れの餅を出して一つ私にくれるといふ。衞生兵が搗いたといふがな

か／＼上手に搗いてあつて、内地で喰べる餅と少しも變らない。唯少し黑いといふだけでねばりも可成ある。焼ける匂ひがぷんと鼻についてたまらなくなつて來る。

つけるものが何もないので、うずら豆の殘りをつけて喰べるとなか／＼旨い。此の餅も確か四日掛りで搗いたといふ餅で、籾から餅にしたといふ事を聞いてゐる。支那の舊式の臼で兎の餅搗に出てくる繪の樣な棒の杵で籾を取り、氣長に毎々／＼交代でやつたのだといふ。思へば此の一切れも衞生兵の涙ぐましい汗の結晶であり、努力のお蔭であると思ふと、何んだかもつたいない樣な氣がしてならない。その餅も一晩にして喰べてしまつた。もうないのだと思ふと矢張り淋しい。正月の氣持も大晦日の夜に消えてしまつた樣で變な感じである。

食ひ物の話しが興に乘つて何時の間にか鷄の鬨を聞く頃になつた。東の空が白んで幾くらか部屋の中が明るくなる。衞生兵の室の脇に飼つてある鷄が二度の鬨を作る頃にはそろ／＼朝の飯の時間になつてゐた。元旦の朝は飯が一時間早いと昨日衞生兵が言つて來た事を想ひ出す。そうだとすると今朝は六時頃の筈である。お雜煮の汁だけで飯はないと言ふ事を聞いてなかつたので、私ははつとした。若し汁だけだとすると今朝は喰べる物がない。三切れ貰

つた餅も昨日の夜から今朝に掛けて喰べて了つてゐる。

「おゝい飯だよ、今朝は早いんだ」

大きな聲で武智が怒鳴る。空が白みかゝつたとは言へ未だ暗い。寢ぼけた眼をこすり乍ら皆起きて飯盒の準備をする。私は頭が重く眼が如何にも元氣がない。

「徹夜したんですか」

「徹夜したんですかとは心細いね、宮川氏と一緒に今迄起きてゐたんだよ。どうだね偉いもんだろ」

眼をこすり乍ら獨りで偉がる。

「そうですか。まさか徹夜は出來ないだらうつて皆で言つてゐたんですが、そりや大したもんですね」

外の患者は皆感心した樣に聞いてゐる。私と武智の徹夜は意外な反響を呼んで馬鹿に賞めそやす。飯の來る僅かの時間に、私は大晦日の完全制服を心から喜ぶと共に、次は脚氣の克服をやらうと固く心に誓つた。自分でもまさかと思つた此の暴擧も遂ひに武智の協力に依つ

て爲し遂げられたのである。個人の力に依つて不能と見られた事が、ある一人の協力を得る事に依つて目的が達成された事は、これから先の私の人生行路に一つの光明を齎らして呉たものとして、限りたい喜びに浸る事が出來た。

間もなく朝飯が來ると、私は汁だけ貰つてそれを一口に飲んで了ふ。餅がないので淋しい元旦になつて了つた。飯が終る少し前に「十時から宮城遙拜がありますからお願ひします、但し元氣な者だけ」衞生兵の通知で服裝は出來るだけきちんとして行くといふので、ボタンの無い患者はそれを着け、首に手拭ひを卷いた者もいけないと言はれてそれ／＼取つて了ふ。

いざ集合の合圖で集つて見ると、起きていけないと言はれてゐる患者も出て來てゐる。弱々しく見えるが、氣持はしつかりしてゐてきちんと立つてゐる。四十度に近い高熱を出し乍ら外套に藥を付けた儘出て來るのもゐた。山本軍醫の指揮で君が代を唱ふと私は何かしら心が引き締る樣に感じた。

中支の南昌に近い此の山中の一角で、正月の元旦、襟を正して君が代を歌はうとは夢だに思つてゐなかつた。此の崇高な氣持は兵隊の誰でもが持つてゐるのであらう。そして遙か遠

い故國に對して私達は心から感謝の最敬禮を行つた。マラリヤの高熱を冒して敬虔な默禱を捧げる患者の氣持は、恐らく神以上の氣高いものであらう。君が代は二度歌はれた。

歌ひ乍ら自然に眼に涙が浮んで來る。なんていゝ歌なんだらう。なんて神々しい歌なんだらう。唯譯もなく涙が流れる。戰地に來て始めて流す涙の雫が、頰から口の中へ流れ込む。私はそれを拭はうともしなかつた。かつて上海で歌つた時も同樣此の樣に感激した事があつた。而し今日の感激は亦格別なものがある。式が終ると私はそつと涙をふいた。皆の顏は、眼は赫く充血して今の感激をその儘殘してゐる。私は此の時ほど日本に生れた喜びを強く感じた事はなかつた。今後例へ何年如何なる政治が續こうが、今日此の樣な感激に浸る事は恐らく出來まい。いや恐らく永久に出來ないであらうと信じてゐる。それは日本のみが持つ事の出來る永却不變の皇國であるが故である。そう考へると、昨夜から今朝に掛けての徹夜は、精神的に、肉體的に決して無駄でない事を知つたのである。いゝ體驗だと確く信じてゐる。

君が代の尊嚴を知り、君が代の斯くも氣高さを知つて、君が代に唯泣きぬれるのである。そこには何の誇張もなく、純眞無垢の儘に私をなくすのである。戰地に來て始めて知る此の

精神、唯譯もなくその有難さに感泣するのである。私は戰地に來て始めて日本の國體を知り、日本の國の偉大さを知つた。此れは恐らく私だけではない筈である。支那大陸に足を踏み入れた兵隊の總てが知る驚きである。旅をして始めて知る人の情は腦裏に深く刻み込まれる、と同樣に遠い戰地に來て始めて知る大陸の貧弱さは故國の偉大さを充分に知らしめるに役立つ。

兵隊は支那に來て支那の政治を知り、そこに幾度か繰り返へされた革命の跡をも見た。血と血の戰ひ、それに續く政治の混亂、今支那民衆は唯一日の平和を望んでゐる。抗戰救國を說く麽政を心から憎んでゐる。その實狀を眼の邊りに見て、兵隊は始めて日本の美しさを知り、萬世一系の國體を見直した。日本の國の揺るぎない姿を遙るか遠く思ひ乍ら、支那の各地に日の丸の旗を押し進める此の壯絕さ、私は思ふだに此のよき日を心から感謝せずにゐられなかつた。

風が止んで雲はあるがおだやかな元旦の朝である。室に入つて落付いて見たが別に寒くもない。

「餅がなくなつて弱つたよ。正月は終りだね」

手持無沙汰そうにするめの足を燒いてゐると、一人の患者がごそ〳〵自分の枕元をかき廻してゐたが、やがて餅を十許り兩手にかゝえて圍爐裏の側に來て坐つた。

「なければあげますよ。中隊から持つて來てくれたんですが」

自分の所から五つ許り取つて私にくれる。思はぬ物を貰つたので私はよろこびに胸を躍らせた。恐らくもう貰えないだらうと觀念してゐた所だつたから、その患者に心から厚く御禮を言ふ。「ほんとうに助かつた。君にでも貰えなければもう餅なしで過すしか仕方がなかつたよ」私がほんとうの事を言ふと、「又あげます」と言つてくれる。なんて私は幸運なんだらうと思ふと、その患者に思ひ切り禮を述べて見たくなつた。早速貰つた餅を一つ取つて燒く。あとの四つは大事相に紙で包むと鐵兜の中に入れる。私が餅を燒いてゐると、武智が何處からか歸つて來て私に罐詰の空罐を無言で渡す。何んだらうと思つて中を覗くと醬油である。「何處から持つて來たんだね」「衞生兵に貰つて來たんさ、それより昨日の夜逆襲があつたさうだ、今診斷室に負傷兵が大分擔架で運ばれて來てゐるぞ、大變だつたらしいな」武智

が何時もと違つて眞面目に話すので皆緊張して聞く。

入口の近くに居た患者が二、三人急いで出て行く。「そんなにひどかつたのか」「此つちの方が馬鹿に少かつたらしいな。少いといふより步哨だから」昨夜の砲聲はその逆襲だつたのである。どうりで相當に長く鳴つてゐたと思つた。味方の損害は意外に大きく、戰死は殆んどなかつたが、負傷者は可成あるらしかつた。室から出て行つた患者が歸つて來ると「二、三十人來るそうだ。而し皆輕傷で戰死は全然ないつて言つてゐた」といふ。その報告を聞いて昨日の夜の銃聲が殆んど敵のものである事が想像出來た。味方は恐らく射たなかつたであらう。いや射てなかつたのである。敵が味方の意表を衝いたとして、餘程巧みにやつたに違ひない。それよりゲリラ戰術かもしれない等と想像を廻らす。兎も角手に持つた空罐を圍爐裏の緣に置くと、焦げ付いた餅を取ると空罐の中へ入れた。ジユーと音がすると醬油の匂ひがぷんとする。「いゝ匂ひだね」すーうと息を吸ふと私の隣りの患者もたまりかねてその匂ひを吸ふ。

餅のほんとうの味は、矢張り醬油をつけて喰べた味なのだらう。餅の燒けた匂ひと、醬油のこげる匂ひがカクテルされて、「一種異樣な匂ひを作るのである。自分で燒いてゐながらその匂ひにたまらなく醉つてしまふ。罐から出して口に入れると、ぴりつと醬油が舌をつく。餘り喰べられないと分るとその餅を一度に喰べずに、ゆつくり喰べ樣と思つた。武智も早速最後の一切れを燒くと醬油をつけて、長く伸ばしたり、丸く固めたりして喰べた。醬油の空罐を次から次へ廻して皆に醬油を味はせる。粉醬油しかなめた事のない患者達にはほんとうの醬油の味は珍らしかつた。「矢つ張り旨いね。此奴で食つちやこたえられないよ」暑い舌の燒ける樣な餅をふう〳〵言ひ乍ら喰べる。今さつき迄話してゐた逆襲の事など忘れてしまつた樣に……間もなく衞生兵が廻つて來て負傷兵を入れる室を作るから、他の室から四、五人入つて來るかも知れないと言つて行く。室長の武智は早速入口の兩側に六人分の寢床を作つた。元旦早々衞生兵の仕事が增えて轉手古舞してゐる。もう既に負傷兵は診斷室に溢れてどうにもならなくなつた。總數二十六名といふ多數である。重傷者が若干であとは悉く輕傷である。室の入れ替えが行はれて、私の室に五人轉室して來た。五人の患者は殆んど每日顏を合はせてゐる人達だつた。「賴むよ、新前だからね」「お互ひ樣だよ、此ちらこそ」皆元氣

な患者で、たまには坐角力でもし兼ねまじき連中である。私は内心元氣者揃いで、頼もしいと思つた。轉室が完全に終ると、一番奥の室に負傷者を入れる。入口から外を覗いて見たが、知つてゐる兵隊は一人もゐなかつた。負傷者の大半は手榴彈でやられた者が多く、顔や、腕の負傷が馬鹿に多い。

「運が悪いんだね。元旦に入院するなんて」轉室して來た患者が今日の入院患者を氣の毒がつてゐる。而し負傷兵が運ばれて來ると患者達は言葉にこそ出さないが、自分の今の立場が恥かしくなつて來た。「病氣で入院するんなんて」負傷で入院するのがほんとうの入院なんだと思ふと、何んだか急に肩身が狹くなつた樣に感じる。殊に私は擔架で運ばれて行く兵隊の姿を見ると、羨やましくてならなかつた。俺もあの樣にして入院するんだつた。擔架に運ばれて、顔や腕に包帶して來る方が餘つ程兵隊らしいと思つた。

靑白い顔して、今にも倒れ相な恰好で此處にやつて來た入院當時の私を思ひ出し、たまらなく淋しさを感じるのである。診斷室に負傷兵が運ばれた時もそうだつた。患者は診斷室の周りをぎつしりと取り卷いて、何か珍客でも來たかの樣にワイ〳〵騷いだ。

「昨日の負傷兵だつて」

「ふーん負傷したんだつて。そうか」

どれ〳〵と言ひ乍ら、人をわけて負傷兵を見たがる。病氣の患者しか入つてゐない病院だつたから、負傷兵と聞くと何にしろ珍らしいのである。いや珍らしいといふより吾々の先輩が來たといふ氣持である。私自身すら野戰病院は戰傷患者だけと思つてゐたし、病氣の患者が入る所でないとさえ思つてゐたのである。病氣は中隊で治すものとばつかり思つてゐた。かつて永修で警備中、部隊附軍醫から入院しろと言はれて「病氣で入院するんですか」と不審がつて聞いた事がある。すると軍醫が「病氣だつてひどけりや入院しなけりや」と言はれた事を想ひ出すのである。その時私は「そうかな」と獨りで感心したのである。そして野戰病院迄歩いて來る途中、何回もその事を繰り返して見た。入院して見ると意外にも病氣の患者許りである。その事實を見て私はほつと胸をなで下ろした。

さて此處で此の野戰病院に入院してゐる患者が悉く病氣患者許りであり、戰傷患者が一人も居ないといふ事に就いて一應の説明をしなければならない。卽ち盧山の攻略戰は十月一杯

で終り、德安へ入つたのが十月の末だつた。戰鬪の激しかつたのは德安攻略迄であるといつて差支へない。それ迄の戰傷患者は悉く、盧山や德安に設けられた野戰病院に入り、德安から永修への追擊戰は文字通り、敵の應戰は一度もなく、僅か二日で永修を陥落せしめて了つた。負傷兵のないのは極めて當然である。此處の山口埔野戰病院は永修入城後數日たつてからである。斯ふいふ事情で永修は無血入城となり、樂々と占領してしまつた。永修に入城すると川を狹んだ對岸に敵が頑強なトーチカを築いて越年準備を始めた。先づ此の調子だと正月を此處で迎えるのだらうといふ事になつて、兵隊はどかつと腰を落ち付けたのである。其處に來るのは當然八月以來の疲勞である。永修に入ると既に十一月になつてゐた。三ケ月ぶりの落ち付きで一時に疲れが出始め、あちこちでやれ脚氣だ、大腸炎だ、と訴へ始めたのである。長い間の疲れが一時にどつと出て來たのであらう。部隊の醫務室は每日大入滿員だつた。而し中にはてんで軍醫に見せない兵隊もゐた。私も始めは見せなかつた。この樣に永修に入るとすぐ病人が續出したのである。

盧山の二ケ月餘に亘る長い戰鬪が冷えとなり、兵隊の體を疲勞せしめた。その冷えが、疲

れが、病ひとなつて表はれたのだと皆は思つてゐる。私もそうだと信じてゐる一人である。山口埔の野戰病院は此の疲れた兵隊がどつと入つて來た。軍醫も恐らく意外に思つたに違ひない。來る患者〳〵の全べてが皆病氣の患者だつた。殊に脚氣患者は一番多かつたのである。戰爭病と言はれた脚氣が次々に多數出たのである。此處の病院は斯くして戰病患者の收容所と化してしまつたのである。而したまには戰傷患者の一人や二人はあるにはあつた。だがそれはあるといふには餘りにも少なかつた。

七

元旦の夜は思つたより靜かだつた。戰傷患者の爲に早く寢る樣に言はれたからである。炭を燒く患者も遠慮してか、大きな聲は出さなかつた。遲く迄起きてゐるとうるさいといふので皆早く寢る。圍爐裏の火も早やとろ火になつて消え掛つた。と入口から吹き込む風でパットト消える。室の中は眞暗になつて一時しんとする。「馬鹿に暗いね」「暗いどころぢやないよ、

なんにも見えないぢやないか」眞の闇とは此の事をいふのであらう。急に火が消えたせいかも知れない。先刻の轉室で室の中が多少變つて、私の隣りに農家出の兵隊が來た。農家出と言つても此の患者は何處となく垢拔けしてゐた。郷里は青梅の近くだとの事である。彼は所謂五反百姓で、到底百姓だけでは喰つて行けないのだといふ。その爲農閑期は炭燒きとして出て行き、その賃銀でどうやら暮らして行けるが、そうでもなければ一と冬喰ふや喰はずで過さなければならないと話してくれる。「今度の應召でとても心配したんですが、村役場の方で一切面倒見てくれるといふので安心して來たんです」とは言ふが、それだけではないのである。彼が戰地へ着くと間もなく、人不足の彼の家に村の人達が勤勞奉仕で手傳つてくれ、その上月月幾何かの援助がある樣になつた。母親は泣く許りに喜んで、その由を戰地の彼の許へ知らせて來たのである。何時も憂鬱だつた彼の顔が急に笑顔になつたのは此の時だつたといふ。

「お上のお蔭で今は樂だそうです。自分が居た頃より餘程いゝと言つて來てゐますよ」そう言ふと暗い中であは……と笑ふのである。枕と枕がすれ〳〵になつてくつゝいてゐるので、

話す度に息が私の顔一面に吹き掛る。今はもう何の心配もなくなつてゐるのであらう。「子供さんはあるんですか」「えゝ二人ゐるんです。未だ小さいんですが」天井を向いてゐた顔が急に横を向く。眞暗な室ではあるが、馴れて來るとどうやら室の輪廓が分つて來て、手探りでも中は歩けさうだつた。隣りの患者の顔が白くぽーと浮んで見える。

下痢が未だ治らない私は、一晩に二、三回はどうしても行かなければならなかつた。その爲に寢る前から入口迄の通り路は一應良く飲み込んで置く必要があつた。而し今では大體手探りなしで一度に入口迄行ける樣になつたのである。習慣は恐ろしいものだと私は此の頃つく〴〵考へさせられる。而し入口を一歩出ると便所迄の道は相當の難コースになつてゐる。凸凹と坂道といふ代物で、もう既に一月半にならうといふのに、未だ懷中電燈なしでは行けなかつた。だが問題は便所の中である。私は此の中が一番恐しかつたといふのは、此處で一歩間違ふと足を踏み外すからである。たまに懷中電燈を忘れ樣ものなら、先づ便所の入口をこわ〴〵開けて、片足を入れ、それから足で左右を見定め、晝間見て置いた覺えを頼りに一寸位づゝ前進するのである。片足で探し、片手で入口のドアにつかまるといふ凡そ可笑しな

恰好で入るのである。一寸づゝ伸びて行く片足がまかり間違つて踏み外そうものなら、前身冷汗でぐつしよりになる。そうこうする中に腹の方が承知しない。あせればあせる程間違つた方向に足が進んで行く。患者の中には目的の位置に腰かけずに漏らして了ふのがゐる。

私も何度そんな事があつたか知れない。こんな時等は體の不自由さがうらめしく、そして急に淋しくなるものである。ぽかんとして此んな事を考へてゐると、隣りの患者が私の肩を叩いて變んなものをくれる。何んだらうと思つて取て見ると薩摩薯のふかしたものである。「よくありますね」といふと「貰つてからもう四日になるんですよ」と平氣で云ふ。成程薩摩薯はふかしたといふのに固くなつて氷の樣に冷い。彼は枕元から一つ取り出すとむしやむしや食べ始める。

私も折角貰つたのでがぶりと嚙ぢると如何にも冷い。而し舌の熱で融けると甘味が舌に殘つてその味がなんとも云へない。「此りや旨い、冷いが味は素晴しいよ」私が力を入れて賞めると「そうですか、もう一つあるんですが」すつかり氣を良くしてもう一つくれるといふのである。くれるといふので貰ふと、左隣りに寢てゐる武智にやつた。武智はそれを半分に

割つて自分の隣りの者に分けてやつた。「旨い藷だね」「此奴が暖つておればもつと旨いんだがな」體を私の方に向けて皮をむき始める。「どうだい。元旦も淋しい元旦だね」藷の殘つた舌がもつれてもご〳〵言ふ。「今晩は十二時頃迄起きやうと思つたんだけど殘念だよ」武智にして見れば大晦日の徹夜だけでは物足らないのであらう。せめてもう一晩位は遲く迄話したかつたのか、「體が調子がいゝから退屈でね」といふ。未だ八時をやつと廻つた位の時刻である。而し私は馬鹿に眠い。とうして兩方から話して來るとつい砦みかけた眼が開いて眠られない。普通ならば今頃はかつ〳〵と火が威勢よく燃えてゐる時である。寢て居ても火が燃えてゐないと如何にも寒々しい感じがする。それが今夜は暗くなると火を消して了つた。衛生兵の注意だから誰れも文句は言はない。何時もより早く寢ると矢張り習慣で寢られさうにもない。例へ昨夜徹夜したといつても、一日中寢てゐる私達にとつてはそれが苦痛になる事さへある。外の患者は皆暗い中でぺちやくちや話してゐるかと思ふと、氣のきいた患者は何處から持つて來たのかローソクを枕元に立てゝ、それを巧にボール紙で圓い筒を作り、ランプ代りにしてゐるのもゐる。そのローソクの火が付くと室の中がほんのりと明るくなつ

た。

ローソクの光りで薄明るくなると、隣りの患者は急に口から薯を離して毛布の上に置いた。未だ口の中でもご〳〵してゐる。「よく喰べるんだね」笑ひ乍ら冷かすと「飯を食はないから、その代りですよ」彼は此處暫らくマラリヤで唸つてゐたのである。

「俺もマラリヤになりたくなつた。薯が食えるからね」

彼の枕元にある風呂敷包みはどうも薯らしく、私はそれを見て見ぬふりして當つて見た。「生薯ならありますよ。明日燒きませうか」私に見付かつたので觀念して白狀する。悪いとも思つたが面白半分に聞くとボロが出て了つたのである。「罪な事するなよ、可哀想に」隣りの武智が肩を叩いて眼で注意する。私は悪いと思つたので、もういゝんだよと言つてやる。喉が乾いたのでサイダーを開けるとラツパ飲みにする。ゲツプが續いて出るとほんの少しで滿腹感になる。飲みかけの瓶を武智に渡すと、武智はそれを思ひ切り飲んだ。此れが元旦の屠蘇代りになつてほつとする。その隣りでもごそ〳〵何か喰べてゐるらしく、何にかを包む音が耳ざわりな程聞える。入口の近くでも同じく隣り同志で喰べてゐるらしく、ローソクの

光りでぼんやり見える。晝間負傷兵の大擧入院で、正月用の下給品を食ひはぐした者が多いのか、今頃になつて喰べる患者が馬鹿に多い。二人に一本づゝ渡されたサイダーも未だ後生大事に持つてゐる者もゐて、私もその一人だつたが、二人で一本はとても飲めなかつた。亦飲もうといふ氣にはなれなかつた。その一つには寒いといふ事もあつたが、多くの者は下痢患者でもあつたからである。

唯味を見たいといふ好奇心が手傳つて口を開けるに過ぎないのが多い。「旨いと思つたけど、飲んで見ると大した事はない」等といふ患者もゐて、サイダーを舐めただけで蓋をする者が多つた。兎も角思つたより冷たかつた。そして徒らにゲツプが出るだけで病人の口には合はなかつたのかも知れない。間もなくローソクも消えて、再び眞暗になる。「これが自然なんだよ。太古さながらと言ふ奴で」私は隣りの武智にそう囁くとそつと體を起して壁に寄り掛つた。

眞暗になつた室の中は、さつきより餘程靜かになつたが、暫らくすると亦寢むられぬ儘に話しが聲高になつて行く。「暗いと人間といふ奴は案外大膽になるんだね」半身起きてゐる

私に向つて武智が顏を上げる。「それやそうだよ。誰れも居ない所ではどんな事でも平氣さ。又どんな事でも言へるんだな。所がいざ人の前に出ると言へない事が多いんだ」人間といふものは思つたより弱いもので、殊に經驗のないといふ事は勇氣をすら引つ込めるものである。普段殆んど話した事のない患者でさえ、眞暗になると急に思つた事が言へる様になるのであらうか、今夜あたりはその傾向が殊に強い様に思ふ。

「全く不思議なもんだ。自分に言へるものが他人に言へないなんて、可笑しなもんだね」「可笑しいと言へば可笑しいが。考へれば別に可笑しいと言ふもんでもないんだな、それが人間の本質なんだ」そうかも知れない。誰れでもがそうなんである。氣の小さいと言ふ事と、思つた事が言へないといふ事は全く同じ事に違ひない。氣の小さいといふ事は大體に於て正直だといふ事に取られ、大膽だといふ事は不正直だと言ふ事は一概に言へるものではない。氣が小さくても案外不眞面目であつたり、大膽だと思つても意外に正直であつたりする場合がある。

戰鬪中の兵隊に就いて見ても同じである。普段馬鹿に氣の小さな男であつても、いざ前線

に出て戰ふとなると驚く程勇敢になり、大膽になるのがある。あの兵隊がと思ふ様な元氣のない兵隊がはら〳〵する様な冒險も敢てやつて見せるのである。「君は思つたより勇敢だね」とでも言はうものなら「普段威張る者にほんとうの元氣のある奴は少いよ」と逆襲されるのである。成程そうに違ひない。普段元氣さうに見える者で案外差程でない者がある。溫好しいと言はれる兵隊で意志の強い、而も大膽な兵隊は可成あるものである。此の場合溫好しいといふ事と、氣の小さいと言ふ事が應々にして混同視され易い。それは前線に於て折々同様な事が行はれるからでもあらう。戰ふと言ふ目的に於いては兵隊の持つあらゆる個性が一つに結集するからに外ならない。

だから暗い所で大膽になるといふ事は一つはその兵隊の個性にも依るのであらう。又それが自然でもある。群集心理と此の事とは互ひに共通するものを持つており、個人で出來ない事を群集に依つて達成する。群集といふ一つの大きなものに心が融和するからである。軍隊は一つの集團であり、群である。その群の中に個々人の心が一つになつて融け込むのである。此の場合群の力は素晴しく大きなものとなる。而し此の群を構成する個々の精神が統一され

てゐなければ、その集團は群としての機能を發揮する事は出來ない。各所の戰闘で見受けた支那軍の戰闘力が此れである。それは暗い所で大膽となるだけで、いざといふ場合に必要な精神が遊るからである。

日本軍の强さは平時バラ〳〵であるものが、戰爭といふ目的に對しては何物をも棄てゝそれに一切を集中するといふ觀念である。「暗い所で大膽になるといふ事は、人間一般の通有性なんだ。戰地だけではないね。內地に居てもよく經驗する事だし夜道を步いて居て誰も居ないと知ると、自分でも驚く樣な事を平氣で言ふ事がある。もうそうなると自分獨りの天下の樣な氣持になるんだ」武智は天井を向いた儘私の言葉を默つて聞いてゐる。もう寢たのかと思つた隣りの患者が未だ寢ずに、さつきから私の話しを聞いてゐるのである。「そうすると百姓なんか一番それに似てゐますね」隣りの患者の言ふ意味は頗る深刻なものを持つてゐるらしく。百姓の自然に對する闘爭心の如何に大きいかを發現せんとするもので、默々として働くねばり强さをそれに當てはめ樣としたのである。百姓は世に意地の無いものとされ、德川以前から「依らしむべし、知らしむべからず」の法則がつひ最近迄續いて來てゐる。

その百姓は國の財政の基となり、食糧農產物の生產者である計りでなく、國民の大半を占めてゐる事實である。百姓は年一度の米を作る事を以つて主要の仕事として居り、その間實に涙ぐましい程の努力が繰り返へされてゐる。從つて百姓の生活は眞に暗く、地味である。而し雨や風の自然の惡戯に對しよくそれを克服して、營々と農道に勤めて來てゐる。百姓道こそ眞の大膽な心であり、大膽であるが故に細心の注意も拂ふのである。隣りの患者の言ふ事は確かに一理はあると思つた。

話しが馬鹿に四角張つて來たので一旦話しを切つて方向を變へる。外は衞生兵が斷間なく巡回してゐる。而も今夜は普段と違つて小銃を持つて步いてゐる。昨夜の逆襲で急に警戒しだしたのであらう。明日は一線から一ケ小隊の警戒兵が來るといふ事を聞いてゐる。

八

室の移動命令が來たのは夕刻だつた。夕飯を濟ましてほつとしてゐる所へ「警戒兵が來る

から直ぐ室を開けてくれ」といふ急な命令である。室の患者は呆然としてそれをほんとうとは信じなかつた。ぐず〳〵すれば直ぐにでも暗くなりさうな時刻であつた。

「困つたな。どうするんだ」

「どうにもしようがない。直ぐ仕度しよう」

武智は室長といふ立場で皆に移動する樣に言ふ。衞生兵は續いてやつて來ると、「早くして下さい、暗くなるといけないから」とせかす樣に何回も繰り返す。患者達はやつと本氣になつて仕度を始める。移轉する所は意外にも此處から四百米はあらうといふ小川の向ひ側の部落である。部落と言つても農家が三、四軒固まつてゐるに過ぎない。淋しい場所だつた。私が眞先に支度を始めると他の患者が私についてやり始めた。持つて行く物と言へば結局寢床一切と、背嚢、雜嚢、鐵兜、それに薪があつた。私は先づ外套を着て背嚢を背負ひ、雜嚢、帶劍を着けて寢床の毛布を擔いだ。毛布と言つても患者の移動で何時の間にか三枚になつてゐたので、それにどつしりとしめつてゐるのでとても重い。右手に飯盒と罐詰をぶら吊げ室を出るとぽつり〳〵と雨が降つて來た。診斷室の脇を通つて田圃に出るともう毛布を押えてゐ

る手が痛んで來る。早い連中は私を越してどん〳〵先に行く。而し體の惡い患者は何度も休んでは步く。私も僅か四百米の間を五、六回も休んで漸やく着くと、私達の室といふのは二室開けてあつて、土間には既に藁がぎつしり敷いてあつた。今迄衞生兵が居た室だと言ふ事であるが、餘り使つた樣子も見へない。兎も角毛布に背嚢や雜嚢等を體から下すと、もう一度薪を取りに行く。小川の近くに來ると、一人の患者が青い顏して背嚢に腰掛けてゐる。

「どうした。參つたのかね」

その患者の顏を覗くと、私の隣りに寢てゐた患者だつた。樣子が變なので私は急いで診斷室に行くと、衞生兵にその由を傳へた。

「無理だつたな。兎も角直ぐ行く」

衞生兵に賴むと診斷室を出て室に行つて見る。室の中はすつかり毛布が剝されて、藁だけが踏みつけた跡の樣に殘つてゐる。暮に集めた薪が室の隅にたてかけてあつて、それを二度目の患者が持てるだけ持つて行く。

柱の餘り重くなさうなのを一本肩に擔ぐと、室の火を始末して、足で踏みつけた。もう

一度室の中を振り返つて見ると、壁ぎわの至る所、空罐が散亂して如何にも汚い。「良くも喰べたもんだ」獨りで感心する。室を出るとさつきの雨が可成ひどくなつて來て。診斷室の前の庭がもう泥々になつてゐる。田圃に下りると地下足袋が歩く度に潜つて、足を上げやうとすると足袋が抜けそうになる。丸い柱を肩に擔いでゐる私の體は、少しでも滑りそうになると體の中心がなくなつて、唯でさへ苦しい所へ更にマラリヤの様な熱が體中に出た様で、急に心臟が止まるかの様に苦しい。

固い土の上に來るとうつかり歩けない。柱の重量でちよつとの加減で滑る。やつとの思ひで小川の近く迄來ると、私の隣りの患者はもう居なかつた。衛生兵が連れて行つたらしく、飯盒と罐詰の入つた包みが置いてある。私はそれを片手に吊下げると、小川からその病室迄續く坂道をよい〳〵言ひ乍ら上つて行つた。坂の中途迄來るともう全身汗でびつしよりになつてゐる。頭がづき〳〵痛い。

足が重くなつて地下足袋が抜けそうになる。室に着くと始め入つた室は滿員で、餘り感じも良くないので、隣りの室に變る。隣りの室は納屋の跡らしく、屋根が低く、器具が室の隅

にかためて置いてある。何んとなく寒そうな室で、窓が壞れて雨が吹き込む。

私の外に二、三人の患者が入つて來て、寢床を決めると毛布を敷いた。私は反對側の窓の近くに毛布を敷いて、獨りで寢る事にした。窓と言つても名許りの窓で、幅一尺とない小さな窓である。引越しは小一時間も掛つたのか、皆が落ち着くともう外は眞暗になつてゐた。室の中には板くずがらんとあつて、當分薪に不自由はなさそうだ。結局此の室に入つた患者は私を入れて四人である。

その内特務兵が三人、それに私である。早速室の眞ん中に焚火を始めた。隣りの室でも始めたのであらう。板の隙間から火の燃えてゐるのが分る。暗くなると急に寒くなつて、風の音も可成ひどくなつた様である。私は外套を着て頭巾を被ると、火の側に板を一枚渡して腰掛を作つた。向ふ側の患者は丁度寢床の直ぐ前になつてゐるので、あぐらをかいた儘坐れた。私は思ひ出した様に隣りの患者の事が心配になる。つと立つと隣りの室に行く。入口の側に寢て居て目だけぎよろ〳〵してゐる。

「もういゝかな」

暫らく默つて居たが、やつと重そうに「えゝどうやら。さつきはどうも」未だ氣分は良く無いらしく、注射を打つてくれたと言つて、手を差し出す。「よくなつたら隣りの室に來給へ」そう言つて毛布を掛けてやると、少さな聲で有難うといつた。室に歸つて火に當り乍らふと熱のあるのを感じた。

さつきの汗が未だ乾かずにべつとりしてゐる。「風をひくかも知れん」と思ふと直ぐ外套を脱いで襦袢を取ると、特務兵に背中を力一杯ふいて貰ふ。「垢がひどいですね。眞黒ですよ」特務兵はそういつて笑つた。そうかう言つてゐる中に兩足が痺れて來たので、板の上に乘せて體を柱にもたせた。火は氣持良く燃えて頬が暑い位に感じる。特務兵は何時の間にか餅を出して燒いてゐる。此の特務兵は古賀や小村と違つて私と同じ東京の者だつた。皆元氣の良さそうな顔をしてゐて、年配も私と同じ位の歳恰好で體は揃つて餘り良くない。

餅が燒けると私に喰べろと言つて醬油を付けてくれる。餅に飢えてゐる私にはそれがたまらなく嬉しかつた。「餅はありますからね。心配はいらんですよ」此の通りと言はん許りに餅を入れた袋を見せてくれる。數へても五、六十はあるのであらうか、袋にぎつしり入つて

ゐる。私は内心「こりや助かつた」と思ふと、此の室に來た事が決してむだでなかつたと思つた。餅をくれた事からはじまつてお互ひに自己紹介しやうといふ事になつた。

特務兵の一人は下谷で喫茶店をやつてゐるといふし、次の男は印刷屋の主人公で、あとの一人がテキ屋だつた。喫茶店の主人公は笹本と言ひ、印刷屋の大將は大羽だといふ。そしてテキ屋の男は添田といふのだそうである。いづれも皆小柄な如何にも特務兵の言葉にふさはしい體付きだつた。

寢るには寒いし、當つてゐるのもそう樂でないので腰をもぞ〳〵して、足をあつちにやつたり、こつちにやつたりして位置を代へて見たが、板に直接尻が當るのでとても痛い。私はふと眼を寢床にやると、片側の寢床は私だけなので、藁床がその儘になつてゐる、こりやいゝと思つたので、早速寢床の藁を兩手に抱えて板の上に置くと、繩で崩れない様に結えた。

「それなら大丈夫ですよ」テキ屋の添田がそう言つてくれる。

板の上を跨いで腰掛けると、ふんわりしてさつきとは比較にならぬ程氣持がいゝ。私は眠むられぬ儘に火に當り乍ら兩足を板の上に置いた。手まめな添田が間斷なく薪を放り込んで

くれるので、默つてゐても暑い位だ。喫茶店の笹本は首に何か出來たのか、大きな伴創膏を二、三ヶ所べた〳〵貼つてあるのが如何にも痛さうに見える。ものを話すにも首を縮めて話すので、小柄な體が尚更小さく見える。

「お前の家は今どうなつてゐるんだい」

印刷屋の大羽が無遠慮に聞く。

「どうやつてゐるつて今家内がやつてゐるよ」

よく見ると未だ子供〳〵した顏で、これで妻君があるなどとはどうしても思はれない。斯ふゆふ人達の世界はとても私達の想像では及ばぬものがあり、如何に若いといつても商賣の關係で早く結婚したり、又中には店の女と一緒になつたりするのが多い。笹本が必ずしもそうだと言ふのではないが、なにかしらそういふ特殊な世界を思はせるものが先に頭にこびり付いてゐるので、そうぢやないのかなと思つたのである。

「妻君も大變だな」

「いや馴れてゐるから平氣だ」

妻君は矢張り私の想像した通り、店に働いてゐた女だといふ。「だから俺より良く知つてゐる」といふのである。「上野の驛から三分だ、そう地下鐵ストアーの裏通りになるね」そうだとすると彼處は一種の喫茶街を成してゐた所である。その通りには上野で有名な名曲專門の喫茶店のある事を知つてゐたので、笹本の話しに耳を寄せる。確かエバタンとかと言つた店で、室は狹いがレコードは實に豊富だつた。ベートーベンやショパン物なら大低あるといふ異色ある店だつたからである。

「俺の店は中途半端で駄目なんだ」

今色々改善方法を考へてゐるんだといふ顏付きで大羽の方を見る。「喫茶經營は確かに難かしいね。失敗するのが多いといふぢやないか」餅を燒くのに夢中になり乍ら、ふと添田は顏を上げる。「難かしいね。俺は未だ三年だけど黑字つて言ふのは先づなかつたな」首が縮まつてはゐるが、言ふ事はしつかりしてゐる。矢張り小さい乍ら喫茶店を經營してゐるといふ事は、何にかに付けて頭を使ひ、そして人に揉れ乍ら悧巧になつて行くものである。笹本は三年の經驗で經營の大半を學んだ。戰地に來て見て始めて經營の難しさを知つた。——と

うやるんだ、いやあゝやるんだ——と色々な智慧が次から次へ湧いて來た。

今彼はその混亂の頂上にゐたのである。過去の失敗が、まざ〳〵と腦裏に浮んで來る。そこへ大羽の言葉が鋭く彼の胸を打つた。はつとしたのか彼の眼が大きく開いた。答へるには少し慌てたが、自信なげに「家内がやつてゐるよ」と言はざるを得なかつた。確かに苦しかつたに違ひない。彼の顏は何かしら淋し氣なものが見受けられた。そうだらう、二十六、七の若輩で、一店を經營するといふ事は大變な事である。若しそれが私であつたらどうであらうかと思はざるを得なかつた。どう見ても年の恰好は私と同じ位にしか見えない。而も水商賣で、女の子を使ふといふ所に商賣の難かしさがあつた。

「若し歸れたら、今度は自信を持つてやる」

「必ずやれるといふ氣持、それが肝腎だ」

大羽の口が鋭つて、額に青筋が立つた。「俺の店がそうだ」といふのであらう。可成自信のある言葉だつた。——矢張り始めから旨く行くもんぢやないんだ。失敗が經驗を生すのだ。經驗は一つの進歩である。と笹本は思つた。「商賣は唯働くだけぢや駄目なんだ。働くにも

工夫して働かなければ何もならん。働く前に一つの計畫を樹て、その計畫を一つ〳〵やつて行くといふ樣な事が大切だよ」口は重いが、言ふ事は笹本以上に纒つた事を言ふのである。見た所私と同年配とも思つたが、良く〳〵見ると三十を越してゐるらしく、苦勞の跡があり〳〵と見える。「俺の商賣も同じだ。唯賣るといふだけぢや駄目だね。賣る爲には矢張り工夫が必要だよ」いくらかべらんめい口調の添田の言葉は矢張り聞いてゐて氣持がいゝ。テキ屋の道に入つて既に八年、テキ屋の事なら凡そ通じぬ事のない位良く知つてゐる。その爲か、今では若いが羽振りのいゝ兄貴になつてゐるといふ。全身に大蛇の入墨がしてあるとかで、腕をまくつてその一部を見せてくれる。實家は品川で、今は本所の緑町にゐるといふので、どの邊かと聞くと三ツ目通りに近いといふのである。

嘘か本當か、兎も角話半分に聞いても添田の言ふ事は面白いと思つた。テキ屋生活八年の體驗は彼に人情味を多分に持たせ、世渡りの祕訣も修得した筈である。而しその反面禁制の賭博に猛け、經濟觀念に乏しいといふ結果になつた。昔の俠客を夢見る彼等の生活は確かに現實の世界と矛盾する事許りであらう。

添田の顏を見てゐると、私はなぜか此の男の將來を案ぜざるを得ないのである。それは今牛込の矢來下にゐる長谷といふ年老いたテキ屋を知つてゐるからである。長谷は既に十五、六の時からテキ屋の生活に入り、それ以來滿五十年、依然としてその道から離れなかつた。その間ある時は借家を追はれ、ある時は夫婦別れ〳〵になる等、五十年の生涯は波亂萬丈に盡き、長屋住ひの惠まれぬ生活だつた。大正十二年の大震災では裸一貫となり、翌十三年には蓄音機の通信販賣を行ひ、インチキ物が可成の利益を擧げた。而しそれも束の間、呉服物の通信販賣で遂ひに警察にあげられ、元も子もなくなつてしまつた。そしてそれ以來、長谷の姿は長屋から長屋を渡り歩いて今では老の身を矢來の近くに落ち付けてゐるとの事である。

長谷の零落した姿をまざ〳〵と見せつけられた私は、テキ屋といふ言葉を聞くと、必ず彼の姿を思ひ出すのである。矢來の家は六疊と四疊半に玄關だけの狹い家だつたが、それを二家族で借りてゐて、唐紙一つで仕切つてゐた。私が折あつて尋ねた時

「今居た人はどなたですか」

と聞くと

「あの人は隣りの人なんです」

長谷の妻君はすまして言ふので、「お隣りにはゐなかつたでせう」といふと、「いゝえお隣りつたつて唐紙一つの家ですもの、唐紙の向ふは隣りなんです」とぢれつたさうに言ふので、兎も角分らぬ儘になつてゐると、隣りの唐紙が開いて、「おかみさん、お使ひに行きますが、何か御用ありますか」とさつきの女の聲である。聲につられてその方を見ると正しくさつきの女である。

女が裏口から出て行くと、妻君は私に「御覽の通りよ、どうにもならなくなつてね、二家族で一軒を借りたのさ。今ぢや狹いなんて言ふ場合ぢやなくなつてね。當分こんな住居なの」艶々した黑髮の大丸髷が重さうにゆらぐ。私はこれで始めてさつきの謎が解けて成程さうだつたのかと思つた。此の奇妙な家を見たのは私は始めてだつたので、長谷の貧窮ぶりが察せられた。そして出征の時は遂に會はずに來てしまつた。

私の知つてゐるテキ屋は長谷だけではなかつた。小石川にゐた頃も多くの知人が居た。そ

の多くの愛すべき知人は悉く皆貧しい生活をしてゐた許りでなく、悪い遊びに夢中になつてゐたのである。一と度び眼をつぶれば、東京のそれ等の知人の顏が次から次へと浮んで來る。

添田の顏を見て長谷を想ひ出すのは敢えて不自然ではなかつた。長谷の生涯が餘りにもひどかつたからでもあらう。ヤクザの生活を少しでも知つてゐる私には、添田の言ふ事、なす事一切がよく分つた。今迄の話しを聞いてゐると長谷の若い頃と良く似た事許りだつた。そう思へば思ふ程添田の事が亦可笑しい程頭の中に一杯になる。

添田も恐らく何處かの緣日に出る露店商人であり、そして親分、子分の關係に繫がれた狹いヤクザ渡世の世界にゐるのであらう。そしてこれは亦吾々の知らざる義理人情の厚い特殊な世界でもあつた。私は眼をつぶり乍ら長谷の渡つて來た道を思ひ出し、自からの世界を狹くしようとするテキ屋の世界を、何かしら其處に吾々の近よれぬ柵がある樣な感じだつた。此の世界は決して進歩的な集りでなく、飽く迄現狀維持以上に出ない集團でもあつた。露店商人としての彼等は、露店商人を以つて自負し、そして露店商人の誇りを持つてゐた。ヤクザ氣質とは此の事を言ふのであらう。毎日毎晩、轉々として店を變へるテキ屋の生活は、昔

のバクチ打ちをその儘踏襲して未だにその世界を形作つてゐる。

「テキ屋は面白いかね」

今迄默つてゐた私は急にそんな事を聞いて見た。添田は私の問に答へるといふのでもなく、唯氣の向く儘に

「面白いと思えば面白いよ。俺なんか偉くならうとは思つてゐないからね」

そう言ふ彼の言葉は既に棄鉢な所が多分に見受けられ、人に依つてはヤクザの世界を生活に敗れた人の集りと見ぬ事もない。私は必ずしもそうは思ひたくないが、好感を持つて見る事は出來ない。そしてその氣持は今も少しも變りはない。而しそういふ世界の人達の氣持は思つたよりいゝものである。

義理と人情に厚いと言はれる此の世界の人達は、矢張り私達に持ち合せのない、いゝものをもつてゐるのである。私はその事實は幾度となく見、そして聞いた。殊に長谷の總てを知つてゐる私には、長谷の長所を指で數えられる程覺えてゐる。テキ屋の人達はそういふ美點を共通して持ち合はせてゐるのであらう。長谷以外の友達も皆同樣だつた。

そういふ事から添田といふ男も、恐らく長谷と同じ様なテキ屋獨特の感情を持つてゐるのであらうと思つた。未だ若いが添田の一生はもう極つた様なものであらうと、思ふと又可哀想な氣がしないでもない。添田は餅を燒く手を止めて外套を取りに立つと、大羽が水筒に水を入れに隣りの室に行く。夜が更けると共に、寒さは益々嚴しくなつて來て、天井から寒風が間斷なく吹き下ろして來る。雨は既に小降りになつてゐたが、なんだか雪になりさうな氣配だつた。寒くなれば寒くなる程寢るのが億却になつて、火の側から離れるのがつらかつた。便所に立たうと思ひ乍ら我慢が出來なくなる迄立たなかつた。火の側から一歩離れるとすーと寒さが體中に滲み込んで、思はずひやつとする。

便所から歸つて來ると、添田が粉末のコーヒーを送つて貰つたからといつて、何時送つて來たのか分らない様な小包を取り出して、罐を開ける。大羽の水筒の湯が沸いたので、皆は空罐を出して笹本に加減をして貰つた。

「此のコーヒーはいゝね」

罐に鼻を當てゝ匂ひを嗅いでゐたが、笹本は商賣柄早速質の鑑定をする。たぎつた湯にコ

ーヒーが良く出てプンと室中コーヒーの匂ひで一杯になる。

「旨い。久し振りだよ」

「俺は家に歸つた氣がするね。コーヒーの匂ひで一日中鼻が馬鹿になつてゐるが、矢つ張りコーヒーはいゝな」

コーヒーの匂ひで内地の店の事を思ひ出し、そしてその瞬間だけでも喫茶店の主人に還つた氣持になるのであらうか、笹本は入れたてのコーヒーの匂ひを何回も嗅ぐ。「あゝいゝな。此の匂ひと來たら」鼻を横にまげては、ふん／＼言ふ。笹本に負けないコーヒー好きな私も、その匂ひを嗅いで何んとも言へない氣持になつた。

一口飲むとコーヒーの味が舌にぴりつとして二年前の味が甦がえる。ふう／＼吹き乍らちよび／＼飲むコーヒーの味は又特別なものだつた。冷えてゐる體の中に、暑いコーヒーが少しづゝ流れて行く。甘いコーヒーの味が舌に殘つて東京を想はせ、喫茶店を想ひ出させた。そして直ぐ眼の前にチャイコフスキーの名曲が流れて來る様である。而し此の氣持は私だけかも知れない。添田にしろ、大羽にしろ、笹本にしろ皆音樂には興味のない連中である。

そういふ靜かな一と時ではあるが、東京を想ひ出す名曲の流れも、ほんの瞬間だけで直ぐ現實の自分の軍服姿を見直すのである。

「夢か」と思ふのである。瞬間的に想ひ出す内地の事も、周圍の兵隊を見、支那家屋を見て始めて我れに還るのである。「矢つ張り戰地なんだ」と思ひ乍らそれを打ち消さうと努力するが、忽ちその幻影は消えて行く。その度に「あゝ」と溜息をついてもう一度自分の周圍を見廻すのである。こうゆう事は今迄幾度あつたであらうか、内地の幻影が、東京の夜の街が、思ひ出した様に腦裏に浮んで來て、だん／＼それがはつきりしかけると忽ちそれが消えて了ふのである。消えかゝるその幻影を把みとらうと手を伸ばさうとするその氣持は恐らく私だけではあるまい。伸ばして屆くものなら取りたいといふのが兵隊全部の氣持であらう。而し伸す途中でその幻影は消えて了ふのが常である。そんな事のあつた夜は必ず其の夢を見てほつとする。「俺は昨日天ぷらを食つた夢を見た」につこり笑つて話すその兵隊の顔は如何にも嬉しさうである。

コーヒーの匂ひは室に溢れて隣りの室に迄匂つた。誰れかゞ隣りの室から首を出して「い

ゝ匂ひだな」といふ。暑いコーヒーが喉を通る度に眼をつぶる。火は益々強くなつてぐんぐん燃える。柱に寄り掛つてゐた私は足を板の上から下ろすと、兩手で火に當る。コーヒーを飲みかけてゐる皆は、暫らく口に空罐を當てた儘默つて了ふ。そして長い沈默が續いた。

私は立つて戸を開けて見ると、さつきの雨は既に雪になつて濡れた地面上で融けて行く。小雨が大雪になるのか、段々雪の粒が大きくなつて來た。

或る日の戰病兵

一

今日は診斷日だといふので皆いやに暗い氣持になる。遠島になつたお蔭で總てが馬鹿に不便になり、診斷室迄五百米餘の距離を歩かなければならない。脚氣患者の私は特にその苦痛を餘計に感じる。

雪融けの道は思つたよりもぬかつて、小川に下る坂道はうつかり歩けなかつた。足の先に突つかけた地下足袋は、ちよつとの拍子でぬげそうになるし、その度に全身冷汗だつた。小川の坂道を越えて田圃に入ると、もう何んとも言へないひどいぬかるみである。私と大羽が

前後して歩いてゐると、後から添田が急いでやつて來た。「ひどい道だな」「道ぢやないさ、田圃だよ」大羽に冷かされる添田は「うん」と言つた儘默つて了ふ。「問題は歸りだね」私は後ろの添田を振り向いてそう言つた。「歸りには熱が出ますよ。第一これぢや歩き樣がないぢやないですか」急いで來た爲か、それとも歩くのに骨を折つたのか、兎も角添田の顏は汗が滲んでゐる。

私は二百米も歩くと兩足が重くなつて、手が痺れて來た。田圃の中をよろめいて歩いてゐると、急に眩暈がして體が横に倒れた。はつとして兩手を田圃の中に突くと、やつと體が支えられて危ふく前にのめりさうになる。添田は驚いて私の側に駈け寄つた。「どうしたんです」その聲で我れに還ると腰をあげた。「眩暈ひがしてね。どうも未だいかんらしい」立ち上つた私の體を抱えて添田は前に歩いてゐる大羽を呼ぶ。

危しげな恰好で歩いてゐた大羽は後ろを向いて「どうしたんだ」と言ひ乍ら後に戻つて來た。二人の手で支えられ乍ら私はやつとの事で診斷室迄來ると、軍醫が私の手を見て「何んだその手は、轉んだのか」と聞く。「えゝそうです」といふと、にやりと笑ふ。今日は診斷

患者が少いといふので早く濟んだ。先に終つた二人が私の濟むのを待つてゐてくれた。「遠いから大變だな、氣を付けて行けよ」山本軍醫が親切に言つてくれる。

歸りの道は想像以上に苦しみ、途中で遂に地下足袋を取られて了つた。肝腎な靴下は泥だらけになつて、室に歸ると早速新らしい靴下を履いた。新らしいとはいふもの丶慰問袋の中に入つてゐた靴下なので、私の足にはどうしても小さかつた。側で見てゐた添田が背嚢の中から一足官給品の靴下を出してくれた。「あんたの足ぢや貰ひ物は駄目ですよ」私の足の大きい事を知つてゐる彼は、慰問袋の靴下ぢや駄目だといふのである。

私はその靴下を脱ぐと添田に「交換しよう」といつてやる。彼は心よく受け取つて早速今履いてゐる靴下の上に履いた。往復の泥道が惡かつたのか、室に落ち付くと急に疲れが出て起きてゐるのが苦しかつた。誰も居ない片側の寢床の上に轉がる樣に寢る。體が冷えてゐるので思はずぶるつと身震ひする。寢床に入るには入つたが寒いので體が猫の樣に丸くなる。こうやつて横になつても眠る氣にはどうしてもなれない。すぐ側で火が燃えてゐると思ふと尙更眼が冴えて身震ひする許りである。間もなく體が暖たまると兩足が漸やく伸びて來

た。笹本がさつきから熾んに薪をくべてゐるので、室の中が段々暖たかくなつて來る。首をのばして火の燃え具合を見ると、火勢が天井に迄屆く位に強くなつてゐる。

大羽と添田の二人は何時の間にか寢てしまつて、かすかな鼾さえ聞えてゐる。笹本は唯一人でせつせつと火を燃やす。私は眠られぬ儘に色々な事が浮んで來る。室の直ぐ前の道路は車馬の往來でうるさい程音がする。野砲の一隊に重砲がその後から續いて來て、ぬかるみに入つたと言つては大騷ぎしてゐる。此の間の逆襲以來、野砲の增援がしきりに行はれてゐた。

恐らくその一隊なのであらう。而も今日は重砲の姿さえ見えるではないか、朝早くからひつきりなしに此の砲列は續いてゐるのである。その間を輜重の車が追はれるかの樣に永修へ〳〵と向つてゐる。

たまにトラックがやつて來ると、前の道路寄りのぬかるみに入つて動かなくなつて了ふ。トラックだけではなかつた。重砲の一隊が既にさつきから片輪を溝に突つ込んで、もの丶小一時間もかゝつて引上げが出來ないのか後續の兵隊の手を借りて今その引上げの眞最中である。私は寢乍らその騷ぎを靜かに聞いてゐる。

戰爭の大きさと言ふものが今はつきりと分つた様な氣がするのである。私が今こうして病氣で寢てゐる一方、永修の前線では敵と對峙し、そして廬山の山中では未だに殘敵掃蕩が行はれてゐる。その戰線の間に、後方に私の様な病ひに倒れた兵隊や傷で倒れた兵隊がそれぞれ野戰病院で次の戰ひに間に合ふ様に治療に專念してゐる。その横を毎日の如く兵隊が、重砲が前線へ向つてゐる。動いてゐる者あり、寢てゐる者ありで戰爭が構成されて行くのである。一人が倒れゝば一人增え、亦その力が減る場合もある。

斯ふして部隊は絶え間なく一つ〱の力が集つて敵を攻擊する態勢が出來上るのである。思へば寢てゐる我が身が恥かしくなる事さへ度々である。そう思ひ乍ら私はこうも思つた。「俺が倒れたら少しは力が減りそうなものだに」と變な氣持にもなり勝ちであつた。それが少しも減るどころか、益々强くなつて行くではないか、兵隊の數が眼に見えて增えて行く。幾ら減つてもそれに倍する兵隊がどん〱補充されて來る。

それが何處から來るのかは知らない。兎に角增えこそすれ、減るといふ事は考へられなかつた。今日の野砲に重砲がそうだつた。朝早くから絶え間なく砲車の音が聞えて、重砲が通

ると決つて地響きがするのである。恐らくどんな兵隊でも此の音が聞えると寢てはゐられなかつた。寢てゐる家ごとぐら〱動き始めて地震の様な感じだつた。その重砲の砲列が未だ未だ續いてゐる。その外重砲の間を縫つて輜重の車が山と積まれた食糧を運搬してゐて、その數も五十を遙るかに越えてゐるのであらう。何にしろ驚く許りである。

「良くも此んなにあるもんだな」と大羽の言つた言葉が今思ひ出される。いやそれだけではないのである。此の間徳安に連絡に行つた歸りだと言つて寄つてくれた兵隊の話しによると、もう九江から徳安迄鐵道が敷いてあるといふのである。そして徳安の停車場には日本製の機關車が二、三臺ある許りでなく、九江、徳安間は毎日二往復づゝ定期の汽車が出てゐるのだといふ。

始めの中私はてんでその話しを問題にしなかつた。それどころか問題にするといふ事自體が可笑しかつたからである。十月の末徳安を占領した當時は鐵道とは名のみで、枕木一つなかつた。鐵橋も破壞されて完全なものは一つもなかつた。悉く皆破壞の跡であつたのである。鐵道の土手は至る所戰車壕が掘られ、歩くにさへ困難だつた程だつた。

その破壞された鐵道に今汽車が通つてゐやうとは、唯の常識ではとても考へられなかつた。「冗談言ふなよ」と私は反對にからかつてゐると、その兵隊を呼びに來た小柄な衞生兵が眼をきよとんとして「嘘と思ふんですか、ぢや行つて見て御覽なさい。俺なんかの言ふ事信じないのかな」と言ひ乍らなんて分んないのだらうといふ顔をする。そう言つてゐる中にその兵隊は外に待つてゐる戰友を二、三人引つ張つて來て證明させ様とした。

「そりやほんとうですよ。此處ぢや信じられんだらうが。一度行つて見るんですね。私も始めはそんな馬鹿な話しがと言つて打消したもんです。兎も角行つて見て驚くんですね」眞面目な顔でその兵隊は說明するのである。私はこれ以上疑ぐる譯には行かなかつた。兵隊の話しを段々聞いてゐると、それは全くの事實である事が分つて來た。その外徳安の城外には糧秣が山になつてゐるといふし、彈藥も無數にあるといふのである。徳安の街はその爲バラック小屋が澤山出來て、新聞社の支局すら置かれ、しるこ屋も二、三軒出來たといふ。

焼野ヶ原の様な徳安の街にしるこ屋が出來たといふ知らせは正に漢口占領以上のニュースであつた。嬉しいといふのか、何んと言ふのか、如何にも人間らしくなつた様な感じを抱い

た。「しるこ屋だつて、しるこ屋がね」そうかしるこ屋が出來たのか。私の頭の中は大勢の兵隊が焼野ヶ原の眞中に大釜を取り卷いてふう〱言ひ乍ら喰べる風景が目の當りに浮んで來る。しること書いてある大きな幟りが風にはためいて、その横ではバラックを建てゝゐる人夫の姿があり〱と見えるのである。兵隊は朝早くからそのしるこ屋に押しかけてわいわい騒いでゐるといふのは强ち私の想像だけではなかつた。「ほんとにその通りです。物凄い賣れ行きですね」兵隊の中の一人がそう言つた。永修から、又徳安近くの警備地から、連絡兵が毎日徳安に集るので徳安は大變な人だつた。兵隊が城内外に溢れてゐた。

暫らくする中にしるこ屋は二軒から三軒、といふ様にどん〱增えて行つた。それと共に雜貨屋といふか酒保といつた様なものが出來、野戰郵便局も出來た。全くの無人だつた徳安の町は忽ち兵隊の町となり、支那人の人夫もぼつ〱入る様になり、治安維持會が結成された。而し支那人の數は知れたもので、兵隊の町といつた方が適當だつたのである。

而も九江から徳安迄の鐵道が敷けると、商人の數は目立つて增えて來て、九江の商人が鐵道で樂に荷を運ぶ爲か品切れが少くなつたといふ。そして今徳安から永修への鐵道が企劃さ

れてゐるといふのである。

次から次と後方の話しを聞かされて私は聊か驚かずにはゐられなかつた。私はひそかに皇軍の偉大なる力に驚嘆したのである。まさかと思つた事が堂々と實現してゐるではないか、殊に鐵道の建設こそ思ひも依らぬ事だつた。斯ふしてゐると內地の軍需工業が素晴しい能力を擧げてゐる事が想像される。私の頭は急に冴えて、躍進日本の偉業が正に達成されんとするかの樣に思えるのである。

それ許りではない。此の二、三日前から病院の裏山を切り開いて、向ふ側の鐵道（今は道路）迄道路を作る計畫がたち、もう今日あたりから工事に掛つてゐる筈である。直線コースにしても二、三千米はありさうだ。その間は松の密生地帶で所謂赤土の山だつた。工兵の一隊は每日トラックで此處迄通つて來て、仕事をして行つた。幅員五、六米ではあるが、雪融けの關係上、掘つては崩れ〳〵といふ狀態が續くのであらう。

而し此の工事も此處數十日の間に完成され樣といふのである。その話しを聞いて工兵の力を見直して見なくてはならなかつた。工兵つて恐ろしい事をやるもんだ。と思つたりした。

鐵道にしろ、此の道路建設にしろ、兵隊が良くも此んな事迄やれるのだらうかと疑つて見たくなるものである。內地では土木業者がやる仕事であつて、それ〳〵の專門家が掛つてやるもんだといふ觀念が頭に泌み込んでゐる私には、どうしても此の大掛りな仕事が兵隊の手で完成し、亦完成するといふ事が信じられないのである。

それを直接見てゐないだけにその疑問は消えなかつた。だが鐵道が既に兵隊の手で立派に開通し、今又山を開いて道路が建設されんとしてゐる。此の現實は如何とも否定し難い餘りにも偉大な事實である。私はそれ等の事實を通して、各兵科の兵隊が意外にそれ〳〵專門家以上に素晴しい技術を持つてゐる事を知つた。知つたとは言ひ乍ら未だ何かしら充分に信じ切ると言ふ所迄にはいかなかつたのである。それは兵隊の殘した仕事が餘りに大きいからである。

それからそれへと想は續く。さつきからの重砲の砲列は漸やく終つて、その後に輜重の車が續いて來る。

「宮川君ゐますか」

誰れかの聲がする。確か聞いた聲である。その聲はもう一度聞えた。私はハツトとして首を上げると山浦である。此の病院に入つて以來既に二、三回寄つて吳れた事を覺えてゐる。

「良く分つたね。元旦早々此つちに移轉しちやつてね」山浦は私の話が終るか終らぬ中に「そう〳〵」と言ひ乍らあわてゝ室を出ると、又直ぐ何にかの包を持つて戾つて來た。「餠を持つて來たけど、それから小豆を少し」意外なお土產である。まさか前線の兵隊から餠を貰ふなんて考へてもゐなかつた。それに小豆は彼の姉さんが私の爲に送つてくれたのだといつて「ほんとに遲れて濟みません」と詫びる。

彼の姉は眞面目な非常に氣立のいゝ女で、出征前私はふとした事から知つたのである。女許りの家に山浦がたつた一人の男だつた。父親に早く死なれたので、上の姉二人は未だに嫁がず、務めに出てゐた。山浦の出征は彼の家にとつて大きな打擊だつたに違ひない。出征間もなく、二番目の妹は某劇場のダンシングチームから松竹系のある撮影所に入つた。そして今では松竹の中堅女優として活躍してゐる。その話は既に中隊の誰でもが知る樣になつた。姉は姉で益々務めの方に忠實に働くといつた具合で、銃後の家庭の心配は先づなかつたので

ある。

その姉から私の脚氣を知つて小豆を送つてくれたのである。他人の出來ない事だつた。姉からだといふ事を聞くと、私はたまらなく嬉しくなつて、「さうですか、どうも濟みません、僕からも禮狀は出しますが、あんたからもよろしく言つて下さい」私は淚が出る程嬉しかつた。實は入院數日前小包を貰つた許りである。山浦は私の寢てゐる直ぐ橫の藁床の上に腰掛けて「此りや寒いな。火が無いんですか」といゝ乍ら邊りを見廻してゐたが、室の眞ん中に灰がうづ高くなつてゐるのを見て、僕が燃やしてやらうと言つて薪を集め始めた。火が燃え始めると、私に當れといふのである。私は早速貰つた餠を燒いた。衞生兵に分けてもらつた醬油があるので、それを出してつける。「僕は當分德安迄連絡に行く事になつて、一週間に二回位は此の前を通りますからね、今度は羊羹でも買つて來ませう」さう言ひ乍ら雜囊からタバコを出してくれる。「いやありがとう」病院に居ちや大變だらうといふのである。さうかうする中に同行の兵隊が迎へに來た。「では又」馱馬に車をつけてその上に彼は悠々と乘つて行つた。

二

一月の末になると退院患者が日増しに多くなつて行つた。南昌總攻撃が間近かだといふニユースが入つたからである。それを聞くと兵隊は勇んで來て、毎日南昌の話許りになつた。病院から裏山を開いた。道路も完成して、向ふ側の道路（鐵道）への連絡が樂になつた。トラックが毎日頻繁に往復した。兵隊はそれを南昌總攻撃の前觸れだと言つてゐた。彈藥もどし〳〵運ばれて行つた。

「俺達も早く歸らうぢやないか。こんな所に殘されたら南昌に行けんぞ」

此の室でもそんな言葉が交される樣になつた。僅かの間に五名も退院して行つた。兵隊の氣持が戰爭といふ本然の目的に還つたのであらう。殘された奴は氣の毒だな――等と言つて私達の顏を見て勇んで原隊に歸つて行く。私達はその樣に退院患者が出て行く姿を見る度に、たまらない氣持に驅り立てられる。

兵隊といふ自己意識に於て、戰ふといふ事以外にない兵隊の感情は、恐ろしく强いものがある。殊に兵隊だといふ優越感は一入それへの道に猛然と驅りたてる。室が空くと結局私達は隣りの室に移つた。隣りの患者は既に重症病室に移されてゐた。天氣が續いて風の無い日が幾日も續いた。病院では此の天氣を利用して野天風呂を作らうといふ事になつた。衞生兵の使役は早速出されて忽ち小屋は出來上つた。野天風呂は丁度田圃の眞中にあつて、その前に井戸があつた。

風呂と言つても桶は農具の一種で、長方形の型をした桶を二つ並べたのである。桶の横に乾パンの空罐を釜代りにして湯沸所を作り、その空罐から桶に湯を汲み入れるといふ具合にした。而しその野天風呂は軍醫の許可ある者のみに限られたのである。私は不幸にして許されなかつた。「飛んでもない。入つたら死んぢやうぞ」と怒られた。私の室でも許可されたものは二、三人だつたのであらう。野天風呂が出來て二、三日經つと、狹くて駄目だ。別に作らうぢやないか」といふ聲が起きて各病室から有志が出た。元氣な患者が中心になつて方々探した結果、私のゐる病室から五百米位行つた部落の池の邊に作る事になつた。部落と言

つても滿足な家は一軒もなく、悉く燒失してたまに物置が殘つてゐる位のものである。

少し遠いのでどうかと思はれたが、初めの日は大勢の患者がつめかけて、朝から夕方迄湯を沸し續けだつた。室からそこへ行つた患者は夕方遲く歸つて來た。「いゝ湯だつたぜ」顏を赤くして汗をかいてゐる。それに皆風呂敷に薩摩芋を膨らませて私達に見せびらかす。室に殘つてゐた連中は羨しそうに見てゐた。夕食が終つて川向ふの病室から齋藤が遊びに來た。土產を持つて來たと言つて羊羹を一本出す。「昨日德安に行つた兵隊に賴んで買つて貰つた」といふのである。「此の儘食ふのはもつたいないな」私は早速紙をむいては見たが、がぶりと食ふ氣にはなれなかつた。如何にももつたいないのである。そうだ、こうして喰べよう――私は羊羹を一寸位に切ると、罐詰の空罐に水を入れてその中に羊羹の切つたのを入れた。それを圍爐裏の中に入れて湯が沸いて來ると同時に、羊羹が溶けて來た。湯が煮立つともうすつかりしるこになつて溶けてしまつた。小豆色のしるこになると私は兩手を叩いて雀躍りしたりして「どうだい出來たろ。久し振りのしるこだね」側の齋藤は成程といつた顏して「ほう出來たな。ふんいゝ事覺えた」といつて眼を丸くする。

羊羹でやらうが、何んでやらうが兎も角しるこに間違はない。煮立つた空罐を上にあげると、燒いておいた餅を小さく切つて中に入れる。空罐のしるこを外の空罐に半分入れて齋藤にやつた。「うん此りや旨い。ほんとのしるこだ」「嘘もほんともあるもんか、立派なしるこぢやないか」私は少しづゝすゝり乍ら齋藤の口元を見た。暑いしるこをあわてゝ飲んだせいか、齋藤の口元はしるこで一杯だつた。私の前に坐つてゐる大工だといふ患者は、羊羹のしるこを見てさつきから感心してゐる。「旨いですか」と彼は私を覗く樣にして聞くのである。私は旨いですよと言ふより、罐の底に殘つたしるこを出して、「どうです、舐めて御覽なさい」と言つてやる。

その患者は空罐を逆さにして口に當てた。「ブー旨いですね」彼は舌づゝみを打ち乍ら蓋についてゐるもの迄舐め盡した。「いやどうも有難たう」何遍も繰り返して禮を言ふ。「明日病院で羊羹を賣るそうだ。煙草もあるとか言つてゐた」寒いと言つて兩手を火に當り乍ら齋藤はそう言ふ。「ほんとうか、そりや」待望の羊羹である。私は此の羊羹をどんなに待つたか知れない。それが遂に來たのである。何本賣るのか知れないが、私は買へるだけ買はうと

思つた。

「羊羹賣るつてほんとうかね」忽ちその話しは室中にひろがつて、皆が齋藤の方を向いて聞く。『ほんとうですよ』といふと、室の方々からどつと歡聲が擧る。齋藤の周りを取卷いて暫らくの間騒ぎが續いた。俺は五本だとか、俺は十本だとか、各々勝手な事を言つて喜ぶ。「當分毎晩しるこが出來るぞ」私の前の患者は自分ごとの様になつてはしやぐ。兵隊はこうゆう時だけは全く自制心を失つて、まるで子供の様な氣持に還る。冷靜な感情がふつ飛んで了ふのである。暫らくの沈默は物を得たといふ人間の本能を充さんとしてそれが火山の爆發の様に一切を吐き出すのである。

感情が痲痺したといふのか、戰地にゐる兵隊は、いや軍服を着た兵隊は、從來の社會人といふ觀念をきれいさつぱりと脱ぎ棄て、兵隊そのものになりきつてしまふのである。從つて社會に於て通常行はれる、凡そ不必要と思はれる色々な習慣も、軍隊に於ては實に簡單に一掃出來るのである。私は此の様な經驗を幾度か踏んで來てゐる。そしてその度に規律正しい軍隊生活を成程とうなづくのである。斯様な觀點から兵隊と社會人とは組織化されたものと

非組織的なものとに區別され、そして感情も著るしく異つて來る。殊に戰地に來ると層一層その懸隔が甚だしくなつて來る。それは內地で通常行はれてゐる常識が戰地では通用しないからである。

物への意慾は戰地で最も熾烈である。而もそれは食慾といふ型で現はれて來る。食慾と言つても、天ぷらと言ひ、壽司と言ひ、餅菓子といゝ、共に手に入れるに恐らく困難な物である。それ等の食慾が猛然としるこを通じて起つたのだと私はそう考へて見た。而しそれへの慾望も、あつけなく手に入ると意外にも失望するものである。困難と闘ひ、苦心して得た喜びこそ戰地以外で味はふ事の出來ない絶對境である。

間もなく衞生兵が廻つて來て、明日の午後羊羹を賣るからと知らせに來た。室の者は再び歡聲を擧げる。私は齋藤と顏を見合せてにつこり笑つた。横から笹本が首を出して「羊羹なら私の方からなんとかなりますよ」と私の耳に囁いた。成程彼は特務兵だつたのである。師團輜重に籍を置く彼等は、後方と前線との糧秣運搬が任務であり。羊羹位を手に入れるのは朝飯前だつたのかも知れない。私にだけ言つたのはそんなに數がないからといふのであらう。

「一箱位なら何時でも間に合ひます」と自信あり氣に言ふのである。

笹本の言ふ事が間違ひなければ明日はそう骨を折らなくてもいゝ譯である。と思ふとほつと胸をなで下ろす。「ぢや一箱賴んで置くかな」私はそれだけの金を渡すと、內緒で「では必ず」と念を押した。齋藤は羨しそうに見てゐたが「運がいゝんだね」といゝ乍ら時計を見た。お湯が飲みたいといふので、私は飯盒に入れてある水を罐詰に入れて、火の側に置く。大羽が作つたといふ空罐利用の急須に齋藤が慰問袋で貰つたといふ日本茶を入れて久しぶりに內地のお茶を飲もうといふ事になつた。私の側に大羽、笹本、添田、それに齋藤の四人が集まつた。私の寢場所は一番奥だつたので割合に廣い場所が取れた。隅には牛罐や、鰮罐が五六並んで、それが殆んど皆蓋があいてゐる。まるでアパートの炊事場を狹くした様な具合だつた。近頃では直ぐ前にある畑からほうれんそうや、大根を取つて來ては罐詰の空罐で煮ると、衞生兵から貰つてくる醬油を入れて味を付けたりした。

菜葉を食ふと脚氣にいゝからと軍醫によく言はれるので、それを私は忠實に守つた。暇があれば必ず前の畑で菜葉を取つて空罐で煮たのである。直徑一寸五分位の空罐でこと／＼煮

るのでほんの一口位づゝしか煮れなかつた。まるでまゝ事の様な氣がして獨りで笑つたものである。それが今では病院中にひろがつて皆がそれを眞似てやつてゐる。菜葉取りが病院中にひろがると、忽ち菜葉が近くに無くなつて了つた。菜葉取りの遠征が始まつたのはそれからである。私の室の前の畑も直ぐなくなつて、次から次と畑が遠くなつて行つた。今日も菜葉の煮たのが未だ空罐の中に殘つてゐる。

牛罐の横にある二、三の空罐は皆その菜葉で一杯だつた。まゝ事は歩一歩本格的になつて行つた。空罐の蓋をあけて私は獨りで苦笑した。「可笑しなもんだ。子供見たいな事して」と思つた。湯が沸いたので大羽の手製になる急須に湯を注いだ。五つの空罐を揃えてそれに少しづゝ茶を入れる。久し振りに見る青黄色の日本茶の匂ひがぷんと鼻を衝く。「いゝ匂いだね。矢つ張りお茶は內地のだよ」內地から送られて來た此のお茶は、番茶ではあつたが私達の心を無上に喜ばせてくれる。日本の香りが強く私達兵隊の氣持を樂しませてくれた。「惜しかつたね、羊羹を食つちやつて」齋藤が如何にも殘念だといつた風に私の顏をぢろりと見る

「俺がドロツプを持つてゐるよ」と私の直ぐ後で添田が威勢のいゝ聲をする。自分の寢床の隅からドロツプの罐を持つて來ると、皆に少しづゝ分けてくれる。「よくドロツプを持つてゐるね」私がそう言ふと、「特務兵は當り前ですよ。兵站部ですから」添田が笑ふと外の二人も一緒にどつと笑ふ。「俺も出すかな」ドロツプを口に頬張り乍ら笹本が席を立つと、茶壺を持つて來て——いゝものをやるよ——といゝ乍ら眞黒な鐵砲玉を出してくれる。彼の説明に依ると鐵砲玉は出征前からの大好物で、それを彼の妻君が茶壺に入れて送つてくれたのださうである。

「おやぢを子供と間違えてゐるんだな。鐵砲玉とは」お茶を飲み乍ら齋藤がとういふと、笹本はうふんといつてすましてゐる。恐らく笹本はコーヒーを煮乍ら鐵砲玉を舐めてゐたのかも知れない。甘黨だとは聞いてゐたがそんなにも甘黨だとは知らなかつた。前歯を皆蟲が食つてゐるのも、そのせいなのであらう。と言ふものゝ、私自身も大の甘黨である。鐵砲玉は殊に私の大好物でもあつた。黑砂糖で作つた眞黑な鐵砲玉は子供の時から忘れられないものゝ一つだつた。

「女房が良く笑ふんですよ。大人のくせに子供の樣だつて」茶壺を片手に抱えて笹本は獨りで笑つてゐる。口が甘くなつたのか、お茶の要求で亦湯を沸かす。そうして私達は腹が一杯になる迄お茶を飲んだ。笹本の茶壺も思つたより輕くなつて、内地のお茶の旨さは鐵砲玉を思ひきりかぢらせたのである。私の口の中は鐵砲玉のお蔭で感覺がなくなつた樣になつた。齋藤も齋藤で、口の中が變になつたぜと言ふのである。鐵砲玉を喰べれば喰べる程お茶のお代りが激しくなつて、終ひには湯を沸かすのが間に合はなくなつた。

三

臨時に酒保を開らくといふので、夕食が終ると炊事場の入口は忽ち患者で一杯になつて了つた。皆外套を着て頭巾を被つてゐるので誰れが誰れだかてんで分らない。私の室からも皆買ひに來て「なあんだ君も來たのか」等と言ひ合つて、賣場の前で背伸びし出す。間もなく羊羹が賣り出されると、皆我れ勝ちに賣場に殺倒した。此れが患者かと思はれる樣な元氣で

ある。敵を追擊するあの血走つた眼が、今食慾にその一切を集中してゐる。驚いた事には私の隣りに居た患者が青い顔してひよろ〳〵し乍らその群の中に混つてゐるではないか。

彼が私達の室から擔架で運ばれて以來、既に一と月餘を經てゐる。その後彼は重症病室にあつて一進一退の經過を辿つてゐた。食鹽注射や葡萄糖注射が代る〳〵にやられたが、一向良くならず、擔當軍醫も診斷室で良く彼の話しをしてゐた。あれは困つたもんだ、後送しやうといつてもいやがるし、どうにも弱つたなどといふのである。軍醫の話しに依ると、出征前からのもので、一時陰性になつてゐたのだそうである。

而し彼はどんなに弱つても、意志だけは實に強固なものだつた。重症病室に移されてから幾度後送を言はれたか、その度に彼は頑強に反對し續けて來た。そして今尙後方へ退らうとは言はないのである。その彼が珍らしくも今日皆と一緒に羊羹を買ひに來てゐるではないか。私は彼の姿を見ると側に寄つた。「どうですか。良くなつたですか」と聞くと、彼はにやりと笑つて「えゝ大丈夫ですよ」といふのである。

見るからに元氣の無い彼の體から、此の樣にはつきりした答えが聞けたのである。私は意

外に思つた。私だけではなかつた。外の患者も皆不審に思つたのである。瘠せた背の比較的高い彼の姿を見ると誰れでもが、おやつと思ふのである。その内羊羹は忽ち賣切れてしまつた。羊羹を手にしない患者が半分以上殘ると、買へない者だけだと言つて、パイ罐を賣る事になつた。パイ罐は羽が生えて飛ぶ樣に賣れた。彼はパイ罐を買つて歸つて行つた。私は彼の後ろ姿を見乍ら恐らく食ふ事の出來ないであらうパイ罐を持つて歸つて、一體どうするのであらうと思つた。而しそれは私の思ひ過しでも何んでもなかつた。彼が日頃からそういふ間食品を買ひ集めてゐる事を知つてゐたからである。彼はその買ひ集めた品を決して食ふのではなかつた。

彼の枕元には何時もその樣な罐詰等が五つや六つ轉がつてゐない時はなかつた。買ひ集めたそれ等の罐詰は殆んど皆隣りに寢てゐる患者やなんかにくれてゐたのである。御飯すら思ふ樣に喰べられない彼が、外の患者の慾しがるものは何んでも買ひたがつた。而し私の知つてゐる範圍では彼だけではなかつた樣である。食えなければ食えない程慾しくなるのは人の常である。それが一と度病氣になると思つたより強くなるものだといふ事は吾々が經驗を通

して知つてゐる。

戰地に於てはそれが一層强くなるだけの事であつて、それへの慾望の程度は恐らく大同小異であらう。唯戰地では慾望の形が、死といふものと直接結びついてゐる爲か、內地で想像するものとは頗る距りがあるのである。何時死ぬか分らぬといふ先入觀は、兵隊をして唯單純に物への要求を通して意志表示される。それが例へ食えなくても…………

彼の甘い物への要求は、病氣といふそれの赤信號を一應打ち破つて目的物の獲得に全力を傾倒するのである。兵隊の感情は斯くの如く單純である許りでなく、亦愛すべき多くのものを持つてゐる。私はあぶれた客の樣に、パイ罐を持つて歸つて行く彼の姿が亦何んとなく痛々しく感じた。結局私は何も買へなかつたのである。パイ罐はどうかと言はれたが、腹に惡いので止める事にした。患者が歸つた後の臨時酒保の前には唯私一人が殘されてゐた。私は敗殘兵の如くぽつんとしてゐると、後ろの方で私を呼ぶ聲がした。「羊羹どうです、一箱ありますよ」意外な聲である。振り返つて見ると衞生兵が羊羹の箱を取り出して私の方に出すのである。「藥くずの中に殘つてゐたんでね」と辯解する。

私は思ひもよらぬ獲物があつたので、十本入りの箱を抱えて急いで隊に歸つた。室の者は殆んど歸つてゐて、皆羊羹の話しに花を咲かせてゐた。室の入口に居た添田が私の持つてゐる箱を見て「羊羹ですか」と眼を丸くして側に寄る。「さうだよ。羊羹だ」といふと皆に私が羊羹を持つて來た事を知らせる。入口に突つ立つたまゝ私は中に入れなかつた。皆が入口の前に立ち塞がつて私の箱を見やうとするのである。「よく買えたな」と皆は口々に不審がつた。私はどうしたのかと思つて聞くと、羊羹を買つた者は一人もゐないのだと言ふ。こんなに大勢行つてと思つたが、羊羹を買つた形跡は何もなかつた。「買えた者はほんの少しさ。吾々の樣に後から行つた者は駄目なんだ」此の室の患者が出掛けたのは、炊事場の前に大勢集つてから行つたので遲かつたのであらう。さうすると私は怪我の功名とでも言ふのであらうか、恐らく今頃は箱をあけて喰べてゐるのであらうと思ひ乍ら歸つて來ると意外にも誰れも買つてこなかつたのである。

「一つ分けてくれませんか」こつちにも一本お願ひしますよ」等と方々から言はれるので、十本の羊羹も私の一本を殘して忽ちなくなつて了つた。私はそれでほつとした。買つて來て

よかつたと私はつく〴〵思つたのである。患者は皆大喜びだつた。「お蔭で助つたよ」「もう駄目だとあきらめてゐたんだが、まあよかつた。これなら何時死んでもいゝぜ」私の側へ寄つて來て皆がはしやぐのである。永い間の想ひが適つたといふのか、「此りや直ぐ食えんな」「いや俺は此の次羊羹が來る迄持つてゐやうと思ふんだ」各々色んな事を言ひ合つてゐる。

そんな事を聞いてゐると、今直ぐにでもしるこにしやうと思つてゐた私は、いや止めやうと思ひ直すのである。例へ笹本がなんとかするとは言つてゐたが、それでは皆に惡いと思つたからである。私獨りだと、つひ自分を責める氣持に還るのである。一本で此の次迄もたせるのか、此の次と言つても別に何時といふ當てがある譯でもない。半月になるのか、それとも一と月になるのか、兎も角何時又どうなるのかといふ事すら全く分らないのである。段々そう考へて行くと此の一本が如何にも大事な物の樣に思えるのである。

もつたいない、といふ感じが强く〱私の頭の中にひろがつて行く。そうだ取つて置こうと心に決める。折角樂しみにしてゐたしるこも無期延期になつたのである。私は期待してゐたものが得られなかつた樣に一時はがつかりもしたが、圍爐裏の火を見てゐるとその事を何

時の間にか忘れてしまつた。罐詰の空罐に水を入れて湯を沸かしてゐると、湯氣の間から赤紫色のしるこがぶく〱煮立つてゐる樣に見える。だからと言つて羊羹の事は別に浮かんでは來なかつた。唯しるこの事が馬鹿に强く頭に殘つてゐたのである。湯の色がしるこの色に見えるだけで私は嬉しかつたのである。それ以上敢て要求しやうとは思はなかつた。私はそれで滿足だつた。

外に風が出たのか、入口の戶がガタ〱ゆれる。折から戶があいて衞生兵が入つて來た。病室續きの直ぐ後ろの小屋に居る衞生兵で、主として糧秣の運搬をしてゐる樣だつた。兩手に何か抱えてゐる樣なので、誰れかゞ何んですと聞くと彼は「いゝもんだよ」と言ひ乍ら圍爐裏の側に寄つて來て坐る。新聞紙で二重に包んであるが、なんだか重そうに見える。未だ起きてゐる患者は皆衞生兵の手先きをぢつと見つめる。何んだらう——と私も好奇心を持つて體を一歩乘り出す。「皆空罐を出さんか」といふので皆それ〴〵大きな空罐を並べる。新聞紙を開くと赤砂糖の塊りである。「砂糖か、そりやいゝ」首を伸ばして見てゐた連中も思つたものよりいゝ物が出たので、急に顔が綻ぶ。

ナイフで赤砂糖の塊を切つて一々空罐に分けると、剩つた砂糖を適當に分けてくれと言つて新聞紙に包む。赤砂糖が手に入ると患者はめい〳〵に水筒を圍爐裏の中に立て掛けた。久し振りに甘い湯でも飲もうといふのである。私は山浦から貰つた餅を出して燒く。餅の燒ける匂ひに我慢出來なくなつたのか、方々から餅が出て來て圍爐裏の中は水筒と餅で一杯になつてしまつた。

何處から出てくるのか、餅は結構ありさうである。病院で貰つた餅は既に喰べ盡してない筈であるが、一月の末といふのに未だ〳〵持つてゐるではないか。結局私の様に前線の戰友や仲良しの衛生兵から貰ふのであらう。私の推定では尠くも一人で十や二十は持つてゐそうである。餅が燒けると早速塊りの赤砂糖を粉にしてつけて喰べる。皆は私の喰べるのを見てゐてそれをその儘眞似る。味なしの餅の儘喰べてゐた患者達には、甘い餅の味は亦格別なものだつた。

患者の多くは飯が不味いといつて喰べられない連中なので、餅といふともう眼がなかつた。飯の代りに餅を食はうといふのである。餅を貰ふ爲に種々な手段を講じた。前線に居る

中隊への連絡も用意周到だつたし、病院に居ちや何も食えん、などといつて愚痴をこぼす泣落し戰法も大したものらしかつた。あれやこれやの方法で何んとかかとか、餅の工面は怠らなかつた様である。殊にその道にかけて達者な患者達は、此處に移ると間もなく直ぐ裏の衛生兵に連絡を付けて、何かの折にあやからうといふのがゐた。

その効果は覿面だつた。糧秣係の衛生兵だつたので、その合間〳〵に籾を餅米にし、餅米を餅に搗いたのである。籾がうんとあつたので餅は餘る程搗いたらしかつた。欲しいと言えば欲しいだけくれたといふ。而し砂糖だけはどうしても手に入らなかつた。衛生兵が惜しがつてくれなかつたのである。

その砂糖を向ふの方からわざ〳〵持つて來たので、患者達は意外に思つたのであらう。風向きが變つたのかなと思つたに違ひない。而し色々と良く聞いて見るとその衛生兵は、此の室のある患者に廬山の戰闘中何か貰つたといふその御禮の氣持でといふのである。何かやつたといふ患者はその儘忘れてゐたといふのであつて、衛生兵の方から名乘りをあげて始めて判つたといふ。

「あの時はほんとに嬉しかつたですよ。私が一線に連絡に行つた歸り途、迷つて眞暗な山道をへと〳〵になつて歩いてゐた所を助けて貰つたんです。その時貰つたチョコレートが又何んとも言えない程旨かつたんです」と衛生兵はその當時を述懐するのである。赤砂糖の由來はそのお禮であつた。彼の心ずくしの氣持は室中の誰れでもが感動せずにはゐなかつた。「偉いなあ、俺達にや眞似出來ないよ」「良く忘れずにゐたもんだ」室の人達は砂糖湯を飲み乍ら話し合ふのである。

段々聞いて見ると室の連中が持つてゐる餅は皆此の人から貰つたのださうである。私が丁度診斷に行つた留守だつたのであらう。一人に十づゝ配つてくれて、若し足りなければ亦何んとかしやうと言つてゐたといふので、私は益々感心してしまつた。その爲に暇を見ては籾をついて餅米にしてゐた。そして餅を搗く時は戰友の手傳ひでやつてゐたが、彼の目的が分ると皆が骨を惜しまず協力してくれた。患者に餅をやらう——といふ彼の提唱は糧秣係の衛生兵を發奮させて毎日續いた。何時か私が見た裏の餅搗きは皆私達の爲だつたのである。想へば唯頭が下る許りである。

兵隊の感情

一

此處の病室に移つて約一ケ月目、向ふ側の病室に移る事になつた。朝食が終ると直ぐ移るといふので大急ぎで準備をする。今日も亦どういふものか小雨が降つてゐる。衛生兵が迎えに來た頃には、皆仕度をして出る許りになつてゐた。「早いですね」衛生兵は思つたより早く準備が出來たといつて驚く。

今度の室は皆違つて二、三人づゝ分室された。私は一番奥の通稱北海道と呼ばれる室に入れられたのである。片側の窓は崖に遮られて光線は全く入らず、半分腐りかゝつた様なひど

い傾斜で、柱が既に曲つてゐた。天井も普通の家より餘程低く、立つとあと一、二寸で頭がつきさうである。農家といつても可成ひどい農家だつたに違ひない。

長方形の様に細長い家なので、患者が横に寢ると一杯になつて人が通れない程だつた。そこで入口から裏口へ通して鰻の寢床の様に寢る事にした。そうするとどうやら縱に二列は寢られた。二列だからと言つて別に眞直ぐ寢なければならないといつた譯ではない。それ〴〵思ひ〳〵に寢る。入口と裏口の側に竈があるので、それだけ室の中は狹くなつて、その上は背嚢や何んやらで山の様に積まれてゐる。入口からいきなり藁床になつてゐるので、軍靴や地下足袋は皆入口の外に脱いである。それで便所へ行く時などは手近かの履物を履いて行くので、自分の靴だからといつて探す様な事はしなかつた。お互ひが病人だからといふ自覺からめい〳〵に不自由や、心配は掛けまいとするうつくしい氣持が可成强い様に思へた。

總員數八人といふ、前の室から見れば三分の一にも充たない數だつた。出征前からの友人である齋藤も居て、暗い陰氣な室ではあるが、そこにも亦何んとなく感じのいゝものがあつた。二人の新患者を除いて、あとの六人は皆それ〴〵特徴を持つた氣持のいゝ兵隊で、私達

二人が越して來ると、六人の患者はまるで賓客を迎えるかの様に大騷ぎをしてくれた。今迄あいてゐた藁床が雨漏りの爲めに凹んでゐるのを、皆でそこへ藁をつめて高くしてくれた。毛布も一枚ぢや少いだらうと言つて、何處から持つて來たのか一枚の毛布を先に敷いてくれたのである。

移轉が終つてほつとしてゐると「新客の歡迎會をやらう」と言つて皆が祕藏の罐詰を出してくれる。齋藤は齋藤で、私に特に好意を示してくれて、昨日始めてやつたといふだんごを燒こうといふのである。此の室の天井に隱くしてあつた米を石臼でひいて、昨日暇に委せて百ばかりだんごを作つたといふ。大きな笊の中にそのだんごがぎつしりつまつてゐる。東京府下の拜島の邊りで織屋をやつてゐたといふ森田といふ患者は、だんごを作るのが上手でだんごは殆んど森田が作つたものだといふのである。

早速森田と齋藤でそのだんごを竹串に五つづゝ、刺して圍爐裏の隅にかける。燒けただんごは醬油をつけて亦火にかける。私が甘いのはないかといふと、パイ罐の汁がいゝぢやないかといつて、空罐に分けてくれた。だんごは次から次と燒かれて、皆はそれをふう〳〵言ひ

乍ら喰べた。「なか〳〵旨いもんぢやないか、本職はだしだよ」私は森田のだんごを燒く手付きに感心し乍ら、そう賞めると「いやそうでもないがね」といふ。上海上陸以來、燒だんごを喰ふのは始めてゞある。而も前線の野戰病院で食えるなどとは恐らく考へた事もなかつた。

而し想へば私がこうして燒だんごを喰べてゐられるのは、結局此處迄戰つて來たればこそである。それに米と石臼があつたからでもあらう。なんだか私は目の前にあるだんごを見てゐると、果して此處が病院なのであらうか、いや戰地なのであらうかと思つたりする。餘りにも不思議な感に打たれて、なんだか狐につまゝれた樣な感じがないでもない。

「近い中に燒とりをやらうか、此の間やつたばかりなんだ」だんごを頰張り乍ら齋藤は燒とりの自慢話しをやり出す。室は狹いが圍爐裏は入口と裏口の直ぐ横にあつて、四人に一つの割合だつたので、比較的ゆつたりとしてゐる。私は裏口の方に極めたので、齋藤に森田と犬飼といふ患者の四人になつた。

此の圍爐裏で燃やす薪は、今迄の病室の薪と達つて皆細かいものばかりだつた。木の枝や、

幹を一尺位に切つたもので、亦それでなければ圍爐裏が小さいので入らなかつた。室が暗いので、火を燃やして丁度普通の室位になる程度である。始めて入つて來た時、私は此の室の入口からちよつと覗いただけで、まあ何んて暗いんだらうと思つた位である。その暗い室の中で火を燃やしてゐると、どう見ても此れが兵隊とは思はれない。

薪の置き場がないと言ふので、殆んど毎日薪拾ひに出掛けるが、大した苦にはならんといふ。「直ぐ裏にあるんだからね、小便しに出たつひでに拾つてくればいゝんだよ」如何にも簡單に拾つて來られそうな言ひ方をするが、果してどうかと私は獨りで心配し出した。「午後に行くかな」薪がないといふので森田が拾ひに行こうといふ。「ぢやお願ひします」新參の私は頭を下げなければならなかつた。

腫れ上つた足に地下足袋を突つかけて、裏山に登つた。登るといつても今居る所から三、四米の高さしかないのである。昨年の暮此處へ登つて見た時は、此の邊一帶に何もなかつたが、今こうして見渡してゐると色々な變化がある。第一に直ぐ左側の窪地に材木が山と積まれ、柱が立つてゐる。何か大きな家らしく、バラックとは云へ土臺もなか〳〵しつかりして

ゐて、そこに働いてゐる人はと見れば、紛ふ方ない日本人である。私はその事實を見て意外な感に打たれた。

第二には田圃を横斷して、風呂場の附近から工事を起した道路の建設である。つひせんだつて迄工事の始りだつたものが、もう松林の山を開いて立派な道路が完成されてゐる。而も私の見てゐる間にトラックが五、六臺、兵隊を乘せて山を越えて行つた。豫定より日數が掛るのではないかと言はれた此の工事を、見事短時日に完成し遂げたのである。私は心からそのスピード振りに驚嘆した。今その道路が私の眼の前に、その偉容を誇つてゐるのではないか。

第三には建築場の直ぐ裏から向ふの鐵路に貫通する道路が既に出來上つてゐる事だつた。始めの内は建築場にかくれてよく分らなかつたが、位置を少しづらすと、その道路がはつきり分つた。建築資材の運搬道路だつたのである。

第一、第二、第三の變化は、私にとつて大きな衝動であつた。私は暫らくそこに立つた儘ぢつとしてゐた。僅かの間に斯くもの大きな變化は、私の氣持を強くゆすぶつた。何んて早

いんだらう。その現實を見ての私の心は唯驚嘆の二字に盡きるのだつた。森田は私のその樣子を見て、「どうしたね」と背中を叩く。私ははつとすると我れに還つた。森田に促されて山を降り、建築場に來て見ると、柱や何んかの切株が山と積まれてある。その切株は皆枯れ切つてゐるので、薪にはもつてこいの物だ。

其處には久し振りに見る日本人の姿があつた。兵隊以外に日本人を見た事のない私達には、それがとても懐しく感じられた。私達の來たのも知らずに、夢中になつて柱を削つてゐる姿は内地で見る大工と全く同じだ。その恰好、そのズボン、それに草履をはいてゐる姿は、とても此の前線で見られるなどとは思つても居なかつた。それに頭には手拭ひで鉢卷さへしてゐるではないか。

「大工さんとは珍らしいね」森田はそれが日本人だといふ事が分ると、びつくりした樣に「ほう〳〵」と言ひながら感心してゐる。家の構造から押して野戰病院ぢやないかなと、想像して見たりした。今私が居る病室とは似ても似つかぬ立派なもので、バラツクとはいへ、ガラス窓が入るだけでも素晴らしいと思つた。大工が急にこつちを振り返つたので、私は聲を掛

け樣と思つたが、その顏が思つたよりも黑いので、喉迄出かゝつた聲が出なくなつて了つた。

行かう、森田の聲につられて建築場を出ると、私達の手にはその切株が三つ四つ抱えられてゐた。建築場から一段下がると、所謂建築材料の運搬道路になつてゐる。土が軟らかいのでトラックの通つた跡は、深い溝になつて未だに水がたまつてゐる。その道路に沿ふて山裾迄行つて見ると、松の木が至る所に放り出されて、それが殆んど枯れてゐるのである。「タキツケにいゝぢやないか」「あとから取りに來よう」兩手の切株を見て私と森田は急にあはゝゝと笑つた。

暫らく外に出なかつた私は、松の木の青々したのを見ると、なんとなく氣持が晴々として來た。急に救はれた樣な感じである。あゝ外に出て良かつた、と空を仰いだ。心の奥迄澄み切つた樣にせい〳〵する。道路の上の材木に腰掛けてゐると、材木を山と積んだトラックが山坂を下りて來る。私の直ぐ前で停ると、日本人の大工が四、五人下りて、私の居るのに氣が付くと、「御苦勞樣です、御怪我ですか」一人の大工は側に寄つて來て親切さうに尋ねる。

「いや病氣なんです」私は負傷かと聞かれて急に恥しくなつた。穴があれば入りたい位である。病氣です、といふ言葉は蚊の鳴く樣に小さな聲だつた。負傷なんですよ、と言ふなら兎も角、病氣です、といふ凡そ兵隊に似合はぬ言葉は自分乍らたまらなく嫌な感じだつた。自分は何故病氣なんかになつたのだらう。負傷すれば良かつたに、と今更乍ら愚痴をこぼすのである。

大工が私を慰め樣とする一言は、逆に私にはつらく當るのである。病氣だといふ事實を認めはすれ、自分でさへいやになる事がある。自分で自分の體に唾をはきたい樣な感じを抱く事は度々である。今大工に言はれた言葉は、私の樣な病氣の患者にとつて、兵隊といふ名譽ある自覺から、それはある種の淋しさを一入深くする計りでなく、無形の鞭に等しいものであつた。

「そうですか、病氣も負傷も結局戰つたからですよ。兎も角大變だつたでせう。廻山は一體何時落ちるんだなんて、吾々はとても必配したもんです」大工の一人は自分の包みの中から何か取り出すと、ある包みを私にくれる。「九江で買つて來たんですが、まあ有り合せもん

で」と言ひ乍ら頭をかく。包みの様子からおして羊羹らしいので、「どうも濟みません。此う言ふ物を頂くと本當にうれしいのですよ」必配してゐた羊羹が、意外な處で手に入つたのである。

大工の連中は何時の間にか材木の上に腰掛けて、私と森田を圍んで頻りと話しかける。「南昌に行くんでせうね。何時です」年の若い大工は未だ何も知らないらしかつた。「勿論行きますよ。何時行くかは分りませんが」そうですかと言つて感心した顔をする。彼等が今建てゝゐる病院が、どうゆう目的の爲が恐らく知らないのかも知れない。そういふ色々な事を出來るだけ兵隊に聞きたかつたのである。兵隊の口から少しでも戰況を聞こうものなら、もうそれで大喜びだつた。

南昌へ行くのか、行かないかと言ふ事は彼等の間に於ける謎でもあつた。それを今私が簡單に行くと言つた言葉は、彼等の謎を一擧に解決した様なものでもあつたのである。「まあしつかりやつて貰ふんですね。病院も立派に出來ますから、その中こつちに移つて下さいよ」冗談半分に言つて笑ふ。そうこうする中に辨當を開いて食べ始めた。トラックの上には一升

瓶に水が一杯入れてあつて、それを代りばんこにラツパ飲みする。お菜は私達と全く同じで牛罐に梅干しである。「お腹が減ると旨いですね」口から御飯をとばし乍ら話し掛ける。その中誰れかゞ焚火をして、鉋屑をうんと燃やす。私は材木の上から下りると、其處に陣取つて當る。大工はアルミニユームの辨當箱を持つた儘、火の側に寄つて來て、立ち乍ら食べる。

こうして大工の人達と一緒に當つてゐると、兎もすれば忘れ勝ちな內地の事どもが、大工の顔から、聲から日本人の匂ひが發散して來る。ひし〳〵と內地の潮が眼の前に押し寄せて來る様である。上海出帆以來一年ぶりで見る日本人の顔は、懐しさを越えて、友達の様な感じがする。それにアルミニユームの辨當箱を見ると、小學校當時の事が想ひ出されて、押されて固つた飯に箸を突つ込んで持ち上げる箱辨獨特の味が、如何にも旨そうに見える。

殊に私の眼に強く映じたのは、乘馬ズボンの様な股引に、草履をはいた姿だつた。日本人を思はせるに、此んなあつらえ向きな恰好はそうあるもんではない。草履をはくのは日本人の習性である。その日本人を思ひ出させるには、大工さん達が適當であつたのだらう。兎も角草履といふ日本人的なものを久し振りに見た私は、粗雜になりかけた感情が、亦平常に還

つた様に感じる。草履と關聯して下駄を思ひ出した。何時だつたか患者の一人が慰問袋を送つて貰つて、その包みの中から駒下駄が一足出て來て、それで室の中を歩き廻つた事があつた。軍醫や衛生兵の見てゐない所で、その下駄をはいて歩くと。どうだ、いゝだらう——と鼻を高くして獨り喜ぶのである。外の患者もそれを見て、俺にも履かせてくれ——と言つて皆一度づゝ履いて歩いた事があつた。まるで子供が新らしい下駄を買つて、それを疊の上で履いて歩き廻るのと全く同じである。

もうすつかり童心に還つて、今自分に妻や子供があるといふ事すら忘れてゐるのである。唯一時の樂しみに、總てを忘れてそれに一切を打ち込むのだ。下駄の想ひ出は此の様に日本人にとつて、日本の兵隊にとつて懐しいものゝ一つである。それは直接生活に結びついてゐるからであらう。

私は大工さん達に、お國はどちらですかと聞くと——九州です——と一人の大工がいふ。九州と言つても變な訛りは全く聞けなかつた。私達が普通話す言葉と何等變りなく、言葉の何處に九州の訛りがあるかと疑ふ位である。「九州つたつて別に九州に永く居た譯ぢやない

ですよ、私達なんか年中方々を渡り歩いてゐますからね」「えゝそうですとも、定つた家なんかないんです」大工達は一様にそう言ふのである。此の種の職人達は渡り者が多いといふ事を聞いてはゐたが、成程そうなのかと思つた。

言葉も訛りがないのは至極當然である。何處から來たのか知らないが、ちよつと見掛けた所、普通の渡り者にはどうしても思はれない。よく世間でいふ渡り者は多くはならず者が多かつた。それが此の人達の言葉や、顔付から見て、そういふ種類の人達とは凡そ違ふのである。恐らく軍で嚴選したのだらう。でもなければ此んな事はあり得ないと思つたからである。

その五、六人の大工さんは、どれも此れも人相のいゝ人達許りだつた。「どうですか、何か欲しいものがあつたら買つて來ますよ」私が甘い物が欲しいと言つたので、早速親切氣を出して買つて來ようと言ふのである。「羊羹でも一つ御願ひしますか」私はノートの端を切つて名前と病室を書いて渡した。辨當を喰べ終つた所へ、さつき建築場に居た色の眞黑な大工さんがやつて來て、水を一杯くれと言つてラツパ飲みする。

良く見ると色は黒いが案外溫好そうな顔をしてゐる。「よさそうなんだね」森田は私の顔を見てくすつと笑ふ。「うんさつきはいやに恐しく見えたよ」二人で話してゐる内に、トラツクの上から荷を下ろし始めた。私達は大工さん達に聲を掛けて「ぢや羊羹お願ひします」と言つて別れる。新設のトラツク道路から、病院の解剖室の横に出ると、直ぐ裏の池で患者が二、三人で釣をしてゐる。

餘り廣くもない池なので、どうだらうと思つて側に寄つて見ると、筒の空罐の中に小さな鮒が一匹泳いでゐる。「釣れるかね」空罐の中を覗き乍ら、釣竿の先を見てゐると、「氣長かにやれば釣れるね」と言つて釣糸をたぐると寒いので外套の頭巾を被つて縮まる。釣竿も短いので、外套の裾で卷いてそれを兩手で持つた。何時釣れるとも知れない此の池で、此の患者達は氣長がに釣糸を垂れてゐる。病氣も何も忘れて、唯無我の境に入つてゐるのであらう。

病氣を治す唯一の道は病氣を忘れる事である。患者達は此の事を良く知つてゐた。釣はその道に良くかなつてゐる事を知らず／＼の中に誰れでもが知る樣になつた。「釣に行かんか」

といふ聲を聞いたのは餘程前の事だつた。

二月に入るとずつと晴天の日が續いた。南昌總攻擊の色々なニユースが入つて來たのは此の頃からであつた。此の野戰病院も近く解散するといふニユースも、どうも事實らしいといふ事になつた。而し私達の身邊にはそういふ動きらしいものは何も起きなかつた。相變らず羊羹のしるこが每日續いた。

大工さん達の約束も言葉通り行はれて、羊羹を五箱許り持つて來てくれた。皆は大喜びで、忽ちその五箱の羊羹は無くなつてしまつた。而しどうやら私は一箱取つて置く事が出來て此れからの每日が何んとなく樂しいものになつた樣に感じる。羊羹が手に入ると、早速森田は得意のだんごを練つてくれる。

今日も羊羹を溶してしるこを作つてゐると、山浦が尋ねて來て「たばこが剩つたから持つて來ましたよ」と言つてバツトを十箱出してくれる。何時も貰つて許りゐては惡いと思つたので、今作りかけてゐるしるこを早速外の空罐に入れてやる。「どうです羊羹のしるこ」中にだんごが二つ三つ浮んでゐるので「ほうこりやほん物のしるこだよ」山浦はそういふと、

此れは珍らしいといつて暑いのに舌をペラ／＼とつけて、旨い／＼といふ。

德安にもしるこ屋はあるが、近頃は質が落ちてとてもひどいよ。此の方がよつぽど旨いねと言ふのである。山浦の御世辭だらうとは思ひ乍ら、矢張り賞められると嬉しいものである。恐らく旨いといふのはしるこよりもだんごの方なのかも知れない。山浦はしるこを喰べ終ると、舌が燒けたと言つて舌を熾んに動かす。

「病院つていやだらうな。此んな暗い家の中に始終寢てゐるなんて。俺なんかなら一日で原隊復歸だ」入口に寢轉び乍ら山浦は天井を見つめてそう呟く。「誰れだつていやだよ。病氣だからしかたなく入つてゐる樣なもんさ。誰れが好きなもんか」山浦の言葉を反撥する樣に私はそう言つてやつた。山浦がそういふのは彼が血書志願をした程の男であつたからでもあらう。全身血に燃えてゐる樣な彼の熱情は、兵隊といふ言葉がその儘そつくり當てはまる樣な頗る元氣な男だつた。血書志願すると間もなく召集令が來たのである。彼の一家はまるで鬼の首でも取つた樣な喜び方だつた。彼は彼で召集令を持ち步いて、皆に見せびらかした。彼が丸坊主になつたのはその晩である。

出征以來、上海でも、江北でも、そして廻山でも人一倍元氣だつた。上海では退屈だといつていやがつてゐたし、江北では戰鬪が尠いといつて不滿がり、盧山では突擊がなかつたといつて腕をさすつてゐた彼である。「戰爭なら一生續けても平氣さ。俺は戰爭屋だもの」その言葉には嘘も何もなかつた。純眞そのものゝ樣な彼の愛すべき性格は、忽ち中隊での人氣者となり、皆からも可愛がられた。山浦、山浦と中隊長からも人一倍眼をかけられて、益々彼は勤勞に忠實になつて行つた。

そんな事を思ひ乍ら私は彼の性格をもう一度考へて見た。素直で、ハキ／＼してゐて、眞面目であり、明るい、何をしても實に敏速だつた。彼の兄弟の誰れでもが親切な樣に、彼も他人に對する親切は決して人に劣らなかつた。病院への度々の訪問は、彼の私に對する親切味があつたからである。

その彼が病院の私を尋ねる度に「いやだらうなあ」といふのである。日頃元氣な彼は此の樣に私達の生活が暗く見えるのであらう。又彼は「何んて情ない奴なんだらう」と腹の中で笑つてゐるかも知れない。そう想へばそう想ふ程、山浦の顏を見るのがつらかつた。まるで

嚴しく批判されてゐるかの様に、……山浦が來る度に、私は今度こそは——と原隊復歸を念願したのである。而し私の希望は遂げられなかつた。軍醫は重症だから駄目だと言つた。「宮川のは特にひどいな。永いかも知れん」といふのである。始め膨んだ足がだん〳〵引いて行くと、今度は兩手、兩足が痺れて來た。そして口の邊り迄痺れる様になつた。歩行は非常に困難になつて行つた。今こうして山浦と話しをしてゐても、兩足を投げ出してゐなければならなかつたのである。

こういふ惡化した狀態にあり乍ら、私は南昌攻擊迄には何んとかなるだらう、と一入の望みを掛けてゐた。どんなに病勢が惡化しようが、氣持ちだけでも強く保つてゐようと私は心に誓はずにはいられなかつた。山浦の元氣な顏を見るとつひ勵まされ、愉快にならざるを得なかつた。私の感情といふものは、此の時極めて冷靜に、而も南昌攻擊前のあわたゞしい中にあつて、病氣克服への努力が絕え間なく働き、明日への希望にみなぎつてゐた。

山浦の度々の訪れは、私の鬪病力を一段と強くはしたが、脚氣の方は逆に惡化して行つた。而し私はそれに悲觀もしなかつた。何時かは必ず治るだらといふ自信を持つてゐたので

ある。

「そりやそうと近く行くらしいな。早く行きたいよ」山浦の行くらしいといふのは南昌總攻擊を指すのである。「そうかね。俺も行きたいな。早く治らんと、困つたよ」私は南昌總攻擊といふ事を聞くと、今の自分の體の事が頭の中一杯になる。何時行くのだらうか、と漠然たる思ひにふけるのである。兎も角南昌總攻擊は近く行はれるといふ事は確からしくなつて來た。私と山浦の話しを聞いてゐた森田は、「もうそんなに熟してゐるんですか」と眼を丸くして聞く。日頃南昌にはどんな事しても行くんだと張り切つてゐた彼である。だんご作りに餘念のなかつた森田も、その話しを聞いてはもう默つてゐられなくなつたであらう。「俺あ明日早速頼むよ」彼は急に顏の色が明るくなつて、口元をきつと結んだ。山浦が歸つて間もなく、中隊から倉下一等兵がやつて來て、私に書留が屆いたといつて可成厚い包物を持つて來てくれた。名前を見ると私の知人からだつた。

倉下に色々と聞いて見ると、山浦の言ふ事と殆んど同じで、南昌攻擊も思つたより近いのぢやないかといふ。その證據には〇〇が至る所に集積され、修水渡河の準備も大體終つたと

いふのである。近いといふと此處二週間以內といふ見方が一番有力だし、そうだとすると私の原隊復歸は可成無理な狀態だつた。山浦の言葉を倉下は更に補足して、南昌攻擊は眼前にあるといふ事を傳へてくれた。それに中隊の編成が終つたといふ事は最早動かすべからざる事實である。その編成に私は漏れてゐるらしいといふ事を聞くと、がつかりした。結局編成に漏れてゐるといふのは、病院に入つてゐる者だけで、その中原隊復歸が一人か二人入つてゐる模様らしいといふ。

倉下が煙草を二箱許り置いて歸ると、室の患者が何時の間にか私の側に寄つて來て、皆緊張した顏を突き合はせる。「編成が終つたんぢや、もう間に合はんね」「なに大丈夫さ」森田は一生懸命になつて言ひ張る。そこへひよつこり衞生兵が入つて來た。

「何をやつてゐますか、いやに興奮したりなんかして」何か紙切れを持つて私と森田の間に割り込んで坐る。私が南昌總攻擊の話しをすると、衞生兵は「それですか」といゝ乍らにやりと笑ふ。それよりいゝ話しがあるとでもいふのであらうか、彼は頻りに私と森田の顏を見つめる。「實はね、亦室の移動です。マラリヤ患者を一と室に集めるといふんですよ」その

マラリヤ菌の保有者の名前が書いてあるといふ紙切れを出すと、「あつたぞ、宮川さん、あんたもその組だよ」彼はそう言ふと私の肩を叩くのである。

「此の室から三人、森田さんもそうですね」衞生兵の聲が小さかつたのか、森田はそれが聞き取れなかつたのであらう。「南昌は一體何時行くんだね。それに依つて俺もなんとかするよ」圍爐裏に薪をくべ乍らそう言ふのである。もう頭の中は原隊復歸で一杯なのだらう。衞生兵の言ふ事が耳に入らないのである。

私は森田が氣の毒に思つたので、眼で衞生兵に默つてゐろと知らせる。衞生兵はその儘默つて了ふ。森田は獨りで原隊復歸だ、原隊復歸だといつてゐる。衞生兵は私に此の室のマラリヤ菌保有者の名前を知らせて歸つた。マラリヤ病室は私が入院當時居た室で、結局元の古巢に歸る事になつたのである。

その翌日森田は衞生兵から室の移動を申渡された。始めてマラリヤ患者だと言はれて彼は飛び上らん許りに驚いた。「そりやほんとか。よしそれなら軍醫殿に聞いて見やう」マラリヤと言ふ事を聞いただけで、森田の顏は忽ちふくれあがる。衞生兵に言はれるなり病室を飛

び出して行つた。間もなく森田は歸つて來た。室に入るなり「大違ひだ。三號の森田と間違えたよ。衛生兵どうかしてゐるぞ」と眞赤な顔をして衛生兵を怒鳴る。而し自分がマラリヤでないと分ると、ほつとしてあとの診斷を待つた。

「診斷ですよ」衛生兵が廻つてくると、森田は眞先に室を出て行つた。私達マラリヤ菌保有者は診斷がなかつた。室の移動は明日だといふのである。衛生兵の話しに依ると、マラリヤ病室は三十四、五人入れる豫定だといふ。恐らく壽司詰になる事は覺悟してゐたが、三十四五人といふと、やつと寢られる程度に過ぎない。

診斷が終つたと見えて、ガヤ〳〵患者の聲が聞える。而し森田はなか〳〵歸つて來なかつた。「奴どうしたんだらう」と皆が心配してゐると、何時の間にか裏口から何か抱えて入つて來る。「お別れだよ。遂に原隊復歸だ、へえ濟まんね、明日は中隊さ」圍爐裏の前に立つた儘、坐らうともしない。手に抱えた包みを下ろすと「別れの宴をやらうと思つてね、ほれ此の通りだよ」包みを開けると中から罐詰や羊羹が出てくる。一時マラリヤ患者と言はれて腐つた彼は、今原隊復歸を正式命令されると、雀躍りせん許りに喜んだ。明日原隊復歸といふ

ので、私達の室の移動が行はれる前に行くらしいといふのである。

翌朝森田は勇んで室を出て行つた。彼が軍裝すると、見違える樣に立派になつて、此の兵隊が森田かと思はれる位だつた。出て行く後ろ姿も、今朝迄寢てゐた病人とはどうしても思はれない。私は見送りに出て行くと、診斷室の前でこういふのである。

「此れでさつぱりしたよ。第一患者、患者つて衛生兵から呼ばれるのはとてもたまらんからな。今日からほんとうの兵隊だ」胸に兩手を擧げて得意な表情をする。「今日から患者の名が無くなつたんだね。患者を免ずとでもいふ辭令を出すか、ねどうだい」からかひ半分に言ふと、「それよりか、森田患者の葬式を出してくれ」と大聲で笑ふのである。患者といふ名が耐えられなかつたのか、森田は平常でも患者と呼ばれると良く怒つたものである。

而したまに室附衛生兵が代ると、つひ患者と呼んで、森田から頭ごなしに怒鳴られる事がある。それ以來衛生兵は、患者と呼ぶ事は止めて、專ら何々一等兵とか、何々上等兵とか呼ぶ事になつた。確かに感じであつて、潔癖な兵隊達には、患者といふ言葉はある侮辱にも取られ、非常に不愉快な感じを抱かせる。

健康な人がたまに病氣にでもならうものなら、病院の看護婦は忽ち彼を〝患者さん〟と呼ぶに違ひない。その場合、健康な人はその言葉が餘りに不自然である爲に不快な念を抱くのである。此れは至つて當然な事で、例へその本人が病氣であらうが、患者といふ名前で呼ばれる事は誰しも好まない。それ許りではない。患者といふ言葉は、兵隊といふ言葉と全く相容れないからである。兵隊が戰爭で死ぬ事は當然ではあるが、病氣で死ぬといふ事は兎角忘れ勝ちであるからであらう。內地に於て見ても同樣であらう。「あの兵隊は戰死したさうだ」と言ふ言葉は良く聞くが、「あの兵隊は病死したさうだ」と言ふ事は餘り聞かない。

萬一病死した場合は、表向き病死といふ事は極力避け樣とする。その場合、遺族は「戰地で死にました」と蚊の鳴く樣な聲で、如何にも氣まり惡さうに言ふのである。病死では陛下の御役に立たないといふ事を非常に氣にする。穴があれば入りたいとは、此の場合に最も適當した言葉であらう。

此の樣に兵隊は病氣といふ事は非常に嫌がる。「病死だなんていつて內地に知らされて見ろ、お袋が泣くよ。第一近所にだつて氣まりが惡くて外に出られんだらうが」殊に村出身の

兵隊には此の感情は特に強い。そして入院を拒む兵隊の多くは、その殆んどが農村出身者である。

森田の激しい言葉は、必ずしも正しいとは言へぬ迄も、兵隊の感情を卒直に表現してゐる事に於いて、私は獨りで——その通りだ——と思つて見た。

「兎も角今日から中隊の飯だよ。衛生兵に盛つて貰はんでもいゝのさ」背嚢の高さが森田の耳位迄高いので、何んだかちんぷんかんの樣に見える。森田の外三人の兵隊を見送つて、炊事場の横迄出てくると、今日も輜重の車が長蛇の列をなして續いてゐる。

「さいなら」「元氣でな」森田は小銃を片手にあげては〝さいなら〟の挨拶をする。「早く患者から緣を切れよ」五、六丁も行くと立ち停つて、大聲で怒鳴る。「直ぐ後から行くぞ」出ぬ聲を張りあげて私は答へてやつた。森田の姿が小さく見えなくなる迄手を振つてやる。

病室の移動は簡單に終つた。豫想した樣に全くの壽司詰だつた顔馴染みの各室の患者が集まつて、お互ひに「なんだ、貴樣もか」「なんだお前だつて」と意外な顔合せにぴつくりする。今日から正式にマラリヤ病室として特別扱ひを受ける事になつたのである。

何んだかそうなると、肩身が狭くなつた樣な感じがしないでもない。夏になれば蚊帳を吊るんですよ——と衞生兵が冗談を言つて行く。夏迄居てたまるもんかと私は思つた。兎も角一と室三十四人では身動きの出來ない位ぎゆう〳〵詰である。室が代つた許りで圍爐裏には火も何もないので、患者は思ひ〳〵に皆寢て了ふ。可成寒い日ではあつたが、人の息で思つたより暖たかい。體と體がくつゝいて、體溫を意外に強く感じる。

「マラリヤ菌がゐる間は原隊復歸は出來ないさうぢやないか」「此の室に入つたら當分駄目だよ」そんな聲が反對側の方で聞こえる。そうかも知れん——と思つた。此れで結局南昌總攻擊には參加出來なくなつた譯である。何か正式に——お前は南昌には行けんぞ——と言はれた樣な氣がする。

部隊から置いてきぼりを喰つてしまつたのである。室の患者は皆觀念してゐた。あとから追ひ掛けて行こうといふ元氣のいゝのもゐる。「なんとかなるさ」といふ樂觀論者もゐた。原隊復歸の夢破れた患者は、いづれも負けじ魂の者ばかりなのか、マラリヤ病室に入つても別に悲願もしなかつた。入院既に三ケ月を經て、私には鬪病力が出來てゐた。私だけではな

い。患者の大半は皆立派に鬪病力を備へてゐた。

笑ふといふ事、此れが病氣克服の要締である。それは病氣を忘れる事に通じ、朗らかさを意味してゐる。患者はその笑ひを實踐して室に良く笑ふ。浪花節、さては都々逸、義太夫といつた獨演會が開かれる。その度に腹の底からの爆笑が、病院中をわり動かすのである。話しの一つ〳〵にすべて笑ひを含めて、そして極力暗さを追ひ拂ふのに努力した。

元氣のない者、複雜な事情に惱む者、總て此の笑ひにその一切を包擁して了ふ。兵隊は明朗であり、潑剌としてゐる所にその強さがあり、團結心がある。その笑ひを兵隊はその儘野戰病院に迄持ち込むばかりでなく、兎角暗くなり勝ちな病院生活を、常に明るく保たうとする。三十四人の兵隊が一と室に詰められると、もう方々で大小樣々な笑ひが起る。

室長がきまると、早速午後は薪拾ひといふ事になつた。歩けない者を除いた全員といふのであるが、果して何人あるであらうかと私は半信半疑ではあつたが、その時間になると、歩けるといふ患者は二十人を超えてゐた。僅か七、八百米の間を半日掛りで行こうといふのである。マラリヤ患者は殆んど脚氣を併發してゐるので、歩く事にかけては五つや六つ位の子

供と大した變りはない筈である。而し室を出て田圃を拔ける頃になると、だん〳〵と元氣が出て來て、人並みには歩けさうだつた。外は寒い日ではあつたが、太陽の光りがまともに頭の上に注いでゐた。

患者の群れが今薪拾ひに出掛けるといふ風景である。此の體でどれだけの薪が拾えるであらうか、私は歩いてゐる患者の顏を見て、案外生き〳〵としたものを感じて——こりや思つたより取れるだらう——と思つた。此の人達は不自然な室の中より、自然のまゝの外の空氣を慾してゐたのである。伸びやうとする意慾、淸新な空氣を胸一杯吸はんとして眼の色がもう何物かを求めてゐる樣に明るい。患者は此の時健全な兵隊になつてゐた。私の感情は明日への希望に滿ちて、例へ眼前に迫つた戰爭に參加出來ずとも、その次に待たるゝ大戰への準備に掛らうと思ふのである。

——完——

昭和十六年九月三十日印刷
昭和十六年十月五日發行

傷病兵の心理

定價㊗金壹圓六拾錢
送料金拾錢

著作者 東京市芝區新橋三ノ二 宮川三千藏
發行者 東京市牛込區築地町六 遠藤健二
印刷者 日出島眞
印刷所 東京市牛込區築地町六 林印刷所

東京市芝區新橋三丁目二番地（三立ビル）
發行所 遠藤書店
振替口座東京一〇九二三二番

配給元 東京市神田區淡路町二丁目九番地
日本出版配給株式會社

出雲耕兒著

戰場の孤兒

四六判　三百六頁
定價　一圓五十錢
送料　六　錢

著者は、今支那事變中、最激戰と稱される台兒莊戰に參加し、遂に負傷歸還した勇士である。其の間、郷土新聞に戰記を連載し、歸還後、主婦之友の懸賞募集小説の、選の際、小島政二郎先生をして、「作家としての手腕の點から云つたら、此の作者の方が優れて居る」と惜しまれつゝも遂に次席となつた程優れた文章を以てものしたのが此の「戰場の孤兒」である。家も親も兄弟も天地に誰一人として頼りの無い一人の支那の子供を主人公とした事實小説である。此の孤兒は何等の憂ひも、何の心配もなく全く快活に、世の中を生き拔いて行く、之が支那人の性格を代表するとでも云へるかも知れない。

讀者の方々からも、もつとこんな本を澤山出して呉れと御注文を受取つて居る。

東京・芝・新橋三ノ二（三立ビル）　遠藤書店發行　振替東京一〇九二三二番

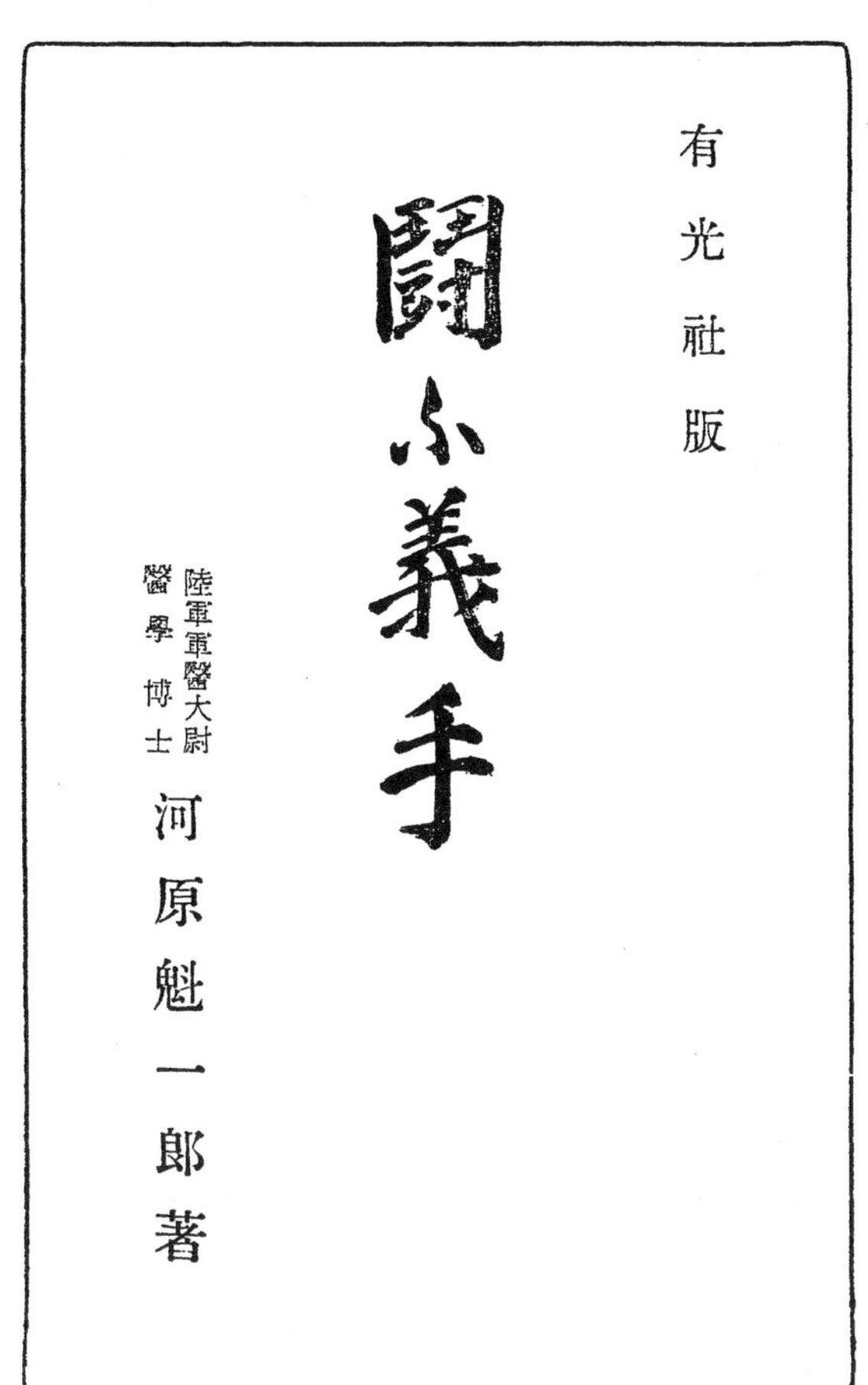

有光社版

闘ふ義手

陸軍軍醫大尉
醫學博士
河原魁一郎著

目次

富樫寅平装幀

目次

負傷

負傷
擔架輸送

小田急沿線の田畑と松林に圍まれた臨東三病院のベットに横たはつて以來、二箇月、三箇月とベットの日夜は夢のやうに過ぎてゆくのであるが、戰塵は心の襞にまみれたまま、白雲の流れや、風に騒ぐ松籟の音にも、戰線の砲煙や、生死をともにしたさまざまな戰友の顔などがまざまざと蘇つてくるのである。おそらく支那事變がすんで長い年月を經ても、かうした想ひ出は一生涯私の頭から消えないであらう。

夜がきて、窓に星がきらめき、廊下をゆく看護婦のスリッパの音にも静寂が深まる頃、私は、私がこのベットにくるまでの戰ひのあとを想ひおこすのが毎

夜の習慣となつた。

……………………………

枯れかけた雜草と岩ばかりの五台山石動寺附近一たいの山々は眞つ黑い地肌であつた。處どころに灌木が生えてゐて、露出した黑い岩と五尺くらゐな石佛が到る處に立つてゐた。ほのかな星明りの夜など、その石佛は敵か味方かの歩哨とよく見あやまられた。

敵は陣地に據つて、一箇月ほど前から頑强に我軍を惱ましてゐた。

『見てゐろ。今日こそ、今夜こそ……』と、兵たちは來る日も來る夜も齒軋りした。

だが、決死の攻撃の日はつひに來た。

敵の陣地を奪取すべく、味方は闇を衝いて前夜のうちに山の中腹まで匍ひ登つてゐた。十月の山西はもう寒くなつてゐた。殊に夜はそれがきびしく、山肌に腹匍つて曉明を待つ兵たちの銃を持つ手は凍てつくやうであつた。

息を呑んでゐた味方は、曉明とともに敢然と攻撃に移つた。

味方の機關銃が突つ込めとばかりに、後方から勢ひをつけてくれた。すると、それに呼應するかのやうに、敵のチエッコ機關銃が熾んに咆哮し出した。忽ち空間は、飛び交ふ彈丸に掻き亂された。

すでに、夜は明けかけてゐたが、霧が深く、遠目は全く利かなかつた。

突然、霧の中で戰友がぱつたり倒れた。すると、それに續いてまた一人倒れた。敵陣まで二百メートル、百メートル、刻々距離がせばまつてゆくにつれて彈丸はいよいよ激しく降り注いできた。もう五十メートルくらゐであらう、霧の中に右往左往する敵兵の姿が影繪のやうに見えてきた。

峰尾小隊長が軍刀を振りかざしつつ岩の上に跳び上つて突貫した。と、不意に、小隊長はぱつたり岩の上へ腰を落した。しかし、軍刀はなほも振りつづけられてゐた。小隊長の背後から岩の上へ跳び上つて行つた當番兵の高久が逸早く馳け寄つて、その肩に小隊長の腕を掛けると、小隊長は軍刀を杖にしてよろめくやうに起ち上つた。實に、その瞬間であつた。高久がまたぱつたり倒れたのである。

私は思はず小隊長の傍へ馳け寄つて行つた。

が、既に小隊長も當番兵も、息づかひは荒く、顔色は眞蒼だつた。小隊長は右の脚に、高久は胸に、眞つ赤な血が牡丹のやうに滲み出てゐた。が、それでも小隊長は、

『俺にかまふな！』

と叫んで、私がなほ逡巡してゐると、

『進まぬか、ゆかぬか！』

と聲をしぼつて叫び、軍刀に身を支へて再び起ち上つた。高久は倒れたまゝである。

私は夢中で一さんに敵陣目がけて馳け出してゐた。戰友たちはすでに私よりも前方に馳けて行く。ものすごい叫び聲が聞えて、はや一部は敵の塹壕の中へ突つ込んでゐた。

私も塹壕に跳び込みさま、一人の支那兵を銃劍で突き刺した。支那兵は呻きながらよろめき倒れた。私はすぐさま銃を取り直して、今一人の支那兵に向つて行つた。すると支那兵は急に身を躍らして、塹壕の外へ跳び出し、逃げて行つた。私は追ひかけた。そして、二、三間追つた處で彼を突き刺し、銃を手許へ直した——その瞬間だつた。脚へ何かが衝き當つたやうな氣がした。しかし、氣に止めるいとまもなく、更に突き進んだ。が暫らくすると、左の脚に痛

みを覺え、ふと見ると、下腿に血が滲み出てゐた。やられたか、とはじめて氣がついた。

私は傷ついた脚に繃帶をしようとしたが、彈丸は相變らずひつきりなしに飛んでゐて、蹲（しやが）み込んでゐられない。ふと右を見ると、敵のトーチカらしいものがあつた。私はそこへ小走つて行つた。

周圍の壁を石で積み上げ、屋根には土が盛つてあつて、雜草が植ゑられてあつた。入口には、炊事にでも使つたらしい桶が一つ轉がつてゐた。私は中へはいつて行つた。

きたならしい藁が敷いてあつて、茶碗が二つ、三つ、支那兵の唐傘と赤い繪模樣の雨合羽が散亂してゐた。この唐傘も合羽もむろん支那兵の雨具である。彼等は雨が降るとこの唐傘をさし、華美（はで）な繪模樣の合羽を着けて狐の嫁入のやうな進軍をするのである。

私は繃帶包を取り出して、脚へ繃帶をした。貫通銃創であつたが、歩くことはできるやうであつた。まだ戰へる、と思つてトーチカの外へ出た。すると、どこかで、

『アオー、アオー』

といふやうな大きな唸り聲が聞えてきた。支那兵の聲であることはすぐにわかつたが、影も姿も見えない。よく注意して見ると、三間ほど離れたところに丈の高い一叢（むら）の芒（すゝき）が生えてゐて、どうもその芒の中かららしい。瀕死の支那兵が救ひを求めてゐるのか、それとも苦しまぎれにただ唸つてゐるかであつた。しかし、そんな負傷兵を相手にしても仕方がないので、私は、友軍の方へ小走つて行つた。

味方は五十メートルほど前方の稜線に取りついて射撃を浴びせてゐた。敵の彈丸はその稜線を越えて私の行手に亂れ飛んでゐた。私は岩の間をつたつて前

進するより他なかつた。傷ついた脚はさすがに痛みつづけたが、歩けないことはなかつた。私は跛を曳きながら、それでもやつと友軍の線にたどり着いた。

分隊長は私を見つけると、

『西條どうした？　負傷したのか。』と訊ねた。

『脚をやられたのです。』と答へると、

『負傷したのなら早く退らなくてはいかん。早く治療をせなくてはいかん。』

と口早やにいふと、もう馳け出してゐた。

が私はそのまま友軍の散兵線内にはいつて射撃を始めてゐた。一發、また一發、たしかに手應へがあつた。脚の痛さも忘れてゐた。ところが、三發めを撃つたときであつた。砲彈の大音響と共に、土砂を頭から全身にかぶつて、右手を烈しく叩かれてゐた。途端に右手はいふことをきかなくなつてゐた。

ふと見ると、私の右隣りで銃を取つてゐた山田が、俯伏したままになつてゐ

た。やられたな、と思つた私は、夢中で、

『分隊長殿、山田がやられました。』と叫んでゐた。

分隊長は馳け寄つてきて山田を抱へ起したが、既にこと切れてゐた。分隊長は一瞬間眼を閉ぢてゐたが、やがて太い息を吐き、唇を嚙んで敵陣を睨んだ。

ふと私に氣づくと、

『西條ッ、まだゐたのか、さつき退れといつたのに。おや、またやられたぢやないか。』

と私の右腕の血潮を見ていつた。

衛生兵が、きてくれて、稜線の後方の窪地へ退るとすぐさま、右腕の處置をしてくれた。右腕は腕關節の少し上で肉がもぎ取られ、骨が出てゐた。衛生兵は繃帶をして、右腕を肩から吊つてくれた。そして、歩けるならうしろの稜線の壍壕まで退つて待つてゐてくれ、擔架がそのうちにくるはずだから、といつ

た。

私は銃を右の肩にかけ、跛を曳きながら退つて行つた。つい今先、支那兵がアォー、アォーと唸つてゐた附近を通つたが、もう何も聞えないで、芒が靜に風にゆれてゐるだけであつた。おそらく彼は昇天したのであらうか。彼もまた祖國のために戰つてきたのである。それとも逃亡したのか、いづれは簡單に所屬の部隊名簿から除かれるに過ぎないのであらう。死んだとすれば、彼もまた大陸民族らしい諦めをもつて案外安らかに逝つたのではないか。膨れ上つて糜爛してゆく死骸を路傍に晒すよりも、この靈山の芒の中に埋もれた方が、彼には、はるかに後生安住の地であつたであらうとも思はれ、私はこの敵兵のために心から冥福を祈つた。

私はやうやく、つい今先突撃を敢行した壍壕にたどりつくことが出來た。壍壕の中には敵の屍體が四つ五つころがつてゐた。私がはいつて行つた處から、

四、五間離れた處に一人の日本兵が倒れてゐた。近づいて行つてふと顔を見ると、髭がのび蒼い顔色をしてはゐるが、原田一等兵であつた。原田は私と同じ京都在の出身で、出征も同時で、同じ故郷の人達から、萬歳をあびて送られてきたのであつた。出征以來中隊こそ異つてゐたが、出會ふたびに安否を問ひ合つた間であつた。

『原田君ぢやないか。』

私がびつくりして踞み込むと、彼は蒼白い顔を私の方に向けて、悲壯な微笑を泛べた。

『どこをやられたッ』

思はず肩を摑んで訊ねると、彼は、やつと胸の方を指し示すことができた。

傍には彼の吐いた血が土の上に赤黒く塊つてゐた。

『血を吐くのか？』

と訊ねると、彼は頷いてみせた。眉間に苦痛の色がせまつてくると、彼は再び喀血した。胸の上は眞赤に染められて、顔はます〳〵蒼ざめ、額には冷汗が滲み出てゐた。が、私はどうすることもできなかつた。

私は逸早く戰友の重態を看て取ると、彼の手を握りしめた。手はすでに冷たく、脈搏は糸のやうに細かつた。もう駄目だらう、と直感された。

その時、また一人の日本兵がいつの間に來たのか、片脚を引きずりながら私たちの方へ寄つて來た。見ると、同じ中隊の道山であつた。が、次の瞬間には二人はお互ひに、君もやられたのか、と眼と眼で挨拶をして、原田の顔を見まもつてゐた。

いよいよ危險狀態が逼迫してきたやうだつた。私は思はず原田の耳に口を寄せて、

『何かいひ遺すことはないか。』と訊ねた。

『何もない。……』

原田は案外しつかりした聲で答へると、續けて、

『俺は陛下の股肱だ！』

と更に力强い聲できつぱりといつた。途端に、嚴肅な緊張感が胸に迫つてき、私は思はず息を呑んだ。

やがて原田一等兵の眸と頰に、一瞬、燃ゆるやうな血の影が浮かび上つた。

『天皇陛下萬歲ッ……』

國にいのちを捧げた兵の、死に直面した最後の瞬間の力一杯の叫びであつた。つづけて再び、『ばん――ざアい』と聲を絞つて叫んだ。刹那に手を握つてゐた私も、道山も、思はず一緒になつて『萬歲！』を唱へた。熱い涙がぼたぼたと頰をすべつた。道山もまた濡れた睫毛をしばたたきながら、私と顔を見合はせるのであつた。

だが、この涙は悲しいものではなかつた。感激の涙ではあつたが、なにか淸澄な、歡喜をさへ帶びた悲壯なものであつた。

やがて、枝から切り取られた草花が、花瓶の中で水を吸ひ上げながら弱々しくも花を開き、陽ざしに向つて葉を傾けてゆくやうな、生の努力が原田の最後の呼吸に現はれてきた。顔面も、軀幹も、四肢もその筋肉が、あらん限りの力を盡して、大きな痙攣となり、とぎれ〳〵の深い呼吸を營むのであつたが、間もなく、呼吸は止まり、脈も切れた。

私たちは、散らばつてゐた囊を集めて、英靈の枕にあて、姿勢を正しく整へてやると、彼の水筒に僅に殘されてあつた水で唇を潤し、顔の血潮を拭き取つてやつた。そして塹壕の傍に咲いてゐた野菊を採つて來て、胸の上に置いてやつた。それから、二人は英靈に向つて最後の敬禮を捧げた。

圖らずも同郷の友であつた原田の最後に出會つたことは何かの因緣でなけれ

ばならない。私が潤してやつた唇の水を彼は心嬉しく受けてくれたことであらう。私は武士の手本のやうに雄々しくも立派であつた原田の最後を、こまごまと故郷の人たちに書き送つてやらねばならぬと堅く心に思ふのであつた。

霧は次第に晴れてきて、東の山の上には、大きな太陽が紅いぼやけた暈をつけて昇つてゐた。

そのうちに同じ戰線で負傷した兵隊たちが、一人二人と塹壕の中に集つてきた。いつの間にか五、六人のものが私たちの周圍に寄り集つてゐた。その中の一人は原田と同じ中隊のものらしく、感慨深く敬禮をして、暫く英靈を見つめてゐた。

やつと擔架が二臺到着したが、二臺では足らなかつた。二人を擔架に乘せ、歩けるものは擔架とともに山を降つて行つた。私と道山と、今一人原田と同じ中隊の兵隊は後に殘つて、原田の英靈と共に後から來る擔架を待つことにした。

一時間ほどして二臺の擔架がきた。英靈と道山とを擔架に乘せ、私は行ける處まで歩くことにした。原田と同じ中隊の兵も脚には創がなかつたので歩いて行つた。

塹壕を出て振り返つて見ると、先程の稜線にはもう味方の兵は見えなかつた。遠く進擊に進擊を重ねて行つたのであらう。時折、思ひ出したやうな流彈が頭上をかすめていつた。

太陽は頭上に輝いてゐた。けさ戰友たちに踏みにじられた山の雜草は、まだ露にしつとりと濡れてゐた。峰尾小隊長が傷ついて軍刀を振つてゐた附近もただ黑々とした岩石が蹲つてゐるだけであつた。その邊一帶に默然と立ちつくしてゐる石佛の像にもなんの變りもなかつた。しかし、私は、この激しい戰ひのあとの無氣味なしづけさの中で、未だに醒めぬ興奮から私語し合ふ石佛たちの聲を聽いたやうな氣がした。

『戰鬪を見たか……おゝ、世にも稀れな、勇敢にして氣魄に充ちた日本兵の武者振を見たか……』

吹く風、流れる雲、飛ぶ鳥、すべては悠久な自然の中のただ一と時の出來事であつたであらう。見渡すと、霧は晴れ渡つて五台の山々は明るい陽ざしを浴び、影をつくつて、太古の姿そのままにうづくまつてゐた。陽ざしに逃げおくれた一筋の霧が、妄執を想はせるやうに山草の上を迷ひ流れてゐた。

私は英靈の擔架に蹤いて、跛行しながら默々と山を下つて行つた。

擔架輸送

午後二時頃、山の麓の部落にたどり着くことができた。そこには五、六軒の民家があつて、一軒の家の前の弱い陽だまりのところに、擔架に寢たままのものや腰を下してゐるものが五、六名ゐた。その民家の中で治療が行はれてゐるのだつた。私もそこで軍醫の治療を受け、別の民家に收容せられた。收容せられた室は土間に藁が敷いてあつたが、晝でも人の顏がはつきり見えないほど薄暗く、光線が全く透らなかつた。だから傷兵が十人ほどゐたが、頭や手の白い繃帶が見えるだけで、誰がゐるのかよくはわからなかつた。道山は別の室に收容されたのか、この室には來なかつた。私は靴の紐を左手でほどき、衞生兵に

背囊の外套を取つてもらつてそれを被り、藁の上に腰を下した。

その時、不意に隣りの兵が、

『西條ぢやないか。』

と顏を向けた。よく見ると同じ中隊の高橋であつた。

『何處でやられたのだ。』

『脚は塹壕でやられた、手はもう一つ前の稜線でだ。』

と私がいふと、

『手も脚もやられたか。俺は足だけだ。』

高橋は感慨深げにいつて、續けた。

『あの元氣者の峰尾少尉も脚をやられて、退らないといふのを無理に衞生兵が擔架に乘せてきたよ。當番の高久もとうとういけなかつた。』

高橋も、小隊長の負傷した附近でやられたのであつた。軍刀を振りながら、

『俺にかまはず進め！』と私を叱りつけた小隊長のあの時の殺氣だつた風貌があざやかに私の腦裡に蘇つてきた。

『道山も負傷して、俺と一緒にこゝへ來たよ。』

と私がいふと、

『さうか。支那兵(ニイコ)の彈丸も案外當るものだな。』

といつて、高橋は苦笑した。

家の外にはもう夕闇が迫つてゐた。室内はます〳〵暗くなつていつた。

夕食が飯盒にそれぞれ分配せられた。薄い粥の中に、甘藷を四角に切つたのが二つ三つ浮かんでゐた。私は左手に飯盒を持つて流し込むやうに啜つた。覺束ない左手の動搖から、粥の汁が延びた髭に絶えず垂れかかつた。まだ殘つてゐて、飛びかかつてくる蠅を、思はず飯盒を持つたまま左手で追はうとする毎に、粥の汁がとぼ〳〵と波を打つた。

『不自由だね。』

高橋はかういひながら蠅を追つてくれた。

私は朝からまだ何も喰つてゐなかつた。だから腹は空いてゐるやうであつた。が、食慾は全くなかつた。しかし、無理に粥を半分ほど流しこんで、やめた。

外套一枚だけでは寒くてどうしても寢つかれなかつた。その上、夜が更けるにつれて、手の傷が痛みつづけてきた。無理に歩いて來たためか、それ程でもなかつた脚の創もずき〳〵痛みだしてゐた。敷藁を透してくる土間の寒氣が傷口に沁みてくると、痛みはきり〳〵疼いてくるのだつた。それが激しくなつてくると、思はずからだを動かさうとするのであるが、脚も手も腫れ上つてゐるのか、石のやうに重かつた。寒さがいよ〳〵きびしくなつてゆく病室には、時時傷兵の呻吟する聲や、鼾聲(いびき)がきこえ、眠れない兵もあるらしく、敷藁をころ

がす音ががさ〳〵ときこえた。

翌朝、夜が明けはなれるとすぐさま出發の準備であつた。私たちはこの地點から約二十里近くもある五台縣城まで擔架で輸送せられるのである。少くとも三日はかかるであらう。

家の前の路上へ擔架に乘せて搬び出された。

空にも周りの山々にも霧が立ち籠めてゐた。一行は擔架が〇〇臺ほど、それに徒歩でゆく傷兵が〇〇人ばかりもゐた。その他は、擔架兵と衞生兵とだけだつた。

この一行は、先頭に比較的輕症の徒歩傷兵が十五人ばかり、そのうしろに擔架の列が續き、殿(しんがり)に殘りの傷兵がついてゐた。衞生兵は擔架の列の處どころに附添つてゐた。そして、一つの擔架には四人の擔架兵がゐて、二人づつ交替で

擔いで行くのだつた。

無論、衞生兵は銃は持つてゐなかつた。擔架兵も一擔架に一人くらゐしか銃は持つてゐなかつた。

擔架の上の傷兵の銃を、銃を持たない擔架兵が持つた。一人の衞生下士官は醫療嚢の帶革に日本刀を差しこんでゐたが、鞘は泥によごれ、握り手のところに卷いた繃帶らしい白い布も眞つ黑に汚れてゐた。衞生兵の一人は一間あまりの竹槍をついてゐた。その衞生兵は頬ひげがもぢや〳〵と延びてゐて、太閤記十段目の光秀そつくりの恰好であつた。

いつ敵襲があるかわからない山路を、竹槍と、僅かな銃を持つた一隊は、傷兵を勞はりながら三日間の軍旅を續けるのであつた。

路は、左は山の崖で、右には細い溪流が流れてゐた。そして溪流の向側にも山が重つてゐた。霧は少しづつ晴れていつた。中空にとぎれ〳〵の青空が見え

始め、周圍の山々にも流れる霧の動搖が見えてきた。次第に晴れ上つて、擔架の上にも淡い陽影がさして來た。山に點々として立つてゐる石佛も眺められた。

擔架の上では寢返りもできず、右腕と左脚の傷がずき／＼と疼きつづけてゐた。擔架が何かの調子で動搖する毎に堪らなく痛むので、思はず顔をしかめることもあつた。すると、擔架兵たちが、

『痛くはないか。』とか

『どうだ。だいぶ苦しいらしが……』

と、かはるがはる勞はつてくれるのである。が、その擔架兵たちの額にも膏のやうな汗が滲み出てゐるのを見ると、義理にも痛いなどとはいへなかつた。

『うむ、ううむ、痛くも、何ともない……』

私は齒を喰ひしばつて努めて平靜を裝うた。またたとひ痛いとか苦しいとか云つてみたところで、この道中ではどうにもならないのである。それは結局、

擔架兵や衞生兵たちの氣を揉ますことになるに過ぎないのである。

たれ一人として擔架の上で唸り聲を立てるやうなものはゐなかつた。私などよりもつともつと重症の兵もゐたのであるが、皆んな齒を喰ひしばつてゐたのであらう。中には、時々注射しながら衞生兵と下士官の附添つてゆく擔架もあつたが、その兵とても、みんなと一しよに行軍を續けて行かなければならないのであつた。是が非でも、たとひ命に拘はつても、五台縣城までこの悲壯な軍旅は續けられなければならないのである。

晝食には飯盒の飯を一口、二口、喰つたが、それ以上どうしても喰へない。まるで食慾がないのである。いつもなら支那米であらうが何であらうが、髭面を飯盒の中に埋めるやうにして喰ひつくのであつたが、今は、まるで砂を嚙むやうであつた。

『食慾がないらしいな。しかし、がまんして喰はなきや、からだが衰弱しちま

ふぞ。』

擔架兵がかう親切にいつてくれるのであるが、どんなに頑張つても喉へは通らないのである。すると擔架兵は、背負袋の中から携帶口糧のビスケットを三箇と、その中に混つてゐた青い金米糖を一つ摘まみ出して、

『これでもどうだ。』と私の掌にのせてくれた。私は眼をつぶつて無理に喉へ押込んだ。

『ビスケットなら喰へる。』

私の喰つたのを見ると、擔架兵は急に晴れやかな顔になつた。この純眞な擔架兵のまごころに、私の瞼は思はず熱くなつた。

午後は峠を越えなければならなかつた。急峻な勾配で、石が段々に並べられた峠道である。

擔架の上の傷兵の位置は普通、脚が前で、頭が後であつたが、坂を登る時は

この反對に乘せられた。前方の擔架兵は兩手で擔架を支へ、後方の擔架兵は兩方の肩に擔架の棒を擔いで一歩一歩登つてゆくのである。

私は馬の背にでも仰臥してゐるやうで、擔架が動搖する毎に、轉がり落ちさうな氣がしてならなかつた。

この附近の山は殆んど草と岩ばかりで、僅かに灌木が茂り、立木は稀にしかなかつた。見渡す山々は晴れてゐた。戰場は今いづくにあるのであらうか、人も煙も見えず、砲聲らしいものも聞えなかつた。

何も持たずにただ登るだけでも相當に苦しいこの峠道を、擔架は何回となく休憩を繰返しつつ登つてゆくのだつた。休憩の時に見ると、擔架兵たちの軍服の背中は、いづれも汗でべつとりと黑くなつてゐた。そして、顔には汗がとめどなく流れ、胸や肩は、荒い呼吸づかひで激しく波打つてゐた。私は胸の裡で感謝の掌を合はさずにはゐられなかつた。

『済まん、済まん。』

私は幾同ともなく、感謝の言葉を繰返した。すると、擔架兵たちは、『なあに君たちのやうに負傷したことを思へば、なんでもないさ。』と答へた。

やうやく登りつめた。

下りは上りと反對に前の擔架兵が棒を擔ぎ、後の兵は兩手に提げて一歩一歩踏みしめながら降りて行つた。峠を下りきつて二キロばかりの處に部落があつた。私たちはその小部落で宿營することになつた。

相變らず土間に藁を敷いて、外套一枚を被つて寢るのであつた。同室に一人の重症患者が收容されてきて、その夜は衞生兵の不寢番がついてゐた。

眞夜なか頃、周圍の氣配にふと眼を覺ますと、その重症患者を取りまいて軍醫や衞生兵たちが顔を覗きこんでゐるのが蠟燭の灯明りに見えた。患者は呻吟を續けてゐた。軍醫が、『カンフル！』と小さく叫んだ。もの音一つしない靜寂

の底で注射針がピカリと光つたと思ふと、樟腦の匂がぷんと鼻にきた。しかし同室の傷兵たちは、眠つてゐるものは勿論、覺めてゐるものも、藁を被つて靜かな呼吸をしてゐた。ただ患者の喘ぎだけが、寒い空氣の中にヂイ〳〵と聞えるだけであつた。

『もう駄目だ。』

やがて軍醫の悲痛な聲が聞えた。そして、苦しげな呻吟も途絶えてしまつた。

間もなく軍醫が引きあげてゆくと、すぐさま擔架が持ちこまれて、外へ運ばれて行つた。覺めてゐた傷兵たちは半身を起して、暗がりの中で敬禮をして送つた。

翌日も比較的好晴であつた。きのふと同じやうな旅が續けられた。

擔架兵たちは、脚も腕も肩ももうくた〳〵に疲れきつてゐることは誰の目に

もひと目でわかつた。擔架は山峽から山峽をたどりつつ進んで行つた。

午前十一時頃、山峽を出て前方にややひらけた畑のある盆地へ出た時、突然、前方から敵が射撃をはじめた。三四十發が一齊に飛んできたのである。徒歩の傷兵や、銃を持つた擔架兵たちはすぐさま道路の脇の溝の中へ散開した。さうした中を、擔架小隊長が軍刀を振つて馳けて行つた。

彈が擔架の上をシユツ、シユツと走つた。私は擔架の上から頭をもたげて見たが、敵はどこにゐるのかわからなかつた。

擔架は山陰へ運び返された。

相互の銃聲はなほも續いてゐた。彈は時々この山陰にも飛んできた。衞生兵の一人は、

『騷ぐな。傷兵は落着いて……』

と云ひながら、自分は少し慌て氣味で、散兵線の方へ馳け出したり、擔架の

方へ馳け戻つたりしてゐた。擔架の上の私たちもいら〳〵するのであつたが、手も脚も動かないのではどうすることもできなかつた。

三十分程すると銃聲は止み、やがて兵たちは擔架の位置へ引き上げてきた。

この戰鬪で擔架兵の一人は腕に貫通銃創を受けた。敵は敗殘兵らしく、それでも百名くらゐはゐたといふことであつた。

午後の三時頃、再び四、五發の敵の射撃を受けたが、小數の敵であつたらしく、すぐ姿を隱してしまつた。

この日はこんな工合で、思はぬ道草をくつたために豫定の宿營部落へ行き着く途中で日はとつぷり暮れてしまつた。まだ豫定地までは三里以上もあるやうであつたが、傷兵達をこのうへ三里も夜露にうたせながら行くのは無理であつた。幸ひ途中に小部落があつたので、そこで宿營することになつた。

擔架は一民家の前の廣場におろされ、衞生兵や擔架兵は附近の藁塚から藁を

運んできて家の土間に敷きつめ、私たちの寢床を作つてくれたり、枯木を集めてきて、家の前で飯盒炊爨をしたりして、私達の粥や飯を作つてくれた。擔架兵の一部は、すぐさま宿營地周圍の歩哨に立つた。

前面の岩山の上には、赤みを帶びた三日月が空から浮き上つたやうに懸かつてゐた。炊爨の煙があたりに漂ひ、煙の匂ひがほのかに鼻をついた。たれもが遠く故郷の夕餉の膳をなつかしめるやうなひと時であつた。

私は、ふと、傷兵たちの中に峰尾少尉の顏を見出したのである。あの豪勇小隊長も、傷の苦しみと擔架輸送の疲れに、顏は憔悴して、眼は落ちくぼんでゐた。目禮をすると、

『西條か、お前も負傷したのか、傷はどうだ。』と元氣な聲であつた。

同じ石動寺で負傷して、同じやうに擔架で運ばれながら、家の中から擔架に乘せられて又家の中へ擔架で運ばれて行く旅だつたので、今初めて顏を見たの

である。

『小隊長殿は傷はどうですか。』

と訊ねると、

『右脚をやられたよ。大したこともないのだが、全く歩けないのには弱つた。しかし、高久も可哀相なことをしたな。』

と、自分の當番兵のことをいふのであつた。燃え燻(いぶ)る焚火の煙りに話は途切れてしまつた。

やがて寢床が作られ、粥が煮られた。藁床の上に横になつて、靜かに擔架輸送でこわばつた肩や腰をやすめることができた。

第三日目――私は毎日空の雲を眺めながら擔架の上で搖られつゞけた。けふも空は晴れてゐたが、白い雲が處どころに漂ひ、その下を薄墨色の雲が慌しく

走り過ぎた。時々雲の塊りが陽ざしを遮ぎり、その雲の裏から四方へ線のやうにひろがつた陽ざしが、雲の斷れめに美しい綾を織りなしてゐた。

私たちは兩側に山の迫まつた、溪沿ひの道を進んで行つた。山には草や笹があるばかりであつた。午前十時過ぎ一團の黑い雲が擴がると、時雨がばら〳〵と降つてきた。冷たい雫が頰を濡らした。擔架兵が寒いだらうと云つて、彼の外套を擔架の上の私に被せてくれた。私は眼がしらに熱いものを感じてそのまま外套を頭から被つてしまつた。

時雨はすぐ霽れた。外套から頭を出して見ると、同じ山峽を進んで行くのであつた。山の上には虹の橋が懸つてゐた。擔架がすれ〳〵に通つて行く崖ぶちには雜草が生えてゐて、その草の中に蔓草の赤い實のなつてゐるのが、ふと眼に入つた。

外套を被つてまた眼をつぶつたが、虹の橋と、赤い實とが網膜の底をはなれ

なかつた。そして、ふと柿紅葉に映えた故郷の白壁が鮮やかに眼底に浮び上つた。すると、母や妻の顏が一瞬間かすめるのであつたが、またハタ〳〵と擔架を打ちだした時雨の音に、すぐ消えてしまつた。

午後、山峽を出て少し平地になつた處へ出た。一條の河が流れてゐたが、橋が壞されてゐて、徒渉しなければならなかつた。幅は三間ばかりで、水は一尺位の深さであつた。徒歩のものは傷兵も擔架兵もみな靴を脫ぎ脚絆を外して、袴をまくり上げて水の中を渡つた。河岸は一間ばかりの高さがあつたので、ここを擔架を下したり、登つたりするのはなか〳〵であつた。水の中を渡る時、流れが私の背をすれ〳〵にゆくやうな氣持がした。

渡り終ると、すぐに小部落があつた。そこで皆んなが渡りをはるまで休憩した。家は六、七軒あつたが、どれも堅く戸が閉ざされてゐた。住民はゐなかつた。家の軒に糒(ほしいひ)が大きな箕(み)に乾してあつた。路傍の楊柳は既に黃色くなつて

半ば散つてゐた。風に吹かれて楊柳の葉が擔架の上にはら〳〵と散りかゝつた。羽根の白い鳥が二、三羽飛んで行つた。私は、はる〴〵とこの山西の奥地まで來たことを思ふのであつた。

この部落から道は少し廣くなつた。車でも通れるやうであつたが、行くに從つて戰車壕が幾つも掘られてあつた。これを越えるのがまた一仕事であつた。壕の中へはいつたり、擔架を持ち擧げたりして、一つ〳〵壕を越えて行かなければならなかつた。

夕方、やうやく五台縣に着くことが出來た。擔架の上で身動きも出來ず、手や足の疼く三日間の旅は苦しさそのものであつたが、それにもまして、私たちを擔いで敵襲の中を峠を越え河を渉つて送り届けてくれた擔架兵や衞生兵たちの辛苦を思ふと、私たちの胸は感謝の念で一ぱいになるのだつた。

切斷

切斷

內地還送

五台縣の野戰病院は寺院らしい建物であつた。私は一たん病室へ運びこまれたが、またすぐ手術室へ運ばれた。手術室は七坪くらゐな土間で青白い瓦斯燈が點いてゐた。手術臺が二臺備へつけてあつた。一臺には今何かの手術が行はれてゐた。メスがキラ〳〵光り、血に染みたガーゼが土間になげすてられてあつた。

一臺の手術臺ではいま手術が濟んだところらしく、衞生兵が手術臺の上に散亂してゐるガーゼを取り除き、防水布らしいものを拭いてゐた。私はその手術臺の上に乘せられた。手と脚の繃帶が解かれたが、三日間繃帶の交換がしてな

いので、繃帶やガーゼが乾いた血液でしつかりと傷口に附着してゐて、それを剝がすのに隨分烈しい疼痛を覺えた。

手の傷は腕關節の少し上で、挫滅した筋肉がはぎ取られ、外から白い骨が見えてゐた。傷の周圍は蒼黑く腫れ上つて、傷口には膿がついてゐた。いやな臭氣が鼻を衝いた。軍醫が、

『もうこの手は切斷しなければ駄目だ。』

といつた。そして續けて、

『ひどく挫滅して、そのうへ黴菌が浸入して瓦斯壞疽を起しかけてゐるから、今の中に早く切斷しないと生命に關係する。時間がおくれればおくれる程、上の方から切斷せねばならないから。』と親切に説明してくれた。

私が默つてゐると、軍醫は更に續けて、

『どうだ、切つてもよいだらう。』

といふのであつた。

切るも、切らぬもただ軍醫の處置にまかせるより、私には無論判斷はつかないのであつた。しかし、どうかして切らなくても濟む方法はないものかとも思つたが、

『切つて下さい。』といふより致し方がなかつた。

『止むを得ないからね。』

軍醫はやさしく氣の毒げに云つた。

手術の器械が準備され、鼻と口の上に痲醉のマスクが載せられた。一つ二つと數をよむうちに意識は朦朧となつた。全身が地の底へでも陷ちこんで行くやうであつた。さうしてそれに抵抗し、もがく努力をしようとするのであるが、身體はいふことをきかなかつた。

意識を取り戻した時には既に病室に寢かせられてゐた。腕は右の上膊中央から切斷せられて、切斷端には繃帶が卷きつけてあつた。何だか手がすつぽりと輕くなつたやうな感じであつた。さすがに、いよ〳〵切られてしまつたのかといふ無量の感慨はあつたが、しかし、不具者になつたといふやうな突きつめたものはなく、さほど切實なものはなかつた。寢られぬままに反轉してゐる戰友の血に染みた繃帶や、夜を徹して多忙を極めてゐる衞生兵のちら〳〵する影や、夜になつても病室に送られてくる新しい傷兵たちの出入にただ氣を取られてゐた。さうしていつとはなくその夜は安眠してゐるのであつた。

翌朝目が覺めた時、體溫を取りにきた衞生兵が、

『どうだね。昨夜は眠られたかい、けさは熱が下つてゐる。』といつた。

私は何となく氣分が爽やかであつた。朝食の時に煉乳をアルミの器に一杯くれたが、それも飲み、粥も半分以上食つた。

同室にゐた高橋が、

『西條、たうとう切つてしまつたのか。』

と訊ねた。

『うむ、切つた、さば〳〵したよ。』

と私は落着いて、平氣でいふことが出來たが、しかし心の中はさう落着いてもゐず、矢張り、切り取られた腕のことを考へてゐた。食器を取りに來た衞生兵に、

『俺の切られた腕はどうしたかね、見せてくれないか。』

といつた。すると、衞生兵は言下に、

『そんなもの見なくともいいさ。腕のことなんか考へるな、ちやんと丁寧に穴を掘つて埋めてやつたから。』といつた。

私は私の埋められた腕が腐敗してゆく穢れた狀景や、犬に掘り出されてかぢ

られてゐるやうな痛ましい狀景などが腦裡にちらついて、いやな思ひになるのであつた。そして、切り取られた腕への愛惜の情が涌然と湧いてくるのであつた。

この切斷肢に對する愛情は誰にでもあることらしい。後日、內地の病院で多くの切斷患者から聞いたのであるが、一度その腕を見たいといふのは誰にでもおこる氣持であつた。これは內地病院で切斷せられた患者の話であるが、その患者の一本の腕が手術室にアルコール漬にして保存せられてあるのを、戀人にでも逢ひに行くやうな思ひで、彼は何回となくそのアルコール漬を見にゆくといふことであつた。

また、こんな話もきいてゐる。

明治維新の俊傑といはれる大村益次郎は、明治三年兵部大輔であつたとき、江戸から京都へ下つていつたことがあつた。京都鴨河べりの旅舍で、刺客に會

ひ、愛刀を抜く暇もなく、鞘のままで相手の刀を受けとめたが、その時、左の指と右の膝關節に傷を受けた。さうして纔に逃れて浴室に入り、湯槽の中に潜んでゐたのであつた。刺客が引きあげて行つた後、益次郎は重態のまま高瀬川を下つて大阪に運ばれ、大阪病院に入院した。そしてたうとう右大腿を切斷しなければならなかつた。そこで、脚部は切斷せられたが、益次郎の容態はますます惡化して大阪病院で遂に死亡したのである。死因は無論傷のためで、浴槽の中に潜んでゐたために、化膿敗血症狀を惹起したものといはれてゐる。今度の戰爭にも受傷後クリークの中に浸つてゐた傷兵等の中には瓦斯壞疽をおこすものが多かつた。

大村益次郎は下肢を切斷せられた當時、切斷した右腿を是非大阪の地に埋めたい、恩師緒方洪庵先生の墓側に願ひたい、と云つたといふことであるが、今なほ大阪北區東寺町龍海寺にその足塚があるといふことである。

大村益次郎も、矢張り自分の切斷脚に對して深い愛着を感じてゐた一人なのである。

午後になつて、私の寢てゐる所に一人の衞生兵が來て、

『君、國へ手紙を出したか、僕が書いてやらうか。』

と云つてくれた。

私は、內地の留守宅へは知らしてやらなくてはならないとは思つたものの、しかし、右手を切つてしまつたことは知らせない方がよいとも思はれた。それで、右手に傷を受けたが大したことはないから安心せよ、と書いてくれとたのんだ。この時になつて、はじめて自分の受傷と家族との交渉を考へたのであつた。

私はおひ／＼元氣をとり戻して來た。とにかく、左手一本になつて、身の廻

りの何をするにも調子がちがつて不自由であつたが、その中でも紐を結ぶことがいちばんうまくゆかなかつた。身體の痒い時など左手のとゞくところはよかつたが、左手がとゞかぬところはもどかしかつた。殊にその左手の伸展側の痒い時など、どうすることも出來なくて、ゴシ／＼と寢蓙にこすりつけるより方法はなかつた。

食事は無論左手で攝つた。粥の時は飯盒を左手にもつて、飯盒へ口をつけてすすりこんだ。普通の飯になつてからはホークを使つたが、飯盒から口へ運ぶまでの距離が長いと、途中で落ちたり、口へ入る時にこぼれたりしてもどかしかつた。衞生兵が罐詰の空箱を持つてきてくれたので、その上に飯盒を載せて口を飯盒に近寄せながら喰つた。時々この病院では汁かけ飯を食はされたが、これには飯盒に口をつけてホークですすりこむよりほかに方法はなかつた。

ある時一人の傷兵が大きな支那の飯茶碗に御飯を盛つてもらつて食つてゐる

のが目についた。いかにもうまさうであつた。やつぱり飯は茶碗で食つた方がよい、と思つた。

『君はよいものを持つてゐるね。茶碗の方が飯がうまいだらう。』

といふと、

『うまいといふわけでもないが、僕の飯盒は戰死したのでね。』

といつて、飯盒の戰死した話を聞かせてくれた。

彼は機關銃の射手であつたが、ある日の戰鬪で、附近に炸裂した敵の砲彈のために、手にも脚にも數箇所の破片創を受けたのであつた。衞生隊におくられて、晝食を攝らうと思つて自分の飯盒を背嚢から取つて蓋をあけて見ると、飯盒の中から火藥のやうな臭ひがした。不思議に思つてよく見てみると、飯の中から砲彈の破片が出てきたのである。更に氣をつけて見ると、飯盒には直徑三分くらゐな射入口ができてゐるのだつた。

彼は床の傍のその飯盒を取つて私に見せ、それを振つた。中でカラ〳〵と音がした。そして拇指の頭ほどの砲彈の破片を中から取り出して見せた。

『この砲彈を飯盒が受けとめてゐなかつたら、僕の胸を撃ち拔いてゐたのだ。恐らく僕は血を吐いて散華してゐただらう。つまり飯盒が僕の身代りに散華したのさ。』

と云ふのだつた。

飯盒の散華談が終つて一應納得したものの、それでも私は、底の深い飯盒で飯を喰ふよりも茶碗で食つた方が便利なやうに思はれてならなかつた。衞生兵にそのことを話すと、翌日どこからか茶碗を持つてきてくれた。それ以來、私は箱の上に茶碗を置いて飯を食つた。

私の經過は次第に良い方に向つてゐた。脚の方はその後腫れも取れ、傷も化膿することなく、歩行にも差支へなくなつた。切斷肢も、次第に良く、繃帶交

換の時にみると日毎に縮小してゆくやうであつた。しかし、切斷肢の方は始終冷たくて、神經痛のやうな疼痛があつた。また切斷せられた筈の手部にいつも拳を握りつめてゐる感じがあつた。ある筈もない切斷せられた指の尖に疼痛を感じたり、搔痒があつたりするのであつた。

十一月に入ると山西は內地の嚴冬のやうに寒くなつた。夜は殊にきびしかつた。軍服を着たまま二枚の毛布と外套を掛けて寢るのであつたが、ひし〳〵と迫る寒さのために眼を覺ますことは屢〻であつた。切斷された右手はからだのどの部分よりも冷たく、氷のやうに冷えきつてゐて、溫まる暇は殆どなかつた。

室內には煖房裝置などあらう筈なく、土間に藁を敷き、アンペラがその上に敷いてあるだけだつた。無論電燈もある筈はなかつた。不寢番の衞生兵が外套に包まれてまはつて來ては、時々懷中電燈の光りを投げかける以外は全くの暗黒であつた。夜、患者の處置をしたり、重態の患者がある時だけ、とぼしい蠟

燭の灯が、うすら寒い暈をつくつてぼんやりと淡い光りを投げかけた。

宵のうちは暗がりで隣の兵と雜談をしてゐても、人が寢靜まると、鼾聲が耳につき、寒さが一しほ身に沁むのであつた。かうして長い夜が續き、切斷肢はます〳〵疼痛を覺えるのだつた。

かうした寒いある夜のこと、同室の一人の傷兵が重態に陷り、衞生兵の不寢番がついてゐた。兵たちは寒さのためにどうしても眠れなかつた。ところが、その眞夜中、突然、

『突擊ッ！』と、力強い聲が室內に響きわたつた。

私たちははッとして、暗黒の室內を眺めまはし、耳を澄ました。しかし、次の瞬間には、重態の傷兵が熱に浮かされて呼號してゐることがわかつた。すると、

『隊長殿、危險です。退つて下さい。ここは自分が死守します。』


と續けて大きな聲で叫んだ。

『おい〇〇！　しつかりせい。ここは病室だぞ。』

衞生兵が力を籠めた聲でかういふと、その傷兵は虛ろな眼をあけて刹那的に衞生兵を一瞥したやうであつたが、やがて再び昏睡に陷ちてゆくらしかつた。が、しばらくすると又、

『突擊ッ、萬歲！』と叫ぶのだつた。

戰闘最中の突擊の幻覺に襲はれてゐることはいふまでもなかつた。

たうとうこの傷兵は明け方にいけなくなつた。彼は最後まで、銃を握つてはげしい戰闘や突擊を夢みながら華々しく病床から散つていつたのであつた。

この病室にはいろ〳〵の傷兵がゐた。

一人の傷兵は殆ど全身繃帶に包まれてゐた。彼は突擊の時、群がる敵中へ單身突つ込んで、或ひは銃劍で衝きたふし或ひは銃床で叩きのめした。數人の敵

をやつつけてゐる間に彼も多勢の敵から創を受けた。敵は逃げ去つたが、彼もたうとうその場で人事不省になつてしまつた。

衛生隊に運ばれて治療を受けたが、手といはず、脚といはず、胸にも頭にも合計二十八箇所の創を受けてゐた。みな切り創や、衝き創ばかりであつた。

『溫くていいだらうな。』

と誰かがいふと、

『溫いこともあれへん。手甲や、脛當を着けたまゝ寝てるみたいで、窮屈でかなはん。』

と關西辯まるだしで答へるのだつた。

『全く武勇傳だね。』

『武勇も何もあらへん。こんなことぐらゐ誰かてでけるやろ。』

と、ぐるぐる巻きの綳帶の中から、優しさうな瞳をのぞかせるのであつた。

55 断　切

彼は身長も五尺三寸くらゐで、さう高い方でなく、肩もなで肩で、やさしさうなからだつきの男だつた。誰にでもやさしく、すこし自分の創がよくなつてからは、よく重症患者の世話などしてやつた。さういふ姿を見てゐると、この男が、群がる敵の中へ飛込んで、阿修羅のやうに荒ばれまはつた曲者だとは思へないのであつた。

一人の傷兵は、胸部の貫通銃創であつたが、彼は他の一人の戰友と一緒に斥候を命ぜられて、ある地點に向ふ途中、突然數十名の敵に出遭ひ、文字どほり十重二十重に包圍されたのであつた。持つてゐるだけの彈丸も全部撃ちつくした。今はこれまでと敵中に突き込まうとした瞬間、一彈が胸を貫き、彼は意識不明となつて倒れたのである。戰友の一人はやうやく一方の血路を開き、自隊に急を告げたので、さつそく隊の一部が驅けつけたのであるが、その時には敵は既に引きあげた後であつた。

断　切　56

ところで、その間にこの傷兵は上衣を剝ぎ取られ、半裸體になつたまゝ溝の中に俯伏せになつて、既にこと切れたかのやうに見えた。破れた上衣や帽子が傍に散亂してゐた。

彼は衛生隊に運ばれて、やうやく意識を取り戻したのであつたが、氣がついて見ると、腕に巻いてあつた時計がなかつた。破れた上衣のポケットを探して見ると萬年筆も、金屬製の煙草入も、財布もなくなつてゐた。ズボンのポケットには、手巾も塵紙一枚すら殘つてゐなかつた。背嚢の中の日用品もすべて空であつた。彼が人事不省で倒れてゐた間に、支那兵は手當り次第にすべてのものを失敬して行つたのである。

こんな譯で、彼はこの病室に來てからも、一錢の金もなく、一つの日用品も持たなかつた。當分の間は戰友たちの合力によつて、端書一枚、塵紙一枚を無心せなければならなかつたのである。

57 断　切

『みぐるみ裸にされるとは、全くひどい目に遭つたよ。』

彼は口惜しさうにいふのだつた。

『しかし、君は一度死んでゐたんだから、まあ生れかはつてきたやうなものさ。生れる時は誰れでも裸だよ。』

『生れ更つてきたか、ハハヽヽヽ、それはよかつたな。しかし生れかはるなら、せめて部隊長くらゐに生れてきたかつたなあ。殘念、殘念。』

彼はさういつて、愉快さうに笑ふのである。

私の經過は良好であつた。脚の傷も次第に治癒してゆくやうであつた。同室の傷兵たちのうちからも、輕症であつたものは傷も治癒し、體力も恢復して、再び原部隊へ歸つて行くものもあつた。そんな時、

『皆も早くよくなつてくれよ。皆んなの分まで働いてくるよ。』

断　切　58

と晴れやかに笑つて退院して行くのであつた。私達は凛々しく武裝したその再出陣の武者振を羨望の眼をもつて見送つた。

私はかうした狀景に出合ふごとに、さびしい焦燥に驅られるのであつた。たとひ創は治癒しても片腕の私には再び戰線に立つことなどは及びもつかぬことであつた。いづれは後送せられるであらう、かう思ふと、ただ戰線の戰友達の幸福を祈念するばかりであつた。すると、塹壕の中で冷たい支那米を頰ばつてゐる戰友の姿や、猛然と突撃して行く戰友たちの姿などが、私の眼に浮び上つてくるのであつた。

十一月の末、この前線の野戰病院から○○病院へ後送せられることになつた。

北支は既に氷雪に閉ざされ、寒風が吹きすさんでゐた。

私達○○名の傷兵は三臺のトラックに積みこまれた。トラックには機關銃が運轉臺の屋根の上に据ゑられ、警備兵が私たちと共に乘りこんでゐた。

59 断切

私はまだ右手を肩から吊つてゐたが、既に體力は恢復してゐた。中にはまだ擔架に乘せられたままトラックの上で寢てゐるものもあり、脚を投げ出したままで折り曲げることのできないものもあつた。

私の隣に乘つてゐた兵は右上肢全體にギブスがかけられ、胸もギブスで固められてゐた。右上肢は胸との間に約六十度の角度で開いたまゝ、胸からの支柱で支へられ、動かぬやうになつてゐた。ずゐぶん嵩(かさ)だかな恰好であつた。手を張つてゐるので場所も取り、人ごみの中では立居動作が厄介らしかつた。トラックの上で皆んなが折り重つて、一度座を定めると、ギブスの手が突つぱつて向きをかへることもできないのであつた。

『それでよく寢られるね。』と訊ねると、

『寢るには差支へないが、背中が痒くても掻くこともできん。便所へ入るにも狹い戸口は横にならぬと、腕が突つぱつてはいれない。』と答へた。

60 断切

私のやうにすつぱりと腕のない方が却つてこの傷兵より始末がよいとも思つた。

路はトラックが漸く通れるくらゐの幅で、山峽を縫つて走つてゐた。樹木のない岩山が重疊し、頂上の方はすつかり眞白に雪が積つてゐた。北風が颯々とトラックの上を吹き渡り、時々粉のやうな雪をまぜた冷たい風が顏を拂つた。私達は病院から持つてきた毛布を頭から被つて震へてゐた。そして、トラックが停まるたびに、何回となく放尿に降りて行くのだつた。脚の惡い者は、このトラックからの上りおりが大へんであつた。

晝食は部落で焚火をしながら攝ることができた。焚火に水筒を立てかけて溫い湯を呑んだ。

その日の夕方○○病院に到着した。トラックは四十幾里を走り續けてきたのだつた。

61 断切

私は更に後送せられ、病院から病院を轉々して翌年一月中旬には天津の陸軍病院へ轉送せられてゐた。

その時分には既に私の傷は癒え、上肢も下肢からも繃帶はもう取り除かれてあつた。

今までは病院とはいへ、何となく慌だしい野戰的雰圍氣の中の生活であつたが、この天津病院で初めて看護婦を見、また病室には溫室咲きの美しい草花が挿されてあるのを見た。

また奉仕や慰問の人々が病院に出入するのを見た。さうして廊下で出遭ふかうした人々は申し合せたやうに、私の腕のない垂れ下つた片袖を、ちらと瞥見して行くのであつた。今まで周圍の慌だしさに忘れがちであつた自分も、何となく傷ついた身の寂しさを覺え、將來のことを考へて、切實に胸に迫るものがあつた。

62 断切

書きづらい左手で、今はかくすべくもない、右手切斷のこと、身體は今元氣であることなどをこま〴〵と故鄉へ書き送つた。

二月の初め病院船に乘せられていよ〳〵內地へ歸還の途についた。これが戰友たちと共に凱旋するのであれば如何に歡喜の思ひに胸を躍らせたであらう。しかし今、私は寂しい胸を抱いて病院船に乘り移るのであつた。

この朝、大地は霜や氷に凍てゝゐたが、空はよく晴れ渡つてゐた。編隊飛行機の何臺かが、南の空へ翔けて行くのが眺められた。いよ〳〵支那大陸とのお別れであつた。

戰友たちは氷雪を踏みしだいて、いま何處を進軍してゐるのであらうか。岩山陰にさびしく眠る戰友の英靈よ、さらば。

船はしづかに大陸の港をはなれて行つた。

內地還送

病院船は九州北端の山々を眺めながら門司の港に入つた。冬なほ綠に映えるなだらかな山々の端麗なたたずまい、碧く澄みきつた海、そして、紺青に深く晴れ渡つた空。久しぶりに見るこれら日本のもつ自然の美しさに抱かれてゆくにつれて、私たちの心はひとりでに安らぎ、落着き、泥臭い大陸の風塵にまみれた肉體を洗つてくれるやうな快さを覺えた。

思へば、支那大陸の山野はおそろしく黃色に過ぎ、褐色の勝つたものであつた。それでも、さすがに夏には草の綠があり、楊柳のみどりも自然を飾りはしたが、その陰を流れる水は、春夏秋冬、黃ろく濁つてゐた。むろん冬ともなれ

ば、日本と違つて、野も山もただ一色の枯草の色であつた。この黃色や褐色は最初の頃は私たちのこころに一時的な興奮を與へはしたが、それは間もなく、弛緩と沈鬱にかはつてゆくものであつた。

今、眼の前に見るこの綠の快感と安靜は、永遠的なものであつた。しかも、故國といふ傳統的なものが、更に一層愉悅の思ひに胸を躍らせたのである。

病院船はこれらの愉悅をいつぱいに乘せて、故國の海を走り續けた。やがて宮島の沖を過ぎ、江田島と似島との水道を通り、小山ほどの島々を眺めながら〇〇の港に入つていつた。

右には背に綠の山を負うて海の碧りがひた〳〵と寄せる白壁の村、左は〇〇の半島が松に包まれた家々を點々と見せてゐた。私たちは運輸部の棧橋から故國の土に第一歩を印したのであつた。

廣島の病院へ着いて、廣島安着の電報を鄉里へ打つた。

二、三日して妻から手紙がきた。

御歸還を喜んでゐるといふ書出しで、思ひがけなくも母の死去のことが報ぜられてあつた。母は十日程前、私が天津の病院にゐた頃死亡したのであつた。戰地の病院へはわざと知らせなかつたこと、母は私が負傷したので安心して逝けると云つたこと、いづれその中に廣島へ參り御面會して萬々申上げる、等のことが書きつけてあつた。母の死——私は一時に奈落の底へ突きおとされたやうな氣がした。

私は手は失つたけれど、立派に責任を果して歸つてきたやうな氣持になつてゐた。優しかつたが氣丈な母は手のない私を見ても決して氣を落すやうな母でないことは私にはよくわかつてゐた。その母に、私の元氣な顏と損はれない氣持を見せたかつたのである。よくやつてきた、と母から云つてもらひたかつたのである。歸還した私には、久しぶりで故國を見る嬉しさも、ただ母に會へる

といふことが一ばん大きなものであつたのだ。

母は若い時、武士的な躾を受けてきただけに、優しい中にも凛とした强靱なものを持つてゐた。私の出征の時、家のことは心配するなといつて、涙一つ見せず送つてくれたのであつた。冬の嚴寒に火鉢に手をかざしもせず、一日、疊の上に端然と坐を構へて、縫ひ物に餘念もなかつた慈母の姿が私の腦裡に泛んでくる。しかし、今は詮ないことである。

一週間程して、妻から子供を連れて面會に行くといふ手紙がきた。

その日、妻は子供と一緒に面會室に待つてゐた。私がはいつて行くと、妻はさすがに包みきれない喜びを面に表はしてゐたが、落ちついて『御機嫌さまで……』といつた。力なく垂れ下つてゐる私の白衣の右の袖を、ちらと見たやうであつたが、しばらくは言葉も出ないやうであつた。私は右手のない片腕で六つになつた子供を抱き上げてつよく頰をすりつけた。三つの時に別れた子供は、

この父に何かきまりの惡い樣子であつた。

話は、私の傷のことから母のことに移つていつたが、案外私が元氣なので、妻も久しぶりに會へた喜びにおひ〳〵心も晴れてゆくやうであつた。

半月程して、東京の陸軍病院へ轉送されることになつた。多くの傷兵達は鄉里の陸軍病院へ轉送されたが、私は義肢を要するので、東京へ行くことになつたのである。

夜九時の上りで廣島を發つ私達の一行は二十人ばかりの一團であつた。

私たちはプラットホームに列車を待ち合はせてゐた。下りのプラットホームにも一群の人々が列車を待ち合せてゐるのであつたが、私はふと、その人込みの中に田舍の人らしい一人の老婆が、頭を下げ兩手を合せて拜んでゐる姿を見つけた。合せた手は、たしかに白衣の私たち一行の方に向いてゐた。

私はいひ知れぬ心の動搖を覺え、思はず眼をそらしてベンチに腰を落した。

上り列車が到着して、私たちもそれ〴〵乘車して座席についた。

私の眼底からはいつまでもあの老婆の敬虔な姿が離れなかつた。一たい、私たちは何をしてきたのであらうか。私たちに果してそれに價するものがあるのであらうか。私たちはただ誰もがするやうに、戰場を馳驅して來たに過ぎないのである。戰ひの常の如く負傷したに過ぎないのであつた。負傷したといふことは、私たちに取つて時には、何か男らしいことをやつてきたといふ矜持を抱かせることもあり、それを以て自らを慰めることもあつた。それにしても、私たちの、いた〳〵しいこの傷痍の姿が、かくも尊いものであるのであらうか。

私は一瞬、われら日本のもつ母の姿をかいま見たやうな氣がしたのである。

私たちの魂は彈雨の中で洗ひ清められたやうにも思へた。彈丸雨飛のなかでは名譽も財産もなかつた。そこには少しの虛僞もゆるされなかつた。肉身のことも家庭のことも忘れてゐた。生死をさへ超越した。總ての妄執を斷ち切つた

姿であつた。頭上をかすめる彈丸の唸り、身邊に炸裂する砲彈の響きは私たちの心の雜念を盡く消し飛ばしてくれたのであつた。

戰友たちの汗と塵埃にまみれて、ぼうぼうと髭ののびた蒼黑い顏、異樣に鋭い底光りのする眼、それらは總ての欲念や煩惱を超越した、一種の悽愴な、悟りきつた美しさであつたともいへるであらう。またそこには一面、佛の慈悲の光りをさへ見ることができたかもしれない。

爛々としてはゐるが哲理のやうに澄みきつた瞳、力强くはあるが靜に整へられた呼吸、それは神の進軍ででもあるかのやうな、戰友たちの突擊前の姿を私は見たのであつた。

しかし、今見る私たちの心の姿のみすぼらしさはどうであらう。自分の將來の生活について私たちは何を考へてゐるであらうか。そこには果して己れを超越した純眞さがあるであらうか。不具者といふひがみにいささかも捉へられて

ゐるところはないであらうか。戰傷者といふ自惚に驕慢の態度がないといひ得るであらうか。

老婆の合掌に、私たちは何を以て應へればよいのであらう。私は思ふ。私たちも同じやうに敬虔な態度をもつて、この彈雨の間に洗ひ清められた魂を持ち續けて行かなければならないのだ。それ以外に私たちのそれに應へるものはないであらう。

列車は闇の中を走つてゐた。戰友たちは白衣の胸をはだけて眠りこけてゐた。

翌朝神戸に着いた。神戸、大阪では親戚の二、三人が迎へてくれた。私ばかりでなく、他の二、三の戰友たちにも知人の出迎へがあつた。皆んなが、御苦勞樣でした、傷は如何ですか、と訊ねてくれた。この附近の都會地にも銃後の緊張が感ぜられ、私たちを迎へてくれる人々も、ただ通り一遍の挨拶だけでな

71 断切

く、私たちに異常な關心をもつてゐるやうに思はれた。

いよ〳〵京都に近づいた。東寺の塔が右手に見え、列車はあまり美しくない街並を通り抜けて驛へ突入した。驛には妻子や親戚の誰彼、知人等の一團が待ちもうけてゐた。列車がとまると私はプラットホームへ降りて行つた。白衣にそれと氣づいた一團の人々が、私の周圍に集つてきた。私は、留守中はいろいろお世話になりまして、と一人一人に頭を下げた。停車は五分間で何を話す暇もなかつた。母の姿が見られないのが私には耐へ難いさびしさであつた。

列車が動き出すと、茂が誰かに高く抱き擧げられて見送つてゐた。私は軍帽を振りながら皆んなの姿が消えてゆくまで窓邊に立ちつくした。

列車の窓から投げ入れてくれた果物やお菓子を戰友たちに分配して、車内は陽氣になつたが、私の胸奥にはさびしいものがこびりついてゐた。またしても母のことを思つてゐるのであつた。

72 断切

名古屋では戰友の一人に出迎の人々があつた。プラットホームに降り立つた戰友は、まだ二つくらゐな赤ん坊を抱へて頰ずりをしてゐた。その傍に若い細君らしいのが立つてゐた。そして、髮の眞白な老婆が、眼に一杯涙を溜めながら、その樣子を見守つてゐた。

靜岡を過ぎると、祖國の表徵のやうな富士の雄姿が端然として、蓋ひかぶさるやうに車窓に迫つてきた。丹那を過ぎると熱海の附近まで、美しい海岸が浪に洗はれてゐた。二月末の太平洋は遙に煙る淡墨色の大島を越えて、果しなくひろがつてゐた。今や私達の胸は、祖國そのものに抱かれて、怪しいまでに脈打つてゐるのであつた。

たくさんの思ひ出と、祖國の懷しい見聞を乘せて、殆んど一息に本州の中部を走りつづけた列車と小田原で別れ、私たちは小田急電車に乘り換へた。

その日の夕方、私たちは相模ヶ原驛に着いたのだつた。驛の前には十軒ばか

73 断切

りの家があるだけで、病院らしいものは見當らず、淋しい野の中であつた。そこで病院の自動車に乘せられて、病院に運ばれて行つた。

74 断切

義手の作業

運動療法體操

劍術

製繩機

闘ふ義手

器械療法室

行幸記念碑

中庭

病院の廊下

玄關受付

入院

いよ〳〵病院に着くと、私たちの一團は、玄關口で各寮に分配せられ、衞生兵に引率せられて寮の收容班に收容せられた。私の所屬は東寮であつた。

ここ臨時東京第三陸軍病院には、旣に傷は治癒したがなほ機能障碍をのこしてゐるものや、補助器を要するもの、義肢を要するもの等が全國の陸軍病院から送られてくるのである。さうして、この病院は、あらゆる方面から最後の治療を行ひ、のこされた身體的能力を極度に發揮せしめ、職業の準備敎育をも施して退院後直ちに職業に從事せしめるといふ、特殊の機構によつて組織せられてゐるのである。

この特殊病院は、今事變になつて初めて設置せられたのであつて、今迄の日清、日露の役にはこのやうな設備はなかつた。その時代には、ある程度の治療を行つて、機能障碍をのこし職業に從事することの不能であるものは、不具癈疾者として、一生他人の介抱を要するものとして捨てられてあつたのである。しかし今度の事變になつてから、このやうな不具癈疾者をも、國家の生産因子として國家自身が復活せしめなければならない、新しい生活を與へ、新しい手足によつて自力更生せしめねばならない、といふ主旨によつてこの病院が設置せられたのである。

この病院へは前に畏くも　天皇陛下の臨幸を仰ぎ奉り、また當時參謀總長であらせられた閑院宮殿下を御迎へする光榮に浴したこともあつた。また私の在院中、篤志看護婦人會總裁宮妃殿下の御慰問を辱うし、會員としての各宮妃殿下をも御迎へ申した。當時傷兵の代表は廊下に整列して御出迎へ申し上げ、妃

殿下御手づから御慰問の花束を賜り、この一再ならぬ御仁慈に皆々感泣したのであつた。

病院玄關前の廣庭には、自然石でできた大きな「行幸記念碑」が建てられ、その傍にある撰文には

皇恩無邊畏クモ支那事變ノ傷病將兵ヲ御軫念アラセラレ眷遇殊ニ渥シ洵ニ恐懼感激ノ極ナリ陸軍當局　聖慮ヲ體シ軍內診療ノ徹底ヲ期センカ爲昭和十三年三月劃期的特殊機構ヲ具備セル本院ヲ創設セリ同十四年三月十四日　車駕臨幸親シク特殊診療ノ實況ヲ御巡覽シ給ヒ其ノ成果及傷兵退院後ノ狀況等ニ就キ又　優旨ヲ拜ス病院長陸軍軍醫少將吉植精逸以下職員傷兵咸ク感泣ス乃碑ヲ建テ　聖慮ヲ仰キ光榮ヲ萬古ニ傳フ

昭和十五年五月

臨時東京第三陸軍病院長

陸軍軍醫少將　押火權太郎撰竝書

と記されてあつて、傷病將兵に對する至仁の聖慮のほどを傳へてゐる。

私達はこの病院でそれぞれ自分に課せられた治療に精勵し、ひたすら自力更生の道に邁進したのであつた。

この病院は、病院といふ名稱であり、また病院に違ひないのであるが、病室とか病棟とかいふ言葉は用ひられず、私たちの起居するところは寮と呼ばれてゐた。またここの傷兵達はみんな軍服を着用してゐた。病院ではあつたが、いはば再起の訓練所であり、自力更生の道場でもあつたのである。

病院は相模ヶ原の野の中にあつた。周圍は雜木林、松林、畑などに圍まれ、西の方は廣々とした相模ヶ原の演習地が遙かに大山、丹澤の山脈に續くやうであつた。建物はバラック建で灰白色のスレート葺の屋根が幾棟も連つてゐた。寮には東寮、中寮、西寮、南寮があつた。これらの寮が中庭や花壇、農園などに圍まれてゐた。やがて春ともなれば、陽ざしに輝きつつ芽ぐんでゆく樹々の

みどりに、私たちの更生の意氣も自然と燃え立つてゆくのである。また秋は芒（すすき）の穗を吹き渡る風に、夜を徹して啼きすだく虫の聲に、哀愁の心を一しほそそられるのであつた。

寮の生活

東寮の収容班に収容せられた私は、機能檢査室で精密な身體一般の機能檢査を受けた。私はただ腕が亡失してゐるといふだけだつたから簡單であつたが、その機能障碍の部位、性質などによつて、他の傷兵たちは、障碍のある骨、筋肉の諸方面からの檢査は勿論、内臓の機能についても詳しい檢査が施され、中には精密な精神機能の檢査を受けるものもあつた。さうして、その結果によつて、それぞれの治療法が課せられた。

私は収容班から第〇號舍に移つた。ここで私は在院中の生活をすることになつたのである。

一寮は〇〇號舍に分れてゐた。縦の廊下に沿うて兩側に〇〇の建物が並んでゐて、一寮には〇〇にちかい傷兵がゐた。從つて寮内は大へん賑やかで廊下も街の人通りのやうであつた。私のやうに隻腕のものもあり、隻腕でなくとも腕の全く使へないものもあつて、左手で敬禮をして通り過ぎるものも多かつた。跛行して行くものも多く、また鐵脚をコツン〳〵と響かせながら行く隻脚のものもあつた。胴や四肢に補助器をつけてゐるものもあつた。しかし、ずゐぶん不自由さうに歩いてゐるものも多かつたが、ここでは杖をついてゐるものは比較的尠なかつた。杖はできるだけ使用させないといふのがこの病院の治療方針だつたからである。杖を使用してゐたのではいつまでも歩けないから、杖なしで歩行の練習をせねばいかぬといふのであつた。

傷兵といつても、この病院には看護を要するとか、毎日繃帶交換を要するものは僅少であつたし、また戰地で罹患したマラリアが再發したり、ここで再手

術を受けたものが就床してゐるくらゐで、その他には殆んど始終寢臺に就いてゐなければならないものはゐなかつた。從つて寮内の生活は普通軍隊の兵舍の生活と大差ないのである。勿論、日々の日課時限が定められてあつて、朝夕には整列して點呼を取つた。食事も食堂に集つて賑々しく攝つた。號舍内外の掃除もやつた。自分の襦袢(じゆばん)やサル股の洗濯もした。日中は理學療法や、運動療法や、職業準備教育に出かけて、室内には殆ど傷兵はゐなかつた。ただ寢臺の傍の手箱の上に可愛いゝ人形が飾られてあつたり、手箱や卓上に慰問の草花が挿されてあつたりするのが、いくらか兵營内の空氣とは違つてゐるくらゐなものであつた。

ここは、全國から集つてきた傷兵だけに、言葉も地方地方の調子や方言が入り亂れてゐた。その上に戰地からのひき續きで、快々的(カイカイデー)や慢々的(マンマンデー)といふやうな一つ覺えの支那語まで混つてゐた。誰にでも先生(シーサン)、先生(シーサン)と浴せかける支那通も

あつた。

日課のひまには戰地の功名談や體驗談に陶酔してゐる一團もあり、書道や呂刺(ろさし)、将棋や圍碁に夢中になつてゐるもの、尺八その他の樂器をもてあそんでゐるものもあつた。

しかしこの病院にくるまでには、どの傷兵も戰地から半年以上も病院生活を續けてきたので、病院生活にはもはや相當倦怠をおぼえ、家庭の生活にあこがれてゐない兵は殆どないといつてよかつた。みんな家庭を離れて二年三年以上にもなるので退院の日を待ちこがれてゐた。なかにははやく退院したいばかりに、軍醫の前では患部の神經痛や、痲痺感が癒つたやうな顔をして見せるのもあつたが、かうしたのがたま〳〵退院してゆくことがあつても、さて退院した後では矢張り無理に退院したことを後悔するものが多かつた。

新しい傷兵が次ぎ〳〵に轉送せられて來、また次ぎ〳〵に退院して行つたが

大抵はこの病院で半年ぢかくの間治療や訓練を受けてゐるものが多かつた。退院してゆく傷兵は私たちの羨望の的であつた。朗かに、包みきれぬ嬉しさを顔にあらはして病院の玄關を出てゆく退院者を、私たちはいつも玄關まで見送るのであるが、そのたびについさびしい氣持にもなるのであつた。

しかし今まで私たちが通つてきた病院のやうに始終苦しみに呻吟してゐるものもなく、血の滲んだ繃帶を見ることも少なく、陰慘なものはなかつた。比較的明朗な氣分で、將來の希望に燃えつゝ、たれもが更生の努力を續けてゐるのであつた。

私の切斷した右手は冬の間ぢゆう冷たく、まるで溫まることはなかつた。ただ冷却感があるばかりでなく、左手で握つてみても、血液が通つてゐないやうに冷たかつた。こゝへ來た三月初めには、煖爐の傍にゐて左手は紅くなるほど

熱くなつてゐても右の方はいつまでも冷たかつた。夜など冷却しきつてゐて寢られないこともあつた。患肢の方を下にして寢る方が氣持がよかつた。そして、床の中の毛布が自然に溫まつてくると、やうやく寢つくやうなことが多かつたが、それでも四月頃になつて氣候が暖くなると自然患肢も溫くなつた。

依然として切斷端は握り拳を握りつめてゐるやうな感じであつた。無い指の感じもあつて、無いはずの指の先きに疼痛を感じたり痛みをおぼえたりした。この握り拳の感じは苦痛であつた。何かのとき握り加減が緩められ、指が開いてゆくやうな感じのときは非常に氣持がよかつた。

この握りつめた感じは天候によつて差があつた。雨天の前日が最もその感じがつよかつた。雨天や曇天の日はすつかり握りつめた感じであつたが、晴天の日はいくらか握つた感じがゆるめられ、そして最も氣持のよい時は、拇指と示指で環を描いたやうな程度にひろげられてゐる感じであつた。どうかすると、

夜間に眼をさました時など、すつかり指がひろがつてゐる感じの時があつた。そんな時は、思はずいひ知れぬ快感をおぼえるのであつた。

切斷肢が冷たくて眠れぬやうな時、隻脚の人がコツン、コツンと鐵脚を夜寒の廊下に響かせながら便所へでも通ふらしい音をよく聞いた。やはり切斷脚の人も冷えて眠れないのであらうと思つた。そして又、長い廊下にまで霧や靄がたてこめて、遠くの廊下を往來する人が朦朧としか見えないやうな濕つぽい空氣の時は、握り拳が著しく締めつけられて不快この上もなかつた。

私は寮の中では裸になり、傷兵仲間を前にして切斷肢を露出してゐても平氣であつたが、廊下や院庭などでは、往き交ふ人たちが――傷兵でも外來人でも、云ひ合はしたやうに、軍服の片袖が途中からがつくり垂れ下つてゐるのを見つめながら通り過ぎるので、何ともいへないいやな感じであつた。これは理窟でなく、自分でも何ともならない感情であつた。

衛生材料廠へ義肢のことで外出したり、また慰問招待などで外出する時、街の人々は必らず腕のない袖を見つめた。これは氣持のよいものではなかつた。同じ傷兵たちと歩いてゐても、手や脚のない私たちが最もよく目だつのであつた。街で、ふと、子供たちに敬禮されるやうなこともあつたが、そんな時でも、寧ろさびしい思ひがした。

義肢ができてからは、裝飾用義肢を着けて手袋をはめると、ちよつと人にはわからなかつたが、これも時々思ひがけないところで失敗することがあつた。

ある外出の時、小田急の電車の中で義肢をつけて手のあるやうな恰好で座席にすましてゐた。ところが何のはずみだつたか、私はうかつにも義肢を隣りの人の膝の上へガタリと打ちつけたのである。その途端にその人は、膝にぶつかつた白い奇妙な、エナメルを塗つたやうな得態の知れぬものに驚いて、起ち上るなり驚きの眼で私を見つめてゐるのである。そのただならぬ氣配に、電車の

全乗客が私をじろ〳〵見はじめた。私は赧くなつて、すつかりてれてしまつたのだつた。

こんなことがあつてからは、私は装飾用義肢を着けた時は、電車の中などでは特に注意して左の手で義肢の指のところを握つて、膝の上に手を揃へてゐるやうにしてゐたのであるが、それでも、昇降する時の人込みの中では人と人との間に義肢を挾まれて困つたり、出入口の扉や柱などへぶつつけて、ひやつとしたこともしば〳〵であつた。

作業用義肢は院内で作業練習をする時だけに使用したのであるが、作業の時は別に變な氣持にもならなかつた。ところが、義肢の作業が映畫に撮られて、後日それを院内の銀幕で見せてもらつた時には、太い火箸のやうな鐵腕がスコップをふるひ、鍬を振り上げてゐるのを見ると、なんだかいやな氣持がした。

寮には各〻二つづつ大食堂の設備があつた。ひろ〳〵とした室に食卓と椅子がぎつしり並んでゐて、一つの食堂では〇〇人以上の者がいち時に食事することができた。まはりの壁には寄贈の大きな繪の額面が懸けてあり、また食事にはなか〳〵の御馳走があつた。カレー汁やシチユー汁は普通であつたが、鰻めしや、舌の上で溶けるやうな鮪のトロが味覺神經を驚かすこともあつた。ある時などは、日本橋邊の威勢のよい人々の奉仕で、大鮪が炊事場に持ちこまれ、ぶつぎりの大刺身が食卓に並べられたこともあつた。

ある日、この食堂で戰線の食ひもの話がはずんだ。

同じ戰線でも、山西方面へ行つたものが食物には最も苦勞したのであるが、その山西方面の部隊にゐた傷兵が話した。

『自分たちの部隊は支那へ上陸して以來、日本米といふものは殆ど食つたことがなかつた。支那米か粟ばかりだつた。支那米も時々民家から籾を見つけ出し

ては籾磨りをやり、やつと玄米にありつけたんだ。それも滿腹などといふことはのぞめない。一人一日一合五勺くらゐづつだつた。』

『自分の部隊は山西省のある縣城で全く敵に包圍されて、城外との交通を遮斷されてしまつた。食物は皆無だつた。馬糧の麥が少しばかりあつたので、その麥を粥にして食つた。それもまもなく盡きて何も食ふものはなくなつた。やうやく一週間めに友軍に救ひ出されたんだ。』

この他にも粟の粥を食つてゐたといふものが二、三人ゐた。かと思ふと、野菜ものが何もなくて、蒜草の蕊をつんで食つたといふものもあつた。

こんな話もあつた。同じ山西での話だつた。

『……米がなかつたので柿と甘藷ばかり食つてゐた時があつた。柿は大きな澁柿で、一晩湯に漬けておいて、澁をぬいて食つたんだが……。』

この傷兵は、この澁柿を食つたといふことに關聯してこんなことを話した。

『ある陸軍病院で見聞したのだが、一人の兵は胃袋の中に大きな腫物(しゆもつ)ができてゐるといふので入院した。軍醫はともかく手術をするといふので胃を切開した。すると胃の中から出てきたのは大きな石のやうな塊りであつた。しかし、よく見ると、それは柿の塊であることがわかつた。つまり、食つた柿が消化せずに澁で塊りになつてゐたのだ。』

ある傷兵は、何も食ふものがないので、高粱の粉末や、麥の粉を團子にして飯盒の中にいれてゐたが、この團子はクリークの濁り水でかためただけで、ふかしも燒きもせず、そのまゝ食ふのであつた。それでも、ぼろ〳〵の支那米よりはこの方がはるかにうまかつたといつた。

また、黄河の南方地域を進軍した傷兵は、

『……その時は友軍は敵軍に包圍されてゐた。我々はその包圍圏内を、前方の部落を奪取しつゝ進んでいつた。その奪取した部落から更に前進して又次ぎの

部落を取ると、我々の出發していつた部落にはもう敵軍が入つてくるといふ有樣だ。かうした敵の包圍狀況では勿論食糧などはなく、部落にも米などはなかつた。ただ部落には牛だけがゐた。それで仕方なくその牛を撲殺しては煮たり、燒いたりして食つた。殆ど一箇月の間、牛の肉ばかりを食つたんだが、すると、みんな肌一面に紅い發疹ができて弱つた。』

私はただ反射的に堅いだけで、少しもうま味のない水牛の肉を思ひ出した。

私と同じ切斷患者であるノモンハンの勇士の話――

『ノモンハンの戰鬪の時、〇日ほど何も食はなかつたことがあつた。この草原の中には部落などなく、從つて現地物資は何もなく、兵站も續かなかつた。自分たちの携帶口糧が盡きると後には何もなかつた。ただ野の雜草を嚙んでゐた。飲む水もなかつた。この〇日の間にただ一回だけ降雨があつた。その時、天幕に雨を受けてこれを飲んだが、その他にはまつたく飲食するものは皆無だ

つた。この時ばかりは全く體力一つだと考へた。』

誰かが、

『倒れてゐた支那兵（ニイコ）の背嚢にあつた煎餅のやうな口糧を食つたが、何も食ふものがなかつた時なのでとてもうまかつたよ。』

『全くだ。僕も、支那兵（ニイコ）の携帶口糧の糒（ほしい）を食つた。すき腹の時は何んでも食へるものだな。』

『戰線で疲勞の極に達した時、羊羹を持つてゐたものがあつて、その一片（きれ）をおれにくれたが、あゝした時の、あまみの味は一生忘れられないね。』

浴室は各寮に一箇所づつあつた。建物は勿論バラックであつたが、浴場内には化粧瓦が美しく敷きつめられ、壁には各地の溫泉場の風景などがパノラマのやうに描かれてあつた。その綠の風景がひろい浴槽の底に映つてゐた。浴槽に

は熱海溫泉とか、有馬溫泉とか、草津溫泉といふやうな名稱札がかけてあつてそれ〴〵その溫泉の溫泉華がいれてあつた。浴室の隣りには種々の關節運動器械が備へつけてあつて、入浴後傷兵たちは器械を廻したり、足で踏んだりして、曲らぬ腕や、展びぬ脚の運動練習をした。

浴室は清潔で美しく氣持がよかつたが、こゝほど傷兵たちの赤裸々な姿を見せつけられる處は他にない。

片脚の兵がピョン、ピョンと跳びながら、浴槽に近づいてくるかと思ふと、背に大きな瘢痕のある兵がしきりに手拭を使つてゐた。また、片腕が枯木のやうに萎えた兵が左手で湯を汲みだしてゐた。かと思ふと、浴槽の中からぬつと起ち上つた兵は私と同じやうに片手がなかつた。その切斷端の瘤のやうな肉塊が無氣味であつた。同時に又、鏡に映る私自身の右腕のない姿も異常なものであつた。

日が經つにつれて次第に馴れてはいつたが、初めのうちはこの浴場内の情景は私の胸に何か生々しい悲壯なものをもつて迫つてくるのだつた。がしかし、これらの無くなつた一つ一つの腕や脚が東洋の平和を組み上げてゆきつつあるのだ、いや、一本の腕や脚はおろか、戰線には數知れぬ幾多の英靈が一つ一つその礎石となつてゐるのだとかんがへると、ひとりでに嚴肅な氣分に閉ざされてゆくのだつた。

寮と寮との間や、號舍の間にある空地などには、花壇や庭園が造られてあつた。春はチユウリツプが一面に花をつけ、夏は百合が淸楚な姿に露を含んで、しとやかな匂ひを放つた。これらの花壇や庭園は附近の中學校や女學校、その他各種の團體の人たちの奉仕によつて出來たものであつて、それには奉仕者が思ひ思ひに名づけた「愛の園」とか、「青春の園」とかいふ名札とその奉仕團體

の名稱を書いた札が立てられてあつた。

その季節にはそれ等の奉仕の人たちが、草を取つて清掃し、季節の草花を植ゑ換へてゐる姿を見受けた。一團の女學生が先生に引率されて、臑を出した素足のまま土を掘り返したり、塵芥を運んだりして奉仕の汗を流してゐるのが見られた。私達はこれらの人々に、廊下や號舍の窓から感謝の眸を投げながら、そのけなげな姿に胸打たれるのであつた。

南寮の號舍の間や、南寮の西側のプールから野外演藝場にかけて自然の松林があつた。私は好んでよくそこを散歩した。四季を通じてかはらぬ綠、參差する自然木のたたずまい——この松林は私たちに自然の安靜と、なにか思索的なものを與へてくれた。

夏の朝、まだ起床のサイレンが鳴る前に、私はよく東寮の東側の後園へ出ていつた。

この園は病院の玄關の北寄りから東寮へかけての廣い日本式の庭園で、そこの廣い池には水馬が靜かな波紋を描きながら、すい〳〵と飛んでゐた。築山の頂から流れおちる瀧壺につづく小池には緋鯉が悠々と泳いでゐた。夢からさめたやうな水蓮が、朝靄の中にくつきりと浮んでゐた。また廣い芝生は青々として、しつとり露に濡れてゐた。

花壇には、チユウリツプやアネモネの花はいつの間にかすぎて、桔梗と芙蓉とが露を浴びてゐた。

薄く朝靄をこめた東の松林のかなた、〇〇部隊の兵舍を越えて、太陽が遙かの地平線を二間ばかりはなれて大きく昇つてゐた。燃えるやうな深紅の暈をつけてゐる。

一人の傷兵が寮舍から出てきた。芝生の上に立つて、東に向つて敬虔な態度で合掌してゐる。皇居を遙拜してゐるのだ。すべての塵を朝露に沈めつくした

靜かな園。私は感慨に震ふ胸を抑へつゝその後姿をじつと視た。

ふり返へると、又一人の傷兵が出てきた。靜かに東に向つて軍隊式の敬禮をして、更に西に向つて敬禮をすますと、靜かに園を歩いていつた。

園にはいつの間にか傷兵たちの數が增してきた。

右脚を上部から足背まで全部繃帶した傷兵が、脚をひきずり〳〵出てきた。東から始めて、北西南の四方に向つて軍隊式の敬禮をした。その後で更に東に向つて、何か低い聲で祈りの言葉を誦してゐた。一人の傷兵は高く額の前で合掌してゐた。

太陽は見る〳〵昇つていつた。さうして深紅の暈が次第に薄れていつた。がまだ松林の梢をはなれてゐない。陽は旣に寮舍のスレート葺の屋根にさしてゐたが、芝生にはただ梢を漏れる淡い陽影が處どころにさしてゐるばかりであつた。やがて起床のサイレンが響きわたつた。

この後園だけでなく、中庭の松林へも私は曉け方の散歩をした。こゝには猿を飼つた金網の家舍があつて、時々この猿に食べ物を投げてやつた。

夜もこれ等の園や松林のベンチに腰を下して、思索のひと時をすごすこともあつた。

班の人々

各號舎は四班に分れてゐた。一つの班には二十餘名の傷兵が寢臺を並べてゐた。私は第二班であつたが、これ等の傷兵は傷の場所も各〻異つてゐたし、負傷した戰場もいろ〳〵で、中支、南支、北支は勿論、ノモンハンの勇士も混つてゐた。

これ等の傷兵の中に左手切斷の松並といふ上等兵がゐた。彼はノモンハンの勇士で、時々ノモンハンの激烈な戰鬪の話しをしてくれた。

……飲みも食ひもせず頑張つた〇日目であつた。八月三十日のいつまでも暮れかねてゐる大陸の夕陽が、ノモンハン草原の地平線に、名殘を惜しみつゝ夕

映えてゐた。

友軍は敵の占據してゐる稜線に向つて突撃していつた。松並は一人の敵兵を突き伏せて、反射的に他の敵を物色した瞬間であつた。左上膊に貫通銃創を受けたのであつた。止むを得ず後退して塹壕の中にはいつた。さうして日はもうとつぷり暮れきつてしまつた。百メートルばかり後方に〇〇本部がゐたが、それと思はれる闇の中をつたはつて、『負傷者は後退！』といふ聲をどこからといふことなく聞いたやうな氣がした。彼は塹壕から出た。敵の曳火彈や手榴彈が頭の上を絶え間なく流れてゐた。少しでも頭を上げると、すぐ小銃彈が集中してくるのであつた。

このノモンハンの草原は二尺ばかりの草で埋もれてゐた。彼は伏せたまゝ、右手に草を握りしめて一尺進んだ。再び草を握りかへて更に一尺進んだ。かうして五十メートル程の距離を退つて行くと、そこからは後方への交通壕になつ

てゐた。交通壕の中には彼のすぐ前にも傷者がゐた。さうしてなか〳〵動かないので、闇の中で、

『早く行かぬか。』

といつたが、負傷者は應へなかつた。闇の中に眼を凝らして見ると、その人は將校らしいのである。さうしてどこかで見覺えのある人らしいのであつた。氣をつけて見ると、その人の前にもそのまた前にも傷者がゐるのである。交通壕の中は傷者で充滿してゐたのだ。〇〇本部まで約五十メートルの間ぎつしりと傷者でつまつてゐるのであつた。さうして停車場の切符でも買ふ時のやうに重なりあつて一歩づつ進んで行くのであつた。

かうしてやうやく〇〇本部の處まで引き上げ、更に敵の包圍の中を、ハイラルの陸軍病院まで辿りつくことができた。ここで彼は切斷の宣告を受けたのであつた。

彼もやはり私と同じやうに亡失した手の指の感じがあり、いつも握り拳を固めてゐるやうな感じがあつて、夜は何となく切斷肢が苦しくて眠られぬまゝに反轉することがあるといつてゐた。

高宮といふ下肢切斷の兵がゐた。彼は漢口攻略戰のとき田家鎮で負傷した熊本縣出身の兵であつたが、彼もまた手の切斷者と同樣に、亡失した脚に趾の感じがあつた。趾の先にしびれたやうな感じや痒い感じがあつた。しかし手のやうに握り拳が固められてゐるやうな感じはなかつた。が、やはり夜寢る時には大腿以下が重苦しく、何ともいへぬ苦痛があるといつてゐた。

伊藤は、右手の拇指と小指が殘つてゐるきりで、中の三指は亡失してゐた。殆ど右手は使へなかつた。やつと煙草をはさめる程度であつたが、彼もやはり亡失した指の感覺があり、斷端が締めつけられるやうな感じがあつた。

竹田は、右上膊の貫通銃創で、傷は治癒してゐたが、受傷部の神經が挫滅離

斷されてゐたのであつた。そのため右手は全く運動不能で枯木そつくりに痩せてゐた。彼は東一病院へ送られて、神經手術を受けたのであつた。挫滅してゐる神經の部分を切開し、その部分の神經を取り除き、その跡の足らぬ神經の部分へ、病院にアルコール漬にして貯へられてあつた他の神經を繼ぎ合はせてもらつたのである。さうして今では少しづつ手が動くやうになつてゐた。

ある日、竹田が何かのはずみに卓上の花瓶をひつくり返したことがあつた。口の惡いのが、

『おい氣をつけろよ。君の繼いでもらつた神經は餘ほど慌て者の神經らしい。』

といつた。

『いや、人間の神經ぢやないんだ。あれは兎の神經だから、今に眼の球が赤くなるよ。』

別の一人がひやかした。すると又、

『なに、泥棒の神經だよ。手癖に氣をつけろよ。』

と冗談をいふものがあつた。竹田は笑つてしまつたが、それから二、三日經つたある朝、彼は、昨夜自分はいくら制しようとしても自分の意志にどうしても從はない右の手が、他人の机の上の物を握つてくる夢を見た、と私にいつた。私は『ばか〱しい、神經を病むなよ。』と強くいつたのだつたが、竹田も時にはかうした夢を見るほど、何ものの神經かと變な氣持になることもあるらしいのであつた。

宮井は、右手の砲彈創で、掌の肉が大部分剝がれてしまつてゐた。その掌へ自分の大腿の皮膚をそいで移植してもらつたのであつた。お蔭で掌らしい恰好にもなり、皮もできたのであるが、毛深い彼の大腿には相當毛が生えてゐたと見えて、大腿から掌へ移植した皮膚にも毛が生えてくるのだつた。だから『また延びやがつた。』などと呟きながら、掌の毛を髭を剃るやうに月に何回かは剃

らなければならなかつた。

『その手では女の子との握手は出來ないだらうな。』と、ひやかすと、

『手袋をはめてをれば差支へないさ。』と、彼も相當なものであつた。

『手袋なんかぢやシックリとこないぢやないか。』

『フフ、手袋の方がむつくりしてゐていいよ。羨むなよ。すでに實驗濟なんだから。』

彼はいつでもかうして朗かに應酬してゐたが、しかし、毛の生えた掌をつくづく眺めては、さすがに時には變な氣持にもなるらしいのであつた。

東一病院には上膊を砲彈ですつかり取られてしまひ、頭部の皮膚を翻轉して上膊に移植してもらつた傷兵がゐた。この傷兵は上膊が立派に出來上つたばかりか、髭まで眞黑いのが生えてゐると聞いてゐた。無論鼻の下に毛が生えるのならば尋常であるが、掌の毛ではいかにも人類進化途上のある時代を見るやう

で變な氣がするのも道理だつた。

神原は、右上膊の貫通銃創で、無論創は癒えてゐたが、右の前膊から指にかけての疼痛が一種の條件のもとに奇妙に發作的にくるのであつた。彼は常に濡れタオルを右の手に握つてゐた。その濡れタオルを握つてゐれば疼痛は輕快になつてゐるのであつたが、それを使用してゐないとすぐ疼痛の發作があつた。その疼痛は灼熱したやうな、火傷をした時のやうな、何とも形容のできない痛さであつた。

乾燥した物が彼の手に觸れると、飛び上るほど痛いのであつた。看護婦が觸れる時にも、軍醫が診察をする時にも、何の氣なしに手を觸れると、『あッ』と思はず叫び聲をあげる程であつた。

『そんなに痛いのか。』

と軍醫も頭をかしげる程、猛烈なものであつた。また何か異樣な叫び聲を聞

いたり、烈しい響きを聞いても、班の入口の扉や、窓の硝子戸が開閉せられる音にさへビク／＼と痛むのであつた。

何か危險な狀景に接すると、殊に疼痛が烈しかつた。奉仕の婦人會の人たちが窓に上つて硝子を拭いてゐるとき、彼はふとこれを見上げて激しい疼きを覺え、それを見ることができないのであつた。

『神原、けふは窓拭きの婦人たちがきたよ。』

と戰友たちが告げると、彼はもう室内にゐたたまらず、倉惶として出て行くのであつた。

外出の時にも、電車から下りた人の足許が少しふらつくやうな光景を見たり、自轉車が人波を分けながら走つてゆくのを見てさへ苦痛に耐へなかつた。まして電車の前を人が橫斷するのを見ると、思はず苦痛の叫びをあげた。

彼は歸還の途中船の中が最も苦しかつた。船のタラップを登つて行く時、そ

れだけでも痛むのであつたが、先に昇つて行く一人がよろけかけたのを見た時には疼痛がいつまでも治らなかつた。また船の階段を上下する時、鐵板の上を靴がクユ、クユと滑るやうな音をたてると、その度に電氣にかけられたやうにビク／＼した。

かうした外からの刺戟ばかりでなく、單なる感情の動搖によつても疼痛があつて、何となく思ひ惱んでゐる時、氣分が明朗でない時など疼痛は續いた。

天候にも關係があつた。晴天の日は比較的よかつたが、雨の日には最も氣持が惡かつた。雨が降つてしまふとそれほどでもなかつたが、雨の前日が最も惡かつた。

『神原、明日は天氣かね。』

と私達はよく訊ねたものである。

『明日は雨だよ。』

と神原が顏を歪めながらいふと、ラジオの天氣豫報よりも正確にその日は必らず雨が降るのである。

『一たい神經痛といふものはそんなものかね。』と、訊ねると、

『いや俺のは神經痛ぢやないのだ。軍醫は交感神經性動脈痛といふのだと敎へてくれた。』といつて、

『僕は廣島の病院でも自分と同じ患者を見たが、その患者は僕よりも烈しく、手も足も痛みにおびやかされてゐた。敷布も、藁蒲團も、寢臺中べと／＼に濡らしてゐた。』

と神原は顏を曇らしてゐた。

木藤は、下肢の創傷で、傷は癒えてゐたが膝關節の癩痺があつた。步行困難で、よほど努力をしてやつと跛行できる程度であつた。彼は補助器を着けてゐた。それは、膝の上にヅックを屋根瓦狀に重ね、それを編上靴のやうに紐で編

みあげたものであつて、その中央膝關節の部に壓挺子が施されてあつた。この補助器を着けると比較的常人のやうに步くことが出來た。

竹本は、脊柱骨折で殆ど軀幹全部にコルセットを着けてゐた。まるで鎧をつけたやうな恰好であつた。

班内にはかうした種々雜多の傷兵がゐた。誰かが「百鬼夜行だ」といつたが、それほど毛色の變つたものが集つてゐたのであつた。

しかしかうした連中も、割合に暢氣で、班内の雰圍氣は明朗であつた。必ず再起して見せる、健康人に負けるものかといふ意氣に燃えてゐた。非常時國家の人的資材として、何かの業務に邁進せねばならぬとかたく決心してゐたのであつた。

ある日、班の連中が卓をかこんで戰地の思ひ出話に興じてゐたが、話は何か

の機會から、死ぬ瞬間についてのことにおよんだ。

小木は工兵であつたが、廣東方面でのことであつた。トラック二臺に一小隊が分乘して架橋のために目的地に向つた。彼のトラックには架橋材料を多く積みこんでゐたので、兵隊は十人ほどしか乘つてゐなかつた。街道の片側は籔であつたが、その籔陰から突然二百くらゐの敵が襲撃してきた。彼はトラックから飛び降りると、トラックの下に伏せて射撃した。最初右下腿に一彈を受け、次いで左下腿に二彈を受けた。更に上膊に一彈を受けて、もう右手での射撃は不可能となつた。その時までに既に十彈を射つてゐた。あとの五彈は左手で射つた。次に掌に一彈を受けた。

敵兵が近よつて來てトラックのガソリンに火を點けた。彼は最後の一彈でその敵兵を射つた。今まで死んだものとばかり思つてゐたらしい敵兵は、びつくりしてまた一彈を彼にくれた。その彈が肩から胸に入つて盲貫となつた。暫ら

くして敵は、味方が全滅したものと思つて引き上げていつた。

彼は口がから〳〵に乾いて、物に輪がかゝつて見えはじめた。もう死が迫つてゐると自分で思つた。で、小隊長に、自分のやられたことを報告し、天皇陛下萬歳を唱へた。すると、遠くの方から銃聲が聽えてくるやうに思つたが、そのまま意識不明に陷つたのであつた。まもなく遲れ馳せにきたトラックに救はれ、意識不明のまま野戰病院に運ばれた。それから三日目に、やうやく意識を取り戻したのだつた。

初め遠くの方で話し聲が聞え、それが次第に明瞭になつて、自分の周圍で人が話をしてゐることがわかつてきた。眼を開いてみると、ぼんやり室内が見えたが、遠近がわからなかつた。しかしそのうちに、遠近もはつきりして立體的なものが判然としてきた。

野田は機關銃手であつた。山西省翼縣附近の戰闘の時、敵の山砲彈が落下し

て、機關銃は破壞せられ二名は戰死し、野田は二十四箇所の砲彈破片創を受けた。今なほ野田の肩胛部、背部、胸部、肺等には微小ではあるが、無數の留彈があるのである。彼はこの負傷の時喀血した。さうして裸で熱い湯の中に飛びこんだやうに全身が熱くなるかと思ふと人事不省になつたのであつたが、翌日の夕刻になつて野戰病院のベットの上でやうやく意識を恢復したのであつた。

德見は機關銃隊の上等兵であつた。彼が山西省で警備中の時であつた。一大隊ほどの支那の歸順兵がゐた。この歸順兵が某部落を討伐することになつて、德見の部隊は機關銃隊一小隊だけを、この歸順兵の應援として附けられたのであつた。やがて歸順隊は部落を包圍し、そして戰闘がはじまつたのだつたが、そのうちに歸順兵に四、五名の負傷兵ができると、この歸順部隊は全部混亂に陷つてしまつて、ばら〳〵に逃げだしてしまつた。無論、機關銃隊一小隊だけでは戰闘はできないので、やむを得ず本隊の駐屯地へ引上げることになつた。

ちやうど、三月頃の麥畑が連つてゐる田圃の中で、高粱の稈が積み重ねてあつた。この高粱の稈の上からトラックに乘り移らうとする瞬間、敵彈が彼の胸を貫いたのである。德見は畑の中へ墜落した。すると、その途端に物が見えなくなり、急に眼前に焔のやうなものが燃えるやうに輝いて見えたが、そのまゝ意識を失つてしまつた。トラックへ運ばれて病院へ入院したその翌日の午後になつて、彼はやうやく意識を取り戻したのだつたが、覺醒の時は、やはり遠くで話し聲が聞え、次にぼんやり物が見えてきた。それが次第に近くなり明瞭になつてきたのであつた。

これは、戰爭の話ではないが、私は一度死んだ人が再生した體驗談を聞いたことがある。

その話の主人公は腫物（はれもの）を切開するために病院に入院したのであるが、何かの手違ひで內服藥と間違へて、濃厚なまだ薄めてない消毒用の石炭酸を、內服藥

の分量ほど飲用したのである。さうして熱湯の中に裸で飛びこんだやうな氣がして、全く知覺を失つてしまつた。

すぐに胃洗滌が行はれ、多くの注射藥がうたれたが、呼吸は劇藥を飲むと間もなく止まり、心臟の鼓動は三十分間ほどして絶えてしまつた。醫師も旣に見込なしとして引きあげてしまつた。しかし彼の父は前に擬似コレラに罹つて冷くなつてしまつた義妹を、熱い飯で溫めて蘇生させたことを思ひ出したので、この時も彼の死體にこれを應用してみようと、そこで飯を布に包んで、湯の中に入れ、引きあげて水分を切り、乾いた布に包んで、全身を溫めた。午前一時頃から夜の明ける頃まで溫めつづけたのであつた。

すると、東が白む頃、眼が少し動いたやうな氣がして、さうして一分間に二三回心臟の鼓動が始つてきたのである。次には咽喉から小さな唸り聲が出てきた。そして、とう〳〵生きかへつた。再び醫師を呼びにやつたが、醫師はたと

ひ一同蘇生はしてもいづれは駄目だらうといつて歸つていつた。しかしその人はそのまゝ健康を取り戻したのであつた。

この人が蘇生する時には初め口の中に何か楕圓形のものがはいつてゐるのを感じたといふが、これは杓子の柄が啣へさせてあつたためであつた。次に遠い所で話す人聲が聞え、遠くの方に幾人か小さい人が見えてきた。そして時間が經つに從つてその幽かな聲や、遠い人がだん〳〵近くなつて、彼の側にゐる人であることがわかつたといふことである。

小木、野田、德見らの話しや、この人の體驗を聞くと、死ぬ時には先づ視覺を失ひ、次には聽覺を失つて行くやうな順序になるらしい。そして蘇生の時はこれと反對に先づ耳、次に眼といふ順序に感覺が生じてくるやうに思はれる。夏目漱石が修善寺の旅舍で大吐血をして人事不省におちいつた時、醫者達が大騷ぎをして、脈が微弱だとか何とか言つてゐるのが聞えてゐたとその思ひ出に

書いてゐるが、死の瞬間にも耳は比較的長く聞えてゐるらしい。

この視覺、聽覺の消失なり、また蘇生の順序といふものは、結局構造の簡單な器官の感覺が複雜なものより、死ぬ時は後まで殘り、恢復する時は、反對に複雜な器官の方が修繕に長い時間を要するものと思はれるのである。

野田の體驗も、石炭酸を飲んだ人の話しも、湯の中へ飛びこんだやうな感覺を訴へてゐるが、かうした感じは一部の人に共通のやうに思はれる。

また、德見は焰のやうなものが見えたといつたが、私はある老婆が人事不省におちいつた時に、燈の赤々とついた美しい所へ行つたといふのを聞いたことがある。又ある體驗者は、死におちいつた時には龜甲型の赤い幕が見え、それが青色に變じ、最後に黑くなつたといつてゐる。これはおそらく網膜の裏を見てゐるのであらう。かうしたことが時には天國となり、極樂となつて、死の體驗者から語られるのではなからうか。

小木も野田も德見も、死んでみた經驗では一向に苦痛などはないといふのだつた。たれも生れる時の苦痛を知らないと同樣に死ぬ時にも苦痛を覺えないといふのであつた。たれでも死ぬほど苦しいと云ふやうに瀕死の狀態といふものは、餘程苦しいもののやうに想像されるのであるが、彈に斃れた時は痛いといふ感じはなくて、ただ叩かれたやうな或ひは衝かれたやうな感じがするに過ぎないやうに、死の瞬間も案外苦痛などはなくて、寧ろ眠りにおちる時のやうな安樂なものかもしれないと思はれるのである。

ベルトレイは前の歐洲大戰の時、戰線で倒れる負傷者の多數を觀察した。さうしてその結果を綜合して、必然的に死に伴ふものと思はれる苦痛を現はすものはゐない、苦痛は死に固有のものでないといつてゐる。

ハンターはその臨終の床で、若し筆を執ることができるならば、いかに死の快きかを語り得べきにといつた。

更に、モンテーヌの書いたものに左の一節がある。

「ホエチーは一連の失神により、今や必然の死去を期待せり。六月九日、老嫗は一回の失神に陥れる後、人は事終れるものと信ぜり。最後に醋と葡萄酒に依つて覺醒せしめられたり。其後餘り長くは生きざりき。而して余等は其の周圍の人々に叫ぶを見たり。曰く、我神か、斯く我を苦しむるは。何故我が休める壯麗と愉快とを奪ふや、死別することの如何に氣樂なる。……」

そこで、私は、戰場に於ける多くの戰死者は、精神上に於ては悠久の大義に生きるため寧ろ歡喜のうちに逝くのであるが、肉體的にも恐らくは少しの苦痛もなく易々と眠りに就くのではないかと思はれるのである。

運動療法

病院生活である以上、無論私たちの毎日の仕事は治療を受けることであつた。院内には理學療法室といふのがあつて、定められた時間に各療から傷兵が毎日通つて行くのである。この室にはいろ〳〵の物理療法の設備が完備されてゐた。溫浴按摩療法、電氣療法、光線療法等があつた。浴場もあり、特別の鑛泥浴場もあつた。紫外線室、赤外線室、特殊の電氣療法室もあつた。

その他、種々の運動器具を設備し、この器械を手や脚で運轉運動させることによつて、四肢のこはばりを治療してゆく室もあつた。このやうにして、傷兵の機能障碍の狀態に應じて、それ〴〵種々の治療處置があたへられた。

私は切斷肢に溫浴按摩の療治だけを受けてゐた。つまり、溫浴の後に、按摩室で按摩を受けるのであつた。

これらの按摩師は地方の按摩手が囑託として病院に雇傭せられてゐるのであつて、その數は五十人ばかりであつた。この多數の按摩師が傷兵に手技を施してゐる有樣は、ちよつと外では見られない風景である。

按摩施術臺の上に仰臥してゐるもの、伏臥、横臥してゐるもの、また椅子に腰を掛けてゐるものなど、それを一人一人の按摩がめい〳〵に手技を施してゐるのである。撫で方、揉み方、擦り方、叩き方、この五十人の按摩の手が、思ひ〳〵の方向に、思ひ〳〵の緩急さで、まるで舞踊でもしてゐるやうに、絕えず運動してゐて、まことに目まぐるしいが、また律動的な感じでもあつた。二十分、三十分のきめられた時間の按摩が終るとまた新しい傷兵がかはつた。かうして按摩室は一日ぢゆう傷兵達で滿員であつた。

このやうな種々な基本的療法のほかに、この病院には運動療法といはれるものがあつた。これは種々の運動、醫療體操、又は行軍等によつて體力の增進、患部の恢復を計るとともに、それ自身が又一つの療法でもあるのである。

午前八時頃になると中庭の擴聲器が、院内の隅々にまで響けとばかり、軍歌や行進曲を歌ひだす。各療から運動服に運動帽を被つた傷兵たちがぞろ〳〵と中庭へ集つて來る。

中庭は東は理學療法室、北は娛樂室、西は機能檢査室、南は南寮に圍まれた二千坪もあらうかと思はれる廣場であつて、その周圍には立木や花壇があり、東北の隅には三、四十本の松林と小庭園があり、東南の方には松林に圍まれた築山があるほかは廣々とした運動場となつてゐる。

○○人に近い數の傷兵が一定の位置につくと、擴聲器の調子に乘つて、種々の體操が繰りひろげられてゆくのである。西側の中央には教官の軍醫、その兩側には助手の衞生下士官がゐて、一段と高い臺の上からそれを指導してゐた。さすがにこの病院で運動療法を專門に受持ち、何年かこれの研究と、練磨を積んできた人たちだけに、これ等の教官や助手の肢體は、流れるやうに美しい線を描いて、力強くスピーカーの調子に乘つていつた。

傷兵たちも手を伸ばし、軀幹を屈げ、足を踊らして、一律にスピーカーの調子の中に溶けこんでゆくのである。基本的な國民體操、青年體操等につづいて醫療體操が行はれた。やがてスピーカーが大陸行進曲や太平洋行進曲を唸りだすと、傷兵たちも童心にかへつて、舞踊の線を描きながら行進していつた。かくてよく調子の合つた手拍子が、相模ヶ原の青空に力強く響きわたつた。

春は陽ざしの中に漲る線が心にくくも霞とともに溶けこんでゆくかのやうであり、夏の陽は、眞つ黒い裸體の背や胸に燦々として降り注いだ。この律動的な體操は、汗にきらめく廣い肩や胸の男性的な力強さが、見るものの胸を打つ

のであつた。

この病院を參觀したり、慰問や面會に來た人たちは、この人々の健康さうな肉體のどこに不自然なところがあるのかと驚きの眼をみはるのであつた。が、しかし、その傷兵達の一人一人に目をとめて見ると、擧がらぬ手を垂れて、ただ片手だけを擧げてゐるもの、曲がらぬ腰をただ直立させたまゝのもの、杖を自分の足許に置いて脚のきかぬまゝに、手だけを運動させてゐるものがあつた。なほよく見ると、胸や背に見るも無殘な大きな瘢痕のあるものもあつた。

しかしながら、よしんば手は萎えてゐても、脚がきかなくとも、私たち傷兵のあたまにはこの雰圍氣の律動が自然と流れてゐるのであつた。この律動に乘つて、動かぬ神經も筋肉も微妙な振動にふるへてゐるのである。この振動が一日一日と日が經つにつれて、少しづつ大きな波にかはり、やがて一つの運動に進んで行くのである。そして遂には手や脚が自由に動くやうになるのである。

かうして私たちは新しい感激を以て、自分自身の力を發見してゆく。

私に面會に來た或る人は、初め

『これが患者さんですか？』

とこの運動療法を眺めながら、首をかしげるのであつたが、次には

『私達も、時々、かうした病院にきて、この雰圍氣に接する必要が大いにありますね。』

と感激に耐へぬ表情をするのであつた。恐らくどの外來者でも、この病院の雰圍氣のなかで、この莊嚴ともいふべき光景ほどに感激を唆られるものは他にないらしい。女の人達の中にはハンカチで涙を拭つてゐる人もあつた。なぜこの運動療法の場面が、これ等の人々の胸をかくも打つのであらうか。恐らくはここに繰りひろげられた軍國繪卷の力強い律動を通して彼等の胸に迫つてゆくもの、それは七轉八倒してもなほ再起を誓ふ傷兵達の意氣が、耿々として彼等

の胸を貫くからであらう。

醫療體操は種々の身體部位の機能障碍に對して各〻特殊の運動が課せられるのであつた。傷兵たちは脚の障碍のもの、胸腹部の障碍のもの、上肢の障碍のもの等の各組に分けて、それぞれ特殊の運動が行はれた。

上肢の障碍のものは棍棒をつかつて、手の擧上、屈曲、廻轉等の運動が行はれた。やつと半分位しか擧上も屈曲もできないものがあり、また片手で棍棒を持ちあげることができないで、兩手で支へあげてゐるものもあつた。

胸腹部の障碍のものは、幅も高さも一尺位の細長い腰掛に腰をかけて並び、脚を腰掛の下の支柱にからませて支へ、軀幹の伸展運動をやつたり、或ひは細い腰掛の上を、重心を支へながら渉りあるく運動などをやつてゐた。

股關節や膝關節にこはばりのある傷兵は、莚の上に胡坐をかいて、膝だけを

上げ下しする運動や、正坐して臀を上げ下しする運動、後へそり返る運動等が行はれた。また七、八人が仰臥して足を高くあげて一箇所に集め、蹠で大きなフットボールを支へ、これを皆んなの足で廻轉させた。足藝でもやつてゐる恰好であつた。また十數人が縦列に並び、フットボールを頭の上から後方のものへ順繰りに送り、再び股間から前方へと送りもどす運動もあつた。

　手の障碍のものはよく鐵棒にぶら下つてゐた。手の關節のこはばりには殊に鐵棒が效能があつた。

　かうして毎日午前と午後に分れて交替に傷兵達は中庭に集まるのであつた。運動療法といふ名稱であつたが、ただ單に體力を恢復させるといふことだけが目的でなく、やはり機能障碍の療法が眞の目的であつた。

　かうした體操だけでなく、いろ／＼の運動競技も行はれた。水泳、庭球、野球、相撲、弓道、劍術等、室內では卓球が盛んに行はれた。寮間の空地にはテ

ニスコートが設備せられ、南寮の西側にはプールがあり、野外演藝場には土俵の設備もあつた。

　これらの運動競技も勿論療法的意義が含まれてゐたのである。ことに水泳は兩方の四肢を同様に使用せねばならぬ運動だけに、この水泳の練習は四肢にこはばりのある傷者によい效果をあたへた。私たち手脚の切斷者も水泳をやつた。左手の使用練習にもなり、又、ともすれば不使用がちになる切斷肢の殘存してゐる關節の運動にもなつた。

　野球は號舍號舍のチームがあつて、號舍同士の試合が行はれた。これ等の中から寮の選手チームが作られ、各寮の間で試合があつた。更に病院代表のチームが作られて、病院外のチームとの試合があつた。どこかの會社や工場、商業組合等のチームが慰問にやつてきて、後庭で試合が行はれたこともあつた。また臨東一病院とよく對院試合をやつた。神宮グラウンドまで出かけて、兩院が

晴れの試合に血を湧かすこともあつて、その時など應援團が繰りだして行くこともあつた。その他の庭球、劍術等も對院試合が行はれた。

　この野球の練習は、寮間の空地で行はれた。びつこの投手がボールを投げ、片手の不自由な傷兵がボックスに立ち、外野に立つ、かうして一つの球に全精神を集注し、自分の持場に精根をつくすことによつて、知らず識らずの中に脚のふんばりがきくやうになり、健康な片手に人並以上の力が湧いてくると共に患手にもいつか運動性があたへられてゆくのであつた。

　庭球や卓球も手のよい練習となり、また手とともに知らず識らずのうちに脚をはこぶことが同時に脚の練習でもあつた。相撲、劍術、弓道みなそれ／＼の特徴を以て治療的效果を現はすことに役だつた。

　春の創立記念日、秋の陸上運動會には手の患者が短距離、長距離を走つたり、脚の患者が提灯競走に出場した。競技の種類は普通の陸上で行はれるもの

トラックといはず、フイルドといはず、どれでも傷兵達はやつてのけた。決勝競走があり、各寮の選手繼走が行はれた。さすがにこれら選手たちの競走は、態度も、スピードも相當のものであり、また私たちが見てゐても、どこに身體的な障碍があるのかと思はれるくらゐであつた。かうした時には、衞生兵の競技もあり、看護婦や雜仕婦たちも出場した。各寮の應援團がトラックの周圍に陣取り、應援歌をうたつた。應援拍手が調子をとつて元氣に響きわたつた。團長が日の丸の扇をひろげて身振、手振をかしく活躍をやつた。かうして、相模ケ原の夕陽を迎へるまで何もかもを忘れて朗かな一日が送られ、競技によつてめいめいが體力の自信を得るのであつた。

　行軍も行はれた。主としてこれは脚の故障者の鍛錬であつたが、私たち切斷患者にも時に行はれた。無論私たちは脚の故障はなかつたのであるが、一日中、

作業用義肢をつけて歩くといふことは、作業用義肢装着に長時間耐へる訓練となり、初めは短い時間装用しても苦しかつた義肢が、かうした行軍等によつて次第になれてゆくのであつた。

脚の故障者たちは二里三里の行軍をつづけて、びつこの脚、萎えた脚、鐵脚を装着した脚が、これほど遠くまで歩けるものかと自ら驚異に胸うたれるのであつたが、人間のもつ能力といふものが困難を克服するごとに發揮せられる底力の偉大さを見つめて、思ひもかけなかつた光明の世界が眼前に開けてくるのをおぼえるのだつた。

大山登山が傷兵たちによつて敢行せられた。これも主として鐵脚や、脚の補助器をつけたもの、その他、脚の故障者の鍛錬であつた。故障の程度によつて頂上まで行くもの、途中まで行くものの組に分けられてあつた。バスやケーブルを利用したのであるが、それでも鐵脚で一里くらゐは登攀が試みられた。一

歩一歩と踏みしめるごとに、鐵脚の關節や接ぎ目が廻轉摩擦して、それが何千回となく反復せられるに從つて、鐵脚は火のやうに熱くなつた。健全な方の脚は患脚の分まで働かうとして、過度の努力に棒のやうに疲れたし、患脚はまた健側に負けるものかと氣負つて、熱い血の流れるのを感じた。かうして一人の落伍者もなく、萎えた脚が、跛行する脚が、補助器を着けた脚が、鐵脚が、大山を征服したのである。

眼下に遙かに霞む下界を眺めて、誰も彼もが、自分自身のやりとげた努力に陶醉してゐた。自己に潜められた力、隱された大きな力を發見して、ただ感激の涙が双眸に光るのであつた。そしてまるで生きてゐるやうに、また血液の脈うつやうに熱せられた鐵脚を無限の愛情をこめて勞はりさするのであつた。

陽炎燃ゆる相模野に　照らす御稜威の朝ぼらけ
興亞の傷士今こゝに　再起を誓ふ臨東三

彌生の空のうらゝかに　聖駕仰ぎし感激は
新らし未だこの胸に　再起を誓ふ臨東三

白衣につゝむ傷癒えて　風もかゞやく青若葉
明日への飛躍光明の　再起を誓ふ臨東三

大陸の野は遙けくも　見よや我等が後療の
張り切る體軀この力　再起を誓ふ臨東三

賜ひし勅諭かしこみて　燃えよ護國の意氣高く
希望は滿てり朝の門　再起を誓ふ臨東三

やがて、元氣のよい病院歌が相模平野を壓して齊唱されたのであつた。

義肢の練習

義肢の型を取つてもらつたり、適合させてもらつたりするために、衛生材料廠へ二、三回かよつたが、その中に作業用義肢ができあがつてきた。

義肢は手の切斷端に接着するところが皮製で、上膊の太さであつた。これに肘關節の滑車があり、その先に金の棒があり、更に腕關節に相當する金具があつて、これに指と掌に相當する鈎を押しこむやうになつてゐた。

鈎は一般に曲鈎を用ひることが多かつたが、鈎にも種々のものがあつて、双嘴鈎、眞鈎、萬能抑へ、把手抑へ、筆挾みなどがあつた。自轉車に乘る時には把手抑へ、習字の時は筆挾みといふやうに、その作業々々によつて、鈎を挿し

かへて用ひるやうになつてゐた。

この作業用義肢を裝着して毎日、職業準備教育室へ義肢の練習に出かけるのが日課になつた。

私たちは毎日、職業準備教育室の西側にある空地で體操をやつた。各寮から腕のない連中ばかりがたいてい二十人ほど集つてきた。これらの切斷傷兵は、右のものもあれば左のものもあり、また前膊のもの、上膊のもの、肩胛の下から全く上肢を亡失してゐるものなどがあつた。

はじめは教官である軍醫の號令で、義肢を裝着していろ／＼の體操が行はれた。四肢、軀幹の普通の體操であつた。次に、三尺くらゐの棒を持つて運動をやつた。これも最初は普通の體操であつたが、その次には、漕艇の動作であつた。これは棒きれを斜めにかまへ、櫓を義肢の鈎で末端の方を支へ、中央を健側の手で握つて力一ぱい漕ぐのである。教官が、

『しつかり漕いで！　そんなことでは舟は進まん。それッ』

と、氣合をかけると、私たちは汗を流しながら懸命に漕いだ。義肢は時々ガチヤ、ガチヤと鳴り、太陽に反射してピカ／＼光つた。

次には劍術の打込み運動であつた。

『お面三本ッ！』

と教官が號令をかけると、私たちは、

『エイッ、エイッ、エイッ』

と一歩づつ前進しながら精神を籠めて打込んだ。お胴の打込みもあり、お小手の打込みもあつた。

午前中は大抵かうした基本的な練習が行はれた。

午後には作業があつた。

これは南寮の西側の松林の附近で行はれた。この附近には、病院創設の際、

松林が伐り開かれたのであらう、伐られた松の根株が到る處にあつた。今私たちは、その根株をスコップで掘り起し、地ならしをするのであつた。無論健康人のやうな能率はあがらなかつたが、それでもみんなで、大きな根株を二時間くらゐの間に二つ三つ掘りおこすことができた。

またプールの近くの野外演藝場のある附近で、鎌を使ふ練習をした。曲鈎にゴム帶で鎌をしばりつけて、草刈をやつた。健康な方の手で草を握り、義肢を着けた鎌で草をひき切つてゆくのであるが、左手を亡失してゐるものは、右手に鎌を持つて、右手だけで刈つた。しかし何にしても、まどろつこしいものであつた。

私たちはよく、もしこれが實際生活のための仕事なら、こんなことでは到底食つてゆけないだらうとお互に話し合つた。が、それでも練習を積んでゆくにつれて、少しづつは能率があがつていつた。

この作業をする附近から北方の農園にかけて、他の多くの傷兵たちが職業體操をやつてゐた。また庭球のコートもあつて、盛んにテニスをやつてゐた。羽根つきをしてゐるものもあり、バトンを抛げ合つて、互ひに受け止める練習をしてゐるものもあつた。ひろい花壇もあつて、季節の花が咲いてゐたが、その花壇の周圍を、大きなゴムの袋を背負つてぐる／＼と廻つてゐる五、六人の傷兵もよく見受けられた。これは機能檢査室で代謝の檢査を受けるために、マスクの先に連なつた大きなゴム袋を背負つてゐるのだつた。その袋に呼吸を集めてゐるのである。ちやうど風の神が、袋を背負つたやうな恰好をして、靜に一定の歩度で歩いてゐるのである。

この附近から西にかけて相模ヶ原の演習地に續いてゐて、遙かに見わたせる演習場には、なだらかな野の中に處どころ低い稜線があつて、一叢の松林が連なつてゐるところもあつた。この稜線を越えて遙かに大山、丹澤の山脈が連な

つてゐた。大山の頂には薄い霧のやうな雲が懸つてゐることが多かつた。

かうして義肢の練習は毎日つづけられたが、それを裝用した初めの間はなかなかうまく使へなかつたばかりか、すぐ疲れた。義肢は健康側の肩胛から上膊にかけて皮紐で固定してあるので、義肢を着けてゐる切斷肢よりも、却つて健側の手が疲れるのであつた。そして、皮紐で締めつけられるので、健側の手にはいつともなく水腫（むくみ）ができるのであつた。

初めは一時間くらゐしか裝用することができなかつたが、一週間くらゐすると二、三時間は裝用できるやうになつた。しかし二、三週間もすると、苦しいながらも一日裝用できるやうになつた。無論、手の疲勞は烈しかつた。一日裝用した後では、その疲勞の恢復に二、三日を要した。一箇月ほど經過した頃には終日裝用してゐても一日で疲勞は恢復する程度にまでなつた。勿論疲勞の仕

方は健康の腕に固定する皮紐の締めかげんによつてちがつた。強く締めつけると疲れが烈しかつた。しかしスコップを使つて重量作業をするやうな場合は、強く締めてゐなければ作業ができなかつたので、勿論かうした重量作業の後、あるひは途中の休憩時には、すぐさま紐をゆるめることを怠らなかつた。

義肢の練習が毎日つづけられ、約一箇月も經つと、たれでも義肢の裝着使用に自信が持てるやうになつてきた。疲勞も少くなり、なんとなく自分ながらぎごちないと思ふ使ひ方が、やうやく恰好がついてきたといふ氣持であつた。

その頃になると作業能力の檢査があつた。その方法は一定の時間に一定の大きさの塹壕を掘ることであつた。この作業は大抵演習場で行はれた。これにパスすれば先づ義肢の作業練習が一段階濟んだものと認められるので、私たちも一生懸命であつた。まだこの檢査を受ける程度になつてない傷兵たちが周圍を取りまいて見物してゐた。私たちは精根をつくして掘つた。長さスコップの一

倍半、幅スコップの長さ、深さスコップの柄だけの塹壕であつたが、この所要時間、前膊切斷のもので十分間、上膊と肩胛部切斷のもので十三分間で終了したものは合格であつた。しかし一箇月でパスするものは成績のよい方で、大抵は二箇月を要した。勿論それ以上を要してやつと合格するものもあつた。

自轉車に乘る練習もやつた。これはそんなに困難なものではなく、たれでも練習によつて乘ることができた。鐵腕の私たちばかりが自轉車を並べて院外を行進することもあつた。

習字の練習もあつた。これには習字帳があつて、習字帳は頁の右端の一線内に手本の字が示されてあつた。それと同じやうにその頁の何行かの線に繰り返し書いてゆくのであつて、字ははじめは假名で、次第に畫（かく）の多い漢字になつていつた。異つた三冊の習字帳を書きあげるのであつたが、はじめは義肢にペンを固定して一冊を書いた。あとの二冊は左手で書く練習をした。いづれも一時

間に三頁ほどしか書けなかつたが、書いてゆくうちに速度も次第にはやくなつていつた。

この左手の書といふものは誰の字を見ても同じやうな字で、なんだか個性といふものがないやうな氣がした。私は、誰の字だかわからないやうに僞手紙を書くやうな場合にはよく左手で物を書くといふことをいつか聞いたことがあるが、左手が自由自在に使へるやうになれば、從つてその書にも個性といふものが現はれてくるのであらう。私はそこまで左手が使へるやうにならなければならぬと考へるのだつた。

八月の初旬、横濱の田中といふ義肢の大工さんが病院へ義肢の修理のためにやつてきた時、私たち切斷患者は、その義肢を裝着した大工さんの作業振りを見せてもらつた。田中氏は私たちと同樣傷痍軍人で、左手前膊の切斷者であり、この病院に入院してゐたので、つまり私たちの先輩なのである。

職業準備教育の講堂で、大工道具や、板や柱が準備せられた。田中氏は四十に近い脊の高い人であつた。曲鈎に細いゴム帶を適當に捲きつけて、鑿を押しこみ、栓に孔を穿つた。きれいな四角な孔が直ちにできあがつた。曲尺を鈎で固定して鉛筆で型を取つてゆく手つきも實にあざやかであつた。また鉋の齒金の裏側を曲鈎の尖端で固定して、スッ〱と手ぎはよく鉋をかけたが、一けづりで三尺くらゐの長さの鉋屑が出た。

田中氏は

『手のまともな人でも相當の大工でないと、こんな鉋屑はできませんよ。』

と微笑したが、なるほど一樣の厚さをもつた、きれいな鉋屑であつた。また鉋を左の義肢と上膊とでかかへて、右手の金鎚で打ちつゝ調子をかげんするやうすが、いかにも馴れきつたものであつた。

鋸は柄にさし込まれてゐるところを曲鈎で斜に固定して使つたが、狂ひなく

眞直ぐに板が挽かれた。釘は右手で少し木にさし込んで立てておいて、金鎚で打ちこんだ。普通の大工さんが三本打つ間に二本は確實に打つことができるといふのである。しかもそのすべての仕事ぶりに少しもぎこちないところがなくすら〱といかにももの馴れた調子で動作を運んでゆくのであつた。

田中氏は、『普通の大工よりは能率において多少の劣りはありますが、どんな大工仕事でも出來ないものはありません。』

と自信をもつていつた。

田中氏の使用してゐる義肢は、私たちの使用してゐる作業用義肢とは多少ちがつてゐて、職業用義肢ともいふべきものであつた。そして、すべての部分が摩擦され、ちびいてゐて、使用しつくされてゐた。前膊の肉色に塗られた部分は剝げてしまつて、下の地金が出てゐた。鈎を押しこむ尖端も圓味をおびてゐたのが、提灯の底のやうに扁平になつてゐた。いく度か使用しやすいやうに改

裝し、毀れた部分を修理して、たうとうこんなになつたといふのであつた。田中氏は昭和十三年にこの病院を退院していつたのであるから、今日まで約二年間毎日使用してゐるわけである。

仕事が濟むと上肢に接着する革の部分へ前膊を入れて六七寸の長さに義肢をたたみ、手際よく風呂敷に包みこんだ。歸りに門衛に向つて、『酒の五合瓶を包んでゐると間違へられては困るが。』などと冗談をいひながら朗らかに歸つて行つた。なるほど風呂敷に包んだ恰好は、いかにも五合瓶のやうに見えた。

在院中の私たちの中にも原職が大工であつた傷兵がゐて、――彼は右手の切斷者であつたから、田中氏とは多少調子が違つてはゐたのだが、――鋸を使つてみたがまるで挽けなかつたし、また鉋を使つてみても、まるで鉋屑が出て來なかつた。少しもけづれないのである。これはやはり練習と努力のたまものであつた。

この田中氏だけでなく、この病院の退院者には立派に義肢で農業に從事してゐるものもあり、その他のすべての職業に從事してゐるものがあるのである。無論健康者に比して、その能率は多少劣つてはゐたが、それで生活を支へてゆくことができるのであつた。健康者の倍の努力をすれば、彼等もまた健康者同樣の能率をあげるのであつた。しかしそれには、どこまでも文字通り血の滲むやうな努力以外にはなかつた。

教官はある日、退院していつた一人の切斷傷兵からきたといふ手紙を皆に讀んで聞かせた。その手紙の傷兵は入院中に小學校教員の檢定を通過して故郷に歸つたのだつたが、その縣では切斷者の故を以て、彼を敎員に採用しなかつたといふのである。その結果、彼は現在傷痍軍人相談所の勤務に服してゐた。

――我々の生涯は決して入院中考へてゐたやうな、なまやさしいものではない。荊棘の道を血みどろになつて開いてゆかなければならぬ。自分は自分と同

じ傷痍軍人諸子のためにできるだけのことを盡したい。退院された方々にできるだけの便宜をあたへたい念願である、といふ意味のことがその手紙に書かれてあつた。

教官は附け加へていつた。

『諸君の生涯は平穏ではないであらう。依然としてチエッコが咆哮し、迫撃砲彈が炸裂してゐる戰場であらう。しかし努力だ。肉彈をもつてトーチカを奪取し得たその精神である。諸君が努力を以て進軍してゆくならば、恐らく容易にこの戰線を突破してゆくことができるであらう。』

教官は更に力を籠めて、

『皆んな頑張らう。どこまでも頑張らう。』

といふのだつた。

劍　術

義肢による基本體操や、重量作業は毎日の日課であつたが、その他私たちは庭球も野球もやつた。覺束ないながら、左手でラケットを使ひ、また義肢にミットを着けてキャッチボールをやり、左手一本でバットを振ひもした。かうして殘つてゐる左手が、自由に右手以上に使用できる練習をしたのである。また右手の殘つてゐるものは、右手が普通人の二倍三倍の力を發揮できるやうに努めたのである。さうして練習してゆくうちに、左手が自由に使へるやうになり今迄になかつた左手の筋肉の力ができてきて、力を入れてぐつと肘關節を曲げると、力瘤が隆々と上膊に盛りあがつてくるのだつた。

この病院の治療方針は伸びない手をできるだけ伸展させてゆく、曲らない脚をできるだけ屈曲さしてゆく、といふだけではなかつた。どうしても曲らない手、どうしても伸びない脚、また全く亡失したものにも何とかして一人前の人間の機能をあたへようといふのが治療の目的であつたのである。

それには健康側の一本の手、一本の足だけで左右二本分の仕事をやらしてゆかうといふのである。僅かながら殘された患側の手足の能力をできるだけ生長させてゆくための努力は勿論であつたが、身體のいづれの部分の能力をも總動員してこれに助力せしめ、最高の能力を發揮することによつて、手が曲らないながら、脚が伸びないながらに、普通人としての機能を得せしめようといふにあつた。つまり、健康人には思ひもよらないところの、潛められ隱されてゐる能力を引きだして、一個の新しい人間を作らうといふのである。

盲人も心眼によつて花の色を見ることができ、對話してゐる人の相貌や性質

まで知ることができる。これは手で觸れなくともすべての環境が盲人の神經を打つからである。人間は不自由であればあるだけ、工夫によつて、練習によつて、健康人の思ひもよらぬ能力を發揮してゆくものである。練習と努力によつて無い手に心の手が生え、無い足に心の足が生えてくるのである。

毎週火曜と金曜の午後に、私たち腕の切斷傷兵に劍術が課せられた。東寮と中寮の中庭で他の傷兵たちと共に、エイ、ヤッ、と竹刀が振り廻はされた。傷兵たちはすべて銃劍術は習得してゐるのであるが、劍術は初めてのものもあつた。勿論その呼吸は同じにしても、構へや打込みに勝手のちがふものがあつた。

教官は衞生下士官であつた。

基本動作から丁寧に教へられた。

義手で竹刀の柄の末端を固定して、健康側の手で鍔の下を握つた。構へ方か

ら、お面、お胴の打込みが、エイ、エイと基本體操の時のやうに何回か繰返へされた。右切斷のものは左構へになり、左切斷のものは右構へになつた。無論これとて初めのうちはうまくゆかうはずはなく、竹刀がへろ〳〵であつたり、時々、竹刀が義肢からはづれたりした。また打込んでも竹刀がうまくすわらなかつた。

　しかし、皆熱心にやつた。毎週繰り返へしてゐるうちに、次第に要領がわかり、ぶる〳〵震へてゐた竹刀が、ぐつとすわるやうになり、打ちおろした竹刀が横にそれるやうなことがなくなつた。正眼に構へた竹刀に次第に隙がなくなり、また、ふりかぶつた竹刀が敵の頭上へ力強く打ちおろされた。

『元氣が足らないッ』

　教官が叫んだ。

　さすがに呼吸がはずみ、エイと打ち下す時には、鐵腕にさッと血が流れる氣

持がした。

『打ち込んだ時には少し引く心持で』といつて教官は、刀の切れ味を最もよく生かすには、引く氣持が必要だと說明してくれたりした。

　また教官は、一人の敵を相手にしてゐる心持ではいかん、千人萬人を相手とする心持で、ともいつた。劍術は竹刀をもつて相對する時、相手の面や小手、胴を擊つ技術と考へてはならぬ、自分の心をもつて相手の心を擊つのだ、ともいつた。私は、戰場で、百錬の精鐵が寒月にも似た紫閃をおびて、もの凄くさッと流れる光景を心にゑがいた。

　教官は又、劍を生かすものは人にある、兩手にある腕力はそれ〴〵の指から刀柄に移行するのだ、關の銘刀もその人を得なければ切れない、無銘の鈍力も手の呼吸によつてすごい切れ味を發揮するのだ、ともいつた。

　私は同じ五台山で負傷した峰尾小隊長の豪勇を思ひだすのであつた。小隊長

は劍道の達人で、突擊の時はいつも一人で何人かを斬つて捨てるのであつた。あの小隊長が彼の愛刀を振ふと、鐵兜も、骨をも透してあつけないほど凄い斬れ味を示した。全く呼吸一つだといふ感じであつた。戰ひの後で峰尾少尉は愛刀を手入しながら、

『この匂ひはどうだ。この刃身の盛り上り方はどうだ。』

と恍惚と刀に見入りながらいふのであつた。今この豪勇小隊長はどこの病床にあるであらう。五台の野戰病院で別れたきりである。

　私は修錬してゆくうちに、義手の劍術も相當に進歩してきた。まだ右手で使ふ程にはゆかなかつたけれども、左手で劍を使ふことができる自信を得たのであつた。

　宮本武藏はその「五輪の書」に、「兩手に物を持つこと左右共に自由に叶ひが

たし、太刀を片手に習ひ取らせんが爲也」といつてゐる。彼の二刀流は右手も左手も自由自在にせんがためであつた。武藏が弱年の頃、荒牧の神社にて太鼓を打つ樣を見たが、二本の撥を以て左右ともに同樣の音色が出るのに感じた。早速、家に歸つて空室に杵を吊り、これを打つて二刀を用ひることを工夫したと云ひ傳へられてゐる。

　上泉伊勢守の新陰流もまた左右の自由を獲んために修養を怠らなかつたといふことである。「劍法正格」には「左右の手裏に力の優劣ある時は、力の足らざる方へ刄の背くを以て、切りたる時太刀筋直しからず、却殺となる」とある。

　いづれにしても劍法は左手も自由に使へることが必要である。私の左手の劍法も必ずしも兒戲の沙汰ではないのである。

　それにしても人間にはなぜ右利、左利といふやうな不便なものがあるのであらうか。造化の神も人間を兩手利につくつておけば、たとひ右手を失くしても

現在のやうにこれほど不便ではないであらうにと思はれるのである。人間が右手利などと、いはゞ生來の不具者として生まれてくることはまことに奇怪なことで、若し宮本武藏が兩手利であつたとしたら、その修業の半分で奥義に達し得たことであらうと思ふ。

元來、人間は右利であるといふ。その發生論は生物學者にもわからないさうである。ある人は、胎兒の時に左側が母の骨盤に壓迫せられるために、左側の發育不良に原因すると考へてゐる。

またある人は、原始人類の生活は爭闘であつた、さうして右利になつたのは人間が直立して二本の脚で歩行するやうになつてからのことである、といふのは、爭闘をする時には第一に生命に最も必要である心臓を保護せねばならぬ、自然に、左手が左にある心臓を保護しつゝ、右手に獲物を持つて敵に向つた、右利きはそれが習慣となつたためだと考へる。ばからしいことのやうにも思は

れるが、四つ足の動物は大低左利であるといふ。猿類にも左利が多い。馬に目隠しをして一直線に走らせてみると、次第々々に右の方へ圓を描いて馳けるのである。これは馬が左利で、つまり左の方の脚が右足より強く長いから、一直線のつもりでも自然に右へ右へと馳けるからである。

四足の動物がこのやうに左利であり、二脚の人間が右利である點から考へると、人間の直立歩行といふことと、右利の間には何か因果關係があるらしく思はれ、また左利より右利の方が一般生物としてみるとき、進歩してゐるやうにも考へられるのである。人間の場合には、左利は隔世遺傳であり、一つの變質徴候であるとみとめられてゐるが、しかし、必ずしもさうでもなく、左利者の統計によつてみても何等そこに病理的なものがみとめられないのである。

人間の右利はおそらく平生、乳を搾られてゐる國の牝牛や山羊の乳房が、さうでない國のものの器官に比較して大きく發達し、これが遺傳せられるやう

に、局部使用による變異とみとむべきものであらう。幼兒のうちは殆ど半數が兩手利であることから考へても、右手利といふのは必ずしも人類進化の表徴ではないのである。

宮本武藏は兩手利たらんとして修業をしたのであるが、兩手使用を訓練することはただ劍法のみではない。その昔、ヒポクラテス以來しば〳〵試みられたことであつた。プラトーは人は本來兩手を同じやうに使ひ得るものと信じてゐた。近代の科學者の中にも左手運用を奬勵してゐるものもある。それには左手で字を書く練習をすることが最も便利であつて、左手で容易に字が書けるやうになれば、ほかのことも容易にできるやうになるといふのである。

ブロカといふ人は、人間の言語中樞が腦の左側に偏在してゐるのは、右手が日常生活に特に重用せられる結果であるといつてゐる。またヴエーベルといふ人は、幼少の頃には左右兩腦の言語中樞があることを發見し、もし左手を右手

のやうに使用しはじめるならば、右側の言語中樞もまた左側のやうに用をはじめるのであつて、左右兩手を同様に運用すれば、健康上に有利であるばかりでなく、左右兩側の言語中樞を同様にはたらかせ、知性の上にも有利で、了解を速からしめ、記憶力を增進するといつてゐるのである。

アメリカのフイラデルフイヤのある工藝學校では左手運用を奬勵してよい效果を收めた。ロンドンでは一つの協會を設立して左手奬勵運動をなしてをり、スウエーデン、デンマーク、ドイツでもこの運動に參加してゐるものが相當にある。ケーニヒスベルグでは二、三の學校で書き方、圖畫、手工を左手でする講習を行ひ、優秀な作業をなし得ることを證明した。

この左利者に多く偉大な人物を出してゐることはあまり知られてゐない。日本の左甚五郎はもとより、ミケルアンゼロが左利であつた。チベリアス、セバスチアン、ラファエル、バアチロン、デルピオンポ等もさうであつた。レオナ

ルド・ダ・ヴインチは心に感じたものをなんでも左手で迅速に寫生し、さうして深く考へた結果を描く時だけ右手を使用した。これがために友人たちは彼が左手だけで繪をかくものと思つてゐたといふことである。

左手の運用が知性の上にも好影響をおよぼすものとすれば、左甚五郎も、ミケルアンゼロも、左利であつたがために、偉大な藝術を遺していつたのであるとも考へられるし、宮本武藏の劍法が群を抜いてゐたことも、兩手を使用したための結果であるとも思はれるのである。ダ・ヴインチも左利ではなくとも少くとも兩手利であつたために優秀な業績を遺し得たともいへるのである。

さて左利の辯はこれくらゐにしておかう。私たち右切斷傷兵の一人は、俺は手の仕業は普通人に劣るかも知れない、しかし戰場で鍛へた精神をもつてやるならば、事務的の仕事や、計畫的の仕事には決して負けないつもりだ、と昂然

といつたのであるが、事實、左手の使用は彼の頭腦に更に優秀性を加へるかもわからないのである。

かう考へて來ると、私が右手をなくしたといふことも、あへて悲觀すべきことではなくて、たま／＼右手をなくしたことが、左手を使用せしめることとなり、このことによつて平凡な私の頭腦も、あるひは偉大にならないとも限らないのである。右手の亡失は、右手があることよりも、却つて私の將來に幸福を招來しないとは限らないのである。

劍法にも左太刀といふのがある。「左太刀は奧義の太刀にして、神妙の太刀也」とあるところをみると、私の劍術もやがて奧義に通じ、神妙に徹するであらうとも思ふのである。

職業準備教育

職業準備教育室の面接があつた。

私がその室にはいつて行くと、もう二、三の傷兵が控の椅子に順番を待つてゐて、一人の傷兵が掛（かかり）の軍醫と面接中であつた。軍醫はその傷兵の病床日誌を机の上に繰りながら

『君の傷は右脚の砲彈破片創だね。やはり曲らないかね。』

『少ししか曲りません。』

傷兵はかう答へながら脚を曲げてみせた。

『原職は農業だね、自作かね、小作かね。』

『小作です。』

『どうするかね。原職に復歸するつもりかい。』

『この脚では農業はできぬと思ひます。また復歸しても、小作では人の半分か三分一しかはたらけないのではとても間に合ひません。』

『轉職をするとして、何か君の考へてゐる職業があるかね。』

『村へ歸つて雜貨商をやらうと思つてゐます。』

『雜貨商？ 商賣は初めてだろ。で、君は長男か、次男か。』

『三男です。』

『すると、兩親を扶養する義務はないのだね。妻子はあるのかい。』

『妻と四歳の女の子が一人あります。』

『學校は？』

『尋常卒業です。』

『村といふのはどんなところかね。戸數は？』

『百戸ばかりの部落です。』

『雜貨商をやるとして、資金はあるのかい。』

『ありませんが、叔父に資本を借りようと思つてゐます。』

『それで、叔父さんはもう了解してゐるのかい。』

『ただ私がさう考へてゐるだけですが。』

『どうかね。百戸くらゐな田舍で商賣をやつて、生活の安定ができるかね。商賣といふものはなか〳〵うまくゆくものでないよ。殊にそんな部落の雜貨小賣で生活ができるかどうか、不安だね。もう一度考へ直してみたらどうだらう。何か手に職をつけたらどうかね。』

『はア。』

傷兵もさういはれると不安になつたらしい。結局考へ直してみるといふこと

になつて、再面接といふことになつた。

次々に傷兵が出て行つて、かうした問答が行はれ、職業が決定して行くものもあれば、再考を要するものもあつた。また職業能力檢査を受けてから最後の決定をするといふものもあつた。私の順が廻つてきた。

『右上肢切斷だね。義肢の練習に出てゐるかね。少しは使用できるやうになつたかい。』

とまづ訊ねられた。

『原職は農業だね。自作かね、小作かね。』

『自作農です。』

それから家族は、學校は、と訊ねられて、將來の職業といふことになつた。

『原職に復歸するつもりです。』

と私がいふと、

『さうか。切斷患者でも立派に農業に從事してゐるものも多いのだから、必ずやれる、しつかりやれ。』

といふわけで、私の職業はすぐ決定したのであつた。

原職復歸は決定も早く行はれたが、轉職となるといろ〳〵の方面から考へる必要があつて、一回では決定できないやうな場合が多かつた。また一度決定しても、實際その職業の補導を受けてみると思ふやうにできないのであつた。そんな場合は、勿論再決定せられるので、かうして傷兵たちは、本人の希望、原職、本人の責任の位置、傷痍の狀況、職業に對する素質、知能等の程度、趣味等のいろ〳〵の方面を參酌せられて職業が決定せられた。さうして在院中に、これに對する補導敎育を受けるのであつた。

これらの職業分野は、あらゆる方面にわたつてゐた。農業、商業はもとより機械工業、電氣、製圖、印刷術、洋裁、ミシン、タイプライター、時計、ラジ

オ、菓子製造、料理といふものまであつた。これらの理論の講義や實習が毎日職業準備敎育室で行はれてゐた。
職業補導講師は幾十人かゐた。講師の人々は院外のその道の權威者であつて、殆んど奉仕的にこの敎育に從事してゐるのである。また院内で實習不可能のものは各方面の會社、工場等へ通學修業する道も開かれてゐた。

かうして傷兵たちは手の不自由や、脚の不具を克服しつゝ、血の滲むやうな精進をつづけるのだつた。

この職業準備敎育はいふまでもなく職業の補導ではあつたが、また一面には傷痍局部の療治でもあつた。圓匙を持つての農業作業は手の屈伸、足のふん張りの練習であつた。すべての器械作業がさうであつた。簿記や珠算やタイプライターなどは指の巧緻運動の練習であつた。料理の實習でさへ、單に職業の實

習だけではなかつた。料理の講師は軍醫の意向によつて、その献立には擂粉木(すりこぎ)運動、刻み運動、叩き運動、皮剝き、巻もの、裏漉し(うらごし)、おろしもの、ねりもの等の運動が反覆繰返されるやうにできてゐた。だから、料理献立表は一つの治療處方でもあつたのである。しかも傷兵たちは、この職業的治療法に興味と情熱とをもつて邁進してゆくのであつた。

なほ又、當局の傷兵治療方針として「精神創痍の治療」といふことがさけばれてゐた。つまりかうして職業をあたへ、生活の安定を得せしむるといふことは、同時に精神創痍療法の主要なものでもあつたのである。

傷兵たちは戰場で多くの試錬を受けてきた。すべての心の垢を洗ひおとして純眞無垢の魂をいだいて歸還したのであつた。しかしその反面に、長い間の戰場での原始的とでもいふべき粗野な生活のために、頭腦は鈍重となり粗雜にもなつてゐた。その末梢神經は著しく巧緻性を缺き、一種の精神的化石狀態を呈

してゐたのである。それから又、戰地につづく長い間の病院生活があつた。これとても著しく空虚な、焦燥をさへ伴ふものであつた。

戰友たちや自分自身のいたましい創痍に、人生をしみじみと感じることもあつた。故國の土を踏むときの歡喜はあつた。私たちを迎へてくれた人々を通じて、あつい愛情と潤ひを感じることもあつた。しかし、依然として私たちの心は、空虚で、緊張性を缺いてゐた。慰問の人たちが投げかけていつた慰問の言葉は、それは一時の安堵にすぎなかつたし、慰問の演藝はこれまた笑ひの一瞬にすぎなかつた。無聊のやりばに呂刺(ろざし)をする生活であつた。紙捻(こよ)り細工に空虚をまぎらかす生活がつづいてゐたのである。

ここで私たちは、初めて職業といふ生々しいものにぶつかつたのである。情熱と緊張感が油然として湧きあがつた。そこで貪るやうにこれに喰ひついていつたのである。

私たちは戰場におけると同樣の緊張を以てこの職業と取り組んだのである。萎えた腕に鞭うち、ひきつける脚を驅使して再び戰ひがはじめられたのであつた。又この情熱と緊張をもつた職業療法は飛躍的な效果をあらはすのであつた。

かうして私たちはこの職業準備教育によつて一方、心の糧を得ると共に、今までの後療法や體操療法によつても曲らなかつた腕が曲り、伸びなかつた脚が伸びてゆくのを經驗した。

一人の傷兵は、右上肢を肩と水平のところまでは擧げることができたが、それ以上はどうしても擧らなかつた。約四箇月の間、後療法を受け、體操に全力を傾注したのであるが依然として效果がなかつた。彼の原職は石炭を運搬する馬力挽(ばりきひき)であつた。職業教育の面接のとき、自分は石炭を山から街に運搬し、石炭を車に積んだりおろしたりする仕事をしてゐたのであるから、どこかで石

炭を取り扱ふ仕事に從事したい、と訴へた。本人の希望がかなへられて、病院炊事場のボイラー室で火夫の助手として、その下働きをする職業處方があたへられた。

彼は毎日いそいそと炊事場へ通ひ、昔懷しい石炭の匂をかぎながら、職業意識に燃えて、すさまじい努力をこれに傾注したのであつた。するとそのうちに彼の上肢は次第に擧上が可能になつてきた。今や彼の上肢は完全に上まで、擧げることができるやうになつたのであつた。彼は自らの力に驚異の眼をみはりつゝ欣然として職業準備教育室に現はれ、軍醫に向つていつた。

『お蔭で私の手は擧がりました。原職に復歸します。早々退院させていただきたいと思ひます。』

彼の眼には涙が光つてゐたのである。

傷兵たちは在院してゐる間に自分の職業に對する練習を積み、要領を會得し

てゆくのであつた。また検定を要する職業、例へば教員とか、巡査とか、或ひは自動車運轉手、ラジオ商といふやうなものは、在院中にこれを受檢、パスしてゆくのであつた。また在院中から會社、工場等と間に雇傭の契約をすませてゆくものも多かつた。

私の知つてゐる一人の戰友——彼とは天津陸軍病院で同室になり、同じ病院船で歸還したのであるが、船が天津を出航して二日目、彼と私とは船の前方の甲板の上に立つてゐた。雲は處どころにあつたけれど空は晴れてゐた。船は黄色の海をはなれて、すでに青海原を走りつづけてゐた。陸の影も見えない海洋の只中であつた。東南の祖國の空と思へるあたりを眺めても、ただ一片の雲が浮かんでゐるだけで、何も見えなかつた。二羽の鷗がまつはるやうに船のまはりを翔けてゐた。二人はなつかしい故國のことをはなしながら、船に打ちつける白い浪を眺めてゐた。彼は言ふのだつた。

『内地へ歸還することはうれしい氣持もするが、さて内地へ歸つてどうするかと將來のことを考へると、私はさびしくなる。私は出征前、町で小さな米穀商を營み妻子四人が生活してゐた。しかし私の出征といつしよに店は閉鎖した。別に資産もなく、妻子は僅にあつた貯へと親戚の好意によつてほそ〴〵と生活してゐる。補助——さうだ。私が歸れば他人の補助を受けるわけにもゆかない。自力で生活せねばならぬが、この脚の曲がらぬ不具ではどうすることもできない。手に職もないし資本もない。戰場では何もかも忘れて働くことができた。しかし今、この不具の脚を引きずつて歸るとすれば、すくなからず考へざるを得ないのだ。』

『——なに、なんとか道は開けてゆくものだ。あんまり考へすごさない方がいいよ。』

その時、私はかういふより他に言葉がなかつた。

彼とは廣島の病院で別れた。その後彼は郷里の病院へ轉送せられたのであつたが、私がこの病院に來て一箇月ほどして、彼もまた郷里の病院からこゝへ轉送せられてきた。寮はちがつてゐたが、時々會つて話しをした。それからしばらくして、職業準備教育の講堂で、一心に製圖を引いてゐる彼を見かけて、

『どうだ、うまくゆくか。』と私が訊ねると、彼は頰笑みながら、

『だいぶ、ものになりかけてきたよ。思ひきつて手に職をつけてよかつた。』

と元氣よくいふのであつた。

彼は私よりも三箇月早く退院したが、その少し前に、私を訪ねてきて、

『近々に退院することにきまつた。製圖工として〇〇會社に入ることになつてゐる。もうすつかり更生した氣持だ。よろこんでくれ。』

といつて、彼と病院船の上で語りあつた時の暗い顏色はどこにも見られなかつた。いよ〳〵退院の日になると、私は彼を玄關まで送つて行つたが、彼は、

『何もかも今日から新しい生涯に入るのだ。これから、大いにやるつもりだ。君も元氣で、一日も早く退院できるやうにいのつてゐるよ。』

といつて、勇躍して出て行つた。

私は毎日、職業準備教育室で、一般農業、養鷄、養蠶、果樹栽培等の講習を受け、そして農園では實習に從事したのであつた。

農　園

院内の一隅、西寮の西北に農園があつた。農業に復歸する傷兵たちは、この農園で實習をやつた。切斷者ばかりでなく、一般傷兵も一緒であつた。

農園は南方の松林に近く、農具や肥料の倉庫があり、その北の方に兎、緬羊、狐など動物の小舍が並び、それらの北寄りに鷄舍があつた。畑の中には傳書鳩の移動小舍もあつた。鷄舍の附近は花壇になつてゐて、晩春の草花が咲き亂れてゐた。麥も、もう一尺あまりに延び、穗が出かけてゐた。菜の花も咲いてゐた。

西寮食堂の北側には梅や柿の果樹がたくさん植ゑてあつた。まだ若木で、苗

木のすこし生長したのにすぎなかつたが、若葉が水々しく陽光に輝いてゐた。

この附近の畑地を掘り返して、私たちはいろ〳〵の野菜を作つた。

私は鍬の柄の中央を左手で握り、柄のもとの方に義手をゴム帶で固定して畑の土を掘り返した。なつかしい土の香が匂ひ、鍬の刄が春の陽ざしにキラ〳〵ときらめいた。汗がじつとりと肌ににじみ出てくると、私は一と息いれて、遙かに大山、丹澤の山々にかかる薄霞を眺めながら、故郷の野山を思ひ出すのであつた。

鍬を使ふたびに、義手が軋り、音を立てた。ふと調子が狂つて鐵腕に鍬の柄が衝突したりしたが、久しぶりに心地よい額の汗を拭きながら、土を拓くものだけが知る快感にひたるのであつた。

私の隣りに並んで畑を掘り返してゐた傷兵は、右手の指も掌にも强剛(こはばり)があつて、鍬を握ることができないので補助器をつけてゐたが、この補助器は掌から

腕關節にかけて皮革で覆ひ、掌の中央には鋼板があつて、その中央に鋼の關節が取りつけてあり、これに二つの輪がつけてあつた。このところに鍬の柄を挿入し、壓迫子で固定するやうになつてゐた。

この傷兵と私とは、なか〳〵作業が捗らなかつた。皆んながとつくに一畦(あぜ)掘返して休んでゐるのに、やつと半分ほどしかできないのであつた。

自分の隣りにもう一人並んでゐた脚のわるい兵は、手は自由とみえて既に一畦を耕しをへてゐたが、

『なか〳〵手がかかるね。』

といひながら、私たちの分まで掘り返してくれた。

こんな調子では、はたして自分は農業に復歸できるかどうかと一寸不安にもなり、さびしい氣もするのであつたが、何でも努力だと思ひかへしては頑張つた。義手を固定した左の手が腫(は)れあがるほど締めつけられるのが苦しくて、休

憩する毎に、すぐその固定紐をゆるめた。

かうして實習が何回か繰り返されてゆくうちに、鍬の扱ひかたにも次第に馴れ、能率も少しづつ向上していつた。

自分たちの耕した畑に茄子や胡瓜を栽ゑ、トマトや西瓜も作つた。扁蒲といふ大きな瓜の類も栽ゑつけた。花壇にも種を蒔き球根を栽ゑかへた。藥草の手入れもした。また麥の取入れなどもした。そして一作ごとに整理せられてゆく畑を眺め、生長してゆく蔬菜類を見ると、私の胸奥にひそんでゐた生れながらの百姓魂がむく〳〵とひろがり、喜びに胸が一杯になるのであつた。

鷄舍は鷄の運動場を廣くして、金網でかこつてあつた。鷄舍へは大きな盥(たらひ)に鷄の飲み水を入れてやり、青菜は金網へ吊るしてやつた。そしてその運動場の土をときどき掘り返してやるのだつた。講師の人はかうして土を掘り返してやると、そのでこぼこした土塊(つちくれ)を踏むことが鷄の運動にもなり、また羽虫の豫防

にもなるのだとをしへてくれた。

雨あがりの晴天の日には、緬羊の小舎から濡れた藁を取り出して、日光に干してやつた。こんな日、小舎から出された緬羊は氣持よささうに附近を歩き廻り、遠く松林の中まで出歩いてゆくのもあつた。これらの緬羊は人によく馴れてゐて、たれの側へでも寄つてきた。いたづらつこのやうに、大げさな恰好をして、人に突きかかるやうな姿勢で挑みかかつてくるのもあつた。こんな時、その角を押へてやると、すぐ止まつたが、はなすとまた突きかかつてきた。私はかうした緬羊のあたまによく鐵腕を振つてみせたが、すると緬羊は『ハテ、面妖なり』とばかり、けげんな顔つきで横へそれて行くのである。傷兵の中にはこの緬羊の背に手をあてて、飛越臺を越すやうに飛び越えるものもあつたが、緬羊は一向平氣であつた。

製縄機の小屋もあつた。二人の傷兵が両側から足で踏み、一人が藁を入れる

と縄がする／＼と出てきた。

夏になると、花壇にはカンナ、ペチュニヤ、ジニヤ、鳳仙花、鶏頭等の花が咲き、畑にはトマトが實り、胡瓜が一日ごとに長くなり、茄子の實が累々とぶらさがつた。扁蒲の二尺もありさうなのが畑にゴロン、ゴロン横はつてゐた。

かうしてとれた野菜や鶏卵は外科病室や内科病室に呻吟してゐる戰友たちの食膳をにぎはすために、病室の炊事場へとどけてやつた。

私達は時には院外の農事試験場や果樹園等へ見學にでかけることもあつた。田植時には人手のたらぬ附近の農村にでかけて出征軍人の家々の田植も手傳つた。

田に漫々とたたへられた水、器用に泥で塗りあげられた畦、いそ／＼と早苗を運ぶ人たち、何かといそがはしく立ちはたらく人々――これらのすべてが久

しぶりのなつかしさであつた。

脚のわるい傷兵たちは、深い泥の中ですぐに動作をはじめることは苦しさうであつた。

私には、田植をするとき、義手を着けてゐることはかへつて足手纏ひになつたので、義手をはづして左手で苗を植ゑた。まくりあげた軍服の袖が泥まみれの手に垂れ下つてくると、泥の片手ではどうすることもできなかつた。菅笠に赤い襷の乙女たちも混つてゐたが、私たちはすぐにこの乙女たちに追越されてしまつて、大の男がその半分もできなかつた。それでも、膝までつかる泥の感觸も、小うるさく脚に吸くつく蛭(ひる)でさへ、ただ／＼もうなつかしい五月の田圃であつた。

一人一人の能率はさほど上らなかつたが、人數が多いので、出征軍人の家の田植などはまたたく間に濟んでしまつた。


その他の家々の田植もした。

兵隊が田植にきたといふので、村の子供たちが寄り集つてきたが、休憩の時には、その子供たちが義手を見付けて、めづらしさうにまはりを取りまいた。

『小父さん、これが手のやうに動くのかい？』

こんなことを訊ねながら、不思議さうに義手にさはつてみる子供もゐた。

『どこで怪我したの？　突撃の時――？』

子供たちは次々に話しかけてきて、色々のことをききたがつた。すると、大人までが子供と同じやうに私たちの周圍に寄りあつまつてくるのだつた。

晝食の時には、村の婦人會の人々が茶を運んでくれたり、温かい汁などを御馳走してくれた。

あるとき、一人の老婆が近寄つてきて、自分の息子は〇〇部隊であつたが、中支で戰死した、この中に〇〇部隊の方はをられんかねと、なつかしさうに私

たちを見まはしながら訊ねた。私たちは今までかういふことに度々ぶつかつてきたのであるが、その度に、戰死した戰友のことを身ぢかに感じ、たれかれの姿を心にゑがいてみて無量の思ひがしたのである。

『お婆さんの田は植わつたかね。』

と訊ねると、老人は眼をしばたたいて言ふのであつた。

『皆さんのお世話になつて、お蔭さまで植わりましたよ。ほんとに息子も皆さんに植ゑていただいて喜んでをりませうよ。』

田植の能率はのろいものであつたにせよ、田を植ゑをへたといふこと、普通人のやうに一つの仕事をなし得たといふことは、私たちにとつては大きな喜びであつた。これは同時に又、今まで人の同情や慰問ばかりを受けてきた私たちが、人のために事をなし得たといふ心の滿足ででもあつた。

まる一日、村の人たちの間に立ちまじつて、村も賑やかに、私たちにとつて

もこれほど愉快な日はなかつた。歸る時には、村長さんが村の人々を代表して感謝の辭をのべた。村の人々は口々に、

『この次の日曜にはぜひ皆さんの慰問に病院へまゐりますよ。』

と、眞心をこめていつてくれるのだつた。

『有難う。また忙しい時にはお手傳ひにまゐりますよ。秋の刈入れにはぜひまゐります。』

私たちは互に手を振り〳〵別れたのであつたが、村の人々は、歸路についた私たちの後姿が森にかくれるまで見送つてくれた。私たちが植ゑた田圃の苗を微風（そよかぜ）がゆるやかに撫でてゐた。

潤ふ心

潤ふ心

慰問

内科病室

看護

職業準備教育室で謠曲の稽古が行はれた。

私は出征前に郷里で少しばかり謠曲をやつてゐたので、この稽古にも出席した。稽古をする傷兵は相當多く賑やかであつた。きちんと坐つて腹一ぱい出す太い調子は、私たちをそのとき無我の境地にひきいれてくれ、肚になにか緊張したものをあたへてくれた。

私の郷里は京都上賀茂の近くで、こゝは昔から謠曲のさかんな所であつた。毎年七月には上賀茂明神に奉納の御戸代能があつて、その日には部落ぢゆうの人々がお社に集つた。神代の大杉の樹の間から、鼓や笛の音が古い調子をおび

て流れてき、奈良の小川に沿うて苔蒸した神苑を神殿の東の方に入つて行くと能舞臺が組み建てられ、二羽葵の定紋のついた幕が張りめぐらされてあつた。「聽の舍」といふ廣い大きな建物にはいつて見物するのであつた。

子供の頃から年に一度は、このお能を私は拜見したのである。賀茂の人々は殆ど謠曲や仕舞をやらないものはないくらゐで、よく錢湯にでかけても、浴槽の中でまだ十歲位な子供までが「寺は桂の橋柱……」と聞き覺えの一節を謠つてゐたりした。街路を歩いてゐても、ふと廻り角の屋敷からポン〳〵とさえた鼓の音が漏れてくることもあつた。

私の母も謠曲がすきであつた。よく同じ年頃の女の人たちが集つて稽古をしたり、時々、私の家で謠會を催したりしたことがあつた。私は職業準備敎育室で謠曲の稽古がある每に、さうした時の母の面影がたまに浮かんでくるのであつた。「聽の舍」の棧敷に品よく坐つて、謠ひ本を膝の上にひろげながら、舞

臺の上のゆるやかなシテの足どりを、ぢつと見つめてゐる母であつた。母の日本女性としての忍從性や强靱性はこの日本の傳統的藝術である謠曲によつて培はれてきたといつてもいゝ位であつた。

私は謠の稽古をしたのであるが、この病院の謠は觀世流であつた。私が鄕里で習つたのは金剛流であつて、それもよほど調子のふるいものであつた。昔から能や謠の行はれてゐる田舍の古老から習つた私の金剛流に比べると、こゝの觀世流は調子がはでやかで、華やかな技巧をおびてをり、何か現代的な聲樂の響きがあるやうな氣がして、私にはどうもしつくりとこないのであつた。技巧をまざ〳〵と見せつけるやうな調子よりも、それをあくまで奧に秘めてゐる、簡素な、素朴な調子の中にかへつて線の太いものをみ、あふれるやうな深さをみるのであつた。

能そのものにしても、表情ひとつ崩さぬ顏や、型によつて靜かにつゝましく

はこぶ足どりなどに、味があるやうに私には思はれるのである。

しかし、いづれにしても謠曲は私にとつては懷しく、離れがたいものであつた。それで、いつも自分から進んで稽古には出席したのであつた。

生花の稽古もあつた。私はこれには出席しなかつたが、每週土曜の午後に娛樂室で行はれてゐた。こゝにも多くの傷兵が出席した。その時刻になると、竹の花筒をさげた傷兵たちが各寮から集つてきた。先生は女の人であつたが、流派は何んであるか私にはわからなかつた。しかし傷兵たちが活けてきたのを見ると、池の坊らしくもなく、またはでな技巧の遠州系統でもないやうに思はれた。多分、古流の一つであらうと思はれるものであつた。

花道は、植物を材料として大自然の風景を一瓶の中に表現するものだといふけれども、今日私たちの見る一般の活け花といふものは、立花にしても、抛げ

入にしても、溫室で咲かせた、季節的感じも生氣もない材料を使つて、ただ圖案的な一つの型を現はすことにのみとらはれてゐるやうな氣がするのである。池坊專慶が江山千里の風を表現するといつたものとは大分かけ離れてゐるもののやうな氣がする。私には、おのづから約束はあつても、利休が「花は野にあるやうに」と言つた、茶室の花に好感がもてるやうな氣がする。朝鮮征伐の時、小西行長が蛸壺に野菊を活けたあの風趣がかへつて私たちに訴へるものが多いやうな氣がするのである。しかしこの花を生けることによつても傷兵たちは十分に心の糧をあたへられ、自然を解し、自然に親しむ心を養ふ機會をあたへられたわけである。

短歌の會があつた。これにも私は出席したのではないが、なか〳〵盛んで、多く中津賢吉氏が指導せられてゐるやうに聞いた。その他にも多くの先生が、

時々慰問に來院せられ、その度に研究會が開かれ、指導鞭撻せられてゐるやうであつた。いつであつたか、中河幹子氏が社中の女流歌人をつれて來院せられ短歌會が催されたことがあつた。その日、その人たちが歸途につかれる時、私は院庭でその人たちに出會つたのであつたが、その時、その中の四十すぎの一人の婦人が、私に向つて不意に、病院の患者の亡き骸を祭る室は何どいひますか、とたづねられた。私は、

『靈室といひます。』

と答へると、婦人は、

『今日は短歌會がありましてまゐりました。』

といはれたが、それが中河先生であつた。

それからまた、靈室と病室との連絡はどうなつてゐるかといふやうなことを訊ねられた。今日の歌の會でなにかこの人々の間に靈室かなにかの歌でもでき

て、そのことできかれたのであらうと察せられた。

この日は美しい婦人の方々が二十餘人も來られて、いつも男ばかりの殺風景な會合にひきかへ花やかで、非常に盛會であつたばかりか、會の後ではそれらの人々をまじへて記念撮影などもしたといふことであつた。

私には短歌のことはよくわからないが、傷兵たちの作品を見ると、さすがに戰場で魂を洗つてきた人たちのものであるだけに、力強い純眞さに胸を打たれるものが多かつた。

大夜襲終へて戻れば老兵の戰友は麥飯炊きて待ちをり
敵を刺し劍を拭ひてこの日々を罐詰などを切りて過しぬ
眞夜中の歩哨に立てば露寒く銃劍ぬれて月に光れり
今とりしこの山頂ゆ見下ろせば砲車輕重車續き續けり
顔上げるな姿勢が高いと叱りつゝ双眼鏡覗きて又伏す隊長

棉畠の土の香したし命まちて突擊前の土塊いぢるも
死せるごと荒壁によりて眠りゐる戰友らの顔の髭伸びにけり
機關車に集中彈を浴びつゝも初發列車は太原につきたり
前線に糧秣なしと隊長も圓匙握りて保線作業す

これらの歌はほんの私の記憶にある、一部の戰場の體驗を歌つたもののみを擧げたのであるがその一つ一つに實感の胸に迫るものを今更のやうに感じないわけにはいかない。

俳句の會もあつた。

俳句會は吉田冬葉氏が主として指導されてゐたが、短歌と同樣に多くの名士が時々來院して指導されるのであつた。水原秋櫻子が來院せられて私たちの句に適切な批評を加へられたこともあつた。長谷川かな女一派の女流俳人がこら

れて、花やかな會合がもたれたこともあつた。私も俳句會に出席して下手な句を作つた。場所は第一南寮の面會所で、疊の室であつた。いつも五十人から百人くらゐが出席して句三昧に入るのであつた。

俳人傷兵諸君の句作のうち、私の記憶にある一部を擧げてみよう。

滿月を背に流しつゝ討匪行
銃劍に月のぼり來ぬ虫の原
塹壕に虫の音きゝつ命を待つ
彈道下靈の吐息を伏しきけり
命ありて廬山の月を見る夜かな
甕風呂の火明りに見し野菊かな
彈さけて米炊ぐ夜の寒さかな
寂として捕獲戰車に秋の月

草の葉に置く露知る夕歩哨
何の實か餓を凌ぐに今足れり
銃劍に露と流るゝ夜霧かな
觀測鏡に敵うつる霧晴れにけり
馬の水探りあてけり霧の中
鐵かぶと一筋流る夜霧かな
霧の驛内ゆるがし兵の征きにけり

これらは戰場における直接の體驗を喚起した句であるが、たとひ名句とはいへなくても、おのづからそこに湧きでる豪宕な氣格と、淋漓闊達の氣概を觀ることができるであらう。更に

忘れ居しさびしさひしと秋の暮
慰問使に目禮ばかり冷えて病む

手術後の傷にたへゐる夜寒かな
秋の雲製圖正しく引きし疲れ
四十路すぐ傷兵の顏に秋白し

ギプスベット

この身殼秋陽にあさましくおかれけり
秋蚊帳に覺めギプスかなしき影作る
病む腰にベット秋夜を鳴り軋む
新しき朝を薔薇に登廳す
二年ぶり妻と歩きし夜霧かな

これらは病院生活の句であるが、やはり傷兵のみが知る眞實性と强靱性があるやうに思はれる。

義肢に關する句も相當に多かつた。

なりはひの義肢にも汗のしみつらん
秋櫻義手うちかけて汗を拭く
義手の挨こな〳〵拭ふ夜寒かな
母持ち來し白菊の束義手にうけぬ
露にぬれし戰友の義足やこぼれ萩
義足つけ秋光を踏みゆける兵
冷やかに鐵脚きしむ歩廊かな

院内では研究句作會が催されたのみならず、時には院外の俳人から慰問招待をうけることもあつて、皆んなで院外の吟行に雅懐をやることもあつた。

この短歌や俳句の同人達が合同して、院内職員諸氏の補助によつて「相模野」といふ謄寫板刷りの雜誌が發行されてゐた。この雜誌ばかりでなく、地方の短歌雜誌や俳句雜誌にも出稿して、この道の精進がつづけられた。

「相模野」の編輯子は雜誌の末尾にこんなことを書いたことがあつた。

「下手でも何でもかまはぬ。吾々は一歩でも半歩でも前へ進みたい。一ヶ所にいつまでも執着して足踏してゐるうちに戰友はどん〳〵前進して行くのである。相模野の誌友諸君、諸君が身を以て現はした退くことを我知らずの精神を發揮して堂々句作に投稿に邁進して貰ひたい」

このやうに私たちは邁進に邁進をつづけた。さうしてこの句會ができてから二、三箇月のうちにすばらしい進境をみせたのであつた。

大自然と融けあつて、まじめに正しく美しく人生を表現してゆくこの短歌なり俳句なりの道は、最も貴い心の糧であることは勿論であるが、また、その表現は各人の全人格の薫りであり、句作の態度は人格の切瑳琢磨である。人の心に迫るやうな句は、美しい人格の發露がなくては決してできるものではないのである。

人間は熾烈な感激を受けた時には、思はず強い叫びをあげるものであるが、それと同じやうに、弾雨の中で生死に直面したとき、または、戰場の月を仰いで心の洗はれたときなどの心境は、くど／＼と散文には現はし得ないほど緊迫したものである。かうした心境の表現には短い短歌や俳句が最適のものであつて、たとひその表現に稚拙なものがあつても、私たち戰友のほかには決してのぞくことをゆるさぬ句境があることもおのづから了解されるのである。

俳句をやつてゐた一人の戰友は左上膊の貫通銃創と頭部の擦過銃創であつた。彼は受傷後、頭痛や眩暈などになやまされ、記憶力と思考力も甚しく衰へてしまつて、頭の中でものを纒めてゆく力などは殆ど零になつてしまつたのであるが、それが句三昧に入つてゐると頭腦の統制ができてくる、思索力が次第に恢復してくるやうな氣がする、と云ふのであつた。かうした方面からいふならば、句作の態度といふものは一つの疾病治療法でもあつたのである。

しかし、病院内に短歌や俳句の會が作られたといふことはただ一時的な慰安とか、頭腦の調整といふやうなためばかりでなく、精神創痍の治療といふことが第一の目的であつたと思はれる。もつと突つこんでいへば、精神創痍の治療といふよりも、もつと積極的に心の支柱をあたへるといふのであつたと思はれるのである。

私たち傷兵の將來といふものは恐らく苦難の生涯であらうと思ふ。だから私たちの今後の生活は人一倍の努力と忍耐とを以て荊棘の道をきり開いてゆかなければならぬものと覺悟をせねばならない。それは恐らくは血のにじむやうな生活闘爭でもあらう。かうした私たちの生涯に和歌をする心、俳句する心を抱いてゆくことは非常な强みであり、潤ひである。

市街の雜沓のなかにも、工場のエンヂンの響きのなかにも句境をひろふことができる。

短歌する心、俳句する心は私たちの生活がいかに悲慘であつても、よくこれに徹してゆくことができる。かくて今後、私たちの生活がよしんば泥濘にまみれるやうなことがあるとしても、必らずや私たちは清く高い潤ひのある境地をきり開いてゆくであらう。或ひは又、私たちの行く手に怒濤が寄せてきても、そのうねりの中に、美しさと喜びを發見することができると思ふ。悲しみに揉まれても、心は決して濁らないであらう。嘆きに遇へば遇つたで、ますます澄んだ境地になることができるであらう。これこそは句作の態度がもつ獨得の美しさであり、力强さである。

私は、この病院で句作の態度ををしへられたといふことを心から感謝した。それは以上に書いたやうに、句作の態度が心に一つの支柱をあたへてくれたからである。希くば一人でも多くの傷兵諸君がこの句作の境地に接せられんことを望むものである。なぜなら、退院後も、これを切瑳琢磨してゆくことによつて、諸君の生涯に、生きてゆくための光りと力を必らずやあたへられるであらうことを信じて疑はないからである。

慰　問

中庭の北側にある一棟には、面會所、喫茶室、二つの娯樂室、郵便局などがならんでゐて、その北側には大酒保があり、廊下の續きには中寮、西寮の號舎が北の方へ奥深くならんでゐる。この一棟には、院内の人々の集つてくるかうした室がたくさんかたまつてゐるばかりでなく、同時に又、西寮、中寮などから機能檢査室や後療法室、そして病院の玄關へ通ずる廊下ででもあつた。で、病院ぢゆうでも人通りの多い、いはば病院の銀座通りといふところだつた。

この棟の北側にある大酒保や寮との間には日本式の庭園があつて、石燈籠が備へてあり、庭池が造られてあつた。その池には鴨や鴛鴦が浮かんでをり、樹

石の間にはホロホロ鳥や高麗雉が放ち飼ひされてゐた。また眞白い鶴が長い脚で佇んでをり、孔雀が美しい尾を誇らかにひろげてゐたりした。

この銀座通りは、日曜、祭日などの休日には面會人が雜沓し、娯樂室や酒保へ往來する傷兵の人通りもあつて、身動きもならぬほどの人であふれた。休日になると娯樂室には大抵二箇所とも演藝があり、室内には傷兵が充滿してゐて、入りきれぬ傷兵たちが窓の外から廊下を埋めて見物するのである。面會の人たちも、傷兵の肩越しにこの演藝に見入つてゐるものもあつた。

面會人は大抵二、三人づれの家族や知人の群れであつた。面會所内には一人の傷兵をかこんで、これらの一團が幾組となく充滿してゐた。中にはあやしい手つきで軍服の袖に赤坊を抱いて頬ずりをしながら廊下をゆく傷兵もあつた。幼い二、三人の子供に取りかこまれて樂しさうな足どりでゆくものもあつた。

この屋内ばかりでなく、中庭から病院の西側の松林にかけて、妻子と散歩す

るものや、兩親とベンチに語るものもあつた。時には、あまり人目につかない松林の邊のベンチに、二人でむつまじく語りあふのを通りがかりの傷兵から羨望の眼を向けられてゆくのもあつた。

かうした光景はまことに賑やかで、いかにも愉快さうであつた。傷兵は自分の病氣をわすれ、面會の親や妻もまた息子や夫の手足の不自由さをわすれて、一日を愉しくすごして行くのであつた。

面會は午後四時までであつた。四時のサイレンが院内に鳴り渡ると、これらの人々は列をつくつて病院の正門を出て行つた。だから午後四時すぎの相模ヶ原の驛はこの人たちで埋められるといふことであつた。

名殘りを惜んで人々を送りだしたあとの院内は、さすがに何となくさびしいもので、班では傷兵たちが

『〇〇には大きな子供があるんだね。』とか

『〇〇のところへは美しいのばかりがくるぜ。』とか

『〇〇のところへいつも來るのは、一たいありや細君（タイタイ）か、姑娘（クーニャン）か。』などと思ひ思ひの勝手な餘情をもらしてゐるのである。

かうした面會の人々は、多くは東京か、近縣の人たちばかりであつた。從つて東京附近出身の傷兵にはひつきりなしに面會人があつたが、私たち遠方の者にはあまり面會人はこなかつた。私にも殆ど面會人はなかつた。僅かに東京にゐる遠縁の人や、同郷の人たちが郷里からの手紙で知つたといつて二、三人きてくれたことがあつただけであつた。この病院には北海道、朝鮮、臺灣といつた遠方出身の傷兵もゐたので、入院中一度も面會人の來ない者もあつた。

だが、縣代表の慰問者とか、縣人會の慰問者とかいふものになると、却つて地方の縣の方が多かつた。各寮の擴聲器から『××縣出身傷兵のために××代表の方が見えましたから、すぐ同縣出身の傷兵は××に集合して下さい』と

か『××縣の有志者から同縣出身の傷兵へ慰問品が届いてゐるから、すぐ報道室へ集合して下さい』といふやうな通知がさけばれるのであるが、かうしたことは奥羽地方、四國、九州といつた方面の出身者に多いやうであつた。私たち京都府出身者にはかうしたことは殆どなかつた。大阪府も同様であつた。又よく東京在住の縣出身者からの招待慰問があつて、傷兵たちが東京へでかけることがあつたが、これも私たち京都府や大阪府の者にはなく、却つて田舍の出身者に多かつた。

　奉仕の人々も毎日一組や二組は絶えることはなかつた。「××村女子青年團」「××町婦人會」といつた襷をかけた一團の人々が、めい〳〵美しい草花などを慰問に持つてきては、手辨當持參で、院内の窓硝子拭や、再製繃帶材料の整理などを手傳つて行くのをみた。

　慰問の演藝も缺かさず休日には催された。

　南寮の西側に野外演藝場があつて、こゝの舞臺開きには有名な歌舞伎俳優が奴を踊り、そのほか浪花節や漫才などがあつた。そして最後に勝太郎が歌謡曲をうたつたあとで、勝太郎の音頭で何であつたか行進曲が傷兵たちで合唱せられたことがあつた。

　ある時は、木々高太郎、長谷川伸、菊池寛氏らの文藝人が來院されて講演されたこともあつた。

　この野外演藝場には休日になると必らず演藝があつたが、雨天の日は使へなかつた。しかし、雨天の日ばかりでなく、いつの休日にでも、屋内の娯樂室には何かの演藝があつた。演藝は多く映畫、浪花節、漫才、歌謡曲といつたものであつた。

　傷兵たちも次第に浪花節や歌謡曲にあきると、時には小學校や女學校の生徒たちがきて、兒童劇や、舞踊を見せてくれるのをよろこんだ。

慰安のために院外から招待を受けることもあつた。野球試合や小學校の運動會に招待せられたり、東京市の招待で遊覧バスで東京市内の見物をしたり、歌舞伎座や、能樂堂や、兩國の相撲見物に招待せられたこともあつた。

　近くの小田原市から網曳きに招待せられたことがあつた。

　六月の初、よく晴れた爽々しい初夏の日であつた。濱に生ひたつ老松の緑も鮮やかに、遠くまで打續く白砂にまぶしいほどの陽ざしが照り映えてゐた。

　傷兵たちは大網の綱にならんでヨイショ、ヨイショと曳いた。手の不自由なものも脚の萎えたものもあるかぎりの力をだした。向ふ鉢卷で、上半身が裸かのものもあつた。さすがに運動療法で練つた赤銅色のひろい肩は、町の漁師たちといづれ劣らぬものであつたらう。背中を流れる汗に燦々と太陽が輝いた。だん〳〵網がせばめられ水面ちかくになると、ものすごい渦卷、波紋、飛沫が

起つた。網の底は魚群で湧きかへり、躍りくるふ銀鱗が陽に閃くのであつた。

　その日の夕食の卓には、この大漁の御馳走が食堂にずらりとならべられた。

　相模川の鮎狩にも招待せられた。

　兩岸にせまる緑の山、底の小石が透いてみえる清滾な流れ、足裏に觸れる小石の感じも、ブクブクと臭いクリークの泥の感じとはちがつてゐた。山から河面に吹きおろす涼風も、進軍のときに浴びた黄塵とはくらべやうもなかつた。

　鮎、それは日本の魚だ。眞白い腹、次第に背の方へ鶯色にぼかされてゆく色と、口から背と腹へかけての線のたゞゐない美しさ、それに河石の藻をくつてそだつといふ高貴な香氣。西洋は知らず、支那や滿洲には、だいいち香魚の棲むやうな溪流がなかつた。

　この日の夕食に私は何年ぶりかで鮎を食つたのである。

　かうした網曳や鮎狩がいかに私たちの心を樂しくしてくれたことか。祖國の

もつ山、河、海、これらの清澄な感觸が、黄塵に染み、大陸の泥濘を擦りこんだ私たちの肌を洗つてくれ、心の底から清めてくれるのであつた。

ある日、私の舊部隊長が慰問にこられたことがあつた。私と同じ部隊に屬してゐた傷兵がこの病院に十名ばかりゐたからである。部隊長は最近戰地から東京の內地部隊に轉任して歸還されたのであつた。南寮の面會所でお會ひしたが、まだ大陸燒けのしたそのまゝの顏色で、支那に居られた時と少しも樣子が變つてゐなかつた。私たちはたゞなつかしい氣持で一ぱいだつた。當時の愉快な話しや苦勞した話しをしたあとで、部隊長は君たちや戰死した諸君には何としてもお詫びのしやうもない、せつかく療養につとめて一日もはやく再起せられたい、といはれた。

私たちにとつて、この舊部隊長の慰問は何といつてもうれしいかぎりであつた。また同じ部隊の戰友たちが歸還してから東京附近にゐるものもあつて、そ

れが訪ねてきてくれることがあつた。かうした戰友たちの慰問面會はこの上なくうれしかつた。心おきなく何もかも話しあつた。生死を共にしたもの丶魂が觸れあふ感じで、なんの遠慮も隔てもなくお互にぶつつかつてゆけるのであつた。出征者の家族たちから、出征家族の心持といふものは出征家族同士でなければわからないものだとよく聞かされたが、私たちの場合もそれと同じことがいへるのであつた。

戰友の一人はよく次のやうなことをいつた。

生死の境に洗はれてきた純眞無垢な魂の鋒先といふものは、同じ純眞な魂でなければ受けられないものだ。米がまづいなどと不平をいつたり、闇取引などすることを蛇蝎の如く嫌忌する魂といふものは、普通一般の人からみると却つて誤解を受けるのである。時によると、かうした魂が戰傷兵や歸還兵は驕慢だと見あやまられるかもしれない。しかし、それは決してさうなのではない。こ

れこそ、もつとも謙虛な、もつとも徹底した謙讓な氣持からなのだ。それは、生を超え、死を超えてひたすらに、ちやうど、鐵がいく度も熱火の鍛錬にあつて後、堅い鋼鐵となり、どんな重いものでも、又どんな強い力でも、自分の力で支へてゆき、また彈じき返す、そのやうな謙讓さなのだ。

內科病室

毎日、日課に精進するうちに、義肢の練習作業にもパスした。農業の講義も一通りをへた。身體も日ましに强壯の度を加へた。義手にもなれてくると同時に左手の運用も次第に右手の使用に近くなつてきた。もう一、二箇月もすれば退院できるだらうと思はれた。

ところが、七月の中頃から、なんとなく身體の倦怠をおぼえ、とき／＼變な惡寒があつて、食慾も十分でないやうになつた。左の方の胸に壓迫せられるやうな感じがあつて、深呼吸の時にも左の季肋部の邊に牽引せられるやうな痛みがあつた。輕い咳も出るのであつた。

衛生兵に體溫をとつてもらふと、三十八度あつた。それで早速、內科の診斷を受けた。

內科の軍醫は打診、聽診をした後で、注射器を左の肩胛骨の下の方に刺し通した。黃色い液體が注射器の中へ吸ひあげられてきた。

『左の胸膜炎だ。水が溜つてゐる。』

と軍醫はいつた。

その翌日、私は東寮二號舍の內科病室へ移された。そこは寢臺を二臺づつ備へた個室であつた。室には一人の內科患者がゐた。江上といつて西寮の傷兵であつた。

入室の當日は熱が三十九度近くもあつた。軍醫の診斷の後で、看護婦が氷枕をいれてくれ、胸部の濕布をしてくれた。食慾もあまりなくて、與へられた粥食を半分くらゐ食つた。

それから二、三日はどうしても熱が三十八度を下らないのである。安靜にせよといふので、寢てばかりゐた。毎日濕布をしてもらひ、靜脈注射をしてもらつた。左胸の壓迫感がだん／＼と增してくるやうであり、空咳が出て、食慾もなかつた。

入室第四日目、診斷が終つて暫くしてから、受持の看護婦が來ていつた。

『西條さん、午後胸の水をとります。』

午後三時頃、看護婦が千瓦くらゐ入る瓶を二箇と、消毒盤の上に液をとる注射器とゴム管とを載せてはいつてきた。

『そんなに二瓶もとるのかね。』

ときくと、

『一瓶ではたりないかもわかりませんから。』

と、あつさり答へた。

やがて軍醫がきた。私は寢臺の上に正坐して、上半身だけ病衣を脫いだ。右肩胛骨の下の方へ沃丁(ヨードチンキ)を塗つて、アルコールで拭いた。初め細い注射針が刺された。痲醉劑らしかつた。次に眞物の太い針であつた。軍醫は、痛くないよといひながら一息に太い針をぶすつと刺し通してしまつた。案外、痛くもなかつた。

注射針に五十瓦(グラム)の硝子ポンプが押込まれ、何回となく液がポンプに吸ひだされては、注射針に連なつたゴム管を通つて、寢臺の下の瓶の中へ送られた。ポンプを引いたり押したりするごとに胸がきしむやうで多少の痛みはあつたが、苦しいといふほどでもなかつた。黃色い液體は次第々々に瓶の中へ滿されていつた。すでに一本の瓶は一ぱいになつて、二本目にゴム管が入れられた。間もなく二本目にも溜つていつた。よくもこれだけ溜つてゐたものだと思つた。かうして多量の液が吸ひだされると、なんだか胸が苦しくなつて、咳がでさうになつた。

『痛いかね。』

靜かに軍醫が訊ねた。

『はあ、痛くはないですが、なんだか胸が苦しくて、咳がでさうです。』

やつとこれだけいつた時、もう針は拔かれてゐた。

『液で壓迫されてゐた肺が、急に膨脹すると苦しいから、左を下にして、靜かに寢てゐたがよい。』

軍醫はかういひ殘して出て行つた。

私は脚をのばして病衣に肩を入れながら、

『いくらほど出たかね。』と看護婦にきいてみた。

『千四百瓦……。あとで濕布をしますから、靜かに寢ていらつしやい。』

看護婦は注射器や瓶を持つて出て行つた。

静かに寝てゐると、いつともなしに胸の苦しい感じもなくなつた。

その翌日、検温にきた看護婦が何となく不安らしくみえる私の顔を見て、穏かにいつてくれた。

『液が溜つてくると、呼吸困難を起しますから、人によると二日目、三日目ぐらゐにもう一度液をとらなければならないのです。でも、あなたのは大てい大丈夫でせう。御心配なさるほどではありませんわ。』

私はさう何回もやられてはたまらないと思つたが、幸ひに熱も次第に下つてゆき、氣分も爽快になつてゆくやうであつた。

同室の江上は腹膜炎であつた。腹の中に、多くはないが液が溜つてゐるといふので、腹部がすこし盛りあがつてゐた。熱は三十七度二三分くらゐだといつてゐた。そして食慾もあまりないやうであつた。

彼は毎日電氣で腹部を温めてゐた。櫓(やぐら)の内面に電球が何箇も取りつけてある

やうなものを腹の上に掛けて温めるのであつた。それが八月の暑い最中なので、このうへ温められてはたまらん、と呟きがちだつた。彼はまた、隔日くらゐに太陽燈をかけてもらつてゐた。衛生兵が携帯用の太陽燈をもつてきて二、三十分間かけた。

江上はバイアス灣へ敵前上陸をした勇士の一人であつた。

廣東から少し奥地へ進軍して行く途中、歩兵砲を小舟に積込んで〇〇河を渡つてゐる時、もう二、三間で向岸へ着くといふところへ敵彈が集中してきた。舟の中で二、三人の負傷者がでた。舟を操つてゐた工兵も負傷して、舟は砲を積んだまま流されさうになつた。皆んなは河の中へ飛びこみ、舟に取りついて流れないやうに岸へ岸へと寄せていつた。水は胸のあたりまであつた。彈はひつきりなしに飛んできた。やつと岸に取りついて砲を陸揚し、負傷者を陸へ下して手當をした。

その岸からやや前進した處で、我軍は砲列を敷いて射撃を開始した。さうして二、三發發射した時、敵の砲彈が彼の砲のすぐ近くに落下したのである。彼は負傷すると同時に、一時人事不省に陷つてゐたが、ふと正氣に歸ると、彼の脚をしかと握つてゐるものがあつた。それは戰友であつたが、彼の脚を握つたまま、こと切れてゐるのだつた。

この他にも二人の即死者があり、負傷者は彼とともに三名あつた。

彼は左下腿に砲彈破片創を受けてゐた。間もなく彼は野戰病院に收容され、廣東から臺灣の陸軍病院へ、そこから更に內地の病院に轉送され、最後にこの病院へ來たのであるが、いまだに跛行しないとあるけなかつた。そしてその上に、腹膜炎を併發してこの病室へ移つてからもう二箇月ほど經つてゐた。

江上はとき〴〵悲觀めいたことをいつた。

『こんな、いつ癒るかわからないやうな因業(いんごふ)な病氣にかゝつてはもう駄目だ。

脚の不自由くらゐは何でもないさ。君も手を切斷したのだが、手や脚の不自由なくらゐなんでもないが、こんな、だらしのない病氣では頑張るにも頑張りやうがないぢやないか。』

江上がこんな風な怒つたやうな口をきくと、受持の看護婦はいつもいふのである。

『江上さん、そんなにくよ〳〵いはないで、こんな時こそ、軍人精神を發揮するものよ。癒りますわ、きつとわたしが癒してあげます。』

そんな時、看護婦が出ていつた後で、江上は私にしみ〴〵いふのだつた。

『あの看護婦の親切には頭がさがるよ。一生懸命なんだ。ほんとうに自分で皆んなを癒してみせるつもりでやつてゐるんだからね。』

この受持の看護婦は、年は三十をいくつか過ぎてゐた。彼女は全く親切であつた。一人で十幾室かを受持つてゐたのであるが、その一人一人の濕布をした

り、氷枕をかへたり、電氣罨法をやつたりするさへ一仕事であるのに、病室の掃除や、便器や尿器の始末や、患者の襦袢や汚れものの洗濯までやつてくれるのであつた。その上に、重症患者には殆ど手のはなせないやうなのもゐた。しかし彼女はいつも明るい微笑を浮べながら、誰彼となく親切に面倒をみた。

彼女はある時、こんなことをいつた。

『わたしもほんとは戰地へ行きたくて、何回か志願をしたのですけれど、採用せられなかつたのです。』

内科病室には相當患者があつて、二號舍の個室も始終滿員がちであつた。中にはかなり重症者もあるやうであつた。病氣は私とおなじ胸膜炎や、腹膜炎、肺浸潤といつたやうなのが多いやうであつた。

ある夜ふと眼がさめると、廊下に人のざわめきがあつた。間もなく慌だしく廊下を往き來する人の跫音が聞えだした。いつもは、不寢番の衛生兵が、コッ

コッと歩く靴音以外には物音ひとつしない廊下であつた。耳を澄ますと、夜は寢入つてゐるはずの宿直看護婦の聲も聞えてきた。患者の容態に急變でもおきたのであらう、とすぐさま直感された。

翌朝、看護婦の顔を見ると、さつそく私は訊ねてみた。やつぱり患者の一人が死亡したのだつた。

看護婦は昨夜の不眠で疲れてゐるらしい樣子であつたが、

『……でも立派な御最後でしたわ。新聞などで戰死者の方が天皇陛下萬歳を稱へられるといふことは知つてましたけど、この病室で萬歳を稱へられたのは、あの方が初めてでした。しつかりと天皇陛下萬歳——といひましたわ。ふだんからほんとに辛抱强い方で、戰場のことを思へば、こんな病氣なんかなんでもないといつて、苦しいなどと一言だつていつたことなかつたんです。惜しい方でした。……』

彼女は前夜のありさまを今見るやうにもの語つた。

病室の机の上にはいつも花瓶に花が挿されてあつた。病院を慰問した人たちが報道室においていつた花を、各室へ分配してくれるのである。夏の暑い盛りの頃なので、よい花もなかつたが、よくグラヂオラスの眞赤なのが挿されてあつた。

時には看護婦が、昨夜はお花の稽古があつたからといつて、百合の涼しさうな一輪を分配してくれることもあつた。また雜仕婦が、自分の家の周りにでも咲いてゐたらしい野の花をもつてきて挿しかへてくれることもあつた。自然の陽ざしを思ふままに滿喫した野育ちの芒の青さは眼に沁みるほど美しかつた。

看護婦が病室に何かの香をたいてくれたことがあつた。香氣が室内に漂ひ、廊下の外にまで流れていつた。そして、始終肌の汚れでいやな臭ひがしてゐた

病室に、思ひがけない清楚な氣が充たされるのであつた。

机の上に慰問品の人形が飾られてあつた。ある女學校の生徒さんたちの手製品だといふことで、下町娘の、踊りか長唄の稽古通ひを想はせる、ちよつと鼻は低くかつたが、俯向きがちの長い睫毛の大きなぱつちりした眼が、いつもぢいつと私の方を見つめてゐた。

マスコット露の精とは誰が言ひし

私はこんな短冊を病室へ貼りつけてみた。さて、病室へ貼りつけてみたものの、どうにも人形の鼻が低くて、そのうへ、黒繻子の襟のかかつた着つけで、赤い蹴出しがぞろりと裾に下つてゐるので、なんとしても露の精らしくもないと思はれるのであつた。

看護婦が白い水盤に睡蓮を泛べて持つてきてくれたことがあつた。その水盤へ緋鯉の兒とも思はれる赤い目高を入れておいた。この目高は睡蓮の花が萎れ

てしまつても元氣よく游いでゐた。

內科病室にゐる一人の戰友は、コップに目高を一疋いれて持つてゐた。徑二寸くらゐな釣鐘形の高い脚のついたコップの中に、一疋の目高がいつも元氣よく游いでゐた。このコップの目高はもう一年以上も病室の机の上におかれてゐて、退院して行つた傷兵が次ぎ〳〵に申し送つて行つたのであつた。冬の嚴寒にも目高の游いでゐる底の邊の水だけは凍らずに、目高は生き通してきたのである。さうして、この小さな動物もすこしづつ大きくなつてゆくやうであると戰友は話してゐた。

この話しを聞きながら、私は目高のもつこのコップの中の小さな宇宙と、かうして寢臺に橫たはつてゐる狹められた私の今の小さな宇宙とを思ひ比べてみて、自然の大きな力を自分の身ぢかに感じ、いささか心の安まる思ひがするのであつた。そして、私の病室の睡蓮鉢のなかの目高に、私が退室して行つた後

も、次ぎ〳〵と申し送られるほど元氣で健やかでゐてくれと、いつも心にいのるのであつた。

私の胸膜炎の經過はよかつた。

體溫も胸部の液を取つてから次第に下降して、一週間ほどすると三十七度一、二分しかなくなつた。食慾も出てきた。しかし左胸部がまだ牽引せられるやうな鈍痛のある感じはのこつてゐた。切斷肢の方も別に異常なく、依然として握り拳のやうな感じや、指尖の感覺があつた。室に吊りさげた、布の袋に入れてある義肢を眺めて、もう義肢の作業もできさうだと髀肉の嘆をもらすやうな氣分にもなつてきた。

班の戰友たちがとき〳〵訪ねてきてくれた。時には四、五人も病室に集つて賑やかな談話がはじまり、無邪氣な爆笑があがるやうなこともあつた。江上もすこしは元氣がよいやうであつた。

そのうち、私は平溫の日が續くやうになり、この個室から第三號舍の大部屋に移されることになつた。

『それでは氣をつけてな。早くよくなつてくれよ。』と江上にいふと、

『もう行くのか。また先を越されてしまつて、さびしくなるよ。』と、いかにもさびしさうであつた。

大部屋といふのは寮の班と同じ大きさで、二十人ばかりの內科患者が一室に寢臺をならべてゐた。これらの患者は看護に手のかからない輕症者か、もうすでに恢復期にあるものばかりであつた。

大部屋へ出て暫らくすると、入浴と散步が許された。久しぶりの入浴は爽快であつたが、ながらく寢臺に就いてゐたせいで、はじめての入浴の時は動悸がたかまつて脈がむやみと多く打つた。入浴の歸りにはなつかしい自分の班をのぞいてみることもあつた。

朝夕は、東の後園や中庭へ散步に出た。日中は眞夏の日射で散步もできないくらゐ暑かつたが、私はとき〳〵野外演藝場の西の松林まで出かけた。ひろい相模ヶ原を吹き渉つてくる風が、立ちならぶ松の樹の間を吹きぬけ、松の梢の下草は草いきれもなく冷やかであつた。雜草にまじつて紫の露草が咲いてゐた。私はひとりで、この松林のあひだを靜に步きまはつたり、ベンチに腰をおろしたり、寢そべつたりして一時間くらゐを過すのであつた。

この松林の附近からプールの附近にかけて相變らず私とおなじ切斷者が義手の作業をやつてゐた。

暫らく休んでゐる間に、私の見しらぬ新しい切斷傷兵も見かけたが、私とおなじ頃から作業をやつてゐた連中は、圓匙の使ひ方も相當堂に入つたものになつてゐた。私は皆んなの休憩時間に一座のなかにはいつて話しをしたり、暫らく立ちどまつて作業を見てゆくのであつた。

プールにも多くの傷兵が飛沫をあげたり、眞つ黒い背を陽光にほしてゐたりしてゐた。中には脚や手の切斷傷兵もまじつてゐたが、切斷脚や切斷手も健康の側とおなじ恰好に、おなじ速さで運動をいとなんでゐるのが、水の中に見られた。

大部屋にはいろ〳〵の患者がゐた。

ある日、私の隣りの寢臺の患者が、そつと私に鉛筆書きの紙切れを渡したので、見ると、

胃腸病の友なりと思へば屁の音も寢靜まりたる闇に悲しも

といふ短歌が書いてあつた。

この大部屋には一人の胃病患者がゐて、粥食を半分くらゐ食ふと胃が苦しくなるのであつた。始終、胃がだぶ〳〵してゐて、とき〴〵嘔吐してゐたが、すつかり痩せこけて、すこし強く運動すると眩暈がするのだつた。この歌はこの

患者のことを詠んだ歌なのである。

屁の音といふので、私はちよつと滑稽にも思つたのであるが、よく〳〵讀みかへしてゐると何かしんみりとした哀調を感じるものがあつた。ここは輕症患者や恢復期の患者ばかりであつたが、やはり内科の病室にはどこか陰欝なものがつきまとつた。

この屁の歌を詠んだ私の隣りの患者は、草野峯光といつて、短歌をやつてゐた。彼は傷兵ではなかつた。この病院の近くの〇〇部隊に入營して、まもなく入院してきたのであるが、彼自身の病氣も相當に毛色のかはつたもので、嗜眠性腦炎後遺症といふ名まへであつた。

彼は子供の時に嗜眠性腦炎に罹り治癒した。しかし、その後もとき〴〵嗜眠性の發作がおこつた。電車の中で眠つてしまつて、自分の下車すべき停留所も通りすぎてしまひ、終點まではこばれて車掌にゆりおこされたり、入營後にも

學科の途中で眠つてしまひ、學科がすんでも、彼は一人ゆう〳〵と講堂に眠りつづけてゐるといふやうなことがあつた。そのうへ、眼筋の麻痺があつて、斜視であつたから、いつも一種の表情をして、ぢいつと人の顔を見つめてゐるやうな恰好をしてゐた。しかし、頭腦は決して低腦ではないので、中學校も專門學校も相當の成績で卒業してきたのである。そして入營後、幹部候補生に合格したのであるが、どうも常人とはちがつてゐるといふのでこの病院へ入院してきたのである。

彼はよく、この病室の雰圍氣を歌に詠んだ。

音痴なる我を悲しめり友の彈けるギターに動く指見つめつつ

これもその詠草の一つであるが、彼が、指見つめつつと、例の表情でぢいつと瞳をこらしてゐる狀景が、いまになつてもまだ私の腦裡からはなれがたいのである。

一人の傷兵の患者は肺部に今なほいくつかの留彈があつて、咳嗽(せき)が出たり、胸部を壓迫するやうな疼痛があつたり、時には微熱がでたりするので内科の病室へ送られてきた。

彼は漢口攻略戰のとき弘濟附近の戰鬪で突擊の最中、敵の砲彈が炸裂したため胸部に數箇所の破片創を受けたのである。彼は負傷の時、上腹部に日章旗をまきつけてゐたが、それが胸からほとばしり出る血潮でまつ赤に染まつた。

彼は負傷當時のことを語りながら、その血染の旗を出してみせたことがあつた。日の丸の周圍に書かれた武運長久の文字にも、人々の連名したところにも干からびてどす黑くなつた血痕が點々と附着してゐて、みるからに淒慘なその時のありさまを想像させた。

この傷兵のほかにも、この病室には肺に留彈のあるものが二、三名ゐた。

ところで、この病室にも中央の大卓子(テーブル)の上の大きな花瓶にはいつも慰問の花

が活けてあり、ベットにはめい〳〵が慰問にもらつた人形がかざられてあつた。又、見舞ひにきた人たちからおくられた草花の鉢植や盆栽もおかれてあつた。

　私は江上を二號舍の舊病室にとき〴〵訪ねて行つたが、彼の病勢は相變らず一進一退といふやうな狀態にみえた。

　私の病勢はもう大分よくなり、體力は恢復してゐた。しかし胸の壓迫せられるやうな感じや、牽引せられるやうな感じは全くぬけきらなかつた。これがどこか心の一隅に引きかゝつてゐて取りきれなかつた。そして、もう今となつては、手の一本ないといふことはさほど苦にもならなかつたが、內科の方の病患は、さうはいかなかつた。私の胸膜炎にしても癒つたとはいふものの、どこまで頑張つていゝものか、考へさせられるのであつた。そして義手を振つて土を拓いてゆくべき私の生涯に更に重たい暗いものを背負はされたやうな氣がする

のであつた。軍醫に訊ねてみると、ある程度までは勞働にも差支へないといつてくれたが、徹頭徹尾頑張つてもよいとはいつてくれないのである。

　內科の患者にはこのやうな同じ大きな惱みがあつた。それで、內科的疾患には自然なにか陰鬱な感じがつきまとふのである。

　傷兵にはなにか男らしい心の矜持があつた。世間もまた國家の勇士として稱讃と同情を惜しみなくあたへるのである。しかし、內科の疾患で還送されてきた患者は、なにか意氣地のない自分の姿に自らを卑下するやうな暗いものを感じ、世間からの期待もまた負傷者に對するほど華やかなものではなかつた。

　私が天津の病院にゐた時、一人の內科患者に國許の父親から手紙がきた。その手紙には、お國のために功名をせよと勇ましく村人からも送られ征途に就いたお前が、病氣などになるやうな意氣地なしでは、生きて再び故鄕の土を踏むと思ふな、と書いてあつた。この話しを私に聞かせてくれた看護婦は、私にこ

のことを話しながらも、なにかやるせない感情にせまられたのであらう。ハラハラと涙をおとした。

　なるほど、この手紙の文句は日本の出征兵士を送りだした全家族の意氣であり、覺悟でもあるであらう。しかしこれを受取つた兵士の胸はいかに陰慘なものであらうか。私は內科の病室へきて、內科患者のやりばのないこの心持に觸れ、また自らもこれを味つて同情の念を禁じ得ない。私がかういふことをいふのもあるひは既にひがみであるかと恐れる。しかしそれにも拘はらず、病苦に加へてこの精神的な苦痛はどうにもならないのである。

　私は九月の中旬、治癒となつて、東寮の舊班へ復歸した。

看　護

　戰線から歸還した傷兵は、前線から遠く後送せられればせられるほど、傷兵と衞生兵との間がしつくりとこない、お互の心の隔りが後方にゆくほど大きくなるやうな氣がする、とよくいふのであるが、それは或は眞實かも知れない。彈丸の下で生死を共にした兵隊の、魂が觸れあふやうな心持をそのまま、殊に內地勤務の衞生兵に求めようとするのは、むしろ求める方が無理であらう。

　がしかし、私の場合は負傷以來、前線からここへ來るまで、數々の人の情けに心ゆくばかり潤うてきた。內科疾患に罹つて內科病室にゐる間にも、衞生兵や看護婦のあつい好意をしみ〴〵と心に感じてきたのである。

元來、衛生兵の仕事といふものは地味であつて、他の兵種の兵たちのやうに、華々しいものではない。しかしながら、衛生兵の勤務といふものはいふまでもなく、いつ、いかなる場合にも、又それが内地勤務であらうと、戰地であらうと、人間の生命を對象とした血みどろの實戰なのだ。

彼らは死に瀕した兵隊の看護に夜を徹することも多かつた。あるひは傳染性疾患の患者の看護に敢然として身を挺せなければならなかつた。

この病院の寮附衛生兵は事務的な仕事がおほく、看護といふやうなことはあまりなかつたが、内科病室と外科病室の衛生兵だけは、看護婦と一しよになつて看護にも從事するのであつた。傳染病患者の看護にも、重症患者の不寢番にも衛生兵は孜々としてはたらいてゐた。

秋雨の降りしきる夜、手足も凍てつく嚴寒の夜、彼らは夜を徹して重症患者の枕邊に立ちつくした。

重症患者の落ちくぼんだ眼や痩せこけた頰をぢつと看まもりながら、その顏の筋肉がうごく度に、彼らは一喜一憂するのであつた。患者の瞳がうごく度に患者が何を欲するかを知らうと努めた。排便の世話もし、排尿も始末してやつた。手を撫で、脚を擦つてやつた。東がやうやく白む頃、自分の責任をはたしえた心地でほつと息をつくのであつた。

また衛生兵の中には牛乳や果物の分配掛りがあつた。朝になると、二百幾十本かの牛乳を車に積んで病室へはこんできた。そして各室の一人一人に、傳票と引きあはせながら分配して歩いた。午後になると、また苹果や蜜柑を分配してまはつた。一日ぢゆうこの仕事で寸暇もなかつたが、なに一つ不平ももらさず、默々としてこの地味な職務に專念した。

私は戰場における軍馬を思ひだす。寒暑を論ぜず、風雨氷雪に關せず、重量を負つて營々として行軍をつづけて行く軍馬は、喜怒哀樂のそとに超然として

彈雨の下に泥濘惡路とたたかひとほしたのである。

この衛生兵は默々として毎朝、牛乳瓶をさげて私たちの病室へはいつてき、そして敏捷にでて行くのであつた。彼の表情には、陰鬱なものは何もなかつた。自ら卑下するものもなかつた。大愚のごとく、聖賢のごとく、この仕事を應召以來つづけてゐるのであつた。私は敢てこの衛生兵と軍馬とを比較しようなどとは思つてゐない。しかし、十分な表現力をもたぬ動物から我々人間は時として人間以上のものを感得するものである。私は何かしらこの衛生兵の前に頭のさがる崇高なものを感じたのである。

この病院では一般に看護婦を使つてゐなかつた。ただ内科と外科の病室にだけ僅かに十數人の看護婦が勤務してゐるにすぎなかつた。この看護婦たちも陸軍の正規の看護婦ではなく、臨時に地方の看護婦の志願者の中から雇つたものであつた。しかし彼女たちは誰も彼もこの一つの時代になにか直接にお國のた

めに盡したい、奉仕したい、といふ自らの念願から應募してきたのであつた。それだけに彼女たちの勤務は眞劍であり、職業を超越してゐた。

彼女たちの勤務は多忙をきはめた。

事實、一人で二十人にあまる患者を受持つてゐた。中には重態の患者もまじつてゐた。一般の看護のほかに、病室の掃除もやり、患者の下着やサル股の洗濯までしてくれた。入浴のできない兵にはお湯を沸して身體を拭つてやつた。手の不自由な兵には食器の上げおろしまでしてやつた。病衣の着替のために病衣を堆高く積んだ車をおして、眞赤な顏に汗を垂しながら廊下を行く彼女たちを見た。まつたく彼女たちは身を粉にしてはたらいた。

便器を持つて、尿器を持つて、洗面器を持つて、消毒藥を持つて、注射器を持つて、汚物を持つて、彼女たちは日に何十回か病院の長い廊下を往來した。眞夏の蒸暑い無風狀態にあるこの廊下は、さすがに彼女たちを苦しめた。午後

になると、眼が落ちくぼんできた。腰が突つぱり、脚が棒のやうになつて膨れあがつた。しかし、流れる汗を拭きもせず、顔一面に汗疹をだして、倒れさうになりながらがんばつた。

冬になると、病室のストーブから取りだした石炭殼を大きなバケツに山と積んで運んで行く彼女たちを見た。病室の窓硝子をせつせと拭つてゐる彼女たちの手に皹(あかぎれ)がきれて血がにじんでゐるのを見た。

看護婦には三日おきくらゐに宿直があつて、職員の歸つた後、全患者を受持つのであつた。病勢が苦しくなると夜中かまはず、どこの病室からも『看護婦さん』『看護婦さん』と遠慮なく訴へるやうに患者がよんだ。そんな時、注射器を持つて廊下を足ばやに走つて行くことがあつた。消燈までに患者の氷嚢や氷枕をとりかへてやらなければならなかつた。便所のよこの氷置場で凍える手で氷を砕いて入れかへ、それを車に積んで各病室をまはつてあるき、一人一人の

頭にあてがつてやつた。やうやく皆んなが寢靜まつてから、夜更けにやつと床につくのであつたが、勿論、重症患者のためにはその後でも何回か起されることがあつた。

朝は四時頃に起きて身仕度をしてから、全患者の朝の檢溫をした。洗面場へ行けない患者には洗面器に水を運んできて、口を嗽ぎ、顔を洗つてやつた。さうして、職員たちが出勤してくると、また同じやうにその日のきまつた日課に服するのである。

私が二號舍へ入室してゐたある日、受持の看護婦が白い風呂敷のやうな物を提げてはいつてきて、

『西條さん、あなたの頭もだいぶ陰氣くさくなつてゐるわ。刈つてあげませうか。』

『誰か理髮の人が來てゐるのかい。』

『いいえ、わたしが刈るのよ。こゝの看護婦は皆んな床屋さんをやるのよ。本職よりうまいかもしれないわ。』

さうして、もぢや〳〵と延びた私の頭髮が手ぎはよく、さつぱりとした丸刈にできあがつた。

『少し虎刈りだけど、我慢して頂戴。』

私は爽かな氣持で、わけもなくたのしかつた。

私達は内科に入室中いく度か、彼女たちの職務を超越した好意に感謝した。そして眞實の籠つた情けにしみ〴〵と人の世を感じたのであるが、傷兵の中には、負傷してからのながい病院生活、そのうへに不治の内科疾患に冒されて、自然にくる病人特有のひがみから、かうした厚意や眞實をすなほに受容れられなくなつてしまふものもゐた。で、かうした患者へは、いくら盡してもまだ盡

し足りなかつた。

かうした僻んだ患者は、時とすると、何かの言葉尻をつかまへて看護婦に食つてかゝることもあつた。何か用をしてもらつても、氣にくはぬと、どなり散らすこともあつた。

しかし、かうした無理をいふ患者にも、すねる患者にも彼女たちは深い同情と、眞實を失ふことなくいつも微笑をあたへた。時には姉のやうになだめすかした。時には母のやうにいたはりなぐさめた。そして患者の誰に對しても公平に接してゆくのであつた。私はこのやうな光景を見る毎に、日本女性の忍從性の美しさに胸を打たれた。そして、その忍從性の中に、時には風に柳と受け流してゐる彼女たちの態度を、實に見あげたものに思ひ、一體、女の方が男よりもえらいのではないかと思ふことがしば〳〵あつた。

ある醫者は、手術臺の上にのせられた時、男よりも女の方が遙に度胸がある

といつた。男が苦痛に叫び聲をあげる時にも、女はぢつと眼をつぶつて耐へ忍んでゐる。かういふ女の內剛性を科學者は女は男よりも痛覺が鈍いからだと解釋するのであるが、私はこれは科學者の惡い癖だと思ふ。やはり、これは日本女性の傳統的な躾の中に發見される獨得の美德であることは勿論であらう。西洋人の中には、日本の兵隊の强いのを見て、日本人は痛覺が鈍いからだと說明するものがあつたとしたら、全くをかしいことにちがひない。

看護婦たちはたいてい午後七時頃に退廳して、それぞれ自分の宿所へ歸るのであつた。宿所へおちついて風呂にでも入ると恐らくもう九時すぎになつて、晝間の疲れきつた身體は何をする氣力もないであらう。しかし感心なことにどの看護婦も、かうした環境の中にも寸暇をさいて、生花とお茶の稽古に通ふのであつた。

朝は五時頃に起きて、六時頃にはもう登院してきた。休日も殆どなかつた。

月に二回の公休があつたが、それも用件のある時だけ休むものが多かつた。ほとんど月のうち一日も休みなしにがんばりとほすものも多かつた。

彼女たちの娯樂は映畫を觀ることではなく、彼女たちの勤務そのものであり、彼女たちの修養は讀書をすることではなく、彼女たちの生活の行そのものであつた。彼女たちの信念はひたすらに看護もる心に生きてゆくことであつた。

鐵腕を抱きて

內科の病室から寮へ復歸した私は、そのまま暫らく靜養をつづけた。

二箇月ちかく內科へ入室してゐるうちに、班の人々にもかなりの移動があつた。退院した傷兵も四、五名あり、新しく入院してきた傷兵も同數くらゐあつた。私も胸膜炎にかからなければ、今頃はもう退院してゐたであらうと思はれた。私よりも後から入院してきた人の中にも、旣に退院したものがあつた。

相模野にも秋がきて、芒の穗に白々と風が吹き渡つた。秋の陽に院庭の鷄頭が薄い影をつくつてゐた。窓邊にちかく夜を徹して虫が啼きしだいた。暫らく使はなかつた義肢が壁に吊るされたまま寂然と灯影をうつしてゐた。

遠い征野のことが想ひ出され、戰友のたれかれの面影が偲ばれた。なんとなく人なつかしい宵々がつづいた。

胸膜炎のことは郷里へは知らしてなかつたが、書きなれてきた左手で、胸膜炎のことも、今はすでに治癒したと書き送つた。

妻から見舞に上京するといふ手紙が來た。

妻子二人が京都から見舞に來たときには、私の病氣もすつかり癒えてゐた。私の元氣さうな顔を見て妻もはれ〴〵と安心したやうであつた。久しぶりに親子三人で酒保に入り、樂しい打ちくつろいだ氣持で院庭を散歩した。

歩きながらも、妻は、今年は茄子がよく出來たこと、今あの畑には大根を作つてゐること、稻作も大へん出來がよいこと、郷里のたれかれの噂など、こまごまと語りつづけた。私は、女ひとりで畑に草も生やさず、よくやつてきてくれた妻の勞苦に感謝した。

私の郷里の風習は女もひろい帶をしめず、身幅前垂れをしてゐるのであるが妻は今日だけはめづらしく帶をしめてきた。顔は赭く日にやけて、指の爪は土の色で黒くなつてゐた。

私は、稻の刈入れまでには退院ができるかもしれないこと、今年の冬にはあの畑には何を作らうかなどと、ただ新しい希望に燃えてたのしく語つた。手のないことなど忘れてゐた。

秋の日は短かく面會の時間もすぎて、今夜は東京の知人の宅に宿るといふ妻子を病院の門から送りだした。

妻子が歸つてからも、この日一日、私の心は絶えずうき〴〵とはずんでゐた。郷里のことが頭をはなれなかつた。田畑のこと、作物のこと、歸郷したら仕事をかういふふうに整理しよう、新しい野菜の試作もしてみよう、あれもやらう、これもやりたいといふやうな將來の計畫や、理想が次ぎ〴〵と腦裡を往

來するのであつた。

私の郷里は都會地の郊外にあつて、米よりも市にだす野菜を作るのが多かつた。それに私の郷里は、大きな丸い茄子が名物であつたので、夏になるとどの畑も一面の茄子畑となつた。冬は京名物の酢莖漬をつくつて京阪はもとより東京までも送りだすのであつた。從つて一年のうち休んでゐる畑はなく、次ぎから次ぎへと、野菜が作られて行くので、土地の百姓はいつも多忙をきはめてゐた。文字どほり朝は星を戴いて市へだす野菜を採り水洗ひをし、そして、夕は月の影を踏んで畑を耕しつづけるのである。私は郷里のことを頭におもひ泛べながら、頑張るぞ、この義手で頑張つてみせるぞ、とつよく心に呼びかけるのであつた。

暫らく靜養をつづけてゐたが、間もなく私は再び運動療法や、義肢の作業に出場した。それこそ最後の仕上のつもりだつた。

圓匙や鍬をつかふ要領はすでに獲得してゐたのであるが、暫らくぶりで義手を着けるとやはり重苦しく、固定帶で締めつけられる左手もすぐ疲れた。これになれてゆくのに、初めて義手を着けた時ぐらゐの日數を要した。

農園には夏の野菜類はもうをはつて、陸稻が實つてゐた。大根が太りはじめて、白い根を土から半ば盛りあげてゐた。

恩給診斷もすんで近く退院する日が私にもきた。さすがに退院の日が待ち遠しく、夢のやうな數日をすごした。退院の前日、班の人たちが私ともう一人の退院する兵のために、サイダーや酒保の菓子を卓上にならべて送別の意を表してくれた。皆んなが、別れてもおたがひに前途の奮闘を通信しあはうと云ひ、歸つたら京都の名物を送つてくれよなどと云ふものもあつた。

いよ〴〵退院の日には班のものが玄關まで見送つてくれた。いく度か退院をかうして見送つた私であつたが、今日は見送られる自分である。十箇月起居し

た病院、數々の人の情に生きてきた病院、私に更生の手を授け、どうやらひとり歩きができるやうに育てゝくれた病院、私の胸にはさすがに熱くせまり來るものがあつた。私は何回か皆んなにむかつて左手の敬禮を繰りかへした。

玄關をはなれて行幸記念碑に最後の敬禮をした。感慨無量であつた。

私は、もう一人の退院者と一しよに衛門前のバスに乗つて、思ひで多い松林を通りぬけ、相模ヶ原驛に着いた。一人は新宿行に乗つた。私は小田原行であつた。おそらくは一生のあひだに再び相會ふこともないであらうか。二人は、お互の奮闘をいのりつゝ、手を振つて別れた。

電車は相模ヶ原の驛をはなれた。

いよ〱私は、更生の生涯へ第一歩を踏みだしたのである。

今後の私の生涯は、おそらくは苦難の生涯であるであらう。依然として彈丸雨飛する戰場であるであらう。しかし、それはかねての覺悟である。戰場できたへた攻撃精神と、純眞無垢の魂とをもつて、荊棘の道をきり拓いてゆかう。泥濘の道も踏み越えてゆかう。たとへ、如何なることがあらうとも。

私はいま更生の戰線へ征くのだ。銃のかはりに鐵腕を抱いて出陣するのだ。

相模ヶ原の松林はもう見えなくなつてゐた。雜木林を越えて、遠く大山、丹澤の山脈が霞んでゐた。

私の胸は新しい希望に滿ちあふれ、無量の感謝と、感激にかがやく双眸はいつか潤んでゐた。

あとがき

この書は西條上等兵（假名）の實話を筆錄したものである。この實話を以て終始一貫したのであるが、著者自身の見聞をも又尠からず附け加へた。

著者は約〇ケ月の戰線勤務の後、內地の臨時東京第三陸軍病院に轉任を命ぜられた。この病院は、他の陸軍病院と異つた、特殊の機構をもつた病院であつた。

日淸日露の役等にはまだなかつた特殊病院で、今事變に初めて設備せられたものであつた。日淸、日露役時代には、ある一定の治療後、なほ高度の機能障碍を遺してゐる傷兵は不具癈疾者として捨てられてゐたのである。今事變に於ては、斯の如き不具癈疾者をこの病院に集め、最後の特殊療法を行ひ、更に職業準備敎育を施し、不具癈疾者も亦國家の產業因子として、自力更生せしめようと企圖せられたのである。從つて、病院ではあつたが、同時に又、再起の道場でもあり、更生の訓練所でもあつた。

傷兵も職員も、この目的のために血の滲むやうな精進を續けた。此處に釀成せられた雰圍氣は他の陸軍病院では見られぬ特殊のものであつた。

かうした特殊の軍國の姿を記錄して、廣く一般の國民諸子にお知らせしたいといふ希望を著者はもつてゐたのであるが、病院の勤務は多忙を極め、筆を取る暇を得る由もなかつた。處が著者はこの病院に勤務中偶ゝ疾病に冒され、この病院に約三ケ月の入院生活を送つた。其後許されて自宅療養をすることになつたが、今尙病床にあるのである。幸にも病閑を得るに至り、病床の暇々に本編を綴ることが出來たのである。

本書を上梓するに就て著者には三つの希ひがあつた。

一般國民諸子にこの特殊の軍國の姿を廣くお知らせしたいといふのが無論第一の希ひであつた。

第二には、かうした特殊病院の學問的な機構なり、治療成績なりは、それぞれ當路の人によつて記述せられ、正史に遺されるのは勿論であるが、此處に釀成せられてゐた傷兵諸君の間の雰圍氣といふものは恐らく正史に記述せられないのである。しかも、かうした雰圍氣の記錄も、學問的な正史と共に又將來の參考になるだらうと考へたのである。

次には、戰記物の類は無論一般國民諸子に多く讀まれてゐるのであるが、それにも增して、歸還兵諸君や、現になほ戰地にある兵隊諸君に多く讀まれてゐるのである。それは自分達が體驗したことを、又今既に體驗しつゝあることを記錄によつて再び味ふことに興味があるからである。これと同じ意味に於て、本書が多くの傷痍軍人諸君に讀まれ、恐らく退院後も苦難の道を精進されつゝあるであらう諸君に、拙きこの記錄が何等かの示唆を與へ、萬一にも挫折せんとする勇氣を再び鞭打つものとなるならば、と思ふのが第三の希ひである。

筆を擱くに當り、傷痍軍人諸君に感謝の意を表すると同時に、將來の奮鬪と、幸福を祈つて止まない。

猶本書の記錄上梓に當つて材料を提供せられ、御助力を賜つた傷兵諸君、病院職員諸氏に厚く感謝の意を表する。

昭和十六年十月十五日印刷
昭和十六年十月二十日發行

（鬪ふ義手）定價 金壹圓五拾錢 ㊢

著者 河原魁一郎（カハハラクワイイチラウ）
發行者 村田鐵三郎 東京市麴町區丸ノ内三ノ八
印刷者 合資會社同興舍 井波 東京市神田區神保町一ノ三三
配給元 日本出版配給株式會社
發行所 有光社 東京市麴町區丸ノ内三ノ八 電話丸ノ内三〇二〇番 振替東京六六六一五番

會員番號 一三七〇一六

267

五訓

一 傷痍軍人ハ精神ヲ練磨シ身體ノ障碍ヲ克服スヘシ
一 傷痍軍人ハ自力ヲ基トシ再起奉公ノ誠ヲ效スヘシ
一 傷痍軍人ハ品位ヲ尚ヒ謙譲ノ美徳ヲ發揮スヘシ
一 傷痍軍人ハ操守ヲ固クシ處世ノ方途ニ愼重ナルヘシ
一 傷痍軍人ハ一身ノ名譽ニ鑑ミ世人ノ儀表タルヘシ

大日本傷痍軍人會長
陸軍大將林仙之書

療訓

一 安穏ニ療養シ得ルハ偏ニ宏大無邊ノ聖恩ニヨルコトヲ感謝シ再起奉公ヲ念トスヘシ
一 徳義ヲ重ンシ總親和ヲ旨トシ規律風紀ヲ嚴守スヘシ
一 絶對治癒ヲ信シ安ンシテ長期ノ療養ニ專念スヘシ

陸軍中將奥村錕作書

すゞか 第五號 目次

縣下國民學校兒童相撲

外氣入所者作業

弓道

報恩神社

外氣村

外氣入所者作業

すゞか 第五號

巻頭言

外支那事變處理大東亞共榮圏確立に邁進し、内高度國防國家建設に一億一心となり努力する時反樞軸國家群の太平洋よりの包圍壓迫に日々激化增大する。今や太平洋上風雲正に急なり。風雨荒れなば荒れよ、我に備有り。

見よ我が無敵海軍の不動磐石の威容を。

五百餘隻の艨艟堂々海を壓する我沈默の一大威力を、我等は海軍に絕對的信頼をもつて銃後の護に任じようではないか。

開所二周年記念日に際して

草　野　與　平

雨過ぐれば松の翠彌濃く爽涼の若葉に薫る本日玆に二周年記念日を迎ひ、關係各位御臨席の下に諸君と相會して記念の祝典を擧ぐるに當り、襟を正して過去を顧み輝しき希望を將來に抱きて所懷の一端を述ぶることは私の最も欣幸とする所であります。

先づ皇室に於かせられましては益々御繁榮に亙らせられますことは我等臣民の齊しく至上の幸慶とする所であります。畏くも　天皇陛下には日夜政務軍務に御精勵遊ばされ、此の未曾有の非常時局に當り數々の聖訓を垂れさせられて民草の嚮ふ所を明かに示し賜り、特に聖戰に傷つける傷病將士に對しては殊の外御軫念あらせ給ひ又　皇后陛下の數々の御仁慈を拜し奉る時、この宏大無邊の皇恩に浴しますことは、洵に恐懼感激に堪へざる所でありまして、只管療養の大道を進みて一日も速に再起奉公の實を擧ぐることに專念し、以て上聖明に應へ奉らねばならぬと痛感する次第であります。

顧みまするに、昨年は紀元二千六百年を迎へ曠古の大典を宮城外苑に壽ぎ奉りて生を皇土に享け此の盛代に逢へるの感激に浸りましたが、之と共に本所に取りまして光榮限りなき年でありました。即ち謹みて惟るに、客歳紀元二千六百年に丁り、六月十日、畏くも　天皇陛下親しく皇祖皇宗の神庭に報本反始の大孝を申べさせ給ひ、本年五月十六日復た重ねて　皇后陛下神宮御參拜の玉韓を沿道に迎ひ奉りて、聖地三重に住む者として一世の光榮に浴して、我等一同感激復た新に、相率ひて丹心報國の誠を効し、天業を扶翼し奉らんことを期し奉つたことであります。

聖戰既に滿四年に近からんとし歐洲の天地風雲亦急を急ぐるの時諸君と共に畏くも　天皇陛下の萬歲を壽ぎ奉り、皇軍の武運長久を祈念し、一死忠誠に殉じたる護國の英靈の冥加を祈ると共に、聖戰に傷つきたる傷病將士の平癒を祈願し併せて本所の完全なる使命達成を庶幾ふものであります。

扨玆に過去一ヶ年間に於ける本所の主なる出來事に就て回顧致したいと思ひます。

所内に於ける建築の進捗並に施設に就きて其の概要を述べれば、療養即修道なる理念の下に其の實現を一日千秋と待望久しかりし講堂及修養娯樂室は、療棟の南面眺望絶佳の地に其の偉容を整へ、十月十二日に盛大なる落成式を擧げ、恩賜財團軍人援護會總裁朝香宮殿下の御命名により壽康館と稱し、其の出典を拜察する時特に古典に探りて此の良稱を名づけ給へる殿下の御慈念は眞に恐懼感激に堪へませぬ。療養生活の殿堂として、精神修養の據點として人格の錬成に品性の陶冶に努めて以て殿下の思召に添ひ奉らねばならぬと存じます。

次で十二月四日には報國神社の鎭座祭行はれ、之に先立つ遷座祭と共に嚴肅盛大に執り行はせられたのであります。敬神崇祖は我が日本の國民道德の根源であり淳風美俗の溫床でありまして、忠孝一本の理念も亦玆に培養せらるゝのであります。此の敬神崇祖の實踐強化徹底によりて臣道の本分も自覺反省せられ、其處に燃ゆるが如き奉公の精神と無限の活動力が生れて來るのであります。神明の御加護と御照覽あるところ如何なる難局も打開せられ神國日本の本領を發揮して參つたことは、悠久二千六百年の國史を顧れば自ら炳かであります。我が療養所構内に報國神社の建立を見るに至りましたのも畢竟是等日本人としての止むに止まれぬ心情の發露でありまして、吾々は神祇を奉齋し神明を敬ひ奉ることによりて惟神の肇國の大精神と大理想に觸れ、之を體得することによつて眞の日本人たらんことを念願するものであります。

奉祀するに本社に天照皇大神、攝社に國土經營の祖神多度神を以てし、嚢に本庄總裁所內の一橋梁に報恩橋と命名せられたる由來記に因みて報恩神社と稱し奉り、以て愈々敬神思想を涵養すると共に、所員及入所者の至誠より發露する報恩感謝の念亦之に近からんことを庶幾したのであります。社殿は恩賜財團軍人援護會の寄附にして之が造營の全經費六千五百圓は三重郡日永村稻垣末吉氏の寄進により完成致したものであります。

其他の附屬建築に於て又醫療施設に於ても時局下尙着々として整備し來りつゝありますことは、本所の使命遂行上誠に喜びに堪へませぬ。

次に入所者諸士を對象として觀たる過去一ヶ年の生活の跡を顧みるに、開所以來の入所者〇〇〇名にして、內全治及略治退所者〇〇名、輕快又は事故退所者〇〇名、現在入所者〇〇〇名であります。

退所後の健康調査及職業調査（四月現在）によれば、全治略治退所者は全員悉く益々健康にして或は舊職に、或は新に職を需めて時局下產業戰線に活躍され、殊には應召して國土防衛の第一線に再起奉公しつゝあるを見ますることは御同慶の至りであります。事情許さず療養半にして輕快又は事故退所せられたる者は概して經過面白からず、中にも一〇名の死亡者を報ぜられたるは同情又哀悼に堪へぬ次第でありまして、其他の退所者諸氏に對しては願はくは健在なれ、事情許さば再び來りて全治退所の日を迎へよと祈らざるを得ません。明日の光明を待望しつゝ一意療養に專念精進しつゝありしも天命遂に藉するなく、再起奉公を誦みつゝ療友に護られて不歸の客となられたる者亦少なからざるは、誠に痛恨哀悼の情に堪へぬ所でありまして私は諸君と共に深甚なる哀悼の意を表するものであります。

是等殉國の英靈を慰め、其の家族を犒はんがため、十一月十五日壽康館に於て合同慰靈祭を擧行致しました。關係各位の御臨席の下に、我等所員、療友は遺族父兄と一堂に相會して、或は戰績を語りて其の功を稱へ、或は往時を追懷して切々たる思出の裡に英魂を迎ひ慰め、遺族に對しては心からなる弔意と感謝の誠を表したのであります。

更に事故退所者中には、退所處分を受けたる者〇〇名を見出すことは私の最も遺憾とする所でありまして、病みて療養の道を守らず、受ける感謝と恩遇に狎れて集團療養生活の破壞者となる等、五訓に敎ゆる傷痍軍人たるの自覺なく、其の榮譽を穢すと共に禍に累を衆に及ぼせる者にして、私は所員及入所者諸士の協力によりて、今後に於ては一人たりとも斯る不名譽なる者を絶對に出さゞる樣其の根絶を期待するものであります。

現在療養に精進せらるゝ〇〇〇名の諸士は、思想、氣風、態度共に概ね穩健中正にして各自克く時局を認識し、傷痍軍人五訓及療訓を遵奉して只管療養に專念し、而も再起の曉は名實共に銃後の指導者として、又推進の中核體としての準備に精勵しつゝある眞摯なる療養態度を見ますことは洵に敬服に堪へざる次第でありまして、「療養即修道、療養所は同時に人生の修養道場なり、精神的に何物かを掴んで歸れ」と叫ぶ私の念願が日々に顯現されつゝあることを認め得ますことは私の心からの喜びと尊敬とを寄するところであります。

從來動もすれば已が功に誇りて身に浴ぶる溫情に狃れ、求むるに急にして已が責を果さず、徒らに不平不滿を口にして些も建設的協力をなさず、又療養の道に悖りて病勢の惡化を招來する者等時に認められありしも、昨夏以來不良分子の自滅と共に面目を全く新にして療養本然の姿に復り、凡ゆる部面に於て進取建設的態度を以て自律積極的に相誡め、競つて再起奉公の熱意の下に堅實なる明日の光明に希望の努力を傾注しつゝあることを認めますことは玆に確言し得ると考へます。

私は入所者諸士の眞の療養生活の基本は諸士の自覺に存すると同時に、所內秩序の維持は諸士の積極的協力ありてこそ初めて完全に行はれ得るものと信ずるものでありまして、規則や取締や處罰等を萬能視するものではありませぬ。然し乍ら善を善とし惡を惡として信賞必罰を嚴にすることは申すまでもありません。

要之、現在入所者諸士の療養態度は其の療養生活に於て、規律風紀の維持に於て、心身の錬成修養に於て一段の進境を見せ、概ね自律積極的に營爲されつゝあるを認むる次第でありまして、願くは此の機運を更に育成助長せしめて益々其の本領を發揮し、理想的心の療養環境の釀成に努むると共に、惠まれたる自然的環境と國家社會の惠澤の良能を最高度に發揮して以て世人の期待に添ふべきであると信じます。

他面療養成果の萬全を期するためには、治す者、治される者及び其の家族は常に緊密なる連絡を保ち、所員は父兄の心を心とし、又父兄は所員の心を以て已が心となし、三者は渾然一體となりて、療養者をして安んじて長期の療養に專念せしむることの肝要なる事實に鑑み、昨年八月三重縣下の入所者家族父兄と、更に本年四・五月には爾餘の入所區域內各縣の入所者家族父兄との懇談會を開催し、豫期以上の多大なる效果を收めたのであります。

次に所員を對象とする過去一ヶ年を顧みまするに、創業第二年の建設に當り人的組成の充實と共に各員一段と克く本所の使命と其の職責を理解し、誠意と努力とを以て各々其の職域を守り、而も縱に横に緊密なる連絡を保ち、和衷協同、互讓の美德を遺憾なく發揮して、使命の遂行に盡瘁し來りましたことは、當所の最も誇とするところでありまして、其の涙ぐましき努力の跡を尋ぬる時轉々感激の情に感謝の辭も盡し得ぬ次第であります。本館會議室に揭ぐる長與先生の同心偕行の文字は活きて本所の指導精神となつて居るのであります。言ふ迄もなく本所運營の中核は所員諸氏の双肩に在るのでありまして、其の熱意其の努力其の活動こそは、本所の熱となり力となり生命となり、換言すれば本所の使命達成の原動力となるのであります。至誠にして未だ動かざるものなし、所員諸氏の眞情は直ちに療養者に反映して正しき療養の本道を辿らしめ、明るき希望と朗かな生活を育む培地となるのであります。

所員の主なる異動に於ては、先づ指導官竹澤大佐及び橋浦醫官の着任並庶務課長の交迭であります。即ち六月十四日陸軍大佐竹澤金五郎氏が指導官として着任せられ、從來缺員の儘に各醫官を始め、關係各位を勞して之を分擔し、動もすれば創業の本務に追はれ自他共に不便を感ずるも、協力一致克くこれを代行して些の遺憾なかりし處、更に指導官の着任ありて一段と事務の圓滑、風紀秩序の進境を見るに至りました。醫官の充員に就ては常に大學當局と連絡鋭意其の充實に努めて居りますが、幸に十二月十七日橋浦醫官の着任ありて醫療の充實を來しましたことは本所の使命に鑑み頗る意を强うする次第であります。本年一月三十日喜多庶務課長東京府に轉じ、澤井理事官の着任となつたのでありますが、喜多前庶務課長は克く課内を統率し、所内の連絡協調に力を効し、入所者諸士の療養生活方面にも深く意を用ひて其の改善工夫に思を凝らし、悠揚たる擧措の内にも豪放果斷、即決即行を以て事務の運營を辨じ克く建設第二年を築き、其の轉出を惜まれたのであります。然るに東京赴任後僅に月餘、遽に病に客死せるは惜みても餘りある次第でありまして、玆に心から氏の靈に對し感謝と哀悼の忱を捧げたいのであります。代つて着任せられました澤井庶務課長に對しては、創業第三年に當り其の鍊熟せる手腕に完成の重責を負荷し、以て有終の美果を期待するや切なるものがあるのであります。

要するに過ぎにし一ヶ年を回顧すれば、全所員一體となりて其の使命に生き、其の使命に奔走して本所創業の難事に精進し今日の充實と振興とを齎らしたものと確信致します。是れ全く所員諸君の誠意の發露であり、努力の結晶であると信じまして衷心より感謝致しまする共に、創業一段落と共に動もすれば氣の弛まんとするものでありまするが、小成に安んずることなく今後更に一層の緊張を望んで止みませぬ。

本所今日の成果は所員並入所者諸君の努力精進の致すところではありまするが、吾々は更に其の蔭に吾々に寄する國家社會の偉大なる力のあることを忘れてはなりません。

所員並入所者諸君、時局は愈々重大であります。吾々は常に本所の來由に稽へ、其の使命の愈々重加しつゝある實情に省みて、七〇〇の所員及入所者は完全に打つて一丸となり、和心協調して本所の國家的大使命の達成に邁進すると共に國家社會の惠澤に感謝し其の期待に應ふべく、各々其の職分を守り臣道を實踐して大政翼賛の實を結ばんことを諸君と共に誓ひたいと存じます。

聊か所懐の一端を陳べて式辭と致します。（終り）

自然療法（第三回）

所長　草野與平

四、安靜療法

（一）安靜療法の意義

安靜療法とは文字通り、安靜を守ることによつて結核を征服すると云ふ療法である。勿論安靜と云ふことには身體的安靜と精神的安靜の二方面のあることは云ふ迄もないが、後者に就ては後述することゝして、先づ身體的の安靜に就て述べよう。

身體を安靜にすることによつて結核を克服するのだと云ふと、大多數の諸君は先づ怪訝な顏をする、無理はないと思ふ。何故なら安靜療法は先にも一寸觸れたやうに、身體と共に精神的安靜を不可欠要件とし、同時に大氣療法並に回を重ねて後述するやうに榮養療法、精神療法等と相俟つて始めて其の充分なる醫療効果を期待し得るものであるからである。即ち安靜療法は自然療法の一環として重要不可欠の地位を占むるものである。然し乍ら、本項に於て述べんとする所は、かゝる自然療法の一環としての安靜療法と云ふよりは、もつと直接的な意義乃至價値或は其の具體的方法に就てゞある。

（二）身體の安靜

當所に於ては午前一時間、午後二時間の絶對安靜と、午前午後各一時間の靜臥とを勵行して居ることは入所者諸君の實行して居らるゝ通りである。絶對安靜時間には床上に靜臥し、所謂不見、不聞、不語の原則によつて一切の活動を停止して心身の

絶對安靜を圖るのであつて、出來得れば無念無想の境地に在つて過すことである。諸君の間には之を所謂三猿主義と稱して、見猿、聞猿、語猿の標語や標圖を枕頭に揭げて實行に努めて居る者を見かけるが、此の三猿主義の徹底こそ絶對安靜の要領と考へて差支ないと思ふ。

無念無想の境地に入ることは我々凡人には却々容易のことではないが、少くとも之に近からんことを努めることが、私の常に謂ふ積極的自律の療養精神の發露である。此の努力が拂はれるか否かによつて其の人の療養効果に天壤の差が出來て來るのである。

無念無想の心境に入り難い者は、此の間努めて明朗なる建設的方面に心を向けられることがよいと思ふ。換言すれば心靜かに趣味的方面の構想に、例へば詩歌・文章等の推敲考按に想を練り、明日の生活に新たなる工夫を講ずるとか、或は過去を反省して將來の心の糧を求めるとか、其の人、其の境遇によつて自ら異つた身と心の安靜の世界に思を遊ばすことが出來ると思ふ。唯この場合注意すべきは、所謂小人閑居して不善を爲すと云ふが如き、暇さへあればロクな事を考へぬと云ふ邪道に陷つてはならぬことである。

靜臥時間と云ふのは、絶對安靜時間に於て身も心も絶對に動いてはいかぬと云ふのに反して、新聞・雜誌等の輕い讀書はしてもよい、即ち室内に於ける極輕い動作位は許されると云ふ安靜程度である。從つて室内に於ける雜談位は許される。此の程度の安靜は何人でも直ちに實行し得るものである。

（三）安靜療法の効果

安靜療法の効果・目的には、直接的には吾々は次の三つを擧げて居る。間接的効果或は科學的詳細な意義に就ては專門的になるのでこゝでは說明を省くことにする。

1、安靜することによつて體力の消耗を防ぐ

健康體の人間でも、或程度の運動（活動）をした後には必ず疲勞を感ずることは周知の事實で、運動には必ず疲勞即ち疲れ

の現象が生理的に伴ふものである。即ち呼吸があらくなる（强くなる）とか、脈搏が强大頻數となるとか、肺臟及心臟の作用が亢進し、或は流汗淋漓して人々は疲れたと云ふて適度に休息を欲するのである。

此の疲れの現象は、換言すれば體力の消耗と云ふことであつて、不健康人即ち身心の何處かに疾患のある所謂病人に於ては健康人よりも早期に、而も强度に現はれることも周知の通りである。凡そ病人たるの自覺は先づかゝる點から感得せらるゝのが普通で、換言すれば病人は疲勞し易いと云ふことが出來る。其の故は病人は總じて既に病氣そのものゝ爲に相當の體力が消耗せられてあるから、運動によつて體力の消耗は倍加せらるゝためである。

入所者諸君の如き呼吸器系統の結核性疾患は、消耗性の疾患と云はれて居るやうに、一般の疾患に比較して體力の消耗が特に强度に行はれる疾患であつて、此の種疾患の初發症候として「疲れ易い」とか、「食慾が減退して段々瘦せて來る」とか、或は「顏色が惡い」とかと云ふ症狀が現はれて來るのは消耗性疾患なる點に大いに關係がある。

以上の事實によつて、體力の消耗を防ぐためには然らば如何すればよいかと云ふ對策は必然的に想像出來よう。即ちなるべく運動（活動）せざること、換言すれば安靜を守ることである。健康體に於て然り、病體に於ては尙更である。消耗性疾患たる結核に於て特に安靜療養が强要せらるゝのは此の故である。乃ち安靜を守ることによつて可及的體力の消耗を防ぎ、其の保留し得たる體力を轉じて病魔との鬪に振り向ける。之が結核療養に於ける安靜療法の第一義と云つてよい。例へば、今此處に一〇〇の體力を有する結核患者が運動の爲に三〇の體力を消耗するとすれば、鬪病に振り向け得る體力は七〇しか殘らない。然るに安靜を守ることによつて一〇〇の體力全部を鬪病に向け得たとしたなら、兩者の療養効果に於ける差異は自ら明瞭であらう。鬪病に凱歌を奏し得る爲には先づ其の體力を養ふことが肝心である。それは戰場に於て實力がものをいふのと同理であることを銘記せられたい。次に安靜療法の第二眼目は、安靜は治癒を促進すると云ふ事實である。

2、安靜は治癒を促進する

安靜を守ることが如何に疾病の治癒を促進するかの醫學的說明を略述しようと思ふ。先づ例を擧げる。頭部軟部の外傷、顏面の軟部外傷、胸腹壁の外傷及び上下肢幹部の外傷は比較的治癒速かなるに反して、是等軀幹以外の肢指の末端或は關節部外傷の治癒が比較的困難なるは勿論、種々の原因はあるが、要するに前者等の場合に於ては比較的安靜が保てるに反して後者等

の場合は安靜保持と云ふことが比較的困難であると云ふ事實に密接な關係がある。骨折等に於ても絶對に安靜を保てば二三週間を出でずして完全に癒合する。又開腹手術等に於ても（例へば蟲様突起炎等に於て）二次的原因が加はらなければ十日か二週間にして完全に腹壁の癒合を見るのである。此の場合安靜にせざれば其の程度によつては骨折等は一生癒合せないのである。是等の事實は安靜と云ふものが、外傷の治癒上如何に重大な意義を持つかを端的に示して居る。

胸部結核の治癒に就ても同様の事が云へる。周知の通り、人間は生きて居る間は呼吸作用と血液の循環は、人間が熟睡して居ようが、知るが知るまいが、二六時中休止することなく働いて呉れて居る。肺臟や心臟の働きが止んだ時は人間が死んだ時だけである。斯くて肺臟從つて之を圍繞する胸膜及心臟は不斷に働いて居る。元來胸部肺疾患が治癒困難なる理由の一つは肺臟や心臟が休みなく活動して働いて居る。言ひ換へれば、安靜を保ち難い臟器の疾患であるためである。之が絶對安靜を保ち得て部位に於ける疾患ならば、假令結核性のものであつても比較的治療し易いものである。玆に於てか胸部結核の治癒を促進するためには、當然胸部の安靜を保つことが必須の條件となる。此の條件を充たすためにはどうすればよいか。

先にも述べた如く、身體運動の後には必ず肺臟、心臟の働きが旺盛になる。即ち身體の運動によつて胸部の安靜は破られる。從つて胸部の安靜を保つためには先づ以て運動せざること、即ち安靜を守ることが必要である。

身體の安靜のみによつては肺の安靜が未だ不充分なる場合は、人工的に直接間接に肺を安靜ならしむる積極的方法が行はれて居る。肺結核の外科的療法なるものは此の意味から施行せられるのである。即ち人工氣胸療法、横隔膜神經捻除術或は胸廓整形術と云ふが如き、何れも當所に於ても實施中のものは皆これである。

人工氣胸療法と云ふのは、胸膜腔内に人工的に空氣を送入し、直接的に肺臟を壓迫して其の運動を抑制し、以て肺臟の定靜を圖る手段である。横隔膜神經捻除術と云ふのは、横隔膜神經を頸部に於て捻除することによつて横隔膜の運動を停止せしめ、（横隔膜の痲痺をおこす）以て間接的に肺臟の運動を抑制して其の安靜を保つ方法である。又胸廓整形術とは、肺患部に相對する部分の肋骨を切除して胸廓の變形を來たさしめ、之によつて肺臟を壓迫して其の安靜を圖る療法である。要するに是等外科的手術は何れも人工的に肺臟の安靜を圖る療法と云ふてよろしいのである。是等の手術を行ふためには勿論、多額の費用と又苦痛も當然拂ふのであるが、かくまでしても肺の安靜を圖ることは、肺の安靜と云ふことが如何に肺患治癒の上に重要視せらるゝかを想像し得ると思ふ。

然らば、何故にかくも肺の安靜が治癒上重要視せらるゝか、其の病理學上の機序に就て例を以て少しく解説を試みよう。

吾々の體内には、所謂自然療能と云ふものが生れながらに具つて居る。即ち傷を癒やさう、病氣を癒やさうとする癒しの力が自然に惠まれて居る。單なる外傷等が手當をせずに自然に治癒するが如きは即ちこの自然療能の力である。この自然療能の働きを邪魔するものを除去し、之を充分に働かせるのが醫療の根本命題であるとさへ云ひ得る場合が多いのである。肺疾患即ち肺に傷がある場合も無論同様である。即ち肺に於ける患部に於ては、血液の色々な成分が結核菌の繁殖を妨げ或は之を減殺し、又結締組織が增殖して菌又は其の毒素の流出擴散を防ぎ、又石灰其の他の成分が沈着して其の固定地を圖る等、要するに結核病竈の治癒作業に協同作業が動員されてゐる。

之を例へれば、大海に船出して漁をする漁師の作業に相似たるものがある。波靜まりて海面鏡の如く、從つて漁師の乘る船動かずとすれば、漁師は思ふ所に船を安定させて、其の作業能率は十分に發揮し得て大漁の成果を擧げ得るであらう。然るに風來りて波高く、船の動搖激しければ、漁師の作業能率は激減し或は難破の憂目にさへ逢ふであらう。

謂はゞ結核の治癒作業に動員されある前述の種々なる成分は漁師であり、肺臟は其の乘る所の船であり、身體は船を浮べる大海に比することが出來る。身體なる海の安靜なく常に動搖劇しければ、其れに浮ぶ船たる肺臟の安定なく、從つて之に乘つて作業する漁師たる治癒作業（自然療能）は充分に其の能率を發揮し得なくなる道理である。故に肺患部に於ける自然療能を十分に發揮せしめるためには先づ肺の安靜を第一義とするのである。安靜療養の根本はこゝにあることは理解し得たことゝ思ふ。安靜の第三の目的は安靜にすることによつて病竈の擴散又は結核菌或は其の毒素の流出を防止すること、即ち病氣の進行を阻止することにある。

3、安靜は病勢の進行を阻止する

安靜を守ることによつて、體力の消耗を防ぎ又治癒を促進することは前述の通りであつて、この事は同時に病勢の進行を阻止するものであるが、理解し易からしむるためこの項を特に掲げた次第である。

活動しつゝある結核病竈には必ず結核菌が存在する。又結核菌が存在する所には必ず其の毒素が併存するものである。自然療能の完全なる働きによつて結核菌及び其の毒素の病竈よりの流出が完全に阻止さるれば病竈の擴大、或は擴散即ち病勢の進行は行はれぬものであるが、其の阻止作用即ち治癒作業が不完全なる場合は、運動による肺の動搖によつて病竈を取り卷く防禦線は破壞せられ、從つて結核菌及び其の毒素の流出が行はれ、病勢の進行を來たすのである。そこで防波堤たる生命線の確保のためには成るべく肺の激動を避くることが先づ第一である。乃ち身體の安靜即ち肺の安靜の目的は、この生命線の確保にあると云へる。之を確保し得てこそ始めて病勢の進行を阻止することが出來るのである。安靜を守らぬために、折角粒々辛苦を重ねて構築した防禦線が一擧にして破壞せられ、病勢頓に進展して思はぬ不覺を自得した例は悲しい哉尠くないのである。

吾々は之を自業自得として看過することは到底出來ないのであつて、さればこそ安靜療法の重要なることを縷説し、嚴重に監督して其の勵行に努めつゝあるのも、全くかゝる理由によるものである。

外出・外泊を極力制限するのも、無斷脱柵を嚴禁するのも、其の他複雜なる運動度・安靜度等を定めて指導するのも皆之がためである。

幸ひ、最近に於ては漸く安靜療法の意義を理解し之が勵行に自奮自誡しつゝある者が次第に增加しつゝある事實は吾々の最も意を强うする所であつて、願くば吾々の監督なしに取締を要せぬ程に自肅自勵之が實行に勵められたい。

功を一簣に缺くと云ふ言葉がある。心の隙に乘じての一失から今日までの努力を一朝にして沒し去るが如き不心得は、ゆめ〳〵斷じてあつてはならないのである。

（四）心の安靜

身體的安靜の意義、方法及び目的等に就ては上述の通りであるが、眞の身體的安靜は精神的の安靜、即ち心の安靜が同時に行はれるのでなければ其の眞價を發揮することは出來ない。如何に外觀上形の安靜が守られても心の不安動搖が内にあるならば、肺の安靜はえて望めない。絶對安靜は無念無想の境地にあらねばならぬと云ふのは即ちこの心の安靜を同時に意味するものである。あらぬ事の忘想に心を惱まし、身邊の秘事に日夜煩悶して居るやうでは、如何に身體の安靜に努めても其の效果は半減せられる。この心の安靜を守るためには、從つて先づ身邊の難事を整理し、心の負擔となる秘事を一日も早く解決して所謂高風淸月と云つた平靜な心境に立ち歸ることが肝要である。是等の相談相手としても指導官は親身になつて諸君の世話をや

いてゐる。精神的動安が療病上如何なる影響をもたらすかは玆に述ぶるまでもない事であるが、諸君に直接目に觸れ身體に感ずる二三の事實を列擧して見よう。

喜怒哀樂の感情は直ちに肺の動安に影響する。此の事實は吾々が諸君を診察するに當つて體溫表に記載しある種々の症候を見れば一見直ちに判讀し得る。疾患のそのもの平常示すものとは異つた曲線を描いて居る。それによつて面會人のあつた事や、面會人が如何なる内容の話をされたかの大體や、憤怒等の感情激發等の事實の有無等は凡そ想像し得るものである。身邊の難事に惱まされある患者の經過思はしからざるは屢々他の疾患の場合にも見られるが、結核罹患者には特に著しく目立つて認められる。世間態の見榮から一等室に經濟上の無理をして入院して居つた婦人患者が、時日の經過と共に愈々經濟上の負擔に堪へきれなくなり、一方病症は精神的不安と共に却つて惡化する傾向さへ認められた。然るに三等室に代つてからは心の平靜を取り戻すと同時に病症も亦良好なる經過を辿るやうになつた例を見て居るが、この様に精神的安不安と云ふことが病氣の經過そのものに密接なる影響を及ぼすものなのである。如何に監督指導を嚴にして安靜を强要實施しても、患者自身の心奧に巢食ふ不安焦燥の心の動搖を除去しなければ、眞の安靜療法の效果を期待することは困難である。此の故に心の安靜が強く要求され、結核治療の基本的必須條件の一として重要視するのである。精神指導上の諸々の施設運營も、指導官の設置しあるも大半はこゝに淵源する。

（五）安靜療法には忍耐が要る

結核の自然療法に於て、最も苦痛に感ずるのはこの安靜療法であるといふ。重症患者なら兎も角、自覺他覺の症狀輕く一見健康人と變らぬ程度の輕症患者には、安靜療法の嚴密なる實行は相當困難であるといはれてゐる。動くべく、活動すべく出來てゐる人間が、絶對の安靜を守ることは、假令一・二時間の間であつても苦痛には違ひないと一應は考へられる。殊に大氣療法、食餌療法其の他の醫療によつて體力が充分補給され、エネルギー旺盛なる輕症患者に於てはさもありなんと思はれる。然しそれは皮層の觀察であり、餘りに客觀的な見方である。安靜療法の療養價値を充分に理解自得し、これあつてこそ眞の治癒が始めて實現することの事實に想到するならば、安靜療法はある種の疾患にかける特異的な服藥や特効的注射療法に匹敵する

ものであつて、薬の苦味や注射の痛みに喜んで堪へると同時に、安靜療法の苦痛は寧ろ樂んで味ふと云ふ態度心境にまでならなければならぬと信ずる。良薬は口に苦しの言葉がある様に、苦痛なしには大効を收むることは何事でも出來ないと思ふ。安靜療法を苦痛と感ずる間は未だ眞の療養道に入りきれぬ人であると云つて差支ない。寧ろ喜んで自律積極的に勵行するまでにならなければならない。宗教界に於ても知者たることは易く、信者たることは容易の業ではないと云ふ。理窟は知つても實行者たることは難しい。然し安靜療法は知者たるだけでは何にもならない。知つて之が實行者たらねばならない。入所者諸君よ、知ると同時に善良な實踐者たれ。かくてこそ世の所謂難病たる結核も容易に克服し得るのである。諸君の前途には輝しき將來が待つて居る。安靜の勵行位が何だ、この意氣で進んでもらひたい。

（此の項終り）

特別寄稿

傷痍軍人の就職に關して

三重縣廳社會課傷痍軍人相談所

最初に職業補導に關して

現在三重縣學務部職業課に傷痍軍人補導委員を設置し、そうして民間に於ける會社、工場、事業場等にも傷痍軍人補導部を設置せしめて雇傭主に於て補導員を選定してゐる。

そうして又市町村銃後奉公會に傷痍軍人の補導部を置き自營業傷痍軍人の職業補導を行つてゐる。

職業補導部には補導擔當者（自營業傷痍軍人の補導擔當者）を設け市町村が之を選任す。

次に就職に關しては

現在軍需工場方面に就職する者が非常に多く、次は農業方面に原職復歸する者が多い。（以上大別であるが）

次に待遇及び今後どの方面に發展する道が有るかと云ふ事に就ては

就職先及び本人の履歴等により一概に記し難く、如何なる方面に發展するやと云ふ事に就ては現在の非常時下の社會の情勢に於ては如何なる業に就くとも發展の如何は本人の努力あるのみなり。

將來どの方面に就職すれば良いか

それは原職復歸を第一とす

原職復歸困難なる場合は轉職せねばならぬが、轉職或は新に就職するにしても本人の健康狀態並に家庭の狀況等によりて職業を選定せねばならぬ故に一概に申上げ難し。

尙從來の傷痍軍人就職希望者は、自分は傷痍であるがため一人前の充分なる勞働は出來難いと云ふ事を忘れ、高い月給・日給を希望さるゝと之は大いなる考へ違ひなり。

從來會社に就職せし傷痍軍人にして往々傷痍軍人の名譽を穢し退社を命ぜらるゝ者數多くして、之がため現在會社方面にては傷痍軍人の噂芳しからず、將來會社方面へ就職さるゝ者は此の点に充分注意をせられたいと思ふ。

玉蟲塚

印田巨鳥

むかしは伊勢の安濃ノ津、いまは三重縣津市となつた。その新町刑部、恰度三重縣立津中學校の校門を出て大通を北方に曲るところに「反古塚」といふ石標が建つてゐる。

敎へられた通りに細い道を一丁あまりゆくと左手にこんもりと老松の森がある。谷川神社である。

この神社の拜殿に向つて左に塚が見える。

「反古塚」と書かれ、「何故に碎きし身ぞと人問はばそれと答へん日本魂」（原文萬葉がな）と刻してある。

私は、この歌を唱すると共に、これが皇政復古の大祈念石となつてゐるのだと説かれる津中の伊藤太郎先生に敬意を表して、かの塚の由來を記してみたい。

× × ×

それには、安永四年（紀元二四三五年）の秋、谷川士清（ことすが）が本居宣長に贈つた書翰と、その返しとを掲げることが捷徑なので全文を錄する。

○

先日の御報相達申候爾來御淸福御座候哉承度奉存候扨て拙者此迄所作ノ日本書紀通證倭訓栞等埋メ申候而上ニ反古塚ト記シ碑建申候、此所氏神古世子明神ノ社地ニ而候五月末ノ事ニ而御座候此碑出來之砌玉むし三日出申候、右之明神ノ接地ニ候處福藏寺ト申禪寺ニ而即內庭ニ而碑ヲ刻申候跡に三日續而玉むし入申候玉むしハ當地津邊には曾無御座者ニ候手前ニ養置候處十五六日過候而終候右玉むしは榎を好候由其翌日榎茸をもらひ又榎ニはえ候猿腰掛を山中ノ者持參いたし候旁以有故事に御座候右反古塚に辭世の心持に而碑陰ニ

何ゆゑに碎きし身ぞと人とはば
それと答ん日本玉しひ

右ノ歌に由候事に候哉又ハ勾玉考草稿も埋申候へハ因是候事にも被存候右ノ様子ニ御座候間古體新體何成とも一首成被下候樣ニ願奉存候右得御意度如斯御座候御同人ニ而も外ニ詠候人御座候ハヾ是亦御願申度候詩ニ而も能御座候　已上

八月廿七日　谷川淡齋（士清）

本居舜庵様
用事

又

玉むしハ本草ニ出候吉丁虫ト物產家ニ申候四季物語ニ幸ある虫ト申候外見當リ不申候何ぞ御見出候ハヽ思召又被仰聞可被下候源平戰ニ日ノ丸ノ扇子ヲ持出候女ノ名玉むし姬ニ而御座候猶古事記傳出來被成候ハヽ御見セ被下度候　以上

この書狀に對して、

玉虫勸進歌（津市新町　稻垣重之助氏藏）

阿濃ゝ津なる谷川翁年ころ作り出られつる書共のあん(案)をあつめて土にうつみて塚をつきてほく塚となんなつけられたりける其塚つきをはりけるをりしも玉虫なん三日しきりてそこに出けるいとめつらかなることとて其歌をなんみつからもよみ給ひ人にもすすめられけるによみておくる

いそしみと君にさちはふ天地の神のたまむしたふときろかも　本居宣長
遠き世に君か名かかすしるしとそたま虫得けむ其玉虫を
夕月夜さやけき秋の草むらに露の光をそふる玉むし　小津審齋
年をへてかきあつめたる言靈（ことだま）のひかり見せんと出し虫かも
うつみてもみかく言葉の玉虫のひかりはくちし萬代までに　中里常樹
井ならねと花も榎の葉の下陰にしつくと見えてひかる玉虫　長谷川常雄
うつみてもあらはれにけり虫の名の玉とみかける人の言葉は　中里常道

おきまかふ露にまじりて秋の野は月光をみかく玉むし
かきつめし言の葉草の露の玉虫もひかりをみかく秋の野

村田光庸
中津元多

さて、士清は宣長に長ずること二十年であつて、若冠笈を負ふて京都に出た。そして家業の刀圭の業を繼ぐべく、醫學の傍ら古神道に志して、山崎闇齋の弟子淺見絅齋や玉木葦齋、松岡忠良などの薫陶を受けたのであつて、その同門には武内式部、山縣大貳などがある。

士清の學は高山彦九郎に、頼又十郎（頼山陽の祖父）に、そして北陸の小野鶴山に傳つてゐる。これらの人たちとは親交も温かに、或は師となり友となり、何れも父子一族ともに昵懇にした樣である。

宣長の妻は、津市草深氏の女であり、草深氏は藥種商で懇意であつた關係から、同氏を通じて宣長は士清に交際を求めるに至つた。

この頃士清の大著日本書紀通證が完成して居り、宣長の古事記傳は著述を進めつゝあつたので、互に古典に對する疑義を糺し合つて、皇國の二大古典（記、紀）の解釋に空前の難事を成し遂げたのである。

士清は、年少の宣長の問ふに答へ、意見を交換して、師父の如く、時に子弟友人の如く決して宣長の論に煩を覺ゆることなく、清く美しい交りを續けつゝあつた。

士清の著時は、この外に「和訓栞」といふ我が國最初の國語辭典がある。（前揭の中に記してゐる。）外國にも用ひられいたく尊重されてゐるものである。

士清の信念は「辭世の意味」でといふ「何故に」の一首に表現されてゐるもので、その一生は皇道精神を貫くものであり。維新前夜の基礎をなし、これを啓蒙した至誠の人であつた。

例へば、頼山陽の日本外史は、祖父頼又十郎の皇道精神に發し、高山彦九郎の勤皇に顯現し、吉田松陰の隨筆の中に士清の作歌などが引用されてゐることを知るのである。

宣長の「しきしま」の歌は、この「何故に」の後年に成つたものであるが、日本魂と日本心とは語感だけでも相違してゐるものと思ふ。そしてそこに士清の強い信念を見ることが出來るであらう。

また、士清は楠公を崇拜追慕した。水戸の德川光圀公が大日本史を編纂されたが、これにも士清は意見を書いてその訂正を

求めてゐる。光圀公の楠氏追慕とはからずも軌を一にしてゐると言ひ得る。この時代に於ては未だ幕府の勢力は盛なもので、士清の說はともすれば危險視されたのではなかつたかと思はれる。

宣長は小兒科醫、士清は產婦人科醫で、わけても解剖學に長じてゐたことも奇しき由緣の一つである。士清は名醫として近鄉に響き、患者が門前に謂集した。特に難產の場合を得意とした樣で、この地方の傳說では狐狸の類からさへ往診を乞ひに來たなどといはれてゐる。

少し餘談に亙つたが、今年の一月三重高農の大町博士（故桂月先生の御子息）が朝日新聞に連載の「日本昆虫記」に、めでたい虫（タマムシ）について詳しく書かれてゐる。その中にもこの塚のことがあつた。四季物語といふ本はまだ讀んでゐないが、大和の法隆寺の「玉虫厨子」は有名である。源平戰に、那須與市が扇の的を射るのだが、平家の軍船に扇を縛つた竿の許に立つてゐる玉虫姬は豪華な繪卷物だ。

× × ×

反古塚の近傍より發掘された碑陰に、
五月營冢時有緣金蟬三日聯接而出故呼爲玉虫冢
碑の表に、「たまむしつか碑」と記されてゐる。この碑は、谷川神社（元古世子明神社地）の北に隣る谷川家の菩提寺福藏寺に現存してゐる。

安永四年五月二十五日にこの塚が成り士清は六十七歲であつて、その翌年に歿したのである。まだ士清に就てはいふべき多くが殘つてゐるが、いまは此のあたりに止めて他日に讓りたい。

（十六年七月・大阪にて記す）

看護婦座談會

昭和十六年七月十四日午後一時より
於 壽康館、日本間

出席者

醫務課長	木下清吉氏
庶務課	新田敏夫氏
看護婦	矢島副婦長以下第一期生二十五名
編輯委員	石川頼雄
〃	保浦春夫
司會者	岡本茂生
司會者	小川正哉

石川 本日は御多忙中の處、寸暇を利用して御出席下さいました醫務課長殿を始め、看護婦諸姉に對し編輯委員一同厚く御禮申上げます。此の度すゞか第五號の編輯に際しまして、何か變つた計畫はないかと色々相談した結果、皆様に御集りを願つて「過去三ケ年の看護生活を顧みて」と云ふ題で色々過去の事に就て話して頂いたら面白いだらうと思つて、先日所長殿に御話致しました處、それは面白いだらう、一つやつたらよからうと御許が出ましたので早速皆様に御集りを願つた様な次第です。ですから今日は胸襟を披いて過去の事に關して、又日頃思つて居られる事に對し充分心ゆく迄語つて頂きたいと思ひます。ではこれから始めます。司會は小川・岡本兩君にお願ひ致します。

木下 今日はこの場限りだから、どんな事を喋つてもかまひませんよ。大いに喋つて下さい。

司會 ではこれから始める事に致します。最初副婦長殿に御願ひ致します。副婦長殿は傳研よりこちらへ來られて、當所開所以來婦長心得として勤務されたそうですが、開所當時の模樣に就てどうぞ。

矢島 開所當時は居ません。八月十七日から當所へ來ましたから開所當時の事に就ては知りません。

矢島 傳研に居りましてそれから東京の某療養所に居りました。

司會 では一期生の方に、皆様は多人數の中より選ばれた優秀な方達ばかりと聞いて居ますが、どう云ふ理由で當所を志望されましたか。

木下 日赤へ入つた時當所へ來る事を知つて居ましたか。

一同 「知りませんでした。」

司會 日赤にはどの位居られましたか。

O子 三ケ月と十五日です。

司會 日赤は良いと思ひましたか。

B子 清潔で規律が正しく、階級制度が嚴しいからいゝと思ひます。

A子 勤務交代が各科順序よく行くので不公平が無いと思ひました。

司會 こゝの開所當時未だ入所者のない間は、あなた方は每日どうして居ましたか。

A子 掃除ばかりして居ました。

司會 その當時の模樣を聞かせて下さい。

A子 まだその當時は寄宿舍が無かつたので現在の六療棟で寢起をして居ました。そして蒲團を敷く所だけ疊を敷き後は板の間でした。

木下 先生方は皆小室に入つて居られました。まるで重症患者並でしたよ。アハヽヽ、（笑聲）

B子 勤務らしい勤務はなく、まるで子供に歸つて鬼ゴッコ、カクレンボ、繩飛等をして遊んだ日が幾日もありました。療棟勤務と云つても一・二療棟だけしか出來上つて居なかつたので、そこの掃除に一生懸命でした。誰も居ないのに朝から晚まで每日掃いては拭き、ガラスも薄くなる程拭きました。（笑聲）

C子 そんな日が十日、二十日と續きました。その內に醫療機械が整ひ出し、廣い治療棟に足のふみ場もない程の器具を倉庫から出しては一列縱隊で運びました。そんな頃食事當番をするのが嬉しくて取り合ひでした。（笑聲）

司會 最初の入所者を迎へた時にはどんな氣持でしたか。

Y子 其の時の氣持は一生忘れられません。

司會 その時の樣子をどうぞ。

O子 いよいよ入所者が來ると云ふ五月二十六日は療棟も治療棟もすつかり整頓されて、晝前より早小學生、在鄕軍人、國防婦人會、男女青年團、村民等が日の丸の小旗を持つて坂下より玄關まで續いてゐました。そして本館前には所長殿始め、職員、看護婦一同がずつと整列しました。やがて療養所の三〇〇〇番を眞先に數臺のハイヤーが玄關前に止ると白衣に身を包まれた傷痍の勇士が十九名降りられました。

木下 その時村長さんは、モーニングを着て下駄履で旗を持つて來られました。（笑聲）

司會 その時の入所者は現在居られますか。

B子 今四名殘つて居られます。

司會 最初同期生の方は何名でしたか。

B子 四十名で日赤で一名減りました。

司會 現在は？

N子 二十九名です。

司會 随分、減つたものですね。

木下 いや、この程度の減り方なら他の療養所に比べてずつと良い方ですよ。

司會 では入所者に對する意見なり、希望なりを聞かせて下さい。T子さん一つ御願ひします。

T子 もう少し皆さんが銘々自分の身體に注意されたらと思ひます。

司會 それはタバコを吸つたり安靜をしなかつたり、脫柵をしたりする事ですね。

矢島 安靜もろ〳〵しない人が居ます。

D子 看護婦をもつと理解してほしいです。

S子 用事のないのに看護室へ遊びに來ない様にして下さい。

K子 入所者が看護婦の勤務に就て干涉する事はやめて下さい。

N子 「オイ、コラ」と呼ばないで、看護婦とか名前を云つてほしいと思ひます。

司會 まるで僕達が叱られてゐる様ですね。

N子 重症でない限り、自分で出來る事は自分でやつてほしいです。

K子 三、四人の看護婦が協同で四、五十名の入所者を受持つてやつて行くのですから、自分一人が一人を使つて居ると云ふ様な感を起さずに、御互が譲り合つて使つてほしいと思ひます。

司會 御尤です。

K子 御變りを正確に言つて下さい。例へば、食慾なんか私達が聞けば昨日の通りだと云ひながら、所長殿や醫官殿が聞けばこれは間違つて記入して居ると云はれるのは非常に私達が迷惑です。

A子 お變りを聞きに行つた場合、眠いので「ウ、ン」と言つてはつきり云つて下さらないのは困ります。

O子 點呼の時に藥を請求せないで、不寢番で廻つて行つた時に請求するのはやめて下さい。

矢島 氷枕は八度以下は出來ない事になつてゐますが、それ以下でも一時使用して居る方が有りますが、熱の高い方があつた場合、八度以下の人は熱の高い方の人に譲つてやつて下さい。

司會 よく分りました。

司會 もうぢき義務年限も終りますが、將來の方針に就てどうお考へですか。

註 (此の質問に對しては、木下醫務課長殿より種々と今後の方針に就き說明あり、看護婦一同の了解を求む)

司會 この中に從軍看護婦志望の方はありませんか。

N子 私達でも行けるのでしたら行きたいと思ひます。

司會 では、この病氣に對してどう思つて居りますか。

Y子 最初は恐いと思つて居ました。

司會 現在では。

N子 現在では思つたより恐しいものではないと思ひます。

木下 結核なんてこはいものではありません。それは、三年たつても貴女達が發病しないのが何よりの證據です。

司會 一番樂しい事は何ですか。

O子 勤務が終り風呂へ入り、寄宿舎へ歸る時が一番樂しいです。

司會 外出や外泊はどうですか。

D子 外泊は嬉しいですけど、外出はそんなにでもありません。

司會 では一番困る事は。

Y子 入所者の小言です。

木下 それが一番適切な答でせう。

Y子 小言と云へば、三年生ばかりに來るのはどう云ふ譯ですか。

司會 効能があると思つて言ふのでせう。

K子 では正看が居ても小言がこちらへ來るのは、どう云ふ理由ですか。

(こゝの處形勢逆轉、編輯者一同たぢ〳〵となる。)

司會 では說明致します。

入所者は三年生の方が好きだから、又小言の反面には貴女達に信用のある事を意味します。）笑聲

司會 退所者を見送る時はどんな氣持がしますか。

D子 前途を、祝福したい氣持です。

T子 でも全治退所者であれば嬉しいですけれど、略治以下では氣の毒に思ひます。

Y子 略治以下ではほんたうに心から自信がついて退所する人はないと思ひます。

司會 では、何療棟が一番勤めよいですか。

F子 一ケ月や二ケ月ならば何療棟でもかまひません。特に某療棟は皆溫順しく、感謝の氣持で療養して居られますから好きです。

K子 食事時に後れて御膳を取りに來て殘つてゐる膳をあげると、こんな殘飯を!!と云つて怒るのはどう云ふ心理ですか?

司會 「サア」僕等にはそんな經驗が無いから分りませんが、未だ軍隊の氣持が拔けて居らない關係も有るんでせう。

司會 では、その外に勤務上の事に就て御意見を聞かせて下さい。

Y子 外氣へ看護婦を置いて下さい。現在は六療棟が外氣の方の世話にも當つてゐますが、とても忙しいですから。

司會 炊事へ料理見習に行きたいと思ひませんか。

I子 炊事場へ見學には行きたくありません。けれど寄宿内で料理を習ひたいと思ひます。

木下 さうだね、まづ蒸氣で御飯を炊く様な家は無いからね。(高笑)

司會 宿直は好きですか?

一同 疲れるから嫌です。

司會 療棟勤務が終つて寄宿へ歸れば、どんな氣持がしますか。

I子 のび〳〵とします。

B子 療養所中で一番良い所です。

司會 では方向をかへて皆様の趣味、又は好きな物を聞かせて下さい。

N子 お花が好きです。

司會 女らしくて良いですね。

K子 私は、音樂や讀書。

O子 遊ぶ事なら何んでも好きです。(笑聲)

司會 遊ぶ事とは?

O子 映畫やスポーツです。

司會 食べ物で好きな物は?

N子 いばら饅頭が好きです。アハヽヽ

G子 O子さんは、バナナが好きです。(笑聲)

O子 G子さんは、トマトです、トマトを毎日食べて居ます。(笑聲)

G子 違ふわ、トマトも好きは好きだけど、まだ外に好きなものがあるわ。(此の邊滿場に笑聲滿ちる)

司會 何んです。(G子さん少しテレる)

G子 神戸のキンツバです。(笑聲)

司會 此の頃はキンツバが無いでせう。

G子 それで困つて居ます。アハヽヽ(爆笑)

木下 神戸のキンツバなら、今度行つた時に土產に買つて來ませう。

S子 先生御願ひします。(笑聲)

N子 私は、甘いものなら何んでも好きです。

司會 みんな、食物ばかりですね。(一同高笑)

司會 當所へ入つてからの健康狀態は、どうですか。

Y子 皆、肥つて居ます、特にN子さんは格別です。(笑聲)

司會 よく食べ、よく働くからですね。

新田 一年生の時に履いた靴が、二年生になると足が大きくて役にたゝなくなりますよ。(ヘエーと驚く。)

司會 貴女方は最初で色々苦勞されましたが、今後一、二年生の方々にどう云ふ様な事をしてやつてほしいと思ひますか。

K子 もつと看護的と云ひますか實務的な事を敎へてやつてほしいと思ひます。

Y子 掃除道具をもつと備へてやつてほしいです、現在では入所者と道具の奪ひ合ひです。(笑聲)

K子 勤務交代をもう少し公平にやつてほしいと思ひます。

司會 一、二年生に對してどう云ふ氣持がしますか。

U子 妹みたいな氣がします。

木下 他人の妹みたいですね。(笑聲)然し勤務上の時の妹と、寄宿へ歸つてからとは區別をつけて戴きたいね。

司會 ではその外に入所者に對する意見をどうぞ。

B子 一、二年生が處置してゐる時、からかわないで下さい。

M子 こゝの看護婦は女らしい處がないと云はれますが、それは入所者が皆自然とそうさせるのだと思ひます。

司會 それは入所者ばかりの責任でばないでせう。

T子 まだ自己主義の方が見えますが、一つの集團生活ですからお互に譲り合つて樂しい療養をして戴きたいです。

司會 外出はどの方面へ遊びに行きますか。

T子 主に津の方面です。

司會 では過去三ケ年を振り返つて一番思ひ出となる事は何ですか?

T子 クラスの人の顏です。

N子 第一回の歸省です。

H子 調劑官殿を見た時です、餘り知人に似て居たので。(朗笑)アハヽヽ

B子 第一回の入所者を迎へた時、尾崎さんが挨拶された時には泣けて來ました。その時の感激は一生忘れることは出來ません。

N子 日赤から療養所へ來る時、一身田驛で降り、大澤池の横を通つてどんな所かと思つて胸を躍らせながら來たあの時の氣持です。

司會 私達も始めて陸病から來た時も、そんな様な感じでした。

司會 卒業式の感想をどうぞ。

D子 嬉しかつたけれど、まだあと一年あると思ふと、ほんとうに卒業した様な氣はしませんでした。

司會 入所者で、どう云ふ様な人が一番好きですか、良い意味で。

Y子 輕症者で手のかゝらない人が一番好きです。

司會 では、外氣の人達は一番點數があるわけですね。(笑聲)

S子 眞面目に療養して、ハキ〳〵して居る人です。

K子 感謝の氣持を持つて療養して居る人。

司會 では、その反對に嫌ひな人は?

H子 コセ〳〵して居る人は大嫌ひです。

C子 私も贊成です。

F子 僅かな事にも小言を云ふ人は好みません。大陸的で鷹揚な人が好きです。

司會　では石川君の様な人ですね。（一同爆笑）（石川君大いにテレる）

Y子　男らしくもない、小さな事にこだわつてグズ〱して居る人は一番嫌ひです。

一同　贊成!!　贊成!!（此の邊娘子軍ばかに氣合が入る）

司會　では、貴女達は皆もう結婚適齢期の方達ばかりですが、現實の問題として今一番考へて居られる事は結婚と云ふ事だらうと思ひます。それに就てどうぞ。（司會者の再三の御願にも拘らず沈默、又沈默、時々お互に顔を見合せて口許が一寸ほころびるばかり）

N子　それは女同志でなければ恥しくて云はれません。

司會　それでは最後に、現在の非常時局下に際し、白衣の天使として、又銃後の女性としてどんな氣持で居られますか。

S子　最近應召々々と云ふ聲がやかましくなりましたが、始めは家へ歸つて手傳でもし様と思つて居ましたが、入所者中より再度の應召者が出るのを見て今迄の氣持が變り、現在の境遇で滿足して居ます。

司會　F子さんお願ひします。

F子　看護婦とは……女の天職として尊き職業であると云ふ事は幼き頃より聞かされて居りました所、今回の事變に於て病に倒れ、又傷つかれし勇士の方々を思ふにつけ、より一層強く心に植ゑつけられました。反面より見ますれば、看護婦の職業を稍もすれば賤しき職業と云ふ考へを抱いて居られる方々も有る様ですけれど、第一線に於て姉になり母になり、看護に一命を捧げ盡せるのは誰方でございませうか？現代の時局下に於て愚な到らぬ私達ではございますが、國に盡せし勇士の方々に看護の出來る事を嬉しく思ひます。現在の狀勢を思ふにつけ、意志を強固に凡ての難局に打ち勝つて進む覺悟で御座います。（一同粛然）

司會　K子さん、一つどうぞ。

N子　私達はこの時局に、聖戰で病魔に冒されて病床に呻吟なされる方々の爲に日夜白衣に身を包んで看護出來るのを無上の光榮と存じます。そしてこの不幸な方々の爲によき手足となり、又慰安者となつて少しでもお役に立ちましたらと思つて居ます。そして皆様がこの病を一人でも多く克服して再びお國の爲に立たれん事を願ふと共に、私達も尚一層時局を認識し、職域奉公を叫ばれて居る折、お互の職に全力を擧げ、銃後を守る女性として恥かしからぬ様、又戰線に御活躍下さる方々に憂ひなき様努力したいと思ひます。

司會　N子さん、御願ひします。

N子　私は今の仕事に一生懸命に全力を盡してやつて行きたいと思ひます。

婦長　全部がその氣持で居ります。

司會　では、長らくの間有益な御話をお聞かせ下さいまして有難う御座いました。時間もありませんからこれで閉會致します。

指導官訪問記

茂坊

暑苦しい七月の或日の午後、外氣村の暢氣者の正坊、頼ちやん、茂坊の三人は當所の教育總監兼警視總監とも言ふべき入所者の指導取締の總元締陸軍大佐竹澤指導官に「すゞか」編輯員の資格を以て面談すべく庶務受付の前に有る指導官室に堂々正面より白晝攻撃を決行した。本日天氣晴朗なれども三人の胸のときめき高しと云ふ處、勇氣を奮つていでや指導官殿に一騎打せんものと内に入ると、泰然と椅子に腰掛けて扇子で風を送つて居られた指導官殿より『オウ來たか』と言はれて三人は先づ機先を制せられた形。

『暑い處御多忙中御邪魔に上りまして失禮致します。此の度「すゞか」第五號には入所者諸君と非常に緣の深い指導官に種々と御高說を拜聽致し度く思ひまして參上致した様な次第ですから何分どうぞよろしく。』

と一つ頭を下げると

『そうか、狹い室で暑苦しくて氣の毒であるがそこに腰掛けて何なりと充分聞いて呉れよ。』

と言はれて、やれ〱敵前上陸は見事無事成功したわいと三人顔を見合せて一安心する。

『では早速ですが御赴任された當時の前後の御感想をどうぞ一つ。』

『私は十四年の十月内地に歸還して、以來鄕里にずつと居たんだが銃後に於て自分に相應する御奉公を致したいものだと思つて居る中、當所の指導官に就任したらどうかと其の筋の人から言はれたものだから、種々の手續を經て就任する事になつたのだ。私は戰地に居る時、負傷したり又は病氣になつた人達の狀態や苦勞を屢々見て本當に心から氣の毒だと思つて居たので、そういふ人々の爲に多少でもお役に立ち御世話が出來たらと前より考へて居たので、自分に取つて結構なる仕事だと思つて喜んで着任した譯なんだ。』

『では入所者に對して最初どう感じましたか。』

『ウンそれか、當所へ來た時設備が完備して風景は良し、療養所としては理想的な處だと思つたよ。しかし乍ら入所者諸君が白衣でなく浴衣を着て居るので、一見すると總ての態度あたりが如何にも傷痍軍人らしく見えぬ點が有つた。人は着る衣裳に依つてその人の氣持が違ふものだから、たとへ兵役を去つた人とは言へども軍病院の人達と同じ白衣を着て居たら心持が緊るのぢやないかと思ふし、從つて一般の態度も陸病の人達と同じ様に成るのではないかと感じた。此處は軍病院の延長みたいなものだからね。それで出來得れば白衣をと意見を述べた事も有つたけれども何分資材等の都合も有り

實現が出來ない様だよ。』

此の邊より指導官の熱辯は益々力が入つてくる。扇子が盛んに左右に大活躍する。

『オウ君達も暑いだらう。此處に扇子が有るから使用し給へ』

と御親切にも机の抽斗より扇子を二本取り。出して貸して呉れる。どうも濟みませんとばかり遠慮なく借用して風を送つて一息する。

一見すると、正直な處恐い親爺さんだと思つてゐた處、こうやつて直接話して見ると仲々どうして「ニコ〱」と笑ふ顔は何んとも言へぬ愛嬌があつて、親しみ易い感じのよい親爺さんだ。大いに今迄の認識を新たにした。話せばわかる人ですよ。『本當ですよ、入所者諸君』

『では指導官殿の任務はどういふものですか。』

『私の任務はつまり入所者諸君の敎代指導及び規律風紀の取締と身上の相談に應ずる事が私の任務の全部だ。』

『現在入所者に對してどう感じますか。』

『まあ着任しだ當時と現在では入所者に格段の差異が有る様に考へて居るよ。他の人は皆どう思つて居るかは知ら無いがね。療養態度と言ひ、外出外泊の態度と言ひ、從來に比して大いによくなつた。その原因が那邊に有るかと言へば、矢張り時局の進展に伴ひ其の認識が深まつた結果だと思ふよ。

但し多人數のことであるから中には療養の自覺が足らない爲に風紀を紊したり、規律に反する人達が間々有る事は遺憾である。即ち自己現在の任務である療養に努力しないのみならず却つて効果を沒却する様な行爲、例へば遊廓へ行くとか、禁制の煙草をのむとか、無斷外出するとか、或はさ程重大なる理由無くして外泊を延期するとか、最も大切な安靜を守らない事等だな。』

「そこらで耳の痛い方は有りませんか。」

『しかし乍ら此處でやかましく言ふ所の風紀規律の嚴守といふ事は、狙ひ所は軍隊とは多少趣を異にするのであつて、飽く迄も療養の効果を擧げる爲の風紀規律である。これをよく入所者は自覺し無くてはいかんよ。兎に角去年よりは入所者の數が大分增して居るのに、比較的に規律が守られて居るのは非常に嬉しく思つて居るよ。』

「此の邊入所者を代表して叱られて居る様な氣がして苦笑する。入所者諸君よ、わしやつらいよ。」

『では事故退所者を出した時の指導官殿の御氣持はどうでしようか。』

『當所で退所を命ずる權限のある人は所長だが、指導官がその資料を整備するのである。其の立場から言ふと、退所者は非常に氣の毒であると思ふと同時に、自分の指導の足りなかつた事を大いに反省する譯だ。君、仲々人を處分すると言

ふ事は氣持が良いものではないから、出來得ればかうした事の絶無を望んで居るが、一般の爲には孔明が涙を振つて馬稷を斬つた様に處分を必要とするのだが、處分すると言ふ事はつらいものだ。』

指導官殿位になると仲々うまい形容を使ふものだなと心の中で聊か感心して居ると、指導官の聲は更に續く。

『その處分の爲に一般の入所者が覺醒する點があれば處分そのものは誠に結構であると思ふよ。私も指導上に注意するが、入所者諸君も注意して欲しいものだ。』

「ハイ御尤ですと入所者に代つて答へる。」

『少々言ひ憎い事ですが、入所者は指導官殿を一番恐ろしい人の様に思つて居る人が多いと思ひますが、もつと入所者に接近して親密になられたら良いと思ひますが、例へば親爺と息子の間柄の様になつたらと思ひますが。』

失禮な事を言つて指導官殿より馬鹿者と怒鳴られはしないかと内心冷々する心と、どんな顔をするだらうと思ふ期待と半々の心で茂坊も大分人が惡いぞと思ひ乍ら指導官殿の顔を上目使ひでじつと見上げると。

『オウその事か。私もそう常々思つて居たよ。』

とハヽヽと淡白に笑ふので、こりや期待が少し外れたわいと思ひ乍ら失望と一緒に一安心する。

『私も一人で餘りに事務多忙なので努めて接近する機會を作らうと思つて居るが出來ないのだよ。決して避けて居る譯ではないから誤解して呉れるなよ。各療棟を毎日巡回して居るのも決して入所者諸君のあら探しに廻つて居るのではなく、入所者諸君と顔を合せて自ら接近の機會を作る爲だ。今後は意志の疏通を圖る爲に定期に座談會でも開催したら良いと思つて居るのだ。現在入所時期別に療養懇談會をやつて居るが、これに私の出席するのはそう言ふ意味を含んで居るのだ。指導官を恐れて貰つては困るよ。私は「指導」と「取締」と言ふ目的は同じだが、其の方法なり道程に於て一見矛盾する様な任務を一人で二刀流使ひをやつて居るので非常にやり憎いよ。しかし乍らどちらかと言へば取締よりは指導の方が大切と考へるから今後は努めて親密にやつて行きたいと思つて居るよ。』

ぜひ御願ひ致しますと一つ頭を下げる。

『では脫柵を入所者より自然と止める方法が有りませんか。』と質問する。

此の邊自然と脫柵と言ふ言葉を使ふと微笑が顔に出て來て閉口する。さては脫柵の經驗が有るなと言ひ給ふな。賢明なる入所者諸君が一番此の事に就ては多年の尊き御經驗で良く知つて居るくせに。同病相憐れむべしと言ふ事をよく知つて居るでせう。

『人は出てはいけないと制限すると反對に出たがるものだ、

實際困るよ。と言つて幾らでも好きな所へ出て行けとも言ふ事が出來ないし、全く弱るよ。要は入所者が外出を制限されて居る事を十分自覺せねばいかんと思ふよ。』

『當所の散步區域は狹いと思ひますが。』

『狹いのは確かに狹いとも思ふが、さてこれも考へ方に依るのだ。何處迄延長するかゞ問題だ。幾ら散步區域を延長した處でそれから先は一足も出ないかと言ふと、人はそんなものでは無い。だから散步區域の廣狹なんか問題にならぬよ。現在のあんな柵は有つても無くても同じだ。要は入所者自身の心の中に「自分で柵を作ろ」事が一番必要だと思ふな。』

指導官殿は仲々上手な事を言ふなと感心しながら聞く。

『外出回數の增加も考へた事がないでは無い。他の療養所では外出回數の多い所もある樣に聞いて居るが、他所がして居ると言つて當所が必ずしも眞似する必要がない。所には所風もあれば方針もある。又土地の事情とか入所者の氣風や素質に依つても違つて來るから一槪に言へぬよ。君等も知つてゐるだらう。例へば中隊では中隊長以下あれだけの幹部が居てさへなほ反則者を出すぢやないか。まして一人の指導官で此の多數入所者を主として取締る事は指導官が神樣か聖人でない限りは實に困難ではないかね君等。要するに取締つて貰らはなくてはいけない。そんな消極的な態度では不可んよ、自分から進んで積極的に規定を嚴守しなくてはいかんよ。宜しく入所者諸君の自覺を促さゞるを得んと思ふな。』

指導官室の前を通る看護婦さん達が叱られても居ないらしいし、一體全體机で何を書いて居るのだろなんて不思議そうにむつかしい顔をして横目で見るので、今は何にも叱られて居るのでは無いぞとばかり横着にも横を向いて顔で知らせなくてはならないし、又一方では手を盛に働かして筆記しなくてはならないし、指導官殿の言葉ではないが、此の處手と目との二刀流の使ひ分けでその忙しい事本當につらいよ。横目で通行人を見る暇があるだけまだ餘裕綽々といひ度いが、流石の心臟居士も身體が汗ばんで來た。指導官殿はと見てあれば悠然自若として扇子を使ひ乍ら熱辯を振つて居られる。流石に軍人は違つたものだと思ひ乍ら

『では指導官殿の御趣味は?』

『僕はまあ無趣味の人間だ。强て擧げれば讀書位いかね。』

『酒や煙草は?』『酒も煙草も大いにやるよ。尤も酒は統制で手に入らないから目下禁酒同然だ。煙草は好きだ。私はのむのに入所者諸君にやめよと言ふ事は人情として誠に言ひ憎いのだが役目でこれも仕方が無いよ。私も出來ればやめたいと思ふが仲々むつかしいね。』「ハヽヽと笑ふ。」

茂坊は珍らしく煙草は今迄からすはないから煙草てそんなにやめるのが困難なものかなと、やめたくてもやめられぬ人達に同情する。

『何時頃伊賀上野より出掛けて來るのですか。』

『朝の六時に出發するのだよ。午後は家に歸ると七時半頃になるよ。相當疲勞するよ。』

六時だと朝寢坊助の茂坊なんかやつと目を醒す時分だのに指導官殿は出勤の爲その時分は旣に乘車中かと思ふと少し恥しくなつて來た。指導官殿を見れば流石に軍人らしく頑健な身體をして居られるが、相當お年を召されて居るのに本當に御苦勞樣と感謝する。

『失禮ですがお年は?』と早速先程より一體何歲位になつて居られるのだらうと思つてゐたので質問してみる。

『何歲だと思ふか、明治十五年生れだ。』

確か俺の親爺さんは十三年生れで六十二歲だつた筈だからそれから二引くと、そうすると六十歲になると感の惡い頭からやつと答が出來た。

「では六十歲ですね。」

「そうだ、何歲位に見えた。」

「サア、五十五・六歲位ですね。」

「そうか、此の前の應召が最後の御奉公だと思つたが、此の時局ではまだ何時召されるか分らんよ。まだ〳〵若い者には負けんよ。」

六十歲の御老人が此の元氣なら血氣盛りの我々青年は大いに奮起しなくては恥しくてならないなと心中秘かに老人なんかに負けてなるものかと思ひ乍ら、

「脫柵者に出會つた時はどう感じますか。」

と巨彈を一發放つ。

『餘り氣持が良いものでないよ。出會つた場合に横にそれるのは或は人情かも知れんが、それは近頃の言葉で言へば闇だ。見付けられた場合は仕方が無いから無斷で出たと正々堂々と男らしい態度を採つて欲しい。一目散に駈けて崖を下る人を見る時非常に情無く思ふよ。又誰か退所處分される樣な場合、よく療棟の人達が歎願に來るが、それは友情と言ふ側より見れば良い事だが、そこ迄の友情が有るならば何故それ迄に忠告したり、其他の手段を盡さなかつたか、人は、良かれ惡しかれ自分のした行爲に對しては責任を負ふべきであるのに、責任は負ひ度くないが惡い事はしたい。これは一番男として卑怯極まる事だ。だから出會つたなら正直に男らしく詫びて呉れゝばそう言ふ人に對しては却つて叱る氣持が起きないよ。』

窮鳥も獵師の懷に入れば獵師もこれを撃たずと言ふのは此の事かな、てな事をと指導官殿と遭遇戰を演じた末惡運の盡きて潔く指導官殿の馬前に自爆を決行、悲壯にも花と散る光景を頭に思ひ浮べて居ると、指導官殿より何んでも良いからどし〳〵質問して呉れと言はれてやつと我に返り。

『では先程忠告してその人間が素直に聞いて呉れない時は

どうしたら良いのですか。』

『君、人を忠告すると言ふ事は非常に勇氣がなくては仲々出來ない事だが、それを敢然するのが眞の友情だよ。君等は起居寢食を共にする療友の仲ではないか。忠告を聞き入れる位和合してなくてはいかんよ。同室内の者が一致して和合を圖つたら、延いてはその療棟が和合する事になり、大にしては全療棟が一致總親和する譯になる。殊に現在一億一心の叫ばれる時代にこれは非常に大切な事だと思ふ。それで私の考へでは隣組の樣なものを作てつ療棟の各室が適當に結合して常會を開くと、眞に下から盛り上つて來るならば所長でも私でも喜んで參列させて貰ふよ。』

それは仲々名案ですねと同感する。

『では御忙しい樣ですし、時間もありませんから最後に入所者に對する御言葉をどうぞ一つ御願ひ致します。』

『平素言つて居る事だが、今日の重大時局を認識してゐない人は恐らく無いであらうが、認識したら認識した行動を取つて貰はなくてはいけないと思ふ。高度國防國家建設の爲に前線と銃後は今一丸となつて一生懸命になつて居る時で有るから、諸君等は時局を認識した處の療養をやつて貰つて一日も早く銃後の中に飛込んで再起の御奉公をやつて貰ひたい。日頃鍛鍊された處の軍人精神を以て傷痍軍人五訓や療訓に示された事柄を敢然と積極的に實行する事が何より一番必要だと思ふ。』

『暑い折柄御多忙中にも拘らず種々と御有益なる御話を聞かせて戴きまして誠に有難う御座いました。深く御禮申上げます。これで失禮させて戴きます。』

『諸君等こそ色々と御苦勞で有つた。』

と御慰勞の御機嫌の良い言葉に送られて別を告げた。面會時間も豫定より半時間超過して正味一時間半、指導官殿に厚く感謝の意を表す。

職場訪問記

正　坊

入所者諸氏は醫官殿や看護婦さん達の如く直接、接する人達の華やかな活動のみを知つて、それらの人々の蔭にかくれて働いて居る。言はゞ蔭の人、緣の下の力持である多くの人々が醫療報國の一端を擔つて默々として喜んで職域奉公に邁進して居る尊い姿を餘りにも知らないのではないであらうか。

それで今度壽々加編輯部に於ては、我々の爲日夜奮闘されてゐる蔭の人達の各職場を訪問して、その人知れぬ苦心談を拜聽する事にした。

賣店の巻

六月七日、此の日外氣の呑氣者茂坊、賴チャン、正坊の三勇士は、すゞか特派員として又生れて始めての雜誌記者として、高鳴る胸を押へ乍らオツカナびつくりに安靜時間中を、靜かなる廊下を渡つて療養所の人氣娘、我等のマスコット愛子さんの明朗な姿に引きつけられてフラ〳〵と賣店を訪問した。

此の日愛子孃我々の豫告して置いた訪問に女らしい不安を感じてか庶務の方に隱れて仲々姿を現はさず、三勇士をやき〳〵させる。

同僚の小柳のオバチャンが痺をきらして呼びに行つたので、やつと「何…と」云ひながらやつて來ると、口の惡い茂坊が何もくそもあるものかと怒つたので、度胸をきめて堂々と我々を狹い賣店の中へ案內した。

この日御兩人の服裝を見てみれば、夏向きの凉しそうな服に身を包んで居る。

先づ正坊が賣店を訪問した譯を說明して質問戰の第一聲を放つた。

「入所者の一番好きな物、一番よく賣れる物は何ですか。」

それに對してオバチャンが「甘いお菓子、玉子、果物」等ですと答へる。

「玉子はどの位賣れますか。」一日約五貫目です。百匁で七個として三百五十個の玉子が每日入所者の胃袋の中に吸ひ込まれる勘定ですね………。「一日の賣上はどの位ですか。」オバチャンが早速帳簿を開いて一日平均七十圓から八十圓位です。

ヘヽヽン……すると一ケ月大題二千二百圓位の賣上ですね。入所者、看護婦五百人と假定して一月約五圓は賣店へ獻金する事になりますねと一同感心する。仕入はどの位ですか。エート又帳簿を見て「先月は一千二百二十七圓でした。」代つて賴チャンが「看護婦さん達は何を買はれますか。」「主に菓子と塵紙です。」ホヽンと茂坊何を感じてか首を振つて感心して居る。正坊は「化粧品は買ひませんか。」の質問に對して「ちつとも買ひません。」との事、多分リーベからの贈物で間に合うのか、アツと失禮。又主に外出の時に買はれるでせう。では「入所者はどうですか。」代つて愛チャンが「クリーム、ヘチマコロン」を月に四十圓位賣ります。

看護婦さん達よ、入所者がクリームをつけるかと云つて決してお洒落と笑ひ給ふな。男の嗜みとして髮そり後には衞生的に必要品であると云ふ事を御了解してやつて下さい。

入所者諸氏よ、その通りでせう………。

「では入所者に對する希望及び感想を聞かせて下さい。」二人は交々語る。

「先づ傳票を確實に書いて下さい。それから容器を持參し

て下さい。（特に玉子に於ては）そうして金や品物を預けたり、賴まない樣にして下さい。一人や二人ではないんですから間違の元ですから」との事です。入所者各位よ、お互に今後は氣をつけませう。

　では最後に「入所者をどう思つて居りますか。」右の問に對してオバチャン達は眞面目になつて「御國の爲めに傷いた兵隊さん達に對しては心からお氣の毒だと思つて居ります。

　だから私達は親切をモツトーとして出來得る限りの誠心をもつて皆樣方に對して、接して居ると同時に一日も早く御全快されん事を祈つてゐると語つてゐた。

　茂坊横から突然、失禮ですが「お年とお名前は」オバアチヤン逹困つたと云ふ樣な顏をして、それでも問に對しては答へてはくれたが、年を記載するのは失禮だと思ふから御姓名だけ御紹介する事にした。「小柳久子、佐脇愛子孃」です。どうぞ宜敷くとの事。

　二人の愛想の良い聲に送られ乍ら後髮を引かれる思ひで、特に賴チャンに於ては後を振り返り〳〵して別れを告げた。

門營の巻

　賣店に別れを告げた我々呑氣者三勇士は、次に門營に向つて突撃を敢行した。

　暑さ、寒さにつけ入所者諸氏が毎日安穩に療養して居る中と、あの少さな門營所でたゞ一人、職務柄とはいへ巡視に取締りに、一晝夜ぶつ續けに當所の第一線を守つてくれる此等の人々の御苦勞に對して何と感謝していゝだらうか。

　「傷痍軍人三重療養所」と花崗岩に達筆で刻まれたこの正門、入所者の誰でもが入所當時の光景として一番記憶に殘つて居り、そうして又此處へ來る度に入所當時の事を思ひ出させる。この正門をくゞつて右側の門營詰所に案内を乞へば、眼鏡をかけた嚴めしい顏の門營のオヂサンが「何しに來た」かと云ふ樣な顏で我々を睨んで居る。心臟居士を誇る三人も聊か内心ドキツとして躊躇逡巡の態……。

　これではいけないと、正坊先づ徐ろに今日の訪問の理由を說明すれば忽ち門營氏の顏は軟いで「サアどうぞ」と仰しやる。

　ホツと一息しながら顏見合せて椅子にかける。門營氏煙草の煙を天井に吹き上げながら悠々として居る。門營氏よ！入所者の前だけではどうか煙草だけは遠慮して下さいと心に思ひ乍ら質問にかゝる。

「今門營の方は何人ですか。」

「現在三人です。」

では「門營の主なる任務は」

「所内外の巡視及び外來者の取締りです。」

「勤務時間はどうなつて居りますか。」

「一晝夜勤務で朝八時から翌日の八時迄ですが、二人勤務

の場合と一人勤務の時とに依つて巡視の回數は違ひます。」

「夜巡視されて恐しいとか、淋しいと思ふ事は有りませんか。」この問に對して門營氏儼然として、

「私達は警察官又は刑務所看守として十四五年も勤務した者ばかりですから其の關係上と、そうして職域奉公の爲と思へば決してそんな事は有りません。」

ハヽン……と感心する。

「開所當時はよく狐等が居たと聞きましたが。」

「最初はそういふ事も有りました。」

「では一番困る事は何ですか。」

「それは入所者の脫柵です。」茂坊尤だといふ樣な顏をして居る。諸君お互に氣をつけませう。

「最後に入所者に對する感想をどうぞ。」

「療養されて居る方はお氣の毒だと思ひます。一日も早く再起奉公を願つてゐます。

就ては入所者の一部の人々に自肅自戒をして頂きたい。さすれば現在としては折角御療養なされる御心と行ひが相一致して居られない方があるやうに思はれます。

常に所長殿始め各醫官殿は各位の御病氣に對して献身的の御盡力をなされて居る事は私等日頃から感謝致して居ります。」

　と力強く語つて居た。

御尤です〳〵と言ひながら此處ばかりは方々の態にて退散した。

炊事場の巻

　門營を方々の態で退却した我々は三大療法の一つである榮養療法の殿堂たる炊事場から流れ出る美味しそうな香にひきつけられて、期せずしてその方向に進んで行つた。

　暑い折柄看護婦さん達が眠むそうな顏でお講義を聞いてゐるのを横目で眺めながら、入口の涼しそうな繩暖簾をくゞつて「御免下さい」とばかりに日頃顏馴染の炊事の人達に挨拶する。献立作りに一生懸命な炊夫長の多忙な姿に勤務中濟まないと思ひ乍らも、今日の見參した理由を說明すれば佐藤炊夫長氏ニツコリ笑つて氣輕に立上つて「まあどうぞお掛けと」椅子を取り出してのサービスに何か心良いものを感じてホツと一息汗をふく。

先づ最初茂坊

「此處では一日何人分の食事を作りますか。」

「五百八十人分です。」ホヽーと感心する。

看護婦さんも入れてゞすね。

「米は一人當何合位食べますか。」

炊夫長氏算盤を片手にはぢき乍ら

「一食一人分四合四勺と麥少々だから一日大體四合五勺の見當です。」

「食費は一日どの位見積つてゐますか。」

「昨年は四十八九錢でしたけれども今年は物價高の關係上一日五十三錢ですが、この中には人件費や燃料が全然入つて居りませんから正味の金額です。」

　炊夫長氏この時主任格の實直そうな坂部のオヂサンを「君チョット來てくれ」と呼びとめる。

坂部氏「何ですか」と驚いて入つて來る。

正坊そこで又入所者とは切つても切れない仲の榮養療法の大本山を訪問した譯を話せば、につこりと頷いて「ソレハ〳〵御苦勞さん。」と手を拭きながら仰しやる。

「魚は一回分どの位使用しますか。」

「約二十貫、一人當三十五匁です。野菜なれば一回分三十貫ですね。肉は一回に六貫目、一人十匁ですね。おしたしなれば一回分十八貫も作ります。」

　一同啞然とする。

　賴チャンが次に

「近頃魚が世間では不足々々と云ひますが、此處はよく手に入りますね。」

　炊夫長氏「一週間前から入札で豫約するのですよ。こゝの仕入は總て入札制度ですよ。然し此の頃では品不足で、商人が入札を嫌ふので品が思ふ樣に入らない爲苦勞しますよ。」

　一同御尤ですとその勞を謝す。

「特菜は一日どの位ですか。」

「現在リンゴ百二十四個、玉子八十個、牛乳六十本です。」

「朝食の仕度は何時頃起きてやられますか。」

坂部氏「當直人員が四人交代で朝四時頃より準備致します。」諸君如何に職務上とはいへ、君達が未だ夢路を辿つて居る時に炊事では旣に我々の爲に朝食の仕度にかゝつてくれて居るんですよ。」

「人員は現在何人ですか。」

「全部で八人で内、女が二人です。」

「失禮ですが炊夫長殿は今迄どちらに御出だつたですか。」

「私は元東大の炊事部に勤務してました。當所が東大の擔當ですからその關係で當所に御厄介になり開所以來勤務して居ります。

坂部氏、私も炊夫長さんと一緒に開所當時より御厄介になつて居ります。」

「開所當時の模樣に就て御話し、して下さい。」

炊夫長、坂部氏交々語る。

「開所當時は現在の炊事場は未だ建つてなく、給水タンクの下の現在の大工小屋が私達の思ひ出の假炊事場でした。其の時分は蒸氣は無く燃料で焚いてました。入所者も少く、材料も豐富に有つたから入所者の好きな樣に献立が出來たけれども、現在では品不足で、おまけに調味料も手に入らず、入所者も多人數の爲こちらでいくら努力しても思ふ樣に献立が

出來ないので皆樣に對しては眞に濟まないと思つて居ます。今後は一層努力して少しでも入所者諸君の御滿足のゆく樣に一生懸命にやつて行くつもりです。」茂坊突然釜を指さしながら、

「大きな釜ですね、あれで一體どれ位焚けますか。」

「大體六斗位焚けます。三百五十人分位ですね。」

エエーと驚く。

「では貴方達が一番御苦心される事は何ですか。」

「それは献立編成の苦勞ですね。先づ第一に殘飯を出さない樣に、そうして季節の物を取り入れる事、近頃の時局が齎らす材料入手難、砂糖、味の素、かつを節、醬油の不足、材料の物價高等で非常に献立作りには苦勞しますよ。」

　私の頭の禿げたのもその爲ですよアハヽヽ。近頃は大豆不足と油の入手難で「豆腐や油揚の製造が不能で、皆樣には氣の毒に思つて居ます。」

「最後に入所者に對する希望は？」

「炊事としては別段有りませんけれども、一番つらいのは入所者から御飯の小言を云はれるのが一番つらいですよ。御飯の硬い軟いは蒸氣の加減によつて同一の釜でも硬い處と軟い處が半々に出來るのです。私達も皆樣に御滿足のゆく樣に一生懸命やつて居ますから小言だけは言はないで下さる樣御願ひします。」

「名譽の應召者を出した炊事は銃後職域奉公の爲に一丸となつて不足の努力に對しては、各自が三十分でも餘分に働いてその人の分も補つて國民として當然の努めを果して居ります。」と力強く語つた。一生懸命喋つた加減と、夕食のお美味しそうな香の爲、どうやら腹の虫がキユ〳〵と鳴き出したので唾を呑み込みながら、扨「今日の夕食の献立は何ですか。」

「鰹の燒魚と、おしたしです。」一同空腹の爲か急に里心を思ひ出して愛想の良い御世辭に送られながらヂヤーナリストとしての一番難關であるインタ－ヴュを見事に果した滿足感に浸つて外氣村へと足を運んだ。

（一六・七・三〇記）

全治退所者の言葉

草野與平

永きは二年有餘にわたつて專心療養に努め、全快の喜びと共に雄々しく實社會の第一線に再起して、今この非常時にあつて其の職域に奉公して居らるゝ全治退所者諸君より、其の療養中の体驗や感想更に實社會に於ける活動振りや社會觀を聞くのは、所當局者としての吾々のみならず、療養中の入所者諸君の參考となるところが尠くないと思はれるので其の二三を抄錄することにした。

後藤重男君

……小生お蔭樣にて退所以來益々元氣旺盛に產業戰士の一員として產業戰線に立ち働いて、職域奉公に邁進致して居ります故他事乍ら御休心下さい。

光陰矢の如しとやら退所致しましてより早や一ケ月は過ぎ去りました。入所中に得ました智識を今日まで續けて來ました。只今では何一つとして自覺症狀も御座いません。今後も此の氣持を長く持ち續けて覺悟です。今日元氣に働けるのも所長殿始め各醫官職員方の御蔭と常に深く感謝致して居ります。

退所の際所長殿の御言葉の中に、諸君は所謂不治の病を克服した体驗者であると言はれたあのお言葉を何時までも忘れずに行く覺悟です。今から思ひまするに、仕事も捨て又何も彼もを忘れて全治を目標として療養生活を續けて行つたなれば、今のこの氣持は持たずとも自分の職務に進めるのではないかと思つて居ります。小生も今としては別に惡い所は御座いませんが、生身の体です。何時如何にくるうともわかりません。

世の中に出て、我等がモットートする安靜外氣の生活が出來ない事は誠は殘念に思ふて居ります。只今では不充分なる時間の中にも晝食後の休息時間を一日の安靜時間に定めて居ります。少い時間ですが外に出て木蔭を用して居ります。

今の世の中は勞力不足の世の中です。療養所を一歩後に致しますれば、何と云つても働かねばなりません。只々時間の過ぎ行くまゝに日を送ることは出來ません。

小生も身は軍籍にあります。何時陛下の赤子として召されるかも知れません。其の時は立派の体を持つて入隊致し皇恩の萬分の一に報ひん覺悟です。……

冬頭幸一君

……退所に當りましては有難きお言葉を戴き有難く厚く御禮申上げます。永の療養生活中親の如く良く見て下されし事唯々何と御禮申上げるべきか言葉を知りません。此の上は療養中に得た体驗と軍隊で受けたる軍人精神を持ち再起職域奉公を致す覺悟で居ります。

故鄕に歸りますれば仲々商賣も忙しい樣子、父母は此の際少し百姓でもして見たら如何など云ふて居ります。私としても今年一杯は家に居て昭和十七年を第一步として進む覺悟で居ります。家に落着いてからも思ひ出されるのは、あの鈴鹿連峰を眺む翠ケ丘にある療養所の事です、朝六時の起床のサイレン、食事のサイレン、安靜時間の……次から次へと走馬燈の樣に頭に浮び上つて來ます。………

誠に失禮ではありますが小遣の一部です。入所者の爲にレコードの一枚でも買つて戴ければ仕合と思つて同封しておきます。（金五圓也が同封してありました）

中林秀吉君

……年老へた兩親だけでしたので家は雜然たるものでしたので、退所翌日から先づ家內の整頓屋敷周圍の淸潔等に二三日を費しました。丁度退所後は百姓の植付期に入りましたので最初十日程は午前中働けば午後は休み、輕い作業なれば一日中働いて居りましたが、五月の廿五日頃より本格的に忙しくなり、それに加へて養蠶も多くなつて參りましたので、朝は四時頃より起床、夕方は七時半頃まで食事はいつも八時或は八時半過ぎでした。長時間の勞働で体も相當疲勞を覺えて參りましたが大した事もなく過しました。其の內背中に痛みも出來て再發ぢやないかと心配も致して居りましたが、二三日か或は五日位で痛みもとれ、其度に先づホット致して居る次第です。退所早や一ケ月餘りになります。今ではどうにか体も馴れたと見えまして痛い所もなく多忙を極めて居ります。退所直ちに就職もしようと存じて居りましたが、やはり長い年月遊んだ体のことで家に歸つて自分の思ふだけ働いて体の準備をした方がよい樣痛感致して居ります。

退所の際所長殿のお言葉で体の方も安心して居りますし又自分も自信もあるのですが、田舍では不治の病とされ又事實この病に侵された者は死亡して居ますので、小生の治つたことを寧ろ不思議に思つて居る。人々からは「あまり働くな」とか「眼が落ちたじやないかもつと遊べ」とか周圍の者から、そう云はれますので氣持が惡い位です。

いつか所長殿が申されました樣に十年前に比較して結核病者は田舍にも相當あり又現在病みつゝある狀況です。過去一ケ年に修得したる療養法を同病者にも敎へて御世話になりました皆樣方或は國民の方々に對して万分の一たりとも御恩返しを致したいと存じて居ります。

最後に希望を申し上げたいと存じます。家に歸つてツク〳〵感じましたのは、外氣小家に出てからもつと準備作業をして置けばよかつたと思ひます。外氣に居る時には、さうせなくても退所したらウント働くと、大した勞働もせなかつたのですが、一時間や二時間の療養所の作業位で何の實社會に出て働くだけの準備が出來ませぬ。作業と云ふよりも遊び半分の仕事ですから、いざ自分の仕事として働いて見ると、却々一時間の仕事でもきついものです。自分も人並よりは一倍積極的に作業ばして來たつもりでしたが、もつと作業時間を延長してやる必要ありと存じます。幸に療養所は村の近くにある都合上、五月や秋には外氣患者出動して勤勞奉仕に出れば、現下姦しく叫ばれてゐる食糧增產の趣意にも副ふ事も出來、いつも迷惑をかけてゐる大里の人々にも喜ばれることで、一石二鳥の方法かとも考へて居ります。猫の手もほしい只今の時期です。小さい國民學校の兒童の勤勞奉仕を受ける時、病後だとてブラ〳〵して居れない、働かざるを得ない樣になつて參ります。人的資源の欠乏してゐる今日、療養所に居た頃時々脫柵して部落に出た時、村人がどんな目で我々を見て居ただらうと思ふと誠に恥しく、今更過去療養中の事が反省され、悔ゆるところ多々あるを痛く悔んで居ります。………

池澤眞澄君

……私こと御蔭を以ちまして身体に何等の故障を覺えませず、至極元氣に每日を過して居りますれば他事乍ら御放念下さい。

本月始め頃より、再起奉公の意氣を以て前職業、印刷業に從事致して居ります。現在は僅かではありますが働いて居りますが、働いて居りますと、療養所での生活と比較致しまして、考へさせられることは澤山あります。社會人の生活を致しまして始めて療養所の有難味と申しますか、勿体なさと云ふ樣なものが感じられます。生活必需品の配給等々を考へる時、今更の如く、聖恩の宏大なるに感謝感激を覺ゆるものであります。而して一層職域奉公、臣道實踐に勵進致す覺悟でございますれば、今後とも御敎導御鞭撻を賜り度玆に失禮で御座いますが、改めて御願申上げます。尙退所致しまして感じたことは、働く者の喜びと云ふものを强く受けました。それは即ち生ある者の喜びと云ひ換へられると思ひます。些細ではありますが、働いて居りますと、療養所で每日を安穩に療養出來た結果ではありますが、社會人となつて立派に働いて居るといふ事實に對して、言葉で表現出來得ない尊いものを把握することは出來ました。……自分としては何等なすところは無きに拘らず、創刊號より「すゞか」の發展振りを回想致しますと思ひ出の數々は甦つてまゐりまして、感慨無量なるものがあります。猶、今後の「すゞか」の發展飛躍を祈つて止まない次第であります。

尙〇月〇日頃〇〇君と療養所を訪ねまして療友諸君を見舞致し度く考へて居ります。退所致しましてより、療養所での思ひ出を繰り返さぬ日はありません程、療養所は懷しく存じます。………

世古光三郞君

……入所中は病魔克服は勿論の事、同時に旺盛なる精神力を養ふ事が出來一石二鳥と喜び居り候。今後は銃後にあつて入所中得ました體驗と不撓の精神力を以て聖恩に應へ奉る可く奮闘する覺悟に候。………

「壽々加」第六號原稿募集

一、論文	四百字詰原稿用紙七枚以內	二篇
一、創作	十五枚以內	一篇
一、隨筆	七枚以內	二篇
一、小品	五枚以內	二篇
一、詩	三篇以內	
一、川柳、日記文、童話、其他	以上編輯部選	
一、短歌　十首以內	印田巨鳥先生選	
一、俳句　十句以內	鈴木峰湖先生選	

（注意）
1、必ズ四百字詰用紙使用ノコト
2、自作未發表ノモノナルコト
3、原稿末尾へ姓名明記ノコト（但シ紙上匿名ヲ使用スルトキハ原稿第一頁ニ記名スルコト）

一、原稿締切　昭和十七年三月末日（期日確守）
一、發行豫定　昭和十七年四月末日
一、投稿先　婦長室

長谷川素逝先生をお迎へして

豫て夏休になつたら一度行くからとはお便り頂いて居たので俳句會員一同は樂しみに待つて居たのだが、八月三日突然に明四日行くからとお葉書を頂いたので、一同はすつかり喜んでしまつた。

四日はお天氣は上々だつたが、それだけ朝からギラ〳〵照りつける暑い日なので、わざ〳〵來て下さる先生に誠に相濟まないと深い感謝の氣持で待つてゐる中に、十一時頃生々のお姿を玄關にお迎へする事が出來た。

先生には益々御壯健らしく、堂々たるお姿に何か知ら安心に似た氣持と、相變らずの溫容に深い懷しさをしみ〳〵抱かざるを得ない我々であつた。

先生には津に御在住當時、さゝご俳句會が創設されたそも〳〵の初めから御來所下され、御懇切なる御指導を仰いだのである。そして先生の御都合により鈴木峰湖先生に每週來て頂いて現在に至つてゐるのだが、大阪へ御轉住になつてからも、さゝご俳句會の會報を通し、或は直接にいろ〳〵と御親切に御指導賜つてゐるのだ。こうして素逝先生の御精神は鈴木先生に依つても傳承され我々の胸深く刻まれてゐるのであり、且又それが我々の誇りでもあるのだ。

扨先生をお迎へして早速句會を催すことになり、題は雜詠五句、午後一時半〆切と云ふことになつた。その間に午後一時より三十分間に亙り所內放送を通じ俳句の味はひ方、作り方に就て判り易く、而も含蓄のあるお話を入所者一同にして頂くことが出來た。

一時半になると壽康館に集り會する者四十餘名、流石の廣い日本間も溢れる樣になる。直ぐ句を清記、互選を始めたが、人數の多い割合に手際よく早く終つたのは、會員一同日頃熱心にやつて居られる結果と言つてもよいであらう。

互選が終ると先生の特選を披講する。その後で二、三の句に就て御批評があつた。

（素逝先生特選）

山襞がま澄めば黍の風來る　早智雄

病にはまけじ暑さの日々至る　同人

月光の夜ゆら〳〵となんばの葉　同　人
日をかへし向日葵園を壓したる　同　人
しづかなる松籟虫の夜の上に　同　人
看護衣を脱ぎてダリアに佇つ夕べ　旅　子
月見草咲きつぎ試歩の暮るゝまで　同　人
疊天を指す向日葵の花重く　同　人
老ひませし母日盛りの寮に來し　一　水
病む窓へヘチマの花の落ちる音　同　人
芝の上に糸瓜の花の落ちしまゝ　同　人
朝々の檢溫記す窓ダリア　翠　逝
初蟬や面會場に母とをゆ・　同　人
夏やせにたへよと母の送りもの　同　人
朝顔に看護婦しづかにペンはこぶ　武　生
病床の夕顔に風觸れてゐる　同　人
カンナ燃ゆ窓看護婦の閑ならず　同　人
蟬時雨止めば止みたる暑さまた　幸　靜
滴りのチロヽとつたふ苔しづか　同　人
向日葵の日を奪ひたる松林　通　草
向日葵の影干傘へのびてゐる　同　人
濃き影をつくりてダリア重たげに　光　洋
紅のダリアの朝の大氣吸ふ　同　人
睡蓮が夕べの風にふれてゐる　新　樹

蟬四方に鳴くより寮の日が昇る　同　人
向日葵に日輪しばしとゞまれる　蛇芥子
手花火にひとり興じてとある夜を　同　人
靜臥窓カンナぐづるゝ暑さかな　白　路
日まはりや療院の午後の靜さに　同　人
天のもの地のもの土用の入日かな　三　生
濱くれぬはげしくなりし松落葉　靜　湖
ダリヤ高く晝の敷石影もたず　跡　部
朝風やもろ肌脱いで髮洗ふ　碧　水
滴りをはらみて垂るゝ齒朶一ト葉　藍　水
烈日に耐へて向日葵園にあり　三籟夢
山寮のカンナに遠き入日かな　紫　逢
夕燒に感謝の祈り烏ゆく　夢　窓
蟬時雨してゐる靜か午後の寮　城　月
看護婦の歸省土產は奈良のもの　芙蓉子
ねがへりをうてば匂へり白き蚊帳　夕起緒
新聞に出てゐる故鄉の暑さかな　秋　紅
星涼し風すゞろなる山の寮　冷　子
夕顔の垣根がよろし貰ひ風呂　白陽子

御添削と御批評

老ひませし母日盛りを見舞はれし　一　水

右の原句は「老ひませし母日盛りの寮に來し」でありましたが、俳句では事柄を表現するのみでは充分ではない。氣持も表現しなければなりません。その意味で、老ひませし母が「寮に來し」では暑い折柄よく來て下さつたと言ふ氣持が出てゐませんので、「見舞はれし」と訂正してみました。こうすれば、老母に對する敬ひと勞りの氣持が幾分表現されるのではないかと思ひます。

病床の夕顔に風ふれてゐる　武　生

「風ふれてゐる」と言つた此の文字だけで、病床にある人の症狀とか、或はまたその氣持がよく讀者に傳つてくる樣に思はれます。

看護婦の歸省土產は奈良のもの　芙蓉子

現在の身の廻りのものが、こんなつまらぬものがと思はれることが、心に觸れて直ぐ忘れ去る樣な事柄が立派な句の材料になることは多いのですが、此の句はそう言つた事柄を上手に捉へた例と言へるでせう。

松林に日を向日葵は奪はれて　通　草

松林はショウリンと讀ませるつもりでせうが、そう讀ませるのは一寸無理かと思ひます。從つて全體としてギゴチない調子となつてゐますが、松林を下へ持つて來て次の樣にしてみますと、

向日葵の日を奪ひたる松林　通　草

こうしますと文字は殆んど變つてゐませんが、大變に調子が良くなつた樣です。此の句に限らず自分で作つた句を後で充分

に推敲することの大切なことは此の例でもお判りでせう。

夏やせに堪へよと母の送りもの　翠　逝

平常、普通であるならば俳句にならぬ樣な材料が立派な句になつてゐるもう一つの良い例です。

紅ダリア高く晝の敷石影もなく　跡　部

眞晝の燒けつく樣な感覺が「眞晝」と言はないで「敷石に影もなく」と言つたが爲に一層强く感じさせられるのであります。

天のもの地のもの土用の入日かな　三　生

大袈裟な物の言ひ方は失敗し易いものですが、それに反して此の句は却つて成功してゐます。本日中で一番私の好きな句です。

其の他、表現の上手なと思はれる句は次の樣なのがありました。

山寮のカンナに遠き入日かな　紫　逢
月見草咲きつぎ試歩の暮るゝまで　旅　子
蟬時雨止めば止みたる暑さかな　幸　靜

(御批評はもつと詳細に御丁寧にして頂いたのですが、そのまゝを速記出來ませんので要點だけを書きましたから、その積りで御味讀下さい。)

以上で句會は終りとし、後は先生を圍んでいろ〳〵の話がはずみ、和氣靄々裡に過し時間の經つのがこれ程早いと思つたことはなかつた。

午後五時先生には下山して行かれるのを深い感激の念を以てお見送りした。

暑い折にも拘らず我々の爲に御貴重な一日を割いて下さつたことに對じ、我々は、此處に改めて御禮申上げる次第であります。(藍水記)

隨筆

療棟文庫へ望む

井戸一郎

此の頃の社會現象の中で、讀書界の旺んなる表徵は他の表徵と相並んで大いに問題とするに意義あるものであらう。まさに新しい生活態度への轉換の過程の開始として其の意義は認めらるべきであらうが、單に流行を追ふといふ皮相的な感がないではない。これを過渡的現象と樂觀するのはどうかと思はれる。

讀書た旺んなることは此の療養所に於ても十分見られる。其の唯一の機關として療棟文庫の存在は入所者一人々々が直接社會現象に交涉し得ない生活の環境へ媒介者として我々に齎らすところのものは甚だ大である。

讀書と云ふ形態を以て現はれた所の智識慾を一定の原理に從はしめるといふことは、其のより大なるところの成果を期する者に當然の事と云はねばならない。此の點に關して療棟文庫が圖書の蒐集に際して何を基本要求として居るかは我々の大いに關心するところである。療棟文庫を制約するところのものは、讀書の一般概念に我々の環境の現實である特殊性を附加せるところのものであることは理解するが、其の概念を單に無聊を癒すところの娛樂機關に迄引き降すことは否定しなければならない。私の療棟文庫への希望は、文庫の存在が目指す所が讀書の一般概念と些少の修正を以て調和することを前提してゐる。

療棟文庫の現在は未だ發展途上に在ること〻其の半が寄贈書であることなどに依つてそれが雜然たる集合であり、全體性を缺くところの止むを得ない理由ではあるが、大いに發展擴大されるであらう文庫が、蒐集の形態に於て單に現狀の擴大に終れば必ずしも擴大の度に正比例して其の影響する所は增大されない。言を俟つ迄もなく、療棟文庫の對象とする所は入所者一般であり、從つて入所者の意志を顧慮する事も必要であるが、然し乍ら限られたる僅少の金額を受動的にのみ使用するに於ては徒らに雜多へ分散し、集められたる圖書は雜然たる集合に終るであらう。故に文

庫の側に於て一定の組織を以て却つて讀書に或る方向を與へるといふ能動的方法がよりよき成果を齎らすであらう。此の樣な方法が或は讀書を或る範圍に限定し、入所者一般といふ對象の概念に撞着するといふならば、それは當らないであらう。何となれば讀書一般がより效果的である所の組織的方法を理解するに於て、容易に止揚の可能性ある矛盾だから。

我々を惑するに足るものは氾濫する科學書である。科學者が或る條件の下に經驗せる結果から歸納せる所の其の限りに於てのみ妥當する所の一學說をともすれば我々はそれを以て絶體の法則であるとなし、或はそれがすべての場合に妥當する所の眞理と信じ易い。尤も未だ科學精神に乏しい者が過渡期に侵し易い不可避的な誤謬ではあらう。科學研究の重要な才法であるところの歸納的方法以上の確實な他の才法が發見されたならば我々が如何に科學に凭り懸つても誤らしめることはなからうが、そんな未だ何處にも存在としないところのものを求めても始まらないが、因果必然の決定は容易ならざることであり、我々は疑を以て實證的でなければならない。實證的でなければならないと云つても、其の榮養價の發見される迄飯を食ふなと云ふのではない。然し單に斷片的な科學知識を信仰するに至つては最早科學する心なしと云はねばならない。古人曰く「盡く之れを信ずれば書なきに如かず」と。如上の危險性に鑑み科學書の蒐集には大いに注意を要するであらう。

讀書界の王座を占めて居るところの文學書に就ても我々が卑俗な流行にのみ追はれ、宣傳に迷はされてあちらこちらの作者を轉々として歩くに於ては我々の收穫するところは甚だ少いであらう。此の樣な態度乃至方法は我々が文學を通じて作者の知識を正しく理解することは困難なことであらう。まして知識以上の何物かを得んとする欲求は到底滿されない。一體我々が書物に接すると云ふことの意味する所は、或る對象乃至環境と主體的個人との交渉を言語を媒介として他の主體的個人が其の交渉の實體に近附かんとする。換言すれば他人の考へを考へんとする所の欲求である。若し此の言語なるものがすべて一義的であれば我々は小さな努力を以てしても容易に良く作者の表象に近づき得るが、多義的にして而も複雜なる人工概念の介在するところのもの丶媒介に依つて何等かの表象を推追せんとすることは大いに困難が伴ふ。作者が記述せるところの表象乃至說明せる所の關係の狀態、感動、意慾が概念の媒介を經て達したる我々のそれと、其の近似が何程であらうかを常に反省すべきであらう。もとより私と作者との間に於ける素養の懸隔も問題ではあるが、作者も私も主體的存在であり、個別的主觀的條件の相違する限り、作者がある對象の印象を記述せるところのものを其れに依つて私が作者と同一の印象を再現せんとするはもとより不可能事である。要はより高度な近似点に達せんと努力するのみであらう。

此の樣な事情を考慮することなく、私が自己の主觀のみに依つて所謂自己流の解釋を以て事足れりとするならば、私は讀書以前と以後に於て所詮五十步百步と言はねばなるまい。我々が自己の知識を洗練し深めんとする欲求を滿さんとする爲には單に悟性の所產である所の概念的知識のみでは到底達せられるものでない。尤も普遍妥當を以て其の本質とするところの科學的知識は別である。文學なるものは單に悟性の所產でないことは言ふ迄もない。從つて私が何ものかを得んとする欲求を以て眞に或る文學を解せんとするならば、私は先づ作者の性格乃至人格を把握しなければならないであらう。それの把握は作者の或る對象に對するところの主觀的條件を理解することであり、即ち文學を通じて作者の表象と私のそれとが、より高い度の近似を可能とする所以である。それは單に我と他者との悟性と悟性との交渉ではなく、我と他者との全意識の交渉である。斯樣にして特殊的個別的他者の知識を包攝せんとするには大いに技術を要するのである。其の才法として我々は一作者の全思想が必要であり、從つて一作家の多くの著作を必要とする。

以上の理論の內容はむしろ讀書術一般論により近くこれを療棟文庫に望むといふ標題に屬せしむることは聊か妥當を缺くが、一般者は具體者を含むといふことから何等かの參考になるかも知れない。其の具體策に就ては療棟文庫に與へられた特殊な條件と、一般概念との調和の限界を知れるところの圖書主任及び委員諸氏に俟つべきであらう。

お光ちやんたち

林　翠　逝

梅の花が散つて、山の雪が消ゆると暖い春めいた日が毎日々々續いて、校門にある柳の芽が日增にふくらんでゆく。冬のあいだ閉めきつてゐた敎室の窓もみんな明け放されてしまひ、その窓から螢の光や、卒業式の歌が流れて來て喜びと悲しみがいつしよになつて校庭を包んでしまう。もう幾日かすると卒業式であつた。校舍の東端にある六年生の敎室にもそれと同じような卒業の歡喜と淋しさの空氣が室いつぱいに渦をまいてゐた。國史の時間である。先生一人が人造人間の樣に眼鏡を光らせながら口を鋭がらして話をしてゐる。小さな胸に卒業の興奮がいつぱいになつて、先生の話は魂のない生徒の樣に皆んなの耳を橫通りしてゆく。亮太もその興奮の中におかれてゐた。だが皆んなのように明るい樂しいものではなく暗い悲しいものであつた。亮太は學校を卒業したら名古屋の(万)といふ酒屋へ奉公に行くようになつてゐた。それは父の吾作が亮太には一言も相談もせないで(六)の番頭さんと決めてしまつたのである。(番頭さんは亮太の村から出てゐる人である)それまでにも小間物屋、吳服屋からも亮太を丁稚に來てくれと言つて來た。吳服屋は後妻のおしんが自分の着物を少しでも安く買へると思つて贊成をしたが、給料が安いと言つて吾作が斷つてしまつた。酒屋は吾作が自分の好きな酒がロハで貰へはせないかと言ふ狸の皮算用で亮太を酒屋に奉公にやることにしたのだ。自分の都合さへよければ誰にも折れることを知らない吾作であつた。だが亮太は丁稚なんかに行きたくはなかつた。中學校へ入りたかつたのだ。昨夜も吾作は、おしん(亮太の義母)に酌をさせながら上機嫌で酒をちびり〳〵と飮んでゐた。亮太はおしんと吾作の顏を恐る〳〵眺めながら中學校にやつてくれと吾作に言つた。吾作は盃を口からはなすと大きな聲で怒鳴る樣に、

「なに、馬鹿野郎!中學校へやつてくれ?」

「お父つさん、これからの人間は學校へ行かんけりや偉い人にはなれんて先生が言つてゐたよ。」

「馬鹿野郎!何をぬかす、學校へゆかんけりやえらい人間になれん。なあ亮太、お前も知つてゐるだらう金兵衛さんをみい、あの人は百姓の末子に生れて裸一貫で東京に出て商賣をしたんだ。それが成功をして今では村や學校へ一萬圓や二萬圓位ぽん〳〵と寄附する、大したもんじやねーか。その金兵衛さんは東京に奉公にいつたのがなんと十二の歳だといふんだぞ、もちろん字の一字も讀めやせんだ。ン－亮太、その面なんだ、えー、よく聽いておくんだぞ。村の人等は金兵衛さんを神さんのように崇めてゐるんだぞ。ほんとうに感心な話じやねーか。」

「修身でも習つただらう。二宮金次郎の話だつて、新井白石とか言ふ人の話だつて、あの人等は中學校へも大學校とやらにも行つて居らんぞ、えー亮太。川村瑞軒て言や今の三井や岩崎以上の金持だつたんだ。その人がなんと貧乏人の小伜に生れて、十八になつた時に人が捨てた瓜や茄子を拾つてそれを鹽漬にして賣り歩いて金を溜めた。それがはじまりであの日本一の川村瑞軒ができたんだぞ。學校がなんだと言ふんだ馬鹿野郎!!」

「昔といまとは世の中がちがひます。」

「こら!!くそ面白くねえことをぬかすな、酒が美味しくないわ。世の中が變つたつて人間に、かわりがあるか。馬鹿者め!!」

「それでもみんな中學校へゆくんだもの。」

「貴樣らを中學校へやるだけの金がありや、こんな貧乏はせんわ。白い飯を食はしてもらふだけでも有難う思へ。ん－亮太、貴樣はそうは思はんか。」

「…………」

もう父に頭からガンとそういはれると、それに返す言葉がなかつた。亮太はもうわけもなく悲しくなつて、もうこらえきれないといふようにワツと聲をたてゝ泣いた。

○

「亮太君」

先生からこう呼びかけられて－頤に右手をあてながら長いあいだ、物思ひに吸ひこまれてゐた亮太は魂を呼びおこされたように、ふと我に歸ると狼狽の苦しい笑をつくつて「ハイ」と答ると、先生はもうそれだけ言つたゞけで、何もいはなかつたように敎壇に立つて話を續けてゐる。亮太はもう昨夜のことなんぞ忘れてしまをうとおもつた。だが胸の底に燒けついたように殘つてゐる夕べのことが、忘れようとすればする程苦しい思ひとなつて炎のように胸の底から思ひ出されてくる。自分の運命は父の絶對的な支配權のもとに左右されるのかと思ふと、抗しても抗しても無駄な自分の運命が情けなくなつてくる。そして父が憎々しくもあつた。野蠻的な父、一にも金、二にも金のこと、金と酒には盲目的な父が悲しかつた。死んだ母ちやんがゐてくれゝばと、そう思ふと目頭が熱くなつて來た。やがて鐘が鳴ると、蜘蛛の子を散らすやうに皆んな運動場に飛びだしてゆく。運動場では明るい日ざしの中で男の生徒や女生徒が入り亂れて鞠遊びだの、繩飛びだの、大きな聲を出して遊びに夢中である。それは苦痛といふものゝ無い世界のやうだ。亮太は校庭の隅にある櫻の木にもたれて獨りぽんやりと空を眺めてゐた。枝の間を白い雲が流れてゆく。ひとつの雲が遠くへゆくと、また綿のやうな雲がながれてくる。

「亮ちやん、どげんしとんの?」

嬉しそうにこ〳〵笑ひながら隣のお光ちやんとお夏ちやんが肩を組みながら近づいてきて言つた。亮太はわざとらしい苦しい笑を浮べて

「どげんにもしとらせん。」

と言つた。

「うち、お父ちゃんが昨夜女學校にやつたるといつたわ。お夏ちゃんもゆくのよ。亮ちゃんはどこ?」

「…………」

「中學校?」

「違ふよ。」

「そしたら何處なの。」

「名古屋……」

「まあ、素敵!名古屋の學校でせう。」

「……………」

「いゝわねー」

お夏も言つた。名古屋へ奉公にゆくのだとは亮太もお夏たちには、はづかしくてどうしても言へなかつた。

○

その日の午後、いつもの所に村の子供たちは集つた。春らしい白い雲がふんわりと浮いて丘の上には小さい草の芽が萠えてゐた。亮太の村の前を小さな小川が流れて、その川を渡ると平つたい丘になつてゐた。そこが村の子供たちの遊び場であつた。勿論大人の侵入などはない。相撲でも、兵隊あそびでも、鬼ごつこでも、雪が降るとスキー場にもなつた。春になれば草摘みや、夏になれば蟬取りの場所にもなる。男では亮大と弟の新吉と太一と二郎と正男と善平と弟の正作で、女はお夏と妹の春ちゃんとお光だつた。亮太の發言で旗取競争をやることになつた。二組に分れて敵の旗を早く奪つた方が勝つ遊びである。こんなときはいつも亮太が組をきめる役である。といふよりも子供たちの大將になつた。亮太は學校の成績もよくできたし、力もあつたので亮太の命令には皆な文句を言ふ者もなく、絶對に服從をした。一列に列べて置いてその前に立つて命令をする。その時はいつもほんとうの大將にでもなつたつもりで、胸をそりかへして力一ぱいの聲を出す。勿論名前も呼び付けである。東太一・お光・善平……と呼びながら組を分けた。亮太はお光が好きでいつも自分の組にしようと思ふのであるが、お光の組が負けるとその後で「負けてやつたんや」と負けおしみを言ふのでそれが面白くて自分の組には入れなかつた。」亮太が「君らの組が昨日負けたから支那軍になるんだよ。」と書ふと、「今日はきつと勝つ」と言つて支那軍になりてがない。お光も「いやだ〳〵」といつて目をむいて怒り出した。それでは今日負けた方が支那軍になるのだと云ふことに決つて、小さな兵隊たちは先頭に日の丸の旗を立てゝ兩方に意氣揚々と軍歌を歌ひながら分れてゆく。太一の軍は、山の一番高い所に旗をたてゝ、その下に皆んなが集つて作戰を練つてゐるらしい。亮太の方も松の

木の根元に旗を縛りつけた。敵が來ても取りにくいやうに何度も〳〵太い繩でしつかりと縛りつけた。それはお夏の考案であつた。いよ〳〵競争が始まつて半時間もたゝないうちに一番小さい正作は捕虜になつて繩で松の木に縛りつけられた。どちらもよく防ぐので勝負がつきそうもない。亮太はこんどは僕がゆくと言つて、弟の新三をつれて出ていつた。敵に見付からないやうに枯木の中を犬のやうに四つばいになつてごそ〳〵はつてゆく。

新三も「兄やんまつて」と言ひながら四つばいになつてついてくる。敵の近くになると靜かに〳〵と新三に目で合圖をしながら草の中からもぐらのやうにそつと首を出して様子をみると、旗の下でお光が獨りで番をしてゐるだけで誰もゐない。亮太はしめたと思つて獨りでかるい笑を浮かべた。お光ちゃんだけなら大丈夫勝てる。しかし後で皆んなから何故に奪られたんだといつて叱られるとお光ちゃんが可愛そうだし、そう思ふとお前は支那軍になりたいのか、弱虫、々々、そんな聲がどこかでしてゐるやうに思はれる。支那軍になんかなりたくないぞと思ふともう兎のやうに草の中から飛出していつた。お光は不意を衝かれたのでびつくりして、「誰かきてよ」と悲鳴をあげたが、すぐ男のやうに亮太の胸もとに飛びかゝつてきた。


「お光ちゃん、おとなしく旗をよこせよ、でないと武力の發動だよ。」

と英雄氣取りで大聲で怒鳴つたが、お光も
「なに、まけるものか、あたいだつて。」

と言つて仲々負けようとはせない、二人は相撲のやうに取組合つた。新三はゲラ〳〵笑つてしつかり〳〵と言つて敵味方なく應援してゐる。

「お光ちゃん、もうやめよ」

と言つた。それでもお光ちゃんは何とも言はずに睨んだまゝ組合ひを止めなかつた。お光ちゃんは一生懸命だつた。


勝負は決つた。亮太をお光が爭つてゐるうちに新吉が旗を奪つて引揚げた。新吉は殊勳甲だつた。得意になつて大聲で「バンザイ」と叫んだ。太一の軍は敵の背後を衝く作戰であつたが失敗に終つて、それは番をしてゐたお光ちゃんが惡いのだと言つて皆んな責任を逃れようとする。お光ちゃんは泣きだした。

皆んなが歸る頃になると太陽は西の山に斜いて春とはいへ夕方の冷い風が皆んなを撫でゝいつた。

亮太と新吉が家へ歸ると大きな出來ごとがまつてゐた。それは父の病氣だつた。いまお醫者さんが歸つていつたばかりで、隣のおばさんがきてゐた。酒を飲みすぎたので、

それからきた腦充血だと母が言つてゐる。死んだ人間のやうに薄黄色顔を上にむけてうん〳〵と苦しそうに唸つてゐる。

「苦しいかえ。」

おしんが小さな聲で吾作の耳もとで言つても目を閉じたまゝ何とも言はない。亮太は何か恐ろしいものをみるものゝやうに、ぶる〳〵震えながらおしんの後で父の顔を見守つてゐる。おしんが「今日は母さんは忙しいで、二人で御飯をおたべ。」と言つたので、新吉と二人で暗い電燈のもとで食事をしたが、胸のそこに何かつかへてゐるやうで御飯が入らない。父のあんなみじめな姿をみると、なんだか父が氣の毒だ。どれだけ酒を呑んでも、叱られてもいゝから早くよくなつてほしいと思つた。まだ父は夕べのことを怒つてはゐないだらうかと思ふと悲しくなつてくる。


吾作の病氣は一日々々と惡くなるばかりであつた。亮太の卒業式の前日にとう〳〵吾作は死んでしまつた。もうそのころになると亮太は中學校へなぞ行きたいとは思はなかつた。この頃の淋しい生活から一日も早く逃れたかつた。愛の無い、暗い生活から逃れて行きたかつた。

○

晴れ渡つた暖い朝であつた。いよ〳〵名古屋へ奉公に行く約束の日である。四、五日前から義母のおしんが縫ひあげた木綿縞の着物と、吾作の若い頃のだつたのを仕立直した小倉帶を締めて八十五錢の鳥打帽をかむつた。おしんの鏡臺の前へ立つて、その自分の姿をじつと眺めてゐると、子供の世界から大人の世界へ一氣に飛越したやうな感じがして、一歩々々と遠ざかつて再びかへることのない子供の世界が懷かしくも、淋しくもあつた。大人の世界が恐ろしくもあつた。おしんと新吉と、それにお光とお夏も、亮ちゃんを驛まで送つてやるんだと言つて後へついて來た。驛までは村から一里程あつた。うね〳〵とした山や畠の道を新吉と亮太が先に立つて歩いた。青く澄んだ空には雲雀が樂しそうに鳴いてゐる。道端にはたんぽゝやすみれが咲き亂れて、それをお光とお夏は摘みながら歩いた。新吉は出征兵でも送つてゆく氣持であらうか、面白い節廻しで軍歌を歌ひかけた。だが亮太は春のやうな明るい氣持ではなく、一歩々々と闇へ近づいてゆくやうに思はれた。もう二度と歸ることの出來ない遠い〳〵世界へ自分一人が送られてゆくやうな氣がして淋しく心細くなつてきた。そつと後を振り返つてみると、もう亮太の家は霞の中に消えてゆこうとしてゐる。それから幾つかの山や麥畠を通り過ぎた。もうこゝまで來ると町の方が近かつた。


驛へ着いてみると、まだ半時間程時間があつた。驛は日曜であるのに割合に靜かである。青い風呂敷を背中におんだ田舎のおばあさんが待合のベンチに腰を掛けてコクリ〳〵と居眠りをしてゐる。ラケットをかゝへた三角帽の大學生と、四五人の商人風の人が退屈そうな顔をして時計ばかりを眺めてゐる。亮太の見送りの一團で驛の待合室は賑やかになつた。亮太が名古屋へ着いたら奉公先の番頭さんが驛まで迎へに來てくれるやうになつてゐた。驛へ降りても番頭さんが亮太だといふことを見分けのつくやうに帽子になにかを標しにするやうにと言つてきてゐるので、赤い小さなモスリンの切端を帽子の先につけたが、あんまりへんだといふので白いのにした。それも待合室の中でした。新吉が自分も帽子に着けてほしいと云ふ様な顔をして眺めてゐる。そして言つた。

「兄ちゃん、名古屋て遠いのかい。」

「うん、遠いよ。」

「あの山の向ふかい。」

「そんな近かないよ、もつと〳〵遠いさ。」

「フーン、そんなに遠いのかい。支那よりも、アメリカよりもだね。」

おしんが「ちよつと」と言つて出て行つた。亮太はベンチに腰を掛けながらお光の方を見ると、お光の涼しい目と自分の目とかち合つた。だけどいつものお光のやうになれ〳〵しく話をして呉れなかつた。なぜいつものやうに話をして呉れないのだらうかと思つた。それが寂しかつた。自分がこんな着物を着てゐるのでお光ちゃんはいつもの様にうちとけて呉れないのだらうか。お光ちゃんやお夏ちゃんと何もこだわりのない他人のやうに何にも話せずに別れてしまふのだらうか。そんなことを思ふとなほも淋しくなつてくる。だけど何とか話をして別れたい。これまでのやうにうちとけて、一度でいゝ、亮ちゃんとだけでもよいからお光ちゃんのあまつたるい聲で言つてもらひたい。自分の方から何とか話しかけてゆかうか知らん。そんなことを考へてゐると、お光とお夏が亮太の側へ寄つてきて恥かしそうに言つた。

「亮ちゃん、お盆には歸るわねー。」

「うん、歸るよ、僕きつとねー。」

「お盆には鬼ごつこして遊ぼうよ。」

お夏も言つた。

「僕、名古屋へ行つたら手紙出すよ。名古屋の畫ハガキも送るよ。」

「うん、待つてるわ。二人で返事を書くわ。ねえお夏ち

やん。」

「僕もにいちゃんにテガミ出すよ。」

新吉も言つた。お光たちからそう言はれると亮太はほんたうに嬉しかつた。もう何も思ふことはないとさえ思つた。おしんが歸つてきて、發車時刻前になると、いつの間にか待合室は乘客で一ぱいになつてゐた。五分前になると若い驛員が出てきて「上り名古屋行でございます。」その聲が待合室の隅々に聞えると、腰を掛けてゐた人や、柱にもたれてゐた人たちが一齊に起き上がつて一つの改札口に雪崩れのやうに我先にと押し合つてゆく。一列に並んで下さいと驛員の聲が聞える。人と人との間をくゞつてゆく要領のいゝおぢいさんがゐる。皆んな入場券を買つてプラットホームへ出た。おしんが亮太に昨夜言つて聞かせた汽車の中の注意だの、番頭さんに會つたら、こうするんだのと、くど／＼しく言つた。亮太は頭を縦に振つて返事をして聞いてゐた。汽車が勢ひよく構内に入つてきた。

「お母さん、では行つてきます。」

頭を低く下げて、泣き出しそうな聲で言つた。

「淋しいじやろがなあ、亮ちやんも氣をつけてなー。」

いつもになくおしんは優しく言つた。

着替の入れてある風呂敷包をしつかり抱え、汽車に乘つて窓からお光たちにも小さい聲で「さよなら一」と言ふと、それに答へるやうにお光も聲を振はせながら、「さよなら」と言つた。お光の目に泪が光つてゐる。それを亮太はチラリとみた。別離の悲しみ――それは大人の世界ばかりに存在するものではない。この小さな子供たちの世界にも、それ以上の悲しみ、淋しさがあるのだ。お光ちやんも自分の爲に涙をながしてくれるのか。美しい純情な涙、野心の無い涙。そう思ふと、嬉しいやうな滿足感が胸一ぱいになつてくる。汽車が動き出すと新吉も聲を出して泣き出した。もう亮太も泣いてゐた。が聲だけは出さなかつた。きつく／＼齒を食ひしばつてゐた。汽車は速力を出した。驛はだん／＼と小さくなつていつて、もう皆んなの姿はわからなくなつてしまつても、それでも亮太は首を窓から出してじつと／＼小さくなつてゆく驛を眺めてゐる。と、わけもなく涙がぼろ／＼流れてきた。すると涙の目に死んだ父の顔と母の顔がぼーッと夢のやうに浮んできてまた霧のやうに消えていつた。するとこんどは美しい畫のやうなお光の顔が浮んできた。そしていつまでも／＼消えてゆかなかつた。

亮太は誰に云ふともなく呟いた。

「僕、きつと偉い人になるよ。」

外氣村の或日

茂坊

東の空が白々と明け渡つて來た。鈴鹿の連峰もその雄壯なる姿をはつきりと現はした。早起者の小鳥のさえずる啼聲が此處彼處で聞えて來ると、夏の涼しい爽かな外氣村の一日の生活が又始められる。五時頃には日頃信神家の心掛の良い人達は早や起床して夏の爽かな新鮮な空氣を胸一ぱい吸ひ乍ら報恩神社に日課の參拜に行く。病氣平癒祈願かまた何事を神に祈つて居るのかは知らないが、それ等の人達の敬虔な態度はあく迄眞劍で神々しくも又氣高いものがある。六時のサイレンが外氣村の澄み切つた朝の空氣を破つて高々と響き渡ると、此處彼處の家が騷がしくなつて來て洗面場へと集つて來る。「お早よう」と朝の挨拶の交換が始まる。

六時四十分頃になると、毎日交代で勤務する其の日の食事當番四人が朝食を上げに出掛けたと思ふと、間もなくコンクリートで出來た食堂車專用路を『ガタン／＼』と騷しい大きな殺人的な音響を四圍に御遠慮なく響かせながら食事を運搬して歸つて來ると、一しきり食堂の方で「ガチヤン／＼」と食器を並べる音がしたかと思ふ間もなく當番の中の聲自慢の者が天迄響けとばかりに大聲を張り上げて「飯やぞー」と食事を外氣村の全青年達に知らせる。中には「飯やぞー」と言つてから特別サービスの積りか「金銀蠅がたかつて居るぞー」と御親切にも知らせて呉れる。まさか金銀蠅は居ないが、豚小屋の近い爲家蠅の非常に多い事は事實である。追つても追つても支那兵みたいに直ぐに集つてくる家蠅君の根氣の良さには流石の外氣の青年達も顔負けして、此の頃では少々たかろが何としようが泰然自若として平氣の平左衞門ですまして見て御座る。時々は申譯みたいに「エイ五月い蠅奴」と手で蠅を追ふだけで、蠅君に取つては至極安全で住み心地の良い處とみえて何時迄經つても食堂より御退散を遊ばして呉れそうにも見へない。

食事時が又賑やかである。大人しく神妙に口をお淑やかに動かして食事する紳士型のお方もあると思へば、昨夜某氏が夜中にこんな寢言を言つたと大聲で人のあらを皆の前に失禮千萬にも暴露する御節介な非紳士的なお方もある。暴露された御本人は流石に顔を赤らめて「馬鹿な事を人に言ふなよ、寢言なんか言ふものか。」と百方手段を盡して辯

明これ努めれば忽ち一隅より聲あり「寢言を本人が知るものか。」と手痛い逆襲を受け、此の理窟には抗する言もなく白旗を掲げて降伏すれば、それを面白がつてひやかすのでその時の騷がしい事、蜂の巣をつゝいた樣な賑かさで、氣の弱い者なら怖氣を振つてしまふ。しかし乍ら皆本當に無邪氣で童心に立返り、これが二十歲を越した地方に還つたら虫も殺さぬ顔をしてすまして居る立派な青年達の假面を脫した人間の本當の姿であると思ふと、自然と微笑みがこみ上げて來る。これでこそ病氣が自然と治るのだと思ふ。

多數の外氣村の青年の内には朝寢坊の人もあつて、皆が食事を濟してからのこ／＼とまだ寢足らない樣な、赤く充血した眼でこそりと食事に出て來て、忽ち當番のうるさ方の者に『當番に迷惑をかけるな』と怒鳴られて「濟みません／＼」と平に詫びて、やつとの事に飯にあり付く不心得の方も折には出てくる事があるから愉快である。和氣藹々とした食事が濟むと娯樂室で新聞を讀んだり、部屋の掃除を始めたりする。中には食後の安靜とか言つて牛みたいに直ぐベットに横になる人もある。昔は食事をして直ぐ横になると牛になると叱られたものだつたが、醫學の發達した現代は代つて褒められるから不思議な世の中になつて來たものだ。

八時になると村長さんの「作業に出て呉れ」の聲がしてくる。その日體の調子の惡い事故の有る者の外は皆全員作業服に身を固めて麥稈帽子や戰鬪帽を思ひ／＼にかぶつて集合する。村長さん指導の下にその日一日の作業が始められる。作業は日に依つて一定して居ない。畠の開墾や除草作業、草花の手入、植換やら食堂や便所の水洗掃除、兎小屋清掃作業（これは臭いので皆が一番厭がる作業である。此の作業をすると晝飯が咽喉につかへて閉口する。此の作業だけは今少し何んとかならないかな。）

時節に依つては泥の中に膝迄足を入れて生れて始めてする田植（百姓出の方は別だが）あやめ畠の除草作業もある。たまには變つて珍らしく又面白いものであるよ諸君。皆作業療養であるから終始眞摯敢闘、炎熱の下汗水流して眞劍に遂行される。作業時間は一時間乃至二時間續けられる。これが公即ち官物の作業であつ：、（作業に官物私物もないが、假に區別して呼んでゐる）この外自分勝手にする處の作業、例へば小家の內外の清掃とか、草花の植換・手入等これを我々は私物の作業と呼んで居る。これは自分の氣の向く儘、症狀の許す範圍なら何時間しても他より絶對に文句は受けない。從つてしてもしなくても各人の良心の勝手自由である。當番は食事當番四人、兎當番三人、風呂當番

一人が毎日必らず交替で勤務するから、日に依つては一人に當番が二つ位重なる日もある。作業は重大なる作業療法の爲ではあるし、又出來る限り出席しなくて何んかあつた時、言ひ度い時に引き目を感じて言ふ事が出來ないと困るから、此の點は賢明な外氣村の青年諸君はよく心得て居て皆作業に就ては言句は絶對に言はないから感心至極である。無論小生もその感心な者の一人である。絶對に本當ですぞ。作業が終ると診斷や治療を受ける爲療棟に出掛ける人もあるし、講堂には出席しなくてはならないし、外氣に居ると相當忙しいですよ。人は入所者は毎日暇で困るでしようと尋ねられるけれども、事外氣に關する限り、どうして／＼仲々事務多忙ですよ。十二時には又和氣藹々たる晝食が始まる。此處で特に强調したいのは、外氣村は村長を中心として一致團結して居る事である。體の條件即ち健康狀態が略ぼ一致してゐる。皆全治退所の日も近き人々であるから此の世間で言ふ難病の輝く勝利者としての自信滿々結核何者ぞとの鬪志に燃え盛つて居るので、療棟の人の中に見る樣な病氣に對する諦めの心や、自棄的氣持は藥にしたくとも持合せがない人達ばかりであるから、皆心の底より外氣小家の療養生活を感謝と希望に燃えて毎日の生活を樂んで居るので、「それ諺にあるでせう、健全なる肉體に健全なる精神が宿る。」と、だから外氣村の青年達は愉快で明朗であるから、皆氣がよく合つて一致和合して居る。これだけは外氣村が世に誇つてよい事と確心して居る次第である。一億一心の模範は先づ外氣村より（餘り自慢過ぎたかな。大目に見て下さい諸君。）たまには此の晝飯の時に所長殿や指導官を招待して會食を共にして、隔意ない下からの盛り上つてくる聲や意見を聞いて貰ひ、又御兩人のお偉い方から上意の下達をして戴き、上意下達下意上達の隣組の常會の樣なものを開いて談笑裡になごやかな雰圍氣の中に食事を共にする日もある。午後一時より三時迄は安靜時間であるが、土曜日には弓の先生指導の下に體位向上の爲弓道が午後一時より六療棟の舍後の弓道場で開かれたので、其の日は從つて安靜は休業である。弓も仲々上手な進歩發達の超スピードの器用な人も居て弓の先生より褒められる人も居る代り　不器用で餘り進歩しない下手な人もある。茂坊は自慢じやないが正直な處餘り上手な方ではないよ、早く言へば下手の方ですよ。全く恥かしいですよ。その中上手になると思つて居ますが、上手にならない中に退所するのが殘念至極、退所しても退所しきれませんよ。同情して下さい諸君。三時頃には外氣食堂の內にある風呂が入浴當番の努力に依つて入浴出來る樣になるから、それから五

時迄は外氣の入浴時間である。風呂の入口には「皮膚病の人は一番後より入つて下さい。」と書いてあるから、此の規則は公德心に訴へても必ず守らなければならない鐵則である。

六時夕食、七時半頃には點呼報告に行く者の點呼を受ける。點呼は代表が一人點呼報告に行く。九時半の消燈のサイレンが外氣村の闇を破つて響いて來ると、各小家の電燈は次々に消されて外氣小屋は全く闇の靜寂に包まれてしまふ。明日の希望の生活を夢見て安らかな寢息が聞えてくる。外氣村は眠に入つたのだ。

現實に立脚して

大瀧直次

現實に立脚するといふよりは寧ろ支那事變を通して、日本民族が新しき世界觀に立脚せる大文化を東亞に押し立てる事と云つた方が適切であるかも知れません。

日支紛爭爰に第四年の記念日を迎へるに當り今更ながら事態の容易ならざるを思ひ、何が故に今日全面的に日支同種民族の葛藤に至りたるかを究明すれば、これは矢張り東洋に於ける民族的不融合の歴史的觀察に依り始めてこの唯一の鍵を握ることが出來ると信ずるのであります。

過去絶えざる日支の衝突については爰に何れの是非を論ずるよりも寧ろこれを煽動し、これを助長せし第三國即ち非人道的非道德的な歐米文化に囚はれたる思想について考究すべきであると信ずるのであります。畢竟する處支那事變を處理し、東亞を明朗化し、そして有終の美を擧げる爲には民族意識に眼覺めたる日支の提携あつてはじめて可能であるのであります。この提携あつて初めて兩國文化の眞の交流は可能であり、新文化も創造せられませう。

彼に其の民族的情熱あり、我に民族的意欲と誠實があつてこそ結ばるゝものであります。この文化の交流こそ日支兩民族の永遠の平和幸福を齎らすものであれ、從來の侵略的假面を被り誠實を裝ひ、徐ろに東亞の一角より破壞作業を行ひつゝあつた外來第三國の搾取思想は一片の幸福を齎らすものにあらず、我等日本民族の敵でこそあれ一歩たりとも東亞の聖地に浸潤させてはならないのであります。この事實は已に兩國有識の士により洞察されながら現今に至りたるは寧ろ遲きに過ぎし觀があるのであります。

併しながら今回汪精衞閣下の訪日を契機として過去内訌絶えざる日支兩民族の統合がこれに依り兩民族が希求して

止まざる正規の軌道を驀進する緒口となつた事は、この共通せる兩民族國家が相剋すべき宿命の何ものもないと云ふ事を今回事實證明せる處と存じます。

然るに未だ迷夢さめやらぬ重慶政權の抗日は帝國の武力の前に大分衰弱したとは云ひながら尚長期抗戰を豪語する背後に、如何に第三國の煽動的惡辣行爲の續行され居るやを考ふる時に、只單に重慶政權のみの鋒先を征するのみならず、要は其の背後に躍る黑幕に對する膺懲こそ東亞民族の生活の正道であり、新秩序新文化樹立の前提なりと思ふのであります。

偶々第二次歐洲大戰が勃發し、日を逐うて世界動亂と化し、昨日を知り明日を測り得べくもなき現下の複雜怪奇の世界情勢（米國の事實上の參戰、英本土上陸、獨ソの開戰の成行、其の他寄稿當時と情勢激變と思ふ）等幾多混沌たる問題を抛げて誰一人として其の終局を豫想する能はざる今日!!換言すれば全體主義國家群の自由民主主義アングロサクソン民族に對する膺懲打倒となり、史上を飾る民族鬪爭となつて表現化されたのであります。

これを日支紛爭の原因より洞察すれば、今次歐洲大戰の結果は即ち支那事變に終止符を打ち、他面支那事變の處理解決は世界民族鬪爭即ち世界事變を解決せしめると云へる現實の大問題が吾等日本民族に課せられ、これを處理する唯一の民族であると思ふのであります。

故に只單に東洋に於ける日本民族ではなく、全世界を牛耳る大和民族としてクローズアップされて來たのであります。

この大いなる現實に吾等日本民族が只慢然として大勢の儘に爲す術を知らず傍觀すべきでありませうか。否全世界の日本民族として世界新秩序の鍵を握る大和民族として肇國の大理想「八紘一宇」の實現こそ世界の動亂を解決し、これこそ吾等民族に賦與されたる大使命であり、責務であります。

この現實に立脚して蹶起し奮發し、世界民族の大宗家として大號令するこそ悠遠肇國の大理想として今日まで着々準備爲し來れるものと確く信ずるのであります。

今にしてこの使命を知らず、世界の動亂に捲き込まれ水中の藻屑となつてはならないのであり、日本民族の誇を持つ老若男女を問はずこの責務を自覺し、內國內體制を速かに整備し、外勇往邁進只「斷」の一字あるのみと存じます。

この未曾有の緊急の秋、吾々は不幸病を得て今日聖恩の下に日々安穩なる療養に營んでゐるのでありますが、病氣なるが故にこの現實を逃がしたり置き去りにされてはなら

ないのであります。

吾々の已に體得せる敵を斃さずば止まぬあの敢鬪精神は病弱の身なりとも寸時も忘れぬ處であります。

苦藥を共にし、生死を同じうした數多の戰友は世界に大號令する大和民族の純潔を示す爲に生命を棄て困苦缺乏に堪えて奮鬪してゐるのであります。吾々も此の戰友に負けずに

小は日常の事柄に

大は一日も病魔征服の爲に

意を致し、この大いなる現實に立脚致さうではありませんか。

心の制動機（ブレーキ）

藤本鵜逸

物凄いスピードで驀進を續けてゐたハイヤ・フォードの最新型もフート・ブレーキを足先で一寸押す事に依つて忽ち急ストップすると同じ樣に、我等人間生活を營む者にも俗惡な心が擡頭した時、之をストップせしめる心臟ブレーキとも名付くべきものが體の何處かに具備されてゐたら至極便利であり、且つ重寶なものたらんと認に偶感ではあるが私は時たま想ふ事がある。

誰しも人間である以上、無理にもあれが欲しい、之れが喰ひたい、あゝもしたい、こうもしたいと云つた慾望の起る事は本能であつて、若し斯うした事の感がないと云ふ者があるならば、其の人は修養の積まれた神に近い人か、それとも寧ろずつと低級な、どちらかと云へば桁はづれのした人とも云ふべきであらう。

そこで斯うした慾望が人の魂に呼びかけ腦裡に芽生えた時、兩の手で耳を引張るとか、或は又臍を一寸押すとかして之を制す事が出來るなら人間の影から憂慮、懊惱、恐怖と云つた樣な暗いものが消化され、此の社會からは醜い鬪爭、悲劇、犯罪などが葬られて行くのではなからうか。

こんな事は餘談として第一私の樣に過失や失策ばかりを繰り返へして活きてゐる不出來な人間には誠に好條件である。

「オイ君！今日は日曜日ぢやないか。どうだ散歩がてら花でも貰ひに行かうよ。」と誘はれた場合、自分に行く氣がなくても、ブレーキ裝置がないために心なく遂にフラ〱と柵外に出易いもので、少しそこを歩いてゐたばかりにとんだ災難を招く樣な事がある。

こんな時、之を制す事の出來るブレーキなるものが裝置されてゐるなら力一杯グイッとかける、災難からのがれられる。

安靜は出來る。寔に重寶である。

グイッと良くきく心のブレーキ！

我等が日常心すべき言葉ではなからうか。

文明が開け文化が進歩して、地の底、雲の上を自由に往く事の出來る今日と雖も人間の體にギーヤや、ボールトを附着して之をブレーキとする事は恐らく世界科學者、幾百萬の卓越せる類を以てしてもそれは不可能な事ではあらうが、而し人の心臟、所謂人の心には普通人間である以上、其の努力次第に依つて此の備付けが出來、又容易に活用出來る筈である。

即ちあらゆる角度から見て善き人間とさへなれば良い譯である。

斯樣な風に考へついた私は、是非共これを自分の心に備付けたいと云ふ念願のもとに最近療養の傍ら此の新發明に乘り出す事にしたが、而し私の樣な不出來な人間には之れが仲々の難題であつて、私の一生涯、全能力を投じてしても到底完成出來さうなものではない。

何故なら、それにはあらゆる德を磨き、修養の出來た完全な人間とならねばならないからである。………と云つて斯くまで思ひついた私は今更之をむざ〱路傍の捨石として葬ることは餘りにも惜しい氣がする。

否、人間として生れた以上、斷じて之は捨てられない。

たとひそれはどの程度でよい。

少しでも完成までの距離を短縮出來ればと云ふ見地から發足を試みた次第である。

今日の社會は急激に變化して行く。

我々は之に即應するだけの確固たる心の準備が必要です。

少しでも安閑としてゐるなら忽ち何處からか魔手が伸びて來て折角善良な私達を罪惡の淵に誘拐して行きます。

苟くも名譽ある我等傷痍軍人にこの魔物に捉はれる樣な事はあつてはなりません。

そうら、大變です。斯うしてゐる間にも絕えず魔手が伸びて來ます。

さア、皆で揃つて一齊にかけませう。！

心のブレーキを！

強く、強く、グイッグイッと！

偶感

長谷川觀月

自分は如何なる自分であらうか？眞の使命は何であらうか？歳月は人を待たずして移り行くに地球の森羅萬象すべての物が之に伴ふてゐるのである。これを考へる時人生を漫然と暮すべきか。それは人生を解せずして無意義の生活をなしつゝあるものである。然らば樂んで暮すべきであるか？そうすると人間の一生は劇場か何かの舞臺の樣なものである無限大なる宇宙間に生存する小なる人間の限りある一生を如何に、生れし大道に反かず、生活すべきやは一慮を要するのである。

此處に於て先づ人間の眞使命を考慮すべきである。私はこの眞使命の眞理は神に歸すると解する敬尊なる一つの理想あり、又慈愛なる育みある。そしてその體は現神としてあるのである。而して我等は無限大なる程に神に受けてゐるのである。

之が爲に我等はこの神の勞に酬ゆべく、又同時に現在の身を覺醒し、而して人を愛し、そして有意義な生活をなすこそ人生の眞使命であるべきであらう。即ち神を愛する氣であるなら神の子である。生きとして生ける衆生を愛すべきである。又導き助くべきである。總べてこの心から人を愛して又人に愛されて人を愛し、平和に愉快に生き又暮すことが出來るのである。之が即ち人生を覺めた後の結果である。人生は斯くあるべきであらう。かうなれば一日の生活も希望に起きて感謝に寢るべきである。强い人生は樂しく有意義に無突衝に圓滿に安心して生きて行く事が出來るのである。

何事も礎を有する。若し明るい人生を願ひ、安らかな生活を願はゞ先づ自分の使命を考慮し、そして一日々々を有意義に生かすこそ人として生けるものゝ務めであり、又誰もが之を希ふ所である。嗚呼人よ覺めよ!!覺めて而して人を愛せよ!!要なき人生は暗黑である。

我が國の世界的無類なるを思へ。そしてこの意味に覺醒せよ!!然して自分のベストを盡して祖國のために!!一身を捧げよ、大日本帝國の爲に!!

★　★　★

午後の窓際

一生

風は少しあるけれども暖かい日なので南側の窓際に椅子を持ち出して日光浴だ。地面を見ると小蟻が、蝶の何かの羽根を引いてゐる。風がその羽を三、四寸飛ばせても離さずに居る。ところへ一疋の大蟻が來て小蟻を追うて自分で引きにかゝると、風で羽根が一尺も飛んだ。大蟻はそれを放してそちらを探しはじめたが容易に羽根を見つけ得ない。ところが小蟻が早速發見してまた羽根を引いて行く。私が夢中で見て居る。だつたらなほ誰か來ても見續けるのであらうが。療棟の看護婦さんが鼻唄を唄ひ乍ら入つて來た。その方を見ることにした。しかし一寸その内にこの大蟻を廣い領土を持つてゐる國としたら小さい領土を有つてゐる國より常に賢く威張つてばかりはゐられない。のろまと笑はれても、どうともならないところもあると感じた。

生還の悅び

一生

吹く風や寒風に喘ぎながらも緣の成長を忘れない。野邊の雜草の樣に人々は皆生き續ける爲に試練と困苦の中で各々の立場によつて營みを續けて居る。明日は死なゝければならない儚かない命でも、今日この瞬間が生の悅樂であるならばそれが爲に私達には最善の努力と感謝の念を拂はなければならない。病床に數年、今日猶呻吟を續けてゐる。私達には生命の尊さと人生の有難さに今更の樣に胸を打たれる。病窓に幾度か陽春が巡つて玲瓏とした小鳥の唄や麗はしい野邊の花は渇ける私達の心を潤ほし、齒麗典雅な平安朝の繪卷物を繰りひろげるが如き悅びと幸福感を與へてくれた……。けれど一向に快癒してゆかぬ自分の體をみる時に聊かの不平と不滿を感ぜぬでもない。併し斯うして今日も生の悅樂ある事を思へばなぜか嚴肅な感激に心を打たれこの悅樂を讃美せずにはゐられない。そしてこの瞬間こそ誠に壯嚴な人生の祝典であり、感謝でなければならないと思ふ。

隱る忍苦

稻垣隈吉

五月二十七日海軍記念日、記念式に特に出席した私は、英靈に對し心からなる默禱を捧げ思ひを新に追想する時、感謝感激唯感慨無量。

又今事變以來今尙銃後の人知れず忍苦の中に封鎖の重任に有る將兵に對し感謝の意を捧げ、愚生從軍當時を省み其の忍苦の如何なるやを述べんと思ふ。而し吾が功を誇大に語るの無き事を前述して置く。

「海上封鎖」海上封鎖に從事して居る其の將兵の苦勞とは如何なるものであるか。それは實際其の仕事に務めた人でなければ到底想像の盡きざる事と思ふ。

先づ海上封鎖艦乘員に就て一番固る事は時化であるが、此の支那海は特に之が甚だしいのである。支那海と言つても南支那海、北支海に依つて違ふが、私の任務についたのは北支那海であつた。北支は特に北風が有つて滿洲、蒙古方面から吹いて來る颱風である。それが爲北支那海の凪波の荒い事全く話にならない。それが爲艦艇は右左何れも、四十五度位に傾き木の葉の如く飜弄されるのは珍らしくない。

此の自然の猛威と鬪ふ事は實敵と戰ふよりも幾倍つらい事か。殊に艦が二十度三十度或は四十五度にも傾むくと言ふと、うつかり立つてゞも居樣ものなら舷外へほり出されて仕舞ふ。所が此の樣な事が偶に有るのではない。のべつ幕無しだからたまらない。飯を炊く事は勿論の事、お茶さへ沸かす事も出來ない。

夏の每日三十六七度も續く酷熱の中の艦內の密閉生活、特に艦內に働く機關兵の任務、全く「地獄の釜の中」と言つても過言では無からう？だら〳〵流れる汗、熱湯の如く空氣は眼に見える如く濁つてゐる。氣持の惡い事、體は全く茹蛸の如くである。

冬は又骨身を貫く樣な烈風怒需一層物凄く打寄する怒濤は艦橋を初め全由板を一掃する。と忽ち氷結となる。甲板の所々にも蒸氣暖管が設けてあるのだが何の効果も無く、諸共に氷着いてしまふのがから全くやりきれない。

甲板を步行する事さへ一苦勞である。

友艦はと見れば全く氷で作つた艦の形である。此の時の物凄い樣は到底愚筆に現はす事は出來ない。斯かる酷暑氷雪と暴風怒濤と鬪ひ乍ら一望只碧海の中に一瞬の油斷も出

來得ぬ「海上封鎖の監視任務」に從事して居るのである。濁水を飮んで行軍に行軍を續ける陸兵の忍苦も去る事乍ら、之等は華々しくもあり又銃後にも其の苦勞は充分に認められて居るが、海上封鎖部隊の任務は全く蔭に隱れた努力である。

事變以來五ケ年、其の封鎖範圍益々擴大にして今尙默々と之に從事する將兵を想ふ時、病みて歸鄕し安穩に療養にある吾が身。

重ねて海上封鎖部隊將兵の忍苦を想像する時、心からなる感謝の意を捧げ武運長久を祈らずに居られない。

生きよ明るく朗かに

長谷川觀月

大いなる理想を追求し之を拓かんとするは自由なり。吾々青年時代の特權ではなからうか？内に潜む絕大なる力、溢るゝが如き熱と力とに依つて把握せらるゝモツトー理想は實に吾等青年の華であり精粹である。

反面理想なき道は暗夜の道をさまよふ如く夫れ禽獸にも比すべく世の敗殘者と比すべし。一日の歡樂に汲々として再度返らぬあたら青春を唯々莫々たる中に過す生活、それ何とか云はん。私は常に明朗なる人心に餘裕ある生活をしてゐる人こそ羨ましい。

そしてこんな人物を私淑する人ともしたいと思ふ。何故か？それはその人に於て必ずや自己の理想とする道に邁進し人知れぬ努力精進その日の努、仕事を存分に果してゐるが故に人格は備はり明朗たり得るのである。

「明るく朗かに」この生活をする樣な人になりたい。此の語は全く同意義の如く解され易いが、「明るく」は人生の客觀的生活に必要條件であり、「朗かに」は人生の主觀的生活に必要なるモツトーである。「明るく」の反面は暗く「朗か」の反面は「陰鬱」にである。「明るく」と朗かには決して同意義語の反覆重疊でないのである。朗かになる心は快活である。吾々はあの靈峰朝霧晴るゝ大連峰を仰ぎ力强くも更生の第一步を踏み出さんとして一日々々の療養に精進して居るのであるが、やがてその一日が事無く終りて就寢する時、若人の胸に溢るゝ感謝感激!! 必ずやその勞苦が酬いられ、再起奉公の日が訪れん。それ壯快!! 吾々はその日〳〵を確實に有意義に過し明るく朗かに生きたい。

即ち公明正大實に云ふに尊し。日本臣民の始祖天照大神を表象する八咫鏡の照らす神道なり。延いては武士道精神

に立脚する事になるのである。

おゝ諸君　明るく朗かに
生きよ明るく朗かに！

入所

田村正一

新しき希望に燃えての再起奉公、職業戰線に立つて僅か三ケ月、突然の發熱と喀血に再び倒れ歸鄕致しました。

再發歸鄕！神經質の私には故鄕の人に申譯がない、殘念だ、恥かしい。この精神的苦痛で病氣の心配より以上に私の心を苦しめ、煩悶の幾日かを送りました。四五日の安靜にて喀血、血痰は止まりましたが三八度前後の體溫は依然として續きました。

此の儘家庭で煩悶の日が續けば私は精神的に殺されなければならない。「もつと大膽な精神にならう」と努力致しましたが、生れついての神經質と、尙それ以上に焦燥、猜疑、嫉妬などといふ病人のとかく陷り易い精神的不健康が日一日と募るばかり。家人を困らせ神佛も忘れ勝ちになり暗黑の日が暮れてゆきました。

私の神經質を見た主治醫が「それでは暫く、療養所へでも行つて療養と精神の修養をして來なさい。療養所では皆同じ病氣だから遠慮する必要なく君に取つては好都合でせう。」と進めてくれました。この一言が私には一縷の光明となつたのです。

早速入所の申請を致しました。許可まで待遠しい日々も過ぎて約二週間後に入所が許可、入所日が決定致しました。家に居れば精神的苦痛で最後に身も亡ぼさねばならない私には、娑婆を離れて故鄕の人々に對する「氣がね遠慮する」この苦痛から救はれる嬉しさ、これが最大の幸福でした。

一度雄々しく入隊した體、病氣が何だ。再發が何だ。療養生活、天の賜はりたる休息だ。一年月が二年かゝつても徹底的に養生して、否この機會に充分精神修養をして立派な心と體を以て更生し御奉公申上げよう。

「禍を轉じて福となす。」

この强き信念を以て希望のある療養生活に入る決心をして夜中私は氏神に參拜して、今日の覺悟と全治御奉公出來得るを祈りました。翌日から病魔も退散しはじめたのか體溫も日一日と下り、入所の時には殆んど平熱となりました。如何に精神的苦痛が病氣に惡いかといふ事をつくゞゝ感じました。

入所當日、病氣で入所するのに私には前途に光明のある希望の征途でした。

かくして私には皆樣と一緖に療養させて頂く事になりました。入所式の所長殿の訓示、醫務課長殿の療養に對する說明によつて私の覺悟は日一日と高められ、長期療養と精神修養「何かを摑んで歸る」の信念が燃え、只全治は時期の問題だと思はれる樣になり、再發當時の焦燥、猜疑、嫉妬の精神も聖恩に、銃後國民に、醫師、看護婦、療友總てに感謝出來得るの精神に變り、理想的な療養所では親切な醫官の元で、生活、醫療費の心配なく療養、修養させて頂けます私の幸福感を考へる樣になりまして全く精神的苦痛から救はれました。

私は病床にあつて實に幸福です。療養期間が二年、三年でも生ひ先長き私にしては僅かな時日です。尙この間に職業戰線にては到底出來ない勉强や、健康人には想像も出來ない精神的修養が出來得るのですから、これ程嬉しい有難い事がございません。實に感謝の外ございません。

此の上は眞面目に正しく療養の傍ら精神修養に邁進致し、軍服は着られずとも銃後の生業に服し專心御奉公申上げ度き覺悟です。

療養中の皆樣、どうか今後この私を御指導御愛顧賜はり度御願ひ申上げます。

末筆乍ら一日も早く全治退所、第一線に職業戰に再起御活躍を御祈り致します。

セル衣

大角生

五月の空より燦々と照る强い陽が、濃綠に照り映える樣になるとセル衣はそろゝゝ出初める。セル衣の對照は若き女性である。

街路樹の蔭に日傘より洩れるセル、雨の煙る時、晝の雜踏せる私はどうしてもセルが好きだ。あの單純な縞模樣、茶色に赤味がかつた棒縞が深綠に對すると、何か柔かい溫い新鮮なる感觸を與へる。その單純さと、一樣の內に溶け付いた日本女性らしさがにじみ出る。

此處では女性の內容は餘り問題にならない。勿論その洗練された姿體はより一層の役割を演ずるものではあるが。

夏はセルに始まる。

そのセルも梅雨の近づくと共に單衣、浴衣にその席を讓る。殆んど一・二日の間にセル衣が街に溢れ、さつと引く。

此の變遷の速さに好奇心のみで過ぎて行くのであらう。又その短い生命の故に一層の愛着を感ずるのかも知れぬ。綠の持つ深さ若さ、吸ひ込まれる樣な魅力、セルの若々しい純な姿、共に成長への道程にあるものだ。それを希求するは吾々若人の自然であり必然である。

自然の慰謝を其處に發見する。

思つたまゝに

隅人

私がこうして銃後の皆樣方の御陰を持ちまして安らかに靜養させて頂いてます。私の療養中何かやつて見たいと思ひつゝ過して居りました所、ふと思ひついたのがとても文字が下手な事からです。思ひ立つたが吉日、まとまつた字を書きたいものであると心にいつて心で答へて漸く決心したのが暫く前の事でありました。動機は？それは只なんの事ない每日の行住坐臥を共にしてゐる勇士の人々から得たる筆欲、見よう見まねで何んとか私もと思つて事ある每に、又白衣の天使の人々の誰もがとても上手に字を書いてゐる事からであります。しきりに感心ばかりしてゐます。あまり感心ばかりしてゐて、なす事が出來ないのは又々感心出來ない事なのであります。諺にもあります樣に、「見た事、聞いた事、なした事に感心ばかりしてゐる人と、又なす事、見た事、聞いた事を感心して然る後考へて實際に取りかゝると云ふ人」があります。前者は餘り感心出來ない人、後者は感心出來る人と、こう云つてゐます。私も此の項を開いてみてはたと胸に答へ、頭へ來たことは申す迄もありません。實に私の事々を云はれた樣な心持がしました。私も人々より種々爲になる事を聞いたり、書籍より得たる感心すべき事項はなるべく筆記もし、記憶に止めて參考にもし、何んとかある動機、つまり機會にぶつゝかつた時に感心ばかりしてゐず努力する樣に實際に踏み行ふ樣に前記の樣な少しでも感心出來る人にならんものと心掛けてゐたのです。所が漸く其の簡單な國民學校一年生でも出來る時機がやつて參りました。感心ばかりせず默々と實行に移す良い時が來たのです。「皆樣に申します三時から習字の時間で御座います。三時になりましたら御集り願ひます。」とうゝゝ實行に移す容易な方法に向ふ時が參りました。成程靜かで默々とやつてゐます。無理のない姿、先生はとても親切です。そして素晴らしい双手の有能な御方です。患者は熱心に一時間餘り「山川草木」より以上進んでゐる人もありますが、どの患者が先へ進まうと又後にならうと頓着せずに活々とやつてゐます。これです。焦らず希ひを捨てずに勵む、恰度私等の療養の永き過程に於ける處世法と一致してゐるやうに思ひます。諺に「快活の心は最後まで行きますが悲哀の心は（怠きのくる心）は一哩で疲れてしまふ」とこう申してゐます。そうでしよう。字を習ふ心持は早く前へ進まう。否人より遲れたら止すとか、いつまでも一緖の字ばかり書いた事、書きたくないとか、その樣な事を思つてゐますと、つい顏に出て動作に出て遂に一哩、いや半哩で終つてしまひそうです。養生の場合でもあてはまる事ばかりです。この事は又いづれ詳しく他の機會に申し述べる事と致してはぶきます。又人がどうしてゐようと、何と云はうと先へ進まうと自分は自分の實力ある所だけせかずあせらず、其の時ゝゝ先生の仰有る樣にして行けば自然と心持も明るく氣輕にくつたくなく割合續く物です。此れが此處で申します快活の心は最後までと申します時に一致するのでありませうと思ひます。こんな事を書いてゐます自分も何日ぷつゝりと止めてしまふか分りませんが、今の所どうやら續いて居ります。私はどうもおかしな氣持を持つ樣になりました。それは或る種の事々からこんな氣持を持つやうになつたのかと思ひます。此れは永久か唯し現在だけか、それさへはつきり斷言は致し兼ねます。或る事を人から言はれたり敎へられたり、又自分から良いと思つた事を即ち實行に移す、斷行するのについて「よしやる」ときつぱり斷言しない樣にしてゐます。どうもはつきり斷言しますと妙に實行しにくい樣に思はれてなりません。それよりも沈思默行、これを遂行しようと思ふ心持の方がより多く手傳ひます。又此の方法を私の療養中の處世としてゐようと常に心に申し答へてゐるのです。私が少年時代は早くより家を離れて主家に務めてゐた時の事です。なんとしても朝早く起きる事が出來ません。丁稚でありながらこんな不屈な事は許されませんので隨分叱りつけられたものですが根から寢坊すけで我ながらあいそが盡きた位でした。其の頃から「俺は朝寢坊だけなと氣をつけて治す樣にしたいものである。」と實行に苦慮致しましたが薄志弱行の凡子では其のまゝに終つて遂行する事が出來ませんでした。繰り返してゐます中に軍隊生活に入りました。玆では寢坊は全く出來ません。きまつた樣に起されますと云ふより起きねばならないのです。起きなかつたらそれこそ、いやもう事玆に？此の所は皆樣の方が萬々御承知せられてゐる所ですから永々述べません、省きます。このきまつた樣に起きねばならない時に起きると云ふ事です。これがまざゝゝと敎へられた現實の即ち實行です。私の前身に於てとても出來なかつた事が或る重大な務に會つて覺醒せられた譯なのです。其の後星霜は移りて種々の事情に迫られてこうした良き修養の時機を天から下しおかれましたと申しませうか、自らが造つた出來事と申しませうか少なからざる大いなるよき時機にぶつゝかりましたが仲々尋常一樣の心組では勤まりそうもありません。だからそこに自ら我に通ずる道が出來てくるのです。新らしい世の道の再出發にかゝる修養まづ病を治す出發に一日々々を只病を治すと云ふだけにあります。先の事も考へず後も振りむかず默々と進んで行くべきでせうが、時には事情に迫られて迷へる心も出ませう。それを押へて行かうと致しますには少なからず苦痛が伴ひます。そこで何か樂しみを一つ拵へてみる事を考へます。すると、はたと思ひ當る事は思ふ事だけでは不可、一つ實行に移してみようとする事になります。それで自分の趣味に合つた事に輕い心地で先づやつて見るのです。行つてゐます中に怠る心も芽ばえて來かけます。恰度永い靜養中に於ける一時の倦怠を覺えて右にせんか左にせんか大いに迷ふのと良く似かよつてゐます。そこを輕く押へて自覺して不變の心地で序々に實行に移して行きます。其の中に切つても切れん仲になりまして輕く朗らかに養生の友として續けられるものです。斯樣にして參ります中に療養法の速度に實地に役立ち、併せて精神修養に資する所があらうかと心得ます。こういふ譯で私の永い療養中一つでも實行に移す、僅かでもよい實行即ち努力が出來ましたら幸と思ひまして下手なりにでも字を習ふ樣に致して實行しつゝあります。

見る物、聞く物慾心ばかりして居りました自分と云ふ者が、療養中に實行に移せましたと云ふ事はそれだけ良い療養に叶つた譯になります。此のよい方法を又他に見出したいものです。

私の實行してゐる療養法

由紀緒

私等は一定の規則並に療訓其の他隨時與へられる注意及び指導に基き集團療養をして居るのでありまして、誰も同一の療養法を實行して居ります。換言すれば右の規則、療訓注意指導を眞面目に實行する以外に療養法としてはないのでありまして、各自も亦其の通り實行して居るのでありますから夫れ以外參考になる樣な事は多くない樣に私は思ふのであります。強ひて私の實行して居る事を申上げるなれば

一、朝は可成早く起き神社に參拜します。

一、間食はしませぬ。

一、冷めたいものは食べません。從つて氷若くは氷にて冷やしたる物一切食べません。

一、散步は朝夕二回必ずします。朝の散步は大抵神社參拜の往復を以てし、夕の散步も略ぼ朝と同一距離を標準とします。

一、節制を重んじ何事も時間的に行ひます。

右の如きも既に指導されて居る範圍內でしかありません。

以上申上げました事は形の上の事でありますが、凡そ指導されるよき療養法を實行し一層効果的にならしむるには其の心構が肝要でありまして種々あると思ひます。私は次の樣な心構で居ります。

宇宙の事と云へば六ケ敷しいのです、何事も總て基があるのでありまして、此の基を忘れると不自然なものになります。私は今此の療養所に在る事は病を癒といふ事が基でありますから總ての行ひは此の基から發足しなければならぬと云ふ事を念頭から放さないのです。例へば圍碁を打つとしましても、中途で疲れを覺えた時又は嫌氣の催した時は直ちに止めます。直ちに止めると申しましても相手があるのですから中途で打切る事の出來ない場合があります。其の時は考へる事なく氣輕に打ちます。最早や勝敗にとらはれない。即ち負けても平然として引下るのです。演藝を見に行つても疲れ、又は嫌氣を催した時は直ちに室に歸ります。散步、魚釣皆同樣です。「行き過ぎは反療養」斯くの如く其の時其の場で基を想起し實行して行きます。

次に「相手に對しては妥協し自己の心には妥協すべからず。」と言ふ事を信條として居ります。相手に對しては假りに何處かで足を踏まれたとします。そうして踏んだ人の態度が不遜であつても決して之れを咎めないばかりでなく、內心でも憤慨する事なく平然として居ります。又自分の意見が通らなかつた時、賴み事を叶へなかつた時、侮辱せらるゝ樣な事があつたとしても之れ亦感情に觸れないのです。總て超然とし佛樣の樣になつて居ればどんな事も妥協出來ない事は決してない。而して心は安らかです。心安らかなる事は療養の糧であると信じて居ります。自己を立てようとすると病氣に負ける事になります。病氣を癒すと言ふ基を忘れず自己を空しくするのです。反對に感傷的になり怒り、悲しみ憂ふる等は毒素を攝取する事になります。之れが有形であつたなら恐ろしく感ずるのでありますが、

無形なるが爲に知らず〳〵の內に犯し易いものです。

自己の心に妥協せぬと云ふ事、これは一本位の煙草を吸ふてもよいだらうとか、一寸位酒を飲んでも差支へないだらうとか、或は又疲れを覺えながらも少しだからやつてしまふとか、少し寒いがも少し遊んで行かうとか、用便を感じながら億劫だから我慢するとか、日常絕えず次から次と起つてくる問題です。此の場合一々斷乎自己の心を抑制し柔弱にならないのです。此の事も大切な要件であると思ひます。

以上簡單に過ぎ拙劣な文章で判然しないのでありますが多くの場合有形の事ばかりに捉はれ無形の事は忽せになり易いものでありますから私は此の点に留意して居るのであります。自己を空しくすることは確乎たる意志に依り出來るのでありまして、總てに偉大なる力を持つものでありますが、わけて療養には極めて必要なる條件であります。

×

夢窓生

私は十六歲から聲帶の神經障害にて非常に惡聲であります。初めの內は何も氣にかけなかつた私が十七歲の秋頃より若い娘が私の聲を聞くと笑ふのに氣が付いてから世の中が暗い苦しいものを感じ初めました。遂に世の中を呪ひ親を呪ふまでに到り、死んでしまほうとまで考へました。而し死に對して私は解決をなし得ずして非常に苦しみました。此の死を解決するために宗教を少しばかり學びました。每日々々己の心を解決する爲めに讀み續けた本の中に感謝幸福と云ふ文字を見出す事が出來ました。幸福とは端的唯今に感謝して生活する事であると氣が付きました。そこで私は聲は何の爲に用ふるのかと心を反省する時に、己の思ふ事を他の人に音として知らしむるだけと氣がつきました。私は聲で生活をする人間でない。私の聲は言葉として人に通ずれば充分だと滿足しました。此處で私は現在の聲に感謝致しました。以來私は非常に明るい氣持で働く樣になりました。人が笑つても少しも暗い氣持にもなりません。私は此の時より信仰の生活を續けて居ります。現在肺結核と診斷されても少しも暗い氣持にならず明るい氣持で療養出來るのも宗教のお蔭と思つて居ります。私は何人に語るのにも治病は精神力が第一位でなければならぬと確信して語つて居ります。病氣即ち氣を病むのであります。故に治ると信じた精神力により病を癒すものと信じます。藥を呑むのにも此の藥は必ず病が治ると信じ、有難いと感謝して呑む所の信仰の力で病が癒ゆるものと思ひます。私が過去四年餘り軍隊に衞生部員として幾多の患者と接して來ました。此の間に於ても己の希望を失はず感謝の生活をし養生した人は思ひがけない良い結果を齎らして居ります。社會に於ても○○病院は見立が良いと云ふと患者が一日々々と多くなつて行き、結果に於ても病が治るのであります。それに反して○○病院は見立が惡いからだめだと云ふと、今まで診斷の結果度々病が治つて居たのに此の頃は先生も年のせい駄目になつた樣だと云ひ出して患者の數が少なくなつて行き、結果に於ても治る人が少く、すぐ他の病院に變つて行く樣になります。此處で私が過去に於て四年餘り醫官の指示により投藥もしましたが、何病にしても藥には大差はないものと思ひました。社會一般の病院に於ても又同じ事と思ひます。之れを見ましても藥物の程度は何處に行つても同じ樣なもので、結果に於て良否を見るは見立が良い、惡いと思ふ心の差より生れるものと思ひます。即ち信ずる精神力が左右するものだと思ひます。又約二ケ月前に某病友がやはり肺結核と診斷され非常に悲觀して自暴自棄の生活を續け、病狀も大變惡くなつて居りました。そこで私が君が自暴自棄の生活をして病症を惡くして居るが、若し君が死ねればそれで解決をしてくれるでよいが、若し萬が一つ死にきれず苦しい生活をしなければならない故我々は肺結核と診斷された。而し現在では治ると云はれてゐる。萬一病が治らずとも、一度病に犯されたものはもとである。少しでも治れば儲け物だ。故に人事を盡して天命を待つと云ふ氣持となつて養生する樣注意してやりました。その翌日から彼の生活は少しずゝ改められて行き、此度別れる頃は見違へる程の病症となつて來ました。之れを見ても心の持ち方が一番大切ではないかと思ひます。次に私等が生きる上に每日々々榮養を取つて居ります。飯を頂くにも、お茶を頂くにも藥を呑むと同じ心持で感謝して、頂く時に胃腸の消化力が增して吸收力が多くなり身體に良い結果を得るのではないかと思ひます。私は飯に感謝の氣持の現はれとして一粒の米も殘さない樣にと心掛けて居ります。何時も全食出來ない事はあります。これは病狀により差がありますが、而し人により僅か一口位まで食べて殘す人を見受けます。又茶碗の所々に一粒二粒と付いたものを殘す人を見受けます。これは米に對する感謝が足りないのと思ひます。私は幼時の頃から兩親に米は佛だと敎へられて育つた私は、出來得るだけ殘飯を出さない樣に心掛けて來ました。その結果食慾は旺盛となり體重も增加し、又病氣も良い結果を齎らして居ります。以上申しました如く、病に對する療養法としては物質的よりも精神力に依らねばならないと

信じて居ります。年の若い私が信仰の生活をすると申しましても佛教信徒でもありません。キリスト教徒でもなく、又天理教徒でもありません私は神佛一體論にして神佛は自己の心であ。ると信じて居ります。心が神であり佛である己の心を神佛の如く保ち得る時に病も悩みも去るものと信じて居ります。心を神佛の如く保ち得るとは大自然と理と合す事であります。廣い心持で佛の如き心で大自然の理と合せ、現代醫學の導きに從つて治ると信じて療養する所に治癒の近道が拓けるものと信じて療養致して居ります。

標語

希望に起きて感謝で眠れ
全治急がば療則守れ
強い信念明るい療養
求めよ大氣親しめ自然
聖恩感謝で今日も安靜
再起で銃後の殊勳甲

第二回募集三重療養所療歌審査成績

一等　針田隆男君
二等　林雅夫君
三等　みなぎる力　廣島康彦君
三等　中村勇君
應募三十八篇

一等

針田隆男作詞

（一）
正義の鼓吹　高らかと
軍旗翳して　大陸に
玉と砕けし　戰友を
想へば無念　療養の
いかでこの儘　挫くべき
奮へ　再起だ　建設だ

（二）
榮光燦と　輝きて
流れも清き　五十鈴川
西には高き　鈴鹿嶺の
尾根の白雪　仰ぎ見て
不屈の魂　必勝の
固き誓ぞ　見よ再起

（三）
常緑の松も　色添へて
翠ケ丘に　陽春の
萬朶と咲けり　櫻花
希望に燃えて　朝夕に
固く睦みの　手を交はし
再起へ我等　驀進

（四）
更へぬ白衣を　作業衣に
操守も堅く　守りつゝ
今ぞ理想の　外氣小屋
打振る鍬も　手に輕く
全治だ　再起だ　奉公だ

二等

林雅夫作詞

（一）
仰げばたかし　神路山
望めばひろし　伊勢の海
五十鈴の流れ　いと清き
大神鎭まれる　聖き地に
傷痍を癒す　民われら

（二）
翠ケ丘の　朝夕を
悩む傷痍の　益良夫に
窓學の光　照りそひて
若きいのちの　この胸に
今で燃え立つ　大理想

（三）
この日この熱　この意氣で
朝な夕なに　療訓と
傷痍の五訓　身に着けて
明日の奉公　誓ひつゝ
今こそ歌へ　闘病譜

（四）
仁慈は深き　大君の
天照る光　壽ぎて
盡きぬ感謝に　今日もまた

強く明るく　朗らかに
たゞ療道を　まつしぐら
みなぎる力

三　等

廣島康彦作詞

（一）
緑したゝる松の丘
今日も明るい朝が來た
戰陣訓を頂いて
療友五百　共々に
再起の光身に浴びよ

（二）
聖地の誇高らかに
白衣の胸を轟かす
感謝の心火と燃えて
療友五百　共々に
惠みあまねく陽を仰げ

（三）
東亞の榮永久に
祈る我等の朝夕
御民の至誠を貫いて
療友五百　共々に
力みなぎる道を行け

三　等

中村　勇作詞

（一）
伊勢神宮の在るところ
峯ケ丘の一角に
高く甍の聳ゆるは
我等憩の療養所

（二）
尊き療訓かしこみて
疾こそ傷痍癒さんと
あした明るき日を浴びて
療養の道たゆみなし

（三）
皇國の楯と傷きし
光榮ある我等樂しくも
篤き看護に感謝しつ
日に夜に力蘇る

（四）
恩賜の楓育くみぬ
今や我等も痍癒えて
輝く希望雄々しくも
再び越たん日は近し

闘病の歌

作詞　小倉三生
作曲　正高貫
編曲　名古屋放送管絃樂團

一、明ける大氣は爽かに
　　眞紅と燃へて太陽を
　東の御空に仰ぎ見て
　　傷痍の人拜みぬ

二、御代の軍に傷つきて
　　神鎮まれる聖き地に
　御民のつきぬ眞心の
　　みたされし日をひたすらに

三、めぐみの園に代々の日を
　　篤き看護にはぐまれて
　希望の幸にあふる身に
　　今日も明るくさす光

四、傷つきし身をいたはれと
　　畏き御心たまはりて
　光榮ある療友のよろこびは

すゞか娯樂室

新作
五分間万才「増　産」　松翠亭はな子
十一　由紀緒作

は、大變考へ込んでゐるご様子ですネ。
ト、ハア考へてゐるんです。
は、頼りない方、何考へてゐます。
ト、貴女猿舞ひと云ふの知つてますか。
は、マア呆れた、そんな事なにします。
ト、そんな事を云ひ給ふな、其の猿が問題ですぞ。
は、其の猿が何かしましたか。
ト、其の猿をどうして生捕つたか知つてますか。
は、知りませんワ。
ト、敎へて上げませうか。
は、聞いて上げます。
ト、失禮な言ひ方ですな。
は、聞いて上げなきや話す事出來ないでしよう。
ト、そんな口論は止して猿の話をします、聞いて下さい。
は、貴方は猿がお好きらしい、よく似て居りますから。
ト、變んな言ひ方ですな。
は、言ひ方が惡るかつたです、猿が貴方に似てゐますから猿が貴方を好きなんですネ。
ト、尙惡い言ひ方です。
は、アーラそう。
ト、此の非常時に雜言無用、本論に入ります。
は、講演みたいに。
ト、猿は山に居ります。
は、當然いですが。
ト、そこで握飯ととりもちを準備します。
は、猿と握飯は緣がある樣に思ひますが、とりもちは何します。
ト、其れを持つて山に行く、彼方此方を探して居ると猿が居た。
は、アラ大變だ。
ト、恐れる事はない、豫て用意の握飯を投げてやる。猿が得たりと摑んで食つて仕舞ひそうなところを見計つて今度はとりもちを投げてやる。
は、芝居で言ふならチャン〳〵バラ〳〵と言ふところですネ。

ト、默つて聞いてなさい、又得たりと摑んでみたが、どつこい飯でなかつた。
は、それからどうします。
ト、始め右手で摑んだが失敗たと思ふて左の手を出す。此の手も粘着いた。猿は伶悧ですから足で除らうとしたが之も功を奏せず手も足も出なくなつた。これをまんまと生捕るのです。
は、成程ネ。
ト、あまり手を出すのはいけないと云ふのは此の事です。英國見なさい、彼は今迄あまり手を出し過ぎた爲今に亡びます。
は、本當ですワ。
ト、ところで貴方は龜を知つてますか。
は、兎と龜は聞いた事ありますが、猿と龜は聞いた事ありませんワ。
ト、兎と龜は話が古い、非常時ですから新體制です。
は、其の龜が何かしましたか。
ト、龜と言ふ奴は固い甲羅を被つて居ります。依つて高い所から轉がつても手足は勿論、尾まで引つ込めて怪我一つしないで淵の底へ隱れます。つまり自分の身を守る事が上手なのです。
は、矢張り龜は賢いですネー。
ト、此の場合龜を賢いと思ふのは間違ひです。
は、何う云ふ譯です。
ト、あれもこれもと矢鱈に手を出すのもいけないが、此の非常時に何時迄も古い甲羅を被つて自分さへ守つて居ればよいと思ひますか。
は、其れはいけないと思ひます。
ト、此の國難を突破する爲には各々古い甲羅を脱ぎ捨て新體制に依つて滅私奉公臣道實踐せなくてはなりません。
は、贊成々々。

全治退所も近き外氣村の青年諸君にきく

1、退所は何時頃されますか?
2、何時頃結婚されますか?
イ、戀愛結婚ですか?
ロ、見合結婚ですか?
3、子供は何人欲しいですか?
4、どんな女性を好みますか?

のらくら

1、全治次第
2、一萬圓の債券が七、八枚當籤したら!(夢の樣な話ですね)
見合結婚=生涯の想出となる華やかな席上で初對面の男女がデリケートな表情や心理の動搖を探究し合ふ味も惡くはありませんゾ。
3、十八人位欲しいですな(エ……)
4、明朗で料理の上手な子なら少々お面の方は……。

見榮坊

1、三月櫻の咲く頃
2、退所後直に
イ、勿論戀愛結婚です
3、十人位
4、背の高い女性
イ、自分が低いからかも知れません ロ、良人に理解のある人 ハ、容貌十人並 ニ、國策に沿つた健康な女性

眼鏡生

1、秋頃出やうと思ふんだがネー
2、まあ三十だネー、今ぢや子供の樣だから、然し相手次第でどうなるかも判りません。許婚ですから見合も戀愛もありません
3、三人位です
4、色の黑い丈夫な人です(但しニキビ・ソバカスの女性だけは御免蒙ります)

ケン坊

1、秋風の吹く頃
2、TBを征服してから(それが解れば苦勞は無い)
イ、戀愛結婚の方が氣質に合つてゐるかも知れない
3、生めよ殖せの時代、少くとも六人位
4、イ、女らしい女の人
ロ、翼贊形美人
ハ、此の病氣に理解ある人(ご尤です)

助さん

1、秋風立ちそめる頃
2、退所後直ちに(許されるなら今直ぐでも)
イ、戀愛結婚が良いですね
3、五六人が相場でせう(少し多いかな)(多い事ないぞ)
4、現在の彼女位が標準でせう

笑話

感違ひ

由紀緒

蛭子、私貴方に申上げたいことあるのですけど。
甘雄、何卒ぞ話して下さい、實は私も貴女が少しは察してゐて下さると思ふて居たのです。
蛭子、デモネー、そんな失禮なこと申上げにくいわ。
甘雄、かまいませぬ、話してもらはないと判りません。
蛭子、私思ひ切つて申上げますわ、貴方の鼻ひげ鼻の外まで出てゐます、お切りなさいよ。
甘雄、アーン。

冠句(入選)

「叱られて」
天　泣くだけ泣いた子の寢顏　森田寅藏
地　泣いた舊師へ恩謝會　柴田邦雄
人　親元戀し初奉公　森田寅藏

佳作

「叱られて」
學んだ教室懷しい　森茂
頭をかくのがくせとなり　中山行雄
怨んだ父が戀しい夜　柴田邦雄
とぼける程の人になり　下地政夫
言譯もせず初年兵　由紀緒
氣のつく頃は早や遲し　長谷川
止つた煙に未練あり　森田

ものはづけ(入選)

①「甘いものは」
天地人=該當スルモノ無シ

佳作

事變前のしるこ　濱島武
戰場で嚙む甘蔗　森田寅藏

②「樂しいものは」
天地人=該當スルモノナシ

佳作

せまいながらもわが住家　下地政夫

入所者の三度の食事　中山夕起緒

川柳(入選)

天　母一人子一人西瓜大きすぎ　下地政夫
地　面會のあるらし療友はひげをそり　田村正一
人　入所者も慰問となれば顏かはり　辻利良

不思議な算術

森田寅藏

面白い算術を御紹介致しませう。先に皆樣が御存じかも知れませんが……。

先づ誰かにどの數字でも結構だから題を出して戴くのです。假りに此處に居るA君に4502と題を出して戴きました。するとB君は此の4502と云ふ數字を見て此の數字に後幾ら加へるか分らないが其の幾回か加へた數字の答を一秒もたゝない間に加へた答を當てると云ふ算術です。

右に計算して在る樣にA君の出した4502と云ふ題に對してB君は54497と云ふ大きな數字の答を出してくれました。

是れは右に記した樣にA君の出した數字の下に亦A君に出るがまゝの數字を加へて戴き次にB君は亦幾らでも出まかせの數字を書く。互にA君B君交代に加へて行く。

4502
3521
6478
5325
4674
2345
7654
6781
3218
4723
+5276
54497

右はA君は最初出した題に3521と加へた次にB君は6478と加へ幾回かの後是れを計算して見るとB君の言つた答が出て來るのです。勿論B君の加へる數字も一秒もかゝらないしA君も出るがまゝの數字ですから不思議では有りませんか。

亦A君の出した4502と云ふ題を假りに3591と云ふ題に替へて見ます。すると答も勿論變ります。此の答は53586と云ふ數字になりますが、是れは最初計算しました所の4502を取りはづして3591を變りに着けて以下同じ樣に計算して戴いても53586と云ふ答が出ます。一回やつて見て下さい。

解　說

是れは決して難題では有りません。答を出すに先達つて

考へる事は最初に計算に示して有る如く 4502 と云ふ題の下に A君と B君と交代に加へて行く處に種が有るのです。

先づA君が書いて B君が書く時には必ずA君の書いた數字に對して B君の加へる數字が 9999 となる様に加へて行くのです。だから最初に言つた様に A君は出まかせに書いて居りますが B君は必ず 9999 になる様に加へなければならないから B君は出まかせと云ふ譯には行きません。出まかせと云つたのは相手を迷はす故でした。だから感ずかれない様に早くすらすらと加へて行くのです。そして AB 互に加へた回數が五回なれば A君の出した 4502 と云ふ數字に最初に 5 を加へる。次に一番最後の 2 から 5 を引くのです。

すれば 54497 となります。是れが計算した答です。第一回のも二回のも全部 9999 となつて居ります。數字は三桁でも四桁でも同じ事です。

だから相手に題を出して貰ひたい。三回位にしようと思へば 34499 と答へが出る。五回でも六回で此の様にして行けば同じ事です。だから題を出せばすぐ答が出る譯です。

```
 4502—
 3521
+6478)1
 5325
+4674)2
 2345
+7654)3
 6781
+3218)4
 4723
+5276)5
54497
```

都々逸

紫幡九鳴

遺骨靜々畔道歸る
　刈る手休めて手を合す。

主に替つて畑打仕事
　國へ誠の共かせぎ。

村の鎭守にお百度ふんで
　主の武運を神だのみ。

遠い戰地が戀しと啼くか
　月をかすめてほとゝぎす。

早く治して戰地へ行けと
　間違ひだらけで母の手紙。

夏やせどころか二キロも肥えて
　退所間近と母へ手紙。

かんしやくの「く」の字忘れて感謝で直し
　國へ再起の御奉公

さぞや戰地も暑いであろと
　思ひやお茶摘む手もにぶる。

白衣の天使作品

明日の祈り

無名子

寄宿舎を出ると七月だと云ふのにいやに冷たい感じのする風が着物の裾を拂つて行く。

私は疲れた足に無氣味に下駄を引きずり一歩々々かみしめる思ひで歩みを運んで居りました。

今日一日の出來事が毛絲の編物を解くかのやうに一つ一つ靜かに蘇つて來ました。

配膳、濕布、氷交、氷交するのに氷枕を持つて行くのが少し後れただけで私を頭から咬みつけるやうにお怒りになつてあんまりです。あの人はあんな人ではなかつた筈だつたのに本當にくやしい。私は胸が一杯になつて眼がかすみ、あの人の顔が歪んで見えて今にも涙がぽろ〳〵こぼれさう。私はありたけの聲を出して子供のやうに泣きたかつたが、何んとなく恥かしい。私は燒くやうに腹の立つ胸を無理に押し心で泣いて頭を垂れて默つてゐました。それにあの人は私の顔を時々ぬすみ見し、知らぬ顔してそつぽを向いてしまふのです。

すると私は何だか辛抱し切れなくなつて、「すみませんでした。これからは氣を附けます。」と泣かんばかりにお詫びしたのです。すると、唯一つぽかんと頭を下げて頷いてくれました。

私は命拾をしたやうな氣持で處理室へかけ込みました。涙が堰を切つたやうに流れてきました。いくら拭いても後から後からと止めどなくにじみ出て來るのです。

其の後處理室を出てからあの人の檢溫表を何氣なく見たら三十九度二分！驚愕しました。私は三年前の冬、風邪を患つて發熱した時丁度三十九度二分、あの時は本當に苦しかつたのです。御介抱して下さる母上にやたらに無理を言つて、あの人もあの時の氣持と一緒なのに違ひありません。

「病人の心理」誰にでも怒鳴りつけたい。無理を云ひたい。あの心持、私は今日心から御介抱して上げたでせうか？。心から御詫びをしたでせうか？。許して下さい。私が何もかも至らなかつたのです。私はあなた力の御心も考へずに唯機械的に動いてゐるだけでした。

私は明日あの人に心から御詫びを致しませう。そして明日からはあの人達の叱言や注意を立派に生かし、本當の看護婦となつて心から御介抱を申し上げるのです。私は曇り一つない鏡のやうな氣持になつて神様に、又私自身に強く〳〵誓つたのでした。

何時の間にか熱い涙が頰を傳つてきました。すると胸が堪えきれなく苦しくなつてきて私は急いで寄宿舎に駈け込んだのでした。

× × ×

今晩は全く凉しい。手摺に干してあるタオルが生物のやうに動いて居ます。寄宿舎の電燈に照らされた松は魔物のやうにぬつと立上り、その先は風にゆられ、その度に葉が銀の線を引きながら目まぐるしく廻轉してゐます。

松が動物のやうに感ずる晩でした。

私のそばでA子T子等紙切れか手紙のやうなものを小さい子供のやうに騷いで奪ひ合つてゐました。私も昨日までなら一緒になつて騷いでゐたことであらう。しかし今日の私の心に戯れることを許してくれないのです。それは今日の事件が強い太い紐となつて私の心を強く〳〵締めてゐました。

私は知らん顔して遠い〳〵闇の中を一心に見詰めてゐました。暫くすると向日葵のやうな眞黃い月が靜かに顔を現はしました。私の瞳は吸はれる如く月に向つて流れて行きました。此の世の總ての邪心も罪惡も落してくれさうな月、私は飽かずに眺めてゐました。すると老ひし父の顔が浮雲のやうにぽつかりと浮んでくるのです。そして又母の顔もお姿も、

「無名子よ、無名子よ、何かお前悲しいことがあるのでせう。」と云ふのです。私は「いゝえ私無名子は今晩は心から嬉しいのです。」と。すると父母は滿足さうな笑を殘して薄れて消えて行きました。その後から學校時代の友達で上級學校へ進んだS子、上流家庭へ貰はれて行つたB子が、嫌味のある嘲笑を漂はし乍ら大寫しとなつて現はれてくるのです。しかし今日の私は昨日の私とは違つて羨望の氣持など全然起らないのです。出世をしても、お金持になつても仕合せでせうか？。

私には理想心があります。希望があります。その理想心とは出世をすることでもお金持になる事でもありません。私の天職は、親切な心から名看護婦となつて傷つける人々や病める人の本當の足となり腕となり、心となつて御介抱をするのです。S子、B子よ！私の仕事は理想は誰にも負

けない。あなた達にも負けない。兵隊さんにも劣らぬ立派なものです。尋常一年生からの友達ですもの解つてくれるわね。そして仲よく御國の爲に精一杯働きませうと。私は偉大な强い決心をするのです。するとS子もB子も昔の笑顔を見せて手を組み唄を歌つて輕く消えて行きました。

私は俄に我にかへりました。何時の間にか消燈時限が過ぎてゐるのです。今晩の瞑想によつて何時もの仕事の出來なかつた事を悔ひながら床に這入りました。しかし今日一日の出來事が溶けない固い滓となつて私の胸に殘つてゐるのです。此の滓は看護婦生活をしてゐる間、否一生涯私の胸から離れる事はないと信じて居ります。さあ風が强くなつたやうです。松が激しく騷いでゐます。明日の勤務に差支へがあつてはいけません。今日の決心を滓を忘れずに眠りませう。

忍耐

辻公子

S氏に三題明日迄にやる様に問題を出された。大方一時間かゝつたが二題しか出來ない。後の一題がどうしても出來ない。下ではさつきからポン〳〵と氣持のよい音を立てながらピンポンをやつてゐる。頭は疲れて來た。たまらなくピンポンがやりたかつた。あつさりと下に下りやうと思つた時、ふと胸に浮んだ「最後の五分間をふん張つて突き進むのが實社會に出てあらゆる困苦に打ち勝つて行ける者であると、まるで子供の様に私はハツとした。同時に手はノートを閉いてゐた。もうピンポンもやりたくなければ頭の疲れも消え去つてゐた。しかも新しい元氣迄出て來た。そして再び一所懸命に鉛筆を動かしたが、それから三十分たつてもまだあとの一題が出來ない。そうなるとなほピンポンが思ひ出される。從つて頭は混亂し始め力は鈍る。しかしそれからの雜念を抑へに抑へて遂に一題を解いた事があつた。私はあの時は殆んど無意識の中に鉛筆を置くと一緒にバネ仕掛の人形のやうに飛び上つて階段を駈け下りて、そしてピンポンをしたあの時こそ本當に愉快でした。其の時の愉快こそ今迄の忍耐が與へてくれた賜物であると私はつく〴〵感じさせられた。

× × ×

× × ×

入所者の皆樣へ

T　　子

皆樣御病氣はいかがで御座いませうか。私達看護してゐる中には嫌な事や又面白い事も有るでせう。

私達としては情心を中心として居ります。私達は皆樣に對して一日たりとも情心を忘れられやうか、忘れる事は出來ません。

私達は勤務中皆樣の御元氣な顔を見る事が一番樂しみです。又指導官始め各職員より例へば安靜を守れと進められるのも、其の場に於て嫌な感じがするでせうが大きく見ると今更此處に云ふ迄もありませんが、皆樣に對して情心があるからであると思ひます。

私共銃後に於て一木一草までも心を一つにして此の大きな國難と戰はなければなりません。此の重大な時局に於て療養に專念してゐる皆樣、大きく氣を持ち一意專心療養に務めて下さい。

昔からの諺に「病は氣から」と云ふ事がある通り、病氣と云ふ病氣に治らぬ病氣は一つもありません。治ると云ふ信念さへ持つて居ればきつと治ります。看護をする者は情心に燃えつゝ、療養者たるものは一層熱心に療養し一日も早く樂しき全快を向へませう。其處に於て私共の一番の樂しみとしてゐる喜ぶ時は來るのです。喜ぶのは私たちばかりではありません。大きく見ると國家全體の喜びです。それ故皆樣の立場として眞面目に療養する事が一番國家に對しての御奉公だと思ひます。

今後共に力を合せて此の病を散らしませう。

お月さん

辻　公　子

出窓の硝子戸を開けた。畠と竹籔の所々の青芒とが一樣に黒く見えた。その中で芒だけが揺れる。空も黒い。庭の松の木が部屋の明りに照らされて一際目立つ。

星が少いせいか月が黒い布から拔け出た舞臺の背景のやうにはつきり見える。

月を眺め蓄音器を引出して一人で掛けてゐた。Aが私の

歸つて居る事を知り訪ねて下さつた。レコードは何時の間にか止つてゐた。

そうして二人は幼き頃の追憶を次々と語り合つたが夜も更けたので歸つてしまふ。

急に淋しくなり又レコードを掛ける。そうして月に見ゐる。ふとこんな事を考へる。

閑寂な墓場を青白く照らす月も燈臺を守る老人の銀髪に流れる月も、病む人の弱き瞳を射す月も廣漠たる沙漠にオアシスを求めて進む若人を照す月も、戰地で銃を手にして警備に務めて下さる勇士の方々を照す月も、今かうして自分が此處で見つめてゐる月も皆同じ一つの月である。かうしたことを思ひながら一人苦笑する。何時の間にか母が床をのべて下さつたが、なぜか今夜は眠れなかつた。

燈を消して出窓に椅子を持ち出し、月の光の流れ込んでゐる竹籔青芒そうして自分の居る部屋と視線を轉じて見る。

月を背景として月の美を詠つた歌や詩を思ひ浮べる。

一茶が「名月や江戸の奴等が何知つて」と詠んだお國自慢の田毎の月を想像する。

月はすべてのロマンスを秘してゐる。しかし月は何も云はないで、ただ默つて見守つてゐてくれるだけの様な感がする。たしかにそうである。又一しきりこんな事を思ひつゝ月を眺めた。

學窓時代を偲びて

秋　　子

「さようなら又明日ね」櫻並木の十字路でお別れしたあの頃、又しても想ひ出されるのは樂しかりし日の學生生活、朗かにポプラの木蔭で笑ひ、心淋しく涙した時、灼熱の夏、人魚の如く飛躍りしあの頃皆思ひ出の一頁……。

夢の樣な幸を求めて乙女等は

四つ葉摘みたり學の庭に（當時を偲びて）

クローバを夢中になつて摘んでは幸福が訪れると喜びしあの頃……元氣よく通學する妹達のセーラ姿を眺むるにつけ、今一度あの水色校舍で學びたい、あの櫻の木の下で語つて見たい、あの芝生で戲れたい。

時折憶ひ出しては古タンスからまだ色褪せぬ螢の徽章の附いたバンドや服を引つ張り出しては何となくセンチになる時もありますの。悲しみも喜びも只過ぎし日の思ひ出……。二度と歸らぬ制服時代を想ふ時胸の熱くなるのを感

じます。「強く正しく進みなさいね。」と優しく送つて下さつた師の君の言の葉。

生きよ靜かにしかし強く歩め

一つ〳〵の涙をかみつゝ生きよ　　耘二郎

今枯れてゆかうとしてゐる草が暖かい日に觸れると又生きやうと芽生えます。生きる力の強さといふものは名もなき草一本にさへあるのですもの。人間が生き樣として苦しむのは當然であります。それが神から與へられた尊い使命でありませう。

銃とらぬ女なれども國の仇

防ぐためには力つくさむ

白　衣

百　合　子

眠られぬ夜ともなればさま〳〵と

瞼に映る故鄕のこと

胸痛く打たるゝ思ひ高熱に

苦しむ勇士看護しつゝも

勢いて松をいたぶる音聞こゆ

思ひは遙か老ひし母に行く

嚴かなラッパの響胸を打つ

英靈の前に我は泣きつゝ

看護する傷兵の痛み劇しからん

吾が身の如く思ひ得て泣く

無　名　子

夜べの雨晴れてさやけき朝窓の

近くに耀る松の露かな

五月雨の晴れ上りたる靑田面に

朝日の光淸く照りそう

松梢に風の渡らふ音聞けば

想ひは遠き故鄕に及ぶ

壽　　子

ニュース映畫より

うちうてる射手の右手に黒ずむは血汐としりて涙あふれ來

擴斷ちて吾癒ゆる日を祈るてふ母の便りを讀めば泣かるゝ

硝煙のにほひふふみし勇士の便りをしばし息つめてよむ

みいくさに傷つきませし勇士の平癒祈りつ白衣を縫ふも

ひそやかに雨降る寄宿の庭に見つ濡れてすがしき青苔の色

きれ〴〵の夢路を追ひつ我歩む山の小徑はつゆしとゞまる

みどり葉の葡萄の棚を透す陽は人なき庭の午後に親しき

志　津　子

朝露の野良地へいそぐ聲のして

樣々の風鈴聞えて療靜か

夕闇に堪へ沈汀花香をはなつ

日盛や蝶が舞ひ來る除虫菊

濕布する頭上に鳴くは十四雀

たまさかに慰問もありて梅雨の療

學窓に無き友思ひて春惜しむ

螢

夏　　子

一、草の中から螢さん

あなたは何故に灯をともす

ボーカリチーカリ綠の草葉。

一、露の中から螢さん

あなたは何故に露がすき

ボーカリチーカリ金の露。

一、暗夜の中から螢さん

あなたのその灯貸しなさい

ボーカリチーカリ道しるべ。

一、提灯さげた螢さん

あなたは何處へお使ひに

ボーカリチーカリ飛んでゆく。

小川のほとり

夏　　子

一、冷たい小川のほとりにも

嬉しい夏が參ります

小川に泳ぐ子供等の

可愛いお顔が並びます。

二、目だかの泳ぐも見いるよだ

そら〳〵飛び込め水の中

空は暑いぞ燃えるよだ

岸の蜻蛉も泳ぎたそう。

三、やがて一泳ぎすんだれば

岸へ上つた子供等の

眞黒い體が並びます

どの子も强さう元氣さう。

四、いつかは鍬とり銃をとり

お國のために盡す子の

背には眞夏のお日樣が

赤い光を投げてゐます。

白百合の窓

百合子

白百合の窓に倚れば
　清き香りはいと甘く
星の光りに匂ふなり
　風にそよ〳〵匂ふなり
白百合の窓に倚りて
　想ひ出の歌くちずさめば
舊師の面影想ひます
　別れし學友等を想ひます
白百合の窓に倚りて
　星の光を見つめれば
世界で一番大好きな
　母様の笑顔思ひ出す

かすみ草

百合子

かすみ草は小さい花
　風にもまれて咲いてゐる
かすみ草は白い花
　雨に打たれて咲いてゐる
かすみ草は美しい
　お聲で私に言ひました
傷兵さんの爲ならば
　風に揺れるも滿足よ
　雨にうたるも滿足よ
サナトリユームの庭さきで
　かすみ草は今日も又
　笑顔で咲いて居りました

夢

さざなみ子

靑い
レターペーパーの上に
畫いた、鷗の夢は
儚ないものであつた。

「―――」

あの入道のやうな
白雲の湧き上る頃
空の彼方に飛び去つて仕舞つた
鷗よ―――。
濱豌豆の咲けるかたへに
身を横たへ、喘ぎゐる
鷗よ―――。
靑い海！
靑い空！
鷗の夢は
儚ないものであつた。

詩

田舎の早乙女

彰子

自然美の聖らかさ
脂粉なく華裝なく
ふくよかな若き肉體を
モンペの仕事着に包んで
淨らかな勤勞の精氣に充ちて
雄々しくも鍬振る早乙女
都會への憧れ
それは已に遠い夢だつた
御身等は賢者なりき
御身等は詩人なりき
山川草木の鮮かさ
鳥唄ふ田園の樂しさ
此處にして御身等は
靑春を謳歌せんとするものなり
私は憧れるあなたのそのすべてに
そして讃へよう國體を靑春を

秋風

中山夕起緒

しらじらと
秋の風吹けば
一人臥す身の寂しかろ
思ひ出すまゝ
トランプ繰れば
黑のスペイドのクイン
幾度か切れど
不吉のカード
獨り占ひ寂しかり

夏の夕暮

風來子

一、何處でつくのか暮れの鐘
　宮に詣でて靑田徑
　一人靜かに歩み行けば
　空夕燒てあきつ飛ぶ。
二、水に映りしあかね雲
　色は次第に醒めゆきて
　いつしか迫る夕靄に
　草刈人の歸り來る。
三、田の面にあそぶまひ〳〵の
　昏れをおしむかしきりまふ
　足をはこべば村はづれ
　夕餉の煙檣を這ふ。
四、薄夜にうかぶ刀豆の
　花しら〳〵と垣の外
　月の出でぬに月見草
　家路を辿る夏の暮れ。

松の木

彰子

綠色の思想も
紅色の理念も
木の葉の樣に烈風に吹き散らし
私は裸體になりたい
　淸冽な切硝子の大空に
　生きたまゝの姿で伸びたい
碧天に肩を聳やかし
私の手がデリケートな梢の樣に震へ
もし大空の眞實を握り得たら
私は一本の冬の枯木になつて
荒涼たる風に吹き捲くられてゐたい

未明（故里に歸りて）

長谷川觀月

○夜の帳未だ明け初らぬ四時
　月は朧の三日月ながら

眠に入る萬物の寢姿寢姿
　一葉取つて唇に當つれば
ほろ〳〵冴えた音色の流行く處
　星は一入瞬く蒼空澄んで
○夏未明の靜寂に浸り居れば
　はるけき黑部が挽歌のせゝらぎは
音なくそよぐ凉風に打乘つて
　潜み生命の力强さを
夜風朝風吹きならして
　伸び行く力は夢見る間に
○次第に薄れ行く月かげ星影
　明星一段と輝きまして
短き一夜の夢をば惜しむ
　漸く明け切つた朝五時
汚れなき大地に生々と息付く處
　生ある萬物の躍如たる力を見る

月

田葉子

夜空に輝く一人月
我は窓邊によりて
今眺む
噫々幸福なる月よ
廣き宇宙に唯一人
白き月よ
汝は唯一人淋しく
今病める我に照らす時
噫々幸福なる月よと
我は月を呼んで見たい
淸朗な月よ
元氣な人を
そして病める我も
唯なぐさめるのは
月一人のみ
夜空も遠く更けて行く
噫々なつかしの月も
次第々々と消えて行く

稔りの前に（麥）

長谷川觀月

老ひたる農夫に
　科學は何も與へない
だが見よ！
　次第に熟れ行く黄金の波
其處には思索の力も智の力も潜んでゐないたゞ
神が與へた恩惠と
　之に酬ひ樣とする僞らぬ人間の
尊い汗と油の結晶が釀されてゐるだけだ
稔りの麥
歡喜のさゞめきにも似たそのうねりを
老ひたる農夫は今しずつと見つめてゐる
　言ひ知れぬ感激に涙ぐみながら
だが彼の心はその感激に浸つてはゐない
　苦惱の皺に刻まされた頑强な頰とその眉宇
むつすり結ばれた偉大な口もと
それは現實の生活へ決然として
　飽くまで挑戰しやうとする力强さを語る

洛北詠草

印田巨鳥

鞍馬寺一夜鍛錬會の折

鞍馬寺貫主信樂眞純師歌を說きたまふ鐵幹の歌を
山の灯はこゝばかり映ゆ慕ひ寄る虫にかも似て人の座れり（大講堂にて）
この夜更けて寂寞となり百人の眠の中に鼾咎むなし
山の鳥枕に近く啼くに醒めて瞳をあげし窓は若葉の曇
老杉にまつはる霧のをやみなし朝の飯まつひもじきときを
山菜のおん食に足らひありふればゆるびたる日はなしといはまくも
竹伐の會式はいかに皇軍の氣魄のごとく激しからむか（鞍馬山行事迫る）
義經の息つぎ水をともしみて掬ふ人等は憊れしならむ
萬根錯綜といふはこれにか踏みなづみ遲れしひとを待ちつゝ思ふ（奥ノ院木根道）
神おはす貴船の山に通ふ風さやに吹き入る檐ふかく霧も（貴船神社へ下る）
街に下りて獨ソ火蓋を切りしといふ臍はいよ〳〵固めむいざや

短歌　印田巨鳥選

○悼愁

河村幸雄

（伯母急病の電文により歸郷す）
窓近く光りては去る雨空にシグナル燈のあはれ沁み入る
前燈に光り浮き出でし二條の鐵路にそゝぐ雨脚はやし
つきつめてわが呼びたれどあな哀れかそかに唇の動めきしのみ
時の間の命と宣りてかしこよる醫師に尙も恃める思ひ
時の間の命にあれば重たげなこの氷嚢は今ははづさむ
　伯母永眠す
うつゝなく葬送の道に見あぐればだん〳〵畠に白桐の花

さや〳〵と桑のそよぎのうち續く山沿道をみ柩はゆく
鶯の鳴き交ふ聲ぞすみ透るこの山寮に朝の氣は滿つ
かりそめの病とたかをくゝり居し悔さへ今は遙けき思ひ

○小鳥

水末龍男

分秒も休むことなし鳥籠内に目白の動きなにをか求む
鳥籠の邊に蠅飛ぶ見れば目白はも鋭き眸に追ひてしやまず
　頰白の雛を捕へて育てんとすれば其の親慕ひ來て止まず
あやふきに心慄へつ頰白の獲られし雛に餌を運び來る
子を獲られ身のあやふきをかへりみぬ頰白の親獲り易きかも
いくそたび捕へ放つに此の親はなほ近附くか獲られし子ゆゑに
かくばかり來寄る頰白を泌々とまさめに見つゝ徹る思ひあり
　其の夜十六夜の月に家郷を偲びて
わが父母もかくはなありそ家守りて老ひし夜每のゆめのすえだに
かにかくに親の情の泌む夜半ゆ甘き悔恨に身は委ね居り

○白衣の歸還

加藤榮

おびへ泣く吾子いたわりて語りつぐ妻の瞳のかそかうるむも
たらちねの母のみ前に還送さぬ老ひませしもよこれの白髮
月寒く冴えて照らせる銃劍をしかと握りて草むらに伏す（夜間斥候）
白布の小箱いだきて突擊す亡戰友よ聞しかあの勝鬨を
歸り來し勞れ覺ゆもしみ〴〵と鈴をならしつ大人語る寮友（鈴屋よりかへりて）

招魂の式おごそかにアナウンス傳へるなかを遺兒の泣く聲
看護婦の故里の土産に貰ひたる豌豆のすじ取る山寮の朝

○戰線回顧　小林白水子

砲彈の落下すと見したまゆらは戰友の姿なく天幕舞えり
集中砲止むたまゆらは友軍等怒濤の如く山嶺に迫る
奇妙なるチャルメラの音の響くよと見れば射撃ちつゝ群れなし來たる
幾たりか戰友散り果てし嶺の端を初冬の入日あかあかと染む
此の嶺に尙生命あり夕づつの瞬き仰ぎしばし佇む
茶毘に附す霜深き朝を兵どちは默々として柴を集むる
城壁の半ばに斃る戰友どちを乘り越えのり越え登る兵見ゆ
血を喀きし事秘めつゝも徐州へと海なす穗麥分けて進めり
糧食の絕えて幾日か高粱のだんご食みつゝ進擊するも

○その日、その日　竹内光男

雪もよふ玄海に來て意氣たかし軍歌どよもす御用船は進めり
「日ソ」條約の臨時ニュースを朝床にきゝて鉾つ醒めきらず居しが
風向の變りたるらし流れ行く煙亂れて西に連る
事變處理決意を眉宇に畑大將春の故國を二度出て行く
立ち登る汽鑵の煙朝風にまだ降るらしき雪空に消ゆ
コツコツと夜更の廊下病棟に急ぐ白衣に月の影さす
味噌汁の甘き香りの朝まだきふと眼ざむれば鼻をつきたり

○雜詠　中島萬右衛門

八百に餘る版木の手の跡も大人が苦心を今更に偲ぶ　(鈴屋にて)
庭くまの八手葉裏に雨蛙雨を乞ふとや鳴く暑さかも
植ゑ殘りの菜種ほそぼそ莖伸びて畠の隅にあはれ花咲く
新らしく土もられたる田の畔に枝豆の芽が土を持ち上ぐ
小孩を乘せし水牛のゆらゆらと楊柳の影の草食むが見ゆ

○若草　朝井碧水

樣々の思念を拂ひ一時を峽の若草にしばしまどろむ
黃塵にまみれて赫黑き戰友の顏玉なす汗の幾筋も光る
捧げたる命捨て得ず病得て故鄕に還る心苦しさ
寢てゐると量感樣々迫り來る蝕まれたる吾が肉體よ
幾山河越えていく年吾が胸に眠る愛兒の寫眞汚れぬ
目覺むれば療友の寢息は柔かし靜けき夜半を遠蛙なく

○御賜のタバコ　筒井忠義

硝煙のにほへる中につどひより御賜のタバコおろがみて飮む
山寺の木々あさぐらき庭隈に白梅の花もと明るし
よべの雨霽れて淸しき庭隈に水たまふくむ花のとりどり
弱々し蚊にはあれどもうるさくも雨をしのぐか枕邊になく
だるまする童にまじり雪晴れの庭を走れる小犬可愛ゆし

○時事吟　淺野峰虹

かそかなるみ民の我も今まさに首相の決意しかと聞きたり
各々が大政翼賛にこたへ得る眞を思ふ此の大御代に

病床吟

一本の櫻ながらも療室の戰友朗らかに語るこの宵
五月山若葉葉靑の淺みどり今朝を射す陽のさわやかにあり
松の葉を流るゝ風もひそかなり臥りて居れば遠き松蟬
言ふまじと思ひしことも言ひたりき戰友が心のやさしさにふれて

○折々の歌　柴田邦雄

問ふ友に胸をし病むと言び得ずてかそかに笑まひ石もてあそぶ
高々と我が釣りあげし鮒の背に光まばしき春の落日
雨晴れし明日進擊の山々にかゝる雲見つ銃の手入れす　(山西戰線)
夜もひるも進擊早き日の續き糧秣絕えぬ粟食みて征く
ひもじさに人なき家の庭に入れば乾柿ありぬむさぼりて食む
泥濘も飢にもたへて敢へて衝かむ漢口拔きてそこに死ぬべく　(漢口戰線)
敵襲に武裝を急ぎ闇中を銃聲たよりにひたかくる我
岩間もる淸水手にうけ飮みなずむ背に促すも部隊はやゆくと

○療養斷片想　M I 生

うつし身は病み臥し居れど生くる限り軍人精神を貫き徹さむ

賜はりし胸の徽章を永久に輝かさなむ訓へ守りて
愛國詩歌ひつ兒等の過ぎ行きて今暮れやらん初夏の空

○戰線を顧みて　栗田茂雄

月冴えし夜更を進む馬の鐵蹄白く光れり默々と續く
連絡の兵士駈け來る姿見つ隊長の口むつと緊りぬ
執拗に寄せ來る敵を蹴散らしていねざる今朝の陽ざしまばゆき
寄せ書の日章旗立て祝ひけり空澄みわたる菊の佳き日を
蠟燭の暗き灯影に顏寄せて故鄕の便り讀むは樂しも
討伐を終へて憩ひの草原に名知らぬ花のいといぢらしぎ
農場の稻稔れりと初穗入れ敎へ子等の便りに元氣滿ち居り

○戰線回顧　轟一郎

壘痕もまだ新らしき墓標の上彈痕深き鐵兜置く
闇ふかく步哨に立てば時ならぬ犬の遠吠えに銃とりなほす
銳心を耳に集めて闇行軍けば間近にありて機銃火を吐く
泥水をきほひて呑める吾が馬の毛並に吹きし墟を落すも
トラックの激しき搖れに戰友はいまカンフル注射の脈を保てり
水筒を逆さに振りて一滴の水のぬるみも舌に泌むなり
吾が癒ゆる日は遙けきや梅雨はれのつれづれの夜を星の流るゝ
うからゝのみとり甲斐なく療友逝きぬ航空燈の淡く光る夜
朧月次第に雲の濃くなりて明日も曇りとラジオ告げ居り

早乙女の振り上げし鍬陽を返射しかぐろき土を逞しく打つ

○さみだれ

いたつきに物憂く思ふ五月雨の夜空に又もみづどりの鳴く
小夜更けて泌泌と聞く雨垂れは茄子の葉彈く音もするなり
梅雨に濡れ光澤さへ保てるあさがほのびゆく芽先呼吸する如し
梅雨煙る庭に咲きたるあぢさゐの花重たげに微風にゆるゝ
樹々梢に風の渡らふ音聞きつ梅雨晴の徑踏みしめ歩む
梅雨晴れにかそけく鳴きて池の面を飛び交ふ燕の背に耀あり
梅雨晴れの大澤池に風渡りきらびやかなるさゞ波の立つ（療養所下の池）
（療棟の窓に空瓶を利用して作りたる風鈴流行するを見て）
この音は鐵にまさると語らひて聞きつる窓に梅雨晴の月
駈けつけし父に田植の事訊ひし療友のすがたのいまははかなき

今井祿親

○戰場の歌

城壁の影に咲きたる草花を取りつゝ戻る歩哨の暮を
歩哨線クリークの上を流れ行く螢さへあやし光ひきしとき
轟然と爆破の刹那我が戰友は紅に染りて何か叫びし
壍壕に便り開けば秘められし御守り拜す母さきくませ

眞村德市

○雜詠

櫻花散る度毎に思ふなり戰友の最後の壯烈無比を

山川勳花

草原を通れば雲雀飛び立ちて無限の青空に鳴き昇りゆく
草原に白衣の勇士取りまきて手柄話聞く子等の樂しげ
とり〳〵の菖蒲花咲く池の面を水すれ〳〵につばめ飛び去る
病床に見舞ひし戰友は今は皆腰に日本刀つり南に征けり
晴れ渡る大空高くゆう〳〵と飛ぶ鳶の如く一日ありたし

○雜詠

保浦春夫

人通り絶えて寂しき町の灯に煙るが如く春の雨ふる
城山に暮れ行く春のわびしくもくずれし垣に山藤の散る
亡き祖父が手しをに掛けし芍藥の蕾ふくれて夏ならんとす
我が療の窓邊に掛けし鳥籠の鳥さえずらず曇むしあつし
濱に來て白き貝殼拾ひつゝいつしか君をしのびてゐたり

○出陣

大角喜敎

軍裝は肩に喰ひ込み師團長の最後の訓辭裂帛となりぬ
夏陽灼く營庭に埋めしつはものは耳かたむけて身じろぎもせず
滿天の星降る營庭におごそかに御楯とならむ誓をぞする
天の河天の眞洞に懸り居て歡呼湧く營門出發たんとす
亢りし愛馬の鼓動をひし〳〵と身に感じつゝ手綱ひきしむ
せめてもに亡き父あらばうれしもよ吾が晴れ姿見せなむものを

○療舍

喀血する療友室に居り何となく翳れる心木の芽立つ日も

中山美樹

訥々とその身の傷痍託ちつゝギブスベットに療友はいね居り
カナリヤは産卵重ね今朝しも四個となりてしかと抱き居り
一しきり風もまじへて五月雨るゝ窓に默せり九官鳥は
そのかみは母校の廣きグランドに續く草原唄ひゆきしが
頬の傷痍深き友なり茶を吸みて南京までの話はづみぬ
あの瞳誰かに似て居り思ひ出ぬまゝに早バスは終點に來ぬ

○誓ひ

み神社に海の藻屑となるまでと誓ひし言葉も仇となりしか
療養日記變らぬ記事の手もち無沙汰二周年記念と大きく書きたり
夫征けど嫈ひなきまで靑々と田植ゑすみしを言ひて來たりし

稻垣隈吉

○午後

寢そびれて雨の夜更けをひとりさめかなしきことの思ひつゞくる
しと〳〵と梅雨ふる療舍靜かなり廊下につたふ食器の音の
松蟬の一聲高く鳴き去りて療舍靜なり午後の安靜
フトさめし部屋にさし入る燈臺の灯はくる〳〵と廻り居りけり
質店の更けて師走の灯のあかり街吹く風は强くつめたし
霧深き鈴鹿の峠滿員のバスは靑葉にふれて曲りぬ

北岡得定

たまむし

長谷川素逝

たまむしのとぶとき翠微きはまりぬ
たまむしをとばして空の日とどまる
たまむしがとぶや萬籟まひるどき
谷空の日とたまむしの刻うつる
たまむしはとび谷空の日はわたり

芋の宿

鈴木峰湖

月に訪ふ一とすじ道の羊の宿
一人降り一人乗る驛蟲の秋
ねむたさのしら〴〵明けを魂送り
大みゝず出て山寮の秋の雨
黑鯛夜釣突堤ほのと波明り

月見草咲きつぎ試歩の暮るゝまで
試歩暮れぬ茱殻焼く火に寄りもして
緑蔭にをれば誰かを待つこゝろ
緑蔭に來て病兵の列を解く
自轉車を下り緑蔭の人となる

大川旅子

緑蔭のいろに染みゐる白衣かな
新聞に止りし蠅の歩む音
梅雨の窓閉し三階建の宿
朝熊山隠れて梅雨の展示標
鯛の群生簀を廻る涼しさよ

古田藍水

水すまし集り水面にぎやかに
しばらくを止みたる梅雨に出てみたく
漸くに浮びて金魚同じ向き
大やうに搖れてふくべの雨あがる
原田玲子君を悼む
紫陽花のむなしく梅雨にをはりたる

加藤新樹

梅雨晴へ看護婦の唄かろく來る
噴水の音高まりぬ夜は更けて
ものゝ蔓皆這ひのぼり窓の夏
茱殻焼く炎やうやく夜の色
久方の慰問演藝療の梅雨

道村静湖

夏蠶掃く障子へだてゝもてなされ
夏痩に看護の母のつかれまた
汽車のたび窓は伊勢路の夏の海
宵宮の子等の太鼓に朝が來る
樽神輿牛車を止てねりさかり

村田幸静

鹿はみな若葉の影に背をあつむ
梅雨寒の病兵かさね着して静か
しら〳〵と瓢の花に曉けて來る
茄子の花癒ゆるもちかき病兵に
静かさは谷の底なる遠蛙

稲垣芙蓉子

山藤の静かに散れり神の前
日曜の兵等に親し酒保の藤
砲火止み陽は熟れ麥の穂に沈む

小林白水子

梅雨晴の一と日を飛機の音止まず
風鈴の音のみ晝の静臥時
囀りや眼帶の兵窓に佇つ
チユリツプ剪る手に朝の水匂ふ
田植笠畦一列にならびをり
五月雨に音なく暮る山の療
昏れなずむ窓風鈴のなり止まず

瀧川光洋

赤蟻が遠く列引く熟れ苺
麥笛は子にせがまれて母が吹く
頭髪洗ふ背なに蚊の聲つきまとふ
噴水に日が暮れ兒等は散り初む
浴衣がけしてくつろげる濱の宿

朝井碧水

病む身にはあかず瓢を窓に見る
ものゝ實が落初めしより蟻の道
雑談の絶えて蛙の夜となりぬ
檢温のおこたりがちに朝寝かな

北村武生

だん〳〵にグラジオラスの咲き昇り
睡蓮をがばと緋鯉の去りにけり
投げ苗の一つほぐれて散りにけり
早乙女の何に踞みてゐる土橋

加藤桑聲

爽やかな静臥の椅子に藤ゆるゝ
蜆掘るひとの素足の白さかな
晝寝せる療友に西日が伸びてくる
風鈴の雨となりたる旅の宿

大脇丘伏

一本の眞白き百合が卓上に
藤椅子の主に夕刊とゞきけり
金魚がぢつとして居り日が沈む

勝山一水

ものゝ實の落つるものは落ち黒南風
月見草ぬくもり殘る石に腰
四阿の四方の裾より遠蛙

矢島紫逢

かへる田は賑はし町の灯は遠く
山路來てふと囀りに歩を止めぬ

西口利男

松蟬の鳴き迫り來て療は晝
吹き上ぐる青田の風の丘に佇つ
長降りの窓うす暗く糸瓜棚

山本通草

枝重く押合ひトマト熟れて居し
暖かに恩賜の楓芽をふきぬ
悍闘の蟻芋虫をたふしけり

栩原曉子

百合の香や心ゆたかに字を習ふ
さゞ波の夕陽くづるゝ植田かな
砂濱や色とりどりの日傘行く

石本白瀧

鳴りつゞく風鈴窓に曉けて來る
炎天やはだしの子供たのもしく
風鈴の音に親しむ靜臥かな

山本忠勇

仙人掌の鉢を並べて靜臥かな
五月雨にバス待つ列のぬれにけり
梅雨晴や療林遠く虹の橋

辻令子

療棟の窓一杯に糸瓜植へ
溫泉の宿の枕に近し双子瀧
梅雨に倦み滯陣に倦み兵默す
水を汲む部落人無くて蟬時雨

紫幡九鳰

土筆摘む白衣に子等の集りぬ
廻覽板野良で受繼ぐ麥の秋

藤根白陽子

マイク今番狂はせの夏場所を
梅雨晴やアドバルーンがくつきりと

中山美樹

月見草つとめかへりの家の門
治療受く窓の梢に蟬の來て

小林丘翠

春蟬をうつゝに聞いて靜臥かな
バスを待つ間も綠蔭の人となり

保浦城月

驟雨近し藪のみかすかそよぎゐる
青あらし部落への道一すじに

佐野奇子

ねがへりをうてば匂へり白き蚊帳

中山夕起緒

雲の峰山の鐵塔いかめしく
風かほる丘にのぼれば伊勢の海

幸畑秋紅

梅雨晴れてサイレン長し山の寮

西脇保月

朝やけの夏そらたかく飛機のゆく

出口清漣

岐阜提灯はのかにゆれて療の窓

中村虛世

長梅雨に話も絶えて療靜か

島藤柳水

五月雨や部屋賑やかにくれかゝる

北岡得定

釣糸にまつはる蝶や二ッ三ッ

大瀧靜兒

なかなかに癒えぬ病や秋の風

下地政夫

海女二人天草かつぎ走り來る

加藤松浦

五月晴鈴鹿嶺近くたゝなはり

稻垣隈吉

五月雨や下駄の音遠く消えて行く

田中染次郎

芋の葉を被り走るや大夕立

山川勳花

短夜や丹那墜道出づれば富士が嶽
山村の宮居靜けく藤の花
隣同士日毎の梅雨をかこちあひ
業終へて白衣の娘等の草合せ
畑打のしばしのいこひ我子に乳

安田曉明

傷痍軍人三重療養所附屬看護婦養成所第一回卒業證書授與式

昭和十六年三月二十五日午後一時より本館第一會議室に於て三重縣知事代理山本衞生課長外來賓多數竝職員、講師一同參列の上當所附屬看護婦養成所第一期卒業生廣岡きみ外二十八名に對する第一回卒業證書授與式を擧行した。其の狀況竝卒業生の謝辭其の他は左の通りである。

一、式　次　第

一、擧式ノ辭
一、宮城遙拜
一、神宮遙拜
一、國歌齊唱
一、勅語捧讀
一、卒業證書授與
一、賞狀授與
一、所長式辭
一、來賓祝辭
一、在校生總代祝辭
一、卒業生總代答辭
一、閉式ノ辭

二、受　賞　者

1、所長賞受領者
廣岡きみ
藤山トシヱ
岡田廣惠
川杉ユキ
齊木小すが

2、三重縣知事賞受領者
廣岡きみ

3、勤務勉勵賞受領者
河口しげの
中島嘉代子
中村しん
田所由
岸上美代子

三、卒業生氏名（イロハ順）

池田すみの　西田貞枝
岡田廣惠　河口しげの
川杉ユキ　四方道代
田畑ますみ　田所由
田中みつ子　竹内秀子
中尾暉　中村しん

中島嘉代子　中森りつ
向井光子　牛場幸子
野田帛代　藤山トシヱ
小橋のぶを　後久カズ子
齊木小すが　阪本道子
北村ひさゑ　岸上美代子
行英　島田すぎ
廣岡きみ　平田富子
日美節子

祝　辭

在校生を代表致しまして一言御挨拶申上げます。陽春三月すべてのものは悉く歡喜に滿ち希望に輝いてゐます。此の佳き日、第一回の御卒業を遊ばされる其の席に別し祝辭を述ぶるの光榮を得ました事は私達にとつて此の上もない悅びとする所で御座います。

お姉樣方に於かせられましては首尾よく本養成所に入學遊ばされましてより二ケ年螢雪の功空しからず、こゝに芽出度き御卒業を迎へられました御胸中如何ばかりかと拜察申し上げます。又御父兄に於かせられましても此の佳き日をどんなにかお待ち遊ばされて居られた事で御座いませう。山々は鳥も唄ひ、野には花も微笑みて今日の佳き日を祝福してゐます。

入學以來朝夕上級生として、又お姉樣として敬慕致してまゐりました私共は今日の皆樣の榮譽を共にするものでございます。

さはさりながら靜かに回顧致しますれば、お姉樣方は本養成所第一期生として開設當初多難の中に看護の道にいそしまれ、輝かしき今日の所風を固められたのであります。其の間の御苦心に思を致します時、私共は心から尊敬と謝意とを表する次第でございます。

私共はこの所風を益々發揚しまして以て報ぜんことを玆にお誓ひ致します。帝國は日支事變を契機として肇國の大精神を著しく表して參りました。

而もそれは女性に俟つところ極めて多いのでございます。お姉樣方には御卒業後益々御研鑽を積ませられまして看護の道は勿論、日本婦道達成に邁進せられまする樣に祈つて止みませぬ。御卒業後も尙引續き當所に御勤務下され私達後輩を御指導下されます由、何とぞ今一層の御指導と御鞭撻の程を今玆に改めて御懇願申し上げます。拙い言葉にて充分に意を盡す事が出來ませぬが、此れを以て祝辭と致します。

昭和十六年三月二十五日

在校生總代
前田壽帝

謝　辭

僭越ではございますが第一期生一同に代りまして一言御挨拶させて戴きます。

朝夕の寒さに冬の名殘を留むるとは云へ風鳴る松籟の響き何時かは溫味を加へ、模糊として煙る鈴鹿嶺を仰ぎつゝ、ひとたび眼を地に外せば若々しい草木の萠えも何故か心嬉しく、松の梢を洩る陽の光にも漸く春の喜びを懷かしむ私達の心その儘に寮庭狹しい沈丁花が匂ふて居ります。

此の佳き日、私達の爲にかゝる盛大な卒業式を擧行下さいました事を深く感謝する次第でございます。

顧みますれば二歲前、粉雪まばらな昭和十四年一月、向學の心一途に小さな胸を躍らせつゝ、日本赤十字社宇治山田病院に收容され、三ケ月間の講習も大過なく終了し、希望と責任感相半ばする心を抱き乍ら當所へ參りましたのは春も酣の四月十六日でございました。

綺麗に鋪裝された道路の幾曲りを經て初めて踏みました此の山、貯水池、人生記錄の一頁には餘りに大きな感激でございました。

紺碧の水に落す松の綠、林間を縫つて點綴する寮舍、さながら一幅の畫に對ふ如く、樹々に遊ぶ小鳥の囀に和して忙しく振り下される鑿の音さへ輕い音樂のやうに谷から谷へ渡つて居りました。刻の間に秋去り、春移つて二星霜、寮舍も完成し、人財共に科學の粹を網羅された殿堂に、慈愛溢るゝ所長殿始め皆々樣が時に嚴父の如く、或は慈母に代り給ふて晝夜を分たず寢食の上だにも尊い御教訓と暖かい御愛情を賜はりました御蔭に依りまして今日の榮譽を擔ふ事が出來ました事を幾重にも御禮申し上げます。

假令卒業は致しましても幸ひ尙一年間は御膝下にあつて、今日迄に修得出來ました智と技を磨き、德を修めて誠心誠意、傷痍軍人の方々の御看護に勵ませて戴く事の出來るのを此の上もなく喜んでゐるのでございます。

たゞならぬ危機を孕んだ儘不氣味な展開を示しつゝある情勢下の世界にあつて、正しい理想の下に邁進する皇國の民と生れ合せた幸を思ふと共に、せめてか弱い乍ら醫療報國の第一線に立ち、又將來家に入つては良き妻となり良き母として、又社會の一員たる立場に於て社會衞生思想の普及徹底化と、智德の發揚に力めて御高恩の萬分の一にも報ゆる覺悟でございます。幼き儘に巢立つ私達、それにあたかも渺茫たる大海原に放たれた小船の如く幾多の苦難に遭ふであらう。たど〳〵しい人生航路を親船の如く、或は進路を輝らす明星の如く御教導下さいます事を偏にお願ひ致します。

皆樣から頂きました尊いみ教を胸の中にしつかり抱きしめて高い理想と誇りを持ちつゝ堅實な一歩を辿る覺悟で御座います。

何卒今後共一層の御指導と御鞭撻の程を衷心より御願ひ申上げます。所長殿を始め皆々樣有難うございました。

一言述べまして御禮の詞に代へさせて戴きます。

昭和十六年三月二十五日

第一回卒業生總代
廣岡きみ

所内ニュース

白衣の兵隊さん
童心のひととき
第三回縣下學童相撲大會

傷痍軍人三重療養所の白衣の勇士を慰問する大里村國民學校主催河藝郡教育會及朝日新聞、一身田奉公會後援の第三回縣下學童相撲大會は好晴にめぐまれて暑熱ひとしほの六日正午から同療養所構内松林の中に特設された土俵で催され、北は桑名市から南は二見校にわたる十七國民學校が參加、浴衣がけに經木帽子といふ氣樂ないでたちの白衣の兵隊さん達は涼風に惠まれた松の木蔭から終始純眞な學童の熱技に見入り病の身をも忘れて一勝負毎にやんやの喝采を送つた、かくて次の成績をもつて初等科高等科とも度會郡二見町國民學校が優勝それぞれ優勝旗を授與されて五時半閉會した。

團體競技
初等科　①二見校　②若松校　③合川校
高等科　①二見校　②若松校　③白子校

（朝日新聞より）

弓を射る勇士達

過日來より全治退所も近き外氣の有志諸君の健康體力の增進と精神修養の一助の爲津市五段小林錬士指導の下に六療棟舍後の弓道場に於て弓道の練習を開始した。これには所長殿庶務課長殿を始め職員有志白衣の天使達も參加して週二回參加者一同は眞劍に精進したかひが有つてその進步の早いのには先生も驚く程の此頃の上達ぶり。これには所長殿も我が意を得たりとばかり大滿悅の態

★　★

白衣の天使殉職する

當所第一期生看護婦廣岡きみさんは開所以來より白衣の天使として傷痍勇士の看護に獻身的努力を續け感謝の的となり勤務中不幸にして病を得專心療養中の處天運遂に命を藉さず不幸再び起つ事あたわず八月十六日午後九時三十分多數の白衣の天使の淚の中に見守られつゝ遂に靈魂再び還らず永眠致されました翌十七日午後零時半より當所初めての尊き殉職者として盛大なる療養所葬を以て生前の功勞に對していさゝか酬ひその靈を慰めました。我々は此の悲しくも尊き殉職に對して玆に謹んで同看護婦生前の御苦勞御看護に對し萬腔の感謝を捧げると共に、呼べども今は幽明境を異にして再び永遠に還らぬ靈魂に對して心からなる哀悼の意を表し併せてその御冥福を祈る。

廣岡紀美追悼歌集

五十鈴短歌會

跡部正元

極みなき無明の道をたどるなる君をしのびて窓によりそふ

嗚呼すでに君みまかり給ふこの朝庭の朝顔一つ開かず

現にはまみえぬ君の歌よむも淨らにませし日々を思ひつ

朝井辰義

哀しさは稚き頃を口にして御靈は夏の月に去りゆく

枕頭の白百合の香もかそけくも君の訃報に散りて哀れぞ

今井由藏

肅として虫の音しげき秋の夜に哀れ歌人の君逝きしとは

花もまだ蕾の春にある君を無常の風は西に吹きしか

伊藤清一

數多き功殘して現世を君さりまし〻今朝を悲しむ

河村幸雄

歸省中に訃報來るすなはち

君逝くのしらせはうけぬ空しかり朝のそらの蒼き色さへ

片岡廣幸

はやち風すぎてを淡き星光り亡き母戀ひつゝ君逝き給ふ

花の身を尊きつとめに捧げたる君が假の身おろそかならず

加藤榮

「嗚呼廣岡」短歌(うた)にあかるき君なれば穩群の野邊に詠ひ旅せよ

よくはげみ歌たしなみし君の面今朝の悲報にまざ〱とあり

木村利勝

玉の身のかへりみませず看護(みとり)ませし君幸あれとぞ祈りしものを

君めでしかそけきねむの花は散れど大きなる實ぞ今はむすびき

加藤桑吉

看護婦(みとりめ)となりて御國に赤心(まごころ)を捧げて逝けるきみぞかなしき

北岡風胴

いとけなき看護續けし君故にひたすら冥福を祈りゐる我

逝きませる君想ふかな窓越しに流れゆく白雲しばし見つむる

小林喜一

ひたすらに若き生命をものゝふに捧げつくして逝きし君はも

はつ秋の寂しく澄みし宵空を流れし星の色は忘れず

柴田邦雄

才多き人は幸うすしとふかなしき言(こと)をうべなひぬ今は

昨夜(よべ)の空巨(おほ)ひなる星流れしは天に還ります御魂なりしか

鈴村秀彦

しきしまの大和の國の山櫻咲き揃はずに散るぞ惜しまる

竹内光男

益良夫のみとりに厚き三年の今おしまれて散りて行くかも

現世に姿なけれどとこしへに守りの神と生きよ御靈は

瀧勇

いにしへの彫像のごとゆたけくも智性に滿ちし容貌(かほ)今は亡し

勁かりし責任感は君が身にはげしき勤務(つとめ)强ひつるらむか

瀧一郎

ひたすらに君癒えませと祈りしもこと空しくなりぬ星光る夜半

まざ〱と見えくるごとし在りし日の君が白衣の聖き御姿

中山美樹

美はしく尊き君が殉職は大和乙女の鑑なるらむ

かず〱の勳を殘し黃泉(よみじ)ゆく君やすかれとひたすら祈る

あゝ尊し勳かゞやく君にして今日秋晴の虫の音淋し

中島萬右衛門

昨夜の九時三十分に逝くといふ所內放送に立ち開ける我は

若き身(み)体を職に捧げてみまかりしきみが精靈(すだま)よ安かれと祈らむ

廣島康彦

露光る丘の穗芒叢ごもりに音も幽やかしぬび鳴くこほろぎひとつ

きみあえなかりしと聞くさへも胸ふたぎ言に出でこず思ほへばかゝなべて

はや三つ年朝に夕に病み惱むつはものにかも姉のごと母のごと

愛しみかしづき心つくせし輝く功績歌の道にまた明るく

詠み殘せし澤の佳き歌人づてにきみがいまはは亡き御母戀ふと

呼ばふとほのぼのに笑まひ淸らにゆきたまひしと

いやながく光る星光ほがさらめやもきみが功績

ほがらかに笑まひ答へし面影のやまだも去らず月夜こほろぎ

昭和十六年八月十七日午後一時 靈前に捧げ會員中山・廣島之を朗唱す

合掌

退所者住所錄（一六、四、一七以降）

奈良縣生駒郡	小延捨三
三重縣三重郡川島村	小林貞一
〃 阿山郡	安樂利一
〃 宇治山田市	川上金藏
奈良縣磯城郡平野村	川本梅次郎
岐阜縣大垣市	山中政章
愛知縣幡豆郡豐坂村	加藤增太郎
三重縣度會郡柏崎村	山添桂一
〃 安濃郡明合村	澤木實
愛知縣中島郡今伊勢村	石谷秀雄
三重縣河藝郡玉垣村	山下宗次郎
〃 鈴鹿郡加太村	中林秀吉
〃 飯南郡	世古光三郎
〃 〃 伊勢寺村	小泉正雄
〃 度會郡七保村	大瀨中三
岐阜縣大野郡丹生川村	渡邊豐
朝鮮京城府	原井武次
富山縣富山市	磯野富次郎
三重縣一志郡阿坂村	小宮武夫
〃 度會郡內城田村	釜谷泰亮
〃 志摩郡	中島辻雄
〃 度會郡宿田曾村	濱口政
愛知縣寶飯郡塩津村	近藤典男
岐阜縣吉城郡	春見潔
滋賀縣滋賀郡	田中光正
岐阜縣高山市	冬頭幸一
三重縣三重郡四鄕村	後藤重夫
〃 一志郡八幡村	中森仁厚
名古屋市千種區	武部利滿
三重縣北牟婁郡	石倉利厚
石川縣金澤市	野口長一郎
岐阜縣大野郡淸水村	西野鶴松
和歌山縣西牟婁郡富里村	田尻善四郎
三重縣阿山郡友生村	倉坂德
岐阜縣益田郡萩原村	今井重夫
富山縣下新川郡	大島弘
滋賀縣彥根市	北村甚三郎
名古屋市熱田區	塩崎隆次郎
三重縣志摩郡越賀村	小川正
岐阜縣本巣郡七鄕村	山川勳
名古屋市千種區	須川淳
名古屋市中川區	大矢勇
岐阜縣岐阜市	中島修二
岐阜縣惠那郡阿木村	渡邊守夫

慰問演藝一覽（一六、二—一六、七末）

月日	種目	出演
二月一日	舞踊	津共立檢番
二月七日	漫才、奇術 舞踊	朗らか一座
二月十六日	全國中繼 傷痍將士慰問の午後 講談、浪曲 漫才、歌謠曲 落語	名古屋中央放送局
三月六日	慰問學藝會	津市恭和國民學校
三月二十六日	同	一身田國民學校
三月二十八日	舞踊	桑名市鶴彌舞踊研究會
四月五日	映寫	天理敎三重教務支廳
四月十五日	漫才、奇術 浪曲	一身田町辰巳會
四月二十九日	慰問演藝	三重縣立津高等女學校職員及生徒
五月二日	慰問漫談會	大辻一郎
五月十一日	尺八、琴、舞踊	龜山町 晢山社
五月二十六日	慰問演藝	松前ビリカ一行
六月三日	慰問漫談會	西村樂天
六月十三日	浪曲	春野百合香一行
六月十四日	映寫	
六月二十一日	浪曲	吉田奈良坊一行
七月三日	演奏、舞踊	松阪市 ペテー管絃樂團
七月十五日	慰問演藝	名古屋市 銃後奉公會

編輯後記

緊迫せる世界情勢、太平洋の風雲は正に一觸即發の危機に直面してゐる。

忠勇なる我が將兵は、陸に海に大東亞共榮圈確立の爲に炎熱酷寒をものともせず第一線にて日夜奮鬪されてゐる。國内に於ては、國民皆働、生活戰體制、臨戰體制へと切迫した狀態下にあるにこれを思ふ時、我々は毎日の療養生活に對してもつと眞劍に反省して見る必要がないではなかろうか、本日こゝに入所者各位の熱誠に應へて「壽々加」第五號の誕生する事の出來た事を厚く御禮申上る次第です。

表紙繪は今度は川村中將閣下に御願しました御多忙中にも不拘御執筆下さつた事に對して諸君と共に厚く御禮申上ます。

一療棟田中氏よりも玉畫を賜りましたが都合に依り掲載する事の出來なかつた事を御詫申上ます。

傷痍軍人の就職狀況に關して、三重縣社會課傷痍軍人相談所より御多忙中にも不拘玉稿を賜りました、諸君に多少とも御參考になれば幸甚と思ひます。

短歌俳句の選並びに玉什或ひは歌論と本號も印田巨鳥、鈴木峰湖両先生に御願ひしました。

看護婦座談會開催に關して、御多忙中御出席下さつた木下醫務課長殿新田屬始め矢島副婦長以下第一期生の方々に對して厚く御禮申上げます。

特輯訪問記事として指導取締りの總元締たる指導官殿と新しく各職場を訪問しました、御一讀を乞ふ。

今度の募集に際して各位より御熱誠なる御盡力を賜つた事に對して厚く御禮申上ると共に今後共奮つて諸君の「壽々加」の爲に御投稿されん事を御願ひ申上ます。

長らく編輯の勞苦を共にした岡本氏が發刊間際に目出度全治退所せられた事は、御同慶に堪へない事であるが然し編輯部としては非常に殘念です。同君の今後の御活躍を祈つて止みません。

（委員　小　川）

參與	所長	草野與平
編輯顧問	醫務課長	木下清吉
同	庶務課長	澤井浩
同	指導官	竹澤金五郎
同	文藝部長	橋浦醫官
編輯委員	庶務課	新田敏夫
（イロハ順）	入所者	石川賴雄
	同	保浦春夫
	同	岡本茂生
	同	小川正哉

昭和十六年十月十八日印刷
昭和十六年十月廿二日發行　（非賣品）

編輯發行人　三重縣河藝郡大里村窪田　草野與平
印刷人　三重縣津市萬町一、六七〇　大山義資
印刷所　三重縣津市萬町一、六七〇　共昌社
發行所　三重縣河藝郡大里村窪田三五七　傷痍軍人三重療養所　電話（一身田局）一四九番

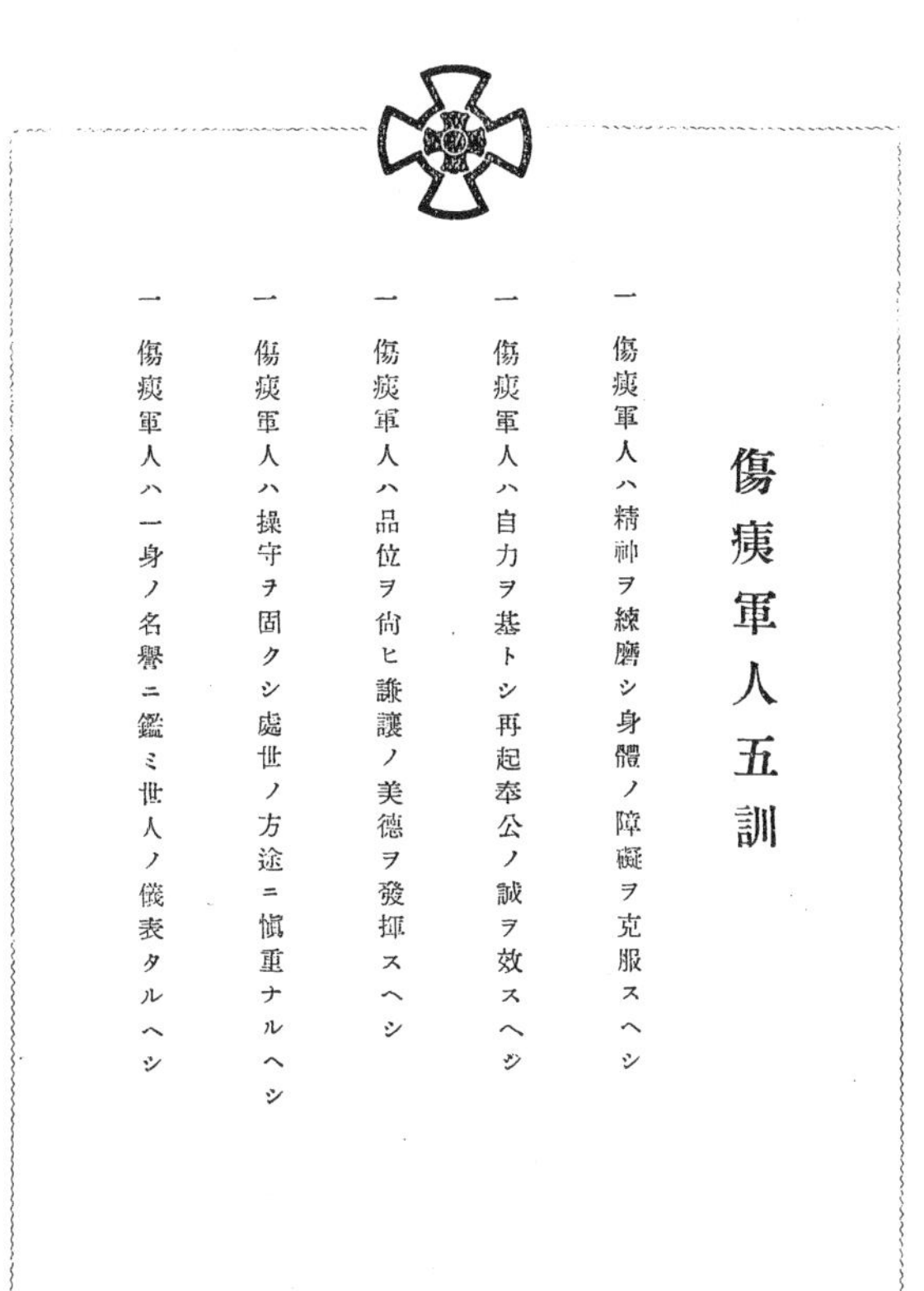

傷痍軍人五訓

一 傷痍軍人ハ精神ヲ練磨シ身體ノ障礙ヲ克服スヘシ

一 傷痍軍人ハ自力ヲ基トシ再起奉公ノ誠ヲ效スヘシ

一 傷痍軍人ハ品位ヲ尙ヒ謙讓ノ美德ヲ發揮スヘシ

一 傷痍軍人ハ操守ヲ固クシ處世ノ方途ニ愼重ナルヘシ

一 傷痍軍人ハ一身ノ名譽ニ鑑ミ世人ノ儀表タルヘシ

傷痍軍人三重療養所

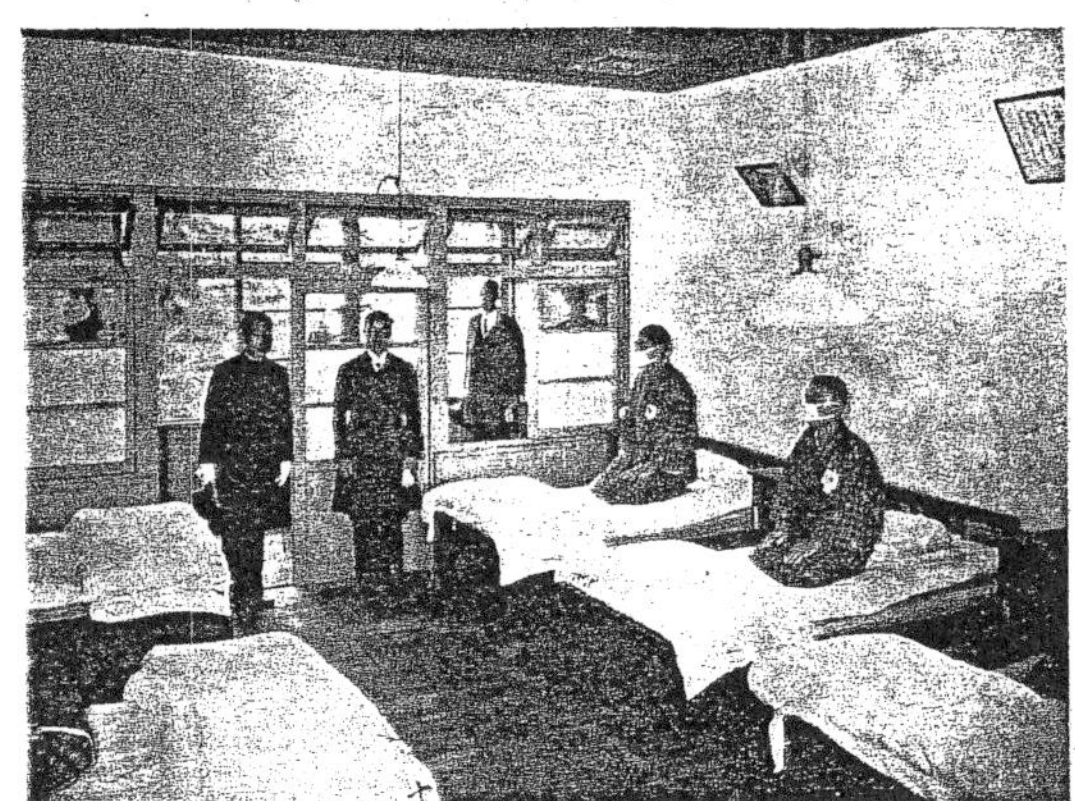

療室御巡視

侍醫御差遣記念撮影

外氣御巡視

すゞか第三周年記念號（第六號）目次

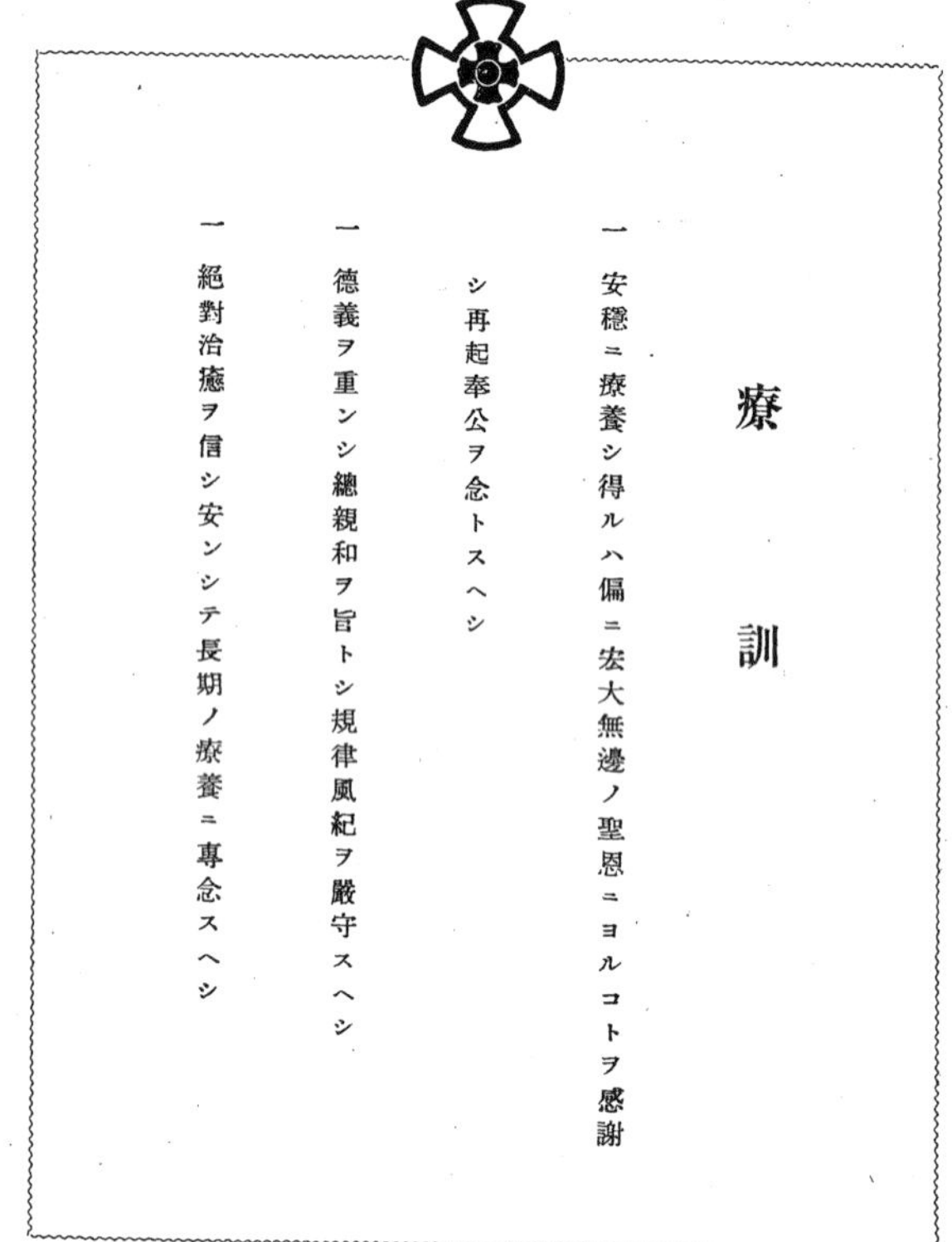

療訓

一　安穩ニ療養シ得ルハ偏ニ宏大無邊ノ聖恩ニヨルコトヲ感謝シ再起奉公ヲ念トスヘシ

一　德義ヲ重ンシ總親和ヲ旨トシ規律風紀ヲ嚴守スヘシ

一　絶對治癒ヲ信シ安ンシテ長期ノ療養ニ專念スヘシ

すゞか　第六號

巻頭言

必勝の信念

信は力なり。自ら信じ毅然として戰ふ者常に克く勝者たり。

必勝の信念は千磨必死の訓練に生ず。須く寸暇を惜み肝膽を碎き、必ず敵に勝つの實力を涵養すべし。

勝敗は皇國の隆替に關す。光輝ある軍の歴史に鑑み、百戰百勝の傳統に對する己の責務を銘肝し、勝たずば斷じて已むべからず。（戰陣訓より）

第三周年記念號に寄す

所長　草野與平

目に靑葉山ほととぎす初かつをの好季に際して玆に開所三周年記念日を迎へ、同時にわれらの機關誌「壽々加」の發刊三周年記念號を世に送ることは、寔に感慨深きものがある。

想へば三年の年月は短くもあり、又長くもあつた。世界の情勢、世情の變遷はもとより、わが療養所そのものの成長否わが「壽々加」の發展のあとを顧みても、其の實體から見れば、三年が五年、十年にも匹敵すると云へよう。殊に大東亞戰爭の必然的勃發と皇軍の赫々たる戰果は、世界情勢を一變して正に世界歷史は一瞬にして百年の轉換を示したと云はれてゐる。我が國內情勢も亦之に呼應して百年の巨歩を印し、今や東亞諸民族の盟主として、八紘一宇の理想顯現の確固たる歩みをつゞけてゐる。此の情勢の眞只中に重大使命を荷つて生誕したわが療養所は、その使命達成の完遂に、職員も入所者も家族も更に國家社會全體が打つて一丸となつて努力と精進を捧げて來た。その成果に對する批判は第三者にまかせるとしても、我々は顧みて何等良心に恥づるところはない。よくやつて來た、やつて吳れたと感謝することは許されてよいと思ふ。だが然し、われわれは決して現在に甘んずる者ではない。より立派な、より秀れた結實を第三者が期待してゐることを自覺してゐる。そしてその期待に添ふべく一段の努力と精進を忘れてゐるものではない。否寧ろ現在は所謂創業の第一段階を終つたに過ぎないことを思ふ時、われわれは更に鐵石の團結と、熔岩の熱情を以て、職域の奉公に、本分の遂行に邁進せねばならぬと云ふ責任を痛感してゐる。本當の業績は正にこれからなのである。「壽々加」の歩みもほゞ同樣であつた。その生誕から今日まで、顧れば苦しいながらも懷しい努力の結晶であつた。紙の統制等も手傳つて思ふ樣に手足をのばすことは許されなかつたが、然し內容は却つて向上の一路を辿つて來た。投稿者並に編輯にたづさはつた諸士に感謝したい。「壽々加」は、われわれの生命の流でもあり、生活のオアシスでもあり、情緖の世界でもある。「壽々加」のこの使命は充分に果して來た。更にわれわれの生活のパイロットとして躍進を續けて吳れることを祈つて止まない。われわれは「壽々加」を有形無形の中心としてより充實した、より正しい療養生活を建設してゆきたい。

開所三周年所感

竹澤指導官

開所當時入所以來尙療養を續けて居る人々がある。一口に三年と云へば短かいやうであるが、療養生活の三年は、此等の人々に取つては決して短かいものでないことゝ察する。それは此三年に亘る療養生活中には、精神的にも、肉體的にも、種々苦惱せられたであらうことも亦察するに難くないからである。私は此等の人々が、一意再起奉公を念願して今日まで頑張つて來られたことに對し、大に同情すると共に其の强固なる意思と不屈の勇氣とに對し衷心敬意を表するものである。之に反して此の三年間には、入所後一年は愚か、半年も、甚しきは三月も經ないのに、而かも前途尙大に療養を要する症狀を持ちながら、退所した人々もある。尤も家庭事情等眞に已むを得ない、個人的には誠に同情すべき氣の毒な事由の人々もないではないが、其の多くは主として療養精神の薄弱、信念と勇氣の不足に因るやうである。そして此等の人々は退所後何等不安もなく、力一杯に活動し、眞に再起御奉公して居るかと云ふに、それは每年調査の結果に徵しても、遺憾ながら滿足な人が少いやうである。

申すまでもなく、此種の疾病は比較的長期の療養を要するものであるから、最初から飽くまで長期に堪へる覺悟と絕對治癒の信念とを堅持することが大切であつて、途中焦つたり、迷ふたり、腰を折らしたり、油斷をすることは禁物でなければならぬ。どうか已に三年間頑張り通した人々は、今後も全治に向つて益々頑張り通されたい、又其他の多くの人々も、之に見習つて相共に一意療養道を驀進し、眞に再起御奉公の出來る日を速かに迎へられんことを祈念して已まない。

今や大東亞戰爭は、如何に長期に亘ろうとも勝抜かねばならぬ、國民總てが、堅忍持久、不撓不屈の鐵石心を以て、各々職域に從ひ、職分に應じて、總力を必勝の一點に集注發揮するを要する。此の重大時局下に、日々療養を本分とする人々の心構も努力も亦固よりこれ以外に脫逸すべきではないと信ずる。

特別寄稿

歌ものがたり

文學博士　佐々木信綱

今年一月、大政翼贊會三重縣支部の主催により「三重縣翼贊歌人會の結成式が擧げられた際、宇治山田市に赴いたに、當療養所の所長と庶務課長とがわざわざ訪ね來られて、諸君の爲に一場の講話をとのことであつたが、時間の都合がつかず、又の折にとお斷りしたことであつた。伊勢は自分の故鄕ではあり、ここで病を養つてをられる諸君の爲に、お話をする機會を得たならばと思うてをつた折から、今回、公用で京都に來た歸途、津市に立ち寄ることになつたので、かねての約束を果しに參つた次第である。

今日はあやにく春雨がうすら寒く降り注いでをるが、伊勢路は今いづこも、麥畑の綠と菜の花畑の黄なる色とに彩られ、裝はれてをる。一身田の町を過ぎて大里村に入り、大澤の池に副うて上り、この翠が丘に來ると、古くここを花山というて、一身田の高田派本山の供花を採つたところと聞いた如く、ここかしこに八重櫻が咲き殘つてゐ、躑躅が咲き初めてをる。聞く處によると、當療養所は、敷地面積六萬一千餘坪を有し、丘の名にふさはしい翠の松に圍まれた、もの靜かな丘陵地帶で、今日は雨霧に包まれてゐるが、東には近く伊勢の海を臨み、西には遠く鈴鹿、布引の連山が見渡され、展望こよなき景勝の地である。ここに設備の行屆いた多くの病棟が設けられてをり、現代醫學の能ふかぎりの諸設備が調へられてゐる。かかるよき地で病を養ふことの出來る諸君は、療訓の第一に「安穩ニ療養シ得ルハ偏ニ宏大無邊ノ聖恩ニヨルコトヲ感謝シ再起奉公ヲ念トスベシ」とあるやうに、療養のためにこの理想的の健康地を與へられた大御心を仰ぎ奉り、大皇國の有がたさを畏んで、一日も早く再起奉公せられむことをひたすら祈る次第である。

所長のお話によると、療養の爲の諸設備のみならず、精神指導の爲に種々の機關が設けられ、講堂教育として、精神訓話、時局、產業等の講話を聞かれたり、趣味情操教育としては、希望者に、短歌、俳句、書畫、その他を學ぶことの

出來るやう取計らはれてあるとのこと。當所から發行される雜誌「すずか」を見ると、印田巨鳥君が來られて、作歌のために懇切な指導をされ、諸君も熱心に歌の道に進んでをられる樣子である。まことに喜ばしいことと思ふ。いま、歌をたしなんでをられる諸君のために、又、將來歌を詠まれようとする諸君のために、ここにいささか歌がたりをしようと思ふ。

わが國は古くから、言靈の幸（さき）はふ國、言靈の佐（たす）くる國というて、言葉を重んじ、言葉に靈があると尊んでゐたのである。それ故に、言靈の花ともいふべき歌は、上代から今日に至るまで、國風として詠みつづけられて來た。しかして、歌は如何にして詠まれるかといふに、人は元來誰しも歌心を持つてをり、その歌心を養ふことによつて歌が生れる。歌心といふ言葉は自分が夙くから人にいうた言葉であるが、歌心はすべての人が有してゐるものである。事物に感ずる心は、もとより人間自然の感情である。人間として、喜怒哀樂の感情を有しない者のないことは、即ち誰でもが歌心を有してゐることを示してゐる。從つて歌は誰にでも詠まれるのである。詩歌は人間の感情の聲であり、また自然の聲であるからである。併し、普通の喜怒哀樂の感情そのものが、直ちに歌心とはいへないのであつて、さうした感情を誰でも持つてをりながら、歌を詠むのは一部の人だけであるといふのは、歌を詠む術を知らないと同時に、歌心を養はないからである。種々のものに對する喜怒哀樂の情をそのままに發散させておいたのでは、歌心は養はれない。それらの感情をよく味ひ直し、反省し、自ら工夫して育てなければならないのである。それには、平生見聞し遭遇する、あらゆる自分の經驗を注意し、常に自分の心の內の感情や、外界や自然の事柄を、じつくりと眺めて、よく理解しなければならない。そこに、自然に歌になるべき要素、趣が浮び出て、歌心が涵養されるのである。

また自分は、歌は心の糧であるといふことを夙くから唱へて來た。常日頃、歌心を練ることは、自分の感情をも練ることである。ぬけ難い苦しみに直面した時も、その苦しみを苦しみ、顧み、考へ、歌になしてゆく時に、苦しみは苦しいながらも一沫の光がそこにさし、やはらぎが訪づれて來ることは、歌の德である。即ち歌は人間の精神の糧といふべきである。

自分は、日清、日露の兩戰役に、軍歌を多く作つて、いささか御國に報ずるために微力を盡したのである。この度の

事變に際しては、第一線に將兵諸士を慰問したいと思つたのであつたが、醫師の許がなくて、殘念ながら果すことが出來なかつた。それで、せめて力の及ぶ限りに於いて、御奉公をしたいと考へて、昭和十三年九月以來、社友の伊藤嘉夫君と共に、東京第一陸軍病院に隔週月曜日に行つて、歌の講義及び指導をすることとした。この六月八日は第百回になるのである。さうして、身命を國に捧げて聖戰に參加し、彈雨生死の間に敵彈に傷つき、或は手足を失ひ、或は戰盲となられ、或は病を得て療養せられてゐる傷痍軍人諸君と親しくお逢ひして、病臥の苦しみ、彈痕の痛みに堪へて、不自由な身を再起のために訓練せらるる努力のなみ〳〵でないことを身にしみて感じてをることである。さうして、この苦痛を身に負うて、雄々しく再起奉公を念願として鬪病してをられる方々の、心の傷みを和らげる一助として、歌を詠むことをすすめてをる次第である。古人も「おぼしきこと言はぬは腹ふくるるわざ」というてゐるが、苦しみをただ〳〵心の中で堪へてゐるのは、心の結ぼれることである。さうはいふものの、それをただ口に出して言ふだけでは、消極的な愚痴に終つてしまふ。苦しみも歌に詠まうと努力する時に、始めて建設的な方向に向ふのである。歌を思ふことによつて苦しみにのみ心が集中されるのが薄らぎ、一首の歌が纒まれば、物の完成される喜びがそこに湧いて來て、歌の出來たといふ滿足感は、病苦をも輕くすると考へられる。さうして、苦しみをさへ喜びに轉じうることの體驗が、今後進むべき道にどのやうな明るい光を添へるかは想像するに難くないことである。かくて、歌心を養ふといふことが、心の持ちやう次第で、どのやうな境遇でも、どのやうな人にでも出來るといふことは有難いことである。不幸にして戰に傷つき、或は手を足を眼を失ひ、又は病魔の犯す所となられた方々が、歌心を育くむことによつて、心に安定を得られ、これが再起奉公のための杖ともなり、光ともなるならば、それはその方々自身の幸福であるのみならず、わが日本の國、大御國の幸福ともいふべきである。生きるといふことは、何かの意味で自分を表現して行くことである。正しく立派に自分を表現できることは、人生の最も大きな仕合せである。聖戰に參加された傷痍軍人諸君が、その偉大な体驗と感動をつぎ〳〵に詠み出でられることは、前にいつたやうな意味で、詠まれる方自身の幸福であるのみならず、それは、戰場の体驗なき一般國民に、戰場に於ける勇武と精神とを知らしめ、所謂儒夫をして立たしむることにもなるのである。更には、百年、千年の後の子孫たちが、大東亞の建設に礎となつた祖先たちを偲ぶよすがともなるのを思ふ時、歌を作

ることは、單なる遊戲や慰籍のみでないことを覺えしめるのである。

自分は第一陸軍病院に於いて、歌を講じてゐる間に、幾多の尊い事實を見聞した。歌心が心の糧となつて療養に好結果を及ぼし、傷の痛みや不眠症に惱んでゐた兵の方々が、歌を想ふことによつて救はれたとか、傷が癒えて鄕里に還つた後も、歌を作ることによつて、更生の生活が明るくなつたとか、いろいろ喜ばしい報告を聞いたのである。さうしてそれ等の人々の歌を集めて「傷痍軍人聖戰歌集」第一輯第二輯を伊藤君とともに編纂したのであるが、中には、空軍の人の作さへもあつて、歌の歷史始つて以來の尊い記錄ともいふべきである。戰國の勇將武田信玄の家法には「歌道嗜むべき事」といふ條があり、北條早雲の二十一箇條の掟書には「歌道なき人は無手にいやしきものなり、學ぶべし」と言つてゐるのも、人の心の最も緊張してゐる時にこそ、心の餘裕と潤ひをあらしめるやうに心くばりをすることの大切なことを教へてゐるのであると、思ひ合せられたことである。

諸君が不幸にして病を得られたのは痛ましいが、どうかこの風光の勝れた處で病を癒すことの出來る大御惠を思ひ、心の慰めとして歌心を養はれて、一日も早く自力更生して、再び國家のために盡されることを希望する。歌に就いての話は以上で終へて、今度は旅行談を少ししようと思ふ。

今回は、この四月十五日に東京を立つて京都に赴いた。これは紀元二千六百年奉祝會から帝國學士院に依囑された宸翰英華のために、東山御文庫の數々の尊い宸翰を拜觀することとなつて、東京から委員長の瀧博士、委員の市村、辻博士、宮內省の芝氏、東京帝國大學の岩橋氏、相田氏、神宮皇學館の山田博士をはじめ、文部省その他の人々と京都の委員狩野新村博士が集はれて、宮內省からは、特に入江、德川兩侍從が御差遣になり、文庫の勅封をお開きになつたのである。それを每日拜觀し、撮影すべきものは撮影したのである。恰も御殿に於いて種々調査してゐた最中に、あの十八日の午前の警戒警報が發せられ、午後には空襲警報のサイレンが鳴るといふことに遭遇した。幸ひ、京都は何のこともなかつたのは洵に有難いことであつた。

翌十九日は日曜日で、京都大學に於いて、諸社諸寺から集められた宸翰を拜觀した。終つて、自分は今日、津市に來り、岡井大尉に迎へられて、まづ、一志郡川合村に稻垣兵曹長の家を訪ねたのである。旅順閉塞隊の杉野兵曹長も、こ

の同じ三重縣の出身である。此の度、九柱の軍神と祀られた中の一人の稻垣兵曹長も、近邊の雲出川で幼い時から水泳をしたり、また、旅順閉塞隊の唱歌を喜んで口誦んでゐたといふが、その兵曹長の家は、質素な農家であつて、淳朴な父君に、つつましやかな母君が、代る代る自分の問に答へられる。その言葉も懷かしい伊勢訛で、殊に、母君が門庭を指さしつつ、あの子が木登りをしてもいだ柿の木です、あの密柑の木は山からあの子がひいて來て大切に育てたのですが、去年實りました。あの櫻の木もあの子が山から拔いて來たので、今年は花が咲きましたと、あの子があの子がといふ優しい聲を聞くと、この穩やかで信仰心の厚い母君から、また如何にも農人らしい頑丈な父君から、尊い軍神の一人が生れたのも理りであると思うて、深く感激し、いろ〳〵の話を聞きつつ淚が溢れおちたことであつた。その川合村から當所に來たのである。元來津市へ來たのは、記念の軍歌を岡井大尉が作られ、それを自分が補訂した緣故で、招待をうけたのである。明日は、その嚴肅なる式に參列したいと思うてをる。

終りに臨んで、諸君が早く再起して國家のために盡されるやう念願し、また所長を初め、多くの所員、看護婦の諸君が、名譽ある傷痍軍人諸君のために、最新の設備と相俟つて、獻身的努力をされてゐることに、厚い感謝の誠を捧げる次第である。

(さきに療養所を訪ひし日、少病の後にて腹案を十分に述ぶることを得ざりしまゝに、ここにこの一篇をしるして「すゞか」に寄す。)

萬葉集と伊勢地方

印田巨鳥

一

萬葉集が單なる最古の歌集であり、短歌の大宗でありとする取扱方は、一應成立を見るのであつて、古典文學としての價値は至高のものたるは論を俟たぬ。

かくの如き文學作品を通して更に民族精神の表現を如實に知り得て、玆に所謂萬葉の本質に徹することが出來るのである。且、日本書紀古事記の二大古典に併せて、之を考攷することによつて、日本が輝かしき精神文化を世界に宣揚すべき秋である。いま新しき世界觀、人生觀、宗敎觀、文化觀の上に大理想が展開しつゝあるが、われわれの祖先は、旣に遠い時代に於て、大構想も以てゐた。正しくその精神を體得することは、大和民族今日の新しい追及である。私は、斯る意味から、記紀と共に萬葉集の制作時代、作者、內容、を味續することを勵め、又、自らも常にこれを繙くことに勗めてゐる。そして、萬葉集が包藏する眞精神に觸れて、始めて皇國に生れた歡喜を沁々と感じてゐるのである。

これらの萬葉集に現れた詞句、文法などの形態に關する研鑽は、實に廣く、深く學究的に發展し、或は又地誌の考察人物傳記に於ても極めて明瞭な点もあるが、記錄の散逸、地勢の變化、言語の推移などの歷史地理文學方面に糾明を重ねてまだ幾多研究論議の餘地を存してゐる。ともあれ、その萬葉集に親みつつ、我が鄕土伊勢地方に、どんな作品が詠まれたか、その一部だけを紹介してみたいと思ふ。しかし、これも年久しく實地踏査をしたり、作品の成立、歌からうける印象など、若くは諸先輩の意見を對比し、考察をしてゐるが不敏にして、大方の敎を仰がねばならぬが、唯、萬葉集を繙かれる折の關心事として、その一端を參考に供してみたい。

二

伊勢は、皇大神宮が、折釧の五十鈴の川上に神鎭りまし、宮柱太敷立て、千木高光り君臣共に仰き奉る。そこで、この國へ

の交通路は古くから開かれ、帝都の地大和から伊勢への街道は發達してゐたであらう。

萬葉集では、この交通路を二方面に知るのである。その一は、名張山を越えて伊勢平野に出る初瀬街道、即ち大阪からする現在の關急電鐵が、櫻井あたりから大略その沿線を東して、更に南方へ通じゐる。當麻麻呂大夫の妻が、

吾背子者　何處將行　已津物　隱之山乎　今日歟　超良武（五一一、四三）

註＝括孤内は「國歌大觀」の番號である。

先づ、名張の山を初めて歌の中に見る、上代の交通に山路は易々たるものでなかつたであらう。旅なる夫を憶ふ妻の歎きがよく出てゐる。

河上乃　湯都盤村ニ　草武左受　常丹毛冀名　常處女煮干（二二）

「十市皇女參赴於伊勢神宮時見波多横山巖吹芡刀自作歌」と、この歌の初にあつて、後註「吹芡刀自未詳也但紀曰天皇四年乙亥春二月乙亥朔丁亥十市皇女阿閉皇女參赴於伊勢神宮」、は多分、天武天皇の御時であらうといはれてゐるが、この歌の解釋については、古來學説が多い。しかし、波多の横山は現一志郡川合村八太から小山に至る地域、八太川（波瀨川）と思はれる古道と信じていい。（關急川合高岡驛南）

また、舍人娘子が、

大夫之　得物手挿　立向　射流圓方波　見爾　清潔之（六一）

の、的形浦、やがて、齋宮の宮舘より明星明野をすぎ、宮川（度會川）を渡つて山田に入る。その街道を少しく北に、關急中川驛の附近に、山邊乃御井（八一、三二三四、三二三五）もあつて、長田王が見られた、美しい伊勢處女どももゐたであらう。

度會　大河邊　若歷木　吾久在者　妹戀鴨（三一二七）

「柿本朝臣人麿歌集出」とあるの一首で宮川の歌枕がある。随つて、この沿道には齋宮群行に因む、哀話も物語も殘つて居り、遠く高見山（わきもこを去來山を高みかも大和のみえぬ國遠みかも（四四）飯南郡波瀨村西境、海拔七千尺）も望まれる。そして山野の嶮路に草臥れ、都を離れて馴れぬ旅愁、戀情が窺はれるのである。

三

いま一つは、前の道より後に栫けたらしく、山城近江を經て鈴鹿に出る（栫植路といふ）。そして鈴鹿河の八十瀨を渡つて北伊勢、伊勢の國府、國分寺に至るもので、

鈴鹿河　八十瀨渡而　誰故加　夜越爾將爲　妻毛不在君（三一五六）

このあたりを北上すること二三里にして

吾疊　三重乃河原之　礒裏爾　如是鴨跡　鳴河蝦可物（一七三五）

と、伊保麻呂が詠じた三重の河原（内部川）が流れてゐるが、參宮街道は鈴鹿郡關町から別れて、河藝郡に入り椋本を經て一身田へ、そして伊勢海に沿ふて南下し、前述の街道と合するに至る。故に、萬葉集の歌は大体この線を起點とするのであつて、伊勢の人の作は殆んどないといつてよく、多くは、これ等の街道を往復した人の作である。

四

さて、集中、天平十二年（紀元一四〇〇）冬十月壬午聖武天皇が伊勢に行幸のことがあり、巻六、雜歌（一〇二九）八首が收められてゐる。この歌は、大伴宿禰家持の作に始り、御製、丹比屋主眞人、大伴宿禰東人の順である。聖武天皇　行幸のことは、續日本紀巻十三にあり、藤原廣嗣の亂をおさけになつたのである。

（前略）幸于伊勢之時、河口行宮、内舍人大伴宿禰家持作歌一首

1、河口之　野邊爾盧而　夜乃歷者　妹之手本師　所鳴念（一〇二九）

天皇御製歌一首

2、妹爾戀　吾乃松原　見渡者　潮干乃潟爾　多頭鳴渡（一〇三〇）

右一首今案吾松原三重郡去河口行宮遠矣若疑御在朝明行宮之時折御歌傳者誤之歟

3、後爾之　人乎思久　四泥能埼　木綿取之泥而　好往跡共念（一〇三一）

右案此歌者不有行之作乎以然言之勅大夫從河口行宮還京勿令從駕焉何有詠思泥埼作歌哉

註―天曆本、好往「將往」此行「此行宮」思泥埼「思沼埼」

狹殘行宮大伴宿禰家持作歌二首

4、天皇之　行幸之隨　吾妹子之　手枕不卷　月曾歷去家留（一〇三二）

5、御食國　志摩乃海郎有之　眞熊野之　小船爾乘而　奧部榜所見（一〇三三）

以下、美濃多藝行宮で東人一首、家持一首、不破行宮で家持一首である。

この行幸の御順路は、前記大和から伊賀を經て伊勢に入られ、河口頓宮は一志郡川口村で往古關を設けられた、字的場の南（與五郎坂）に關址があるが、頓宮は字王住（いま大角、雲出川が西北に流れてゐる、八幡社がある）がその址で、若い家持がまだ内舍人として奉仕してゐた。

御製の「吾松原」は明の松原で、いま四日市々富洲原松原天武社にこの歌碑があるが、私は4の作と共に、一志郡一帶の海岸であると思ふ。4の歌には古來最も論議あるが、續日本紀巻十三「乙未車駕從河口發到一志郡宿」その一志郡宿こそ狹殘（サゴリ）行宮であるべく、諸説の紹介を省略して、狹殘行宮は一志郡松ヶ崎村松ヶ島奈久里の地に擬するのである。四泥崎は、三重郡羽津村縣社志氏神社の東である。

尙、志摩地方についても數首、伊勢にも殘したものがあるが、次の機會に讓りたい。

千鳥鳴く阿漕より

鈴木峰湖

目に青葉山ほととぎす初鰹

の好季節、捷國の鯉幟が青葉の空に翩翻とひるがへつてゐます。三重療養所が目出たく三周年を迎えられましたことは實に慶賀の至りであります、

聖戰半ばにして不幸病のために療養をつづけらるゝ勇士の方々には皇恩の愈々深きに感謝し大自然の中にその心身の平和と健康とを求め再起奉公の實を擧げられむことを衷心お祈りして止みませぬ。

私が三重療養所へ長谷川素逝先生と初めてお伺したのは昭和十四年十一月四日のことでした。俳句は理屈よりも實作が第一だといふので、素逝先生の俳話後直に句作しましたが其の頃出席者の顏ぶれは奥野、松本、伊藤、吉岡、川上、坂本、井室、奥野、原田等の諸氏でした。毎週土曜日毎に御伺してゐましたが皆頗る熱心で眞面目に精進せられたのには敬服の外ありませんでした。

小春日や火鉢なきまゝ緣側へ　伊藤

芝山に詩集ひもとく小六月　井室

小春日や病床に蝿うごかざる　坂本

小春日やいたづき忘れ野に遊ぶ　奥野

窓に干すふとんまふしき小春哉　吉岡

翌年十一月九日始めて河藝郡椋本村へ吟行いたしました。同行するもの二十一名、神の大椋を圍んで句作、

このほとり皆神椋の落葉のみ　古田

しおれたる野菊のまゝの道祖神　坂本

稻を刈るうしろ姿のふりかへり　大川

椋の實を手にし幼きころおもふ　加藤

落葉踏み傷兵椋を圍みけり　矢島

等の句がありました。

會の名をささごとしたのは第四十六回目からでした。爾來各地へ吟行もし度々慰安俳句會へ招待され其の都度强烈な刺戟を受け尙俳誌ホトトギス、桐の葉、牡丹へ投句することに依つて益々自信を深め漸次同好者の激增を見、現在會員百名に垂々たる盛況を呈し回を重ぬること百十回、句も亦一段の精彩をはなつて來たことは實に目出たき極みであります。今過去三年を追想する時實に感慨無量の感がいたします。最近に於けるささご俳句會同人の代表作を左に列記して擱筆いたします。

手花火を終えたる闇のまだ匂ふ　旅子
草摘むを忘れ機影の消ゆるまで　白路
沈む日は大向日葵に送られて　秋紅子
芋掘る日柿もぐ日とて里の秋　幸靜
背ナの子の祭花笠大きくて　鬼城子
しみじみと堪えて夜長の命守る　茅人
朝言葉かはせし二人息白く　虚世
懐爐守り其日〳〵の恙なく　まさる
故郷塚蓑蟲庵としぐれつゝ　藍水
病む身にも除夜のかたづけごとありぬ　靜湖
着ぶくれてゐて山の子のよく駈ける　新樹
病人は屏風の奥に靜かなり　紫逢
療院や着の身着のまゝ明の春　草魚
恩師訪ふ一筋町の師走かな　三水
盆梅にかゝはり日々をうとまれて　城月
下賜園にしてふか〳〵と霜除を　山荘
此處までがいつもの散歩日脚のぶ　光洋
霜腫の手を前だれに包む癖　伊勢人
入所者のあるらし蒲團運び來る　ひいづ
夕蟬の鳴きほそれども熱去らず　夕起緒
水仙に靜臥のほこりなしとせず　ぶせゐ
風すこし二百十日といふからに　征司

無題録

戰の閑の夜營の支那語かな　旅翠
高原の霧に放馬のぬれゐたる　一水

簿記講師　田中信一

■人生と言ふ書物は、一日一日と過ぎ行く一頁一頁から成るものである以上、來る日來る日は寔に大事なものである。人生は遠い所にあるものではない、日常の生活こそ人生であり、現在を立派に過すことが即ち人生を立派に過すことゝなる。

■ミルトンの有名な「パラダイス・ロスト(失樂園)」なる著述は結局、智慧なるものが凡ての罪惡の源であると言ふことを暗示してゐる。けれども、人間に智慧がなければ進歩も向上もあり得ない。偏智教育を排せよと論議される事は、徒らに知識を輕視せよと言ふのではない。今日科學教育の昂揚が叫ばれ、技術の進歩が大いに期待されてゐるではないか、中途半端の知識こそ無用であり、或は罪惡の源ともならうが、研き深めたる眞の知識は必要であり、尊いものだ。品性の陶冶によつて、知は行となつて現はれる。

■心配と心痛とを區別し度いものだ。「心配はすべし、心痛すべからず」である。何事にも出來るだけ心を配らねばならぬ。併し乍ら心を痛めてはならない。こゝが修養である。日常生活に於て、心を配らないで不慮の結果を招いて後悔しては何にもならぬ。人事を盡して天命を待つとか、人事を盡せば道が開けて行く。

■養生訓は世に色々あるが、玆に面白いのを御紹介しよう。曰く、三Sと。三S（サンエス）とは、粗食と咀嚼と節食のことである。咀嚼と榮養との關係は節米運動の盛な今日よく唱へられてゐる所で誰でも御存じの筈。今一つの養生訓は三Kである。三K（サンケー）とは、快食、快眠、快便のことだと言ふ。宜なるかな。

無題

紀平忠右衛門

壽々加第三周年記念號發刊に當り、壽々賀の彌々發展を祝福し併て所懐の一端を披瀝することを得ますことは私の尤も欣幸とするところであります。私は珠算の講師として諸君に接する事が多いのでありますがこれは一部の入所者諸君でありますので、此の誌上を御借して体驗を通じての私の信念を一、二を申述べて見たいと存じまして、こゝに筆を下した次第であります。私は須らく諸君に多趣味でそうして正しい療養を希望するその意味に於て諸君が俳句に、短歌に、果又書道に、珠算に弓道に釣に療養の傍ら之等の趣味の方面に精進せらるゝ雄々しき姿を見るにつけ實に感激に堪えないものがある。そして知らず識らずの間に面白味（進歩）を生じ病苦も何物も全くその間は忘れてゐるその忘れると言ふ事がどれほど治癒の上に効果があるかは想像に難くない。

▲肺病を苦慮する爲に身體に及ぼす害は肺病そのものゝ害よりも大きいと、云ふ諺がある、如何に苦慮することが悪いかは察知される大いに忘れなくてはならぬ。私が過去十數年前に此種の病氣に苦しむだ事がある。その体驗談は又の機會に讓ることゝして玆に一二の信念を書かう。

一、病氣を忘れる事
それには前申述べた樣に多趣味な生活をする事。

二、治る肺病で死ぬのは恥辱である。

急性の病氣なればともかく慢性的な肺病等は至極癒り易い病氣であるしかし長期の療養を確固せねばならぬからその間に精神的に或は物質的に色々の事態が起る。それを克く堪え忍んでゆかねばならぬ。

三、死ぬまで生きてゐる。

萬物凡て死ぬまでは生存してゐる。死ぬまで戰ひ拔かう、こう考へるとき生も死も何物でない。所謂死線を超越しての無我の境涯に達することができる。

四、感謝で生きよ。

病氣も一ツの修養だ、ことに慢性の肺病に於ては長期の療養だけに修養も亦大きい。病氣してこそ人の憐れみを感じ同情も起る病氣せない健康體の人にそんな話をしたつて、てんでわからない。それかと云つて、不規則な事不攝生な事をして病氣に志願する必要もない。かく考へるとき病氣も感謝し、甘じて樂しく愉快に療養が出來る、有難い哉つまらぬ事を申上げました。療養上多少なりとも參考になれば幸甚。

新任の挨拶

海老澤克巳

當所開所三周年記念の月に當所の庶務課長として赴任しましたことは偶然とは申し乍ら誠に意義深きものであります。

私は永く警視廳に職を奉じ半世は警察行政で暮して參りました關係上傷痍軍人援護事業に就きましては全くの未經驗者俗に謂ふ素人であります。私は後半世を傷痍軍人援護事業に一身を捧ぐる覺悟で御座ゐますが私如き愚鈍なる者が庶務課長の重責を全ふし得るや否や甚だ危んで居る次第で有りますが、幸ひ所長殿の御指導により大過なく全ふすることを得ましたならば幸甚之に過ぐるものはありません。
甚だ簡單でありますが此れを以て新任の御挨拶と致します。終に臨み入所者各位の一日も早く御快癒せられんことを御祈申上ます。

新任の辭

調劑官　磯谷小三郎

不肖は此の度草野所長殿の御推擧によつて軍事保護院調劑官に任ぜられ當三重療養所に勤務いたす事に相成りました。顧みまするに私は多年心ひそかに同じ一つの職場に働いて行くならば直接でも或は間接でもよいが何か軍に關聯した所に奉職したい。之れが私の念願とするところでありました。素より何れ如何なる場所に於て働くとも銃後の赤誠を現はすに些かの變はりないのでありますが、それが計らずもこゝに平素の望の一端を達し名譽ある帝國の傷痍軍人其の療養所に職を奉じその機構の一端を擔任致す事を得ましたるは私の光榮と存じ深く感銘いたすところであります。かゝる上は良く當所の主意精神を體得し駑鈍に鞭ち一意專心其の職務に忠ならん事を期するのでございます。所長殿を始め諸官諸司の御叱正を蒙りたく又御指導御鞭韃を賜はり以て過誤なく、その職責を盡さしめられん事を伏して懇願申上る次第であります。

懸賞論文（一等當選）

大東亞戰爭下に於ける吾等の使命

七ノ七　田村正一

皇紀二千六百一年十二月八日、初冬の澄みきつた山寮に朝のラヂオ体操のメロデイに變つて轟然たるラヂオの響き、それは歷史的な大ニユースを報じたのであります。

「大本營陸海軍部發表帝國陸海軍は本八日未明西太平洋に於て米英軍と戰闘狀態に入れり」この聲の終るや否や勇ましい行進曲が高らかに響いて、こゝに一億の總進軍がはじめられました。

吾々は今迄かゝる事態が何時かは到來するものと覺悟は致して居りましたものゝ新たなる感激に胸中の躍動を覺えたのでありました。十一時四十分畏くも宣戰の大詔が渙發あらせられ、つゞいて東條首相の諄々と國民に呼びかく一語一語が電波にのつて吾々の胸底を貫き、心身共に引締り只感涙に咽んだのであります。

今更私共の驚くべき事ではなく、只來るべき秋が遂に來たのであります。支那事變勃發以來否滿州事變勃發、國際聯盟脫退の時より一億國民は今日あるを豫期して居たのでありまして、世界を敵として戰ふの決意は出來てゐたのではないでせうか。私達は少年魂にも米英打倒の言葉は屢々聽かされ、その精神を培はれつゝ今日に至つたのでありまして、今更事新らしく吾々の使命は覺悟はと騷ぐ必要もなく既に覺悟は出來て居り、各自の使命は充分心得て居る事であると信じます。要は傷痍軍人五訓、療訓を遵奉し、職員の指示に從ひ眞面目な正しい療養精神を强化して一日も速に全治退所御奉公の誠を致すの覺悟、これが今吾々に課せられたる唯一の重大使命であると信じます。

如何にすればその使命を全うする事が出來るか、今更私がくど〳〵しく書かなくても各自が充分に自覺して居られる事でありまして大詔渙發の日に醫務課長殿の御訓示に

「入所者は入所者らしく、職員は職員らしくお互にらしくある生活をせよ」

とのお言葉がありましたが、これで總てが云ひ盡されてゐると思ひます。入所者らしくある理想的な療養に邁進すればそれで吾々の現在の使命は達成出來得るのでありますが、玆に私の日頃の所感を披瀝して見度いと思ひます。

療養生活否社會生活に於てあらゆる環境に感謝する、この精神が一番大切な事であると信じます。人間は感謝の精神なくて一日も、否一時も幸福な生活は出來得ないと思ひます。増して療養生活者に於ては缺くべからざる事でありまして、如何に立派な設備の處で、立派な醫師、藥、榮養を以てしても、不服のある生活には決して最後の勝利は得られないのであります。不服していたゞく食事から榮養分が吸收されませうか、不服して呑む藥に好果があるでせうか、若し金錢にて病氣が全治するものなれば、金のある人は全部健康者ばかりでありませう、總ての境遇に感謝出來得ればそれで闘病心は完成せられ、ひいては人生成功の第一歩となるのではないでせうか、必ず病魔を克服して凱歌を擧げ得る事が出來ると確信致します。增して私達は宏大無邊の大稜威の下に、絶大なる銃後の後援をうけて日々安穩に療養させていたゞける、この感謝、この感激がなくて何がありませう。尙この非常時局下緊迫せる社會の狀勢を思ふ時、吾々の現在の生活は實に勿体ない、盡きせぬ感謝の誠を捧げねばならない生活ではないでせうか、時々外出外泊にて實社會に出て誰もが感じる物資不足、それに不平不滿もなく働く銃後國民を思ふ時、又吾々が軍隊に於て体驗したる日常生活、戰友は今その辛苦に打勝つて第一戰で活躍しているその勞苦を思ふ時、只吾々は遊んで居るのが勿体ない、申譯ない、一日も早く御奉公申上度いとの心が溢れ胸中の躍動を覺ゆるのでありますが、今の體では明日から働く事も出來得ないのでありまして、只その日〳〵を總てに感謝して正しい療養に邁進して一日も速に病魔を克服するより外に方法はないのであります、感謝－この精神を忘れる時には暗い、種々煩悶の生活をしなければなりません。感謝の生活には己づと明朗な、明るい、樂しい療養生活が生れると思ひます。

次に傷痍軍人五訓にもあります如く

「傷痍軍人は一身の名譽に鑑み世人の儀表たるべし」

吾々は名譽ある傷痍軍人であるとの誇を忘却しない事であります。

畏れ多くも皇室の吾々傷痍軍人、否現在療養中の傷病者に垂れさせ給ふ數々の御仁慈に又銃後の眞心からなる後援に只傷痍軍人たるの名譽に、有難さに感涙の溢るゝを覺ゆるのであります。銃後は吾々の一擧手一動作に至る迄注意の眼を以て見てゐるのでありまして所謂衆人監視の中にあつて療養しているのであります。尙吾等の後輩青少年は憧憬の眼を以て見てゐます。吾々の行動の善惡が第二國民に與へる影響の重大なるを思ふ時、吾々の責務の重大なるをより一層痛感するのでありまして彼等に失望を與へる事のなき樣、否彼等の模範となりて指導出來得るの修養が必要であると信じます。銃後は吾々の全治御奉公を如何に期待して居る事でせう、私達はこの銃後の期待に反する事なき樣、眞面目に療養し精神の修養練磨に完璧を期するの覺悟を以て進むべきであります。

過ぎし日銃後の熱誠なる萬歳の嵐、日の丸の波に送られて「もう俺は何時死んでも滿足だ」

誰もが感じた筆紙に現し得ざる感激に胸をときめかして故鄉を出た吾々だ、幾度か彈丸の下をくゞつて、あらゆる困苦缺乏に耐え忍んできた吾々だ、一度死を決して大東亞の礎となる覺悟をした吾々が、これ位の病魔に負けてゐてそれで大日本帝國軍人だつたと云へませうか。大和魂もてる國民と云へませうか。必ず病魔に打勝つの不動の精神こそこの非常時下の吾々の使命を完全に全うする事でありましてそれではじめて立派な大和魂に燃ゆる大日本帝國々民であり大日本傷痍軍人であると信じます。己の體にして己の體に非ず、一度國家に捧げた體に自分の不注意、否心のゆるみから故障を生ぜしめたのであります。如何なる事があつても、もう一度元の體にして御奉公申上げねば申譯ないのであります。大楠公精神

「七度人間に生れて朝敵を亡ぼさん」

吾々もこの氣慨、この精神を以て闘病に邁進すべきであります。

今吾々は療養して居ます、然し普通の病氣を治してゐるのではありません。再起奉公の準備をしているのであります。再度御奉公申上る時には完全に御奉公申上られる樣充分なる準備が必要だと思ひます。又吾々には働く者には想像も及ばぬ修養の時間が與へられてあります、社會では充分なる時間が與へられず遂に修養の機會を失し勝ちでありました。然し吾々には時間の心配は不要であります。入所の時に所長殿の訓示に

「療養所即道場也」

とのお言葉がありました、私共はこの道場にて起居して居るのであります、こゝで充分心身を錬磨して他日御奉公申上る時には世人の嘲笑をうけるが如き事のなき樣、否吾々の軍隊生活に於て體得したる處の軍人精神と、療養期間に磨きあげたる療養魂とを以て、人々を指導出來得るの人間となりて出發致したいと思ひます、否必ず指導者たるの人格を以て再出發するの覺悟が必要であります。

尙病氣の性質上長期の療養を必要とするが故に遂に療養に

倦きがくる、自暴自棄の精神になり易いのであります、これも充分愼むべき事であります。

　のろくとも牛の歩みにならへ人
　　駿馬に鞭をあてゝ落つるな

この金言にも私達療養者の學ぶべき處があると思ひます、急いで事をし損んじる、急いで退所して再發したる友の多くある事、否私も恥かしい次第ですがその經驗者の一人です。過日東條首相の講演の中に

「戰ひの長期に亘るを意とせず、如何なる困苦缺乏にも耐え盟邦と共によく必ず最後の勝利者たるを固く信ず」

とのお言葉がありましたが私はこのお言葉も吾等療養者が充分に味ふべき点がある事を痛感致しました。即ち戰の長期に亘るも吾々の鬪病生活の長期に亘るも、如何なる困苦缺乏にも耐え！吾々には首相の仰せられてゐる樣な困苦はありませんが精神的苦痛に打勝つて、盟邦と共に醫官、看護婦、療友と共に即ち療訓の總親和を旨とし、よく必ず最後の勝利者となる事であると解釋致しました。

そうして私共各自が病魔に打勝つ事は國家の勝利であり、大東亞の勝利であり、ひいては世界の平和の基礎となるのではないでせうか。一人の身を亡ぼすのみだと考へれば實に小さい些細な事でありますが前者の樣に考へれば各自の鬪病の勝利たるや實に重且大なる使命を全うする事になるのであります。

私達は萬國無比の國體を有するこの神國にしかもこの光輝ある世紀に生を享け、御稜威の下に、この立派な療養所で、所員の溫き看護をうけて、熱誠溢るゝ銃後の後援をうけて何の心配なく療養出來得る幸福感を一時も忘れず、我儘、其の他種々煩悶の生じたる時には、一身を捧げて征途についた日の、幾度か死線を突破したる日の、客年十二月八日宣戰の大詔渙發の日の、すぎし數々の感激を靜かに思ひ浮べ、大詔の大御心を拜し奉り、靖國の御社深く鎭る護國の英靈に、必勝の信念に燃えあらゆる困苦に打勝つて總進軍しつゝある第一戰の戰友に、一億銃後國民に、滿腔の敬意と感謝の念を捧げて、種々煩悶に打勝ち病氣を治すのは自分の爲に非ず、國家の爲に全治するのだ、といふ覺悟を忘れず正しき療養精神の强化につとめ、國家興亡の岐路に立つて進軍しつゝあるの秋に際し、一日も速に全治退所、御奉公の誠を盡すといふ不動の信念、不動の決意こそ、吾々傷痍軍人否傷病者に課せられたる今日の使命を完全に全うする事が出來るのでありましてその使命を各自が打つて一丸となりて完全に全う致し度いと誓ふ次第であります。（完）

懸賞論文（二等）

大東亞戰爭下の吾等の使命

七ノ十　長島郁三郎

大東亞戰爭

昨年十二月八日朝未き黎明を突如蹴破つて告げる臨時ニュース。開戰のニュースだ。戰だ。嗚呼想へば何んたる感激の放送だつただろう、感奮を覺へたニュースであつただろう。經濟上軍事上あらゆる威嚇を敢てし、傲慢不遜なる態度を以つて我に挑戰し來た米英兩國に對し常に隱忍に隱忍を重ね、忍へざるを克く忍んで只管平和的解決を望んで來た帝國が米英擊滅せずんば止まじと正義の鉾を執つて、蹶然立ち上つた歷史的記念日だ。ニュースだ。」あの朝のニュースを聽いた時、吾等入所者の心持は如何であつたか、逸る米英擊滅の意氣抑へきれず身の境遇を慨嘆した事であつたでせう、克くやつた、とことん迄は必ずやろう、又やらなければならないと、胸の奥底に固く誓ひ、愛國の至情迸り、熱血の躍動を禁じ得なかつた事でありませう。戰未だ半歲を出ずして正義の前には何物も慴伏し、忠勇義烈我が皇軍は破竹の進擊し敵の牙城を次ぎ〳〵に陷落せしめ御稜威は四圍に普き今や遠く印度洋迄戰果を擴大したのである。

生を御代に享けた我々の此の感激此の歡喜は筆舌に盡せざる所である。此の輝しき大戰捷の蔭には、あらゆる不自由を忍び、激務に堪へ、克く萬里の波濤を突進み、或は、海底を潛り空に羽搏き太平、印度兩洋今や狹しと索敵必滅の意氣に燃へ縱橫無盡に活躍する海軍や、赤道直下の炎熱とジャゲルを克く征服し猛獸や疫病と鬪ひ、攻むるを知つて退くを知らぬ陸の戰友が、陸に海に空に今死力を盡して奮戰して居る事である。又幾多の尊い人柱が、大君のため、祖國のため、興亞の礎石と化した事に思を致して心から感謝を捧げ、冥福を祈り、膽に銘して忘るゝ事なく此の大戰果の驚異に陶醉しての餘り濫に愉安を貪り、自己の任務を疎そかにするが如き事は斷じてあつてはならない。克く使命責務を自覺して其の職域、其の道に於て聖旨に應へ奉るべきである。

心構へ

大君の御召しに應へ鄕土の期待を一身に擔ひて晴れの出征をした時誰しもが彈に當り玉碎を期すも病と殪るゝ事なく、誓つて君國のため御奉公せんと、一死報國の固き決意を胸奧に秘めて勇躍征途に上つた時の生死を超越した殉國の大精神こそ、皇國と生れた者ひとしく抱えた我等の誇りである。」神の如何なる計ひか、如何なる我れの不德か、武運に惠れず、戰線半ばにして後事を戰友に託し別れを告げ、無念にも今は此の山莊の療舍に呻吟する身となつた、然し身は傷痍を受けたりとは云へ、精神に於ては往事と變るべきものがあつてはならない。莞爾として靖國の櫻と散つた戰友や、今尙一線に於て銃執る友と環境こそ違へ精神に於て逕庭があつてはならない。吾々の步むべき道は一筋の療養だ、療養道だ。冬來りなば春遠からじとか隱忍自重努力療病の彼岸には必ずや再起の曙光が双手を擧げて待受けて居る。再起せずんば止まじの療養魂を鼓舞して、急がず、焦らず、油斷せず、悲觀せず、悔らず、恐れず、不撓不屈の精神を以つて細心と堅實な步

みを運びたいものである。又心掛くべき事は宏大無邊の恩典に狎れて當然受くべき報酬などゝ錯覺し安逸な療養生活に耽溺して悔を後世に殘すが如き事があつては斷じてならない。天地神明に誓つて恥じざる所の療養でありたい。「憂き事のなほ此上積れかし限りある身の力試さん」とは山中鹿之助が愛誦した歌と聞くが我々には味ふべき歌である。永い期間には家庭上にも精神上に於ても色々障害に遭遇するだろうが歌の如き氣慨を持つて再起の日迄は一時的の安易だに求めず、勝ち拔くべく、希望を充す全治の彼岸に勇躍したいものだ。

感謝

宗教書を繙き、或は話を聞く每に感ずるのは、自分の體と云ふものは自分のものであつて決して自分の體でない、其の證據に少しの間も自分の思ふように、自由が利かないと云ふ成程そうだろう、自由にならぬ所に人間生活の意義があるかも、知れない。凡ては神の攝理だ、天の理だ天の配濟だ、凡そ幸福な生活暮方と問ふたら廣範圍で種々樣々條件がつくだろうが、先づ悅びを知り有難さを感じ感謝の念を忘れざる心持の生活であろう。物事總てに對して悅びを以つて受入れるか不平を以つて受入れるか、之が仕合せな道を步むか、不幸な道にそれるかの分岐点だとも云へるだろう。

又肉體的方面から觀れば病む事はおそらく人生の最大不幸だらう。御健康でなによりです、とは其の事を如實に裏書きしてゐる。其の不幸災難に打勝つ力、心なきに又此の上の不幸だろう。現在の療養今の境遇は天の慈悲、神の試練だと、善意に解し感謝の念を失はわないならば不幸や不滿も起るまい、愚痴や怒も出まい、憂ひも拘うもなかろう神に委せ切つた安心立命の境地に於て療養が出來るだらう。考方によつては幸福な世界だ、人生の福音だ、又英氣を養ふ天與の好機だとも云へよう。感謝の心持こそ鬪病の要諦であり、再起への捷徑である。

使命

畏くも宣戰の御詔書に「朕カ衆庶ハ各々其ノ本分ヲ盡シ」と宣せられてゐる。吾々は克く奉體して世紀の大戰爭に勝つため一億國民擧つて其の職域に挺身本分を全うし、聊も本道に悖らす大君の大御心に違背せねよう致さねばならぬ。翻つて我々傷痍の身、療養者に課せられた使命、負ふべき任務に就いて考察じてみよう。特筆大書せずとも大言壯語せずとも、今靜かに瞼を閉じ思ひを廻ぐらし、責務を感じる時犇々と胸に迫り腦裡に浮び來るは、只再起への道を突進だ驀進だ、鬪病に專念だ、療養に精進だ、求る所は一日も早く再起御奉公する事だ、道は近きに在り克く其の使命の眞髓を把握して誤らず、誓つて意義ある戰下の傷痍軍人として一翼を擔ふべきだ。今日國家は總ての部門に亘つて生產の擴充增產の奬勵に必死の力を注ぎ努力してゐるのであるが、其の根本問題は金に非ず資材に非ず人だ人間だ、如何に文明の今日とは云へ拱手傍觀してゐては米も實らず機械も運轉しない、人力なくして何が生れよう人なくして何が出來よう、銃後の固めは國民の双肩にかつてゐるのだ。北は蘇滿國境の警備から、南は輝く大戰果を擧げ國民を感激の坩堝と化さしめ東西一萬海里の廣い地域に亘つて陸と海に空に活動するは云わずと知れた戰友だ、兵士だ、人だ。

史家は云ふ獨逸の猛攻に敢なく消去つたフランスや、搾取政策三百年の幕を閉んとする英國の敗戰原因を探究すれば幾多理由があろうが、人口不足が最大原因だと云ふ、我が帝國が今相當飛躍した所の人口增殖を希求してゐるが、東亞の盟主たる地位上當然の事だ、かく眼

を大局に注ぎ御國の體だ、自己の體でない事に思ひをして、一層の自重が肝要だ然し今此處で如何に論じても議しても、我々は病を養ふ身だ消費の身だ病む程不經濟な事ばなかろう、「況んや戰時下に於ておや」だ、平凡に考へて之を默過してはならない、今の不經濟を後日取返す事だ今準備してゐるだ、こゝに意義あり、想を要する所である。急がば廻れの諺の通りに徐に轉んで只起きぬとはこゝの事であろう。捲土重來を期して、宏大無邊の皇恩を心に銘し、眞摯の療養道に專念して此の至り盡せりの完備した憩の殿堂を努力の療養に依つて、一層磨き上げ百尺竿頭一步を進めて彌が上にも再起への溫床として、光彩を放たしめ大御心に副ひ奉り社會の期待に背かし、一度衍架叶ひ再起の曉は嘗ては硝煙彈雨の中に得たる尊き体驗も、死線を彷徨し療養道中に取得した修養を糧として手綱として、雄々しく再び第一線や又銃後の最後に立ち滅死奉公の氣慨を以つて事に處し現在の生活を有意義に活用國家社會に貢獻すべきが我等常道であり使命だ。

報恩

克く耳にする事に「戰わずして勝つは上の上なり」と云ふ言葉があるが、病に譬へてみれば病に侵されぬは上の上なりとも云へるだろう、而し一端病に侵された以上は、上の上でなくしても病を克服して上を得ねばならぬ、長期療養を必要とする、消耗戰が消耗を最小限度に阻止して理想の戰果を擧げねばならない、其の戰果たるや前項で述べた所の療養中に於て摑んだ精神修養だ。現在の生活が可惜人生の華かな時代を苦しみ過した位の思出話や、一片の悲曲談の如き狹小な物語に終らせる事なきよう、飽迄意義のある療養、眞面目な敢鬪でありたい。苟且にも利己的觀念や、自惚的な氣持を毛頭起す事なく國家社會の恩惠を味ひ、見へざる所の神の偉大な御加護を信じて、寸時たりとも報恩の精神忘れず明るい療養生活の中に心身共の錬成怠らず、同天の大聖業下の傷痍軍人として名譽を傷く事なく自己の本分を全うしたい。

懸賞論文（三等）

大東亞戰爭下の吾等の使命

横地重一

昨年十二月八日、畏くも米英に對し宣戰の大詔が渙發され、正義皇軍の征く所、日章旗の樹たざるはなく、開戰僅かあの三ケ月の輝かしい戰果を偲につけ、吾々銃後國民は先づ大稜威の下、一死奉公の至誠に燃へ勇戰奮鬪する皇軍將兵に心からなる感謝を捧げずには居られません。

今や大東亞戰爭は一つの新らしい段階に到達し、緒戰に於て、世界戰史空前の大勝を得たのでありますが、吾々はこの赫々たる大戰果を更に擴充し、飽くまで積極的作戰を敢行し米英を徹底的に擊碎して、大東亞共榮圈を確立し、世界新秩序を建設しなければなりません。米英もとより持てる國でありまして、あらゆる手段と、方法により、再擧決戰を挑んでくるに相違ないのでありまして、吾々は其れが、いかなる方法であらうとも、又、如何に長期に亘るとも克くこれに打勝ち彼等を粉碎し終局の勝利を獲得せねばならんのであります。

大東亞戰爭の完遂こそ、昭和聖代に生を享けたる日本國民の光榮ある課題でありまして、これを完遂し、大東亞建設を成就するは、我が

肇國の大理想を顯現する歴史的大使命であるのであります。

肇國の大理想は八紘一字の精神でありまして、この惟神の大使命を現實の段階に應じて、具体的に事實の上に現はさねばなりません。吾等國民は日常生活の上に各自の理想を具現してゆく、即、日本國民として自分の立場持場を明瞭に認識し、總て國家的立場に立脚して、全魂を各自の仕事の中に、うち込んで勇往邁進致さねばなりません。この事はとりも直さず、天壤無窮の皇運を扶翼し奉る尊い臣民道なのであります。

この光榮ある大戰爭を完遂せんが爲には、外に赫々たる皇軍の絶大なる威武を信頼し、内愈々國家の總力を結集し曠古の聖戰完遂の原動力たるべきであります。

以上傷痍軍人の立場に於て、目下の吾々の使命方途に就き、見解を表述せんとするものであります。

○　○　○

支那事變勃發より玆に五年内外狀勢の變轉は實に、めまぐるしく、特に大東亞戰開戰以來の急激なる國運の飛躍的發展は過去百年の進歩にも値し、必然これに對應し、國家体制の强化刷新が行なはれるのは自然の理でありまして、吾々國民も之に相應して、新世界を指導形成せねばならないのであります。

今日吾々は再起を期し療養に專念致しては居りますが、この一大進展に對應するの心構へなくしては、聖戰を勝ち拔く事は不可能でありまして、來るべき奉公の日に備へ萬々遺憾なきを期し、心身の修練に鋭意努力すべきであると信じます。

來るべき再起の日こそ、曩に軍人として、銃劍により、一意奉公に挺身せし、所謂戰場魂を再び發揮する秋でありますが、とかく長期の療養生活に身を置くとき、恰も、流れざる水の腐るが如く、ともすれば意氣銷沈し、當時旺盛なりし信念も漸く衰へ傷痍軍人と云ふ殼をつくり、既に奉公濟でもあるかに考へ、從て爲す事皆消極的となり、人生を二義的に解釋し、實社會に於ても、働く事自体を忌避し、或は、身体の障礙を理由に心身の練磨を放擲し、所謂沒法子に陷り、又は小我のとりことさへなる事がありまして、之等のことは既に初述せし所の、臣道の實踐に於て、其れは不幸にして精神の未だ至らざる爲であります。

○　○　○

天照大神の御神勅「寶祚の隆えまさんこと當に天壤ともに窮りなかるべし」でありまして、我が國の運命は未來永遠に榮え榮えて生育し發展してゆくべきものであります。

故に自分一代ではなく、子々、孫々に傳へ傳へて彌榮に榮えて行く、運命を培ひゆくのが吾々の任務であるのであります。一度働き濟みだから事終れり等と晏如としてゐられない譯であります。

其處で、私は單に二回目働くばかりでなく、敢然各々の持場の陣頭に起つて眞の軍人精神を發揮し、銃後一億の中核となり、自ら指導的位置に身を捧げ、七生の終りまで天業を翼贊し奉るべきが、來るべき日の吾等の使命であると固く信ずるものであります。

私は曾て北滿の或る任地で隊長より遺髮の準備をせよ、との左の訓示を受けた事があります。其の要旨を申上ますと、この一望涯ないホロンバイルの草原こそ、吾等の死場所である。吾々は此處の土と化し永久に月を眺め、虫の音を聞いて居れば男子の本懷ではないか。屍を

收容してもらひ、白木の箱で歸らう等、手の込み入つた事は望んで居ないと云はれました。

この訓こそ、武人のたしなみであり、吾等の本領であると信じて居ります。私はこの訓へ通り、あの曠野を永久の月見台と心に固く誓ふものがありましたが、武運拙なく、今日の悔を明日の希望とし、再起に精進致し居る次第で、現在としてもこの信條こそ、一生の大悟であり、人生觀でもありまして、處生の糧とし足らざるを補ひ、滅私奉公を誓願するものであります。

○　○　○

扨て、吾々に與へられたる目下の使命は何か、それは再起奉公の四字に盡きるのであります。吾等相共にこの目標に一途精進すべきであります。從て再起に對する心構へ、即ち療養生活態度に就て、論及すべきでありますが、既に機會ある每に訓話され、或は本誌上にも屢々多角的に縷述されてありますので、避ける事に致しますが、要は五訓及療訓を身を以て遵奉し、眞摯且積極的に療養を實行すべきと考へます。玆に注意を要すことは、再起の喜び、奉公の覺悟は、何により培はれるのか、申すまでもなく日常の感謝感激の生活より生れるものでありまして、上皇室の御仁慈は申すも畏く、國家社會の恩、人の恩を一刻も忘却してはならないのでありますと、同時に、又、世の同情顧愛に慣ることなく、環境に甘んぜず、自力更生心身の練磨に意を用ふべきものと考へます。

尙日常生活に附言致しますれば、質素生活の徹底こそ現下の緊要事であります。吾々もその点を留意すべきで、一例として生活の再檢討と云ふ問題を取り上げてみますれば、生活費の切詰が戰力の强化に結び付いてゐると云ふ事で、この主旨を理解し、眞の戰爭生活を樹立する事が是非必要であります。

御承知の如く、所謂、國防强化、並に生產力擴充資金は日常生活の切詰によつて、浮び出た金が吸收され、やがてこの方面に使用さる現狀でありまして、高度の貯金が要請されてゐるのも故なきではありません。即、昭和十六年度最初の國民貯蓄目標一三五億圓に對し、今年は二三〇億圓となつて居り、昨年度の第一回の額より七割增の貯金が要求されてゐる實狀であります。この巨額な貯蓄は國民の生活費の中より求める外途のない、然も、絶對戰爭に必要な資金であります。吾等も之の意を了知し、最も手近な所で冗費をはぶき、國策に協力すべき責任を感ずるものでありまして、療養生活の中にも國策的使命を果すべきもの無しとはせないのであります。

既に本章前段に於て再起の重要性及之が所見を述べました故に次に將來職域奉公に際しての心構へを披瀝し明日の用に資したいと存じます。

未曾有の大戰果は更に戰線を擴大し、同時に大東亞建設も一段と拍車を加へ國運の進展に伴ひ、政治、經濟、思想、信仰、文化の百般が古きものより新らしきものへと移行する秋に當つて、古い自由主義的な理念は排除すべきでありまして、大使命達成の爲には、國家民族のもつ凡ゆる才能が國家的に發揚さる時機であります。吾等は日頃の軍人精神を各自の持場に、ハンマーに算盤に、鋤鍬を通して蘊蓄を傾むくべきで、葉隱（鍋島論語）の武士道は死ぬ事見付けたり、を遺憾なく發揮し、卒先實踐者に任ずべきと思考致します。今や封建時代の武士道は今日の臣民道であつて、銃後一億この葉隱精神に徹すべきであ

ります。

次に鬪病生活の体驗者として結核問題に一々觸れて見たいと存じます。

現下人的資源不足の折柄結核の漫延しある狀況は國家的損失に止まらず、吾々人類の大なる不幸でありまして、近時漸く國家政策として重要視さるに至りましたが本問題は獨り國家や醫療關係者のみに托すべき性質のものでなく（吾々社會人として責任を感せずには居られません。大戰下日夜憂悶する疾患者は幾程ありませうか。

玆に、古い記憶により雜駁な數を擧げれば

一、罹患者數一五〇萬人（名古屋市の人口に等し）

二、一ケ年の死亡一五萬人（津市人口の二倍）

三、內青年の死亡右の過半數

四、今日の數は右を遙かに超ゆと判斷さる

この結核對策に就ては、國民の責任に於て、吾々は体驗者然も最も正しい療養生活の体得者として側面より、せめて鬪病者の暗夜の燈台に任ずるのが今日の報恩でもあり、吾等の果すべき使命の一端であると覺ゆるものであります。

○　○　○

以上により吾々の使命に就て、其の心構へ及指針を今日と明日に備へ私の信念を究解致した次第であります。

之を要しますに、この輝かしき使命完遂の第一要素は物質に非ずして、精神力でありまして、即日本精神の眞の自覺實踐にあるのであります。殷鑑遠からず、彼の眞珠灣頭壯烈鬼神も哭く特別攻擊隊の九勇士の殉國精神こそ、崇高純一の日本精神で吾々朝夕心の鏡とし再起の庭にいそしみたいものであります。

就中、私の感激惜く能はざる点は、㈠命ぜられることなく自らの着想により決行したる事。㈡皆二十才台の青年であつた事。㈢上田兵曹長の如きは最後迄勉强に勵んでゐた事の三点で上田兵曹長は灣底深く水漬く屍となるの日の迫つて居るのを知りながら、處生の道をきかんとして文字くずしを練習するが如きは、眞に神の姿そのものでありまする二十才の青年が自信にみちて從容とし死地に赴いたと云ふが如きは武士道精神の最高をゆくものとして、吾々國民は常に九軍神の心を心とし一億一致凝つて百錬の鐵となり、各々其の本分を盡し、百戰百勝最後の勝利を獲得する日まで斷々乎として、戰ひ拔かねばならぬのであります。

選後感

所長　草野與平

今日本は國運を賭しての、否日本民族本然の姿を具現すべき建設の戰を立派に成し遂げつゝある。凡そ日本人たる者何人がこの輝かしき民族意識をひしと感じない者があらうか。さればこそ陸に海に御稜威はかがやきつゝあるのである。衆庶各々本分盡して日本民族の精華を發揮しつゝある。况や傷痍軍人たる入所者諸君に於て、其の使命の自覺と本分の遂行に世人を肯

かせるものがなければならない。世人はそれを期待してゐる。本誌三周年記念號に於て標題の如き懸賞論文を入所者諸君に求めたのも、この世人の期待に應へんとする編輯子の微衷であらう。

應募作品は、相當の數にのぼつた。內容論旨も大体つくされてゐたやうである。然しその敍述の方法に於て又表現の樣式に於て、いま一步の感が深いものが多かつた。從つて選者に於て等級をつけることは相當骨が折れた。第一席田村正一君の論文が先づ心をひかれた。その敍述の素直さに於て、又表現樣式等に於ても整つてゐると思ふ。思ふ事を素直に而も常に目標を離れずすら〳〵と書けてゐる点を買つた。此の点第二席、第三席に優つてゐると考へた。後者等の言はんとするところはよくわかるが、意餘りて筆足らずの感なきを得ない。今後の精進を切望する次第である。

讀者諸君否入所者諸君、恐らく諸君の現下に處する使命の自覺とこれが實踐への熱情は田村君と違はぬと信ずる。自覺即實踐の熱情はさまさしてはいけない。國民總進軍の眞只中にあつて、我々は日本として辱しからぬ、日本人らしい生活本分遂行のパイロツトたらうではないか。選後感を以て選評に代へたことをおことわりして筆を擱く。

自然療法（第四回）

所長　草野與平

五、食．餌療法

（一）結核と榮養

結核の食餌療法は、糖尿病の如き新陳代謝疾患又は腎臓炎、ヴイタミン欠乏症等の場合に於ける樣な特殊なものではないが、榮養狀態の不良が結核發病の直接動機ともなり、又榮養狀態の如何は結核の經過を左右する最も重要なる因子である點から見ても、結核の療養と榮養との關係は極めて重大なる意味を有するものであつて、食餌療法が自然療法に於ける三大根幹の一たる所以もこゝに在る。

消耗性疾患と云はれる結核の療養に於て、其の漸次に衰へ行く榮養、減少し行く体重、減弱し行く抵抗力を防止强化して自然療能を助長せしむる爲の食餌療法こそは、最も重要なるもので、他の如何なる療法を行ふ際にも之を忘却してはならない。

然し結核の食餌療法に關する理論的事項とか又は食品化學、調理法と云つた專門的具体的實際問題は別の機會に讓つて、玆では、入所者諸君が食餌療法を實行するに當つて、如何なる心構を以て進まなければならぬかと云ふ點を强調したい。

（二）必要なる榮養成分と榮養量

吾々人間が健康時に於て其の生命を維持し、活働力を持續せしむる爲には一定の榮養成分と榮養量を必要とするものであ

るが、健康人ならざる患者にあつては其の攝取すべき榮養成分と量とに特に留意すべきことは言ふまでもない。消耗性疾患たる肺結核の療養に於て食餌療法が重要視せらるゝのは此の故である。

榮養成分と云はるゝものは、蛋白質、脂肪、含水炭素の所謂三大榮養素の外にカルシウム、燐等の鹽類と云はれるもの及び種々のヴイタミン等である。肺結核患者が各種榮養成分を如何程攝取すればよいかと云ふ問題に就ては學者によつて見解を異にしてゐるが、要するに蛋白質、脂肪を充分にしてヴイタミン特にヴイタミンB、及びCの不足を來たさぬ樣に注意して、燐カルシウム等の鹽類を適當に與へ、含水炭素は夫程多量に與へる必要はないと云ふことになつてゐる。勿論食品によつて是等榮養成分の含有量又は有無の諸度に差異があり、是等を必要にして充分なる榮養素及び其の量を攝取することが食餌療法の要訣である。

吾々が榮養食餌療法を實施するに當つては常に此點に萬全の注意を拂つて、榮養成分の欠乏又は其の偏在を來たさぬやうに指導監督を嚴にするのであるから諸君は安心して我々の指示に從へばよいわけである。如何に所謂滋養物であるからと云つて過量に攝取し又は偏食することを誡め、美味なるが故に好きな食餌を勝手に攝取することを禁ずる理由もこゝにある。

（三）榮養食と美食

一般に榮養食と云へば美食＝美味と考へる傾向があるやうであるが、反對に榮養食は美食＝御馳走でない場合が寧ろ多い。

從つて榮養食即ち美食＝美味と考へてゐる人からは、時として「榮養食と云ひながら却つてまづいではないか、これでは榮養にはならぬ」と云ふ攻撃を受けることがあるが、かゝる場合我々は榮養食＝食餌療法の意味を説明して納得させるに相當煩はされる。

御馳走と云ふからには、それは美味しいに相違ない。然し其の美味なる御馳走は榮養成分から見れば大抵の場合榮養素が偏在してゐるので榮養食とは云へないのである。榮養食餌は吾々が健康回復に必要なる各榮養成分を出來る限り總体的に含有せしむることに意義があるので、其のためには多少味ひの點では欠くることのあるのも止むを得ない。其故に榮養食は寧ろまづい場合が多いと云ふことにもなるのである。白米食が半搗米食より美味しいが榮養食ではない。一方御馳走には必ず飽きると云ふ現象が隨伴するに反し、榮養食には決して飽きと云ふことがない。飽きると云ふことは其の食餌が榮養成分に欠くるとこ

ろがあると云ふことを自然に我々の內臓支配神經が我々に警告して偏食による榮養不良を未前に防止して呉れる作用であつて、其れ有るが爲に我々は日常生活に於て先づ健康を維持することが出來るのである。

美味しいが故に、所謂御馳走を續けて飽きの來ない人は絶對に無い。此の飽きの現象の理論的な説明は興味があるが、長くなるのでこゝでは省略することにする。この自然の此の靈妙なる生命保持作用には感謝したいと思ふ。

（四）胃腸の機能と榮養

良好なる榮養狀態は結核治癒の最も重要なる條件で、榮養狀態の最も簡單なる指度は體重である。換言すれば、體重の增加と云ふことが結核治癒又は病症好轉の一目標であると云ふことが出來る。此の意味に於て、體重を維持する、一步進んで之を增加する事が結核治療の一要訣とせられて居る。

然し體重の增加と云ふことに焦つて、胃腸の機能を考へずに、やたらに飽食主義に陷つてはならない。由來我が國の結核患者には胃腸疾患（特に胃擴張症、胃アトニー）を併發してゐるものが多いと云はれて居るが、かゝる胃腸の機能が減退して居る場合に體重增加のみに囚はれて徒らに飽食することは、却つて結果に於て體重の減少を來たすと云ふ逆効果を招くことすらある。食餌の回數及び調理等に注意して、其の人の胃腸の機能を保護しつゝ充分に之を働かせることが肝要である。之は要するに擔當醫官の指示に從つて、自分勝手な療法は之を避けよと云ふことである。

結核の榮養療法の一として肥胖療法と云ふものがあるが、指導者なき患者勝手の極端なる肥胖療法は非常に危險であると申さねばならぬ。

榮養の良好なる患者は特別には食餌に注意する必要はないが、成るべく新鮮な野菜果物を充分にとつて、ヴイタミンB、C等の不足に陷らぬ樣にすべきである。體重は大体標準體重にあればよい。過度の肥滿特に所謂豚肥りと云ふことは却て害があることを注意すべきである。

食慾不振の者、高熱の者は特に擔當醫の指導に從つて必要量の榮養攝取に努力すべきである。食慾不振にも、高熱にも夫々の原因があるのであるから、先づ其の原因を除去すること、そして徐々に食慾の增進を圖ることが醫師の指導なのである。

（五）滋養劑

天然の食餌を充分に攝取しうる場合は滋養劑即ち人工滋養品は不用なものであつて、而も榮養學上其の價値は次第に制限せられつゝあるのである。勿論天然食餌を必要量だけ攝りえない者には我々が適當に、或は脂肪補給劑として、或は蛋白補給劑含水炭素補給劑又は强壯劑と云ふが如きものを攝取するやうにしてあるのであるから、種々な廣告や宣傳に迷ひ又は周圍の者に薦められるが儘に手當り次第に勝手に服用することは無意味に近く或は却つて胃腸障害を招くやうな結果にさへなる場合があるから注意すべきであつて、總ては擔當醫官の指示に從ふべきである。

六、療養精神の昂揚

自然療法の骨子は上來述べ來たつたところによつて理解し、之を實行すればよい譯であるが、此の三大根幹のみでは未だ充分とは申されない。謂はば、安靜、大氣、食餌療法は鼎の三本の足の如きものであつて、二本の足のみでは鼎の機能は達せられない。此の三本足をして充分に其の機能を發揮ぜしむるには之に擔當した鼎の輪が最も大切である。自然療法に於て此の鼎の輪に相當するものは、諸君の精神的生活、精神的態度であると私は考へる。大氣安靜療養の三大療法をどんなに正しく徹底的に實行しても、若し諸君の精神生活に欠くるところが有つては、充分に其の成果を收むることは不可能であると考へる。即ち自然療法の如何なるものかをよく理解すると同時に、飽く迄も之が最良の療法であり、之を眞面目に實行すれば必ず治癒すると云ふ絶對治癒の信念を以て、而も自ら進んで自律積極的に一日一日を明朗に建設的生活を送ることを心掛けることが肝要である。勿論鼎の三本足は其の長さに於て、其の太さに於て、其の强さに於て同等でなければ鼎の眞價は發揮出來ぬ樣に、大氣安靜食餌の三原則は平等に併行的に實行するが肝心であつて、一方を輕んじ又一方に偏することは禁物である。

（一）煙草と肺結核

一本の煙草も二人で分けて飲みと歌はれて居るやうに、煙草と兵隊とは因緣淺からぬもののやうである。然し其の親まれた煙草も諸君の如き病患者には禁物であると聞かされると淋しいだらうが、之は事實だから致方がない。肺結核の治療上煙草が有害である理由を簡單に述べれば次の如くである。

1、喫煙は大氣療法に反する

大氣療法に就いては既に述べた通り、吾々は常に新鮮な空氣を呼吸せねばならない。然るに喫煙すれば、非常に澤山の塵埃と共に一酸化炭素、炭酸ガス等種々の有害ガスを多量に呼吸することになり、折角の大氣療養は一本の煙草によりて破壞せらるゝのである。又煙草の吸飮によつて氣管を刺戟して咳が出易くなり、安靜を破る結果となつて肺の安靜をも阻ぐることは容易に想像せらるゝ。

2、「ニコチン」の害毒

御承知の如く、煙草の最も恐るべき害毒は其の主成分たる「ニコチン」である。「ガス」体となつた「ニコチン」は容易に唾液に溶解し、口腔粘膜は勿論胃腸の粘膜を阻害し、消化液の分泌、之等粘膜の消化作用を碍げるのである。この事實は喫煙を過した後の口腔粘膜のたゞれ、食慾の不振等によつても容易に理解出來る筈である。胃アトニー、胃擴張症が愛煙家に比較的多いのは「ニコチン」の作用が影響してゐるのである。煙草を止めたら食慾が增して肥つたと云ふことは屢々聞く事實であるが當然のことである。一方喫煙の結果刺戟を受けて炎症狀態にある氣管の粘膜は結核其の他の感染に對して抵抗力が弱つて居ることも當然であつて、喫煙者に結核の比較的多い事實も理解出來るのである。

此の如く喫煙は大氣療法、食餌療法の一角を破壞するものであるから、大氣、安靜、食療法を嚴守しても一方に於て喫煙するならば自然療法の効果は擧らず、折角の努力も水泡に歸することになるのであるから、入所者諸君は斷じて禁煙を實行せねばならない。

(二) 酒と肺結核

酒を飲めば大抵の者が顔面紅潮し、氣分が爽快となつて發揚狀態となることは周知の通りであるが、中には却つて顔面蒼白

となつて苦しむ者がある。是等は總て酒の中の「アルコール」の作用である。即ち「アルコール」は主として中樞神經に作用し、其の機能を低下せしめ、終に之を痲痺せしむるものであつて、かゝる「アルコール」の血行に及ぼす作用によつて、血管が擴張し或は收縮する結果である。從つて喀血を誘發する危險が多いばかりでなく、病毒の傳播、病竈の擴大等を招來するに至るのである。のみならず「アルコール」は呼吸作用を刺戟して肺の安靜を破り、胃腸等の消化器管を刺戟して急性炎症を惹起するもので、此点に於ても結核患者は禁酒すべきである。唯單に一時の快感、刹那の享樂に心惹かれ、一時の苦惱離脱のために功を一簣に欠くの愚は斷じてしてはならぬ。

(三) 性慾と肺結核

從來肺患者は性慾が昂進するものの如く傳へられて居た爲めに、入所者諸君の如く青壯年層の集團療養生活に於て、此の問題は一應理解ぜしむる必要がある。結論としては、結核患者の性慾は低下するものである。昂進するものの如く過つて考へられたのは、其の療養生活が邪道であることを示すものである。結核は既に述べたる如く消耗性疾患であつて、性慾も亦消耗し減退する。事實眞面目なる療養本道を歩む者は明かにこの事實を示してゐる。安靜にして榮養食餌を攝り、身體諸機能の回復と向上を圖る療養生活に於て、大半の「エネルギー」は病魔の鬪、疾病治癒機能のために消耗せらるゝものであつて、性慾を昂進せしむる迄の餘力は無いのである。然るに一方安靜と云ふ無爲の生活から、暇閑な時間に退屈し、特に青壯年層の諸君の如き患者に於ては、所謂肩の凝る讀物よりは面白可笑しき輕き讀物又は所謂軟弱文學等、男女關係を取扱つた小說物等を耽讀したり又は猥談等に興ずる等の結果不用の性的刺戟を徒らに好んで受け、睡れる獅子否弱れる性慾を無理に刺戟して、性慾が宛かも本質的に昂進せる如く感ずるのである。而も其の爲に懊惱し、充たされぬ希望に焦燥して折角攝取した「エネルギー」を徒らに消耗するのみならず、病勢の惡化を招來するが如きは愚の骨頂であると云はねばならぬ。故に先づ讀書の選擇に留意し、努めて刺戟を避けて心身共に平靜なる療養の本道を歩むことに注意することが肝要である。其の爲には、吾々は、療棟圖書の內容の選擇に各方面から留意して、讀書も亦建設的であるべきである、特に青壯年たる諸君の社會的活動の源泉をば、療養生活中に於て培つて行くべきであるとの信念から、療棟圖書の運營には一つの理想を以て努力してゐる。果して入所者諸君の讀書の趣向は如何であるか常に關心を持つ所謂である、

七、結語

以上四回に亘つて、吾々が實施して居る自然療法の何ものなるかを概略說明したのであるが、限られた紙面に於て充分其の意を盡すことは出來なかつた。然し其の補足は諸君と直接面接するの機會に讓つて置かう。要するに、自から實行する療養法を充分に理解して、醫官の指導、看護者の介補と相俟つて諸君が自ら進んで自律的に而も積極的に實踐することが肝要なのである。治療する者、せらるゝ者並に之を介助する者この三者が一體となつて、あくまでも全治せなければ止まぬ、必ず全治すると云ふ努力と信念を以て療養の本道を驀進する者この、彼岸の光明に達することを知るべきである。

結核の療養には克巳心が必要である。酒や煙草や女が何だ、此の克巳心無くては長期の療養に堪へることは出來ない。規律を守り、孤獨に樂しみを見出し、禁欲に堪へる自制心を振作して、斷ち難き酒も煙草も女も忘れ得る者とならなければならない。

患者の教養と自制、醫者の手腕、看護者の正しい親切、この三本調子が合つてこそ結核は治癒し易い疾患であり、全治するのである。

要するに、結核の療養生活の遂行には眞劍味を要する。人生一代の運命を決する大勝負である。特に年若き入所者諸君は、一日も速く全治再起奉公しなければならない責任を持つてゐる。一家の中心として、職場の中堅として、非常時日本の諸君に期待するところは實に大きい。諸君の家庭に在つては、年老へた父母或は妻子兄妹達が文字通り神佛に祈りつゝ諸君の回復を待つて居る。徒や愚かな生活は一日も許されない筈である。當所に入所する日の覺悟感激を日々に新にして、心身共に立派な傷痍軍人として再起して、皇恩に報ひ奉り、國家社會の恩惠に應へるところがなければならないと思ふ。(終)

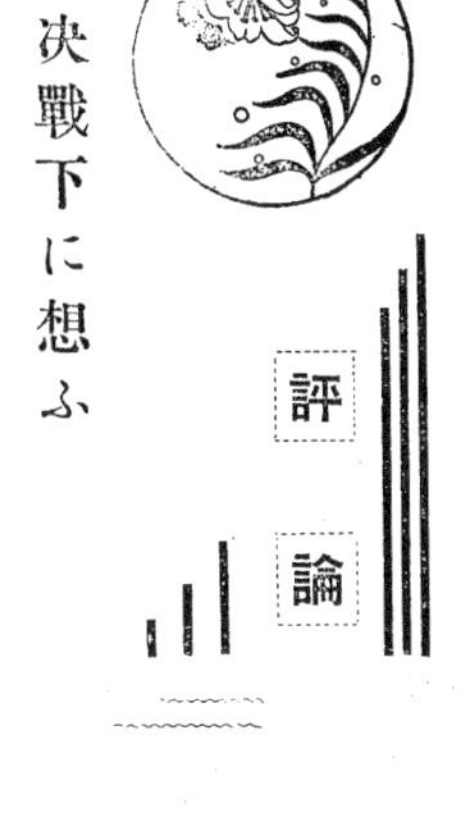

決戰下に想ふ

退所者　齋藤　壽

大東亞戰爭の戰果は益々赫々たるものがあり今や世界歷史の新しき日の曉が開かれんとして居る。此の世界的な一大轉換期に生を皇國に享けたる喜びはなんと云つて表現してよいか我々はその言葉を知らない。我々は二十億の人類の中から日出づる國の民として然も此の比類なき世代に生きつゝある此の事實は何たる幸ひぞ。我々日本臣民たるものは盡忠報國の誠をつくして此の戰ひの完遂へ一路爆進しなければならない。

近代戰爭が總力戰である事は第一次歐洲大戰の事實に徵してみても明らかなるところである。今日の戰爭が總力戰である以上武力戰は勿論經濟戰思想戰外交戰宣傳戰文化戰等が複雜に入組んでゐる事を我々は忘れてはならない。前述の何れの一を欠いても最早戰爭の完遂は不可能である。武力戰に平行して經濟戰思想戰とを密接なる聯絡の下に秩序ある然も完全なる統一が齎らされる事に依つて初めて總力戰の眞價が發揮せられるのである。此の秩序ある完全な統一こそ戰爭完遂に導く絕對にして欠く可からざる必要條件である。又總力戰である以上我々銃後國民も第一線將兵と同じく戰爭に參加してゐるのである。即ちその職域その地域に於ける日々の活動を通じて戰ひに參加してゐるのである。我々の日常生活の一擧手一投足がそのまゝ國家の興廢に關する極めて重大なる意義を有する事を自覺するならば我々は一瞬時たりともゆるがせに出來ない筈である。我々はかゝる總力戰的認識の把握を絕對に必要とするものである。

大東亞戰爭は一面に於いては武力戰であり他面に於いては建設戰であると云はれて居る。即ち我々は旺盛なる戰爭意志と建設意志とを常に燃やして邁進してゆかねばならないのである。勿論かゝる戰爭が決して簡單に行はれ得ぬ事は明らかな事であつて我々の前途には幾多のいばらの道があり大いなる試練が待ち構えて居るのである。誠にその責任の重大さを我々は自覺するのである。

大東亞戰爭の直接の目的は米英の自由主義的野望の徹底的擊滅であり又東亞十億の民の眞の解放戰でもある。若し此

三周年記念日を迎へて

俳句

鈴木峰湖選

□天

闘、病にめぐる月日や風薫る　勝山哲夫

□地

ととのひて三歳の初夏の療養所　小林久松

□人

再起せし友の記念の木々若葉　小倉陽苑

秀逸

國戰ふ療舎みとせの若緑　松本湖秋

療訓を守りて三歳の春めぐる　松本志津夫

捷ち國の山療三度藤咲けり　山下勇

佳作

大空の清淨として新樹濃し　小林茅人

恙なく三歳の春を迎へけり　杉田童心

夏みたび療舎にむかへ癒著るし　山本忠男

若楓御下賜となりてより三歳　道風旅翠

皇恩に三歳の夏を癒著るし　平野粋子

ありがたき療養所なり風薫る　小林丘翠

傷療と呼ぶ日を重ね松の花　小倉陽苑

夏蟬の矢場にきたへて白衣かな　山本忠男

初夏の日の燦々として山の寮　小林茅人

悉く木の芽ふきたる山の寮　森田柱樹

大いなる祝賀の療の若葉かな　田村旗風

木の芽風傷療玆に三とせ経りぬ　村田かせい

闘病の庭に三歳の梅薫る　新口正男

記念日の療舎明るし松の花　石本白木

記念日を三たび迎へて初夏の療　池田悦秀

療訓を守りて三歳や新樹濃し　松谷茅月

三周年迎へて療舎若綠　松保

退所する記念の花の種子を播く　中村虚世

記念日を迎へ三歳の初夏の寮　瀧川光洋

三周年記念日を迎へて

短歌

印田巨鳥選

□天

五月空あくまで碧し今日の日を心新たに臥床に迎ふ　大角喜敎

□地

吾が癒ゆる日の近づきて再びを迎へし今日は澄み渡りたり　大角喜敎

□人

みめぐみに狃れ易き心鞭ちて開所記念日をつつしみ迎ふ　日比野弘次

秀逸

國護る飛行機日々を飛び來つつ療舎静に三年迎ふ　中山喜一郎

退所する療友見送りて我もまた心新たに再起誓ひぬ　淺野峰虹

身も魂も清しかりけりこの朝傷痍軍人五訓を唱せば　大角喜敎

いこひ舍にめぐる三年の春たけて庭の霧島炎えたちにけり　跡部正元

佳作

阿漕浦ふく風すゞに籟り立ちて松の綠の新芽伸び立つ　小林喜一

ささなきの如き吾が詩の貧しさをひとり喜びゐるはわれなる　丹治朋治

極なき惠にこやる今日吾のこの幸ひはかりそめならず
戰へる國内にありておろけなき惠にこやる傷兵吾は
　跡部正元

いたつきの痛手に垂れし大みことの療舍建ちましてより三年經たりぬ
みめぐみの深きに浴し虔みつ誓ひて再起を吾等いたさむ
　田中武夫

めぐり來し吉き日迎へて傷兵は大御惠の畏さにただ
　井上博嗣

いたつきの兵養ふと畏きや建てましゝより三歳經たりき
春三度むかふる寮に安らけく生命養ふ幸は思はむ
高知らす惠の中に春三度迎ふる療にありて幸ふ
　柴田邦雄

天照らす神鎭まれる聖き地に傷痍をいやす益良夫吾は
春霞棚引く丘のこの朝け谷より響く鶯の聲
すめらぎの大き惠に醜草も再び癒えて立ちゆくものを
　杉浦榮

松山のみどり伸び立つまほらまに惠畏し三年療養ふ
　小林喜一

御稜威の下この一億の赤誠にこたへまつらむ再起の庭に
下賜園に三年の春光は和み來て再起の誓は日々に深まる
　竹岡行之

みめぐみは畏きろかもよき春を寮に迎へる幸こそ思へ
　日比野弘次

春三度めぐる病舍におぎろなき大御心を畏み止まずも
　松本文男

の戰爭が單なる英米の擊滅に終り從來米英の占めてゐた地位にとつて代るだけであるならば東亞の虐げられし民にとつては統治者が變ると云ふ事のみに過ぎないのでありかゝる意味に於いてなされる戰爭であるならば彼等はその戰爭を欲しないであらう。否寧ろ戰前の無氣力な沈滯せる平和境に對して限りなき愛着を覺え却つて皇軍への憎惡の念を增すのみであらう。然るに我々は南方戰線に於ける實に涙ぐましき住民の協力美談を數多く知るのである。之等の事實は何を意味するのであらうか。此の事實こそは大東亞戰爭の聖戰たる所以を雄辯に物語るものである。

今此の大東亞戰爭の聖戰たる所以のものを簡單な併も卑近な例を以て云ふならば「今正に溺れんとして苦しみ悶えつゝ浮き沈みする子供がある。此の情景を目前にした我々は何の躊躇もなく直ちに飛び込み全力を擧げて此の子供を救助するであらう」此の行爲こそ戰ふ日本の眞の姿である。溺れんとする子供を救助するその行爲には人間の淸純そのものゝ本能のみであり一点の不純もないのである。決してその子供を救助する事に依つて表彰狀或は謝禮を得んとするが如き自己本位の利害觀念を想起し然る後に之を救助するものではないのである。

溺死せんとして浮き沈みする子供の姿こそ正に英米に依つて搾取せられ吸血せられて來た所の東亞民族の姿であり之を救はんとして敢然衣類のまゝ飛込み之を助くるもの即ち日本の姿なのである。

此處に大東亞戰爭の道義性が存在するのであり解放戰たる所以でもあるのである。即ち我が國體に淵源する所の八紘爲宇の大義を恰く世界に顯現せんとする最高にして至純なる正義の戰ひである。かゝる故に我々は斷じて勝たねばならないのである、此の偉大なる戰ひは日本に依つてのみ初めて爲し得られるものであつて他の如何なる國家も爲し能はざる處のものである。

皇國日本が毅然として大東亞の爲に否世界平和の爲に立ち上つたればこそ東亞十億の民の前途には明るい希望の光が耀いてゐるではないか。

今後之等諸民族の明るい希望の燈を層一層輝かしいものにする爲に今祖國日本は遠く南海の彼方に或は北海の涯に敢然として戰ひつゝある。

もとよりかゝる戰爭が容易なものでないのは明らかな事である。苦難は試煉は我々の前途に立ちはだかり我々の前進を阻止せんとして居る、我々は今大いなる試煉の前に立ち臨んでゐるのである。此の大試煉に打ち克つ事に依つてのみ初めて大東亞戰爭が完遂され得るのである。即ち我々は東亞十億の民の熱烈なる希望を双肩に擔つてゐるのである。

我々の一擧手一投足は大東亞戰爭の完遂を左右し之等民族

の希望を左右するものである、我々日本人たるもの想ひを此處にいたす時如何なる焰が身に襲ひかゝらうとも敢然として此の焰の中に飛び込み此の試煉に打ち克たねばならない。「榮光への道は常にいばらの道である」然しそんないばらの道が何の障害にならうぞ。いばらの道が長ければ長い程我々の鬪魂は益々鮮烈に燃えさかるのである。(五、五)

大東亞戰爭と私達

堀江笑子

皇紀二千六百一年十二月八日

八紘一宇の大精神に基づきて大東亞共榮、否世界新秩序建設の爲に初められた大東亞戰爭、我が大日本帝國の位置を正に世界の中心たらしめ、其の事實を全世界に認識せしめたと言つても過言ではないと思ふ。

十二月八日、私達皇國の民として忘れる事の出來ない日。

緖戰に於いてのあのハワイ眞珠灣攻擊マレー沖の大戰捷!!

南にソロモン群島を制壓して濠洲ニユージランドを自滅に導き、西にアンダマン諸島を占領して印度洋を脅かしつゝ、クリツプスの印度懷柔策を中坐せしめ、まさに英本國との海上交通路を遮斷し、彼等が豪語せしＡＢＣＤ包圍陣を擊碎し今や暴虐非道の米英積年の東亞侵略の根據地を完全に奪取したので有ります。此の大東亞戰爭こそは、世紀の大戰爭で、長期に亘り例へ武力戰で如何に勝つとも、思想戰に經濟戰に勝ち得ない限り、最後の勝利を獲得する事は出來ないと、極言されてゐるのであります。

先の第一次世界大戰にドイツが武力では完全に大勝を博して居ながら、經濟思想戰に破れたが爲に、あの悲慘なる結果を國民の上に課せられた事を思ふと、如何に大東亞戰に處する私達の使命が重大であるかを痛感させられます。

廣大無邊なる聖恩に報いるには何が何でも如何に長期にわたるとも此の戰ひには勝ち拔かねばなりません。今度の聖戰に依つて、いよ〳〵國體が顯現されると同時に聖恩の有難さが國内は言ふをまたず南洋に、アジアに否世界全天地に滲透されつゝあると思います。十二月八日、開戰と同時に陸、海空相協力してルソン島にグアム島に將又マレー香港に遠く海洋を渡り、敵前上陸を敢行し到るところ連戰連勝數旬日を出ですして全東亞の海を陸を又空を制壓いたしました。

敵地を征く皇軍勇士の方々の活躍振りは目ざましくマレー半島上陸以來、僅かに五十五日にしてマレー最南端ジョホールバハールを葬り東洋のジブラルタルと英の誇りしシンガポールも攻擊開始後一週間にして、皇軍の手に陷ちたのであります。

之偏に御稜威のしからしむる所ではありますが、炎熱酷暑

を物ともせず、あらゆる艱苦を克服して御活躍下さる皇軍勇士の御苦勞の賜と私達一億民草は、ひとしく感謝感激いたして居るのでございます。

最近戰場の視察から歸られた人のお話しに「今回の視察に依つて日本の生命線の如何なるものかが判然と認識された。明日へ伸び行く人々の働き振りを見ることによつていよ〳〵其の成就に邁進しつゝある東亞新秩序の建設の大業を祝福し旣に此の聖戰の犧牲となられた幾萬の英靈に對し又現在活躍しつゝある帝國軍人に對して、何をもつて報いんとするかと思ふとき、衷心より感謝の淚にむせんだ。實際日本が戰場において拂ひつゝある犧牲の價値は現地を親しく見ない人には分らない位だ」との事を聞きまして私共は思はず胸に熱いものの込み上げてくるのをおぼへました。

畏くも明治天皇御製に

國おもふみちにふたつはなかりけり
戰の場にたつもたゝぬも

と仰せられてあります。私達一人々々が「私の如きつまらないものは居ても居くても同じ樣なものだ」と考へてゐたら、日本中の女はみんなつまらない者となつてしまひます。力を合はせてやつたならば可弱い女とは言へ非常に大きな力を發揮出來ると思ひます。かの歐洲大戰の時のドイツ婦人が一番良いお手本だと思ひます。日本とドイツとは其の樣な心掛けが似てゐるそうです心の似てゐるドイツ。その婦人のやる事がなんで私達にやれない事があるでせう。私達日本女性は本當に一生懸命力を合はせて銃こそ取らねど皇軍勇士の皆樣をお助け申し少しでも　天皇陛下の御爲に盡くさねばなりません。そして超非常時の日本女性として恥かしくない樣に勇ましく立つて行かねばなりません。敷居一歩外へ出ると電信柱には「國を守つた傷兵護れ」又は「この一戰何が何でもやりぬくぞ」等と大きなポスターが風に搖れております。これを見る時、何か力强くなり、自ら心に湧き上るものを覺えます。

戰時下の女性は單に家を護るのみでなく、進んで手不足になつた職場に御奉公して、銃後の護りを微動だもさせてはなりません。幸、傷痍の勇士を看護るといふこの聖職に身を奉ずる私達は何よりも生甲斐を感じます、全く女性としての第一線だと思ひます。

不幸聖戰に病を得られて雄心やる所なき方々を慰め、一人にても多く再起して御國のためお働きになる樣にすることが出來るのだと考へると誇を感じ、同時に非常に責任の重大なることを感じます。この大御業に逢ひ然してこの聖職にある身を喜び、自分の出來得る限りの力を盡してさゝやかながらも皇民の一人として御奉公の誠を致したいと思ひます。

創作

明日への希望に生きる天使

山田正男

(一) 血の願書!!

寄宿舍の窓を開けた山下看護婦は空を仰ぐと。(あゝ、よく晴れてゐるわ)獨り言をいひながら、暫く澄み渡つた空を眺めてゐた。窓邊から離れると看護衣に替へ病棟へ向つた。「武村さん、お早よう、お體はどうですのお變りありません?」毎朝各病室を尋ね廻る山下看護婦は武村に言葉をかけた。

「有難う、此の頃は體の調子は良いようです看護婦さんの手厚い看護でね。」「改たまつた言葉なんか言つちや嫌よ、でもそれはいゝわね、早く良くなつて兩親に元氣なお顏をお見せして下さいね」眞心こめた山下看護婦の慰めの言葉に東二病棟の患者の大半が、感謝の誠を眉宇に湛へて退所をして行く……此處〇〇の療養所に女神の如く慕ひ敬はれてゐる彼女であつた。けれど彼女は誇らしげの色を少しも見せず患者の汚物から洗濯迄、交替時間が過ぎても夜もおち〳〵寢むらず患者を心から看護するのである。彼女は昭和十六年七月より看護婦を志願し、身體檢査で身體虛弱で志願を取り上げられ再度十二月二十五日血判書を付けて京都〇〇陸軍病院へ提出したので、當時の新聞滋賀版にでか〳〵とのせられて世人の强き感情を引いて感謝の心を湧き立たせたものだ。彼女の實家は藥劑商をいとなみ傍ら縫物の賃仕事を受取つて其の日その日のさゝやかな生活に日を送つてゐるのであつた。彼女は滋賀縣蒲生郡日野町今鄕で草津本線の貴生川驛の程近く川端の猫柳がそろそろ新芽を吹き出した四月の初に生れたのである。彼女が看護婦として血判書迄出して志願したのは彼女の奧に淚ぐましき物語りが秘められてゐるのである。

(二) やす子と云ふ妹

彼女の妹やす子は二年前から床に付き今では枕も上らぬ重體になつた。側に附切つて看護してゐたとし子は「ねえ、やすちやん、早く良くなつてね、私達姉妹は早くからお父樣に死に別れてお母樣と三人で暮して來ましたのね、今はやうやく夫を迎えて安堵したと思ふ間もなく夫は御國の爲に出征して下さるし、私は夫が出征して間もなく今の章を生みました。けれど姉樣はやすちやんが早くよくなつてくれるのを神樣にお祈りしてゐるのよ、ねえやすちやん……」とし子は片

手に生後三ケ月の愛兒をかゝえ片手で妹の氷枕の位置を變へてやりながらやす子を慰めるのだつた。やす子は仰向になつて天井を見つめてゐたが、やがて顔を横に振り向け熱に浮かされた熱き目を向けて「ねえ、姉さん、私元氣だつたら看護婦さんになりたかつたの、だつて、男の方達は御國の爲に出征して勇ましく行つて下さるけれど、私達女性は此れと云ふ御國の御奉公は出來ないから、せめて戰に傷つかれた兵隊さん、又不幸にも病にお倒れになつた兵隊さんを心から看護して御慰めしたいの、私の此の願ひは病に就いてから間もなく思ひついたの、良くなつたら〳〵とそればかりがせめてもの樂しみだつたわ、だけど姉様が色々となぐさめてくれたり看護はして下さるけれど、私はとても助からないわ、私は本當に幸福よ、優しいお姉様に長い間看護して戴いたんですものだけど私、心殘りするのはあの白衣を着て傷つかれた兵隊さんに心行く迄お慰め出來なかつた事だけが私一番殘念よ……」妹の熱ぽい息でぽつ〳〵語る言葉に大和撫子の火と燃ゆる愛國心が力弱くとし子の心を打つ何ものかゞあつた。

(あゝそうだ、二年越しに床に就いてゐる妹でさへも此んな美しい心を持つてゐるのだ。私の様な元氣な者がたつた一人の子供を抱えて暮したとて何の御役に立とう、此の章も母に渡し又世間様の御情で章も育つてくれるだらう。そうだわ私は妹の意志をついで妹の身替りになつて心行く迄傷ついた人、病に倒れられた兵隊さんをお慰めしよう。それが妹へのいゝえ御國に對するせめてもの御奉公だわ。自分の胸に問ひ自分の胸に答へて妹には打明けず、こつそり志願し一度は取り上げられず二度目に取上げられて晴れの召集令狀を受取つたとし子は、顔一ぱいに喜びの色を表し子供の様にはしやいで妹の枕邊に走つて來た。「やすちやん、喜んで頂戴……姉さん貴女にお話ししないで看護婦の志願をしたの、姉さんの思ひがかなつて、其れ……此の令狀を戴いたの、いつだつたか、やすちやんが云つてゐたでせう、看護婦になつて兵隊さんをおなぐさめしたいだつて……けれど今良くなつてくれたつて、すぐ行けないでせう。ですから私、貴女の分も共に働いて心ゆく迄傷病兵の方々をおなぐさめしてくるわ、貴女も早く良くなつて私と一緒に皆さんをお慰さめ致しませうね。妹妹そろつて……」

「姉さん有難うね、私、何だか姉様にすまないわ、私姉様に御無理を云つたやうなものだわ、けれど姉様は章ちやんが居るんじやないの」「いゝのよ、母さまもゐるし、其れに近所の方々が親切に世話をすると云つて下さるし、お店の方は母さんが商つて行くと云つてくれるから―」「姉さん……」妹の感きわまつた聲と共にとし子の手を、やせた熱のある手で強く〳〵にぎり嗚咽の聲が薄い蒲團に顔を隱したへりから流れて出る。

(三) とし子の眞情

かくしてとし子は〇〇陸軍病院に臨時看護婦として勤務し見習生として〇〇療養所に日夜の別なく勤務してゐるのだつた。けれど我身を忘れ患者に獻身的な看護をしてゐても、夜はやつぱり元の弱々しい女にかへるのである。寒月淡く奈良山脈の上でさへ〳〵と冷たく照す夜、患者が安らかに眠りに落ちた午後十一時過ぎ、かうして療舍の中庭の樹木の下で一日張りつめてゐた乳房を兩手でもみほぐしながら、洗面器へしぼり出す彼女の心はどんなであつたらうか、とし子に取つて此の時だけが看護婦を離れて母親の心に返る一刻である。伊勢山脈を乘越して來た如月の冷たき夜風に看護帽の下より亂れてゐる髮の毛の一二本が、とし子の白い頬に一寸なぶるやうに觸れる。後へ寄つて來た大野婦長は此の每夜とし子の洗面器へしぼるお乳を見て、そうと瞼ににじむ涙を拭うのである。「山下さん、貴女もお家にお子供さんを殘して來て、こうして每夜お乳をしぼる時なんか、子供さんを思ひ出すでせう」とし子は今も今とて、お乳をしぼりつゝ愛兒の章を思つてゐたゞけに「えゝ私?……」云ひつゝ顔を上げた目に、患者の安らかに眠つてゐる療舍を見ては つとなり、「いゝえ、私、子供の事よりも、もつと〳〵患者さんの方が大事ですわ、私よりもまだ患者さんの方で不幸な方がありますもの、私なんか、不幸な患者さんの事を思へば私はまだ〳〵幸福ですわ、もつともつと患者さんの爲に盡さなければ……」なかば自分にも云ひ聞かす様に云つて小さな唇を嚙みしめるのだつた。お乳をしぼり終つて遠ざかり行く山下を見送りながら、大野婦長はしらず〳〵に山下の後姿に兩手を合すのである。それから程なく妹の死がとし子の手もとに電報として打たれたのである。けれどとし子は私情の爲には、たとへ親であらうと姉妹や子であらうと歸らぬと、所長や婦長がどんなに勸めても歸らうとはせず前よりも一層熱心に妹の分も盡さねばならぬと患者に看護を續けるのであつた。夜はお乳をしぼるのと故鄕の方を向いて妹の冥福の祈りをさゝげつゝ……

(四) 誠は報ひられて!!

それから十日程過ぎた二月三日、陸軍上等兵山下清、湖南省方面にて名譽の戰死す。役場に入つた公電に役場員は實家へ知らせると共に山下とし子の居る〇〇療養所へも此の戰死の公電が發せられた。療養所では所長始め婦長、患者職員等が山下にそれ〳〵くやみをのべ、患者の手によつて造られた見事な花輪が山下看護婦に渡された。山下は感激の瞳を伏せながら「皆様有難う御座います、夫が充分に御國の御役に立たれなかつたのに、皆様によつて、こんなに立派なものを色々戴き地下にねむつた夫もさだめし嬉しい事でせう。では

皆様のお言葉に甘えまして四日程お暇戴きます」家へ歸つて來たとし子は、町内會長や隣組長のくやみの言葉を一々丁寧に受げつゝ、夫の骨をおさめた白木の箱の前に坐つた。白木の箱の前には出征する時の、あの夫の元氣な顔が寫眞の中からとし子に話しけてくる様に思はれ、とし子は思はず心の内で(貴方……)と呼んで見た。珠數をかけて合す兩手が、わな〳〵とふるえてくる。

後で拜む人々は此の二十三才の春を迎へたばかりのとし子が、若い未亡人になつた心を思ひやり、女の心は女のみ知る奥様達の其所此所で忍び泣きの聲が漏れてくる。母親の信子が片手で涙を拭き〳〵とし子の側へ寄つて來てそうと章を渡すのだつた。章は母の心も知らず無邪氣に、にこ〳〵笑つてゐるいじらしさ「おゝ坊や……」ぐつと抱いて左手で急いで乳バンドをはづし、左手で固く張つてゐるお乳を章の小ちき唇にあてがふのであつた。章は小さき音を立てゝ母親の乳房にすがりつく……。章の小さき唇からとし子の乳房に流れる母子の血の流れが、とし子にはたまらなく感ぜられて來る。とし子は無言で凱旋してきた夫に心の内で語るのだつた。(貴方……貴方が出征して下さつてより私は此の章を生みましたのです。せめて貴方に一目見て戴きたかつたの、そして不幸な妹は貴方よりも十日程早く死にましたの、私、妹との約束と私の願ひとで今〇〇療養所で病に倒れられた方々をお慰めして居りますの、章も隣近所の皆様のお情で、私のお乳がなくともこんなに太りましたわ、其して此の花輪は私の看護さして戴いてゐる患者さんが作つて下さつたのよ、これも皆様のお情で貴方にお供へしてくれと云つて、こんなにたくさんの香奠を戴いたの、貴方……貴方に一言だけ、とし子、よくやつたと……ほめてほしいの、けれど今は今はもう貴方のお聲は……もう聞かれ……ないわ……」泣き聲を奥齒でぐつとかみしめる心苦しさ、泣いちやいけないと自分の心に叱つては見ても、泣けてくるのも女の弱さ……大和撫子涙に咽る……。

此の事が滋賀縣知事に聞へ、女性の鑑として表彰狀と金一封が下された。

山下看護婦は現在尚、〇〇陸軍病院で奮闘されてゐる。病院長の特別の配慮で愛兒を引取り、晝は看護婦、夜はやさしい母として明日への希望に燃えて働いて居る事だらう。

創作

若い力

小倉一生作

(お早よう)(お早よう)(奴は相變らず朝寢坊だな)窓の外で誰かゞ言つた。丘の上の灰色の雲が拭はれると、傷痍

軍人〇〇療養所にもすが〳〵しい朝が訪れて來た。今まで囀つてゐた小鳥の聲も何時の間にかなくなると、窓邊のベツトに頭から蒲團を被つて、寢て居る佐藤英治の上に、やわらかい朝の陽が射込んでゐた。此の室は六名の患者が居て、吉田進と北川武司を除けば、野本廣平も、林淺一も、本田辰雄も皆元氣な者ばかりである。佐藤英治も勿論其の中の一名だつた。彼よりも二ツ年上の林淺一は彼とは同じ名古屋出身で、戰地からの友であり、兄弟の様に仲の良い二人であつた。佐藤英治の朝寢坊は何時もの事なので誰も氣にする者はなかつたが、唯一人林淺一は今日にかぎつて、九時になつても起きようとしない佐藤が多少氣になり遂に言葉をかけた。

「オイ、佐藤もういい加減に起きて飯でも食べたらどうだ」友のやさしい言葉に不性々々起きた彼れの顔は今日は又何んと云ふ顔だらう。あの朗さは何處へやら、瞳は赤くはれて顔色は蒼ざめてゐるではないか、睡眠不足か、否頬に涙の跡のあるのを、林ですら氣が付かなかつた。「朝ツぱらから、ほうづきの賣れ殘りの様な、ふくれ面をしてどうした、頭でも痛いのか」「林、貴様こそ朝ツぱらから人をいぢめるのはよせ、どうせ俺は賣れ殘りのほうづきさ」「ハアハアハ、、、怒つたな佐藤、まだ〳〵若い〳〵」今日の彼れは冗談事を冗談として聞き流す事の出來ない程理性を失なつて居た。其れは昨日彼の婚約者石田美智代よりの一通の郵便のためであつた。

彼れも多情多感な青年である以上愛する婚約者からの便りが一番嬉しかつた。久振りに受取つた便りを高鳴る胸で封を切れば意外にも彼女の冷き心に觸れた。『英治様。暫らくの間御無沙汰致しまして申譯ありません、お許し下さい。貴方様にはお變りなくお元氣にて御療養の事と存じます。何んにも知らずに御療養なされて居る貴方様に美智代は悲しい事をお知らせしなければならぬ惡い女になりました。お許し下さい、英治様、私の母は貴方様の御病氣に理解のない無知な母です、其れが爲に他家からの求婚を母は一人で承諾してしまひました、私は其れを聞かされた時母様を泣いてせめましたが……英治様、お察し下さい、私は母の子です。美智代は弱い女でした、貴方様との文通も今日で母に斷れます。何卒お靜かに御療養なされて下さい。全快をお祈り致します。さようなら、英治様、美智代より。』讀み終つた彼れは今迄照り映えてゐた陽光が一瞬にて消え失せた如く、彼の心は暗黒の世界へ突落されたのだ。出征してから三年間彼は今日の様な手紙を彼女から受取らうとは夢だに思はなかつた。「よし俺も男だあきらめよう」力一パイ夕暮の空に向つて大きな聲で彼は叫んだ。あまり大きな聲に我と我が身に驚き、ハツとした彼は思はず周圍を見廻したが、幸に誰れの影も見當らなかつた。いつしか哀愁を湛へた彼の瞳からは涙が止めどもなく流れてどうする事も出來なかつた。一瞬にしてあきらめ

ようとする彼にはあまりに彼女を深く愛しすぎた。苦惱と悲しさに一夜を明した、彼はついに今朝になつて彼の感情は爆發したのだ。「何時も下手に出てやればいゝ氣な者だ」「何に……」林もサツト顔色を變へたが、すぐに元の快活な林にかへつた。「ハアハアハ、、、貴樣今日はどうかして居るぞ、失戀でもしたな」何氣なく云つた林の最後の言葉、失戀でもしたな、は今の彼にとつては痛い處なのだ。彼は此れ以上林とも何も言ひたくなかつたし林も又何も云はなかつた。やがて午後ともなれば看護婦が体溫を檢りに來た。此の室で一番惡い、吉田進の熱は相變らず、三十八度を越へて居た。吉田が使つた体溫計をベツトの上で振りながら、「アツ、」と輕い叫びを上げた。体溫計は吉田の手を離れて、そばにむつつりと立つて居た。佐藤の足に運惡くあたつたのだ。「佐藤君、濟ないが体溫計を拾つてくれないか」「何に……貴樣は人に体溫計を、撲つけながら、あやまりもせずに、拾つて呉れと言ふのか、馬鹿野郎」「(アツ)と言ふまに、彼れは床に落ちた体溫計を、左足で踏みつけた。体溫計は、ボキリ、と悲鳴の樣な音をたてると、水銀の小さな、小さな、玉を幾つも床の上にころがした。

さき程から、佐藤の行動を心配しながら見て居た林はすつくと立つや、無言で佐藤の前に對立するや「馬鹿々々」林の鐵拳は佐藤の頭上に二ツ、三ツ、と亂れ飛ぶ「友情の制裁だ昨日に變る今日の貴樣は、まるで、氣違沙汰だ」と云ひ終つた。林の顏は蒼ざめ、唇はかすかにふるへて居た。佐藤も又蒼ざめて、うなだれて居る、「林君、佐藤君をなぐるなんて、それは間違ひだよ、惡いのは僕なのだ、僕があやまらなかつたのが惡いんだから、なぐるのなら何故、僕をなぐらないのだ、僕の爲に、君達仲の良い二人に喧嘩なんかされると僕が一番つらいよね、賴むから、喧嘩をしないで呉れよ、佐藤君も、今日の處はどうか、許して呉れ給へね」吉田は、熱の爲めか、苦しい息の下から、彼等二人に哀願した。

今迄、面白さうに、笑ひながら話し合つて居た他の者も、此のさわぎに驚きの瞳を見張つて靜かに成り行きを見て居る「何に、心配をしなくてもいゝんだよ」林は吉田にそう云ふと、此處に居たゝまらず、佐藤を、外へやさしく誘つた。

「佐藤君、俺も今日は、どうかして居るようだナア、佐藤君、氣晴らしに散歩でもしようか、」「ウン」小さな聲でそう返事をした、佐藤は、無言のまゝ、林の後について室を出て行つた。室は又以前の樣に、にぎやかになりもう、笑ひ聲さへ聞えてきた。

吉田一人は今出て行つた二人が氣になるのか、半身を起して後姿の見えなくなるまで不安そうな瞳で見送つて居た。

室を出て來た林と佐藤の二人は、夕暮の迫る山道に長い影を引きながら、靜かな足どりで頂に向つて行く。林は、一歩

後から付いてくる佐藤に向つて、歩きながら話かけた。

「ね、佐藤君、君と僕は、戰地からの仲の良い友達だつたな。」佐藤は返事をしようとしたが何故か、何時もの樣に輕く言葉が出なかつた。林は、彼の、返答も待たずに話を續けた、「今でも、そうだ。本當の友達と云ふ者はお互に、苦しい事があれば、話し合つて、其の苦しみを、助け合ひ、なぐさめあはねばならぬ、友として其れは當然なる義務だと僕は思ふ。」何時の間にか、山頂に來た、二人は松の切株に腰をかけると向ひ合つた。「そうだらう、ね」佐藤は輕くうなづいてみせた。「君も解つて居るなら、僕は云ふが今朝からの君は、何か、心配事があつて苦しんで居るのぢやないかね僕の目で見るとどうしてもそうしか見えん、何時もの君と今日は變つて居るよ、僕は君の心の友だ、何にかあつたなら、話して呉れてもよさそうぢやないか、うつむきがちに聞いて居た佐藤は、手の上にポタリ〳〵と熱い、淚を落しながら、拭かうともせずに居る、「オヤ、君は泣いてるね、僕の云つた事が氣にさわつたら、勘忍してくれ、僕は惡い氣で云つたのぢやないんだ」「林君、有難とう、よく言つてくれた。君にぜひ、見てもらいたゐものがある」そう言つた、彼れの、右手から、女文字の手紙が差出された。林は其の手紙を、靜かに受取ると、便箋をめくつて讀みだした。

其れは昨日、婚約者石田美智代からの最後の便りである。

林も、佐藤から話に聞いて、石田美智代は彼の婚約者である事は、戰地に居た時から知つて居た。讀み終ると林は手紙を彼に返しながら大きな溜息をつくと考へ込んでしまつた。今度は佐藤から話かけた。「林君、僕はもう其の女なんか此の手紙を受取つた時に、あきらめようと心に誓つた、あきらめようと心に誓つたが……」あとは聞き取る事が出來なくなつた。林はどうしてなぐさめてよいのか解らなかつた。突然彼の肩に手をかけると林は自分も共に立上つて、目前の○○連峰を、指さして言つた。「オイ、佐藤あの雄壯なる姿の○○連峰を見よ、自然は、俺達の苦しみも悲しみも皆解決してくれる。一時の感情にかられて、理性を失つてはならぬ、自然を愛し、自然に感謝して、希望に生きるのだ。君も僕も退所の日が迫つて居る、國家は今、前線に、銃後に、若い力を切實に要求して居るのだ、ネ、僕が云ふまでもなく、君もよく知つてる筈だ」「林君、よく解つたそうだ、俺達傷痍軍人は一人の女の爲に、くよ〳〵して居ては靖國に眠る戰友や戰線で働らいて居る戰友に申譯ない、林、濟なかつた。許してくれ」「解つて呉れたか、有難とう」につこり相寄る二人の手と手はしつかりと、しつかりと、握られた。○○連峰の彼方には、眞赤な夕陽が沒しようとしてゐる。終り

修二と房子!!

野田春宵作

(一) 故郷を出でて

文化の都、東京それは誰か知る大都會の横顏なのである。芝浦港に程遠からぬ位置にH町があつて、その大通りに三協自動車のガレーヂがある。ガレーヂの裏に市川雄三氏の家がある。その二階のひと間を霧島修二と、妹の房子が借りて住んでゐた。修二の故鄕は群馬縣高崎だつた。父親の信治は修二の幼き頃に此の世を去り、賴みの母親の、お新も五年前に流行性感冒の爲果敢なく此の世を去つた。修二達兄妹は故鄕の山河に別れを惜しみつゝ東京の知人を尋ねて落着いたのが市川氏の二階の部屋だつた。かくして大都會にも肌を刺す嚴寒が這ひ寄らうとしてゐる頃に修二の姿が芝浦○○製作所に見られた。修二は製造課に屬し生產品の出入の記錄に從事してゐた。房子は家にあつて針仕事をしてゐた。故鄕から出て來た房子の瞳には大都會の姿が希望の燈とでもあるかのやう眺められるのだつた。だが房子の夢に寢て夢に起きる平和な彼女の心を攪亂すものが訪れようとしてゐる樣に房子自身感ずるのだつた。修二は會社から歸ると、勝手許にゐた房子は「兄さんお歸りなさい!」「あゝ今歸つた」房子は魚を七輪にのせて燒いてゐた。「兄さん明日も此の町會から出征なさる人があるんですつて」「何?出征?」「えゝ」「兄さんも何時出征するか知れない」「そうね」修二は、厚い胸と盛り上がつた肩、大きな瞳と太い濃い眉、そして透つた鼻立、締つた唇は强い性格を表してゐた。「房子、兄さんが征く事になるとお前一人になつて淋しいが國の爲だ」「えゝ私覺悟してゐるわ」一瞬房子の腦裡を一沫の哀愁感が走るのをどうすることも出來なかつた。房子も修二に似て圓らかな瞳に正しい輪廓のある顏は智性に輝いてゐた。房子は整えし食物を膳にのせ二階へ運んだ。修二は通勤服の背廣を脫ぐと和服に着替へて机に寄り夕刊に瞳を落した。紙面には大々的に戰野に於ける皇軍の大勝が報ぜられてゐた。

「兄さん食事にしませう」「うん」修二は展げた夕刊を伏せると食卓に向つた。「房子、戰爭は益々大きくなるよ兄さんに召集があつても、軍人の妹とゝして强く生き拔くのだ」「えゝ、きつと頑張るわ」修二は今たつた一人の妹に强く生きる言葉を與へ勵げますのだつた。大陸に吹き荒ぶ嵐は修二と房子を離す運命が訪れた。

(二) 故鄕から電報

それから一ヶ月經つた薄寒い午後、南に面した陽當りの好い緣側で針仕事をしてゐると「房子さん電報ですよ」市川の

おばさんは二階を見上げながら急き込むンだ。「はい」房子はお針の手を離すと立ち上がつて若しやの豫感が旋風の渦となつて房子の足許を震わすのだつた。階段を半ば上がつてきたおばさんの手から電報を受取つた房子は血走つた瞳に電文を吸付けると、コウヨウスグカヘレとあつた。電報を持つ手を震わせながら「おばさん矢張りそうよ」「それぢや早く兄さんに知らせて上げなさいよ」「えゝ直ぐ行つてくるわ」「氣を付けて」おばさんは老眼鏡の奧に窪んだ眼をしよぼつかせながら言つた。房子は部屋に戻ると身自前を直して繁雜な大通りの街へ姿を消して行つた。自動車も人も街路樹も房子の瞳には入らなかつた。房子が兄の會社へ行き着いた頃は退社時刻に近かつた。受付に近づきし房子は汗ばんだ頰にハンカチーフを當てゝから「こんにちは私は霧島修二の妹ですが、兄に召集の電報が參りましたので知らせて來ました。」あら製造課にいらしやる霧島さんですのね?」「えゝそうですの」受付の若き女は菊模樣の和服にグリーンのハーフコートがよく似合つて面長な顏立で、ぱつちり開いた瞳と透つた鼻立は理智的な感じがあつた。「霧島さん一寸お待ち下さいましね」女は房子に言ふと室內電話のダイヤルを、嫋やかな指先で廻した「モシモシ製造課ですか?」「ハイそうです何方ですか?」「私受付の藤川ですけど、そちらにいらつしやる霧島さんを電話口へお願ひしますわ」「あゝ、そう一寸待ち給へ」磯部が振返つて、おい霧島君電話だ早く」「何?電話か」修二は記錄ペーパを傍らに置くと電話口へ走り寄つた。「モシモシ僕、霧島ですが」「霧島さんですの一寸お待ちになつてね」女は受話器を房子に渡して「どうぞ」と言つた。「濟みません」「モシモシ」「ハイ房子よ、兄さんに故鄕から召集の電報が來たの」「何?もつと大きな聲で」「(嫁になつちまふ)房子は焦つた。「兄さんに召集の電報が來たのよ」房子は急き込んだ。「そうか、ぢや今日は社の人に報告するから歸りが遲くなるでね」「そう私先に歸るわ」「うん歸り道に氣を付けて」そう言つて修二は電話を切つた。「藤川さん有難とう御座いました」「いゝえ、お濟になりましたの」「えゝ」電話を切つて、ほつとした房子へ藤川奈美枝は「霧島さん私ね失禮ですけど、お兄さんの千人針を作らせて下さいね、いゝわね?ホホ、、」藤川は明るく微笑した。房子は受入れて好いか、どうか迷つた。「あの兄に傳へて置きますわ御好意は私嬉しいですの」「私の故鄕も貴方と同じ高崎ですわ父も貴方のお兄さんと同じ中學を出たのですつて懷かしいですわね、でも、もう昔の事ですからお知りになりませんわね私は幼きときに東京へ出たのですから」「あらそうでしたの長くお邪魔しては不可ませんから歸らせて戴きますわ」「未だいゝぢやありません」「でも又お伺ひしますわ」「ぢや失禮します」藤川奈美枝はもつと言ひたげに唇をゆがめた。修二は其の夜七時が廻つてから家に歸つてきた。

「おばさん遲くなりました」「修二さんお歸り愈々あんたも征きなさるな」「有難とう房子をお願ひします」「いゝですとも安心して征つて下さいよ」「おばさん失禮します」修二は二階へ上がつた。「兄さんお歸りなさい」「遲くなつた」「今日ね受付の藤川さんね兄さんへ千人針を作つて上げるつて言つていらつしやつたわ」「そうか藤川さんがね、あの人は眞面目で評判なんだ藤川さんと知り會つたのは會社のテニスコートで故郷の話が出てあの人のお父さんも故郷の中學を出たんだそうだ」「藤川さん私にも言つていらつしやつたわ」其の夜も明け短き冬の日は暮れ修二の出發する日が訪れた。上野驛のホームに立つた修二は緊張と興奮の表情を眉宇に湛へながら多勢の人々と房子に見送られて故郷へ向かつた。見送りの中に藤川奈美枝の姿がなかつた。彼女からの千人針も修二の出發に間に合はなかつた。

（三） 職を求めに

兄去りし六疊の部屋は、寒々として主なき机の上には二、三輪の梅が悄んぼり活けられてあり壁に吊した風景畫も房子には、悠つたりした氣持で眺めて居られない房子一人の生活が始まつた。雪解け水溫む春が訪れてきた頃から針仕事だけでは生活が困難だつた。房子はおばさんの世話で近所の丸山防水加工所の事務員になつたが材料統制の嵐は房子の仕事を奪つて行つた。修二が戰地へ征つてから半年目の夏に丸山の店を辭さねばならなかつた。丸山の店で知り合つたお唉と店の前で別れると（そうだ紹介所へ行かう）歩みながら心に呟やくと、いつしか希望に輝くのを覺えた。我が家に歸り玄關に入ると「おばさん今日の朝刊を一寸見さて下さい」『雜誌の上にあるから持つて行つて見なさい』『濟みません』房子は朝刊を二階へ持つて上がつた。紙面に瞳を落すと五反田の野々宮工業が事務員を募集してゐた。取扱場所は神田橋の紹介所だつた。房子は履歴書を書き始めたが何故か落付きのない指先は幾枚か書いては反古にしてゐた。纒つたのが書き上がつた頃は房子の額は、じつとり脂汗が滲んでゐた。暫くして房子は階下へ降りた。「おばさん五反田に就職口が朝刊に出てゐますから私一度行つて見ますわ」「えゝ五反田へ?」「最初は神田橋の紹介所へ行きますの」『あゝそう、でも少し待つたらどう』「おばさんに心配ばかり懸けてゐるんですもの」「何も世話らしい事はしないのに房子さんに間違ひがあると修二さんに私は濟まないですよ』『おばさん有難とう御座ひますわ兄の戰地の事を思へば何んでもありませんわ』『そうかね房子さん、ぢや一度行つてみなさるか?』『えゝ行つてみますわ』房子は翌くる朝、鏡臺に向ひ、ほんのり薄化粧を濟ませると、二度程水に透つた浴衣に着替へて房子は階下へ降りて「おばさん行つてきますわ」「氣を付けて」「えゝ」房子は街へ出た。

朝からムツとする暑さだつた。房子は市電に揺られて神田橋へ向かつた。やがて電車は神田橋へ近づいてきた。房子は神田橋を降りると紹介所の扉を引いて中へ入つた。修二が征つてから未だ半年目の夏だつたが都會に馴れぬ房子は、やつれていた。生活に疲れし房子の顏色は健康の色は消え失せて蒼かつた。さうして油氣の無き頭髮は二筋三筋前に垂れるを播き上げながら婦人部の木札のある窓口へ近づいて行つた。窓の內では一見三十五、六の男がロイド眼鏡をかけ、中年の婦人を相手に質問してゐた。房子は懷中から履歴書を出し「濟みませんお願ひします」と言つて窓の內へ押しやつた。「一寸待つて呉れ給へ」「はい」房子は傍わらのボックスに疲れて汗ばんだ體を落した。房子は暫く待つと應接室から最前の女が出てきた。「お待ち遠さま」女は房子に一禮すると外へ出て行つた。「次の人、入り給へ」「はい」房子は扉を引くと心が暫し動揺した。係員は房子を見やると「君それへ懸け給へ」「濟みません」「希望の仕事は?」「はい××新聞に載つてゐました五反田の野々宮工業へお世話願ひ度いと思ひまして」「うん」係員は机上の野々宮工業の募集案內書を取り上げ房子の履歴書と交互に見ながら「霧島さん高女卒だね」「はい」「他の會社で勤めた事は無いんだね」「はい」はきはきした口調は係員に好感を持たせた。「此の會社はね最初月給は安いが內容が良いから將來希望のある會社だ。まあ此處にもある通り初の月給は三十五圓だどうだね行つて見るか?」係員は房子に案內書を示して言つた。「はいお願ひします」『ぢや直ぐ行き給へ』係員は電氣時計を見やりながら言つた。『君此れを持つて』係員は一枚の紙へ、ペンを走らせると、それを封筒に入れ房子の手に渡した。房子が紹介所を出た時刻には神田橋の交叉點は自動車と自轉車の交錯する大都會の息吹きを呈してゐた。

（四） 車中の再會

房子は神田橋から御茶の水驛に行き山手線の省電の客となつた。房子は滿員の中に立つてゐると、後から房子の肩を輕く叩く人があつた。ハッとして振返へると「あら藤川さん暫くです兄は元氣で發ちました」『御免なさいね、あれから私家に歸ると母が急病で突然床に伏して私暫く會社を休みましたの千人針も間に合わなくて御免なさいね母の看護の傍わら大急で作り上げて上野驛へ參りましたけれど、貴方の、お兄さんお發ちになつた後だつたわ』『あらそうでしたの兄は御好意だけでも幸福ですわ』『貴方今日何處へいらつしやるの?』（就職の爲に五反田へ行きます）とは房子には打明けられなかつた。「私五反田の知人の家へ參りますの」と言つた。「そうですの私澁谷迄參りますの」「蒸しますわね」「えゝ一度貴方のお宅へお邪魔させて戴きますわ」電車は澁谷へ近づいた。「霧島さん、失禮しますわ」藤川は扉へ寄つた。「お元氣でね」「有難とう御座ひます貴方もお元氣で」「さよなら」藤川は房子に別れて澁谷の驛を降りて行つた。次は五反田と叫ぶ車掌の聲に房子の心は就職への不安に戰のいた。電車は停つた。吐き出される客のうちにはあらゆる階級の人々がホームから改札口へ通ずる階段を降りてゆく。躍動する文化の都に生活する人々の顏は希望に滿ち滿ちてゐた。だが反面には都會の激流に汚濁した空氣の中に倒れる人々を見逃がせる事は出來まい。房子は改札口から五反田への通りへ出た。房子が通りがかりの人へ「一寸お尋ねします野々宮工業は何處でせうか?」『野々宮工業ですか其處の煙草屋の前を眞直ぐに行けばいゝですよ」老媼は言つた。「有難とう御座いました。」野々宮工業への道を辿ると二間程ある高さの塀が大きく房子の瞳に迫つてきた。表門へ近づくと守衛が嚴めしく突立つてゐた。房子は守衛に頭をさげると「私神田橋の紹介所から參りました」「あそう其處に受付の窓口がある」守衛は顎でしやくつた。房子は受付に履歴書を差出し採用試驗の時間を待つた。試驗は午後からあると知らされた。やがて時刻はきて試驗は始められた。その結果パスすることが出來た。喜びに紅潮した頰を夕べの風に吹かれながら家路を急いだ。

（五） 戰場よりの便り

家に歸つた房子は玄關に投げ込まれた手紙を何氣なく見やると「アツ兄さんから、房子は高鳴る胸を押へながら二階へかけ上がつた。封を切り文面に瞳を落すと「房子其の後は元氣かね、兄さんは此ちらへ着いてから今日始めて軍事郵便の發送が許可されたから早速第一信を送る、兄さんは何時散るか知れぬ身だ。だがたつた一人のお前があることが兄さんをどんなに明日への攻擊に力を付けて呉れるか知れない。房子よ兄さんに萬一の事があるのはお前も覺悟してゐる筈だ、此うして便りを書いてゐる今、絕間なく砲彈は頭上をかすめてゆく。あ！もう出發の時間だ今から直ぐ深夜の強行軍で明日の攻擊は敵の中央突破だ。最後にお前の健康を祈る。房子殿 修二兄より」とあつた。讀み終へし房子の瞳からは、いつしか熱い涙が頰を濡らすのだつた。（兄さんの武運を祈ります）房子は我が胸にソッと兄の手紙をあてた。

（六） 春は巡りて

戰地の修二から第一信があつてから後は絕えて便りが無い儘に早三年の星霜は流れて今日は四月の夜だつた。「電報！」と叫ぶ聲が玄關先で大きく聞えた。「房子さん電報ですよ」『はい」房子は我を忘れて階段を駈け降りた。「どんな知らせかね?」おばさんは心配氣に彼女を見やつた。「おばさん好い報せよ」房子は電文を繰返し讀みながら云つた。「そうかね、そりやよかつた。」「シユウジ、ロクヒカヘル」とあつた。（今夜だわ）房子は兄を待ち兼ねて街へ出た。修二は大急ぎで家への道を步いてゐた。房子の步む前方に軍服姿が瞳に迫つて來た。修二は女を見返した。二人は、ほの暗い街燈の傍へ來た。すると房子は（アッ）と聲を立てた、「おゝ房子」「あゝ兄さん」彼女は修二の顏を見上げた。彼女の瞳からはぐつと熱い涙が光かつた。「房子よく頑張つたね」「夢のやうだわ」街には快よい春風が吹いてゐた。「終り」

母

沖　雅人

母!!母　何と親しく感じさせられる言葉なのでせう、僕は幼い頃母のことを「カーチャン」と呼んだらしい、それが段々大きくなるに從ひ「かーさん」に變つて來た。何時ごろ變つたかそれははつきりわからないが、多分中學三年の頃だらう。「內のおふころ」なる別の呼名を知つたのもこの頃だつた。

今若し僕は「カーチャン」なんて呼ぼうものなら母はどんな顏をするだらう?、僕はとても恥かしくて「カーチャン」なんて呼べないが……それだけ僕は子供でなくなつた樣な氣もする。

だが他の事になると母にはまだ〳〵子供である。父母は僕を子供扱ひにするからである。

或日もこんなことがあつた、それも丁度運惡く?左の爪を切り終り右の爪を切つてゐる時、母が側に來て坐つたのである。そうしてすぐ

「危いねー鋏をおかし、かあさんが切つてあげるから」

と斯うである。

「かあさんは僕の左きゝであることはよく知つてゐるのになあー」

と心の中で思つて居るが口には出さず手を差出す僕である。

何事によらずこんな風だから母が僕を子供子供と思ふのは無理ならぬ事である。

その母も頭髮に白いのがまじり、世間で云ふお婆さんになつてゐるのである。それに僕はまだ「カーチャン」時代の母を變りない氣持で母に接していられるのは、母は僕を子供と思ふと同樣に僕は母を「カーチャン」時代の如く思つてゐるからではなからうか。完

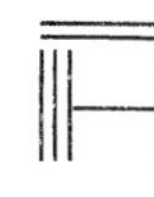

随筆

吾輩は結核菌である

醫務課長　木下清吉

やあ、今晩は。久し振りだね。何？吾輩の身の上話を聞きたいと言ふのか。ではまあ漱石さんの猫と同じ題では猫族から叱られるかも知れんが、薫風爽やかなこの翠ケ丘に呱々の聲をあげてから早いものでもう三年にもなるし、一つ追憶の意味で閑談でもするか。三年の間には俺も隨分とつらい目にも樂しい目にもあつたものだよ。何？俺ではいけないだらうつて、そう〳〵これは我ながらうつかりして居た。我々には男女の性別がなかつたつけ。それでもいくらでも生めよ殖へよで繁榮してゆくのを君達人間共はさぞうらやましがつてゐるだらうな。人間で思ひ出したが、萬物の靈長とか言つて威張つているが君達人間の頭腦つて言つてもそんなに素晴らしいものでもないんぢやないかね。だつてそうじやないか。人間と吾輩共との戰と言ふか、智惠比べと言ふか、一体現在のところ正直に言つてどつちに分があるかね。君も知つてる通り今日結核治療の根本たる三大方針などゝ麗々しく揭げて居るが、あれは一面人間の智惠の足りなさ加減を物語つて居るにすぎないんだよ。それはね、實はこの安靜、大氣、榮養療法を主とした所謂サナトリウム療法と言ふのは何も昨日今日はぢまつたものではなくて隨分昔からあつたものなんだよ。勿論吾輩達の存在が、未だ人間によつて發見されなかつた時代からあつたんだよ。ところで人間にもたまには偉いのも居るね。そら、コツホとか言ふ毛唐さ。このコツホ先生も人が悪いよ。だつてそうじやないか。俺達細菌族だつて君達人間界の思想と同じで赤は嫌ひなんだが彼コツホは、とう〳〵俺達

の身體を特別の色素で無理矢理に眞赤に染めることによつて吾輩の先祖樣を發見したんだからね。おまけに染める時に同時に火あぶりにするんだからね。どだい罪人扱ひさ。もつとも、一時日本を滅ぼすものは赤の思想か、結核菌か、などゝ騷がれた時代もあつた位だから無理はないがね。俺達だつて何も自分を善人、いや善菌だなどゝ自惚れている譯では毛頭無いさ。余談はさておいて、コツホ先生が俺達を發見すると全世界を擧げて結核の絶滅近しと歡喜したもので、コツホ先生など一躍世界人類の救世主とあがめられたとか聞かされて居るがね。もつともそうされるのも無理が無いかも知れん。君もヂフテリーと言ふ病氣を知つてゐるだらう。あの咽喉がぜー〳〵言ふあれさ。まかりまちがへば命取りだね。ところで發見の時代は異なるけれども、この病氣がヂフテリー菌によるものだと言ふことがわかると、人間共はこの菌をうまく應用して治療血清といふものを製造することに成功したのだからね。所謂毒をもつて毒を制すだね。この血清に出喰はしてはヂフテリー菌もいやはや不甲斐無いね。一日もたつかたゝぬうちにコロリと參るのだからね。どうも我々細菌族の風上にもおけない甲斐性無しさ。この手があるもんだから結核菌の發見と同時に人間共はやれ藥物療法だの、化學療法だの免疫法だのと各々得意の旗印をかゝげて吾輩等の御先祖樣を征服しようと挑戰して來たんだよ。これが結核療法の第二の時期だ。つまり自然療法から科學療法へ移つた譯だね。世界中の學者が我こそ絶對的の結核療法を發見しようと競つたものだが、そう何時も柳の下には鰌は居ないらしいね。今になつても俺達結核菌をうまく應用した特殊療法で、完全な、公認されそうなものは見つからんらしいね。君も聞いていないつて。やはりそうかね。藥といふ藥も隨分製造されたがみな線香花火式で一時の流行だけですぐあと姿を消して仕舞ふ現情さ。それで目下なほ研究繼續中といふ休裁のよい看板だけはかけているが、まあ閉店休業と同樣なものさ。だから矢張り自然療法を多分にとり入れたサナトリウム療法を徹底的にやつた方がよいといふことになつて昔へ逆もどりさ。どうだね君、俺達の力量は。ヂフテリー菌などゝは橫綱と褌擔ぎ程ちがうだらう。黴菌位とあんまり馬鹿にするなよ。いや失敬、君を叱つたわけじや無いんだよ。君、その邊にスパイは居ないだらうね。これはあまり大きな聲では言へないことなんで內緒にしておいて欲しいんだが、實のところを言へば、ヂフテリーに對する血清療法の樣な、あんな電擊的療法の方が吾輩等には有難いんだよ。電擊戰だと一時は形勢不利でもあとはジリ〳〵盛り返せるからね。それだけの實力は、はばかりながら持合はせて居るんだよ。ところでサナトリウム療法と言ふ奴は手ぬるい樣だが、實はこいつには平向するよ。苦手だね。長期戰だからね。人間の方でサア來い、一年でも二年

でも、何年でもと、こう襲落着に落着かれると吾輩もかなはんよ。何しろ吾輩等は單に一個の細胞に過ぎぬ。つまり持たぬ國みたいなものだからね。人間は持てる國さ。經濟封鎖で來られて見給へたまらんぞ。新鮮な空氣で空襲して來るし、榮養といふガソリンもどうやら充分持つて居るらしいし、この上に身心二つながらの安靜をと、いやに落着かれては又何をか言はんやだ。吾輩にはこの安靜といふ奴が何よりの苦手なんだ。爆彈や燒夷彈よりも恐ろしいね。燒夷彈で思ひ出したが、以前に石油療法と言つて石油をのんで俺達を燒き殺さうと企てた人間がいたそうだ。ところで俺達が燒かれる前にのんだ御本人の方が生きながらの火葬さね。こんな事は子供でもわかるじやないかね。よほど人間には暇があるかして突飛な事をしたり考へたりするね。話が脫線したが安靜、沈默は實に苦手だ。戀し戀しと鳴く蟬よりも鳴かぬ螢が身をこがすつてね。俺達の狙ひ所は神經戰なんだ。人間の氣持をイラ〳〵させるか、身體を疲勞させるのが奥の手なんだよ。人間もこうしておいてから時を見計つて毒素でチクリとやると効果百パーセントさ。

いつだつたか、たしかこゝの療養所が出來てから第一回目の全治退所者が出來たときだつた。よせばよいのにひそかに前夜療友が二、三集つて送別會をやつたそうだ。尤も酒をのむ事は嚴にとめられているらしく殊勝にもサイダーか何かでやつたらしいがね。たゞかなりおそくまでかゝつたとか聞いているし、それにだいぶ大聲で景氣よく歌など歌つたらしいね。ところで翌日がもう大變なんだ。その中の一人が朝から熱が出るし、頭が痛むしといふ譯だつたが、氣の毒に一週間か十日後には死んだからね。腦膜炎だといふ報告が來ていた。後で吾輩等の同僚に聞いたんだが、その人は學生時代は運動の選手であり、病氣も肺浸潤とまでも行かない位輕かつたんだそうだ。それで折柄侵入した同僚もあと半年か一年で完全に彼氏の肺の中で捕虜になり、檻禁死滅をまつばかりであつたのに、その送別會事件があつたがために、肺の大動搖によつて出來たわずかばかりの隙間を見つけ、危く脫出することができたばかりでなく、單身でもつて人間生活の司令部たる腦を侵し、遂に彼を斃すといふ殊勳を立てたのだと得意になつて語つて居たよ。

それ以來吾輩もよく氣をつけて人間を觀察しているが、知つてか知らずにか、大聲、おしやべり、放歌、高吟、散步、運動のやり過ぎ、無茶な日光浴など數へあげればきりがないが、よそごとながらコツチがハラ〳〵するね。時にはあんな事をして、今は何とも感ずまいが將來どんな結果になつて現はれるのかと俺達の方で氣の毒になる樣な事をして平氣でゐるよ。實際自覺のない人間ほど厄介な者はないね。他人にも直接、間接隨分迷惑をかけているのだからね。まあ考へても

見給へ。たゞ靜かに、無心に呼吸してゐるだけでも、肺は一分間に十六回として一時間には九百六十回、一日には無慮一萬三千回も呼吸運動をせねばならないんだからね。この上色々な事をして呼吸を速めたり、大きくしたりしては肺の安靜も何もあつたもんぢやあ無いね。もしも空洞でもあつたら、壓力の關係でグン〳〵擴がるぢやないかね。この理屈がわからんで、無理や無茶をやつて知らず〳〵の間に病氣を惡くして行く人間が澤山あるのだから、俺達から言へばまことに結構な事かも知れんが、人間の方では充分反省すべきではなからうかね。第一この頃では自分の身體は自分ばかりの身體ではなくて、國家の身體である位の事は吾輩等細菌だつて聞かされて居るのだからね。又說敎じみた話になつたが惡く思はんで呉れよ。齡をとるとつひ愚痴や小言が多くなるものだよ。そう言へば吾輩ももう三歲になつたが、齡には勝てんもんだね。少しつかれて來たよ。君一寸窓を開けて呉れ給へ。いゝ月だね。松籟と鈴鹿の山々。自然は常に悠々たりだね。自然に即した生活と療養か。オヤ、もう時間かね。もつと話したい事もあるんだが次の機會にしようか。では氣をつけて歸り給へ。左樣なら。

弓道小観

新田敏夫

草野所長の創意で全國に魁けて外氣入所者に對し健康回復を主眼として弓道を初めたのは昨年の六月だから僅々一ケ年でしかない譯だ。勿論我々素人には一ケ年の間に入所者の健康にどんな生理的影響があつたかは判らないが、弓道に精進した諸君が皆健康を回復されて而も精神的に何物かを摑んで燃へる希望と不拔の信念を得られて退所される樣子を此の眼に見て參りまして、心窃にその人々の爲に喜びを禁じ得ないのであります。

この事實だけは素人の私にも判然と申し上げることの出來る現實なのであります。

四月十九日に武德會で行はれました階級試驗に入所者諸君九名が見事初段に合格されました事は寔に色々な意味から御目出度い。試驗の際に「弓道を學ぶ目的如何」と言ふのが出題されました。それに就て平素私が體驗して來た事やら常に抱懷してゐることどもを順序もなく書き列ねて見ませう。

これから弓を學ばうとされる方には多少の豫備知識ともなり又前記諸君や他の諸君が追々健康を回復されていづれは將來實社會に活躍されることであらうから、その時に些少たり

とも何かの御參考になれば望外の幸と言ふものです。敢て禿筆を馳つた所以もまた玆にある譯です。

自分は研究家でもなし考古學的實證を企てる程の亂暴者でもないが弓箭の歴史は人類の元始時代から存在してゐる。日本の弓は神代以前から吾等の祖先の生活に直接不離のものとして發達し、それが日本民族の精神に融合して大和魂、武士道に關聯を持つて現在まで發展して來たとの意味がある書物に書かれてあつた。成程と首肯出來さうな氣がする。

神代當時弓箭は主にどの樣な方面に使はれてゐたか知らないが、何時の頃かには鳥獸を捕へる具であり、人間の食慾を滿たして來たであらふと考へられるから、人間生活には不離のものであつたに違ひない。それが時代が移ると共に戰爭に使はれる武器としての價値が生れ、武士道興隆の著しかつた鎌倉時代には佛敎の隆盛と併行して弓道は宗敎的意義さへも持つに到り、日本精神に融け合つたものと考へられるのである。

德川末期武士道頽れ明治維新前後急激な唯物的歐米文化の流入につれて一時弓道は或る一部人士に於ける趣味的價値の存在位の程度にまで影を潜め、いつしか唯心的方面が忘れられて今日まで來たと云ふのが現狀なのであらう。ところが日本民族が固有の日本精神に醒め、日本精神振作が强く叫ばれる時代になつて今まで忘れられてゐた弓道が急に日本人の精神的生活方面に猛然と擡頭興隆して來たのが今日の弓道の現狀なのである。

弓道精神は昔に還つたのである。然し時代は流れてゐる幾百年後の今日弓道が舊体依然たり得るものではない。型の上でも精神の上でもその方向が判然とされねばならぬ要が生じて來た。即ち現代の弓道は現代人の實生活に融け込むべき方向に進むものでなければなるまい。弓道は現代人の心を養ひ身心を鍛錬する方法としてのみ時代の要求を滿たし得るものでなくてはならない。

射人は凡そ次の三通りに分けることが出來よう。

一、趣味として射を行ふ者

二、運動として行ふ者

三、心身の修養として行ふ者

第一の趣味として行ふ者……最初からこの樣な氣持でやり出した人は矢が的に中らなければ面白くないであらう。的中興味を本位とするなれば何も弓矢に限つたものでもない。何故なればどんな高段になつても百發百中といふことは至難であるからだ。この樣な人は必ず技の上からも精神的にも行き詰りを感ずるであらふ。的中主義に墮して射を行ふならば寔に低級な行爲と言はざるを得ない。弓道精神に遠く離れたものだ、こう言ふ人は初めからやらない方がましだらふ。

第二の運動として行ふ者は矢張り第一の樣な結論になる可

能性が多い。中學生や女學生の弓は此の部類に屬する。靑年期の人に運動の一方法として肉體的錬成の手段として之を用ふるならば或は適當と言ひ得るかも知れないが、成人が行ふ限りはもつと精神的な深みのある實生活に即したものでなくては無意義なものであり無價値なものであると考へられる。

或る人曰く。射は君子の道だと聞くが弓をやつて精神修養が出來るとしたら弓を引く人は皆孔子樣のやうになるであらう。若い者が君子人になつて智德圓滿の覇氣のない無氣力の人間になつて終ふだらう」と。

飛んでもない恐ろしい謬見だ。君子とは石邊金吉金兜謹直の權化だ。精神修養とは去勢された人を作ることだ。骨無しくらげを創ることだと考へてみえるらしい。とうとう孔子が去勢人の骨無しになつてしまつた。嗚呼又何をか言はんやだ。孔子の肉は亡びても精神は何千年の後の今に不滅の眞理として輝き永遠の生命が吾々の生活に脉々と生きてゐるではないか。

弓道は死人(生理的でなく精神的の死人の謂)を作るものではない活きた人間を作るものなのだ。弓人は死射を行ふべきでなく活射を行ふべきだ。眞射道に透徹しない時は往々死射になり易い。吾々は若い未完成だ、だからこそ修養を必要とするのだ眞射に徹し活射を行はうと努力するのだ。

凡そ道と稱せられるものは禪の支流を汲むものである。茶禪一味と言ひ禪劍一如と言ひ射彈一味と言ふも一脉禪に通ずるものがある譯だ。射と禪が同一でない事は自明だ。

射が自己反省であり、悟りであり精神の凝視である以上禪の心境に通ずるものあるは疑ふべくもない。道は元來精神的のものであり而も極致であり結局無に歸する所以である。道への精進は不惜身命である。眞劍である。生死なき處、純一無雜の心境を生ずる。その境地になり得たならば初めて射に生命があり生彩を生ずる。射の生彩は人間それ自体の生命であり生彩でもある。道を極めた時初めて活射が行はれる。活射が行はれれば既に悟りである。立命の境地に入り得る事は必然だ。もうこうなつたら千人力だ不拔だ不屈だ無氣力どころか一旦心氣發する處何人と雖も之を遮ることは不可能であらう。

弓道はスポーツでない、精神は敢闘精神だ。あくまで相手と優劣を爭ふ事だ。相手を殪すことだが弓道には目標にする相手がない。選手權と言ふものがない、日本一の文字も當て嵌らない。的に中ることは既に第二義的な價値でしかあり得ないからだ。

弓道は弓により道を行ふ實行の哲學だ即ち弓を射る事により自己を反省し自己の缺點短所を矯正し自己を見性し了得し人格を練磨し品性を陶冶し自己を完成することに外ならぬと考へられる。

この崇高な弓道精神は射を行ふ毎に吾々の生活に融け込んで初めて人生の哲學として大きな光を放つ次第であらふと確信するものである。

或る人が弓道の理想を說いて弓道は只々自分ばかりの修養であつてはならない、之を他人に及ぼし弓道精神をひつ携げて社會を導き救世報國に到るものでなくてはならないと言ふ樣な意味を言つて居られる。眞理想はそうかも知れないが吾々に取つては自己修練が關の山だ。それとても日暮れて道遠しの感が深い。

この樣に御宣託を列べて來ると弓道はそんな六ケ敷いものなのか固苦しいものなのかと考へられる方があるかも知れないが事實はそうでない。初めてみると(勿論相當精進した上でのことではあるが)何かしら止め難い執着を感ずるものである。何故か?判然とした理由は體驗者の體驗に讓らふ。しかし魅力のあるものだ。入り易いものだ(勿論道を極める事は因難だが)まあ百言よりも實行に如かず初めて御覽なさい。

複雜多岐な社會生活をする現代人。神經衰弱的な現代人に取つては一日の裡に弓を射る靜寂な一と時純心無雜の境に入り得る數刻があつても徒事ではなからう。却つて明日を迎へる精氣の生ずる所以乎　焉

三週年記念に際し追憶の一編を捧ぐ

退所者　阿　部　昭

自分は昭和十四年五月二十五日三重療養所開設第一回入所者として入所した。生涯忘れ得ぬ日、空にはちぎれ雲が白く白く浮び初夏の太陽が燦々と痛いまでに照りつけて居た。あたかも我等の希望に滿ちて入所することを祝福するかの樣に、沿道に我等を迎ふ小學生の列、職員看護婦の列、豫想だにしなかつた此の歡迎、これとて切なき身にと思へば何か息詰る樣な緊張、我生を此の世に享けてかくまで緊張せし事なし、靑空の下綠松の間に見へ隱れする眞新しい建物の前で第一回の入所式は擧げられた。過去何ケ月病院のベツトにて暮せし我等一同なれどやはり軍人、顏面蒼白になりし者あれど終りまで動く者とて無し、唯不意の闖入者に驚きしか、又我等を歡迎するか山蟻の群、足下を東行西走。

いよいよ木の香新しき療棟にて我等の療養生活は開始、目に見へる物肌に感ずる物皆眞心の籠る品々、我が身体まですつかり變つた樣な氣持になる。あの廣い療舍に我等十數人の患者、職員よりも看護婦よりも少數なればいかに我儘なる患者と雖も陸病の樣に勝手出來ず、强きものよりの正面からの

理窟には邪氣を起す我等も弱き者よりの搦手には如何とも施す術無く唯療養へと心が向く。

一週一週と日時の立につれ入所者も次々と數を增し、一療棟二療棟と療友を滿して行つた。その頃より散步者の制限實施彼方の木の下、山の上、池の端と、制限標が立並ぶ自分は幸にも一級を受け散步の自由を認めらる。其の時の嬉しさ如何ともしがたく、床につきし友の心も顧みる暇なく、さながら子供の如くあちこちと床の溫る暇あらず。今にして思へば心無き業と深く友に謝す。又安靜時間後に放送される音樂を聞くのも樂しみの一つだつた。あの勇しい軍歌「仰げ軍功」を每日の樣に聞いては戰野の戰友の事を思つて、感無量共に口吟んだあの時の氣持も終生自分の腦裡より去らないであらう。又あの夏の夕、海の見へる丘への散步、唯一人瘦せた小さな松の間に座して何ともはつきりわからない望を持つて眺めた海、聞えない波の音を聞かうとした事も有り、山の向ふに暮す故鄕の人々の事をいつまでもぼんやりと考へた事もある。

沈む夕日を追つて塒へ歸る鳥の聲に誘われて療棟へ歸つた我今振返り見れば呑氣な姿と言はうか、淋しい姿と言はうかはたまたうらやましい姿と言ふか。

未來何年生きる我にあつても療養生活程邪心無き生活は二度と再び味へないであらう。いつも住み馴れた療棟、魚を取つて來ては放つた水槽、いつでもピンポンに打興じた友の事等を思ひ出せば次から次と只懷しい生活だつた。一生のよき思ひ出、あの頃の友と再び見えて共に語り合ふ日を樂しみに、今又療養にいそしむ人々の多幸を祈つて筆を擱く。

退所して早三星霜、日日愉快に業務に勵み得る身を深く感謝しております、此の機會にあたり平素の御無音を謝し、つたない筆ながら思ひ出の一端を捧ぐる事に致します。

療養生活に敢闘の畏友H君に與ふ

退所者　ま　す　み

H君―。

先日は、懷しい御便り戴き、大變嬉しく拜見致しました。早速御返事をと思ひ乍ら、つい仕事に追はれて、貰ひ放しで申譯ない次第だ。療養中の君から御便り戴き、慰問せねばならぬ地方人の自分は、御無沙汰をしてゐるとは、全く逆だ。許せ。

然し、今日は第一日曜で定休日だから、ユツクリと御便りする。氣に掛つてゐるものだから朝起ると急ぎペンを執つたのだ。

毎日、美しい青空の日が續きますね。お山の方は如何?。五月―。若葉の五月、初夏だ、眼に映る總てが清新潑剌としてゐるね。療養所の四圍も、新綠の匂ひが溢滿して、入所者諸君を慰めてゐる事と察する。此の好季に加養專心を祈るよ切に―。

自分は、相變らず元氣。そして平凡な日を送つてゐる。退所して滿一ケ年、早いものだ。其の間、御蔭で風邪にも侵されず銃後の一員として御奉公してゐる。これだけは大いに感謝してゐる。

× × ×

扨て、H君―。

先日の御便りの御返事だが、君の見解は間違つてゐる様に思ふ。俺の意見を少し書いて見る。

自分の人生觀は「人間萬事賽翁が馬」と云ふ諺言だ。人生には、晴天の日ばかりでないが、亦雨や風の日ばかりではないのだ。君は自己を觀るに餘りに消極的で、厭世的だ。俺も療養生活中は、或は君の如き感情に襲はれた事もあつたのかも知れない。それで君の心境も充分解るのだが―。

療養所の裏道の桃畠は、何度咲いても、怖しくも悲しくもないぞ!春が來れば、花は開く、敢へて不思議とするに足らんぢやないか。そんなに解釋する事が即ち、病氣に負けてゐるのだ。「何が何んでも」の強き信念で病氣と取組む事が肝要と思ふ。誰が外氣へ移つて行つたつて、誰が退所して行つたつて、少しも羨む事はない。君は愼重策を取つてゐるのだから―。君は何事でも、裏面から眺めるから駄目だ。物事は總て善意に解すべきだと思ふよ。善意に解すれば、何事も悲しまずに居られるし、其の日〳〵が幸福であり得ると信ずるよ。

最近、俳句を熱心にやつてゐる様だが、それも結構だ。けれども、あまり熱中すると感覺は鋭くなつて、よい結果は得られないのと違ふか。君の事だから敢へて注告するには及ばないだらうけれど……。

兎角―人は、自分を最も不偶なものと考へる短所を持つてゐるのだ。所謂それが慾望であり、本能だね。その短所は即ち又長所と云ひ換へられると思ふ。人生の向上は、其の邊から得られるのではないかと、自分は解釋してゐる。

× × ×

H君―

面白くもない方向へ脱線してしまつて、失禮。こんな事を書く豫定ではなかつたのだが、先日あんな感傷的な御便りに接したから――その返事をと思つて……。

昨晩は美しい月夜だつたね。俺はあの月を眺めて君が亦、あの窓邊のベットで色々考へてゐるのではないかなアーと想像したよ。本當に何も考へるなよ。無念無想だ。毒だから―

―。そんな時、俺は何處かで、「馬鹿者」と呶鳴つてゐると思へ。そして俺と約束をしよう――

「絕對物事に拘はらず、再起の信念で、眞面目に療養します」とね。

俺は療養生活中、唯二ツだけ嬉しい事があるのだ。一ツは病氣の征服、一つは君を識つた事だ。二十年の知已の如く刎頸の交を得て、實際嬉しいよ。君もそんなに思つてゐるだらう。俺等は永久に離れることはないと思ふ。

× × ×

Y君は相變らずピンポンをやつてゐるだらう。あまり激しい運動をせぬ樣にと傳へてくれ。それから、T君からは近頃少しも便りは無いが、如何してゐるかね。尙、先日、新聞で拜見したが、大澤池で釣が出來る樣になつたのだね。釣の好きなK君は每日の如く行つてゐる事だらう。そして、室の皆樣は御馳走になつてゐる事など、眼前に浮んで來るよ。

療養所は、湯タンポを離したら、直ぐ蚊の跳梁だから困るね。大切な血を、あまり蚊に與へぬようにせよ。早く〳〵から蚊帳を吊つてね―。

綴言多謝、今日はこれで失敬する。くれ〳〵も加養專一に療友諸君によろしくお傳へを。

五月〇日午前十時

窓邊の君を心に描き乍ら

再起奉公の信念

退所者 再起生

我々の樣な結核性患者の中には、こんな時代に肺病なんだになつた自分は、死んだ方がましだ。などと悲觀的な失望落膽の言葉を口にする者が往々にしてあります。自分も又此の言葉を今迄は時々口に致しましたが、當病院に入院致し日々に變り行く世界情勢、又日本の情勢を省る時、今、日本は大非常時である、全國民を擧げて奮起し御奉公しなければならぬ秋で有ります。たとへ病人であらうとも國民の一人であるからには一意專心療養に努め、再起奉公に邁進しようといふ勇氣をふるい起し、我々病人であらうとも其の立場に於て困苦缺乏に堪へ忍ばなければなりません。

我々の身體は單に自分自身のものでは無く、尊い國家の大切な身體であります。それ故一人の病人が恢復して再起すると言ふ事は、單に其の人一人の喜びでは無く、小さくしては家庭の喜びであり、大きくしては國家の喜びでありますから我々は如何なる事が有らうとも再起奉公の念を忘れてはならないと思ひます。

又最近は殊に食物が不足して居りますが、其の三度の食事

も常に感謝の念を持ち、尊い國民の眞心で有る事を思ひ、不平などは言へぬと思ひます。今の世の中は金を出したとて喰べる事の出來ぬ時代です。こんなことを言ふと、なにを小癪なと思ふ人もあるでせうが、今自分の入院致して居る病院など、三度の食事に腹も十分ふくれた事が有りません。決戰體制下に有つては、病人だからとて、決して特別の待遇は取つてくれません。世の時勢を良く認識して「我等患者も決戰下の日本國民の一員なり」と言ふ力強い信念を持ちたいと思ひます。

國家は我々に對して、第一の望は決して、早く世の中へ出て職域奉公を致せとは言ひません。仕事は第二で有ります我々の再起奉公は何と言つても健全なる體力氣力「全治」で有ります。其れが何よりの我々の務めで有り義務で有ると思ふので有ります。

自分はまちがつた感念からつひに退所致しました。入所當時は何んでも彼でも一日も早く再起奉公致し、仕事に就く事が更生の道に出る樣に思て居りましたが、それは大きな間違ひで有ります。たしかに仕事に就く事は我々國民の務でありますが、やはり病氣を全治致して後の仕事です。

所長殿が何時も折有る度に言はれる事で有りますが、何物かを長い療養中に得て、世に出ましたなれば、世の人々からは何んの後れも取る事無く、力強く更生の第一歩を踏み出す事が出來得ると思ひます。自分の感じた事は、鬪病精神、信念、氣力で有ります。

今になつて思ひますのは世の總てをはなれ鬪病精神を發揮致し、十分なる療養の後退所を致して居りますなれば、今頃地方病院の御世話にならなくとも良いと思つて居ります。

長く療養生活を續けて居りますと、自分に少しでも氣分が良く、元氣になつて參りますと世の中に一日も早く出たくなつて參ります。とかく入所中は自由を望み、あの自由な世の中に出て自分の思ふまゝに致したいものです。まつたく籠の鳥の樣なものです、籠から出た鳥は一時は嬉しく自分の思ふまゝに空を飛びますが、やはり自分で餌も取らなければなりません。又敵とも戰かはなければなりません、やがては元の籠に歸て來る鳥も有ります。我々は常に療養所を籠と思ひ、餌を生活、敵を病氣と思つて良いでせう。

無理に退所致し世の生活に追はれ敵に負け、再度病床に歸る人も世の中には多く有る事と思ひます。自分も其の馬鹿の一人です。もう大丈夫と思て世の中に出ましてもやはり今迄病氣をして居た體です。やはり人々と同じには出來ません。退所後六ケ月から一ケ年迄ぐらいは仕事と言ふよりはむしろ運動と言つた方が近いでせう。いや散歩の少し强い位でせう此の位の程度に致して居れば間違ひは無い樣に思ひます。退所後すぐに一人前の仕事を致さうと思つたら無理です、やは

り一度病氣した身體ですから無理は絕對に出來ません。

やはり人並の仕事を致さなければなりません。其所にはしぜん無理が生れて來ます、仕事に出ると無理だと思つてもやはりやらなければならぬ事も出來て參ります。其れは生活と言ふものです。喰はんが爲にはやはり無理でも働かねばなりません。

其の点療養所は絕体安心して療養が出來ます。衣食住も安定致し何不自由無く療養出來ます、俺は金が有るから働か無くとも良いと言ふ人も有るでせう、が今は國民皆働の時代です。何と言つても働かねばなりません。

療養の出來る所で十分なる療養を致し、世の中に出て再度病床につかぬ樣注意して下さい。一ケ年や半年で仕事を休み又一ケ年も二ケ年も病床に就かなければならぬ樣では不經濟此の上も有りません。初期の中に十分の療養が大切です。再發すれば病狀は惡化致して參ります。

入所中は努めて明朗な氣持で何んの苦も無く病氣を忘れ、身體は、醫官殿にまかせて常に氣持を大きく持つ事です。いくら體は安靜に致したとてやはり精神が安靜で無くてはなりません。心身共に安靜が肝要です。

「再起奉公の信念」を力強く持ち常に明るい氣持で「なほると言ふ信念」に向て邁進致す事です。

自分などは世の人々に對しても又國家に對しても實に申譯無いと思つて居ります。長い間莫大な國家の經費を使つて戴いて何の役に立つ間も無く、おめ〳〵と又地方病院の御世話になつて居るなど何んの心算で入所致したかわかりません。自分も此度は十分に長期を覺悟致して療養に勤め度いと思つて居ります。いくら全治致したとて退所後に無理を致しましたなれば、長い療養生活も水の泡に成つてしまひますから退所後とても入所當時と氣持は變る事無く用心致して下さい。

自分は退所して始めて療養所の有難さをしみじみと感じました。事情のゆるすかぎり專門の所で療養に御勵み下さい。

最後に諸氏の全治快復の一日も速かならん事を御祈り申上げます。

人生と碁

熊澤要

人生は慾望の追求なりとの言がある、全くその通りであり大なり、小なり、人間慾望のないものはない。生れてより死亡の幕を下すまでは慾がある、幼兒が乳を飲みながら片手で空いてゐる方の乳首を握るのが、そも〳〵慾の初りである。私自身が碁を好むせいか人生そのものは碁の風格と云ふか、

眞理と云ふか、何う見てもよく似てゐると思ふ。

弱肉強食と云ふと響が悪いが、一生涯の終止符を打つまでの變轉極まりない、人生の局面は悲劇と喜劇の反覆を以て織り幕が下るが、碁も慾の間違ひから墓穴を掘りて自滅し去ることもあり、私は人生の縮圖は碁だと思つてゐる。今かりに最初の第一着を盤上の一角に下して出產とする、二年三年も過ぎて十五六才までは平均して順調に進み大した差もなく、どんぐりの背競べである。布石時代即ち幼年時代はあまり慾もなく、迷ひもなくてすむが、十七、八着を下す頃ともなれば慾と迷ひと、色々の難所が出來て來るものである。

戰鬪狀態に入ると實社會は、定石通りには行かない。そこでよほどしつかりしないと、知らず知らずのうちに横道にそれてしまふ。釋迦の言葉を借りると『一度本當の金剛石の光を知つたものは、ガラスの光に驚かない』名人上手の一手一手は平凡の様に見へるが眞理を知るからであり。我々の大いに學ぶ所があると思ひます。

人生も亦、眞理を悟りて、物事に處するならば、見苦しい爭も起らず平々凡々として和氣溢れる世となることでせう。敵も活き我も活き共存共榮！然るに二兎を追ふ者一兎も得ずとか我々の笊碁等は、一石二鳥どころか二一天作の八と、行くから逆襲に遭ひ自から招いたこととは云ひながら骨皮筋衛門となり果てて連れた一族も振り捨てて命から〲遁走すると云ふ、破目になるもので、後の悔がいつも眞理の窓を見せて呉れるが、慾がすぐに閉めてしまふ。相手に一歩をゆずつて居ればよいものを、それがなかなか出來ないのが常である。一つは燈臺もと暗しでどうやらその日その日を、暮してゐるのに、あれもほしい、これもほしい、で四方八方に手を出して見て、迷ひの道を歩き、一寸樂になれば快樂にふけりまた一寸悲しことがあるとすぐ角を立てて泣き、あゝでもない、こうでもないと、晩年になつて氣の付いたときは、事既に終れりである。亦才人多く事を誤るとか云ふが、これも眞心の窓が開いてゐたならよいのだが、器用だ、その心が既に本心ではない。人生の縮圖碁の復雑怪奇極りない局面に於ても、一手たりとも即ち人生の一日一時たりとも、愼重に致し最善を盡して一手一手と石橋を叩いて渡るならば慾の色眼鏡は次第に無色となり、また天も我に見るべき心眼を開けて下さるし、味方ともなるものであります。碁の面白いところは生れた當初も青年壮年共に家運順調でも晩年に至つて樂観より生ずる悪手一手によつて主客覆倒することもあり、丁丁發止と圍み出す、黒白二者の無言の人生はまことに、よく人生を描き出して限りなくよい教訓と警鐘を人生の無軌道車に與へてゐます。

我々も生涯に於て縮圖の如き迷ひに入らず、小康を得て安んぜす、若いうちから駄目などツメずに、心眼を以て世を

處して行くならば、自然に荒野はひらけて、春亦訪れん。最後に療友諸兄の再起を祈り筆を洗ふ。

療養と釣

大脇水垢

療友諸君、其後病狀は如何でありますか、御見舞申し上げます、追々と良ろしい事と存じます。私も追々と元氣を回復して居ります。

眞實私達は長い〲地方人では想像も出來ない様な療養生活でありまして、絶對治癒は信じては居りますものゝ治癒速度の遅々たるには少なからず不安を持つではありませんか。物体ない譯ですが三年も四年もかゝつて治す様な病は珍らしいではありませんか。ときどきには多少とも倦怠するのは當然だと思ひます。他の者が何んと理屈をつけても、それは病人自身でなくては絶對に分らんと思います、しかし其の苦しみは自己の運命に降つて來たものである以上は、今更何んとする事も出來ないものであります。それ故に何か他の趣味を以つて、療養生活に意義あらしめたならば、少なからず療養効果があるんではないかと思ふものであります。其の点俳句短歌、音樂などは心も落付きまして良いものと思います。しかし乍ら、ある程度病狀の固定した者には頭ばかり疲勞させる趣味よりも、今少し體を動すところの趣味により以上の價値があるのではないかと思ふ者であります。

そこで私は病人と釣と言ふ事を考へるものであります。地方では戰爭前は都會から田舎の生家へ歸つてブラ〲して釣でもやらうものならば、あゝあれもとう〲都會病になつたかと言ふ様に病人と釣は昔から因果關係が深いらしいものであります。

ところが戰爭が始まつてからは人的資源缺乏の聲高いにもかゝはらず、都人田人と言はず釣師激增を來たして、全國に三百萬以上の釣人が居るとの其の筋の人の話であります。

これは勿論物資不足のために自分で魚を釣つて、榮養を攝らうと言ふ二鳥的な見地から增加したものと考へるべきでありませう。

此の様に釣は地方に出ても職業の休みなどに一竿携さへて體力增進をかねて新鮮な魚を家庭へ持ち歸つたならば、非生產的な趣味よりも一役御奉公が多い譯であります。

さて療養と釣『先づ何釣から始めるか』釣趣萬点のものは何か、私達にも釣れ易いものは何かと言ふ事が問題となるのであります。昔から釣は鮒に始まつて鮒に終ると言つて、鮒釣が大衆的で趣味も又他の釣では味へない素敵なものであります。鮒釣には寒鮒釣、巣離鮒釣、乘込鮒釣、落込鮒釣と大

体以上の釣方に別けられて居る様であります。で私は先づ鮒釣をおすゝめ致します。

季節別に淺い經驗を申し上げまして、始めて釣ろうと思はれます皆さんの御參考にでもと思ふものであります。

乘込鮒釣

すゞか發刊の都合上乘込鮒から申し上げます。強い北風がやはらいで病人の私達でさへ一枚シヤツを脱いでも未だ春の肌ざはりが何んとなくさはやかで、菜種畑には花の香をしたつて蝶々が飛廻り、浮世の良さをしみじみ味ふ頃となると心持の良いのは私達ばかりでなく、寒い冷たい水中の魚も水が温まり冠水の大地から僅かに芽ぐんだ蘆の萠芽を戀ふかの如くに、縺いつき絡みつきして產褥を搜す乘込鮒の期節となるのであります。この時期の鮒は寒鮒と同じく、肥大して味も良いときであります。一度炭火で燒いて貯へて置いてトロ火で豆煮にでもして骨ごと食べるも格別です。自分で釣つて自分で料理して春宵の窓に一献キコシメス風趣又格別ならんや。しかし私達は一飯の方ですね。

暖かく花曇りしてそよ風があつて、水になんとなく温か味を感じる様な日に、湖入の川や用水野池の適當のかけ上りや淺場の蘆や藻切れの端の誰の眼にも釣れそうな、穴場所へ陣取つて、餌はキヂつまりみゝず一方でよろしい。三間二間半二間と三本位胴調子の軟かい鮒竿を打込んで、風や氣温によつてとき〲浮木下を調節するか流れの速いところでは脈釣もよろしい、そしてあたりを待つか、三間一本に道糸を半分位に鉤一本でコクメイに虎穴虎兒式に狙ひ沖やベチの良さそうなところを靜かに釣歩くかして居ると、產褥前の旺盛なる食慾で餌をアセツテ居る。大鮒が二本鉤に一荷もかゝつて來るものならば心臓が高鳴つて手が振へる位釣師のみ味ふ快樂であります。竿を半月に絞つて魚の暴れる間物凄いスリルを味ふ譯です。しばらくすると大きなお腹の鮒は充べてを諦めてか、磨かれた銀鱗をツツと見せるトタンに大物だと思ふと、竿が伸びて魚は頭を水上へ出す。それを手勝手の良い方へ引寄せる、若しかすると友達戀しか再び爭闘を試みる事などあつて、釣人を又もやよろこばせて來れる譯だ。こんなときはときたま糸切れや、ばれをする事があります。糸切れは竿調子と糸の太さの不合理からであり、ばれは鉤の小さいときに多い様であります。もう乘込時期は食慾も旺盛ですから、可成と大きい鉤でよろしい、こんな事は釣つて居る間にだん〲分つて來るものであり、又自分で研究するところに釣の妙趣があるものです。最後の爭闘に負けた鮒は萬事釣師まかせになつて暴れません。ベチへ引寄せて手網に掬ひ取つてビクなり網なりに入れます。こんなときは餘り大きな聲を上げたり、飛上つたりしては後の鮒に逃げられて了ふから注意して下さい。又他人にも迷惑です。底を切つて引寄せると

きも自然に音を立てない様に注意したいものです。之もやはり後の魚に逃げられます。こうして樂しみつゝ尺鮒二三枚、中形二十枚位上げられる様なときは、何んとも言へないものであり、又ときたまある事であります。鮒は數も多くかゝり又ヒヨイと尺近いものがかゝつて、初めての人や倦き性の人には持つて來いの魚です。殊に乘込鮒は未だ竿入れのして無い始めての場所などで、もう良ろしいと言ふ程もかゝる事があります。澤山良場に集つて居る(卵を生むため)ところを根氣に搜ねて其の穴から大小ぐん〲上げて居ると、人竿一体とでも申すか此の世の中が神の世界の様な平和な何物も考へない空なものとなつてしまいます。

夕食前に意氣高々と引き上げて歸る、看護婦君でも『マア素敵』とでも言ほう物ならば、鼻下長炎者でなくもうれしかろうと思います。こうして體に異狀がなかつたならば、くよくよしてベツトに寢て居るよりは餘程療養効果があろうと思います。先般も雜誌に松屋の女店員連が釣友會をつくつて樂しんで居ると出て居りました。以つて地方の釣りの盛んな事を知る事が出來ます。

もう此の位で俺も釣をやろかと思はれたでせうから、釣の道具について少し申します。

一、竿

これは安價なもので十分ですが。胴調子の出るのが釣竿の生命ですから、良く調べて求めるべきです。長さは持竿それ〲變へた方がよろしいと思います。

二、糸

細いものでよろしい、道糸二三厘の澁糸か人天に鉤素八毛か一厘位の良質の人天で十分です。竿よりも一尺位長く仕立てます。

三、鉤

これは大小、形と色々ありまして買ふとき迷ふ位ですが、二厘から四厘位の丸型か、アブミ型が良いでせう。

四、浮子

玉浮子、唐辛子浮子などよろしいが、細い長いものがよろしい、五寸位のものを一寸位水上に突出して置くと、アタリがとても面白く良く分るものです、又風のときも良く分ります。

五、錘

どんなものでも良いが玉型が使良いと思います。要は浮子と重みの調節が大事です。僅かに地底へついて浮子が一寸程出る位にします。其の他に生し網かビク、手網、糸卷、ナイフ豫備品位でせう、豫備品は絶對に持つて行くべきです。

以上で十分でせう。先づ乘込鮒から釣り始めて下さい、だん〲魚の習性が分つて來て、何時の魚でも良く上手に釣れる様になります。落込鮒、寒鮒釣りも面白いものであります

が、釣方も多少宛違つて來ます。それから目下大澤池で繁殖中の公魚鈎も年魚であつて、一度に何匹もかゝり面白いものでありますが、紙數の關係上次の『すゞか』に出させて戴きます。

大東亞戰爭と療養生活

浅野清雄

東西一万海里南北五千海里に亙つて行なはれる日本の大規模なる大東亞戰爭は、地域的なる英米への戰爭ではなく、英米なる語で表はされる舊秩序への闘爭と考へるべきである、印度が獨立し、濠洲を取り南洋圏物質を獲得しようとも戰は終りではない、東亞より英米的あらゆる禍根を除去し、神國日本を盟主とする世界新秩序を創り上るまでは吾々は如何なることがあつても勝ちぬかねばならぬ。

皇軍の赫々たる威力は、さきに星港を獲得しその名も新しく昭南島と變り、南太平洋の制海制空權はわが軍の絶對的に掌握するところとなり機熟せば一氣に印度に濠洲に侵入せんとする態勢である。

この嵐の如き世界變貌の眞只中に於て聖地三重に傷痍の身を守り安穩なる日々を送ることが出來るのは何たる有難きことであらう、戰爭國とは云へ何の生活苦も無く五体を純綿のベットに横たへてゐるこの感激に對し、吾々は前線の戰友に想ひを致すと共に周圍の生活に心を向ける責任がある。

皇國の武力と生活物資に對しては絶對に心配無く敵の乘ずる隙があるとするならば思想部面であるとは今日の新聞紙上の言葉である。軍事的に見る世界の新しさ素晴しさに比し國内の秩序感生活感の古臭さは眞に驚くべきものがある、最も新しくなければならない神國日本に於て今なほ自由主義、營利主義的觀念を以つて自已を擁護してゐるなどは憂慮すべきものである。

英米は三百年前よりユダヤの惡平等思想を利用し東亞を侵略し資本主義的大植民地を獲得せんとして表面人類平等、自由博愛を方便として、全人類に宣傳しつゝ東亞民族に何等平等の取扱をなすことなく、反つて自由を縛り、たゞ博受の假面を被つて産業に宗敎に文化に飽くなき横暴謀略を加へて來た。

産業部面に於ては分業的産業を强いることに依つて絶對的に獨立をなさしめず、英米の購賣力に依存せねば成立出來ない狀態にし、宗敎部面には英米人こそ神の選民であり最も神聖なる人種であるとして敎化を施し、敎會を建て、病院をつくり些細なる病を醫すことに依つて恩を賣り歡心を買ひ、他方東亞民族の體位低下を來す様な不自然的化學的内服藥又は

注射藥を施し一時的効果に見せかけつゝ長期に亘つて體位を低下せしめんとしてゐるのである。又軟弱なる三エス思想を知らず知らずの裡に生活に植付け東亞民族心を頽廢せしめ帝國主義一色に塗りつくさんとするが如き飽なき横暴には枚擧にいとまがない。

日本は世界最優等の民族であり、世界に新紀元を畫せんとする民族である。

重大使命を負ひ傷痍の身を守る吾々は明治の初期より文化の名に隠れて國内に風靡した自由享樂至上主義的のあらゆる物を生活より捨なければならぬ、赤裸々な未だ何の色にも染らざる神國日本臣民となり、生れ逢はした時代と境遇に於て東亞の盟主として恥ぢざる思想と生活を以つて宿魔を滅ぼすべく療養生活を建て直さねばならぬ。

前線の戰友は生命を捨てゝ戰つてゐるのである、銃後の國民も如何なる因苦にも耐へて國を護つてゐるのである、吾々のみ時代を離れて生活して良いのであらうか、國を護り歴史を創る責任は吾々にもあるべき筈だ。

山百合

かとう生

日本人は特に清楚を好む。

最近の紙上にもバタアン攻略の際に、外國人であれば、華やかな色彩の花を好むであらうが、日本の兵隊は、戰線に於てすらこれ等の色彩を省みず、純白な花、薄く黄色な花を好んで手折り、言ふに言はれぬ魅力にかられてゐる。と云ふことが載づてゐた。

私は幼い頃から百合が好きである。殊に初夏の裾野に咲く山百合が大好きである。いつも百合の花を見ると、百合の花が出初ると、とびつきたくなる。

「光る部隊長」に、「名もなき草花が夜店に於て案外高價に賣られてゐるが、野山に咲く山百合は、誰も省みないところで、人が見てゐようが見てゐまいが、獨り芳香を放ちて咲いてゐる。何んとゆかしい花ではないか」と云ふ様なことを書いてあつた。

白と云ふ色は純潔であり、絶對色である。この白き山百合がもつ清楚な感じ、ゆかしさ、芳香、私はまたとなくチャームさせられる。光る部隊も、山百合は吾が國古來よりの床しき女性の眞の姿であり、又戰野を馳ける床しき武士の姿であると云つてゐる。勝つて誇らず、功を譲り合ふあの立派な精神！何と美しい山百合ではないか。

私は山百合と云へば、よく中學時代の寮生活を想ひ出す。桂山の麓にある寮舎は時期ともなれば各部屋とも山百合の香で滿された。夕食後の一時、友と散歩に行くと山百合が初夏

の山麓にほのかに白く、あのやさしい姿で私達を招いてゐた「第一番に馳け寄つた私は可愛いゝ彼女に輕い接吻を贈り大事に持ち歸つたものである。

開け放つた室で、讀み疲れた書籍を閉ぢた時に、又青春期にあり勝ちなホームシックが訪れたときに、机下にさした山百合は又となく私を慰めてくれた。やさしい謙譲心の强い母となつて。

私は山百合を見ると、亡き母に逢つた様な氣がしてほんとうに樂しくなる。

山百合はアキが來ない花である。

私は山百合が大好きだ。

軍艦の朝

英一郎

東天がほのかに白む〇〇基地に嚴として任につく艨艟幾隻やがて朝が來る。

「總員起し」勇ましい喇叭がなり響けば曉の夢破られた海の戰友達の活動が始るのだ。

清々しい潮の香が舷窓から吹き込んで來る。艦腹を打つ波濤が高い。ハンモックは整然と格納所に納められ居住甲板(デッキ)の清掃を終つた水兵達のあしおとが昇降口のラツタルに消へる頃「休メ」の號令がかゝる。

まもなく「總員後甲板遙拜の位置に整列」と傳令が號笛を吹き鳴らしながら露天甲板を走つて來る。全員潑剌として後甲板に整列し故國に向ひ皇居を遙拜する。

神祕な夜明けの海上に眞紅に燃へて太陽が水平線をはなれる頃黎明訓練がはじまる。電流の騷音黎明の靜寂を破るバザーの音「配置に付け」「合戰準備晝戰に備へ」と艦橋指揮所より傳聲管、高聲電話で各砲台に號令が傳へられる。直に砲塔水雷砲台から艦橋に復唱され、巨砲にじり〳〵と仰角がかかり魚雷發射管が旋回し始める、今から朝の猛訓練砲戰魚雷戰が實施されるのだ。黎明の海は我等の第二の戰場だ。

蟹の如く甲板を拭ふ水兵の氣合響くよ軍港の朝

澤山の蟹が這ふ様に露天甲板に並んで元氣一杯甲板を拭ふ水兵、白の戰闘帽、白のシャツ、白のズボン、輝やかし瞳、上氣した若々しいその頬、元氣潑剌とした身輕な動作、巨砲にまたがつて砲口を餘念なく磨く兵、艦橋では信號兵が盛んに僚艦と手旗信號をかはしてゐる。朝の光が甲板一杯に滿ち〳〵て居る、波濤のうねりの上には白い鷗が大やうに舞ひながらほそいやわらかな鳴聲をたて右往左往して居る。

× × ×

八時軍艦旗揭揚だ軍刀閃き君ケ代の奏樂がおごそかに起こ

る。紺碧の海は輝やき萬里の波濤を渡たる朝風にへんぽんとひるがへる軍艦旗、仰ぎ見る將兵の胸に大和男子の熱血はたぎり「大君の邊にこそ死なめ」と一死奉公を誓ふのだ。

軍艦旗はためく許に我死なん遙かに霞む國土を拜す

× × ×

出港用意の喇叭が喨として艦内に響き渡る。忙しい前甲板の錨作業も終つて配置につく。(前進微建)

軍艦はしづ〳〵と前進し始める、輝やく艫の菊花御紋章、潮風にはためく大軍艦旗、後續艦〇〇戰隊の雄姿、艦を追ふ鷗、霞んでゆく山々、懷しい〇〇基地を後に怒濤逆卷く太平洋に出て艦隊の猛訓練が展開されるのだ。

堂々と戰闘旗揭ぐる艦隊の怒濤蹴立てて何處に向ふや

感謝と感激

田近智義

嘗てのハワイ眞珠灣の攻擊の華と散つた軍神九勇士の崇高にして悲壯悲壯にして崇高大本營發表のラジオを聽き、あの瞬間胸中燒付く樣な感動を覺へ、國民の一人としてなさねばならぬ大切なる事をなして居らぬ自責の念を强く〳〵感じました。吾々の將來には明るい希望と平和に滿ちた新しい世界が吾々の足元から開かれやうとして居ります。此の輝き滿ち溢れたる處の大戰果を眞に有終の美になさしめるには我々若き青年に與えられたる處の大使命であり、必ず來る此の欣びをどうして味合ずにをれませう。地圖を展げて一度見れば世界の一大寶庫と言れたる南洋の島々は今や全く我軍の脚下に伏し新しき時代を擔ふ吾々の眼前に現實の容となして燦然と明日の希望に輝いて居ります。それを思へば現在の我々の苦しみこの不自由は本當に輕き代償であります。昭和の聖代に生を享けたるものに最も光榮とする秋に一日も早く病魔を克服して輝やかしい世紀の希望に向つて力强く邁進致さなければならぬ。戰線に立つも銃後にあるも病魔克服につとめるも眞に至誠を以て天業翼贊の道を力行し、戰ひ抜く勝抜き築き上げる意氣を以て日常の生活を鍛へ練り上げねばならぬ。

雑言三題

宮誠

入所者諸氏よ、病なにものぞ、意氣旺盛必勝の信念を持つて、療養しておられる事と存ずる。諸氏は名譽ある皇國軍人として聖戰に參加され、或は前線に於て、又内地部隊に於て何れも盡忠精神を持つて、一意君國の爲奮闘なされたが、惜

しくも不幸、病を獲られた事は眞に御氣の毒である。衷心御同情に堪へません。此の上尚々一層療養に專念せられ、一日も早く再起の日を迎へられんことをお祈り申上げます。此の度壽々加第六號の原稿募集〆切るをきいてこのよき機會に思ひのまゝ雜言の一端を申述べ度いと思ひます。

◎ 大詔を奉戴して

昨年十二月八日午前六時に突如として、全國民の耳朶を劈いて、歷史的快ニュースが發表せられた、曰く

「帝國陸海軍は今八日、未明、西太平洋に於て米英軍と戰鬪狀態に入れり」と報道し且つ、畏くも米國、英國に對し宣戰の大詔を渙發あらせられ、皇民の今後の嚮ふべき所を昭示し給ふたので御座います。病床に在る我等の心は如何に、唯一人として此の一瞬に感激せぬものはなかつた事でせう。畏くも詔勅の一端に「……朕カ百僚有司ハ勵精職務ヲ奉行シ朕カ衆庶ハ各〻其ノ本分ヲ盡シ億兆一心國家ノ總力ヲ擧ケテ征戰ノ目的ヲ達成スルニ遺算ナカラムコトヲ期セヨ」と、我等は今病床に在つて國家の爲に盡くすことは出來ませんが、然し、我等は療養の精神に由つて盡くされない所の御奉公を盡くさねばならぬ、其の道は、前程の「……朕カ衆庶ハ各〻其ノ本分ヲ盡クシ」と仰せられてゐる如く、我等は病床も戰陣だ、病床に在りながらも已の務を果さなければならぬ。我等は鬪病精神を鍛へ絕對治癒の決意滿々として漲る精神を持つて病を克服し、再起奉公を致すのが、我等に課せられた所の責務であると、共に日常療養生活の心構として積極的に、自奮自勵の行動をもつて現在の已の務を果さん事を望みます。私は日頃朝夕、畏も勅語、勅諭、詔勅を拜誦して居ります。我等は病魔克服の精神を鍛へると共に、朝夕、勅諭類を奉誦して聖旨を體得して、自己の精神修養に務めねばならぬと思ひます。

◎ 神社に詣でて

東天の、やうやく白み初める頃、早くも夜の靜けさを破つて、サンダルの音が聞える、まだ○時○○分頃、毎日毎朝、雨の日も風の日も雪の降る日も報恩神社に參拜する、多數の入所者諸氏が見受けられる、殊に大東亞戰爭以來日々に參拜者が增える、私は此等の入所者諸氏に對しまして尊敬の念を持ち、頭が下るのであります。

病床に有つて神佛に由つて自已の精神の悟を開き神佛の御加護に由つて、病を克服致すのは眞に意義深く感ぜられるので御座います。神を崇敬し、信心の祈念を以つて參拜をする諸氏の中には神前に向つて嚴肅に拜禮し、服裝身嗜良く祈念して居られますのを見まして誠に深頭感激に堪へない次第です、がたゞ遺憾に思のは神前にて細き腰紐を前結にし、亂れたまゝ參拜する人があることである。此の點の服裝に注意されて服裝正しく、嚴肅に神前に祈念せられん事を望む。白衣

の天使看護婦諸姉が、朝出勤の際や歸舍の際に、報恩神社に多數參拜されますのを見るに、眞に日本女性の誇りであり、大和撫子の優美な、床しい心情に深く感心せられるのであります、私は此等の敬神者に對し、尊敬の念深く感激致して居ります。

◎ 傷痍軍人として

療養生活に狃れるに隨つて兎角、已の最初の氣持は弛められて來る、相互に相手方の心の弛を、話し合つて相互に力强く雙方を尊敬し以つて療養に勵み度い。我等は傷痍軍人たるの名譽を傷けぬ樣に致しませう、兎角療養生活の環境や具備せられてゐる所の施設に對して最も我等は感謝し、療養に專念いたさなければならぬ。現在諸氏は何不自由無く、安穩に療養し得られるのは、畏くも宏大無邊の聖恩によることは勿論、銃後國民の熱誠なる同情に依るものである、且又所長殿初め各醫官殿各職員殿の御指導と手厚き看護に依るものであります、兎角、諸氏には之等の恩惠に慣れ、聖戰下にあるを忘れ、我儘な行動をなすは最も傷痍軍人として眞に恥づべきことであると思ふ、大東亞戰爭以來入所者諸氏は眞に傷痍軍人としての名譽を重じて自肅自戒されて療養に勵まれてゐるのは眞に慶賀に堪えない。然し殘念ながら、自分の病にあるを忘れ、自分さへよければと言ふ樣な、利已主義を以つて、他の療養者に迷惑をかける樣な點を屢々見受けられるのであるが、我々は傷痍軍人だ、陛下の股肱たるの道を忘れず自分の名譽を瑕ける樣な行動を御互に止めませう。且又白衣の天使に對しては努めて親切にし婬らな言語や振舞をせず、相互に尊敬の念を深めて我々は療養に專念致しませう。

時局下の今日であるを辨へ過去に於ける苦しみを思ひ戰線に働き居る所の戰友の苦鬪を偲んで現在の療養任務を眞に自覺すると共に、病床も戰陣だ!!此の決意を以つて一意療養に邁進し、正しく、强く、明朗に、我等は感謝の念を以つて、療養に勵みませう。

療養想斷

夕起緒

四、五日强い西風が荒れて冷い雨が降り續いた今朝は素晴らしい天氣だ、霜が降つたので療庭の隅々は未だかじかんだやうな冷い空氣を抱いてゐるのだが、そこにさへ爭はれぬ早春の香がし、松林の上には花びらのやうに華やかに陽が昇つてゐる。

今七時半頃だ。私は朝眼がさめると、いつでも南側の窓を先に見る。そして松林の間から射入る光が部屋に滿ちるのが眼に入ると何とも言へない一つの歡喜を覺える。これは人間

否動物の本能的な光に對する思慕と景仰であると思はれる。天氣が惡くて雨が降つて居たり、それでなくとも薄暗かつたりする時には實際うんざりしてしまつて、起きようと思つても起る氣になれず如何かすると一時間くらいも亦眠つてしまふことさへある、病人は天候に非常に支配されるのだと聞いてゐたのだが、その境遇になつて見ると眞實打破する事の不可能な影響を受けるものだと言ふことがよく判つた私の信念と思性は雲の隱顯によつて絕望に沈んだり、希望に輝いたりしてゐる。然し天候に依つて思念や肉體が浮動することが、はつきり自分に分つてゐる。それを客觀的に冷靜に行かなくとも、可成冥想的にみつめることが出來るのは、まだまだ自分の病狀が決して悲觀すべきものでないと感じられて嬉しいのである。

私はこんなことを、とりとめもなく考へながらこの冬から飼つてゐる目白の世話をしてやつてゐる、籠の上から水をかけてやり、籠を掃除し、摺餌を拵へる、大概は窓外にひつ掛るのだが、今朝は枕頭臺の上にをいた。目白は活潑にとまり木の上をせはしさうに往復してゐたが、やがて高張りをし始めた、心持頭を突き出すやうにして轉ると喉がぴく〳〵膨れたりして黃色い波が立つた。

私はこの老人臭い趣味をひそかに嗤ひながら、ふと正岡子規の話を思ひ出した。

子規は長い間の病褥生活の中で、初めは焦慮し、煩悶したやうであつた。が後には病を愉しむといふ境地に到達したといふ。その境地は宗教的な從つて大安住とか大自在境とかの脫俗的心境でないと思ふ。矢張り私達と同じ人間である。私は彼が患部の苦痛に堪へず、人目もかまはず泣いたといふのを讀んで胸を打たれたことがある。

私も一つの對象にしがみついて努めたならそれは娛樂に耽ける意味でない病を愉しむといふところまでも、あきらめる乃至紛らはすといふ點まで行き着くものと思はれる。私は今朝からまた讀みたした子規の〃病床六尺〃を讀んでみようと思つてゐる

三文の徳

日比野弘次

熟睡からさめたこゝち良い淺い眠―眠つて居るやら眠つて居ない樣な曖昧な夢の中をさまよつて居る。起るには少し早いがなとベットの氣持良き溫みに名殘が惜まれ春眠の陶醉境をむさぼつて居る。山の手を遠ざかり行く汽車の響が朝のしじまにはづみ傳り來る。毎朝の臥床に聞く車輪の騷音氣笛も何だか親しみを思はせる。

看護婦も勤務に就いたらしい、配膳室に朝食の準備をするのであらう陶器の觸れ合ふ音廊下を掃く箒のさわやかな音に交り早起の寮友が洗面所の方で水道のほとばしる清々しい音をさせて居る隣の窓に小鳥の優雅な囀りが始つた。どこまでもならされ教養を經た聲であるかの樣である。小鳥の聲は何と云つても人間に飼はれなければならぬ運命を持つて居るのであらう。其の圓みのある聲にいたゝまれず春眠も破られ朝床を蹴つて窓に立つ病室にはまだ光が滿ち足りず淡暗い、山の療舍の朝だ。東の青山の峰にほのぼのと曙の優しき光がさしそめて、みるみる其の黃金色は淡れゆき、燃ゆるが如き眞紅の日輪に移り行く太古のまゝのしつとりとした露に濡れた地球の表面、開闢のまゝの新しい紅に明けてゆく空。この清爽壯美雄大な神祇な日の光景を眺め神々しい感じを持つことは神代時代の人も現代人も何ら變らないと思ふ。朝明けの尊嚴さと云ふが、それは破戒の朝寢坊には拜めない尊い世界である。

朝露を踏んで庭に下り立つ、今花畠は所狹きまで春の草花が咲き競つて居る。隣り合つて咲いて居る菜の花の黃とチューリップの紅が優しい何か綺麗な愛のさゝやきを交すかの如くさわやかな微風に一樣に搖れ動いて居る。其のチューリップの何か情熱的な感じをおこさせる紅は安らかなベットに無明の闇をさまよつてまだ覺めやらぬうつろな眼を今初めて完全に目覺せてくれそして純眞清淨な色に洗つてくれる、時にはしばしば病を忘れ去る事すらある。この朝の清淨無垢な空氣を胸一パイに呼吸すればTB菌の活躍する餘地も無く氣持が晴々して來る。朝のさわやかな肌心地を感じ乍ら眺める露に濡れみず〳〵しい花の美しさは亦格別だと思ふ。

誰かゞ萬象は主感のかげなりと云つて居る。花と云へば直ぐ美しいものと概念的に考へられて居る。元より草花の美はいづれの時に於ても差があらう筈がない。只見る人の心持ち次第に依るものだ。自分の心の淋しい暗い時には其の美しさは半分も感じられないと思ふ。同じく花を嘆賞するならば云ひ換ればこの自然の生命を凝視して得る樂しみは入所者諸兄すべからく早朝の快感を以て其の生命奧底に融け合ひ觸るゝことに依り其の美しさを味ふべきであらう。

早起は三文の徳と云ふが全く千古の金言だ。いな新綠の候に於ては萬金の徳だと思ふ。時に我々胸を病む者に於ておやだ。私がこの境地を味ふ樣になつたのは最近である。この朝と云ふ威力に打たれて其の偉大なる光景には頭を下げずには居られず朝の快感は我々を赤子の樣な純眞な氣持にしてくれるものだ。若し終日朝ばかりならば病もさほど苦にはならないだらう。療養は先づ早起からと云つても過言ではなからうと思ふ。

人形

沖 雅人

とある秋の暮の頃であつた。班に一つの慰問袋が届けられた。言ふまでもなく女の人からである。三十名から居る兵隊に一つの慰問袋ではどうすることも出來ない……。で衆議一決籤引をすることになり、はからずも僕はその貴重なる慰問袋をものにしたのである。例にもれず早速禮狀を書き返事を待つた。これは皆兵隊にありがちな心理を僕はそのまゝ實行したまでのことである。

それが切掛となり(と言へば語弊があるかも知れないが)一週間をき位に便りを呉れる。勿論僕もかゝさず返事を書く樣になつた。それから三ケ月程經過しただらう、或日小さな慰問袋が彼女から届いたのである。今度は僕の宛名になつてゐたから誰にも遠慮なくひらいた。すると人形!!寶塚人形が出て來た。

僕は地方に居たころよく寶塚に遊んだものだ。なんて書いたのを思ひ出した。あゝそれでこの人形を送つて下さつたのだと判つた。殺伐たる空氣のなかにこの人形こそ僕をどんなに慰めてくれたことだらう。

○

それから後不幸病に侵され入院、內還、○○陸軍病院等轉々と後送になる僕の床頭台の上にいつもその人形を飾ざるのを忘れなかつた。何故かそれを手放すことが出來なかつた。……僕である。

○

彼女が初めて面會に來てくれた日は丁度桃の節句だつたと思ふ。

僕の床頭台の桃の花の下に例の人形が飾ざつてあつた。それに目をとめた彼女は、

「まあこんなに哀れな姿になつたの――それによく大切に持つてゐて下だすつたわね――」

と目に涙さへ浮べてゐた樣に思つた。それから暫くたつて突然、

「私この人形をもらつて歸りますわ、後からきつと新しいのをお送りしますから――」

と言つて僕に何も云はせず持つて歸つてしまつたのである。それから數日後小箱の包が届いたのは勿論のことであるが、何故か僕はその人形に馴染むことが出來なかつた。それから暫くして彼女から長い〳〵手紙が送られて來た。それにこんな事が書いてあつた。

「私暫く勤めを退いて故郷に歸り療養しなくてはならなくなりましたの、貴男との御交際もこれが最後だと思ひます。

私の病氣はそれは〳〵輕いものです。御心配して頂く程のこともありません、どうか貴男は一日も早く快くなつて御兩親樣に御安心させてあげて下さい……」等々のことが書かれて最後にあの人形は私一生大切にお守りしますから御心配なくと筆をとめてあつた。

その手紙を最後として彼女との交際は絕えて終つたが、彼女の友達の口ぶりでは結婚するらしいとの噂もあつたとのことである。僕はそれ以上の深い事情は知らないが唯何故僕に眞實のことを話してくれなかつたのだらう?今もそれが不思議でならないのである。

あれからもう三年にもなる。若し病氣であつたとしても快くなつて幸福な家庭の人となつておられるであらう。僕は只管そうあれかしと祈つて止まないのである。(完)

心の持ち方

千種 馨

空には一點の雲もなく絕好の小春日和!高く外氣小家にひゞき渡つてくる午後の安靜の鐘、ベツトに寢ころんで晴れ渡つた空を眺めてゐる中に、すゞかの原稿募集を思ひ出し一度位は應募してやらうと思ひつくまゝに書いた、讀んで載けたら本望だ。

大自然でさへ雨の日も風の日も又晴天の日もある。凡そ人間と生れた以上神樣でない限り、喜怒哀樂は人の常である、まして我々病人においては一そう激しいと思ふ。併し乍らこの悲しい時や腹の立つた時に心の持ち方によつて嬉しくも又樂しくもなるものである。例へば我々の病氣について考へるならば、熱が出たり自覺症狀が有る樣になると眠ろうとしても眠られない。肩が凝る。腰が痛む。食慾がなくなる。何時下熱するのか判らない如何にしてこの味氣ない一日を過そうか、明けても暮れても無味乾燥で目につくものは天井の節穴と木目許り、こうなると意志や感情許りが發達してもう自分は助からない死んでしまふと、自ら悲觀して一層惡化させる樣になる。こんな時でも現在の苦惱は人生の約束だ、天が生命を取りに來たのではない身體を大切にさせようと思つて暴風の警告を與へたのだと思つて、煩悶せず堅固な意志を持つて療養したならば必ず海上日和のやうな時が來る之れも心の持ち樣である。

過日軍事保護院囑託某氏の精神講演ありその一節に曰く

「人間は心の持ち樣でどうにでもなるものだ、あの空飛ぶ鳥はどうだ、雨の降る日はどこで寢るのだろう、身體の惡くなつた時には誰が直してくれるのだろう、之に位べれば人間は本當に感謝しなければならない立派な家に住んで病氣にな

れば醫者が診てくれるし實に有難い、……」本當に物は考へようだ。

唯單に病氣のみではない浮世の萬事が皆その通りである。心の持ち樣によつて禍變じて福となす事が出來る。そして長い人生航路をたのしく送る事が必要だ。

今や大東亞戰爭下一億一丸となつて戰時體制の折柄安穩に療養し得る我々は本當に幸福だ。長い療養生活中いろ〳〵の障害もあることの時、世の中の樣を考へ心の持ち方をかへ緊褌一番再起のゴールへ突進する樣努力しようではありませんか。以上

病床より

芳穗生

若葉の頃となり人の心もだん〳〵落着いて來ました。各學校ではそろ〳〵遠足、躰育會の行はれて居ることゝ思ひます。子供等は靑葉若葉の道を語りつゝ行く日を、木蔭で辨當を開ける樂しみの日を待ちこがれて居る事でせう。しかしながら一面家庭的に惠まれない子はこの一日をどんな思で過すことであらう。またその親たちはこの樂しい日を淋しく送らしたくないものと人知れず胸をいためて居る事と思ひます。

人なみにとはゆかなくてもさゝやかながら人目につかぬ程度の晴着を着せてやりたいと思ひつめて居る事でせう。

これらの事も考へて、つとあて質素に粗末にと、緊めても緊めても、つまらぬ事に力を入れたがる親の虛榮に憤慨し、又一方これらの子供に、またその親に同情の目をそゝがざるを得ないのであります。

「僕の家は貧乏やで、」

と粗末な身なりで平氣で居られる者を見ると實にほゝえましくなつて來るのであるが、未だ境遇を解することの出來ない幼い兒には暗涙にむせばざるを得ないものがあるのである。

しかし現今では被服も菓子も切符制になつて來た。又辨當は「日の丸」が勵行される樣になつて來た。かつての氣の毒な子等も、ひけめを感じなくなり、山野をかけまわつて居る事でせう、この病床より心から勵ましてやりたい氣がします。

すべてが充實した生活になつて來た。名を捨てゝ實に著く樣になつて來た。この樣ななやみも解消して來た。

日本人の生活は實質的にならざるを得なくなつて來た。あれこれ考へ合せる時却つて今の御時世に感謝せずにはゐられない。

皇國農民精神

豊田生

世界に無比なる萬世一系の　天皇陛下の統治し給ふ國體を戴き、世界に冠たる大日本帝國は、今や大東亞戰爭完遂に陸空共に赫々たる戰果を收め、全世界民族を驚歎せしめて居る。之れ皆大威稜の然らしむる所以である。吾々は第一線に活躍の皇軍將兵に日夜感謝の誠を捧げ、武運長久を祈願すると共に、又戰歿將兵の冥福を御祈りせねばならぬ、そうして全國民は銃後に於て一丸と成り、各々職場職場に身命を捧げて御奉公せねばならぬ。

我々農民は農業を分擔し之れによつて盡忠報國をなす者である。農民が其の分擔を通じて大君の爲、祖國日本の爲、身命を捧げる氣持は之れ農民精神である、「天德地德を報ゆるに我德行を以てす」の心持に生き奮鬪努力せねばならぬ。

天災地變をのろふ者は眞の農民ではなく又自然を親愛せぬ者は本當の農民としての價値はない、農民は良く感謝し忠良なる臣民の素質を持ち勤勉力行し天地と共に働かなくてはならぬ。又自然を愛し自然に親しみ、且又生命の生產にいそしみて平和な農村を建設せねばならない義務がある。又農民は我民族の繁榮に貢献するは當然のこと、我大日本民族の優性を維持し更に向上せしめ、世界の凡ての民族を凌駕するは今日の急務である。農民は眞に強い國民であり強い國民の親であらねばならぬ。換言すれば　陛下の赤子を產み、强兵を戰線に送り、又あらゆる方面に於て、生產確保食糧增產に、國力の强化にはげみ、皇國農民としての自覺を持し活躍せねばならない。

農村は清淨な地であり、健康な境地として保健につとめ、強い子供を產み、特に教育保健に留意することが必要であり農民精神を理解徹底し強い第二の國民を養育せねばならぬ。斯樣に農民の分擔は重い使命がある、而して此れを成し遂げることが農民精神であり此の分擔使命を果し、以て忠誠を全うすること即ち、農民精神の發露と信ずる。

召されて戰場に一死以て國に報ずるも、鄕土を護つて農業に一生報國をなすも御國に捧ぐる氣持に變りはない、我々は各自の職場に忠實に與へられた役割を果さねばならぬ、これを遂行する事即ち職域奉公である。

御仁慈深き療養生活に浴して居る我々は、一日も速かに全快し再起の誠を農業に捧げ、勇往邁進し聖恩に報い奉り唯一筋に我君國の爲に働く覺悟こそ、皇國の農民に與へられた責務であり、これを果す精神こそ忠良なる皇國の農民精神と信ずる。

最近の療棟文庫を語る

圖書係

夏木立を通つた太陽は書物のどの頁をも翠に染めてゐる。蛙のオーケストラも讀書をはかばかしく進ませない。早くも療棟文庫は創設以來、此處に三歳に成らんとして來た。最近の療棟文庫の模様を若干語らう。療友諸兄に些かなりとも御參考に成れば幸である。

1 藏書數と補充狀況

藏書數は理在一二二五冊で前回發表の時より五九七冊の增加を見せてゐる。そして其れは恩賜財團軍人援護事業費にて購入したるものと寄贈書とから成つてゐる。

藏書は未だ療友諸兄の意を滿す程の數には到底及ばないが今後は相當に補充されて行ける事と思ふ、今此處に各分類別の冊數を掲げよう。

イ類　哲學宗教(教育修養思想を含む)　一一〇冊
ロ類　文學 評論。隨筆(研究。語學を含む)　七二冊
ハ類　文學 詩歌。俳句。　七四冊
ニ類　文學 小說。戲曲。　四七二冊
ホ類　歷史。地理(紀行を含む)。傳記。　一一一冊
ヘ類　音樂。美術(演藝寫眞。趣味を含む)　五〇冊
ト類　法政。經濟。(社會。軍事。國情を含む)　一一八冊
チ類　理工學。(天文學。生物學を含む)　五二冊
リ類　醫學。(體育衛生を含む)　三四冊
ヌ類　產業　三五冊
ル類　雜書　一七冊

尙新らしき本が來る度毎に各項目に分類なし逐次追加目錄を作りて各療棟備付療棟文庫書籍目錄に補充してゐる。

雜誌類は文藝春秋、中央公論、日本評論、短歌研究、俳句研究、科學書報、學生の科學、金枝雀等、尙今後日本短歌社より「日本短歌」を寄贈される事に成りました。改造、現代等も必要に應じ今後增設する豫定です。特に外泊、外出者の便宜を計る爲め汽車の時間表も備へられてあり、外泊者の旅行に合理化せしむるに役立つであらう。

2 補充書籍

補充書籍は其の都度所長殿始め圖書主任官殿等に選定して頂き購入する事に成つて居る。療友諸兄に於て購入希望の書籍が有れば、書名價格發行所等を詳しく記入して圖書室迄屆け出して下されば結構です。

3 貸出狀況

今年一月以降の各療棟別の貸出數を此處に書出して見よう

療棟	外氣	1	2	3	5	6	7	8	10	看	合計	一日平均	開館日數
一月	130	111	114	121	93	112	167	128	98	23	1105冊	43冊	26日
二月	141	110	104	130	118	102	180	116	129	33	1176冊	52,3冊	24日
三月	60	125	167	164	127	114	211	130	167	16	1311冊	52,4冊	25日
四月	102	174	161	130	129	140	175	84	117	28	1240冊	54冊	23日

右の表中四月は整理の爲め開館日數が少なかつたが前月より比較すれば相當に增加しており非常に喜ばしき次第です。特に雨天等の場合は多く八〇乃至九〇冊に及ぶ事あり。此れに加ふるに引繼及び返却も相當にあり、僅か一時間足らずに百十有餘の書籍が動くわけであると思ふ。右の表に依れば輕傷者の方より重傷者の方が比較的多く讀書熱が有ると思ふ、勿論各療棟共に人員に多少の相違も有る事とて一樣には申せませぬが、次に我が療棟文庫は療友諸兄のものであり、諸兄の所有であると云つても敢えて差支へ無からう。時折行方不明の時があり掲示板に書出し御通知致しますが迷子に成つて一ケ月もしてから歸つて來るものもあり甚だ遺憾に思ふ次第です。「吾等の療棟文庫」と云ふ事を忘れず、お互に力を合せようではないか。

尙返却を忘れ再三再四催促を致さねばならぬ傾向が往々にしてあり、もう少しお互の迷惑を考へたいものである。其れに引替へ五日〳〵に確實に引繼に來る人もあります。

次に破損せし書籍は逐次製本に出して居ります。破損して頁が落ちかゝつて居ても捨てないで元の所へはさんでおいて欲しい、何うしても文學的書籍は貸出數が多く破損の率も多い樣です。製本中讀みたいと思ふ書籍が無く聞かれても御氣の毒に思ひます。修理の終つた書籍はすつかり面目を改め諸兄にも氣持が良いと思ふ。

現在貸出時間は午前の安靜時間が終ると直ぐ開館して居り講演或は演藝等のある、特別差支への有る場合は休館致しておりまするが其の點は何分にも御諒承の程を。

4 多讀書

次に本年一月以降同一書籍にて幾人の閱讀者を有するであらうか左に列記して見よう。

(貸出頻數表)

十五人以上　新歲時記、芭蕉讀本、短歌の作り方、短歌を作る人々に、新世界文學全集—寶島、巖窟王、水滸傳、椿姬、三銃士、四季の夢、愛憎の書、愛染かつら、若い世代、牧場物語、惜春、戰士の道、雙手に生きる、禍福、小學出と大學生、處女刑、芋切大官切腹、農業世界、

二十人以上　啄木歌集、砂濱、俳苑叢書、結婚敎育、右門捕物帖、七の燈、江戶川亂步全集、女兵の告白、脂粉追放、落語全集、嬰兒殺し、智慧の靑草、花嫁隱密、夜の合唱、女性の旗、泉、科學畫報

三十人以上　海棠の歌、鶯舊手絡、男の償ひ、戀愛綱領、淨婚記、梅里先生行狀記、日本評論、中央公論、文藝春秋、短歌研究

尙最近補充書籍は日尙淺く多讀書と雖ども遺憾乍ら此の表には現れない。

右の表にも現れて居る如く何と云つても文學的書籍の出る率が多く。勿論長期の療養生活、かたい書籍は讀みにくい點が有ると思ふが、今少し、イ類、ホ類、ト類、チ類、リ類等の書籍を讀む可きでは無からうか。長斯の療養生活せる諸兄よ再起の具體的準備として、右に揭げた樣な類の書籍の閱讀有りたいものです。尙今後も補充書籍は產業。社會。軍事。體育等に關する書籍を補充する豫定です。

最後に當療棟文庫は一般の圖書館とは些か趣を異にして居ると思ふが廣い場所があれば閱覽等も出來得るが現在の狀況では如何とも成し難く、されど此の療棟文庫も、いよ〳〵手狹さを感じて參りましたので日ならずして現在の所を巢立ちて廣々とした所、即ち小講堂に移轉する豫定です。此の創刊號が出來上る頃には、眺望の良き明るい室に移つて居る事と思ふ。

施設、內容を擴大し現在より趣を異にして書棚の配置等も變へて、新刊等は外部より見える樣に致す積りです。が然し閱覽席は未だ餘裕を持たないが其の點は豫めここに御諒承願つておきます。

拙文で誠に恐縮でありますが報告を兼ね聊か所感を述べた次第です。

すゞか娛樂室

◇笑話

★成程

西傳市

凹坊　鼠より猫の方が速いだろうね
凸坊　いや鼠の方が速いさ
凹坊　どうして?
凸坊　鼠と猫と走つてゐるのを見給へ必ず鼠の方が先だぜ

★感違ひ

A生

妻「ネエ…貴男…妾…」
夫「妾…て何んだ、いつもにない甘え聲で……戰時下の女性だ、もつとはき〳〵するんだよ」
妻「でも……妾何んだか恥しいのよ……」
夫「俺れと二人の仲だ、何にも恥しくはないよ早く聞せてくれよ……そんなにじらすなよ」
妻「妾、でも……此の頃お腹が張るのよ、そうして時々痛みますわ」
夫「そりや結構だ目出度い〳〵、俺もこれで肩身が廣く成つた……ネ共に國策に副つたわけだよ、戰地の兵隊さんと同じ働きだ、俺もお前も共に銃後の國民として大なる働きをしたのだ……萬歲〳〵……ネ君、何にも恥しくはないよ、では早速村長さんにお願ひして衣料切符を申請して戴こうかネエ」
妻「ネエ貴男、お腹が張つて時々痛むからと言へば戴けるのかしらん?」
夫「お前知らないのか醫者か產婆さんの證明書さへあればよいのだよ」
妻「貴男とても變んなこと言はれるのネ…?」
夫「どうしてだ……一月二十日の新聞にも又衣料切符にも書いてあつたではないか」
妻「妾、腹膜らしいのよ……」
夫「何んだ……あきれたやつだ……それならそうと早く言へば良いのに」
妻「でも、はずかしいわ」

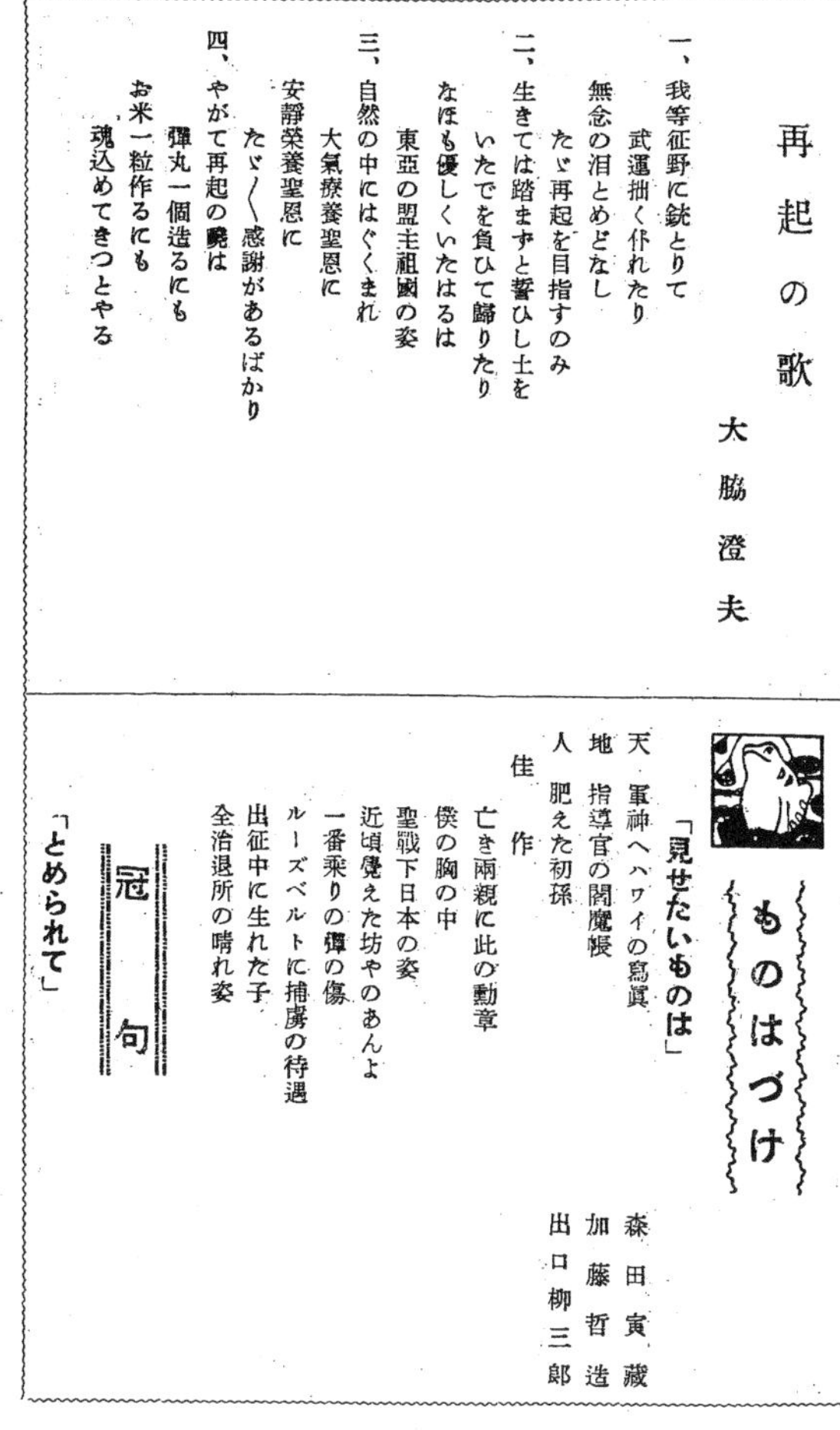

再起の歌

大脇澄夫

一、我等征野に銃とりて
　武運拙く仆れたり
　無念の泪とめどなし
　たゞ再起を目指すのみ

二、生きては踏まずと誓ひし土を
　いたでを負ひて歸りたり
　なほも優しくいたはるは
　東亞の盟主祖國の姿

三、自然の中にはぐくまれ
　大氣療養聖恩に
　安靜榮養聖恩に
　たゞ〳〵感謝があるばかり

四、やがて再起の曉は
　彈丸一個造るにも
　お米一粒作るにも
　魂込めてきつとやる

ものはづけ

「見せたいものは」

天　軍神へハワイの寫眞　森田寅藏
地　指導官の閻魔帳　加藤哲造
人　肥えた初孫　出口柳三郎

佳　作

亡き兩親に此の勳章
僕の胸の中
聖戰下日本の姿
近頃覺えた坊やのあんよ
一番乘りの彈の傷
ルーズベルトに捕虜の待遇
出征中に生れた子
全治退所の晴れ姿

冠句

「とめられて」

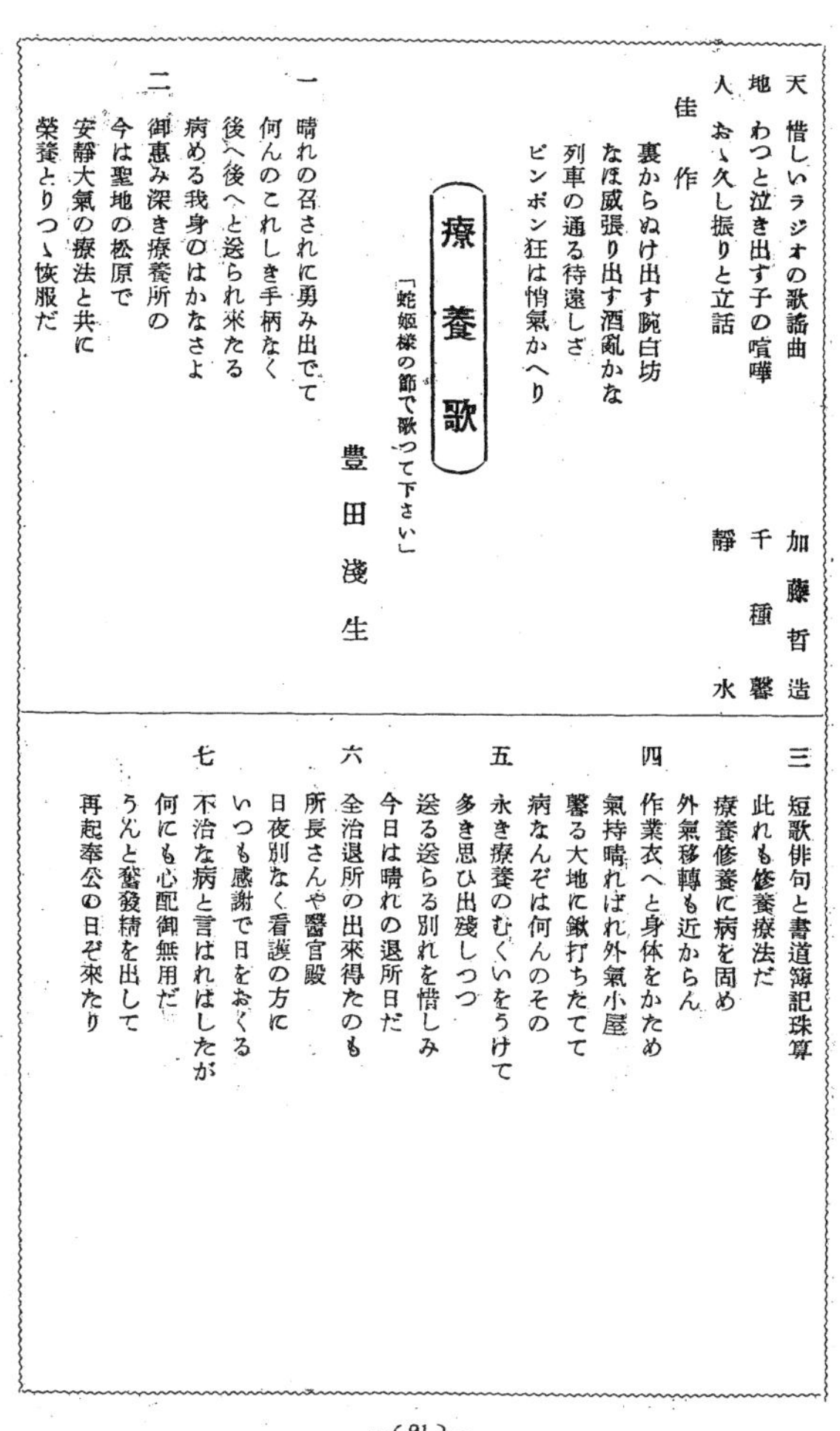

天　惜しいラジオの歌謠曲　加藤哲造
地　わつと泣き出す子の喧嘩　千種馨
人　お久し振りと立話　静水

佳　作

裏からぬけ出す腕白坊
なほ威張り出す酒亂かな
列車の通る待遠しさ
ピンポン狂は悄氣かへり

療養歌

「蛇姫樣の節で歌つて下さい」

豊田淺生

一　晴れの召されに勇み出でて
　何んのこれしき手柄なく
　後へ後へと送られ來たる
　病める我身のはかなさよ

二　御惠み深き療養所の
　今は聖地の松原で
　安靜大氣の療法と共に
　榮養とりつゝ恢服だ

三　短歌俳句と書道簿記珠算
　此れも修養療法だ
　療養修養に病を固め
　外氣移轉も近からん

四　作業衣へと身体をかため
　氣持晴れば外氣小屋
　鑿る大地に鍬打ちたてて
　病なんぞは何んのその

五　永き療養のむくいをうけて
　多き思ひ出殘しつつ
　送る送らる別れを惜しみ
　今日は晴れの退所日だ

六　全治退所の出來得たのも
　所長さんや醫官殿
　日夜別なく看護の方に
　いつも感謝で日をおくる

七　不治な病と言はれはしたが
　何にも心配御無用だ
　うんと奮發精を出して
　再起奉公の日ぞ來たり

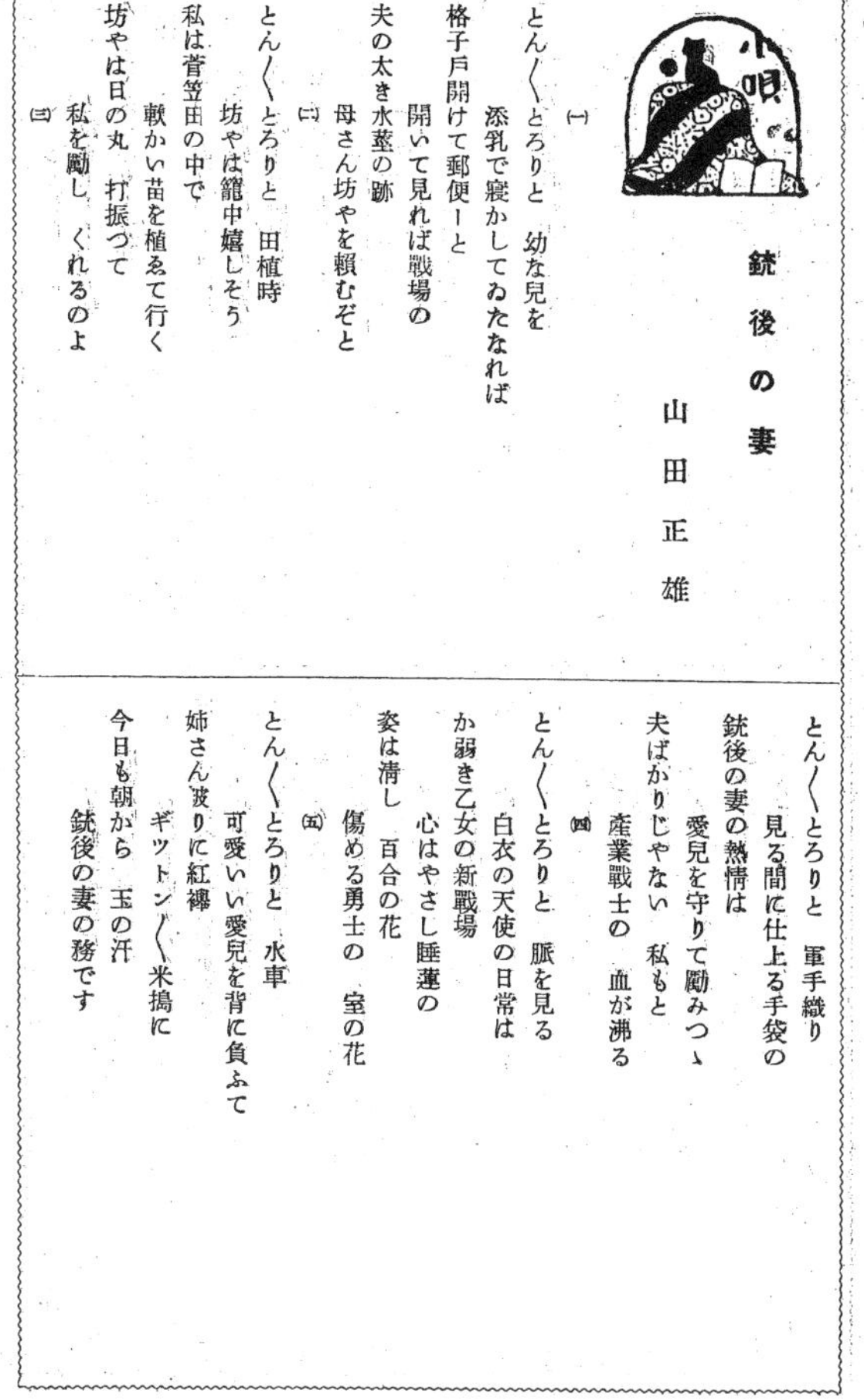

小唄　銃後の妻

山田正雄

(一)
とん〳〵とろりと　幼な兒を
　添乳で寢かしてゐたなれば
格子戶開けて郵便ーと
　開いて見れば戰場の
夫の太き水莖の跡
　母さん坊やを賴むぞと

(二)
とん〳〵とろりと　田植時
　坊やは籠中嬉しそう
私は菅笠田の中で
　軟かい苗を植ゑて行く
坊やは日の丸　打振つて
　私を勵し　くれるのよ

(三)
とん〳〵とろりと　軍手織り
　見る間に仕上る手袋の
銃後の妻の熱情は
　愛兒を守りて勵みつゝ
夫ばかりじやない　私もと
　產業戰士の　血が沸る

(四)
とん〳〵とろりと　脈を見る
　白衣の天使の日常は
か弱き乙女の新戰場
　心はやさし睡蓮の
姿は淸し　百合の花
　傷める勇士の　室の花

(五)
とん〳〵とろりと　水車
　可愛いい愛兒を背に負ふて
姉さん波りに紅襷
　ギツトン〳〵米搗に
今日も朝から　玉の汗
　銃後の妻の務です

川柳

【天】口惜しや豚と看護婦だけは肥え　坊子

面會の妹妻と間違はれ

【地】賣切れて氣毒さうに空を見せ　柴田

入浴場六十貶が歌ひだし

【人】廻診に口の飴玉やりばなし　新口

マスクして看護婦平氣大アクビ

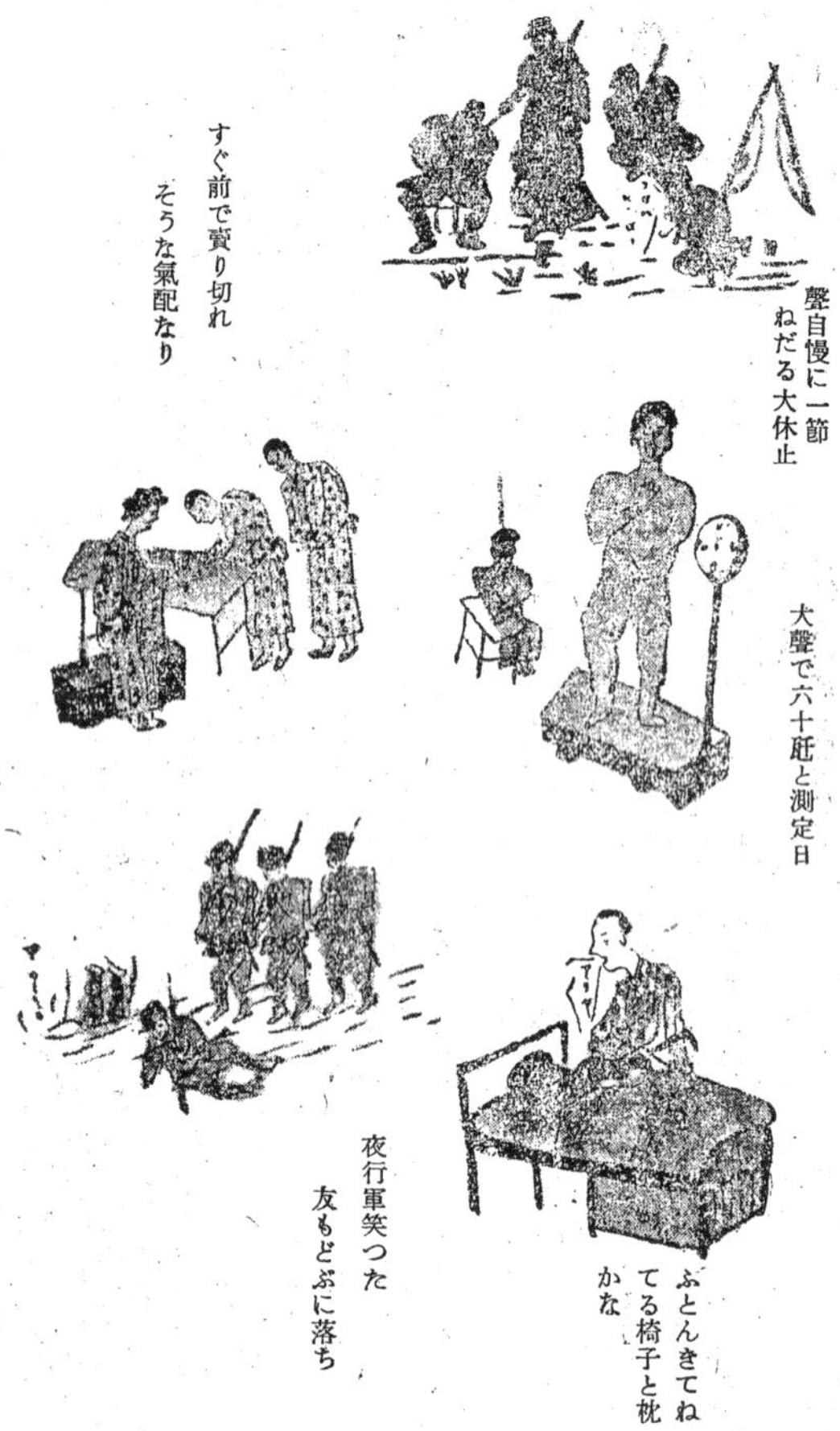

聲自慢に一節
ねだる大休止

大聲で六十瓩と測定日

ふとんきてね
てる椅子と枕
かな

すぐ前で賣り切れ
そうな氣配なり

夜行軍笑つた
友もどぶに落ち

—(94)—

〔浪曲〕

大別山攻略戰記

我が淸水隊長最後の君が代

東　天　一

〽灼熱の高粱繁る北支那に　どんと上つた銃聲に
戰雲忽ち漲りて　遂に砲火の雨を呼ぶ
東洋平和の礎を　築き上げんは此の時と
肉彈もつて攻め入れば　永年支那が黃金を
山と費し軍備なし　宗哲元のコンクリーで
蔣介石を積み重ね　宋美齢に建て上げた
支那の柱が北京と折れて　南京城が一潰れ
嵐は叫び雲は吼ゆ　支那大陸の幾山河
征くや我等の聯隊旗　興亞の使命身に負ひて
彈丸の雨ふる濁流や　硝烟むせぶ峻嶺に
三重縣男子が雄々しくも　命を花と散らしたる
大別山攻略戰記

「小野寺軍曹殿自分と分隊長殿とは出征以來同分隊で御奉公してゐますが名譽の戰死は是非一緒にしたいと思ひます但し若し自分が先に戰死を遂げたら故鄕の老母を」

「いゝともそれは御互だ、併し今度の大別山攻略を控へて俺も御前もどうして生きて還れるもんか」

「いゝえ自分も決して生きて還らうとは思つてゐません」

〽三人揃つて出征した日に　村をこぞつて歡送の
萬歲の聲旗の波　驛頭堅く手を握り
竹馬の友よ戰友よ　笑つて死のう戰場に
大君のため國のため　誓つた言葉は忘れません
假の宿舍に日は落ちて　啼き行く雁の聲遠く
月に照され甕風呂で　尾鷲節やらおはら節
又唄ひ出す都々逸は

「都々逸」星を仰ひで露營の夜は
　母の手紙を抱いて寢るコリヤ〳〵

〽粋な奴だと覗いて見れば　壁に似合ぬ髯達磨
空を仰いで得意顏

「愈々大別山攻略戰が開始された快活嶺の激戰で山田部隊長が戰傷を負ひ後方の野戰病院に下つたので、渡邊中佐が部隊長代理として一軍を叱咤し最後の猛攻を續けた、我が淸水隊長(三重縣名賀郡瀧川村出身)の一隊は十九日朝から無名の山を攻め始めたが珍らしくも此の山は「小さな松が群生して陣地も相當堅固で容易に前進も出來なかつた。淸水中隊長の誘導作戰にまんまと乘つた敵は必死になつて擊つて來たチェッコの猛射迫擊砲が地響を立てゝ炸裂する。一〇三高地以來の敵の猛射である。群生してゐる松の木は瞬

—(95)—

く間に敵彈を浴びて折れてしまつた。

〽一戰濟んだ塹壕に　露營の戰友を見渡せば
昨日元氣で安來節　唄つた戰友は旣になく
竹馬の戰友よ倒れしか　見れど四邊に影はなし
砲聲絕えし山岳に　下弦の月の影淡く
地圖を按ずる隊長が　胸底深く浮べるは
敵の堅壘さにあらで　愛しき部下の事ばかり

「其翌日敵の彈が幾分緩漫になつたこれをねらつた隊長が午後三時突如突擊命令を下した。陣頭に立つて隊長が愛刀を翳して突進する。黑田仙之助准尉も喊聲をあげて立ち上つた。銃を握りしめ鐵兜を深く被つた兵隊は山肌を蹴つて突進を續ける。敵は俄然猛烈に擊ち出して來た自分の隣りに居た戰友がばた〳〵と四、五人倒れる。「無念やられた」と云ふ悲痛な聲がしきりに聞えて來る隊長は彈雨を衝いて尙も突進を續ける。あゝもう少しで頂上だ敵を威嚇する樣な聲がどつと上つた。隊長が鬼神の如く敵中に躍り込んだのである。續いて黑田准尉以下我々は雪崩れを打つて殺到した見る間に隊長が敵の將校に斬りかゝつたと思ふと五、六人斬り倒した。返り血を浴びて隊長が軍服を血みどろに染めてなほも斬り込みまた二、三人斬つた。傍で奮鬪する黑田准尉の腕は實に鮮かな物である。噫隊長がやられた駈け附けて見ると鐵兜を射拔かれ前額部を朱に染めて倒れて居る。隊長殿〳〵悲痛な叫び聲を上げて抱き上げた、おゝかまはないで呉れ俺はこれが最後だみんな最後迄頑張つて呉れよ

〽軍刀シカと握りしめ　無念の涙流しつゝ
とぎれ〳〵の言の葉に　天…皇…陛下萬…歲
中隊長殿………　しつかりして下さい隊長殿
あゝ刻々と迫り來る　永久の別れの悲しさよ
死生誓ひし隊長が　最後の息の絕ゆる間を
とぎれ〳〵し歌の聲　淚で歌ふ君が代は
千代に八千代にさ　………隊長殿
後は言葉のなかりけり　風蕭々と昏せまる
大別山の頂上に　英魂遠く九段坂
神の社に還られる　やがて上つた歡聲に
今飜る日章旗　大和男子の瞳にしみて
嬉し淚のあるばかり　あゝ連日の激戰に
倒れし將兵幾何ぞ　恨みは深き大別山
隊長殿よ我が戰友よ　英靈靜かに眠りませ
山の夕闇蒼然と　悲愁の影に滿つる時
淚で手向ける菊一輪　捧ぐる銃も泣き濡れて
雨をはらんだ雲低く　砲聲絕えて虫なける
勳を立てしつはものゝ　譽れも高き淸水山と
名附けて永久にかんばしく　語り傳へてかんばしや

—(96)—

詩

陽光(ひかり)をあびて

出口柳三郎

樹木は我先にと新芽を出して
　五月の陽光を吸こんでゐる
姬芝にかるく身を投出して
　空に大きく深い呼吸をはいた
この一時こそ開放された小鳥の樣に
　ひとり歌がくちづさまれて來る
生きる喜び生き拔くたのしさ
　あゝ自然の美と御惠を讃へて

感謝の一日

同　人

そらは五月晴さやかな大氣
松の常綠も色あざやかに
療舍園ていとなごやかよ
　明い部屋に眞白きしとね
篤き看護にいとほしまれつゝ
　今日も感謝で日が暮れる

母想ふ

美　稚　子

(一)
ともしびうるむ秋風の
みのる田圃の畦みちに
すはりて涼む母こひし

(二)
つれない秋の夕暮れは
都の空をひとすぢの
ちぎれて白き雲に泣く

(三)
遠くはなれて住むゆゑに
その子は母を歌ひしが
かすかに笑むは星ばかり

(四)
しかあれ近く人成りて
むかふる母の喜びを
心にゑがきその日より

(五)
勤めも退けてかへるさに
ふるさと遠く老ひませし
わびしく住まふ母想ふ

十九の春に

美　稚　子

河原柳に、今宵の月は、
なにを戀ふるや、哀しく濡れて、
春の夜の星、七ツの星よ、
　築地の濱の、漁火ゆれて、
　春ともなれば、かのよき人は、
　たゞかりそめの人にてありき、
あわれ都の春風たてば、
別れし人は、かへらずなりぬ、
白く儚き、芙蓉の雨よ、
　まだうら若き喪服の君は、
　夢にふるへる、むらさきりんだう、
　うすくほのかに今宵も匂ふ。

—(97)—

南國の父さん

大西幾造

一、夕日が落ちる南國に
　　さぞや暑かろ父さんは
　故國はなれて幾千里
　　今日も露營か進擊か

二、みそらの月を見るたびに
　　つきぬ想ひは南國に
　想ひは同じ父さんも
　　今宵の月を見てるだろ

三、空を見上げた月代に
　　髭の笑顔で父さんが
　元氣でやれよと見つめてた
　　父さん十字の星の下

妻の便り

山田正雄

(一)

昨日とゞいた貴方の便り
元氣で勤務だ安心せよと
懐し太い字で書いてある
坊やも大きくなりました
貴方の手紙を坊やに聞かせたら
坊やも「あたちの父ちゃんつよいな」
まわらぬ舌で嬉しそう

(二)

母さま元氣で針仕事
貴方と二人で想ひでの
庭の紅梅咲きました
私が貴方の勳しを
神樣お祈りしたなれば
坊やも小さなお手ゝで拜むのよ
やがて櫻も咲きます桃も咲く
貴方のお歸りある迄は
立派に留守を守ります

眠られぬ夜

大橋久雄

春雨の療舍に
靜かな夜が訪れる
去年の今頃は……
そうだ丁度あの
中支那の兵舍の窓から
眠りゆく支那街の
灯影を眺めつゝ
罪なき人々の爲に
明るき平和をまた
古里の弟妹の幸福を祈り
そして今日一日の
任務をつゝがなく
果し得た喜びに感謝しつゝ
深い眠りに入りしものを
今宵はまた眠れない
室外の靜かな空氣が
一層に胸の中を
かき亂す樣だ
眠むらうとして
閉づる瞼がまた熱くなる
之れが今年二十七の
男か！と自分を
自分で叱りたくなる
しかし叱かれば叱かる程に

(98)

其の後に來る淋しさ……
如何する事も出來ない

數年の軍隊生活に
鍛へ來た力は
そんなものじやなかつたに

肉體のみか精神までも
病魔に侵されたのか
いや！此の精神だけは
決して何者にも
侵す事が出來ないのだ
そうだ此の精神だけは！
何者にも負けやあしない！

眞暗な夜道でも
歩めば歩む事が出來る
進む事が出來るのだ
そうして何時かは
夜明が來る　太陽が出る
人生の夜道にも
強く正しく歩む前途に
やがては明るい
希望の朝が來るのだト
いつか夢の路を
歩いてゐる自分だつた

以上

自畫像

矢母邇優孛

誰が捨てたのか
ベンチの下の煙草のすひがら
今に消えるであらう
はかない火
おびえたやうに
煙がおののいて居る
じつとみつめて居た俺
ぽたりと涙が落ちた
あゝ
はかない餘生がここにある。

雨の音

同人

だれかきたかと
まどべによれど
だれもみえなく
ただ小雨ふる
とほ〻はなれた
かのひとに
たよりかきたい
あめのおと

二階の窓から

山田正雄

二階の窓から――
桃の蕾に煙る春雨
赤いポストが、ポカンと立つてゐる
蝶が通つた
その後から――
若い娘が行く
短いスカート肌色の靴下
聰明にて、明眸
ポストで隱れる　あれ見える
赤い日傘をくる〳〵廻して
蝶が追つて行く
若い私の思ひを載せて
桃の蕾に煙る春雨
赤いポストが　ポカンと立つてゐる

(99)

瞼の母さん

大西幾造

一、母をたづねて他國の空で
　　母さん戀しと鳴くつばくろは
　廣いせけんを唯ひとり
　　たづね〳〵て來たものを

二、今日も淋しく暮れてゆく
　　遠く彼方に聽ゆる聲は
　戀しやさしき母のこゑ
　　夢もかなしく消えてゆく

三、行方定めぬはかない旅は
　　母をたづねてどこまでつゞく
　たよりは空の月一ツ
　　瞼の母さん今いづこ

白いベツト

同人

一、想ひ出します兵營ぐらし
　　いつも元氣に銃とりし
　あゝ想ひ出されるあの頃が
　　我はかなしや傷痍の姿

二、櫻咲く咲く病院で
　　原隊復歸が偲ばれて
　あゝ白いベツトで夢に見る
　　我はかなしや傷痍の姿

三、やがて全快するその日まで
　　元氣でをれよと我が戰友に
　あゝかたく誓つて別れたが
　　我はかなしや傷痍の姿

白衣で還る

大橋久雄

戰友よ貴樣は元氣でな
俺の分まで頼んだぞ
病の癒へし其の時は
必ず來るぞ！もう一度
につこりかはす擧手の禮
祖國出てからまる三歳
朝夕なじんだ紫金山
南京碼頭よさようなら
じやアお別れだドラが鳴る
白衣でわれはいまかへる
再び生きて還へらじと
かたく誓つて出たものを
使命半ばに傷痍つきて
白衣で還る此の胸を
沖のかもめよきいてくれ

再起

同人

伊勢の神路に風温む
こゝ大里の山寮に
再起を誓ふ若人の
固き決意もあふれ出づ
惠みも厚き聖恩に
感謝の祈り朝夕べ
今日は希望の日が暮れて
明日は再起の朝がくる
東亞の盟主日の本の
櫻男子の任重し
吾等もゆこう明日こそは
再起の腕を示すのだ

(100)

白衣の唄

美稚子

梨の花ちるふるさとの
想ひを遠くつゝましく
白衣に秘めしまごゝろを
いたでの人に捧げきぬ
　清く明るく美しく
　おみなの務めひとすぢに
　看護るその日の嬉しさは
　さ窓の花もほゝゑみぬ
氷割く夜は星ぬれて
疾く癒えませとまたゝきぬ
かよわきおみなさはあれど
捧げて生きん病む人に
　名もなき花は地に咲けど
　空に耀く虹の色
　白衣のほまれいや高く
　祖國に人に香れかし

翠ケ丘に

吉澤重雄

小柄な松がによきによき
褐色の肌にしがみついて
赤ちゃんがはつてゐる樣だ
その間を今日もさまよひ
枯木の影落つるところ
菫に似た紫の小さな花は
うなだれる
眞紅の夕暮れが迫ると
美しく輝くだろうに
柔い銀線の樣な雲が
茜色に漂ふ空のもと
ひそかに綠の風が吹いて
何事もない昨日今日
だが朝がこの翠ケ丘に訪れると
あの松の稍にも
あの紫の花にも
虹の樣に露がきらめくのだ

眞紅の珊瑚

同人

蒼い海
眞珠の艶やかな白い砂底
ほゝゑみつ死せるますらをの
柩は横たはる
……それは眞紅の珊瑚
十二月八日！　大東亞戰と共に
忘れ得ざる泪……感激……
飛散せる生命……最高の美……
一億の心嵐の如くゆすぶりて

(101)

頭をたれし人……皆
ひそとした月の夜
波はさゞめく
在りし日の激しき戰果を稱へるのだ
………
噫々九柱の御魂。

蒼い海に
眞紅の珊瑚
今ぞ………
すゝり泣く

小品

或る日の感想

野田春宵

春に近き午後だつた。太陽が西の山に傾くまでには未だ三時間もあつただらう。十數餘の細長く伸びた松の向ふに灰色の屋根が陽光に照り映え、其の向ふに私の視線に映じたのは駱駝の背の樣な山だ。短き季節の陽光は時々灰色と白色の繪具の液體を混ぜ合せた色彩の雲間に隱れると今まで松の枝葉を透して眩しく投げてゐた光が淡くなり私の心を哀愁の彼方へ追ひやるのであつた。

再び陽光が雲間から出ると一瞬明るい感情と陽光に對する審美的な表情で私は、じつと見つめた儘私の瞳は暫し離れなかつた、やがて黄昏近き頃、向ふの窓邊にも弱くなつた陽光が陰影を投げてゐた。もうその頃は陽光から感受する溫味は私の冷えた神經から薄らいで宵への氣配が急速度に迫るを私は覺えたのであつた。終り。

『翠丘會について』

當所開所三周年記念日をトして發會式を擧行したる傷痍軍人三重療養所翠丘會は草野前所長殿の常に企圖せられてゐられたものでありまして寔に慶賀の至りに堪へません。自分は會員の一人として、現在まで此の會の誕生致さなかつたことを不思議と思つてゐる程にて、退所者の所謂『同窓會』であります。今後の活躍と發展は期して待つべきものありと信ず。

入所者諸君に於かれては、再起奉公したる先輩退所者の此の翠丘會に信賴と御支援を祈り、退所の節の速刻入會を希望します。尙會員諸君へ來年の總會には元氣で再會し語らう。(幹事)

戰果雄大

印田巨鳥

クリツプス空路還るといふ日にはバタアンの指揮官本間將軍と報ず
息もつがず三面に及ぶ皇軍の戰技精神をよましめたまふ(マレー方面作戰主任參謀談發表)
抱きこし遺骨ゆさぶり蘭貢をみよとぞいひて泣きし兵みゆ
二タ月をすぎてゆたけしパレンバン製油所の煙わが手に昇れり
靖國の神祭る日を折からに敵機殘骸を見世物とせり

すゞか三周年記念號に

築きあぐる歌一筋の道難し鍛へ貫けつはもの君ら
若き兵歌につとめて病むとしも心摧くな起たむ日のため

短歌

印田巨鳥選

○軍神

敵の艦屠りつくさむ信念を歌に秘めたるゆかしさのあり
爆雷も機雷もすでに物ならず生ける魚雷は巨艦衝きたり
月出づる時の遲しとつれづれを組木細工になぐさめしとふ
燦然と擧る凱歌は血のにじむ月月火水木金々きびしき訓練
クリツプス懷柔ならず本國に歸ると報ず聞のよろしさ

伊藤益吉

○神技

飛び來り飛び去りにつゝ大空に技練る飛機のいよよ激しさ
飛び交ひて空に技練る飛行機のその激しさはむしろ淸しき
おのがじし性能のまゝ轟きて編隊の幾機が空をよぎりぬ
病む生命いとほしみ居り斯かる時哨戒の機が夜空に嚴し
時々に轟き嚴し哨戒の爆音は身に泌みて思ほゆ

井上博嗣

○柴笛

いたつきの身を慰ひつゝむきあひて菫喧嘩に興ずる兵等
黄昏の寮の小徑を踏ゆけば柴笛の音かそかにきこゆ
朝毎の散步の道はおのずから水鳥泳ぐ沼にむかひぬ
戰捷を兒童らに聞かする先生の地圖さす鞭は感激に戰ぐ

西傳一

○春野

ひと群の芝生の中より飛び立ちしひばりは高く消えて鳴き居り
石段を上りし寺に咲きそろふつゝじ眞赤にしばしたゝずむ
病みをりて過ぐる日思へば胸おどる富士の裾野に演習の日を

豊田淺生

○大東亞戰爭

こぞり立つ力を見ずや日の本の新しき年は明け初めにけり
過ぎし年生命さゝげむと誓いにし御社に立てり傷兵吾は
天覆ふ大御軍に病秘め召されし療友の幾人を思ふ
再びを召さるゝ日あらむ傷つきし吾身なれどもおろそかならず
絢爛豪壯とのみ言ふべしや花と降る兵すでに生命思はざるを(落下傘部隊)
今正に跳び出さんず落下傘兵の決死の眼思ひても見よ(〃)
落下傘脫るやたちまち火焔放射器を組立て突進む一隊の兵(〃)
牛の背に降りし兵もありといふ記事に至りて心ほぐれぬ(〃)
占據せし機關銃座は血しぶきて錢散らばれり藥莢と共に
仁王立ちに銃座に迫る兵映り砲隊鏡に眼を凝らす

大角喜敎

○雑　　詠

下駄の雪拂ふ音して玄關に寮友歸りしか聲のしてをり
兩袖を胸に抱きて病兵の小走りに去る寒き廊下を
掘りかへす土のしたびに立ちならぶ霜の柱の光るすがしさ
管制の廊下行交ふたまゆらに見し人影は見覺えのあり
ほのかなる沈丁の香を親しみて雨ふる庭に傘もちてたつ
試歩に來て疲を憩ふたきつせに春の日光はゆらぎやまずも
二十年の潜水艦の辛苦はやかくあらしめり眞珠灣深く
けぶる雨ようやく晴たて春陽さす疊の上に陽炎のたつ
ふる雨の細かになりて髮をかる鋏の音のさやかに續く

沖　雅　人

○弟

中支那の露營の夢にみし月を今宵白衣のわれにうつせり
言あげず笑みをのこして弟はしこの御楯と立ちて征きたり
聖恩の厚きに謝しつひたすらに再起を誓ふこゝ山の寮
マイクが歌つているあの子守唄そゞろに偲ぶ逝きませし母

大　橋　久　雄

○秋　薫　々

秋晴れの野面もとほり離りゐて日長くなりし妹を懐ひぬ
木犀の匂へる闇の部屋にねて故里に病む子らをおもへり
冬ざれしあらは木立にひともとの櫻紅葉の照りのよろしさ
國擧り君の御楯ときほふ世を二歳經つゝ今もかも病む
亡き戰友の陣中手記の手ずれたる垢を撫りて涙ながれぬ

河　原　可　水

花紅き五百箇眞椿こもらひて木洩れ陽淡し宮のさ庭に
みんなみに勝ちさびたるか午後七時敵は幾萬奏でだしたり

○回　顧

アルバムに戰ひし日を偲びつゝベッドに臥せるひとの横顔
夢さめてこゝろ佗びしと思ふとき硝子戸の外に雨そぼち居り
見渡せばなべて綠のまさりたる中に眞白し道まがりまがり
つゝじ折る子等よばふこゑにきゝとめて綠の丘をわが下りたり

吉　澤　重　雄

○月　　光

窓ゆいる月光冴えて枕頭にさむけくゆらぐ水仙の影
朝やけの空を仰ぎて吾が友の武運よかれと拜みやまず
夕燒の光あかるく窓に射し壁の支那地圖をくまなく照す
枕頭に張りし北支の地圖見つゝ想ひぞ深き決死行の跡
幾そたび砲火に身體をさらしたる君の御姿尊くありけり
靜臥する病室に轟く砲音に想ひは馳せる北支の空を

高　峯　燦　謠

○中耳炎手術

臺上に身を横たへしたまゆらは醫具とゝのへる音もかそけき
骨けづるのみの響はブレインに電流の如つたわりしかも
嚙みしめつ摑みつ三時堪へしも流るゝ汗は白衣通しぬ
症狀を話せる醫師の言の葉を一つの耳にかそかにきくも
リンゲルを打ちつゝ吾を見守れる看護婦の顔遠くなりたり
岩かどに碎けて流る瀑の音も和みて試歩は何時しか伸びゆく

竹　岡　行　之

古びたる故郷の便りを今宵又月影冴ゆる塹壕に讀む
砲聲のしばし止みたる山脈に寒々として月の昇れる

○御　恵　み

畏くも勳八の御沙汰賜はりぬつとめ果さず病み臥す吾に
快癒を父母に傳える悦びを手紙にしたゝめし手もかろやかに
限りなく山の綠は深けれど輕きめまひを覺ゆる悲し

田　近　智　義

○南　十　字　星

ブキテマに南十字を見上げたる友羨しきろいたつきに吾は
くりかへし何か告ぐるも兄の戰死の他は分らず通話は切れし
茂りたる椰子の木の間に朝たけて光れる水脈に兵等米とぐ
芽生へこねば忘れな草と札立てゝ蒲州の城に別れを告げぬ
祖國をばうれふる言葉つひに聞かず亡びる國の民の性見し
たのむぞと窓に叫びし聲きゝつ病院列車すれ違ひたり
常臥せる吾にしあれば弟のいま出で征つにすべて恃める

田　中　武　夫

○思　ひ　出

舷窓にくだけて過ぐる濤ずれの渦卷く音をハンモックに聽く
前艦の白き波路に舵するゑて航くぬばたまの夜ぞ更けにけり
小夜時雨ふりくる音にふと覺めて砲塔の覆急ぎかけたり
こちこちと目覺時計の音のみが耳にひびいて療舍ふけゆく
病み臥せる吾兒の寢姿みいりつゝ垂乳根の母瞼ぬらせり

田　邊　喜　由

○大東亞戰爭

太平洋越えて征き征く皇軍は神護りますを吾疑じ
敵艦の轟き曝せしときのまや玉と碎けし特別攻擊隊
比類なき戰功殘し散りゆきし勇士の寫眞見つつ涙す（特別攻擊隊）
熾烈な敵彈冒し衝き進む勇士の姿見ゆる想す（バタアン半島戰線錄音）
病伏して一歳過ぎぬ湯タンポの溫み親しき冬となりけり
目をあげて見ればまぶしも雪かつぐ南天のあけ實清しかりけり
遠ざかる電車の響重々し雪深々とけふもくれゆく
うらうらと陽の差す庭をもとほれば枯芝なかに青き芽のあり

田　口　國　夫

○雜　　詠

看護婦のひゞあれし手の嚴しさに今日も洗濯を云ひしぶりたる
一週の疲れ休めし看護婦は衣の折目もきはだちて居り
身のほどはつゆ忘れねどたまさかは世にあやかりて生きたしと思ふ
意志弱き己を無下にさげすみて日記に書きつけ心たらへり
論爭の半に已が言の葉の落付あるを意識して居り
銀蠅のしきり飛び交ふ庭畑は施肥の匂のしるくたち居り

長　森　益　吉

○基　　地

時せまる機に爆彈を懸吊の肩赤はれて瀧の汗垂る
きほひたつ心やるせし爆彈に汗の手形を押してやりたり
すべり出す機の操縦桿握りつゝ笑ひしほほはまだ若かりし
時到り未だ歸還らぬ飛行機の衝きし西空沒りつ日の映ゆ

内　藤　　武

爆撃は愉快なりしと語り居る軍曹の聲きほひはづめり

○飛　行　機

飛行機の空に抜練る激しさの眞實に觸れて心愼む
雲間より飛行機の音激しかり鍬振ふ手のしばし休みぬ
二歳を心靜かに病める身のひたすらにして再起願へる
春蘭を探して登る山道に松の落葉が露にしめれる
御車いまゆくらむか招魂式の實況聽きつゝ吾が胸熱し
官司いま祝詞のらしきしみ〴〵とラジオ聽き居て思ひ嚴しき

中　川　友　峯

○荒　　鷲

山峽の秋深まれりさらさらと時雨寒けく刈田を過ぐる
大いなる戰さ進めど春場所をラジオはけふも傳へどよもす
敵艦を沈めずばやまじ荒鷲の爆ぜて還らず大洋のはてに
悲壮なる我が機爆の記事見つゝ暫し想ひぬそのたまゆらを
米比軍一兵だにも逃さずかコレヒドール島既に戮すと

中　島　翠　峯

○大東亞戰爭

この大き戰果の陰に荒鷲の五十四機が還らずなりぬ
捷ち進む軍たのもし今日よりは大東亞戰爭とあらたまりけり
陸に海に捷ちさぶ記事のあふれ居り一億誰か泣かざらめやも
新版の南方共榮圈求めたりシンガポール陷落の日に
一億が凝りて戰ふ此の秋ぞ再起の友よ肩あげて行け（歌友を送る）
國土のまもり堅きはうたがはず空襲警報高鳴るときも

中　山　喜　一　郎

オーヴアをぬぎたるときに面はゆく傷痍記章に視線を感ず
桐葉章と共に賜ひたる從軍記章病院に佩びて重みかしこむ

○還へらぬ友

還へり來ぬ友の寫眞にま向へば焚く香煙のしら〳〵立つも
噫遂に散りにし友よ大いなる國の命と生くべし永久に
ひとり子を國に捧げて強く言ふこの父親の言いたましも

中　村　信　一

○わ　ら　び

うら〳〵に春日うれしも鳴きのぼる雲雀きゝつゝ畑道をゆく
ひたすらに病ひ癒えむと願ひつゝ一年經りて春たけにけり

梅　地　道　彥

○春　の　山

蝶々のもつれて飛べるあを空を見上げてイちし一刻のひま
戰帽に摘みしさわらびあふれ來てふるさとの山思ひつゝたのし

上　島　一　男

○妹　逝　く

杖つきて梅の細道登り來し目に晴々し一目千本
炭燒きのゆらり〳〵と煙立ち遠方の山邊に春は來にけり

浦　野　佐　一　郎

○病　間　小　詠

妹逝きて愁しくおはす老ひ母の物腰みつゝいたくさみしも
歸りきて久にひもとくアルバムの妹は笑みつゝ呼ばふがごとし
老ひませし母と並びて妹の墓にてむけの花をさゝぐる
苦みて眠らぬ夜半を耐え難み藥飲むらし療友の聲する

野　々　垣　七　男

立哨する吾に笑へる小孩の引き行く驢馬の足音せはしき
かつぎたる器材の肩に喰ひ込むを堪へつゝ捕虜の前をし通る
ま新し墓標を前に隊長の精神訓話つつしみて聞く
吹く風に高さはみだれ噴水をめぐる芝生に光る水玉
春風は夕方まけて變るらし池の小舟は向をかへたり
細々と降る雨中を慰問の子等相合傘で先生ときぬ

○療　　庭

赤道を越えて戰ふ弟の便り讀みつゝ地圖廣げたり
國策の一翼たらん蓖麻蒔くと兵等朝より療庭を耕す
療庭の芝青みたる此のごろは試歩も愉しく癒えゆくごとし

野　田　幸　男

○玉　砂　利

音たてゝ玉砂利をふむ傷兵われおのづからにし神氣迫りぬ
朝熊の山に登りて遲けくも和布とる舟島間ひに見つ
何時の日か心靜まりて餌につかむあわれ小鳥の羽ばたきてをり
靜臥のひとゝきあたり振はして白き機翼は窓々を越ゆ
何事も無かりし如く書きあれど彈丸の匂ひすこれの便りは
汚れなき一票胸に秘めし儘大いなる朝に療友は立ちたり

能　島　正　臣

○靖　國　の　兒

幼な子のまどろみてゐつほゝえむは父の顏など夢に見てゐむ
おだやかに今日の一日もくれにけり感謝を神にさゝげもうしぬ
うす雲の中を飛行機の行くらしも高くひゞける音のみ聞ゆ

山　田　正　雄

○病　　窓

身は病みていかに報いむたらちねの情いまさら身に沁みて來し
戰かへる國の元旦うらゝかに雜煮飯む家族健やかなりし
皇軍の勝ち進みゆく嚴しさに心きほへり臥れる吾も
春陽照る寮のさ庭をたもとほりいたつきの身の心たらひぬ

山　田　多　喜　男

○夜　　霧

曉闇を出でたるまゝに夜半飢えて土つく大根嚙りつゝ進む
夜くだちて厠に立つといで來れば夜霧は深く廊に流れ來
ひし〳〵と迫る寒氣を耐えゐたる二日の午後を雪降りそめし
驚の囀り止まぬ病室に春のひかりの射して淸しも
驛頭に湧き立つ萬歲聞きつゝも最早召されぬ我を儚なむ
我が故鄕に近きほとりに生れまし〻兵曹長を懷かしみ戀ふ

丸　山　增　右　衛　門

○折　に　ふ　れ　て

暮るゝ田に母にも似たるとしよりの刈り急ぐ稻束は小さかりけり
朝づく日ゆたかに含み藁塚は峽の田每に整ひにけり
ゆき暮れて渚を來れば遠がすむわが足跡に潮は滿ち來ぬ
松が根にとゞかんとして眞白なる波は岩間をゆるやかに落づ
烈々と大臣の言は火の如くみ民われらの胸に燃ゆるも
隱忍の堰は切られぬ皇軍は疾風迅雷洋に雄猛ぶ
ゆけば捷つ大みいくさのたゞ中に再起遲れじ敵滅ばんとす
はたはたと衣打洗ふクリークの部落うららや桃の花咲く

松　本　文　男

時たまを風强ければ鉢棚の櫻草の花は部屋に移しぬ
明らかに覺悟はしつゝ幾月を練りに鍛へぬ大き死のため（九軍神）

○戰線回顧

クリークに續くなだりの草の上に馬裝解き居れば秋日傾く
戯鬪帽のひさしつたひて落つる汗眼鏡にしみて行方くもらず
クリークの水にひだせしハンカチを口にふくみて行軍續く
高熱の身に武裝して母上の心安めんとカメラに向ふ（野戰病院にて）
朝の日のいまだ屆かぬ御下賜花園しめりふゝめるカンナ淸しも
熱高くいねがたき夜を松の間に星の澄む空にしたしまんとす
はろ〳〵と春の名殘をとゞめつゝこの古寺に櫻花散る

福井仙吉

○勝鬨

ハワイ海戰

擊ち込みし魚雷雷跡まさやかに敵戯艦へ引けるたしかさ
積怨の凝りてこもらふ空雷のひきたる水尾に晴れゆく思ひ

新嘉坡陷落

ブキテマに敵都見放しつはものの叫びは天に冲しけむかも
五年を戰ひ捷ちて綽々と新敵を降す國力は思へ
神率ます大皇軍の進む前何ぞ不落のとりであらむや
皇軍の捷ちを壽ぐ雄叫びは天も裂くべしとゞろとゞろと（第一次祝賀）

蘭貢陷落

夕闇に尖塔そびゆ大パゴダ萬條として明り灯さず

小林喜一

バタアン戡定

神いかり擊たす矢彈ぞ今や知れ砲擊のさま爆擊のさま
百日をジャングル拓けし攻めざまの忍苦思ひて此の夜寢がたし

○大詔奉戴日

みことのり奉讀の聲洩れくれば吾は瞑して姿勢正せり
部下おもふ牟田口兵團長の深情に吾は思はず淚流せり（マレー血戰記を讀みて）
栞の花を捧げしもあり禮拜の同胞の群齋場をうづみぬ（九軍神海軍葬）

小林久松

○療養感

舊友井村軍曹戰死

壯烈なる戰死遂げしとの報を手に胸ときめきてしばしやまずも
戰死せし井村の寫眞なつかしみ見れば見るほど笑まひゐるごと
聖恩の厚きにむせびて今日枕せむ明日の再起を身に誓ひつゝ
癒る日の必ずあるを信んじつゝ心さやかにつねたもたなむ

出口柳三郎

○山茶花

鶺鴒の一羽おりゐて川寒しみ冬きびしき岩肌のいろ
いささかの淸き流れはありにけり川床石に冬日射しつゝ
山うるし下葉色づく谷川の澄み極まりて寒しこの朝
冬ぬくし池の底ひのみどり藻はあらはに見えてふくれつゝあり
いま落ちし山茶花の花掌にとればよべの時雨にぬれてつめたし
賴りなき思ひに惑ふ冬の夜を吾が眼に痛し白き山茶花
また雪とおもふ夕べの庭隅に萬兩の實の紅が目に立つ

跡部正元

をしめども殘すにあらぬ文束はねもごろに燒く落葉と共に
散藥のにがきになれて飮み殘す水を花瓶に今朝もそゝげり

○御軍

地圖に見る大きみ戰早や遠くゆきとどろきしあとぞはるけし
天皇の大和男の子は己が機の焰を噴けるときも動せず
朝夕のラジオが傳ふ南洋の聞き馴れぬ島も何か親しき
み國思ふ心焰と燃ゆるなりいたつきし身を嘆かふ我の
敵國の牙城陷落と傳はるや我唯感激に言葉つまりぬ

療友退所

戰死者の墓石新らしく過ぎがたし車窓に遠く默禱捧ぐ
もののみな萠えて伸び行く此の春に再起の門出をは祈りぬ

淺野峰虹

○煩惱

銃とらむすべはなきかも病む吾は心きほいて肩そびえたり
電波管制の雜音ふるふ病室に國戰へるきびしさ思ふ
やはらかきホウレン草の赤き根を食つば癒えむか心寄りつる
焚火して味噌汁煮れば庭芝に霜とけそめて素足ぬらすも
慰むと童愛しき口そろへ額髮ゆりてはづみ歌へる（學童演藝慰問）
くだつ夜を息吸いてみつ吐きてみつラッセルの音いとりたしかむ
見舞ひこし母と林にもとほりて松毬參い心足らへる

木村玄童

○早春

苗賣る止りし每にこぼしたる土くろぐろし街は春めく

北岡得定

崩れゆく炭火かこひて靜かなり久に歸りて父母と語らふ
病む窓のガラスに忍び呼吸かけて鬪病の二字書きて淋しも
厚き葉の根より開きてその中にこんもりと咲くヒヤシンスの花
朝露の葉先に光る赤松に二羽の雀が抜にむつめり
開けはなつ部屋にヤンマのまひこみてつきあたりゐる窓のガラスに
この窓のガラスに日增し名もしらぬ虫のとまりて羽根をいこへる
さまざまの雲の流れを窓越しにたのしみみつゝひねもすを居り

○戰線回顧

今日を征く曲線多き地圖ながめ曉近く馬裝とゝのふ
黃塵に眼こすりつ馬の上に武安行路の地圖を案じぬ
隊長が地圖を見る燈は洩らさしと己が外套を脫ぎて圍へり
尙續く惡路思ひつ寢もやらずほの暗き燈に蹄鐵をかしめる
鞍傷は化膿させじと濕布替へかへつつ寢ねづ夜明けとなりぬ
警笛を吹き交しつつ歸還船海霧の黃海ゆるゆる進む
渡河をせし夢は破れて枕邊を風さむざむと吹き過ぎゆけり

水谷佐助

○特別攻擊隊

眞珠灣の底いや深く君ありて開戰すでに神とならせし
君ありてこの安けさや戰ひは緖戰に勝つべし特別攻擊隊嗚呼
自らの坐乘の艇を柩となしすめら御國の神となりたまふ
眞珠灣内深く征きたり君は艇を柩となせるこころに泣かゆ
還らざる九柱の新軍神は三十路に滿たす愛しともかなし

三島間謝雄

眞珠灣に撃ちて還らぬ日の本の御子の勳を涙しおもふ
男の子われ死すべき死なづ病む床に眞珠の海の戰果に泣きつ
かりそめの言の葉もちて表徴すを心懼れむ特別攻撃隊嗚呼
恃み居て安易にあらめ皇國の民とし盡す秋に逢ひ得て

○天　兵

敵臣艦雲間にとめし一瞬の雄叫びさながら嵐なしけむ（ハワイ奇襲二首）
敵臣艦爆ぜし刹那のふためきをこれの畫面になまなま感ず

落下傘部隊

雲分きて天降らしし如敵の上に降り行きにたりけだし天兵
椰子林の空を覆ひて天兵の天降らしし事の偶然ならず
機をけりて降りしたまゆら南海の蒼き大氣は耳朶に鳴りけむ
まつろはぬ者をし撃つと畏しや天兵數多降り給ひき
爆音をためらひもなく我が方とかく信じ得る國他にありや

柴田邦雄

○老　父

常かげのこの北谷は晝ながら土冴えざえと凍みし光や
水涸れの河原の果に朝たけし陽を淡々と揚げたる霜
いたつきを今は慨かず再びを召さるるあらむ生命養ふ
故郷に年老ひし父唯一人冬を蒔くらん冬の眞晝を

紫藻尼磨紗緒

○その日その日

朝夕に眺めみあかぬ鈴鹿嶺は青さまさりてならむとす
雨はれし朝のさ庭に青踏めば素足を濡す露のさやけき

日比野弘次

春霖けふる曉近く砲聲の淡靄つきて病窓に響けり
歸へらじと歡呼に答へ征きし道白衣まとひて今日かへるとは
看護婦の廊下掃く音さやかにし山の療舍の朝明けわたる
たらちねの肩をもむとて手のふれば目に顯つ程に細り給ふも
吾れ故に詣りしと云ふたらちねの鬢のほつれの白鬢目顯も
何告ぐるつぶらなまなこを潤ませて神なる父に相會ふ子等は

○出　征

召されしを母につげれば落付きてただものいはずわれをみたまふ
霜白き宮の玉砂利踏音の犇みて森の曉け近きかも
霞こむ〇〇の港靜かなり此の朝明けを鹿島たち征く
見送れる姉の瞳は輝きて吾が乗船は母船へとせく

日南延郎

○砲　聲

夜更け尙試射の砲聲遠哮ゆる世をうつうつと我れは病み居り
敵牙城屠りつくせし感激を叶べ力と聲の限りに
かしこしも蒼人草に信倚すと宣らせ給へるおほみことのり
よこしまの魔の手怖れじ昔より正義の勝つは我が掟なり
宣戰の御宣りかしこみたちまちに「ハワイ灣」頭に散り給ふ君
沸きたきる心抑さへて待ちし甲斐思ひの程を撃ちてぞ逝きぬ

森本幸生

○雜　詠

うす闇に輝く彌陀の溫顏は時代を乗切る力を感ず（專修寺）
今日よりは圍碁將棋欄休載の記事をうなづき我は見てをり（開戰）

鈴村英彦

處置いそぐ看護婦の手の霜燒のいたいたしくも赤く腫れゐぬ
病癒えふるさとに發つわが友は人混みの中をしづかに行きぬ
香港の一番乗の部隊にはわれらが郷土の兵も交れり
「北方正面は目下靜謐なり」嚴しきかなや大臣の言葉
配られし衣料切符に名を書きて何とはなしに心落ちつく

○軍　艦

この一彈必中を期して塡む一五糎砲彈重しと思はず
「敵艦撃沈目標變へ」聞け逞くましき我艦砲の威力を
軍艦旗はためく許に我死なん遙かにかすむ國土を拜す
たちこめし霧もようやくうすれゆき肅然とある軍艦旗かも
君のためすつる命は惜しからね莞爾と笑みて散りし九柱
いさぎよく敵の牙城つつこみて眞珠の玉と碎け散りにし
雄々しくも護國の華と散りゆきし勇士の面影なべて若かり

杉浦榮

○傷　兵

戰傷の身も癒えましぬ喜びとく告げませよ父母のみもとへ
これの世に生きて再び還らざる決意ぞ堅しされど語らず
いくさ神生み給ひたる母の教後の世永く語りつたへむ
み軍の勝鬨あぐる萬歲の聲もとゞろけ大君の邊に
暖き朝なりけり着馴れ來し重着脫げば心なごみぬ
外濠の生芝に遊ぶ水鳥は朝陽浴びつゝ影をうつせり
淡雪の班の殘る陽だまりに水鳥集ひ身動きもせず

菊江

○活　花

花活けて心清しもこれの世の憂さもしばらく忘られにけり
拓きゆく矢場の奉仕に男の子らは棒しなはせて土運びつつ

榛名

○茶　心

泡立てる綠の薄茶心よし務ある身をしばしやすらふ
み戰のさ中にありて茶を点ずこの靜けさも日本なれば
寒きには風邪なひきそ暑きには寢冷せねかといつくしみ給ひき
ピンセットの響冷けき療室にして色さえざえと福壽草の花
夕づきて手術終れり傷兵はればれ禮を言ひにけるかも
雪の夜を客人らしき聲ありて隣の部屋は笑ひさゞめく

與志子

○心

纖弱に思ひし恩師の壯烈なる戰死の報せに胸あつく居ぬ
うつろなる心抱きて爭ひし後の寂しさ沁み沁み思ふ
御教へは胸にきざみていたつける兵の看護に日々を捧げむ
山峽の道はるばると旗つゞく麓の村に征く人あるらし
車窓より轟く歡呼に禮しつゝ征きし勇士が今も眼にあり

すみ子

○病　後

病みあとの輕き眩暈に心怖ぢひとり厠へ壁により行く
きざし來る宿直のつかれ堪へ居れば窓邊を曉の光動けり
亡き母の面影にも似し師の君の優しき姿思ひ浮べぬ
師の君の教を守りて恙なく今日の一日を病兵の看護す

堤千草

友ら皆勤務に出でゝ我一人今日も淋しく床に臥し居り

○戰勝

戰勝のニュース嬉しも今宵また地圖に日の丸書き入れにけり
河底に日かげ明るく射しすきて砂利美しく見ゆるものかな
何くれと御教受けし君遠く離れ住むとも永遠に忘れじ(柿崎婦長)

多賀子

○お汁

盛られたるお汁の椀をつぎつぎに運ぶ手つきも巧になりし
紅のカーネイションの窓に燃え心樂しく勤務に向ふ
成すべきを果し終りし人はみな幼兒の如くなごみてありき
とる筆の限りのあれば限りなきこの淋しさを何としるさむ

日富清子

○つとめ

身に泌みる寒さ覺えて床に就きぬ明日の試驗のこと思ひつゝ
ふと仰ぐ空の蒼さよ久々に心たのしく足らふものあり
電燈の暗き燈火管制下ベランダによりニュースきくなり

あや子

○別るる日

風邪推して今日のつとめを終りたる喜びを言ふ友を愛しむ
しみじみと論し言ひ給ふ御心は母の如かり涙にじみぬ
別るゝ日せまり來りて悲みを胸に秘めつゝ櫻花みつむる

大里照子

○故郷

木の葉みな散りつくしたる山の上をさみしく鳥の一羽なきゆく

喜代子

思出づ故里の野よ乳色のさぎり流るゝ畑のあさあけ
双頰を赤く染めつゝ寫生する霜の朝の子等愛ほしむ
冬の夜の更けゆく窓の文机に遠き都の父母偲ふ

○櫻草

傷兵の枕邊に置く櫻草つゝましやかに咲きそろひ居り
戰へば必ず勝たむ皇軍の動き大きく新聞に見ゆ
夜をこめし雨霽れゆけり冷え冷えと庭松の雫きらひつゝ見ゆ
松ケ枝をとび交ふ鳥の聲すめる窓邊たのしく朝餉に向ふ
徵熱して時雨きく夜は佗しかり母の顏ふと想ひ出づ
我が兵の命惜しまず戰へりすめら御軍大いなるかも

春日茂美

○みとり

病兵のみとりする身に一歲は早や過ぎにけりかへり見らるも
庭芝にしるしと降る春雨の身に泌むおもひ小夜更けわたる
師の君を送る寂しき心もて櫻吹雪の中に佇ちをり
雪かつゐ鈴鹿山脈たゝなはるこの淸しさをつとめに出づる
シンガポール陷つとたやすく言はゞいへ吾が神兵の尊き働き

波子

○婦長殿を送る

かりそめの病養ひ溫くこもらふ幸はおろそかならず
久しきを御教うけし師の君よ離れ住むとも忘れ給ひそ
師の君の御さとし守りて此の後も正しく生きむと固く誓へり
淋しくも光る星空眺めつゝ別れむ日近き君を思ふも

若草あけみ

○春雨

煙りつゝ降るとも見えぬ春雨に松の綠の濡れてすがしき
吹く春風にひとひら白きさくら花道行く人の肩に舞ひ落つ
暮れなづむ療舍包みて春雨の音にもたゝずふりつゞきけり

かほる

初夏

長谷川素逝

新綠は疊ふた間を鏡なす
しづかなる音のただ降る椎落葉
拱けばかひなにあらは五月の日
新綠の疊明りをふみわたる
初夏は夕べひとのたばこのかぐはしく

雑詠

鈴木峰湖

境内はひろし遲日の詣で人
法城の松をはなれず鳥の子
柚のせて梅の渡舟のゆるやかに
老かなしもてあましつゝ根榾割る
人走る松原道の火事あかり

雜詠

鈴木峰湖選

くじ引いて分ける慰問の花の種子
春チョッキ着て老兵と云はれをり
療友に囃はれつゝも春湯婆
寄宿舎に看護婦のみの雛祭
泥よごれせる大鯉や水温む

古田藍水

花の種蒔き療養の月日守る
小鳥籠吊るし病兵春待てる
面會の母來るごとに日脚伸ぶ
傷兵の日々の笑ひに木々芽吹く
春寒しかへつて母に勞られ

大川旅子

高ばなしして傷兵や山笑ふ
春曉の窓に對ひて覺めてゐる
うす着して腕振つてみる暖かさ
春草に療養のもの曝しあり
春寒の病衣をかけしベッドかな

加藤新樹

炭をつぐふせし睫毛の美しく

道村靜湖

かむばせにしづかな花の翳を置き
さかんなる落花のなかの日を仰ぐ
隣寮へ呼べば應へて月おぼろ
いたづらにとる春愁の細き筆

村田幸靜

診斷の炭火そだてゝ醫官待つ
水際と日々にはなれて草枯るゝ
なにごとかありたる点呼寒の月
春雨やベッドの上の小句會
會釋してゆきし誰やら夕櫻

北村ぶせゐ

暖く子等の遊びの中にあり
聲のしてしづかな牡丹寺の晝
湯のたぎる音のしづかに霙の夜
草虱つけて泣きくる子は大佐
春眠のそのしづけさの洩るゝ部屋

小林茅人

み戰は日々勝ち進み花美し
病には死なじ額づく花の宮
初夏の日の額に强し歩を返す
雨晴れし時新緑のすが〱し
老鶯のしきりに啼いて部屋は留守
看護婦に叱られつゝも朝寢かな

道風旅翠

春塵の拂ふベッドへまひもどり
葉櫻に醫院かよひの疲れかな
兵うらゝ支那の歌謡を口ずさむ
夏密柑出すふところの大だるみ
御下賜園芽ぶきて再起誓ふのみ
父は亡のもとに朝寢のほしいまゝ
草花を蒔きたるあしたよきしめり

瀧川光洋

癒えてゆく身のうれしさよ青き踏む
療庭をひと巡りして春惜しむ
冬海の四方にみいくさ捷ちすゝむ
冬灯覆ひ今日の戰況しかと聞く
捷うたをラジオに和して療の冬

小林丘翠

春晝の備へ完しわが國土
春の夜の國土守りつゝ療養す
住み馴れて療舍もたのしホ句の春
涼しさよ日の出るまでの宮參り
若葉影看護婦窓に書を讀める

夕起緒

糸瓜棚取れば明るき療舍かな
病む身にも二百十日の無事祈る
せゝらぎにとまらんとする蜻蛉かな
ひたずらの再起の窓にカンナ燃ゆ

辻鬼城子

霧霽れて鈴鹿の嶺はまのあたり
檢溫と呼ばれて落葉ふみもどる
ものすべて霧の中なる夕かな
熟れ柿の其の〱にある夕日
つきそだてまた子にかわる手毬かな

坂川まさる

生涯を御佛の子や親鸞忌
汽車くればなる踏切や土筆摘む
またなにか建つらし人夫來て焚火
小鳥籠窓に並べて春を待つ
暖や窓から散歩さそはれて

早川ひいづ

寮院の中に谷あり菖蒲の芽
冬の雨暗く治療を待つ廊下
有がたく病みゐて寮の夜々の月
山寮の秋空高く大國旗
風の來て道をよぎりし落葉かな

石原三郎

日曜は長閑かに山の療養所
蔭りゐる水田に蝌蚪の動かざる
汲置きし水に一ト葉や秋近し
踊の輪小さく成りて更けにけり

野呂山莊

折曲りたるまゝ乾き竿の足袋
春を待つ床頭台に塵もなく
花の種藥つゝみにわけにけり

熨斗ついてゐる枕邊の寒卵
ゆるやかに舟下りをり柳の芽
カアテンを押し上げてくる春の風
なか〳〵に暮れぬ踊場子等の聲
日焼せし子等が慰問の相撲かな

山下軍山

春山の中に五十戸外氣小舎
橘の名の報恩とあり菖蒲の芽
暮れそめてよりなほさかん木の芽雨
松籟の絶えし山寮月冴ゆる
妻病みて年越そばもなかりけり

林東莞

ゆづられし席ありがたく花の汽車
下萠に癒ゆる日近き身の閑を
ほめられし事のなきまゝ卒業す
末の子のあぐらのなかの日向ぼこ
卒業やきびしき師ゆえなつかしく

鈴村英子

暖かくなりて退院してゆけり
囀りの一ト日やまざる寮舎かな

田村旗風

芽柳や總本山の廣き庭
退院をしてゆく人や木の芽吹く
点呼して兵解散す花の下

勝國の御旗は東風に吹かれをり
ほの〳〵と明けゆく療舎松の花
毎日のことゝが釣場所水草生ふ
峡深き報恩橋の落花かな
神杉に一樹の椿幽かなり

松本志津夫

すみれ咲き海紺青を湛へたり
花も挿し師の句もかゝげ吾が臥床
花散るや蝌蚪の水面もはなやげる
山藤に眞晝の月の淡さかな
花吹雪かしこみかぶり碇のぼる

堀江三露子

青麥の野の果かすみ作業了ふ
蛙鳴き療舎の灯影沼に映ゆ
鍬洗ふ瀬に藤の花こぼれ落つ
桑畑を四方に菜花は昏れてなほ
白藤に飛び交ふ虫の光りけり

山下いさむ

沈丁の香に目ざめゐる靜臥かな
退所する友の荷物の目白籠

松谷茅月

蓄音機かけて兵等は若芝に
試歩伸びて春の入日に染む白衣
松蝉や山の寮舎は棟並べて

小倉陽苑

看護婦の外套を着て夜半の窓
病みゐても心忙しき師走かな
ものゝ芽を教へ教はり試歩たのし
春雨にぬれて慰問の子等きたる
路の葉をバケツにかぶせ釣の子等

加藤可川

鶯を聞きそめてより試歩たのし
看護婦のラジオ体操春の芝
人中に揉れてゆけり彼岸道
夕雲雀鳴きやみ試歩の兵歸る
初袷着て退院をして行けり

西御濱

若葉澄むいでゆにもろの手をうかせ
部屋々々の大戸はずして療も夏
草笛の病兵うつる朝の沼
山門をくゞれば牡丹匂う庭

行く雁に月は明るく又くらく
星一つ田の面に蛙なきそめぬ
山吹のこぼれ敷けるに雨けぶる

平野粹子

燕とび交して沼の暮ゆきぬ
行春や暮るゝ菜畑風ありぬ
日溜りにひろごる蝌蚪や菖蒲の芽
山寮の松の芽ぶきの逞しき
帽脱りて英靈迎ふ花の驛

森田愁翠

一とせの体臭しみる蒲團かな
峡越せば外氣療舎や木の芽風
松籟をのこして冬日沒りそむる
蝶追ふて通學の徑子等たのし

村田かせい

春曉の溢るる電車見をくりぬ
釣りたるゝ前をよぎりし揚羽蝶
展望哨霞める山は敵の陣
春風に掩蓋いでて深呼吸

野田無茶

ランドセル背負ひしまゝに草摘める
春霖やレコオード掛けて兵静か
癒え近し身にやはらかく若葉風
焚火の輪手に手に箒さらひ持ち

石本白木

蓄音機持出し芝の兵のどか
佛印のゴム毬とゞき子等の春

中村盧世

仕事着の袖にすがりて入學す

遠藤曲草

作業して再起間近じ療の春
看護婦の來るまで朝寢外氣小屋

春晝や遲れしまゝの懸時計
松蝉の早や鳴き揃ふ療の晝
麗や傷兵あまた釣垂れて

松蝉をきゝつゝ遠き眺めかな
傷兵の集ひの解けて春の芝
療養や日々囀に明け暮れて

春雨や玻璃戸に療の灯はうるむ
傷兵につゝましく行く春日傘
招かれて折目正しき春病衣

長梅雨や病む身靜かな日を重ね
大玻璃戸開け放ちあり春惜む
山寮へつゝじの徑となりにけり

海みゆる丘なだらかに桃畑
梅雨の窓あけ默々と兵病める
大夕燒して麥の穗の風に佇つ

幕張つてなにかあるらし梅の門
賑やかに濯ぎ話しや春の水
看護婦のかくし欠伸や日の永き

中川友峯

森田桂樹

新口正男

橋本登志

山本たゞを

杉田童心

秋近し枯葉の陰の青トマト
松せまる寮舍の窓や秋の雨
窓あけて雪にしたしみつゝ靜臥

歩く人イむ人に散る櫻
春曉や箒目殘る宮靜
里に出る石ころ道や山躑躅

面會の母と靜かに青き踏む
五位鷺の聲落し行く春の宵
癒ゆる身の嬉しさにあり落花掃く

爆音のして飛機見えず夕霞
知多岬見えずなりたり夕霞
自動車の砂ぼこり浴び土筆摘む

花慕ふ初蝶風にまひ上り
桑の芽の搖れそめてより夕まぐれ
春蝉の鳴くや靜かな療のひる

病める子の居間にまつれる雛かな
看護衣をぬいで雛にいとけなく
夕暮のコスモスを手に試步の徑

摘む土筆スカートに入れ子等たのし
風鈴のなりて涼しき靜臥かな

稲井靜香

濱島武

伊藤曠月

平野白南

太田曉生

杉本しづ女

堀江百合子

松蝉の鳴いて寮舍の眞晝かな
春光や船頭棹を上ぐるとき
新和歌浦舊和歌浦と海苔を干す

出揃うて患者春日の庭を掃く
病よしさそはるるまゝ豚狩り
大曠野幕舍を夜霧おほひけり

炎天下僞裝戰車の侚續く
どの窓も小鳥鳴き續ぐ小春かな
すみれ草心幼く鉢に植う

木の芽風垣新しく外氣小屋
春日傘療舍の徑を傾むけて
巡禮の辿る寺々花が散る

苗床の筵をぬけて芽生えけり
花の下奉曳終えて人憩ふ
見るかぎり地のもの光る木の芽晴れ

花に醉ひ人によろたる電車かな
雨垂の下なる菫いとほしむ
春愁や窓に頰杖つきもして

昨日も試步今日も試步とて春は行く

池田昌南

出口淸風

大平虎月

丸山乙仙

堺敏彦

上島一男

淺野綠石

田邊白風

池田悦秀

久方に試步許されて青き踏む
病む窓の小鳥囀る靜臥かな
春めきて病室の窓明けがちに

大いなる舟曳く船や春の川
ひさぐに母に甘えし朝寢かな
叱られて逃げる童や春の風

歸省するうれしさ麥青む
吊橋の大きくゆれて東風强し
絲瓜棚夕燒空に殘り居り

熊野路や潮の香りに春近し
冬木立やうやく見えて小休止
待春や必ず來よと便りあり

聖恩の厚きに謝して寮の春
鶯や松の丘なる療養所
伸びて行く菖蒲の丈や春深し

春雨や小鳥の聲をしみじみと
試步に來て戰鬪帽に摘むつくし
世の人の花の嚀に病みて居り

花人にいたわられ居る白衣かな
この鳥にして一軒の遍路宿
試步いつか柵の外なり山躑躅

青木聲蜂

沖雅人

小倉一生

佐伯有一

四方柱湘南

加藤松保

大橋久雄

正村育美

中森勇吉

安樂利一

保浦城月

私の日記より

S T 生

○稻田侍醫をお迎へして　十一月四日

秋深みゆく山寮に感激の一夜は明け初めた毎日の日課報恩神社に參拜す、爽やかな丘の上に立つて遠く宮城を遙拜する今日の氣持は何時もより以上の感激に溢れ、宏大無邊の御聖恩に只々感謝するのみであつた。

早や伊勢海より眞紅に燃ゆる太陽が昇りはじめた。然し今朝は雨模様を氣づかはれる曇り勝ちの天氣、遂に雲の中にかくれた。午前八時氣づかはれし雨雲の間より爽やかな秋空が見え出し、水を打つた様な靜けさの中に只侍醫の御到着を御待ち申しあげた。

竹澤指導官の先導にて各室を具に御巡視になり一人々々に會釋あり、只々御仁慈に恐懼感激するばかりであつた。一時間半の長時間の御巡視を終へられ十時龜山に向つてお歸りあそばされた。

午前十一時より講堂に於て聖旨傳達式が擧行せられた。

吾々療養の身にとつてこれ以上の光榮があるであらうか、不幸病に倒れ殘念だ、申譯ない、只こうして安穩に療養させていたゞけるのさへ感謝の外ないのである、其上こうした有難き思召し、其の他數々の皇室の御仁慈、この光榮に、終生忘れ得ぬ感激と再起奉公の誓をより以上新にしたのであつた

○傷痍軍人の生きる道　十一月六日

小倉宏船先生の精神指導講演があつた。我國は今や興亡の岐路に立つてゐる。吾々傷痍軍人否傷病の身にとつては必ず全治するの精神を以て進まなければならぬ。全治するのは自分の爲ではない國家の爲だ。それには不動の信念が必要である。不動の信念は人生觀に於てはなくてはならぬものであるが増して病身にありてはこの精神がなければ決して健康になり得る事が出來ないのである。

尙もう一つ必要なるは「大死一番」死を決すると云ふ事である、「大キク生キントスル者ハ先ヅ死ネ」死を決して闘病に邁進せよ、そうして必ず一日も速やかに全治して國家の爲に御奉公申上る様努力せよ、との講演があつた。大いに學ぶべき点があつた。

○宣戰の大詔下る　十二月八日

「我が陸海軍は今朝米英と戰闘狀態に入れり」臨時ニュースが冬空の山寮に響きわたつた。一同顏見合せて「來るべき秋が來た」と肅然として滿身の血潮ふるひ自ら緊張せざるを得なかつた。勇ましい行進曲、つゞいて陸海軍の驚天動地の大戰果が發表された。發表される度に寮舍は歡喜に滿ちて萬才!萬才!の呼聲が流れて行つた。

「畏くも宣戰の大詔が渙發あらせられました午前十一時半詔勅が奉讀されます、國民諸君一人殘らず御聽き下さい」今迄騷がしかりし山寮はこの重大ニュースに水打つた如く靜まり刻々と時は過ぎた。

その間も勇ましい行進曲が奏せられ一億總進軍を物語つた

正午畏くも詔勅が奉讀され、つゞいて東條首相の諄々と國民に呼びかく一語一語が電波にのつて吾々の胸底を貫き、心身共に引締り興奮に煽られ只涙のにじみ出づるを禁じ得なかつた。

我が國は今歷史的な瞬間に際會して興亡の岐路に立つて進軍しはじめたのだ。病床が殘念だ〳〵今第一戰に立つて奮闘出來得ない殘念さが涙となつて溢れ出た。

今迄かくもすれば我儘勝になりし自分を今更恥ぢ、より以上療養に邁進して一日も速に退所して御奉公申上るの決意を强めた。

暮るゝに早き冬日は開戰、電擊的戰果のニュース、軍歌、行進曲を電波にのせて太陽ば鈴鹿嶺に沒した。かくして終生忘れ得ぬ感激な歷史的昭和十六年十二月八日は暮れた。

夜は燈火管制が實施された。

○その翌日　十二月九日

午前六時、勇ましい行進曲に眼ざめた。

「畏くも 天皇陛下には宮中三殿に臨時大祭を御親祭あらせられ聖業完遂を御祈念遊ばされます」冬雨そぼ降る山寮のマイクに朝のニュースが響き渡つた。

早速起床報恩神社に參拜國難突破の神明の加護、戰友諸兄の武運長久を祈つた。寮友は皆同じ心とでも云ひたい、今朝の報恩神社は參拜の療友で賑ひ、各自の眉には緊張の色がうかがわれた。

雨雲覆ふ東の空より眞紅にもゆ日の出が拜された。然し殘念乍ら雨となつた。

遠く宮城を遙拜す。宏大無邊の御聖恩に、この神國に生を稟けたるの感激に感涙溢れ、筆紙に表し得ざる感慨無量の感あり。

御民われ生けるしるしあり天地の
　榮ゆる時にあへらく思へば

○感　謝　十二月三十日

看護婦が態々炊事からもらつてきた食事、それを冷飯だと云つて投げた寮友、何たる行動だ、何たる云ひ方だ實に歎し

い、吾々療養者の中に一人でもこんな者がある事が歎かざるを得ない、冷飯が何だ、いくら冷飯でも米の飯だ今の社會の狀勢を考へれば米飯を食べさせていただけるでさへ感謝の外ないのだ。丁度看護婦に口言を云つている處に居合せたのを機會に反省を促した。然し馬耳東風かへつて小生の言葉に對して反抗の色さへあり、然し何處までも冷靜に忠告した。

翌日退所を命ぜられし由を知る、あまり健康を快復しない○○君が家に歸つて如何するであらう、家に歸つても同樣父母を困らすのであらうか、興奮して病氣が刻一刻を惡化するのではなからうか。

○○君が反省して感謝の日々を送られる樣に蔭下ら祈らう

○年　暮　る　十二月三十一日

光輝ある二千六百一年も將に暮れんとす。我帝國この一年こそは悠久の過去への回顧であり洋々たる將來への飛躍を約束する年であつた。米英兩國に對して隱忍自重、盡すべきを盡し忍ぶべからざるを忍んできた、にも拘らず何等反省の色なく遂に大東亞戰となつた。

正義の戰!皇軍は正義の矛を進めてより布哇、馬來方面に赫々たる偉勳を示し三週間を出づして英國百年の牙城たる香港を降し、比島、馬來も陷しいれんとするのみか遙に米洲沿岸をさへ脅して、文字通り陸海空三方面より太平洋を制壓しているのである。これ全く御稜威の然らしむ處とは云ふもの戰友諸兄の御奮闘の賜である。

吾は陸病を退院して喜びの出勤、働き得るの喜び、生ける幸福を感じ努力したのも僅か三ケ月再發して再ど療養の身となつた。然し御蔭で元氣潑溂としてこの年を送る事の出來得る御聖恩と銃後の御援護に對して感謝の意を捧げて悲喜交々の思ひ出を殘して、忠勇なる將兵に感謝して、この記念すべき歷史的の昭和十六年を送り、希望あらたなる療養生活第二年昭和十七年を迎ふ。

○年頭所感　一月一日

皇紀二千六百二年の輝かしい朝は明けた。恐らくは世界の歷史を根本から轉換させるであらうと信ぜられる世紀の朝を迎へるすがすがしさである。支那事變勃發次來新しき年を迎へる每に覺悟を新にして聖戰の貫徹を念じてきた。然し大東亞戰勃發一ケ月足らずにして迎ふるこの新春程雄大な感じをもつた年はない。

吾は病床にあつて今年も療養生活で暮さねばならないと思へば何物か暗いものがある。實に殘念だ。この緊迫せる社會に出て御奉公出來得ない申譯なき心が甦へる、然し吾々には吾々の義務があるのだ、「國家の爲に全治する」この重大なる義務に向つて、その目的貫徹の爲にまじめに理想的な療養に邁進するのだ。午前〇時報恩神社に參拜、戰捷の祈願と全治御奉公申上げられる樣神明の加護を祈る、この精神、今日の精神を忘れず益々療養に邁進するのだ。

戰へる帝國の御代の春、釋やかな偉大る世紀の朝は明けたのだ、吾は何たる幸福ぞこの大和神國に、否この喜ばしい眞只中に生を享け安穩に療養出來得るの感激の中にこの新春を迎へた。

戰へる國靜かなり御代の春
　闘病の誓ぞあらた御代の春

○大詔奉戴日　一月八日

畏くも宣戰の大詔を拜したる十二月八日。この八日を每月大詔奉戴日と定められ、一億國民は宣戰の大詔を渙發あらせられた記念すべき日を大業翼贊の源泉日として大詔の大御心を奉戴夢寢にも忘れることとなく常時その本分に精勵奉行總力を發揮して戰爭目的完遂に挺身する事となつた。

その最初の今日午前十時より大詔奉戴式が擧行された。

客年十二月畏くも宣戰の詔勅が渙發あらせられてより一ケ月、海に陸に空に赫々たる戰果が擴大せられ、只感激の中にこの日を迎ふ感激あらた再び詔書が奉讀され、つゞいて所長殿の力强き訓示があつた。益々療養の成果をあげ一日も早く御奉公申上げ度き心甦れり。

○大東亞戰下紀元節を迎へて二月十一日大東亞戰勃發して二箇月、誠に無限の感慨の中に皇紀二千六百二年の記元節を迎へた。帝國は自存自衛の爲世界の二大强國たる米英を敵として大東亞建設の爲に干戈を執つてより二ケ月、御稜威の下、皇軍將兵の勇戰力闘によつて赫々たる諸戰果の中にこの吉辰を迎へ嚴肅なる意義を胞得するは勿論益々不動の覺悟を强固にせり。

上に聖天子をいたゞき万邦無比の悠久三千年の國體を有する國民として生を享け、この佳節を迎へたる感激に只病床の殘念さが、ひし〳〵と胸をうてり。

○シンガポール陷落す　二月十六日

英國の東亞に於ける最後の牙城に今や燦たる日章旗が二月の南海の風をうけて飜つたのである。

「シンガポール陷落す」我々一億同胞はこのニュースを如何待つた事であらう、待ちに待ちたるこの日は遂にきた。その捷報が今!戰爭勃發二ケ月にして早春の大和島根に電波によつてひゞき渡つたのである。

この捷報を耳にして泣かざる者があらうか全く御稜威の下前線將兵の勇戰奮闘によるものであつて一億國民の感激これにすぐるものなく「最後の勝利炳として我にあり」大平陸單報道部長の力强き一言、然し戰ひはこれからだ、これによつて戰局一段落と考へるべきでない、米英打倒のために世界の涯まで我が大御戰は進められねばならぬのだ、シンガポールは陷落した、然しこの陷落と云ふ一片の言葉の中に如何に多くの犧性が拂はれている事であらう。

今更靖國の御社深く鎭まる護國の英靈、炎熱、酷寒の地に奮戰する戰友諸兄に感謝の意を捧げ鬪病に邁進、一日も早く御奉公申上るべきである。

我が山寮にも喜びの歡聲！日章旗は丘の上高く翩翻として早春の空にひるがへつてゐる。この日章旗は遠く南海の涯にも飜つてゐることであらう。

○戰捷第一次祝賀の日　二月十八日

老英百年不落を誇りし東亞浸略の牙城シンガポール遂に落ちたり。

宣戰の大詔下されてよりハワイにマレーに香港ジヤバに、無敵皇軍が陸海空にうちたてし相次ぐ快捷の歡喜を咽喉もとに突きあげる凱歌を、勝つて兜の緒をしめて拳を握つてこらへてきた民一億シンガポール陷落に今こそそれが堰を切つて歡呼の奔流となりて迸つた、悠久三千年の靑史にも、ひときは燦たる世紀の凱歌を紀錄するこの日、春まだ淺き山寮には丘の上高く日章旗は飜へり嚴に祝賀式を擧行せられた。

歷史的なる二月十八日正午、電波を通じて東條首相の國民に呼びかけた熱鉄の言葉は、強く胸を衝いた、つゞいて爆發した聖壽萬才は全國浦々蔽ひ、大東亞に否世界に谺する民一億の歡呼喜びであつた

「戰友よ有難ら」療養の身を忘れて南海の涯まで轟けと叫んだ萬才！然しこの萬才には底知れぬ悲しさ淋しさに胸をつくものがあつた、これは自分で一人ではなかつたであらう

この萬才が南海の島上で叫ぶ萬才であれば如何程嬉しき事であらうか、病氣が殘念だ、今更乍ら此の世紀の勝利を祝すべき萬才も、悲しみの涙となつて溢れ出た。

かくして歷史的二月十八日は感謝と感激と解あふ中に暮れた。

○大坪業務局長を迎へて　二月二十四日

早春とはいへ底冷えのする雨降りであつた當療養所視察の爲御來所の大坪業務局長閣下の巡視、終つて講堂に於て訓示があつた。

我皇軍が緖戰以來かくの如き赫々たる戰果をあげつゝあるは必勝信念があるからだ。療養の身にも病に打勝つにも必勝の信念が必要である。外敵を打破るの意志を以て鬪病に邁進せよ、尙傷痍軍人たるの自覺を以て眞面目な療養をすべし。

國民全部が吾々に對して注意の瞳をむけている、衆人監視の中に立つて療養しているのだ。又吾等の後輩靑少年は憧憬の眼をもつて見ているのだ、彼等に失望をあたへない樣にして療養に邁進せよ、そうして人材を要求する現下の狀勢に一日も速に全治して國内は吾等傷病者の手によつて守る意志を知つて進めとの訓示があつた、

國内を守れ、然し國内はおろか海外に雄飛出來得るの健康體になり御奉公申上げるの覺悟を以て正しい療養に專念すべきだと思ふ。

桔梗

延　圃　生

これからの野山で私達の一番目を引き魅せられる草は何と言つても桔梗であらう。

昔から花は櫻と例られ花の代名詞は櫻花の如き感を持つて居るが、僕は櫻花と共に又桔梗も私達の翫味すべき花だと思ふ。

多年生草木で初夏の頃ともなればあちらの山の岩影こちらの山腹にも新しい芽を出して來る、人手を借りずあの美しい細くやさしい眞直なる莖、小さな切目のある葉あたりの草木に壓しられ勝ちにもくつきりと目立つて咲く碧紫色の花(白色もある)緣の鮮な萼、其の花のわづかうつむき勝ちなところ人で申せば頭を下げてゐるのだらうか、なんとつつましやかな、おかしがたい花であらう。

疲れど憩ふ山道の邊に桔梗が一本咲いてゐるのを見つけると誰でもが疲れを忘れ思はず知らず綺麗だなと、もらし身も心もひかれるに違ひない、私は何となしに桔梗がすきだ。

上代より桔梗は又色々に用ひられ、桔梗の間桔梗の紋あるひは皿又桔梗が丘とか地名にまで使はれてある。

何と言つても桔梗の對照は早乙女だと思ふ乙女と桔梗聞くだにすがすがしい氣特がするではないか、初秋の脊机に向つて居る乙女の前に一輪の桔梗な人と純なものか。

地味惡き赤土の丘にそだち生長するに香氣を放ち、自然にたれた花、やがてしをれ新しく實がなる、かく次々に運ばれる自然の敎へにつくづくと感ずるものがあるではないか。

この自然の敎へを求め、求めたるものを生かすのは吾々若き者の必然の心理であり向上への道程であるのだ。

自然の美しさを見る心一本一草も心して見れば樂しさがあり、言ひしれぬ深さを知るものである。

想ひ出したままに

た　け　し

私の行つてゐた學校では代々マラソン競走が盛んであつた。每年秋風の吹く頃から土曜日の來る度に、全校生徒がランニングパンツ一枚になつて、田舍道をよく走らされた。

そして、それは冬の一日雪のよく降つた日を選んで、一周十五粁位のマラソン競走が行はれて、其の冬のマラソン行事の終りを告げてゐた。

短距離でもあまり走つた經驗が少い私なので、初めのうち

は少し走ると、後は步いて、どうにか一周して來た。でも、次第に走る距離が長くなつてゆき、一冬の終りには、走りつゞけて一周することが出來る樣になつてきた。

次の秋には焦る許りで、すぐ草臥れてしまつてゐた當時によく分らなかつた道路や氣候の影響も分つて來たし、走つてゐる間に最もよい、と思はれる、呼吸法も自然と體得して來たし、自分の周圍や沿道の模樣も、走り乍らに意識出來る樣になつて來た。後から出發した走者に遠慮なく追越されてゐた私も、二冬目が終る頃には普通の走者が走り得る處へは、私も一諸に跟いて走破出來る樣に感じた。けれども、それ以上に走る事は仲々容易ではなかつた。

私の體はあまり丈夫な方ではなかつたので、樂に一周出來る走者を見たり、又何日も一番二番を競つてゐる人を見た時は全く感嘆してしまつた。

理在の私達が行つてゆく療養の道も、誰にでも到達し得られる樣な治癒の境地があると思ふ。そして「根氣」さえあれば、そこまでゆく事はたいしてむずかしくないと思ふ。最初の元氣な間は、誰れでも人の先に出よう〳〵と許り焦る。そして唯先に出れば宜い、そうゆふ時代には、幸ひ先頭に出て走る事が出來ても、目的地に到着しないうちに草臥れてしまふ。

自己の心に賴むところもなく、自力の限りある事も考慮せず。そして幸ひに先頭に走り得たのは高慢で煩しい「熟練」を思はせる許りだ。

先輩で上級學校に進學してゐた人が、時々私達の所へやつて來て、一緖に走り乍ら指導をして吳れた事があつた。その人に先ず「姿勢」を正しくすることを敎えられた。それからの私の走力は少しづつ餘裕が出來て、假令一番、二番を競ふ事が出來なくても、以前より速く、しかも氣持よく、走り續けられる事が出來た。

療養する道にも、唯好くしてもらほうとのみ焦心することは決して目的を達せられるとは思はれない。眞に好き體にならうと思ふものは、先づ敎えられた通りに「自已」から正してゆかなければならない。終り

兵隊と支那語

中　島　萬　壽　男

支那を知らんとするには先づ支那語からと全くそうであつて、言語から入らなくてはとても駄目なのである。周知の通り支那は大陸である。然も數多くの省に分轄されて居るから其の言語方便も多種多樣であり、一口に支那語と云つても之を全部修得する事は難事である。一般に我々が、支那語と云つて居るのは、北京會話を云つて居るのであつて、先づ基本

語とされている。他に上海語、廣東語等又邊地に行けば種々異つた方言も、有るであらうが。然し其の使用範圍は局限的である。

支那事變以來支那と我が國とは「同文同種」なりと、暫々叫ばれ來た。

古來我が國の文化は支那から入つて來て、それを日本化し今日に至つて居るのであるから、字體其の物には大體變りはなさゝうだが、續方其の意味に於て甚だ變化を來している模樣であるであるから我々兵隊が支那に行つて最初大いけに困つた、他の困難はなんとか都合を付て突破したが此の言葉の通じないと云ふ事は他の事と異つて全くどうにも都合の付け樣がなく實に不自由を忍ばねばならなかつた。假に一パイの水を得んとしても、彼らの意志が通じないのだから、啞と話しているより仕末が惡く、何時まで經つてもラチの開く筈がない自分で探した方が早いと、言ふわけで、彼方此方と、無駄な時間と、いらぬ骨折を、せねばならなかつた。其所で我々は先づ機會ある度に言葉の修得に務めた、修得と云ふより寧ろ、體得と云つた方が的確かも知れない、が兎も角必要に迫られてやつたのである。

最初は誰しも同じで、日常最も多く使はれて、しかも、最も平易なるものから初める、一通り自今一人でやつて見て、上手に行くと、わざ〳〵彼らに話し掛けて見て意味が通じるか通じないか試して見る、通じたならば宜しいと云ふふうに體得したのである。

然し人間は妙なもので、必要に迫まられると一生懸命になるが、どうにかこうにか、用達しが出來る程度になると、余計な苦勞はせぬものである。まして兵隊にはそんな機會も少いのであるから、少し覺へてしまふと、日常總ての事柄は其の少數の單語と「例へば」水を涼水、湯を開水、速くを快々的、遲くを慢々的貴方を爾私を俄と此れに日本語をチヤンポンし手眞似足眞似を加へて片付けてしまふのである、時々笑へぬナンセンスを生じたり、或はお互ひ意志の喰違ひから、思わぬ出來事が突發する事すらある、又一廉の支那通かの如く見せ掛けて會話をやらかす兵隊もあるが、一寸も彼らに通じない御自身は糞眞面目に靑くなり、赤くなりして、一生懸命やつてゐるのだが、相手は「不明白」の連發で終つてしまふのが關の山である、或は又何とも判斷の付かぬ珍無類のが飛出す事もある。

何時か週刊朝日に出てゐたと思ふが、或る軍醫中尉の書いた隨筆の中に、次の樣な面白い事が書れてあつた。其れは現地の一兵隊が胡瓜の會話をやつてゐる所である。

兵隊曰く「爾えゝか云ふぞ」と前置きして

「長い〳〵靑〳〵挖々的。這個、爾、明白か」と此れじや兵隊の我々でさへ一寸判斷に惱まされる、まして彼らに長い

青〳〵抗々的の解る道理もなかろう、「不明白」と答へるのは明らかである。所がそれを聞いて其の兵隊まだ御自身の支那語に自負心があつたらしい。曰く「爾。中國話知らんな」と何とはや益々以つて妙知氣輪であらう。

先づざつとこんな調子であるから兵隊の支那語と來ると奇々怪々竹に木を接いだより危いのである。

然し日も經つにつれて、彼ら支那人の内の苦力や或は商人は數多く兵隊に接しるので、此の珍無類の意味を上手に判斷し意外に重寶がられて、通譯兼苦力に使つてもらつたり又商賣も思わぬ儲けをしたりする、金儲けに掛けては元來根聰い彼らではあるが、彼らとしても何とかして兵隊の言葉を解しよう〳〵と務めてゐるらしいのである。

或る時小孩(子供の事)が鷄卵を賣りに來たのである、其の小孩の云ふ事が又振つてゐる、「先生鷄蛋有的要不要」此所までは良いが次である。現品を見せて「這個風呂〳〵飯々天好的那」と來たのである、今度は此彼が「不明白」と云わねばならなかつた。判斷の結果此れを解釋すると前者は「貴方卵子有りますが要りませんか」後者は「此れ茹でて食べると大へん良ろしい」と云ふのである。兎も角も風呂、飯々とは良く表現したもので全く感心せざるを得なかつた。

今や我が日本は、大東亞戰爭完遂の途上に有り、其の一翼をなす支那事變完全處理こそ目前の必事であり、且つ又、急務なる事は誰しも信じて疑わないのである。

然るに未だ米英の走狗となつて、日夜抗戰に浮身を俏してゐる頑迷なる重慶政權は固より徹底覆滅を圖らねばならぬが然し何も知らない無辜の民衆は悪辣な重慶のデマ宣傳に迷はされてゐるとは云へ、我が聖戰の眞意を彼らに解されないのも一つは言語の不明にも有るのではないかと思ふのである。

勿論現地に於ては所有る機關を通じて宣撫或は治安確立に當つてはゐるのであるが、如何にせよ無知なしかも我が國の何倍と言われる大民衆を少數の指導者で以つて指導してゐるであるから、中々に隅々までと云ふわけには行かぬ、此所に專問的の宣撫班ばかりでなく、大陸進出者は勿論現地兵隊の一人〳〵に至るまで彼らと言語の交換が容易に出來る樣に務めそして機會ある毎に否機會を作つて彼ら無辜の民衆に我が眞意ある所を滲透させるならばより一層の好果が得られる事であらう、また日支の和平も豫期以上急速に訪れるものと信ずる次第である。終り

あの日さこの日

上島一男

昭和十三年元旦、旭日燦然として東天に輝き萬民齊しく聖壽の萬歳を壽ぎ奉る。

門松に〆繩を繞らし寒梅早やほころびて鶯鳴き、福壽草又其の名の如く實に目出度限ならずや。

此處布引山嶺を遠く望む處、伊賀の寒村、我が家には「祝入團〇〇君」と數條の幟靑竹の先高々と新春の大空にはためきさながら龍昇天の勢あるを思はしむ。一家又目出度く感激一方ならず。之ぞ祖先以來始めて出す軍人である。妹達三人の顔には何か誇らしさが溢れてゐた。然も入團十日前に控への喜びであつた。

愈々日は迫つて八日懐しの父母、我が家とも最後の袂別の朝は來た。年老ひし祖父の瞳、父母兄妹の瞳、言葉無けれ共此の瞳こそ未だ嘗て無き惜別の到底筆舌に盡し難き尊き心情の現れなのである。

見返るとも無く氏神に來て見れば、此の日昨夜來霙寒風に凍りて氷の如く寒さ一入身に泌みて、吐く息も白く打つ拍手の音森に谺して神々しさ譬へん方なし、神主の差出す神酒徹々しく口にすれば五臟六腑宛神宿れるが如く心鎭る。

早やくも神前狹しとばかり詰かけた村人各團体學生、凍る寒さもものかわ一言一句御懇情溢るゝ言の葉切々胸に迫り、小さき我が身に何んと鄕黨の期待の大なるや。萬感一時に爆發せんか、嚴たる決意眉宇に漲り大聲言葉少く唯一死奉公を誓ふのみ。

萬歳々々感激のどよめき旗の波、振返り見れば我が幟を先頭に延々長蛇の如き旗の列。やがて村はづれの峠。又も萬歳の叫び山も崩れよとばかり噫々我生を享けてより何んぞ之に優る感激と興奮やあらん。

其の感激を其の儘に一月十日晴れて入團せしより月日は流れて早や三星霜有半。此の間北に南に大平洋の怒濤と戰ひ、奮勵努力遠大なる希望を抱き若き血潮を躍らせど運命如何とも成し難く今は悲し白衣の歸鄕とならうとは。そゞろ歩きに病室を出て見れば月影淡く我を照らし、住み馴れし思ひ出の母港も何んのその、勝る思ひは三年前霙混ぢりの社前にて鄕黨を前に何を誓ひしか。それは大和男子として終生忘れる事の出來ない言葉である。

あの日あの時あの顔あの聲、滿天に瞬く星の其の如く今判然として胸中にきらめき、忘れようとして忘れることの出來ない感激が今は小さき我が胸を苦るしめるばかり。

想へば同じく征きしAB君は遂に護國の華と散つた。其の他幾多同輩は今尙前線に奮戰してゐる。然るに海の俺は兵役免除傷痍となりて明日は故鄕に歸る身の……。意々何んの顔有りて鄕黨にまみえんや。

風あるか薄の穗の搖れて、何處ともなく松虫の音耳にすれば誰か云ふ常盤の松に名添らえし。松虫の音のいと細く小さくなりたるも又哀れなり。何時しか寄り添ひし松の下露に袖濡れて、高く低くギターの調も誰に贈るかとも思はれて、泪に曇る眼には薄暗らがりにほのと咲く月見草の花も悲しく、ナンジ〇〇エキ、カエルヘンの返電も如何で通知が出來やうか。傷痍なるが故に父母には悪しきとは知り乍ら心に秘めて思ひ置く。今は何故か鄕黨の聲を耳にするだにも身をえぐられる思ひして明日は如何で故鄕に歸らんと今は語る人も無き白衣の姿。月をかすめて悠々と過ぎゆく雲の流我が心も知らぬげに噫々遙かあの日この日を比べつつ……終り

我等の健康

つた子

五月と云へば、草木も今迄眠つてゐたが今だといはぬばかりにどれもこれも一齊に若葉を伸ばし、昨年以上に盛り返へそうとしてゐる。草木ばかりでなく我々にも四季の内健康增進に一番良き季節です。

國家繁榮の基は國民の健康にありと云ふ事が出來る、働くばかりが御奉公ではない我々國民として健康運動に務める事は大きな國家に對する、御奉公だと思ひます。

男子の方に例せば自分自身で立派な軍人になり最前線に起ち大いに國家に御奉公をし樣と、どれ程固く誓つてみても、健康でなくては折角の立派な決心も水泡になつてゆくのです此の樣な例からも良くお分りの事と存じます。世間にはこの樣な方が數知れずいらつしやる事と思ひます。入所者の皆樣も口には出さねど屹度心ではこの病が無かつたら、健康であつたら、此の大東亞戰爭の前線に活躍出來るのにと、殘念に思ひ、再起の念に燃へつゝ療養に專念して、いらつしやる事と思ひます。

實際に病に罹つて見ないと、自分の健康である事の有難さに氣が付かないものです。私達は入所者の皆樣方に對し氣の毒に存じて居ります、けれども少しも恥る点は御座居ません今の立場としては自分自身から正しき道を踏み正しき療養に務め、一日も早く此の病魔を退散させ、健康を回復する事は立派な御奉公です。私たちは幸ひ健康であるから今後も健康を圖りつゝ看護に務める事が國家に對し御奉公の道と思ひます。

幸ひ私達は健康增進の爲療養所では所長殿がお骨折下さつて、毎週弓道及び國民体操の時間が與へられてゐます。

朝八時になると所長殿を始め各醫官殿より作業手の方に至る迄、又婦長殿始め一年生に至るまで皆一樣に綠したゝる松林の間に元氣良く飛び出す、綠草も見る間に看護婦の白衣に覆われる。空は見渡す限り、澄み渡り太陽の昇る勢の如く、思ふ存分手足を振り廻し、ラヂオと共に國民体操を行ふ、此の氣持は何にものにもたとへ樣がありません、一度に身長が五・六糎も伸びる樣な氣が致します、其の他色々寄宿舎にはピンポン、バレーなども出來る樣に設備されてゐます。

私は今此所にゐて入所者の方々に對して氣の毒に思ひます と共に自分の健康に深く感謝し今後は「御奉公は先づ健康から」をモットーとして健康に務めつゝ出來得る限り御奉公申し上る決心で御座ゐます。

春の一日

S子

春うらゝかな陽を浴びてチウリツプが一列に行儀よく、赤靑白紫色取りどりに咲きほこつてゐる。

此處〇〇サナトリウム寄宿舎内です。今日は日曜日で朝から外出の仕度に急いでゐる人、洗濯する人鄕里に手紙を書いてゐる人、それは〳〵大變なさわぎです。勤務の日はベルに起されるが日曜日はベルが鳴らないのに却つて早く眼が覺める。明日は朝寢坊をしてやらうと思つてゐても朝になるとじつとしていられない。洗面に飛び起きる。皆なもう起てゐて自分が一番遲い位ゐです。

何處へ行くあてもないので机にもたれ故鄕の母のもとに手紙を書き始めた。どの位ひ時間がたつたであらう。ほつと一息ついて碧空を眺めると一羽の小鳥が我物顔に舞つてゐる。あの鳥は何と云ふ小鳥だらうか?あんなに氣持良さそうに大空をかけ巡つて見たいな……。

誰が彈いてゐるのか懷かしい民謠サンタルチアーの調が流れて來た。一人淋しく聞いてゐるのも又格別です、これを聞くたびに思ひ起す事がある。それは三年前まだ此の土地を知らなかつた當時です。

クラスの人達五、六人固まつて、ハイキングに出掛けました。山にはわらびが澤山出ていました。皆な夢中です其の内に都志子さんが大きな聲で「あゝお腹がすいた早く御飯にしよう」と云つて側にあつたケースを取り出して食べ始めました。みる〳〵内に三つ四つ平げてしまひました。美佐子さんはお父さんにねだつて買つて頂いたレコードをかけてゐる。「この曲ね海の上に帆船が浮んでゐて月が出てゐる。波がきら〳〵輝いて平和なひと時を曲にした樣に思ふわ」「さうね私も同感よ」都志子さんと美佐子さんの會話。

次から次へ………と美しい調べに私達は月の世界へと舞上つて行く樣にたゞうつとりとして陽が暮れるのも忘れて居た。ふと人の氣配を感じた。後を振りむくと君子さんが外出より、もどつて來たのでした。

あゝ惜しくも私の過ぎ去りし日の冥想も切れてしまつた。あたりはもう薄暗くなつて鈴鹿の峯には早や陽が落ちてしまつた。南の方に星一つ淋しさうに出てゐる。今夜も無事に

何事もなく過します様にとまたゝいてゐる。

病中の思索

岩間宰

浮遊する細雲の上縁が美しい白色の光りを放つてゐる紺青の空、燦々たる陽光を反射して銀色に輝く隣療棟の屋根、春雨に洗はれて滴る計りの濃蜜な緑を浮き出してゐる常磐の松つい窓先の木犀の飴色の新芽も急に伸びて來た。良く晴れ渡つた麗らかな春の日の午後の安靜時間、開け放たれた窓外を呆んやり眺め乍ら私はこんなことを思ふのである。

病氣といふものは自分が嘗て健康であつた時に想つた程、さう蛇の如く毛虫の如く忌み嫌ひ、不幸の一語を以て排斥さるべきものではない。病氣に罹るといふことは慥かに不幸なことに相違ないが、然し他方、病氣なるが故に、つまり病者のみが体驗し得る精神上の貴い何物かがある筈である。一般健康人の眼で觀る程病氣といふものはそんなに不幸なものではない。隨つて餘り悲觀し失望し嘆息する必要はないと思ふ。

私が嘗て東京に居た頃、新潟縣のある寺院の三男で堀内といふ大變仲の好い友人がゐた。彼は佛家の生れであり乍ら坊主は嫌ひだ宗教なんて面白くないといふので、土地の中學を卒へると直ぐ兩親の反對を押切つて上京しM大學の政經科に籍を置いて居た。其の彼が學部二年の春の或る日突然喀血をし、驚いて醫師の診斷を受けると右肺部に極く輕微な故障があるといふので翌日直に入院した。早速彼を見舞ふと「なに大したことはないんだ。喀血も止つたんだしバチルスもないらしい。ドクトルも、絕体心配無用一ケ月もしたら退院出來ると言つてゐるんだ。僕もこんな病氣になるなんて何が原因したのか分らない……」などと、何時にも增す血色の良い顔を綻ばせ乍ら如何にも元氣さうに見えたが、然し何處かに一抹の憂ひと寂しさが潜んでゐるのを見逃せなかつた。あんなにも頑健だつた彼がどうしてこんな病氣になつたのかと、私自身實に不思議でならなかつた。其の頃の私は結核といへば直に肺病、そして死を連想する程この病氣を忌み嫌ひ恐れてゐた。「さうか、大したことはなくて何よりだ。早く癒つて早く學校へ出て來てくれ」と、言葉少なく慰めを言つたものゝ內心非常に彼を可哀さうに思ひ、彼の前途を考へて心から同情し眞に氣の毒に堪えなかつた。幸に病氣の經過は至極良好で彼の言つた通り丸一ケ月でその病院を退院し、暫く靜養するといふので鄕里の新潟縣へ歸つて行つた。其の後夏期休暇で鄕里の愛知へ歸つた私は、その歸路態々中央線を廻つて新潟の彼の家を訪れると、彼は日燒した眞黒い顔に健康を恢復した喜びを湛え乍らしんみりと語るのだつた。

「僕は病氣をして反つて德をしたよ。德をしたといふとどうも變な言ひ方だが、病氣をした御蔭で精神上非常に得るところがあつた樣に思ふ。誰しも健康である時にはあれも慾しいこれも慾しいと、必要以上の財產や地位や名譽を得る爲に汲々として飽くことを知らない。世にいふ色魔とか守錢奴とか、又自己の名利や權勢の爲に道德を顧みない人間が澤山ゐる。これらは健康なるが故に懷く心の病氣だ。正に精神的病人だ。ね、君はさう思はないか。肉体的の病氣に依つて始めて精神的の病氣を癒すことが出來るのだと思ふ……、又此の頃宗敎とか信仰とかいふことを眞面目に考へる樣になつた。と言つて信仰の對象は何もない。佛像の前で念佛を唱へるのでもなければ、神社の前で拍手を打ち頭を下げる譯でもない。天地自然萬物總ゆる物に感謝をすることだ。感謝の生活こそ眞の信仰の生活だと思ふ。人生の眞の意義、人間の本當の價値といふことが朧け乍ら解る樣な氣がする。病氣そのものは肉体を疵つけ体力を消耗するが、精神の方から言ふと反つて其の反對に向上し發展し充實する。若し人間が生き乍らにして死を味ふことが出來るとしたら、思想上偉大なる收獲があると思ふ。眞に死に徹することが出來たら此の世に煩悶とか憂苦とか、一切の惱みは全く無くなるのではなからうか。此の意味に於て、僕はもつと〳〵死ぬか生きるかの深刻な病苦を味ひ度いと思つてゐる位だ。昔から良く健全なる精神は健全なる身体に宿ると言ふが、眞に健全なる精神こそ反つて病軀にのみ宿り得る、と僕はこんなことが言ひ度い」と、あれ程宗敎家を嫌ひ宗敎を否定した彼が、いやに宗敎臭い病氣禮讃を眞劍に語つた。其の後彼はすつかり健康を回復し學業の方も滯りなく卒へて、現在は陸軍少尉として南方戰線に活躍してゐる。

四年後の今日、思ひも依らぬ自分がこんな病氣になつて其の時の彼を想ひ彼の言葉を味ふのである。彼の言葉をその儘全部を肯定し難いが、現在の自分の心境に照して成程と一人頷くことがある。病氣は肉体の方から視れば死への接近であり、死の襲來であるとも言ひ得る。死、あゝ死、此の世の中でこれ程忌嫌はれてゐるものがあるであらうか。實に戰慄すべき怖るべき又厭ふべきものであるが、然しこの人間社會から死を除いたならば何處に宗敎があり、何處に哲學があり、何處に藝術があるであらうか。又どうして眞の詩歌文學を解し得ることが出來るであらうか。死を凝視めることに依つてこそ始めて眞の人生を解することが出來るのであり、少くとも現在の人間社會に於ては死を度外視した生活は在り得ない。病氣は死へ接近することであるが故に、吾々病人は眞の人生を解することの出來得る人間である。これこそ吾々に與へられた特權であり、病氣の福音ともいふことが出來やう。眞の病苦を知らない健康人計りの社會は、悉く優勝劣敗、弱

肉强食、生きんが爲の闘爭の世界であり、其の人は强慾煩惱の人である。現下のこの超非常時に於てさへ尙闇取引といふ語があり、一攫千金を夢見る不德漢が續出してゐるではないか。この穢れたる空氣を吸つて鯨飮馬食し、鼠の如く動き、雀の如く囀り、又紙魚の如く書物にかじりついてゐる人がどうして眞の人生を味ひ且解し得ることが出來やうか。人生を見極めてゐる暇があらうか、否其の眼を持つてゐるであらうか。健康時を騷然たる晝間に比するならば、病時は靜寂たる夜に譬へることが出來る。故に病時は活動の時にあらずして靜思の時であり、煩悶の時にあらずして悟道の時である。夜の世界にも煌々と輝く無數の星の光があり、溫く和やかな優しい月の光がある如く、病中にも光明と希望と安慰のあることを忘れてはならない。

現在の吾々の日常こそ、智を磨き德を修むるに天より與へられた無上絕好の機會である。誰であつたか「不幸とは多くの場合變裝したる神の惠である」と言つた。又「禍福は糾ふ繩の如し」といふ古語もある。吾々は只徒に安眠を貪り藥餌に親しみ、無意義なる今日を送るべきではない。多忙煩雜な人生に於ける總ゆる苦惱から解脫すべき思索の時である。この療養中に少しでも思想上得るところ有りとすれば、現在の吾々の生活は決して無意味ではない。そして斷じて不幸ではない。

親馬鹿

かとう生

親馬鹿と云ふ言葉が昔からあるが、これ位親子の愛情を表した適當な言葉はないと思ふ。この馬鹿と云ふ言葉は、子を思ふ深い愛情を昔の人が表した言葉であつて、馬鹿者の馬鹿とは少しく意義が違ふのは勿論である。

私も數年前に母を亡くしたが、今日になつて、つく〴〵と母の有難さ、尊さが身に泌みて解る樣になつた。有難い、尊い、では何だか水臭くて物足りない位である。

ある人は「自分は四十歲になつて母の有難みがしみ〴〵と解つて來た。有難いと云ふ言葉では、水臭くて物足りない。可愛いんだ。世の中の何にもまして可愛いんだ。若いときには他に可愛いものがいくらもあつたが、この歲になると、母が一番可愛いんだ」と云つたが、私はまだこの人よりも歲が若い爲めか、可愛いと云ふ言葉はピッタリと來ないが、有難さ、尊さと云ふことでは何だか物足りない。歲を重ねれば多くの人は、運動神經に、智慾に其の他全ての機能に於て、再び子供に近づきつゝあると云ふことを聞いてゐるが、この人も自分は四十歲になつて、母は六十歲を越してゐる。母は子供が一人前に立ち働いてゐる姿を、孫を相手に、一切を子供

等夫婦に委かせて樂しく餘生を送つてゐる。これを見守る子供は、この人がかつては若き母として、何かと自分を大きくしてくれた母であるのか……

お母さんよ、もうあなたは何もなさなくても結構です只、餘生を氣永に、樂しく、面白く送つて下さいよ。と母に日々感謝してゐる氣持が、吾が子供と同じ樣につい「可愛い」と云ふ言葉となつて表れたのであらう。何んと美しい親馬鹿に對する、子馬鹿ではないか。

第二療棟にゐた上村君は、二三日にして病が、腦膜炎に進行して遂に英靈となつた人である。腦膜炎になつた時に、上村君のお母樣から聞いた話が次の樣であつた。

寢てゐる時でも、夢に子供を安じ、便りが遠のくと病氣が惡いのではなかろうか、又元氣だとの便りが來れば、身內の誰もゐない療養所で淋しく寢てゐるであろう。一度見舞つてやり度いなあ、と遠く離れた田舍で四六時中子供の病氣を安ぜぬ日はなかつたそうである。ところが偶然腦膜炎になる二日前、久し振りに思ひかなつて當所に來て見ると案外に元氣である、田舍で心配し想像してゐたのより元氣であるので、やれ〳〵と安堵の胸をなでたそうである。切角遠い田舍から來た事だから十日ばかりでも子供の側に居て何かと看病してやろう、とその日は馴れぬ旅空の、變つた寢床についたそうだが、何時も床が變ると寢られぬお母さんが、その日ばかりは、田舍で寢てゐた時よりも安らかにグッスリと寢たさうである。私はこの話を聞いて、この親馬鹿の心につい涙を流さずには居られなかつた。子供に逢つた嬉しさ、案外に元氣なわが子の顔、あゝ、やはり來てよかつた。と云ふこの安堵の氣持ちが變つた寢床で反對にこの人に熟睡をもたらしたのであらう。

母のない私は、他人の母を見ると、何時も草葉の蔭で、私を見守つてゐて下さる亡き母を想ひ出す。私の母もほんとうにやさしい母であつた。キット今頃は上村君のお母樣の樣にこの療養してゐる私を毎日案じてゐることであろう。極樂の美しい池のほとりに彳む時にも、キット病める子の心配が佛の母を樂しませないであらう。私は療養に逆ふ事をしたい、わがまゝをしたいと思ふ時には、いつもなき母の心配そうな淋しい姿を想ひ浮べて止めるのである。

早く亡き母を安心させてやり度い。全治の喜びを早く母の墓前できかせたい、と一日も祈らぬ日はない。

母は私の療養には何にもまさる藥である、と私はいつも有難く思つてゐる。

退所者通信欄

謹啓 時下春暖之候と相成り其の後所長殿には愈々御壯健の由と遠察致ます降りて私退所後至極元氣にて家業に從事致し居り他事乍御休心下さい

就いては過日お手紙拜見致し此の度すゞか三週年記念號募集致されるとの事小生何かと思ひましたが何分家事多忙なり致方無く此に現在の近況お知らせ致ます

小生も退所致し早くも四十日餘其の間益々と壯健で現在では朝八時から晩の五時迄働いて居ります家に歸へつた當時は一週間程は少しづゝ仕事を致し居りましたが何分家が農業ですから會社の樣にこれと言ふきまつた仕事もなし出來るだけの仕事ですがお蔭樣にて今では健康人と少しの變りもなく働くことが出來ます此れも所長殿初め職員一同樣のお蔭だと今さら感謝致し居りますこゝに私が入所中の療養間の感想をのべたいと思ひます。私が退所致し何より感じた事とは私も其の内の一人ですが療棟より退所致される人の非常に多い事とです、現在でも療棟内には多くの外氣で働くだけの體の人はいると思ひますが、其の人がどう言ふいみで外氣へ行かれないかとは私もわかりませんが、もう少し所長殿初め醫官の方々が進んでやる樣にされたいと思ひますマイクを通じて先づ一ケ月に一回外氣希望の人は申出下さいと此れだけでは、どうかと思ひます、私が此の樣な事申ましてどうかと思ひますが退所致し一番先に感ずる事は身體の事です、此の仕事をしても體にはどうもないか？退所後の當時の心配はそれです。私が言ふ迄でもなく外氣へ行けば其れだけの體に自身の有る事とです、最後に進んで外氣へやられん事とを望みます。私も今後益々と家業に從事致し銃後の一人として働きます。

亂筆乍ら私の近況及一分の感想まで所長殿にも益々と御壯健にて御精勵致されん事とお祈り致します

鳥居太次郎拜

草野所長殿

★

すゞか係殿

本月より御承知の方もあらうが石原の大煙突の下に務めて居ります、夜走り書をしたので誠にすみません皆樣によろしく。

熊澤要

★

謹啓時下新綠之砌益々御加養に專心遊ばされて居られる事と存じ上げます

扨て過日は「すゞか」雜誌原稿に就て態々御照會に接し有難く厚く御禮申上げます小生入所中同誌に關係致して居りましたので大變懷しく是非何か書かせて頂き度く存じましたが、何かと取紛れて、纏りのつかぬものとなりました。甚だ遲延の上駄文にて恐縮ですが紙面の都合が御座居ましたら、適當に御削除下さいまして御載錄下さいますよう御願ひ申上げます

末筆乍ら御快癒の早急を祈念致し併せて皆樣によろしく御鳳聲の程願上げます

右取急ぎ御願ひまで 敬具

昭和十七年五月四日

上野市■ 池澤眞澄

★

現住所 愛知縣丹羽郡■ 村瀨高淸

★

拜啓時下陽春の候貴所益々御淸榮の段奉賀候陳者今回「すゞか」雜誌原稿募集に關する御通知に接し候へども私事文筆に惠まれず何の素養も知識も無之甚だ慚愧の至に御座候間左樣御了承被下度候尙退所者名簿作成のため應募せざる者近況御報告との由退所後未だ日尙淺く一ケ月餘故鄕の山々を見て平々凡々暮し居り候、入所中体得したる大氣安靜榮養の三大原則を忘れず今後自宅に在つて療養を續ける心知にて候田舍の春の生活も格別良くあの山、あの川皆幼少時代の思ひ出となるものが有之候今後益々心身を鍛へ再起奉公を誓つて諸賢の御厚志に報ゆる覺悟に御座候

末筆乍ら所員各位には益御勇健に亘られます樣御祈申上候先づは亂筆乍ら近況御報告迄如斯に御座候 拜具

四月十七日

鄕里にて 井上辰男

傷痍軍人三重療養所御中

★

拜啓深綠之候永らく御無音に打過ぎ誠に申譯御座居ません惡からず御宥恕の程

所長殿には益々御健勝にて我々傷病達の保護に御專念の御由と拜察致して居ります降而小生入所中一方成らぬ御世話樣に相成り有難く厚く御禮申上ます、御蔭樣にて退所後別に變りも無く毎日元氣に再起御奉公出來ます事は一重に所長殿始め各醫官殿の御親切成る御指導と思い重ねて御禮申上ます

小生の近況を御報告申上ます、毎朝体温は六度二、三分と云ふ所です、自覺症狀は現在有りません食事も每日良く進みます。安眠も出來勤務も樂に每日出來ます。現住所、名古屋市東區■です

先は近況報告旁々所長殿の健勝を御祈り致してをります、亂筆で申譯有りません 草々

所長殿

堀本卯三郎

★

住所屆 石川賴雄

本籍地 岐阜縣土岐郡■

現在地 名古屋市外■

■

★

拜啓酬春の砌すゞか發版の爲愈々御淸勵の程同療の爲深謝致居候

折角の御通知に接し候へば何か寄稿致度存候も何分御通知鄕里より當方に廻送され居時日無之候へば今度は止むなきと存居療友諸兄によろしく一日全治退所時代の青年としての御奮鬪の日を鶴首致居候

右不取敢御伺ひまで 敬具

滿洲國遼陽市端穗區■ 大瀧直次拜

編輯長	所長	草野與平
編輯顧問	醫務課長	木下淸吉
同	庶務課長	海老澤克巳
同	指導官	竹澤金五郎
編輯委員	醫務課	竹村博之
同	庶務課	新田敏夫
同	(イロハ順)入所者	岩間濱一
同	〃	長谷川正明
同	〃	保浦春夫
同	〃	小川正哉
同	〃	大角喜数
同	〃	野田定雄
同	〃	山下勇
同	〃	出口柳三郎
同	〃	淺野一男

編輯後記

大東亞戰爭勃發以來早くも半歲、陸に海に空皇軍の征くところ敵なく、米英の東亞侵略の據點は悉く粉碎され、東亞の共榮圈は着々として建設されつゝある。之れ偏に大御稜威の然らしむる處である。吾々は皇軍將兵の武運長久を祈ると共に幾多の貴き英靈に對して衷心より哀悼の意を表するものである。

若菜青葉に色どられた我等の憩の家も、開所以來すでに三ケ年を經、本日玆に三周年記念日を御迎へした。過去三ケ年を回顧する時誰か感慨なからんものがあろうか。我々は如何に療發が長期に亘らうとも、希望を以つて最後の目的に向つて邁らに進まなければいけない。それが我々に與へられた任務であり又國家に對する御奉公である。

本日こゝに入所者各位の熱誠なる御盡力により「すゞか」第六號の發行を見た事を諸君と共にお慶びする次第であります。三周年記念日までに發行の豫定で編輯員一同全力を盡して努力致しましたが、何分資材の入手難及印刷會社の都合の關係で發行の非常に遲延致しました事をお詫び致します。

○表紙繪は今回も川村中將閣下に御願ひしました。御多忙中にも不拘御執筆下さつた事に對して諸君と共に厚く御禮申上げます。

○特別寄稿として、今回は鄕土が產んだ當代一流の歌人佐々木信綱先生に御願ひしました。先生には御多忙中にも不拘「すゞか」のために御盡力下され玉稿を賜はりました事に對して諸君と共に厚く御禮申上げる次第です。

○長谷川素逝先生より御多忙中のところ、特別原稿として(初夏)五句を賜はりました。厚く御禮申上げます。

○今回も前回に引續いて所長殿より自然療法第四回を頂きました。

○木下醫務長殿より(吾輩ハ結核菌デアル)と云ふユーモア的な玉稿を頂きました。熟讀頑味して反省すると共に將來の參考にされ度く。

三周年記念日に際して指導官殿始め各先生方より御多忙中のところ、玉稿を賜はりました。一同に代り厚く御禮申上げます。

○今回の懸賞論文の募集に際して、各位より多數の投稿を頂き感謝に堪えません。選は所長殿に御願ひしました。尙退所者看護婦諸氏よりも玉稿を賜はりましたが、惜しくも選外佳作になりましたので題を代へて評論の部へ掲載さして戴きました。惡しからず御了承下さい。

○短歌俳句の選並に玉詠を今回も印田、鈴木両先生に御願ひしました。

○今回新しく川柳に出口氏にお願ひして笑ひの頓服漫畵を書いて頂きました。

○退所者諸氏より多くさんの原稿を頂き有難ふ御座いました。今後共益々御指導御支援の程切にお願ひする次第であります。

この度の募集に際して入所者各位より御熱誠なる御盡力を賜はり一同に代つて厚く御禮申上げると共に今後共「すゞか」の爲御盡力下されん事をお願ひ申上げます。

昭和十七年五月二十五日

委員記

昭和十七年八月廿一日印刷
昭和十七年八月廿五日發行

〔非賣品〕

編輯兼發行人 三重縣河藝郡大里村窪田 木下淸吉

印刷人 三重縣津市岩田町一、二三〇 山村淺次郎

印刷所 三重縣津市岩田町一、二三〇 東亞印刷有限會社

發行所 三重縣河藝郡大里村窪田三五七 傷痍軍人三重療養所
電話(一身田局)一四九番

(中三19)

宣戰ノ大詔

詔書

天佑ヲ保有シ萬世一系ノ皇祚ヲ踐メル大日本帝國天皇ハ昭ニ忠誠勇武ナル汝有衆ニ示ス

朕茲ニ米國及英國ニ對シテ戰ヲ宣ス朕カ陸海將兵ハ全力ヲ奮テ交戰ニ從事シ朕カ百僚有司ハ勵精職務ヲ奉行シ朕カ衆庶ハ各〻其ノ本分ヲ盡シ億兆一心國家ノ總力ヲ擧ケテ征戰ノ目的ヲ達成スルニ遺算ナカラムコトヲ期セヨ

抑〻東亞ノ安定ヲ確保シ以テ世界ノ平和ニ寄與スルハ丕顯ナル皇祖考丕承ナル皇考ノ作述セル遠猷ニシテ朕カ拳々措カサル所而シテ列國トノ交誼ヲ篤クシ萬邦共榮ノ樂ヲ偕ニスルハ之亦帝國カ常ニ國交ノ要義ト爲ス所ナリ今ヤ不幸ニシテ米英兩國ト釁端ヲ開クニ至ル洵ニ已ムヲ得サルモノアリ豈朕カ志ナラムヤ中華民國政府曩ニ帝國ノ眞意ヲ解セス濫ニ事ヲ構ヘテ東亞ノ平和ヲ攪亂シ遂ニ帝國ヲシテ干戈ヲ執ルニ至ラシメ茲ニ四年有餘ヲ經タリ幸ニ國民政府更新スルアリ帝國ハ之ト善隣ノ誼ヲ結ヒ相提攜スルニ至レルモ重慶ニ殘存スル政權ハ米英ノ庇蔭ヲ恃ミテ兄弟尚未タ牆ニ相鬩クヲ悛メス米英兩國ハ殘存政權ヲ支援シテ東亞ノ禍亂ヲ助長シ平和ノ美名ニ匿レテ東洋制覇ノ非望ヲ逞ウセムトス剰ヘ與國ヲ誘ヒ帝國ノ周邊ニ於テ武備ヲ増强シテ我ニ挑戰シ更ニ帝國ノ平和的通商ニ有ラユル妨害ヲ與ヘ遂ニ經濟斷交ヲ敢テシ帝國ノ生存ニ重大ナル脅威ヲ加フ朕ハ政府ヲシテ事態ヲ平和ノ裡ニ囘復セシメムトシ隱忍久シキニ彌リタルモ彼ハ毫モ交讓ノ精神ナク徒ニ時局ノ解決ヲ遷延セシメテ此ノ間却ッテ益〻經濟上軍事上ノ脅威ヲ増大シ以テ我ヲ屈從セシメムトス斯ノ如クニシテ推移セムカ東亞安定ニ關スル帝國積年ノ努力ハ悉ク水泡ニ歸シ帝國ノ存立亦正ニ危殆ニ瀕セリ事既ニ此ニ至ル帝國ハ今ヤ自存自衞ノ爲蹶然起ッテ一切ノ障礙ヲ破碎スルノ外ナキナリ

皇祖皇宗ノ神靈上ニ在リ朕ハ汝有衆ノ忠誠勇武ニ信倚シ祖宗ノ遺業ヲ恢弘シ速ニ禍根ヲ芟除シテ東亞永遠ノ平和ヲ確立シ以テ帝國ノ光榮ヲ保全セムコトヲ期ス

御名御璽

昭和十六年十二月八日

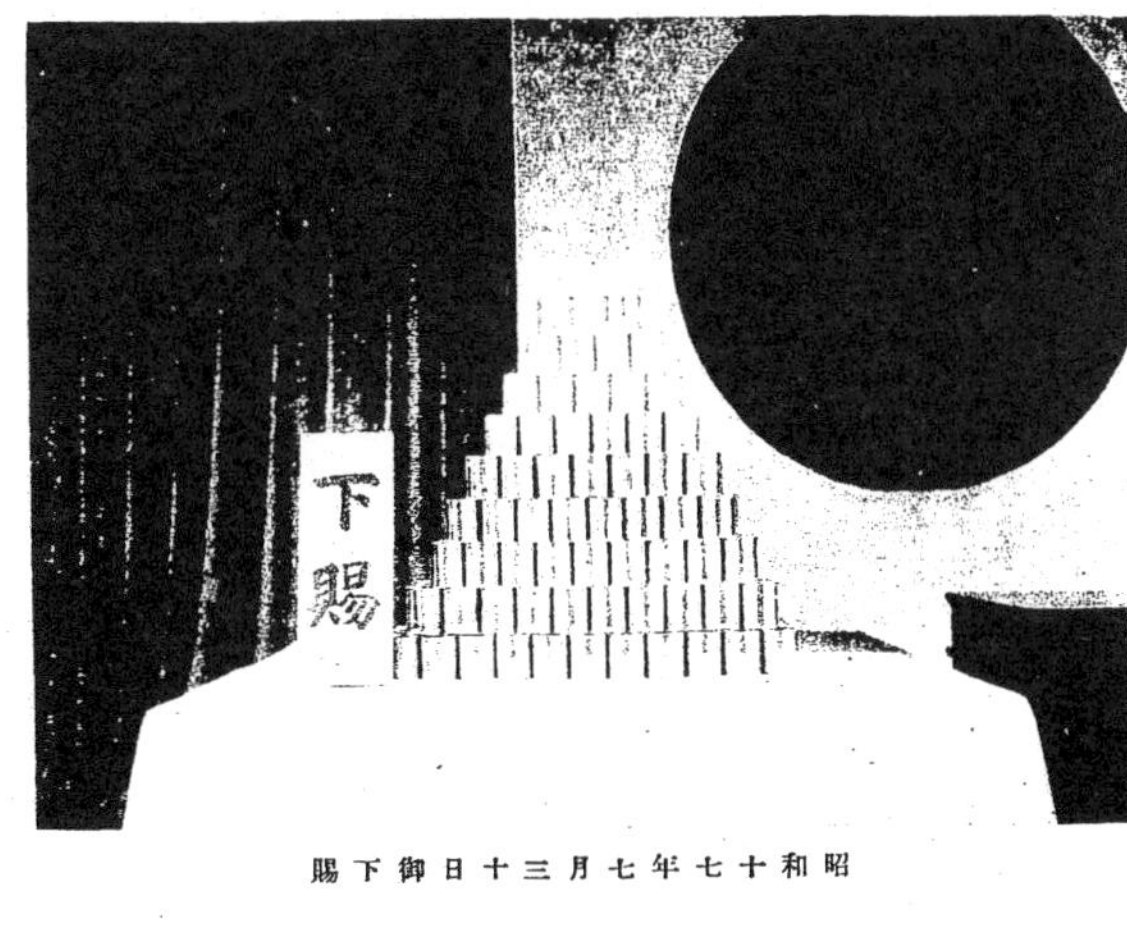

昭和十七年七月三十日御下賜

今上天皇御製

峯つゞき
　おほふむら雲
　　ふく風の
はやくはらへと
　たゞいのるなり

昭和十七年十一月十四日御下賜

皇后陛下御歌

あめつちの
　神ももりませ
　　いたつきに
いたてになやむ
　ますらをの身を

菊花御下賜ヲ拝シテ

木下清吉謹話

今回　皇后陛下ニオカセラレマシテハ軍事保護院所管ノ各施設ノ入所者ニ對シ、御慰メノ御思召ヲ以テ重ネテ菊花ヲ下賜アラセラレマシタ。即チ、昨十三日午前十時軍事保護院ニ於テ傳達式カ行ハレ、私、コノ有難キ菊花ヲ拝受致シマシテ本日午前八時當所ニ捧持シ奉ッタノデアリマス。

皇后陛下ニハ事變以來前線將兵ノ御慰問、傷病者ニ對スル繃帯ノ下賜、又戰歿者、傷病兵並ニ遺家族等ノ上ヲ思召サレマシテハ有難キ御歌ヲ賜ヒ、又一昨年ハ楓ノ苗木、草花ノ種子及ビ球根ヲ、更ニ昨年十一月ニハ菊花、本年七月ニハ　天皇、皇后兩陛下ノ御名ニ於テ煉乳ヲ下賜アラセラレ尚ホ銃後民草ノ上ヲ思召サレマシテハ曩ニ結核豫防ニ關スル優渥ナル令旨ト共ニ多額ノ御內帑金ノ下賜アラセラレマシタコトハ國民ノ齊シク感泣シ奉ッタ所デアリマス。

畏クモ皇室ノ御紋章ヲ表象シ奉ル菊花ニヨッテ、重ネテ入所者ヲ慰メヨトノ御仁慈ヲ拜シマシタル吾々職員竝ニ入所者ハ、特ニ、大東亞戰下時局ノ重大ナルニ想ヲ致シ、一層心ヲ新ニスルト共ニ各々其ノ職分ニ精勵シ、又專心療養ニ努メテ一日モ早ク病ヲ癒シテ再起奉公ノ實ヲ擧ゲ、以テ鴻恩ノ萬分ノ一ニ應ヘ奉ラネバナラヌト思フノデアリマス。

傷痍軍人五訓

一　傷痍軍人ハ精神ヲ練磨シ身體ノ障礙ヲ克服スヘシ

一　傷痍軍人ハ自力ヲ基トシ再起奉公ノ誠ヲ效スヘシ

一　傷痍軍人ハ品位ヲ尚ヒ謙譲ノ美德ヲ發揮スヘシ

一　傷痍軍人ハ操守ヲ固クシ處世ノ方途ニ愼重ナルヘシ

一　傷痍軍人ハ一身ノ名譽ニ鑑ミ世人ノ儀表タルヘシ

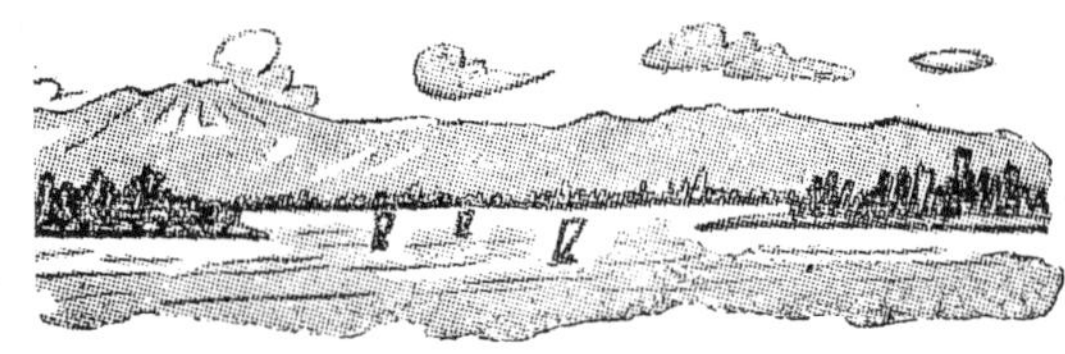

すゞか（第七號）目次

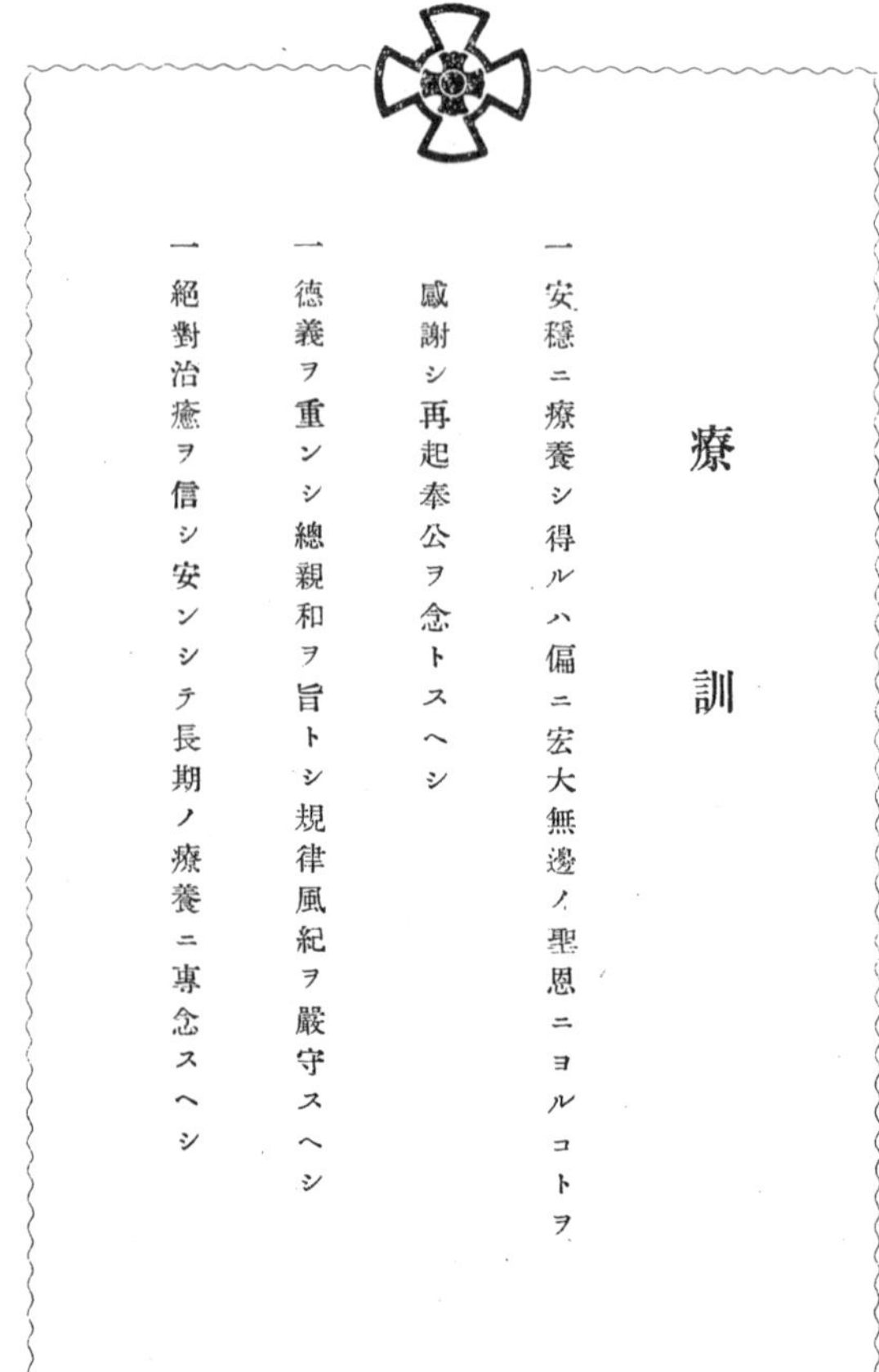

療訓

一　安穩ニ療養シ得ルハ偏ニ宏大無邊ノ聖恩ニヨルコトヲ感謝シ再起奉公ヲ念トスヘシ

一　德義ヲ重ンシ總親和ヲ旨トシ規律風紀ヲ嚴守スヘシ

一　絶對治癒ヲ信シ安ンシテ長期ノ療養ニ專念スヘシ

すゞか　第七號

巻頭言

攻擊精神

凡そ戰鬪は勇猛果敢、常に攻擊精神を以て一貫すべし。

攻擊に方りては果斷積極機先を制し、剛毅不屈、敵を粉碎せずんば已まざるべし。防禦又克く攻勢の鋭氣を包藏し、必ず主動の地位を確保せよ。陣地は死すとも敵に委すること勿れ。追擊は斷々乎として飽く迄も徹底的なるべし。

勇往邁進百事懼れず、沈着大膽難局に處し、堅忍不拔困苦に克ち、有ゆる障碍を突破して一意勝利の獲得に邁進すべし。

（戰陣訓より）

無題

所長　木下清吉

良寛和尚今日もすが〳〵しい氣持で托鉢に出掛けた。夕方空腹を抱へて庵に歸り、さて飯でもたかうかと爐邊を見廻はしたがあるべき筈の鍋釜が無い。鍋釜こそは和尚の全財産だ。留守中コソ泥の仕業だ。流石の和尚も腹の虫も、空腹ではあるし憤慨したかも知れぬ。フト見ると窓のむこうに十五夜の月皎々。和尚たちまち喜色滿面、曰く「泥棒も窓の月だけは取らずに殘して行つてくれたわい」と。

物は失せたが和尚の床しい心はやはり失せはしなかつた。腹は減つてゐてもその夜も和尚の夢路は月と共に圓らかであつたらう。心が物に勝つたのである。

物が足りないのではない。いや物も足りないかも知れないがそれよりも不足してゐるのは心がけではなからうか。物は食へば無くなる。たゝけば壞れる。燃せば減つて灰になる。だが精神力だけは鍊へるほどに、燃やすほどに高くなり、深くなり、そして增へる。彼は有限、これは無限。購なはんに彼には千金をも要し、これは無償。その何れを得てもつて樂しみとなすや、各人個々に隨意とす。

二

「レントゲン」線身上物語

木下清吉

歲月の經つのはほんとに早いもので、治療棟の眞中にどつかと腰をすへてからもう三年半にもなる。この間には隨分とこき使はれもしたし、また可愛がられもした。苦しかつた事でも樂しかつた事でも後になつて回顧してみるのはなか〳〵思ひ出もなつかしく愉快な事である。今日は自分の身の上話を少ししてみたいと思ふ。

今日では「レントゲン」と言ふと素人でもハハアあれかと承知して居る程に自分の名が世間に賣れて居るのでいさゝか肩身が廣いが自分の又の名は誰がつけたかX線とも言はれてゐる。Xとはすべて正體のまだわからぬものにつけられる名前だがこれは無理もない。自分だつて五・六十年前にはまだ海のものとも山のものともわからなかつたのだから。今では自分達の生みの親であるレントゲン先生を記念するため「レントゲン」線といふ御名前をば頂戴して放射線仲間では兄貴分でなか〳〵これで貫錄もあるつもりなんだがね。

それと言ふのも自分は醫學界に於ては治療と診斷の兩方面でたしかに劃期的な貢獻をしてゐるといさゝか鼻が高いのだ。そりや時には俺だつてあまり酷使されると噴慨のあまり火傷をさしたり、男女の生殖機能を全滅させたりして飛んだ悲喜劇を演じさせることもあるけれども、それは俺を使ふお醫者さんの匙加減であつて、俺の罪ではないことをお斷りして置きたいね。

一體俺の性質はよく言へば規頂面、惡く言へば馬鹿正直で、光源から飛び出したが最後眞一文字に突進する。猪突だね。途中に邪魔物があつても大抵の物なら俺の方から避けたり曲つて進んだりしようなど申す考へは毛頭無い。つまり强い透過力を持つて居るんだね。それでもやはり苦手な相手は若干ある。その代表は鉛だ。此奴に出くはすと不甲斐ない話だが俺様も見事に捕虜にされて仕舞ふ。だから人間の方でもうまく考へて俺達を逃さぬやうに「レントゲン」室の壁の中には鉛の板を張りめぐらして居る譯だ。「レントゲン」寫眞も俺のこの性質をうまく應用したもので、人間の身體の中を通り拔けて來た俺達を上手にだましてあの枠の中に仕掛けたフイルムに捕へ暗室で現像したものなんだ。

三

先日もある患者さんの胸部を透りぬけた瞬間にこの手で寫眞に撮られて仕舞つたんだが、その時先生と患者さんが自分を目の前に置いて盛んに質疑應答をして居た、なんでも今度とつた寫眞と、前に撮つた寫眞とを比較して色々說明をして居る樣だつた。患者さんは始めは合點がゆかぬやうな顏をしてゐたがしまひには百年の惡夢が一時にさめた樣なよい顏、（と言つてもあまり美男子ではなかつたが）、つまり疑問の晴れた釋然たる顏になつて居た。

先生の言はれるのは「レントゲン」寫眞ばかりを唯一無二のものと盲信するのは間違のもとだと言ふ點を强調して居た樣だ。自分も傍で聞いて居て自分の批判をされて居りながら成程とつい感心してしまつた次第だ。

先生は患者さんに言つた。

「この前撮つた寫眞と今度の寫眞とをくらべて、今度の方が何となく陰影が多い樣に見へるから病氣が惡くなつたのではないかと心配して居る樣だがそうではない。一寸見ると君の言ふ通りだ。しかしいつも注意せねばならぬことは撮影の時に通つた電氣の分量だ。今二枚の寫眞をくらべて見ると前に撮つた寫眞では電流が通りすぎてゐる。電流の通りが强過ると薄く出る筈の陰影や、小さく出る筈の陰影はとかく寫つて來ないものだ。その爲めに一寸見ると肺は如何にも黑く、これが心臟・肋骨等の白さとうまい對象になつて綺麗に見へる寫眞が出來あがるものである。ところが反對に電流が一寸でも弱いと一見きたならしい寫眞が出來あがる。しかし寫眞にうつゝて來る陰影の全部が病變ではなく、健康者でも陰影はかなり出て來る。それは肺の血管や氣管の枝も陰影になつて寫眞に出てくるからだ。電流の通りが弱いとそれがすつかりうつゝてくるのでいかにも陰影が多い樣に見へるのである」。

この說明を聞いて患者さんは成程とうなづいて、「よく解りました」と言つた。

先生のお話はまだ續く。

「寫眞を撮つて病變らしい影がうつゝてゐなかつたら肺に惡い所は全く無いと決めてよいかと言ふのにそれもそうとはいかぬ。なにがしかの惡い場所があつても、それが丁度寫眞で心臟や、胸部と腹部の間にある橫隔膜の影に重なる樣な所にあればそれに邪魔されて寫つて來ない。又少さい病變なら肋骨の影と重なつてももう見附けにくい。だから寫眞だけで大丈夫だと斷言するわけにもいかない場合もある事は承知して居ねばならない。又これと反對に寫眞で明らかに病的陰影があつてもそれだけで悲觀する必要もない。一度やつた胸膜炎のあとの影や、かたまつてゆく病變の影などは永い年月の間ほとんどかはらずにそのまゝ寫つて來るものだから。新しく出來てきた陰影でさへなければ心配しなくてよい。」「どこの診斷でもそうだが、特に胸部の診斷は綜合的でなければならない。体溫、打診、聽診、赤沈、「レントゲン」、これ等はみな夫々有力な診斷法ではあるが、その一つびとつが單獨に用ひられただけでは最後の斷を下すのは不適當である。特に「レントゲン」はこの中でも最も有力な診斷の武器ではあるが寫眞にうつゝた影はあくまで影であつて、決して生きた肺そのものでもなければ複雜な病變の姿そのものでもない。誰も影法師だけを見てその人の性格、性質までも推斷することは出來ぬやうに、「レントゲン」寫眞上の影から實際の肺の病變の情況を想像することは熟練した專門家でなければ出來ることではない。だから「レントゲン」寫眞を撮つてもらつたり、赤沈をやつてもらつたりした樣な場合に、寫つた陰影にとらはれすぎて自分一人ぎめであれこれ心配したり、下つた赤沈の目盛の數を氣にやんだりせずに、そのまゝを先生方に見ていたゞいて、他の診斷方法による結果と綜合的に考へていたゞいて最後の判定を願ひ說明をきくやうにせねばならない」。

こゝで先生のお話は終つた。

この說明には俺も感心した。これまで「レントゲン」「レントゲン」と、天上天下唯我獨尊、自分の加はらない診斷など凡そ意味がない位に天狗になつていたが、自分も寫眞に撮られたら結局は唯の影としての價値しかないのだと知らされて、自慢の鼻は折られたが、かへつて自分の本來の姿を見せてもらへて反省もでき有難かつた。

これからは自分もあまり出しやばらずに、聽診器さん、赤沈さん、体溫器さん達と手に手をとつて銘々の立場々々から色々の材料を先生方に提供して、先生方が患者さんの診療をなさる際に大いに役立てゝいたゞく樣に心掛けやう。これがほんとの自分としての職域奉公だと自確したのであつた。

四

外氣療法余談

戸田又生

どんな病氣でも治療の根本をなすものは安靜である。他に色々な手當法を行なつても安靜がうまくとれない樣では病氣を早

五

く治す事は望めない。

有難い事には大抵の病氣は熱や痛み苦しみと云つた様な色々な症狀が現れる爲に自分から努力して安靜をしようと工夫しなくても自然に體を休めて安靜を誰云ふとなくとらして呉れる。

而して安靜と云ふ基礎の上に病氣〳〵に依て、それ〴〵適切な手當法を積み重ねていつて始めて病氣がうまく治るのである。結核も病氣である以上此の安靜が治病の根本になる事は言ふまでもない。既によく御存じのやうに現在に於ては結核治療の最善の方法は必治の信念の下に大氣、安靜、榮養の三大要素を長期に亘つて各々其の症狀に適應して活用することに依て主として自らの体力と氣力で治すのである。

此の三大要素の中でも最も辛く忍耐を要するものは安靜であらうと思ふ。他の病氣なら長くても、ものゝ一ケ月も辛棒して安靜を守つてをれば大体その中には病氣が良くなつてしまふのが多いし而も最も安靜を必要とする時期には自分から特別に努力しなくても、その病氣に付添ふ色々な症狀が自然に安靜をとらしてくれる。

處が結核では仲々そう簡單には行かない。重症の場合は別として殊に輕症の場合は自覺症狀は少ないし一寸見ると健康者らしく見える程度の者が長期の安靜をとると云ふ事は並大抵の努力ではない。

而しながら何と云つても結核を立ちどころに、やつつける様な藥や方法のない今日何はさておいても此の安靜をどこ〳〵までもやり遂げると云ふ決心は最後まで決して緩めてはならない。

他の病氣なら一寸の間辛棒して安靜を守つておれば間もなく運動してもよい時期が來る。そして運動してよい時期が來れば大体その病氣は治つたと申してもよい。

然し結核はそう簡單には行かない。長い間の安靜をとるだけでも並大抵の事ではないが辛棒強く安靜を守り通してやつと病狀が落付いて熱も出ない咳も痰も少ない体重もどうやら増えるらしい脈搏呼吸も落付いた疲勞も余り感じないと云ふ程度まで漕ぎつけはしたものゝ此れから先の仕上が亦大變骨が折れる。

即ち此の最後の仕上が外氣療法とか作業療法とか云はれてゐるもので、つまり今日まで安靜一點張りで療養して來たのに恐らくそれと正反對な運動と云ふものをしてもらつて一方には身体の抵抗力の强弱を試し他力には今まで骨折つて落付けて來た病變部の固定を益々確實にすると同時に筋力ひいては精神力まで鍛錬して行かうと云ふのがその狙ひである。從つて此の安靜

より運動への切換の時期とそれに運動を開始してからのその程度やり方と云ふものは余程愼重にやらないと一歩誤れば折角今まで永い月日を費ひして築き上げて來た鬪病の成果も暫時にして失つてしまふ結果ともなる。

それだけに私共は此の運動療法の開始時期に當つては特別なる注意を拂つて諸氏が今まで踏み締めて來た療養道の經過を詳細に調べたり亦出來るだけの科學的檢査を行つて症狀の程度の判斷に間違ひのないやうに氣をつけてゐる。御承知の通り結核と云ふ病氣は外觀や自覺症狀のみで其の症狀程度を推測する事は甚だ危險である。

外觀は一見健康者らしく自覺症狀は皆無と云つてもよい位の人でも色々檢査をしてみると、どうして仲々實際は病變が豫想外ひどい場合が多々ある。

私共が科學的檢査の結果に基づいて未だ運動療法なんか早過ぎると思ふ人が、どうしても外氣にやつてもらひたひと無理を云はれる事も以前にはあつた。斯様な方は自分から進んで危險を冒すのに等しい。よく結核の療養法を諒解しておられる現在の諸氏には最早此んな無理を云はれる方は無い筈である。つまり病氣の程度は自分の氣持だけでは仲々判斷出來ないと云ふ事をよく御承知願ひ度い。

一切をあげて醫師にお任せすると云ふ氣構へで悠々迫らず療養されるのが望ましい。「急がば廻れ」の氣構が肝要である。脇目もふらずに療養に專念するに即ち牛の歩みの如く一歩〳〵踏締めて愈々最後の仕上たる運動療法には入れた方々も心構へはやつぱり今までと同じく牛の歩みでなくては不可ない。今まで歩いて來た療養道も長かつたが此れからも先まだ長い。此處で愈々先の光明も見えたと云ふので焦つては失敗する。將來への希望と心の明るさを以て自分に課せられた運動の過程を毎日の様に規律正しく而も確實に果して行つて始めて正しい運動療法の優秀の實が結ぶ事になる。

運動療法の運動は高い幾段かの石段の道でありその石段は此れから自分達が銘々に築き上げねばならない。そして出來上がつた石段の頂上に全治の榮冠を幾つも持つた純眞な乙女が待つてゐると假想してみよう。此の運動療法と云ふ小石段の道は何處にも見られる普通の石段とは全く違ふ。我國でも此れを作り始めたのは極最近の事でやり方を見たいにも此れと云ふ立派な手本も余りない。指導者と諸氏とが協力一致して研究もし努力も拂つて立派で堅實な大道を築き上げねばならない。

諸氏が此の石段を毎日〳〵一段づゝ築き上げる場合、先を急ぐの余り、ぞんざいな石段を作つて御覽なさい。後一、二段と云ふ處で下の石段が崩れて轉げ落ちるかも知れない。そうすると亦努力のやり直しである。その位なら未だ我慢も出來るが運

が惡いと命まで捨てゝしまふ。

先を急がずとも毎日の作業に努力や注意が充分でなければどの階段かに缺陷が潜んでゐる。途中でいらぬ道草ばかりしてゐて油を賣つてゐては尙更安全な石段は築けそうもない。よく身体の調子をみながら、どの段もどの段も急がず焦らず休まずに細心の注意の下に努力してこそ最も安全な作業の大道が築き上げられる。そして輝しい全治の榮冠が授けられる。

その時こそ純眞な乙女に聞いて御覽なさい。『全治の寶玉と共にあなたまで欲しい』と。

すると乙女は何と答へるでせう。『あゝあなたは身体も見違へる程、健康になられて私は嬉しい、そして長い間急がず焦らず確實に正しい療養の道を踏しめて來られたその心が尙頼もしいわ、でもいけないのは怠けやのその心が賴りないわ私はそれで考へさせて戴きますわ』と言ふかも知れない。

その時、君は乙女に、『何だい錄に見もしないで僕は、あんたが見て居た時は何時も、せつせつと療養の道にいそしんで來たではないか』と。

乙女の答へるには、『成る程私は時には見ない事もありました。而し指導者の心の閻魔帳にあなたの名前が記してあつたわ』と乙女は答へた。

身体を鍛へよ、磨けよ心を、そして全治の榮冠を得られよ。

希望の乙女が待つてゐる。おゝ感謝感激、胸の中、共に進まん再起の道へ——共に勵まん銃後の務。　終り。

退所後の健康竝に職業狀態に就て

竹澤指導官

一、前號にも之に關し多少所感を述べたのであるが、今回編輯係の求もあり、重複を顧みず、更に所懷を披瀝して、入所者諸君の熟考を煩はしたいと思ふ。

一、退所者の健康や職業狀態に付ては、數字を擧げると明瞭であるが、これは差控へねばならんので、稍々隔靴搔痒の嫌はあるが、總括的に申すと、全治略治退所者は、其の九割九分迄は、健康狀態可良で、夫々原職に復歸或は新規職業に就て、再起奉公の實を擧げて居る。これに反して所謂途中退所即ち輕快以下の症狀で、尙療養の餘地が多いに拘らず、種々の事情で退所した人々に於ては、其の六割位は漸く原職なり新規の職業に就ては居るが、其の就業時間や狀態より察しても、健康に十分の安心と自信とを持てない人が多い様である。殘の約四割の人々の中には、何事も出來ずぶら〳〵して居るとか一旦就職したが繼續出來なかつたとか、又は自宅若くは地方病院で更に療養中であるとか、甚しきは遂に不幸な轉歸を取つた人々も相當數あると云つた狀態である。

療養の程度により、療養の成果から觀て、退所後以上の様な結果を齎すことは、當然のこととは申しながら、途中退所者に對しては、誠に氣の毒でもあり同情に堪へないと共に、現入所者諸君に篤と考慮を望む次第である。

一、途中退所者の退所の動機とか事由は種々であるが、大別すると左の如きものでないかと思ふ。

1、自己を主とするもの
- イ、症狀を自覺せざるに依り最早健康に自信ありとするもの
- ロ、意志薄弱又は放恣なる性格上規律的療養に堪へずとするもの
- ハ、時局下悠々たる療養生活に堪へずとするもの
- ニ、就職時機を逸するを憂ふるもの
- ホ、其の他

2、家庭を主とするもの
- イ、家庭事情特に家族の生計を憂ふるもの
- ロ、家業の繼承又は維持の爲今後の療養を許さずとするもの
- ハ、家計に支障なきも家族日々の働振を坐視し難しとするもの
- ニ、家族よりの退所方勸請又は强要に依るもの
- ホ、其の他

右の諸事情の中で、家庭を主とするものの中の「イ」「ロ」の如きは、誠に已むを得ず、寧ろ同情に堪へないものであるが、其の他の事由及自己を主とするものに付ては、一應尤もと考へられるものもないではないが、多くは誤り又は誤られたものと申さねばならぬ、若し斯様なことが動機となり事由となつて退所するとせば、前述の如き退所後の狀態を自ら招く譯で、誠に寒心に堪へないのである。

一、療養は諸君目下の任務である。此の任務の遂行なくしては、次の任務即ち再起奉公が出來難いのである。

諸君が現任務を遂行し得たりや否やは、醫官之れを判定する。自畫自贊すべきではない。自己の意志薄弱乃至は放縱の爲、任務を怠り又は遂行の氣魄を自ら放棄せんとするが如きは、最も戒むべきである。若し夫れ時局下悠々療養するに忍びずと思はゞ、それ丈一層速かに任務遂行に努力すべきである。就職時機も大切であらうが、健康恢復の方一層大切ではなからうか。要は足許を見て歩るき、急がば廻り、命あつての物種たるを銘記すべきである。

家族の生計狀態を憂ふるに至つては、同情に堪へないが、何とか工夫がつかないものか、思案餘らば相談すべきである。家業の繼承又は維持に付ても同様である。家族殊に老父母の日々の働振を坐視し難しとの、孝心乃至同情心は一應尤もながら、病體を家に運んで果して眞に孝か同情かは、考慮の餘地が多い。特に家族から退所を勸請又は强要するに至つては家族の無理解乃至無頓着にも呆れるが、條理を盡して理解を求め、要すれば相談すべきである。之を要するに、自己又は家庭の何れを主とする事由にしても、途中退所は大に考慮の要がある。只目先のことのみを考へて將來を思はなかつたり周圍の事情や狀態を顧慮せず、輕卒に行動することは愼むべきである。眞に已むを得ない事情で退所する人々には兎も角其の他の途中退所者に對しては好感を持ち難いのは自然で、殊に日頃種々治療に骨を折りながら其の効果をも見屆け得ない醫官としては、恰も掌中の珠を奪はれた感を持たるることかと思ふ。

一、大東亞戰爭も其の一周年が間近かに迫つて居る。大東亞省と云つた畫期的な省も新しく生れ出た。戰爭には勝抜かねばならんが、勝拔く爲には、國家戰時體制の整備、擴充、增强は益々緊要である。然し體制を整へ體制を運用するのも人の力である。力は弱體からは出難い。健兵、健民を叫ばれる所以である。

入所者諸君、國家は一日も速かに諸君の退所を待望して居る。が決して無條件ではない。心身共に强健であつた舊に復してである。途中退所の如きは、國家の要望に副ふ所以ではない。切に自奮自勵を望む。了（一七、一一、一記）

一〇

足跡の一節を

陸軍衛生中尉　安田久治

一、〇〇病院の開設

大東亞戰爭勃發後、馬來半島シンゴラに上陸致しました我部隊は、途中セレンバン、クルアン等で病院を開設して、第一線部隊の傷病兵を收療して居りましたが、二月八日軍命令に依りまして

『主力を以てジョホールバールに進出し病院開設、各師團野戰病院の傷病者を收容し尙シンガポール攻擊に依る傷者を收療すべし』

との任務を受け二月十日目的地に到着致しました。丁度シンガポール攻擊第二日でありましたので友軍部隊は盛んに、前面のジョホール水道を渡河してゐますし、之を阻まんとする敵砲彈は、附近一帶に落下炸裂致しまして、凄慘なる生地獄でありました。同地のゼネラルホスピタルは〇〇病院として最も適してはゐますものの、敵砲彈の集中下にありまして危險此の上もなかつたのであります。けれども他に病院開設の好適地がありませんので、已むなく砲彈炸裂下を、二月十日夜より開設準備に取りかゝつたのでありました。當時ゼネラルホスピタルは、敵使用後の雜然として荒れたるまゝでありましたが、兵力を總動員致しまして始末し、漸く傷病者受付を開始したのは二月十一日正午でありました。一度〇〇病院開設の報傳はりまするや、野戰病院より、第一線部隊より傷者雜踏して參りましてた。

『開業醫で之だけはやればナ？』

と誰しも思つた事だろうと存じます。十二日の正午過には實に、〇〇名位が發著部に、ドット雜踏して來たのでありました。之が又大變でありまして、重傷者の擔送ばかりであります。何と云つても戰場心理とでも云ひましようか、輕症者や平病者は

『何くそ！是しきの創で!!俺は最後まで頑張るぞ』

『これ位の病で！シンガポールが落ちるまで入院するもんか』

と押して第一線部隊と行動をしてしまつて、〇〇病院へ入院して來る者は、ホントウの重傷者ばかりであります。

二、ゼネラルホスピタル

ジョホールバールのゼネラルホスピタルは、本館鐵筋コンクリート六階建でありまして、一時本館のみにても約〇千名

一一

も收容し、其の三階或は四階のみにても〇百〇〇名も入れたと云ふ大きなものであります。それに附屬建物として、約一千名を入れらるゝ三階建の看護婦寄宿舍兼敎育場と、下級吏員約五百名を入るゝ四階建アパートと、高級吏員及醫員の官舍等合せて百棟以上、面積約五萬坪もありましたでしようが實に構內と云ひ、建築物と云ひ、建築方法室內設備裝置等至れり盡せりでありまして、敵も東洋第一とほこる程のものであると思ひました。中にも本館の地階と二階には冷防裝置の手術室もあり、調劑室、レントゲン室、研究室、齒科治療室等は實に立派なものでありました。それもその筈で可愛や、チャーチル君は、大枚一千萬弗の大金を投じて昨年竣工せしめ、一寸小手調に、二三ケ月使つて見ただけで、すつくり我〇〇病院へくれてしまつたのですもの、實に氣前がよいではありませんか。衞生材料なんかも相當にあつた事は云ふまでもありません。當時の一千萬弗と云ひますと、邦貨に換算致しまして、四千萬圓位になるだろうと思はれます。

ところが厄介な事には敵前でありますから、燈火は絕對に使用出來ないのではありますが、發電所破壞で電燈はおろか本館十四ケ所のエレベーターは止まつてしまつてゐる。水道は之亦水源地破壞で水も出ない。美しい話ではありませんが水洗便所內は山積せられて四圍に臭氣を放ち、どうにもならないのでありました。之には實に閉口致しました。重傷患者は一々擔架で四階五階まで、エッサコラサと衞生兵が、四人掛でかづき上るのであります。當時衞生兵は〇〇名、本部發著部炊事、藥劑部等の人員を除くと、實際傷病者の治療看護に任する兵力は極く僅かでありまして、此の人員が終日脚を棒にしてかづき上げても、此の多勢の傷者を病室へ運搬する事は、容易な事ではありません。無論住民も居りませんから苦力を傭ふわけには參りませんでした。

三、斯うして傷者を病室へ

私は自分の業務を一段落つけまして、病室の狀況は如何にと見に行きますと、二十時と云ふ夜中なのに、發著部の前で重傷者が、隨分澤山居るではありませんか。彼等は今日十二時頃此處へ來たのでありますが、まだ順番が來ないのであろうと中には生死をさまよふ重症者でも、不平一つ云ふでもなく衞生兵の來るのを待つてゐるのでありました。此の狀況を見せつけられました私は、ムラ〳〵と義俠心とでも云ふ様な心持が起りました。そして收容に直接關係のある、發著部と病室治療室の衞生兵を、無茶苦茶に叱り飛ばしてやろうと思ひ、眞赤になつて飛んで來たのでありました。來て見ると、どこの室でも衞生下士官以下は、ねぢ鉢卷に糯袢褌一本で汗だくとなり、エッサコラサと收容業務に一生懸命で、遊んでゐる者は一人としてありませんでした。噫、聖なる哉、裸体に褌一本ねぢ鉢卷の風態は、平常であればどなり散してやるものを、今日のねぢ鉢卷は何と至誠のあふれてゐる事だろう、オオ尊い哉、今先の私の怒は何と恥しい事であろうぞ。

今度は收容に直接關係のない本部、藥劑部、經理室を見て廻る。何れも開設直後の大多忙でどこもねぢ鉢卷です。併し正午頃から夜露にぬれて、草の上に居る重症者を何としよう、之は何と云つても創の處置も急がねばならぬが、取敢ず一時でも早く病室に入れて、ベットの上で休ませてやらなければならない。けれども今は皆手一杯で仕事に大車輪であります。困つた、此の上衞生兵を叱り飛ばすわけには行きません。と云つて傷者を一時も早く病床へ、と思は千々にくだけるのでありました。

四、命令よりも情實へ

此の上は叱咤嚴命するよりも、情實を以て說き伏せてやろう、と私は斷然、階級章の附いてゐる糯袢をかなぐり捨てたのでありました。そして先づ手近の藥劑部へ飛込んだのであります。

『オーイー皆集れ、昨日來開設業務で皆綿の如く疲れただろう。お前達も此の室の仕事はまだ〳〵澤山あるだろうが一寸發著部前の草の上の患者を見て見よ。まだ〇〇名位もゐよる。あれは今日十二時頃に來たらしいが、中には隨分重症者もあつて、ウン〳〵うなつてゐる者もある。彼等は追擊に追擊を加へて、喰ふや喰はずで艱苦欠乏に堪へつつ、此處まで來て敵前渡河しもう今日か明日か、シンガポールも落ちんと云ふセト際に武運拙く重傷を負ひ、此處まで運ばれて來たのである。彼等は無念此の上もないであろう。彼等は創の痛のみではない、中には精魂今にも盡きなんとして、僅に余喘を保つてゐる者もある。生死の界を彷徨しながらも、不平一つ云はずお前達の運んでくれるのを待つてゐるのだ。可愛想だと思はぬか!!彼等の現狀と衞生部員の使命、お前達衞生部員の立場とを比較して考へて見ろ、今迄の又現在のお前達の辛苦は充分承知してゐる。けれども衞生部員として今一歩進んで、あの現場の有樣を見て再考しようではないか』

と私は半は依賴するが如く、半は衞生下士官兵の義俠心を喚起するが如く、語りながら淚を拭ふのでありました。竝び居る衞生下士官以下は、話の半より地下足袋をはいたり、脚絆をつけたりする者がありました。そして彼等は口口に

『中尉殿、よくわかりました、此處の仕事は明日でも出來るのです。我々は衞生部の名に掛けても使命を完うします。その傷者は一時も早く病室へ運んでやります』

と一、二名の宿直者を殘して、發著部の患者溜所へ、一齊に應

一二

一三

援に向つたのでありました。私は倘も經理室に本部事務室に、自動車班に、同じ様な事を云つて衛生兵等の義侠を求めて歩きました。

發著部と病室では、思はぬ應援隊を得ましたので益々活氣を呈し急造擔架も引張り出して來まして、まつ黒暗の中を、ねぢ鉢巻と褌一本の快男子達は、傷者をかづいて五階六階迄も、エッサコラサ、ワイショ〳〵と運んだのでありました。余程丈夫な者でも、擔架をかづいて六階迄二回位往復するとぐつたりと參つてしまふものです。けれども今夜の衛生兵は何と物凄い勢ぞ!!何と壯嚴なるものぞ!!。昇天の意氣込はぐん〳〵と仕事も渉つて行くのでありました。噫最前の私の一言は斯くもよく響いたのか?。それにしても衛生下士官以下の階級を打破しての一樣の此の働は!!。三軍を叱咤指揮する名將軍と雖も、萬物を驚歎せしむる鬼畜と雖も、此の狀況を目撃しては涙なくして見てゐられないであろう。私は其の出入口でローソクを持ちながら此の狀況を見て、手放しでオイ〳〵と男泣きに泣かされてしまひましたのであります。

五、衛生兵等の熱誠あふるゝ戰友愛

此の收容業務の終了する頃、私は主計將校と連絡致しまして、間食として夜食とパイ罐の加給品を準備させたのでありました。けれども衛生兵達は、口口に異句同音に

『中尉殿、是は私等で頂くわけには參りません。今傷者を運搬しながら種々聞いて見ますると、今日でまる二日、中には三日間位飲まず喰はず敵を追ひつゞけてゐたのだと云ふ者が多いのです。是を聞いてどうして捨て置けましようぞ、どうぞ此の飯と加給品とを病室へ持つて行かして下さい。そしてそれ等傷者と共に分けて頂きます』

私は胸が、ぐつとつまつてしまふと共に、涙がバラ〳〵と音を立てゝ積まれたパイ罐の上に落ちるのをどうする事も出來ませんでした。オオ麗しいかな發露したる我衛生魂、聖なるかな衛生兵の本分、斯くてこそ傷病者より信頼せらるゝのだ。日本の軍隊は强いぞ、永久に誇らるゝ赤十字精神、私は聲を出し得ず只頭を何度も何度も前へ振つて、合點々々しながら、尊い是等衛生兵達の顔を、一々見る否拜するのでありました。彼等は今は是までの苦勞も肩の痛も脚のだるさも忘れた樣に、己が本分を完うし責任を盡した滿足感を、滿面にたゞよはしてゐるではありませんか。患者達に間食を喰ひ終らせ、パイ罐を切つて慰めてから、衛生兵達の引上げて行つたのは、もう東天の白じろと明ける頃だつたと思ひます。

前面のジョホール水道をはさんで、敵味方は益々猛烈に戰つて居りました。シンガポール島の各所からは、自ら爆破炎上せしめたらしい敵の重油タンクや、石油タンクの紅連の焰は焰々として昇り、黒煙は長々とマレー半島の彼方へと、棚

一四

引いてゐるのでありました。翌十三日も多數の傷者が雜踏して參りまして、前日にも勝る多忙を極めましたが、全員此の意氣、此の精神力を以て萬難を克服し、我使命達成に邁進したのでありました。其の後第一線の傷病者が陸續と入院して參りまして、之等傷病者の收容、治療介抱、給養等何から何まで、相變らず水の出ない電燈もつかない不便の處での多忙が何時迄も續き、我々は脚絆を解き靴をぬぐの暇は仲々ありませんでした。

六、最後に一言附け加へて

長々と取とめもない事を書き連ねましたが、之を要約してこんな事を考へられました、先づ傷病者の身となつて考へて見ますと、

一、戰鬪は追擊に追擊を重ねて決戰するの多き事。

二、從つて戰列兵の如きは、多くは飲食休寢の暇もなく追擊し、体力消耗減弱の時なり、然れども戰鬪意識明瞭にて、却而志氣益々旺盛なり。

三、斯樣な狀況下に於ても決戰の濟む迄は、病に依る入院はもとより輕傷者は最後まで頑張り使命貫徹に邁進する。

四、倒れたる重傷者は観念しておもむろに、衛生部員の來援により處置を受け、一言半句も空腹を訴へたり、創の痛や不平を云ふものもない。しかも衛生部員を絶對に信頼し細大となしその指圖に隨ふ。

次に衛生部員の立場になつて考へて見よう。

一、衛生部員は第一線部隊に跟隨して戰線を追進し、最後の戰場近くに於て傷病者を收容治療し、倘後送し戰鬪終了後と雖も引續き本務達成に寧日なし。即ち一旦病院開設せば傷病者の絶對安全を確保し、戰列兵の警備休養中にありても、大多忙して傷者病者の治療介抱に任じねばならぬ、しかも之が持續する。

二、從つて衛生部員は身体强健にして、体力持續する者なるを要し、克く艱苦欠乏に堪へ得る者なる事。

三、傷病者に接するに當り、精神誠意、慈愛懇切を以て細心の注意を拂ひ、寢食を忘れて是等患者の治療介抱に萬全の策を計り、患者より絶對の信頼を受ける如くなさざるべからず。

等でありまして、患者は絶對に看護者を信頼して一身を託し、看護者は親兄弟の如く粉骨碎身の努力を以て之に當り、以て相融合してこそ看護の完きを得て、初めて治療の完璧を期し得る事と信じます。

戰場を往來して來た諸勇士は、此の点克く理解出來る事と思ひますが、そうでない諸君に於ても想像し十分了解して、

一五

戰場に在りし當時の氣持を以て、現役兵であつた應召服務した當時の心構を十分喚起せしめて、倘戰友の多くは酷寒の荒野に、或は四時炎熱の戰線に身命を堵して戰つてゐる事に思を致し、傷痍軍人五訓や、當所療訓をよく〳〵熟讀頑味し、己が本分たる療養に專念せられん事をお祈り致しまして、筆を擱く事と致します。

深綠の領土に高し日章旗
崖下の戰友の墓標や佛桑花
夕燒のやがて遷りぬ耶子の月
銀翼をつらねて行くや雲の峯
スコールの過ぎて凉しき破芭蕉
姑娘がこれだけ居たか里祭
哨兵の立ちし棲やくもの峯

微熱

世間には微熱即ち結核とさへ思つている人がある。勿論結核の初期に微熱の出沒することは多い。然し他の病氣からでも、微熱は隨分出るものだ。蓄膿症、慢性腎藏炎、神經衰弱等での微熱を結核のそれと誤診されて悲観してみたり、甚だしいのは入院させられたりする樣な迷惑千萬な事も往々ある。

昔は三十七度以上あれば微熱の仲間入りさせられたものだが、今では三十七度以上あつてもそれがその人の平溫であると言ふ場合すらかなり多くあることがわかつてお互に喜ばしく思ふ。微熱黨には天來の福音だ。

一

私の療養生活を語る

療養と書道

中森勇吉

吾々が安んじて長期の療養に專念の出來得る幸福さ、之れは全く宏大無邊の皇恩に依ることは今更ら申す必要はありません。從つて我々が一日も早く再起奉公、君恩に報ゆることがとりも直さず戰時下に療養する吾々に課せられた現在の務であります。

療養所は即ち道場である、吾々は眼前の苦痛や、理想の療養に反する邪道を超越して、堅實な療養魂を確立して、速かに身體の障害を克服して退所の曉には世人の儀表となり、社會の中堅となつて充分働き得る體力と、人格を養ふことが吾々のことに入所した大きな責務であり又義務でもあると思ひます。

然し乍ら療養生活は兎角捲み易く、全く長期の療養には克己心、即ち大きな勇氣が必要です。古諺にも「山中賊易レ破心中賊難レ破」とあります。吾々が療養の本道を進み、感謝の生活を送るためには毎日の日課に規律正しい計劃と、工夫が必要で、一時でも病氣を忘れることの出來得る心の餘裕を作ることが必要だ。それには各自が療養効果を高め、併せて自己の品格を向上させる上の、高尚な趣味を持つことが一番幸福な道だと思ひます。

そこで私も書道に就て乏しい乍ら趣味を持つて居りますので、療養生活を通じての書道に就て二三お話し致しませう。

凡そ落付いた精神力は治病の一番根本をなすもので「病は氣から」とか謂ひます、決して病氣に負けぬと言ふ氣概があれば病は必ず征服出來るものと信じます。この點自分が書道に趣味をもつて以來、日常生活の上に有形無形の功德を受け得たかのやうに思ひます。改まつて書道と申しますと、大部分の人は古今の名書家を偲び、墨痕淋漓なる大書を聯想されるでせう、事實之れも立派な書道でありますが然し今私の言ひたい書道とは前述の如く現在の我々に必要な療養生活に於て、不折の精神力不屈の克己心を養ふ爲めの書道であります。

吾々が昔から有名な志士や偉人の沈着頸抜にして悠揚迫らざる筆蹟や、筆力雄健にして氣魄豪邁、心血淋漓とした名士の書を見て其の書に潛むその時代の國民精神や、それらの人

一七

々の人格を充分學び少しでも立派な處を取つて自分の心とすることが書道を學ぶもの一番必要な處です。有名な佐藤一齋の言志錄の中に、

「心之邪正、氣之强弱ハ筆畫不レ能レ掩レ之、至二於喜怒哀懼、勸惰靜躁一ニ亦皆形二諸字一ヲ一日内自書二數字一ヲ以反觀亦省心一助ナリ」と書いてあります。

吾々が一日の出發を心して筆墨に親しむことだ、そうして邪念を捨て、一日の決心を書に表はし自分の生活も狂のない字の如く改めることだ、これが自分の申し上げた書道の目的であつて欲しいのです。決して朝から晩まで習字をやる必要はない一日の中一時間でも否五分間でも紙一枚、字一字これで結構だと思ひます。書の上達も大きな目的ではあるが吾々は唯目前の上達のみを望まず、書道を否有らゆる趣味を通じて充分心魂を磨くことに依つて、不撓不屈の闘病精神を養ひ一日も早く再起奉公の上、國家の爲め大いに活動し宏大なる聖恩に答へ誓つて大御心を安んじ捧りたいと思ひます。

自然に親しむ

千種　馨

實に光陰は矢の如し、人生は重き荷をになつて遠き道を行くが如しと言へど、歲月の過ぎるの早き事療養生活はや二ケ年、今ベットの上に過ぎ二ケ年を回顧する時唯感慨無量のみ、今回すゞかにて表記の原稿を募集されるに當りこの機會に不肖自分も過去の療養生活を回顧して、新しい自分を見出し明日への源泉力を培ふも又有意義と思ひペンをとる次第です。

入所してより三ケ年は辛抱する氣で……云々と入所式で聞かされてより三年と一口にはいへど、長い日月の事さてどうして暮らそうか、これといふ方針も立たず入所した許りだので親しい友もなく一人で味氣ない一日一日を送つて居ると、どこからともなく流れくるメロディアスな音!!そうだ音樂でもして氣を紛らはそうとさて始めはしたものゝ生來不器用な故か思ふ様にうまくならず、身体の調子も面白くないのでとうとう止めてしまつた。さてそれからは圍碁、將棋、書道等いろ〳〵とやつてはみたが、下手な横好きで之れはといつて自慢する物もなく、療養一ケ年余にして外氣へ行き生れて始めて鍬をとる身となつた。朝早くから太陽の光を身に受けて自然に親しむ…何と氣持のよい事であらう。狹い乍ら畑に朝夕水をやり自分で作つたものが徐々に大きくなつて行くのを眺めるあの氣持！自分で作つた野菜を僅かながらも食膳に供し舌鼓を打つこのうまさ！土に親しむ者のみが味はふ喜びであり、たのしさである。こゝに始めて療養生活にたのしみを感じたと言つても過言ではないであらう。そしてこれがたのしい日課の一つとなつて來た。余り有頂天になつてやり過ぎた故か、少し身体を悪くし當分安靜を命ぜられ療棟にて療養してゐる今日此の頃だが、園藝だけは止められず無理をせぬ程度にぼつぼつやつてゐる。本當に園藝こそは私にとつて嬉しいにつけ、悲しいにつけ、唯一の心のなぐさめであり、明日からの療養生活にも依然として續行されるであらう。

暇言

中山夕起緒

二三分熱が昇つたからと言つて、解熱劑を飲んでみたところで何の益もないことであり、自分自身その熱を如何にすることは出來ないではないか。ながい〳〵療養期間にいろ〳〵と病狀の異變のあることはまぬがれない。また生きてゆく以上やむをえない事柄なのに、熱が二三分も出ると死んだやうに元氣がなく、熱を心配するので自ら食慾不振を起す等は愚なる骨頂と言はねばなるまい。しかし熱は慢性療法には重大なる關心をもつことは第一主義にして、一名体溫表生活とも言はるる程である。だが多少の熱があつてもよいのではないか天より與へられた命にしたがつて、要は健康をとりもどせるだけの抵抗力を充實せられゝばよのいであろう。それには熱の高低によるところの喜憂や体重の增減に焦だつたりするよりも、不撓不屈の信念を培へばそこに精神統一が圖られて自ら病を克服できるのではなかろうか。私はこゝに於て俳句より受ける淨化を欲してゐる。すなはち俳句性より受ける闘病精神――藝術の探究に淨化された詩魂の翺翔と歡喜があり病苦から逃避するための俳句であらねばならない。

私がさゝご俳句會に入會したのは十六年梅雨時喀血後の苦しい〳〵時でした。毎日七度二三分の熱が上下する、いやな日が續く久しぶりにベットに起きて長谷川素逝先生に自分の病氣の様子を御知らせした。二三日後先生からの御便があつた、その一部分を書いてみよう

「其の後の様子お便にて知る有様悪からず、病氣には最も禁物の我を捨てる事です、我と非我の對立は人間の苦しみとなる、我を捨てゞ無となり無の境に生ることです。その点に於て私達は俳句に生き待られる句作する時の心境つまり何ものもない俳句のみの心境あの無の境に生きる事です。自分達が心に背ふてゐる荷物それが重ければ重いだけ病氣がつきまつはると言ふ詞もある通り、なる程とうなづけることもある。御修養下さる様にそして其の力に依つて再起をお樂しみ下さい。」

私はこう思のです俳句は誰にでも作れるのではないでせうか、そして私達に一番てごろな趣味です。今病氣に苦しんでゐる入所者方々病を忘れるためのさゝご俳句がありますから入會されまして共に再起奉公を目ざして進もうではありませんか。

私は最後に長谷川素逝先生の我達に印象の深い名句を書いておきます。

大君の御楯と月によこたはる

療養と弓道

市川　明

昨年六月草野前所長殿が外氣入所者の健康回復の爲に弓道を初められ三翠弓道部なるものが生れました。その弓道の初められて間もなく私もその一部員に加へられ、小林先生の御指導の下に弓道に精進を初めましてより一ヶ年余り其の間に於ける体驗及び感想を述べ、今後弓道を希望される方々に御參考になれば幸と思ひます。

弓道が私等、或程度病氣が回復した者に取つて、健康增進に良いかは私が今更申上げるまでもありません。外氣に於て毎日二時間乃至三時間の作業にて身体を鍛へてゐますが、精神的に不滿を感じます。弓道は身体を健康にするばかりでなく、肉体的にも精神的にも鍛錬が出來我々闘病生活の上に於て良き修養道だと思ひます。所内には精神修養方面には色々の機關が設けられてありますが、短歌や俳句の如く余り頭を使はなくても良く、そうして心身共に修養が出來得るかの様に思ひます。

弓道の根本精神は心身の鍛錬であります。王陽明は「射は射心なり射を以て德を觀る」と言つてゐます。心を練ると言ふ事が射の目的であり射の理想でなければならないと思ひますが、言ふ理論はそれに違ひありません。しかし弓を執つて立つた場合には的はある、弓の力と戰つてゐるのであるからそうは行かないのです。弓道の困難さもそこにあるが、人間の弱さもそこにある。この弱さを克服して精進するところに弓道の尊嚴がある事を確信致しました。

凡そ趣味のない生活程殺伐なものはありません、趣味を解すると言ふ事はその人の生活を培ふ事に外ならない。療養生活にも一つの趣味を作り目標を立てなければならぬ、そうすれば自ずと病苦を忘れてしまひ、長期を要する療養も出來得るではありませんか、畑を耕さなければ美しい花は咲かない、雜草の延びるにまかせて置いては心田は培へない。弓も趣味の一種だと言へよう。しかし弓はそんな生やさしいものではない、生活即射だと言ふ事も出來ませう、趣味も生活の一部門だ、不可分のものだ、日本人は趣味生活を一層向上させなければなりません。日本趣味と日本精神はこれ又不可分の關係がある。

弓によりて「道を行ふ事が弓道」であらう、だから廣い意味からすれば弓を射る事のみが弓道ではないとも言へよう。

弓道の精神は即ち「道」の精神であらう「道」即ち天道とも言へよう、天道を弓によりて行なはんとすることが弓道であらう、これを行なはんとする精神が弓道精神である。弓を射る事によりて弓道精神を養ふのではない、弓道精神を弓により表現するのである。これは結果が原因であり原因が結果となりて進展するのである。

射に於て感じました事は精神の爆發です、精神の爆發ほど愉快なものがあらうか、砲彈が爆發してさへ一種の壯快を感ずる、まして人間内部の生命が爆發するのだからこれは人間精神の爆發である。精神そのものゝ姿が爆發するのは射に過ぐるものはない、繪にも書にもその片鱗はみられる、しかし射の如く如實にみられない、すべて藝術として殘されたものは、人間の精神が爆發した、その遺跡の如きものである、精神の噴火の跡に過ぎぬ（これは射の離殘身）

大東亞戰爭勃發以來益々日本精神の發揚を呼ばれる様になつた。この時局下に我々は弓道に精進し、尙一層武德を涵養し、日本精神を發揮し弓道報國精神の誠を盡して大東亞共榮圈の確立に邁進する覺悟です。終

大和魂の英釋

米捕虜「この島で白旗を揭げてはとうてい、ママ（女房）の許へ歸れない。」

日本兵「コレヒドル島が湖の中にあつたら、お前たちは捕虜にならずに本國へ歸れたのだよ。」

米捕虜「何故ですか？。」

日本兵「それは海水だからお玉杓子（コレヒドル島）が蛙（歸る）に孵化（かへる）ることが出來ないのだよ」

中森勇吉

所長訪問記

以和滿生

去る六月四日、前草野所長殿が一身上の御都合に依つて退官せられ、木下所長殿が御就任になつてから早六ケ月。

我々は日頃、色々の機會に於て所長殿とは屢々顏を見合せてゐるが、然し、襟懷を開き膝を交えて、極く親しく御話をするといふ機會が殆んどない。隨つて所長殿の經歷、性格、趣味、家庭の御様子等餘り知ることが出來ない。我が療養所の中樞であり、この一大家庭の父である所長殿のこうした御人格の一面、並に御生活の一端に觸れて、醫官對入所者といふ關係に、より一層親密の度を加えることは極めて必要のことであると思ふ。

空は飽く迄も高く澄み切つて本當に淸々しい秋の日の午後OHNの三氏と私の四人(皆至つて心臓が弱いので一人で行つたらアガツテ仕舞ふ)、物靜かな治療棟の一室に所長殿を訪れる。待つこと暫し。やがて所長殿は乙號國民服に黑のズツク靴といふ、至つて飾氣のない簡素な服裝で

『やあ待たせたね、御苦勞さん』と、にこ〱し乍らやつて來られる。一同來意を告げて頭を下げる。

先づ最初にO氏が

『早速ですが所長殿の御鄕里はどちらですか』と、質問の第一矢を發する。

『鄕里ですか、戸籍上は大阪市になつてゐますが、生れて二ケ月位した時台北へ行き、小學校三年の時大阪へ歸り六年生の前半期迄居りました。それから又台北へ行き、中學は今の台北一中を卒業したのです。それに第一父母に早くから死別れましてね。あれが小學校六年生の時でしたか、內地で博覽會があつたんですね。その時、台北の叔父さんと大阪で會つて、色々と將來の身の振り方を尋ねられたそうですが、その當時、私の家の附近は殆んど全部が商賣人許りだつたので子供心にも自分も大きくなつたらあんな商賣人になるんだ等と思つて居たのです。これは今でも記憶があります。ですから中學へ上るの上らんのと、そんなことは一遍だつて考へたことはありませんでした。それでもどんな風の吹き廻しか、叔父さんの處へ行つて勉强しませうといふ意味のことを自分で返事したらしいのですね。こんな些細な一事が、人間將來右へ行くか左へ行くかといふ大きな運命の岐路になるものですね』

『そうすると御兩親は何時御亡くなりになつたんですか』

『父親は三才の時で殆んど顏を知りません。母親は中學を卒業した明の年ですから十九の時ですか……に亡くなりました』

『高等學校はどちらでしたか』

『高校は岡山です。第六高等學校を出ました。結局中學、高等學校、大學と段々東へ〱來て、それから今は又西の方へ來てゐる譯ですね』

『大學は何時卒業されたんですか』

『昭和六年です』

『それからずつと傳研に御見えになつたんですね』

『えゝそうです』

『失禮ですが、所長殿は何の御研究で何時學位を得られたのですか』

『一寸むづかしいですよ。身体各內分泌器管相互の關係に關する研究、昭和十一年に學位を得ました』

『どういふ譯でこの結核治療專門の方へ入られましたか』

矢繼早に質問を發し乍らあの廣い額をつく〲と眺める。まるで、燒栗に種油をつけて磨き上げた様にテカ〱と光澤の良い全く大きな額だ。縱が八糎橫十七糎として、エエーと幾平方糎の面積かなと考へてゐたら、

『別に結核方面といふ考へは持つてゐなかつたのです。私の恩師が、これは將來の大きな日本の問題だから行つてはとのことで此處へ來た譯です。吾々と大學の指導敎授とは昔の親分子分といふ様な關係になつてゐましてね、その指示に從ふのが一つの師弟間の麗しい道でせうね』

『當所へ來られました動機、又傷痍軍人といふ者に對してどういふ風なことを感ぜられましたか』

『我々が此處へ來る時、旣に幾つかの傷痍軍人療養所が建つておりました。傷痍軍人療養所といふ處は非常にやり惡い處だとは聞いてゐましたが、恩師の言はれるのに、社會學の勉强にも大いになるからその積りで行つて見ては言はれましたがその通りですね。さて來て見ても別にどの點がやり惡いのか特にそうは思ひません。考へ方でせうね。一体に科學者といふ者は二プラス二は四とか、十を二で割ると五だといふ風にきつちり割り切れなければ承知出來んのですね。十を三で割るといふ様な藝當は出來ないんです。然し實際の世間動きのある世間、生きた世界はそう四角四面にばかり解釋は出來ないでせうね。時には十を三で割る位の氣持がないとやつてゆけない場合もあるでせうね。この氣持があればなんでもないんぢやないですか』

『普通地方患者と吾々と、どこか違つた様な感じは持たれませんか』

『ありませんね。强ひて言ふなら女の患者が一人も居ないといふことです。で聊か殺風景かも知れませんが、結局女が居るとやり惡いですよ。女のヒステリー患者は一番困りますからね』(實に全くその通りです。看護婦諸姉よ、良く聞いて置いてネツ)

『新らしく所長になられました時の御感想は』

『これもありませんね。第一以前の氣持も就任後の氣持も變りありませんものね。それでは逆に聞きますが、諸君の方で何か私に接する氣持が變つて來てゐますか』(仕舞つた。エライ籔蛇になつちやつた)

『いや私は別にあのその、變つて居りません』

『それでいゝのぢやないのですかね』

暫し沈默が續く。さつきからちらり〱と所長殿の坊主頭を見てゐると、光線の加減か大分毛が薄い。自分も餘り濃い方ではないので、所長殿の年位になつたらもつと薄くなるだらうと思つて一寸淋しい氣がした。

『失禮ですが御年齡は』

『明治三十六年生れですよ』(ハハーンさうすると四十才兎の年ですね)これは戰死した自分の長兄が同じ年なので直ぐ頭に浮んだ。

『所長殿、結婚は何時されたんですか』

『昭和十年です。ハハ……』と、嬉しそうに輕く笑はれる。

(そうすると三十三才の時ですね)

『あの戀愛結婚ですか、それとも……』思ひ切つて聞いてはみたものゝ一寸赤くなつた。

『見合結婚ですよ、恩師の媒酌でね。然し戀愛結婚の方が好かつたかも知れませんね』(エエツ、さては奥様の他に好きなヒトがあつたんだな)

『奥様は体格の良い非常に美しい方だといふ看護婦さん達の專らの評判ですが』エライ事を言つちまつたなと思つて一寸俯向いてゐたが、返事がないので顏を上げて見ると、流石所長殿も眼鏡を弄び乍ら只にこ〱笑つて居らるゝのみ。

『御子様は何人お在りですか』

『四人、女男女女です』(大分成績の良い方ですね。併しもうあと五人位男の子を生んで欲しいですな)

『それでは少し方面を變へて何か趣味の方で特別お好きなものは』

『別にありませんが弓道を始めてゐます。初めから好きでやつたのではないが、弓道による修鍊が外氣の作業療法の一項になつてゐますから、皆と一緒にやつてその結果を知り度いし、又折角前の所長さんが道場迄造られ、今日の如く盛になつたのですから……、やはりこういふことは上に立つ者がやらないと自然癈れて仕舞ひますからね。恰度當所創立三週年記念日の日から始めました』

『大分上達されたそうですが』

『いやあ駄目々々、毎朝やつてゐるが一寸とも上達せんですよ。的の方でよけましてね。あれは當らんでもよいのですよ。まあこうしてやつてゐる間に極めて自然に好きになつて仕舞つたのですね。むづかしい理窟は要りませんこれでよいのでせう。やつてゐる中に何處か人間が變つて來ればいゝのですよ』弓道の眞髄こゝにありか。

『學生時代に何かスポーツをやつて居られましたか』

『野球をやりました。但しスポンヂのですよ。其の他大抵やりましたがみな野球に於けるスポンヂ程度です。此の頃は何でも本を讀みたいと思ふ様になりましたね。それも難しい本ではなく、平易な科學、隨筆、修養書といつた調子ですね。それから又宗敎的な本も讀みたいと思つてゐます。外出すると必ず一冊位づゝ買つて來ます。解るか解らんか知らんが、まあ一冊讀んだらそれでも一頁分位は頭に殘りますよ』

『釣はやられませんか』

『釣ですか、釣もやりますが鮒釣程度が性に合つてゐますね。高等な釣は苦手です。釣れても釣れんでも、一ケ所に腰を落付けて浮標を眺めてゐるだけでいゝのですね。入所者諸君も何かに趣味を持つとよろしいね。二つ三つそういふものを持つて居られると年を取つてからでも樂しみでせう。又これが若返りの祕訣かも知れませんね』

『所長殿は御酒は相當イケルといふ話ですが』隣に居たH氏が私の顏を見てニツコリ笑ふ。

『御酒は飲めば相當飲めるでせう。併しそうかと言つて晩酌はやりません。まあ今迄の處、前後不覺に醉ひ潰れたといふことは一回もありませんからね』(ほんまかいな……チトあやしいぞこれは)

『酒も此の頃は配給ですが如何ですか』

『えゝ配給の分だけはそれは貰ひますよ。家では飲みませんが宴會等だつたら相當飲みます。大体このお醫者さんは、醫局生活をしてゐる間に大抵酒がいける様になるものですよ。又此處は大いに酒を飲ませる處ですからね』

『煙草の方は餘り呑んで居られる處を見ない様ですが』

『煙草はまあ呑みませんね。これも別に、煙草一本の中に零コンマー何々のニコチンがあつて有害だからと言ふ様な考へからではなく、別に呑みたいと思はぬ、謂はば自然の儘なんですね』

『それでは今後の所の方針とか、そういふことに就て何か』

『さあそれは……、その時々に方針と申す様なことを集合時に述べるかも知れませんが、今特に取立てゝ申すこともないでせう』

『では最後に、この結核對策に就て何か御意見はありませんか』

『そうですね。今迄はどんな施設をしても、結核の擴つてゆく方が早いから追つ付かなかつたが然し、戰爭狀態のあるは別として、平時では一般に結核の處女地がだん〱なくなつてゆくので、結核の擴つてゆく勢と施設の擴大とが、現在

では大体平行狀態になつて來てゐる。この儘ずつと結核對策が徹底して行き、一方國民の結核に對する理解が高まつてゆけば、結核といふものは段々と少なくなつて行くのぢやないかと思ふ。それで罹患率などはこれでよいとして、まだ一つ大きな遺憾なことがあるんです。それは大体日本には若い人の結核が多いことです。これは何とか善處しなければ……外國では平均年取つた人に多いのですが、日本人は二十代で死ぬ人が多いからね。これは實際勿体ないですよ。

何時も考へてゐることなんですが、徵兵檢査の時にですね。工合の惡い者が見つかつたら直ぐ適當な施設に入院させるんですね。そして癒る迄養生させて上げる。又それ程ひどくない者は、半年位でも良いから療養所の様な所に收容して、その間に結核に對する正しい療養法を体經させて家に歸すといふ風にすると良いですね。こうすれば、男なら誰でも徵兵檢査があるのですから、滿二十才を期して男子に對する結核對策は確立しますね。女子の方は徵兵檢査がないから、やはり何か一定の年齡に達したら体格檢査でもして、適當な處置をしてやればよいですね。

大事業ではあるでせうが「金」と「人命」とは替えられませんからね。誰か何億とかいふ金を投出して、こうした大規模な施設をする人はないものでせうかね』

『どうも御忙しい處を色々と有難う御座居ました』

赤ちゃんからお願ひ

㈠ なんぼ坊やがなめる程可愛いからと言つてタッチもロクロクできぬうちからお手々を引張つて歩かすのだけはやめといて頂戴。アンヨの出來る時がきたら坊はヒトリでチヤンとアンヨしますから。そうでないと脚がまがつてガニ股になりますよ。

㈡ 坊や二つになつたのにカーチヤンはオッパイだけしきやくれないの。もうあのオッパイの中には坊やに大切な鐵分も何もありません。それで坊はこんなに顔色が惡いの。お誕生までにオッパイはやめなさいとお醫者チヤンはおつしやるのに。早く坊も林檎の様なホッペタになりたいな。………………

★　★　★　★

―隨筆―

果實

田木直人

第二次バイヤス灣奇襲上陸作戰の爲行動を開始する以前、それの準備の爲に假宿營してゐた最初の部落は、確か新年前の忙ただしい樂しさの中に明け暮れしてゐたと覺えてゐる。ある日、本島人の通譯を伴なつて春聯に装はれた住民街をゆくと、初春の明るい陽光の下では、戰の塵でもかき立てるように戸毎に爆竹が焚かれ、町家の家長たちは親し氣なほゝ笑を滿面に湛えあれこれと私達への饗應に餘念が無かつた。私は彼等の此饗應の中に內地と同じ柑子の實が、その美味を思はせる黄色い彩と、その季節の冷を感ぜしめる青い葉とをもつて器に盛られてゐた事や、而も孔子様の祭壇にも元朝を裝る果實として此の柑子が供物とされて居た事の彼等の新年の行に、いと懷かしいものを感じられもしたのであつた。幼なき頃、雪深い山家の爐邊で、冷たさに指かじかませて、お裝りの残りの柑子を喫つた事の貧しい故鄉の新年の思出を、私は南支那の片田舍の新年に、久々でゆり起されて居たのである。

×　×　×

バイヤス灣上陸後の數ケ月は、作戰に次ぐ作戰の息づまる程の生活の連續であつた。此の戰の中では生の芋や、漬物の紅生姜を嚙つた事は一切ならずあつたのだが、軈て月日の後に夏が來た。もつとも南支は一年中が夏ではあつたが……六月の寶安は殊の他ライチー(荔枝)が豊富であつた。部隊の殘留梱梱轉送の爲に香港冲を廻つて、海路寶安に入つた時、私は此處の兵站で梱梱揚陸作業の數日を、食傷する程荔枝を食べた。兵站を出ると街の直ぐ近くに毎日住民の市が立つ、朝果樹園から捥がれて來たばかりの荔枝は、全葉を拂つて枝つきの儘で束ねて店頭に裝られる、春淺き椿の花の綻びに差した紅のような、母指大のつぶらな此の果實は亦人の心にも通ふような、ほのぼのとしたものを蕾の色に含めても居た。そして征旅に荒むだ眼に心に、人間的な暖かみを、しみじみ甦がへらせて吳れるようにも思へるのだつた。あなた方は椎の實の、かむつてゐるあのイボの付着した衣を知つてゐるだらうか、荔枝の實の表皮は椎の實の衣とよく似てゐる。此の表皮の中に盛り上る熟し切つた果肉は、指先で押した丈でもピシッと表皮が裂け割れて、其處からは半透明のスベッこい

肌ざはりのミルク色した果肉が、此の果實の甘美さを思はせて覗かれるので有る。――荔枝は枝が大きくて內地の枇杷枝のようでもあつた。果肉は大の大きな核を包んだ極めて僅かなものでしか無いが、輕い酸味をもつた甘さと、スベッこい舌ざはりと、遙かなものを思ひ續ける様な香りとは全く魅惑的だつた。寶安の港は、どの丘も荔枝の林で無い所はない、コンモリと茂つた一丈餘りの高さの綠濃やかな荔枝林、白つぽい軍用公路が一本、此の荔枝の綠帶に一際目立つてぐぐつと伸びてゐる、荔枝の豊富な寶安に盡ぬ懷しみである。

×　×　×

接敵の近迫感がひしひしと充ちてゐる。朝もやの中で戰友の顔はぞつとする程あをぐろい。昨日から昨夕――今朝に掛けて私達は此の接敵の爲のたゆみ無き前進を續けて來た。眠氣は既に暗の中え置忘れた様に感じなくなつた。私達はパインアップル畑に居る、冷えびえする朝もやの中に見る熟し切つたパインの色が、ほのぬくいものを思はさる、山を越せば敵がゐる、その事は意識は縱橫にかけ巡つてゐるのだが、パインアップルに對する食慾は食慾としてひたぶるに感じられもする。大体私達は十數時間步み續けた後の猛烈な空腹を感じてゐる時であつた。軍用小刀でパインの實を剪る、ずしつと重い實り方であつた。私達はそれをタングステンの鑛脈の露出した山肌に轉ばせて、ぎしぎし輪切りにして食べた、唇がヒリヒリ痛かゆくて、數時間後のチヨッとした戰鬪の後も尙唇のかゆみは殘つてゐた。「パインアップルは鑵詰の方がうまい」此の時誰かが言つたが、此の言葉は誰も否定しなかつた。これは寶安奧地の討伐の時の事である。

×　×　×

パパイヤは台灣のパパイヤが美味だつたと思つてゐる。その頃の私は病狀が思はしくなくて絕對安靜中だつたが、冷凍のパパイヤを午後の安靜時直後に食べる事は私の日課のひとつであつだ。いく度か慣れた手付きで、アルマイトのスプンに掬ひ出されたパパイヤの果肉が看護婦の手から私の口に運ばれる、エキゾチックな香りが豊かに小室にながれ、私は失なはれて居た幸をとり戾した様に此の時眼を輝かせてパパイヤの果肉をむさぼるのだつた。而もパパイヤを食む時は私は定つて饒舌家になつた。その時どの様なことを話したかは今は覺えてゐない。只パパイヤはハワイのパパイヤが一等美味であるといふ事を話した事は覺えてゐる。

先頃此の時のひとから便りがあつて台灣も既にパパイヤが影をひそめ、そろそろ龍眼仔の出廻り期だと書かれてあつた。荔枝やパインアップルと共に、今も忘れ難い台灣のパパイヤである。(了)

夕焼の丘

上島一男

恙なき一日を謝して額けば、あらゆる邪念が清掃されて、そこには熱い涙さえ溢れてくる。

全く無我の境に入りながら鳥居を出ると、今夕焼の美しい眺である。頭上に擴る雲の色遙か遠方、嶮しい山容を薄紫の色に包んで暮れゆく鈴鹿、其の麓になだらかな曲線を描く薄綠色の山々、山と山との間には夕靄が白い帶を引いてゐる。そして眼下から展けた田圃が丁度入江の如く鈴鹿山麓に入つてゐる。目醒るやうな青田の綠と、燃え立つやうな空の色とが、讐へやうのない美しさを呈してゐる。

まろやかに日の沈みゆく丁度其の山の向ふこそ、戀しい吾が古里ではないか、今頃は年老ひしお母さんは、どうしてゐられることだらうか……勞作に疲れてほつと一息、同じ夕焼の空を仰ぎ乍ら、きつと吾が子のことを想つてゐられるに違ひない、そしてどんな氣持で何時の日か、歸りゆく日を待つてゐて下さることだらう。二羽の烏が仲良く鳴きながら歸つてゆく。優しいお母さんの溫い膝の上で、黑いオカッパの頭を撫て戴き乍ら、どんな夢を見ることだらう。心なしか二羽の烏よ「恙く今日も感謝で暮れました」と歸る序に故鄉の母へ一言傳へて吳れまいか……。やがて其の餘聲を殘し乍ら故山に消え入る時、髣髴として故鄉の昔が懷かしく想ひ出されて來る。

紺の絣の着物にお母さんの端切で作つて戴いた小さい前垂をつけ白い手拭を三ッに正しくたゝんで帶の間に挾み、赤い帽子をかぶつて引きずるやうな大きな鞄で登校した、いとけなき日の姿。麗かな春の日に笹舟を流して、ひねもす嬉々として遊び戯れたあの小川、その土橋、身を灼く夏の日に蛙の如く飛込みし山の池、秋晴の好天氣、茸狩に何時しか先生を見失なつて、思はず泣き出してしまつた紅葉美しいあの山。遠い幼い日の思ひ出に、吾知らず童心に還つてしまふ。そして幼馴染の友達の顔が、瞼の中に懷かしく呼びかける。あの人は今どんなに成つてゐる

冠句「傷痍章」

天 東洋平和の手柄傷　辻輝城子

地 鬼と呼ばれし手柄秘め　鈴木房雄

人 あの激戰を語り合ひ　中井伊之助

佳作 初めてつけて氣に掛り　小倉陽苑

同 鐵脚語るその激戰　服部勝

だらう……。何處に居るのだらうか……。何をしてゐるのだらう……。あの子はとくにお嫁入に行つたそうな——今頃はもう立派なお母さんに成り切つてゐることか——一目逢つてそのお母さん振りを見てやりたいやうな、ほの甘い追憶の道を歩む。

或る日のことだつた。一友人からこんな便が屆いた「君とも隨分逢はないネ、今度何時逢えるのか知れないが逢へばどんな話が出るだらう。二人互にいろ／＼の道を步んだことですネ、小生もむづかしい世の中を渡つて來ましたよ。

身に刺るやうな寒さの朝、かん高きひよ鳥の聲を聞けばもう冬ですネ、昔の頃がつく／＼と思ひ出されて素足でチョコ／＼と登校した姿が懷かしい。男二十五にも成れば誰にでも苦の一ッ位は有るものか來る便に昔を懷かしんでゐる。それと同時に又奮發する氣力も伺へますな。長い秋日和であつたのに今日はお正午頃から雨が降り出して來ました。秋の雨はそぼ／＼と夜など寂しい。秋の雨は泣いてゐるのかも知れない……。」この友人の心に私は何か强く／＼引き付けられるものを感じました。この人もやはり自分と同じ想でゐるのだ。そしてこの人に逢える日の、どんなにか樂しいことを…………。

又石川啄木の詩に「ふるさとは遠く離れて懷かしむもの」何かの雜誌にてふと知り得ましたとき私は全く、腹の底から共鳴することが出來ました。それ以來彼の友人の手紙と、この啄木の詩は、ひとり故鄕に想を馳するとき、何時も必ず新しく蘇つて來ます。

今日も又報恩神社に額いて、美しい夕燒の丘の上で遠く故山を眺めながら、心ゆくばかり鄕愁の念に浸つてゐます。この時程靜かな、これ程樂しい、これ程美しい境地は他に求めることが出來ません。大いなる聖恩と、大いなる自然の中に抱かれゆく吾、そは恰も天國の花園に遊ぶが如き、一切の不平不滿を超越し、私心を捨てた幸福と平和の一刻であります。

山々は靜かに暮れてゆきます。

まだ覺めやらぬ美しき興奮を胸に抱きながら、夕風に步を歸へせば、若松の間に療舍の灯が懷かしく瞬いてゐる。

土に生きる

延圃

去年のコスモスの種が落ちたのだらう小舍の前一面に赤い莖の小さい芽が威勢良く生えてゐたそれから暑い夏にもめげずぐんぐんと伸びて凉風のそよぐ此の頃美しい花が咲いて庭一面コスモスの花ざかりだ。一本のコスモスより出來た種が嚴冬を越て春を知り、芽を出し花を咲かせ、又種子を生む土の上に運ばれる自然は寸秒の差を生じない。皆土の上の出來事だ土はあらゆるものの母であり偉大なる美と文化を抱藏するものである。

或る書物に「如何なる文化も、土を離れることによつて、土の香を失なふことによつて單なる廢墟となるにすぎない」とは實に至言である。自分等の身は今土に親しみ土の香を吸ふ事によつて病の癒えゆくのを敎へられ且、實行してゐるのだ、小々氣分の惡い時などは庭苔を踏み、萠る若草を見、鉢の花にでも水を與へる中に思はず知らず氣分が和み心中爽快になる、土は美を育て汚れを拭つて吳れる。

人は土に生き土にかへり土を尊ぶべきだ、大地に根を張る確固たる信念は如何なる困苦も、ものの數でない、國常ならぬ秋吾々は土と共に生き土を有効に使ふ事によつて「大御田族」としての重大なる使命を果さなくてはならない。

すでに大君に捧し生命である。早く癒え再び土にかへり御奉公致したい念願である。了

日記抄

ひでし

十二月二十九日　曇時々晴

古言に曰く「錦を着て故鄕へ歸る……」と、自分は今日病を得て故鄕へ歸つたのであるが、此の度の歸鄕程自分にとつて暗い淋しい氣持で歸る事は生涯無いであらう。

去る日歡呼の聲萬歲の叫びに送られて故鄕の氏神樣へも一死報國を固く誓ひ、意氣高らかに出發したのであるが、今日は又何と淋しい心持なのであらう。汽車はその樣な氣持を知つてか知らずか坦々として走つてゐる。同じ車中に來春入營するのであらうと思はれる四人の入營兵が報告參拜をするのか面白そうに語り合つてゐる。彼等は何を考へ何を語つてゐるのであろうか。きつと雄々しき決心にて一死報國を誓ひそしてお互に離れ／＼にならうとも再びは靖國の社頭で會ほうと語つてゐるのであろう。

自分は彼等の武運長久を心より祈り、そうして我々の樣な運命には落ち無い樣にと心密かに祈りを捧げたのである。色々な感情に耽つてゐる間に汽車は〇〇川を通り過ぎた。もう故鄕もすぐだ、故鄕の街も見え初めて來た、二度とは見ないつもりだつたのに。

故鄕の皆々樣許して下さい、自分は何一つとして御國に盡す事なく、澤山の人々に御世話をかけたのみにて歸つて來た事を深く／＼悔いております。どうして大きな顏をして歸る事が出來ましよう……。

汽車を下るまでは暗い／＼氣持であつたが、一度驛頭に立つて懷しき故鄕の山や家をながめてゐると何にも云へぬ嬉しさ、元氣に滿ちてまゐりました。やはり歸つて良かつた、故

鄕の山や川は自分の心を知つてゐるのか何一つ責める所なく大きな愛の心で迎へてくれました。僕は嬉しく生甲斐を感じたのである。此の上は必ず再起して銃後に於て功を成さねばならない、早速氏神樣へ誓つて來なくてはと急いだ。

四月三日　晴　神武天皇祭

昨日も今日も美しきお天氣、明日も亦日本晴であつてほしいものだ。朝の目覺めに水源池の霧は何と云つても心地良く一日の美しさもこの霧と共に初まる樣に思はれる。天氣が良い爲に澤山の布團が美しく乾してある、自分も久方ぶりにすつかり乾して氣持良くした。やはらかく暖い春の陽光にあたりながら、ぼんやりと窓外を眺めてゐると、一年生の看護婦〇〇さんが大きな棒で布團を叩いてゐるのが目につく、隣室の重患のものか大分よごれてゐる樣だ。彼女は何を考へてゐるのかいたつて無表情の樣であるが何處となく滿足そうな微笑を湛えてゐるのを讀み取る事が出來る。自分はぼんやりしてゐたがふとその姿が非常に神聖なものに見え頭の下るのを感じて「ハツ」とした。全く私心を捨てて職に殉じてゐる姿程尊い姿は無いであろう。まして淸き白衣につゝまれて純情なる乙女心の一筋を捧げて下さる姿は實に淸々しく美しく尊いものに感じられました。

〇〇さん有難う貴女の今の姿こそ、其の心こそ、難病だ、不治だと云はれてゐるこの病魔を克服する唯一の力でありま す。世に白衣の天使と謳はれるのもこの心あればこそでありましよう、何時までも／＼聖天使としての心を忘れないで下さい。

十月二十四日　淡曇り

今日は大變寒い、未だこんな寒さのものでもなさそうだが。今日は久方ぶりの外出、約半年ぶりに家へ歸るのだが弟も妹も待つてゐる事であらう。氣持の良い大澤池の畔、朝光に映ゆる美しき尾花を道の兩側に見つつ步いて行けば何となく急に病も治つてしまつたかの如き錯覺に囚れ、大きく深呼吸して見度くなる。田は一面に黃金の稔、今年は豊年である。人手不足の折柄、かく仕上げた百姓達の勞苦の程が偲ばれて今年は日本も萬々歲だ等と思ひながら菓子德の前へ通りかゝつた。表には「配給用菓子本日より販賣致します」と筆太に記され、中にはキャラメル、飴玉、おこし、ビスケット等物資不足の折柄良くこれ程集つたものと足をとめる。

これは丁度いい、療養所の者だと少しは分けて下さる樣な話を聞いてゐる、早速家の子供達に買つて行つてやろう、どんなにか嬉ぶ事であろうと、足を向けたのであるが止めにした。成程療養所の者であれば配給の菓子でも氣持良く分けて下さるかも知れない、しかし何でもない人なら決して賣つて

は戴けないであろう、僕は今こそ病魔の爲に當所にゐるが、御國の爲には何一つ盡してゐないではないか、一般銃後の人々に對して恥ずる事こそあれ決して特別の厚遇を受ける價値は全く無い者である。「買つて行けば子供達はどんなにか喜ぶ事であろう、子供達はお土產を何よりも嬉ぶのである」と思へば買つて行き度い、しかしそれは私心である。日本人は決して私心を生かしてはいけないのだ。そうだやはり子供達は可愛そうだが買はないのが正しき道だ。子供達は國家より配給される菓子に依つて滿足して行かねばならないのだ、家に歸つたら十分悟し聞かせてやろう。と再び足を返し心嬉しく驛へ急いだ。

> **ものは付「似たものは」**
>
> **天**　散つた主人と愛兒の口元　中森勇吉
>
> **地**　蔣政權とシャボン玉　西傳市
>
> **人**　橫綱に向ふ三下と支那の兵隊　加藤隆生
>
> **佳作**　茹玉子と生玉子　黑宮靜水
>
> **同**　指導官の說敎と親の說敎　茶目生

或る日の事

千種馨

時は秋！センチな秋！月は皎々と照り、ひつそりとして物音一つせず寢息のみ靜かに／＼寂寞とした夜半にふと目を覺ましあの日の出來事を腦裡に浮べた。

安靜時間もすぎた、「天氣がよいので報恩神社に參拜しようと思ひ、鳥居をくゞつて神前へ進まうとした時、私はそこに一人のお婆さんが跣足になり跪づいて手を合はし一心にお祈りしておられる姿を見たのであつた。私は、はつとしてその崇嚴といはうか、神々しさに胸を打たれその場に一寸立止つてしまつた。入所者のお母さんであらうが我子の病を一日も早く癒さんが爲跣足で而も跪まづいて祈願しておられる何と氣高い姿であらう。私はこの時あゝ親といふものは有難いものだ、故鄕では親がこのような氣持で每日／＼我子の平癒を祈つていて下さるのに、自分はそれに平然としておられるだけの精神で日々療養してゐるだらうか、見榮や體裁を飾り、若さに任せて平々凡々として暮らしてゐる。本當に勿休ない、入所した時、所長殿や指導官殿の訓示を聞き一日も早く再起奉公せねばならないと決心した。あの精神！あの覺悟で療養したならば、二年も三年も療養する必要はない筈だ。今日のお婆さんの姿を見て、本當に母親なればこそと今更ながら母の慈愛

をしみ／＼と感じた。

お母さんすみません、明日からはもつと／＼一生懸命に療養します。御風邪を召さないよう御達者でお暮し下さいと心に祈りつゝ靜かな眼についた。以上

感謝の生活

中森勇吉

凡そ人間は生れ乍らにして天地父母の恩を受け、長じて皇室國家の深甚なる御恩に浴してゐる。之れを四恩と謂つて、吾々は今日迄學び、或は日常生活に於て、一粹の飯一片の菜にも偉大な勞苦が潜んでゐることを敎へられ感謝報恩を諭されて來たものである。隨つてこの宏大なる恩惠に報ゆることが、眞の人間として生き、人生觀を解決できうるものと考へて來た。

嘗つて自分が聯合艦隊の第〇艦隊第〇〇戰隊に居つた時私の分隊長であつた杉浦機關大尉が次のやうなお話しをされた事がありました。

「日本人は感謝に生を稟け、感謝に生き、感謝を以つて死すべきものだ、吾々は絶大なる鴻恩に報ゆる爲めに喜び勇んで軍隊に入り笑つて君國の爲めに殉ずるものだ」と、全く今になつてしみ／＼その意味を解することが出來ました。

吾れが現在稟けつゝある宏大無邊の皇恩、加へて度々にわたる皇室の御仁慈、聊かの不自由も感ぜず安穩に療養の出來得るこの幸福さ、之れを思ふ時、唯盡きぬ感謝と感激の念で一ぱいです。

この恩に報ゆる爲めに、お互が日常生活の上に感謝を以つて表し療養生活即ち感謝の生活であるべきだと思ひます。今我々が一歩外へ出て緊張した地方の狀態と比べた時に於て、病人と雖へども餘りに其の生活に對して勿體ない感じが致します。吾々が安らかに臥て居る間も戰友たちは生命を屠して國家の爲めに我々に代つて戰つて居て吳れるのだ、又銃後にあつては親も兄弟も一億國民が一丸となつて、聖戰完遂のために汗して働いて居られることを思ふとき不服や不足を言つて居られようか、滿足に頂く三度の食事、全く思はずこの二つの手が合掌致します。

吾々は何かに依らず、唯有難い、勿體ないといふこの心この精神、これが醫官への信賴となり病魔征服への自信となり看護婦さんへの感謝の念となつてこそ眞の療養効果を收め得るものと思ひます。物事は考へやうだ、心は持ちやう一つだ、吾々が病氣に對して悲觀すべきでないが、決してこの有難い生活に馴れて厚いこの恩を忘れず、要は唯感謝の二字に總べてが盡きると思ひます。

我々は大東亞戰爭の發展に伴ひ重大なるこの時局と我々の現在に課せられた使命とを充分認識して眞劍なる療養精神を昂揚して再起の上、宏大なる君恩に報ずるべくお互に誓ふ次第です。以上

雪隠

山本久治

便所と言へば、すぐ臭イ、汚ナイ所、と聯想するが、之は淺薄なる見方、どうして／＼なか／＼捨て難い味はひのあるもの、ドシンと腰を落着けて、下ッ腹に力を入れる邊り、この瞬間、この時の境地何物かに譬へん。

あらゆる邪念、紛々たる不安、焦操はけし飛び無我の境しばし。之も言はれぬ境地とは之が爲に設けられし言葉ならんと覺ゆ。

人によつては詩が生れ、歌が作られ、或は又何か考への纏らぬ折などこの別天地に來ると忽ちにして解決を見る……と聞くこと少なしとせず。して見ると腹の坐つた人間の少きを嘆かれゐる今日、なか／＼以て馬鹿に出來ない修養道場。フヽンと笑つてゐる諸君!!初年兵時代この中で己が別莊と言はんばかり、我がもの顔にてムシャ／＼羊羹などを喰べてゐた者が大部分と見たるは僻見か。斯く言ふ我も亦、正直な所この一人だと告白するものなり。

冗談はさて措いて、こちらの（療養所の）便所は何れのも餘り綺麗ではない。掃除は別として、豫の言はんと欲するはよく汚す者がゐると言ふことだ。事、尾籠に屬するので申譯なき次第なれど……小便でも大便でも、よく、穴を外らすものがある。戰場で鍛えに鍛えた射撃技能を以てして、あんな大きな的を外らすとは、不思議と言はずして何であらうか。

ビタミンAとか、何とかが缺乏すると鳥目になつて夜は目が見えなくなると言はれてゐる。多分之に屬するものが斯の如き業を演ずるのだと思ふ。まあこんな人は早速眼科診斷を受けるがよし。診斷は無料安心して可なり。假初にも故意にやる者は一人もゐない。こんな者は顯微鏡で探したつて療養所の中では見付かりはしないだらうと思ふが、いろ／＼考へるに、遠慮してか、或は又、己が勢の大なるを信じてか、遙か彼方よりシャア／＼やる者がゐる樣子。諸君の放射機械の偉大にして且優秀なるはよく知つてゐる。だが然し消防ポンプと間違へられては困る。

須らく一歩前進。そんなに心臟の弱い諸君でもあるまい。更にもう一歩前進すべし。之が何よりの解決策。

急ぐとも心靜かに眞中へ
吉野の花も散れば醜し。

汚ない所ほど綺麗に、とは子供でも知つてゐる事。我が意のあるところを諒とせられ、諸君の御協力を乞ふ。公衆道德の昂揚を呼ばれてゐる今日、敢て一言呈する次第。

秋一日

M子

草はやゝ紅葉し始めた。

枯れ草に閉されてしまふ程のさゝやかな流れも、秋になれば懷しい。

鈴鹿の峯をかすめて秋の雲が去來する。澄み切つた秋空を流るゝ眞白な雲の斷片を眺むる時何か尊い、又寂しい感を胸中に抱く。雞頭萩はゆく秋の名殘を僅かに留めて衰へた姿を強い秋の陽ざしに照されてゐる。

庭の楓も紅葉し始めた眞赤に燃え立つ紅葉の鮮かさも一層秋らしい佗しさを感じさせる。何時の間にか栗も落ち始めた。何時の年も栗の落始める頃となれば秋も愈々深み行く。

深み行く秋の風に伴つて、一層寂しさを感じさせる、こほろぎの聲、庭のコスモスの下に或は壁の破れ目に佗しく忍びやかに秋を嘆くかの如くにないてゐる。私は此のこほろぎの聲をきく時、幾度と無く耳をそば立てゝ聞き入る。

更け行く夜の靜寂を徹して鳴くこほろぎの聲は恐らく誰の耳をもそばだゝせる事であらう。落葉をおびやかす樣な時雨が夜の空を馳けて行つた。

星が冷く永遠の孤獨を嘆く如く瞬いてゐる。一切が冷く佗しい秋であつた。

想ひ出

S子

淡い月の光がさし込んでゐる。喜美代はヴェランダに腰掛けて、編物に餘念がない。早く母に死なれて、やさしい父と兄の三人で、淋しい生活を過して來たのでした。學校を卒業すると同時に、頼りにしてゐる兄が召集で戰地に立つて行つた。せめて、母でも生きて居てくれたなら、と、時々こんな溜息を漏すのでした。一家打揃つて團欒に、映畫、ハイキング、色々の光景を見るにつけ、うらやましくて、小川のほとりに來ては、たゞ一人空想を描く一時を、何よりの樂しみにしてゐるのでした。

或る日、父は茶の間に喜美代を呼んだ。そこには、萩の花が、こぼれんばかりに咲いてゐるのが活けてある、靜かな部室、こほろぎが、さつきからしきりに鳴き續けてゐる。

「喜美代、お前は此頃どうしたんだね、だまつていてはわからないから云つて見なさい」「あのね、お父さんお願ひがあるんですけれど、聞いてくれる。」「お前の事なら、何んでも聞いて上げやう」『本當、お父さん、うれしい、もし、明日か

ら居なくなつても、叱らない」『それや理由によつては怒るかもしれないよ」「だけど、お兄さんが、戰地で一生懸命に働いてくれるのに、遊んで居るのは申分けない樣な氣がして、昨日新聞を見たの、國立傷痍軍人療養所看護婦生徒募集の見出が出ていたので、白衣の勇士の爲に犧牲になつて働かうと決心したの、お父さん許してくれる」。

そんな事があつてから、早や、二ケ年の歲月は巡つて、再び萩の花盛の頃となりました。「あゝ、あれから二年、光陰は矢の如しとは云へ本當に月日の立つのは早いね」『療養所に來てから、もう二年になるね』『悲しい事、うれしかつた事、皆な思ひ出のブックとしてしまつておくわ』『そうね、色々の事にぶつかつて、始めて修養と云ふ、或る一つの物が出來るのでせう、だから昔の人は、可愛いゝ子には旅をさせろつて、偉いわね」「此頃、つく／＼思ふの、泣いて暮すも一日、笑つて暮すも一日なら、面白く暮す方が、どんなにか有利かしれないわね」。

カルテの整理をしながら、友人の宮木と語り合ふのでした。いつか秋の陽は、とつぷり暮れて、散歩のクランケ達も樂しそうに歸つて來るのでした。　をはり

川柳

天　階級をきかれて髭も一寸てれ　西　傳市
地　寫眞屋が寫さぬ前のきどる顏　山下　歲暉
人　梵鐘も一肌ぬぎて彈となる　枡崎　俊三
佳作　答辭言ふ者より相手汗をかき　柴田　邦雄
〃　才藏に似たる帽子は一年生　福　助
〃　丹前が合はぬ体で五級なり　柴田　邦雄

（小品）

中尾峠

加藤武司

中尾の民家の間を過ぎると、道は露草に覆われ少しづつ登りになる。この道筋には若い白樺の美しい林が幾所にもあつて、目を喜ばせてくれる。私達二人はだまりこくつてジクザクの道を登る。道は雨に洗はれて居てひどく惡い。麓で上高地迄四時間位のものだと聞いて來たのに、私達は中尾峠の頂上迄たつぷり四時間を費して終つた。峠の頂上に着いた時の喜びは、旅人のみの知る喜びで有る。見返れば笠ケ嶽は何んと端麗な姿態だろう。中尾の部落から見上げた時の荒々しい感じは此處迄來るともう無い。

私は冠松次郎氏の著『双六谷』の中の一節を思出す。「笠岳は東西から見るよりも南北から見た方が引き締つた趣きを爲して居る樣だ。そしてそれはその拔戸岳に續く優しい頂稜の高まりにこの山の頂を見るが爲めでもあらう。笠岳の引き締つた峰頭を見るのもよいが私は寧ろ拔戸岳へ續く長いゆつたりした尾根の背筋が拔戸岳の隆起に依つて釣合よく支へられて居る頂稜の線を喜ぶ。双六谷向きに落して居る、ガレや小谷の美しい斑の樣な縞は更にこの頂稜を優美ならしめて居る。」これは黒部乘越附近より見られた感じだが中尾峠より見た感じもこの通りで再び贅言を要しない。

蒲田谷に落ちて居る穴毛谷や、その他の小谷の美しい縞は肩を張つたこのすばらしい稜線を一層端麗にして居る。然し乘鞍の四ツ嶽の中腹より望んだ笠岳の姿は如何にも豪壯で南から見たやさしい姿とは似てもつかない。山の姿は見る角度を替へるとかうも違ふものかと驚く。東を見ればこれは又すばらしい穗高の山容。私はこのいかめしい穗高の山容に對する笠岳のやさしい姿態と、そしてその膝下に此處動かぬの面構でうすくまつて居る怪奇なる錫杖岳との對照が面白い。鉛筆をなめてまづい歌を手帳に書きつける。

「穗高岳は嚴しき父か笠岳はやさしき母か錫杖は子よ」
「穗高岳のみじん動かぬ嚴しさに眞向ふ笠岳のやさしさを見よ」
「奧飛彈の山極りぬ白々と信濃の國へ霧流れ行く。」

連れのSがヘルセの峠の一節をつぶやく樣に口ずさむ。「峠の頂上で私は立ち止る道は兩側へ下り、水は兩側へ流れる。そしてこの高所で互に隣り合ひ手を取り合つて一緒に居るものが、かなた二つの世界にそれぞれの道を見出す」

Sがヘルセを讀んで居たのは大手柄だつた。私達はルックサックを峠の道場に置いて、穗高岳と霞澤岳と笠嶽とを當分に見返しながら燒岳へ登つて行つた。

三八

★詩★

秋風

中森勇吉

美しい日本の山から
輝かしい日本の海へ
今年も亦
懷かしい日本の秋風が
豊かなこの祖國を訪れる。

すべてのものが
人も牛も馬も草も木も
祖國のこの美しい
自然にふれて
心から強く蘇へるのだ。

秋は哀れと古人は歌つた
然しこれは眞の日本美が
餘つての哀傷であらう

今もやはらかな秋風が
美しい祖國の山々と共に輝いてゐる。

希望

桂樹

高原の朝明だ
泌み入る如き碧空に
給水塔をも遙に凌ぐ
大煙突から
太く獸々と噴き揚る黒煙は
そうだ　それは
再起の布望に燃ゆる煙なのだ

心

吉澤重雄

くる／＼廻る糸車の樣に
私の心も轉々と廻る。
新しい望みと舊い苦しみが
次から次へとひとつの同じい道を
圓く廻轉するばかり。

くる／＼廻る糸車の樣に
繰るものは影ばかりだ。
誰も知るものは居ないので
くすぶる想ひに轉々と
廻り廻り糸を繰る。

くる／＼廻る糸車の樣に
私の心も響ばかり。
空虚な寂しさに耐えられないで
糸繰る人の影を尋ねても
そこには誰も居たかつた。

散る櫻

霞徒子

敷島の大和心と
櫻木が
何時しかすぎたあの春に
何んの未練もありはせぬ
侘びしの秋は
やつれても

三九

きつと又來る
春を待つ。

我が世の春が
來たなれば
もの丶見事に
咲き亂れ
散つて甲斐ある
その時は
何んの惜かろ
武夫の
華とうたわれ
散るぞかし

志賀宮懷古

加藤武司

(一)春は都の薄月夜
逢坂の山越へ來れば
知るも知らぬも人の世の
悲しきえにし志賀の里。

(二)まなこ凝らせば唐崎の
松は花より朧にて
遠く離りし人の上に
馳する思ひは湖の音。

(三)春は淡海のさざ波や
志賀の都は荒れにしと
昔を偲ぶ歌人の
嘆くこゝろは山櫻。

(四)あな靑丹によし奈良山を
越へて御幸は湖の國
大和をおきて皇の
御輦の響き今いずこ。

(五)日は照らせれど影ぞなき
大津の宮は大殿は
こゝと聞けども春草の
しげく生ひたる夢の跡。

(六)古は遠き歌まくら
今は寂しき晝の夢
大宮人の船まつと
萬葉歌人のこゝろ歌。

(七)比良も比叡もうす霞
のぼれば春の高樓に
消へてあとなき空に入る
鐘の音悲し園城寺。

(八)遠きちかひは忘れねど
瀨多の渡りのもの思ひに
夕浪千鳥汝が泣けば
心もしぬに君思ふ。

〰〰〰〰〰〰〰〰

（川）（柳）

床屋にも敬禮してゐる新入所　坊子
目を病みてマスクだらけの顏となり　森田桂樹
狸寢は看護婦が來てすぐ笑ひ　西岡冬坊
療所では五級が二級に白を持ち　坊子
寢台に六尺一分が不平言ひ　福助
醫官殿かしげし首が氣に懸り　中川友峯
勝いくさ塹壕大きな鼾きあげ　西傳市

四〇

入所者對看護婦 紙上座談會

出席者	
入所者	全療棟より有志八名
看護婦	矢島婦長以下各期生有志
司會	岩間濱一
〃	長谷川正明

司會　ではこれから始め度いと思ひます。入所者の方々には殊に安靜時間中を御無理願ひまして誠に恐縮です。又婦長殿始め看護婦の皆樣には、色々と仕事の御都合もあつたでせうに、斯く多數御集り下さいまして誠に有難う御座居ます。

本日は、此の療養所で一番關係の深い我々入所者と看護婦の皆樣との間で、色々勤務上に關する相互の意見、並に希望その他御互ひの感情等、隔意のない、腹藏のない、日頃心の中に思つて居らるゝその儘を言つて戴いて、御互ひの親睦融和を高め、そして此の療養生活の益々向上を計り度いと思ひます。一二年生の方も遠慮なくどん／＼意見を發表して下さい。先づ最初に勤務に關聯したことで、御互ひの意見並に希望を御伺ひしたいのですが……千葉さん何か。

千葉　僕が一番初めですか、困りましたね……。別に改つて言ふ程のこともないですが、御互ひにもつと感謝の氣持を高めてゆき度いと思ひます。例へば一つの治療處置にしてもしてやるさせてやるといふのではなく、させて戴くして戴くといふこの氣持ですね。双方にこの氣持があればもつと／＼清い明るい生活が出來るのぢやないかと思ひます。

佐賀　そうですね。まあ我々が看護婦さん達の勤務に就て色々干渉することはどうかと思ひますが、意見なり希望なりを述べて我々の心持を知つて戴くといふことは必要ですね。

看護婦さん達が自分の任務を完全に遂行する爲には、やはり吾々の氣持を充分知つて頂く必要がありませうし、又吾々としても看護婦さん達の心持や、勤務に對する御苦勞など良く理解して、成る可く不平や不滿を押へ、感情を昂ぶらせないことが鬪病上にも特に必要だと思ひます。

婦長　今佐賀さんのお仰つた樣に、御互ひに理解し合ふといふことは本當に良いことですね。看護婦の勤務上のことに就ても、あゝして欲しい斯うして欲しいと正しいことをお仰つて戴けば、私の方でも改める處は改めて入所者の方の御氣に召す樣にしたいと思ひます。

山形　これは私の何時も感じてゐることですが、五級以下の重症者にはもつと誠意と親切があつて欲しいと思ひます。一部の方の中にはどうかすると重症者を敬遠される人がある

四一

んぢやないかと思ひますが……。

司會 そうですね。そういふことは看護婦さんの方で充分氣を配つて戴き度いですね。看護婦さんの方で何かありませんか。

正A 今の御話ですが……、三四級の方で充分自分の事は出來る人が色々の私用を頼まれる場合が多いのです。そうすると自然重症の方に充分手の廻らないことにもなりますから成る可く自分で出來ることは自分でして欲しいと思ひます。

一K 四級の方でもお茶を注いでくれとか洗濯をしてくれといふ人があります。

佐賀 この四級五級の差別といふことですが、四級患者或は三級患者の中にも、特別熱が出たとか、その他腹痛があるとか、頭が痛いといふ場合がありますね。こんな時一々診斷を受けて臨時五級にして貰はなくとも、その療棟の主任看護婦に許可を得て、一日なり二日なりの間配膳などして貰ふといふ風にしたらどうでせうか。

司會 それは好いですね。主任看護婦さんにそういふ方面の權限を與へて貰ふんですね。

正D 現在でも大体そういふ風にして居りますが……。

島根 いやあ然しね。それが徹底しとらんですよ。一二年生の人は物固いといふのか、こちらが本當に工合が惡くて配膳など頼んでも、四級だからといつて一寸も融通が利かんですよ。どうですかC子さん。

（C子さん羞しそうに赤くなり乍ら、蚤が戀を語る時の様な小さな聲で）

一C そんでもあの……他の人に惡いんですもの……。（笑聲）

司會 二年生三年生の方はどうですか。いやに眞面目腐つて濟まして居られる様ですが何か言ふことがあるでせう。そう四角ばらずに足をくずして伸ばすなり胡座をかくなり樂な姿勢にして下さい。どうですかそこのB子さんは。

三B 私何もありませんけれど、あのう耳鼻科や眼科の診斷の時、前以つて申込まずに來る人がありますがあれは困ります。それと又いくら電話をしても仲々診斷に出て來てくれない人がありますが、成る可く早く來て戴き度いと思ひます。

長野 そのことに就てね、入所者の方では全く耳鼻科や眼科の診斷を知らずにゐる時があるんです。一二年生の人が何時も配膳室の前で、黄色い聲や紫の聲を張上げて呼んでくれるのですが、中には大きな聲でようイワン内氣な人があつてね、そんな時には十五號や十六號迄聞えんのですよ。（一二年生苦笑し乍ら盛に内證話を始める）

三A 眼科診斷や外科診斷などはマイクで放送して戴いたらと思ひますが……。

長野 そうして貰ふと御互ひにいゝね。一年生の人も羞しそうにし乍ら大きな聲で呼ばなくても良いしね。

司會 その他に何かありませんか。

正B 話が一寸違ひますが檢溫の時など、「今日は(公)にしといてくれ」といつて碁等に夢中になつてゐる人があるそうですが、やはり自分の体の爲ですから確實に計つて欲しいと思ひます。

二A 元氣な人の中にはとても澤山そういふ人がある様に思はれます。

島根 然しこの(公)も大抵合つてゐますよ。第六感といふと一寸大袈裟だがピンと來ますね。自分も大抵(公)の口ですが、後で計つて見ても二分とは違ひませんからね。（と得意顔）

婦長 イヤですよ島根さん(公)ぢやあ……、島根さんの公定熱はどの位ですか。先日私が廻つて行つた時、エライ振鉢卷の勇ましい恰好で氷枕して寢てゐたぢやありませんか（爆笑）

（看護婦一同、婦長殿デカシタとばかり大いに奇聲を上げる。島根氏はと見ると一向平氣な顔でチョビ髭を捻り乍らにこ〳〵して居る）

司會 島根さん、籔蛇になりましたね。何か仕返しはありませんか。

島根 婦長さんにはわしや叶わんよ。（朗笑）

秋田 今の檢溫のことですがね。こちらできちつと計つて正確な熱を言つても、カルテには間違つて附いてゐることがよくありますがあれをもつとしつかり附けて下さい。

山形 ありやあ全く診斷の時に困るね。

正C 被服のことを一寸申上げたいと思ひますが、よく退所される方と浴衣やネルを交換する人がありますね、その爲に番號が狂つたり又無くなつたりしますが後で本當に困ります。

婦長 あの番號の書いた切布は一旦無くするともう庶務の方から頂けないのです。皆御互ひに少しでも程度の良い物を身に着け度いといふ氣持は分りますが、今後は成る可く退所者との被服の交換は止めて下さい。

正A これは別の話ですが、藥などを請求される場合入所者の方で何々を呉れと指定される方がありますが、醫官殿が症狀に依つて適當な藥を下さるのですから、何々と指定して藥を請求するのは止めて下さい。

司會 はい良く解りました。M子さん、さつきから何か言ひたそうな顔をしてゐますが遠慮なく言つて下さい。

二M 何時もよく言はれてゐることですが、何の用事もないのに詰所へ入つて來て黒板へ落書きしたり、他人のカルテを見たりする人がありますが、色々迷惑ですから詰所へは成る可く入らない様にして下さい。（一同無言）

司會 では私が一入所としての意見を述べて見ませう。詰所へ入るなといふことは、所長殿や其の他の人から良く聞い

てゐて入所者の誰もが良く知つてゐる筈です。ですから何の用事もないのに詰所に入る者はないと思ひます。が然し若しあるとすれば、看護婦さんの方で「邪魔になるから出て行つて下さい」と言つたらどうです。大体この、一部の入所者が詰所へ入つて云々といふことは、用事もないのに詰所へ入る入所者の方も勿論惡い。けれ共之に對して、冗談や其の他要らぬことを言ひ乍ら相手になつてゐる看護婦さんの方も惡いんぢやないかと思ひます。私に言はせればその責任は寧ろ看護婦さんの方にありと言ひ度い位です。（發言する者なし）

司會 まあ話が一寸固くなりましたが、成る可く柔らかな氣持になつて何か他に……。

福島 あのね、之はよくあることですが、まあ假に重症者が熱か何かの爲に氣分を損ねて無理なことを言つて怒つたとしますね。こんな場合看護婦さんの方は、私が正しいのだからといふので何處迄も我を通さうとされます。一方患者の方は瘠せても枯れても男一匹ですから、途中で自分が一寸無理かなと氣が付いても仲々素直に讓れないものです。こんな時入所者の方が無理だと判つてゐても「すみませんでした」とでも素直に言つて戴くと、怒つた方でも何か非常に淸い尊いものに觸れた様な氣がして、自分自身が恥しくなるものですこうして戴けば看護婦さんの方でも長く辨解する時間も省けますし、御互ひに氣不味い思ひをせずに濟むと思ひます。併しこれは年の若い看護婦さんには一寸無理かとも思ひますが……。

奈良 同感ですね。患者が無理を言ふのも或る程度病氣がそうさせるのですから、看護婦さんの方もその氣持になつて接して戴くとよいですね。これは私が何時も遺憾に思つてゐることなんですが、まあ勤務上何か一つの失敗があつたとします。するとその責任を互に塗り着け合つて、誰々さんに言つて置きましたとか、あの人が斯う言ひましたからとか、盛に辨解する人がありますが實際見苦しいですね。女は女らしい素直さと優しさがあつて欲しいと思ひます。

長野 看護婦さんの方で素直に詫びられるとこちらでは却つて、こんなことを言はねばよかつた惡かつたなあ……と自已を反省する氣持になります。

司會 看護婦さんの方、ばかに靜かになりましたね。S子さん何か希望があつたら言つて下さい。

一S 希望と言つても、あの……文句でもいゝですか。（笑聲）

司會 文句？結構です、どうぞ。

一S 溫濕布やその他の處置をしに行つても部屋に居らなくて、後になつてから「オイ俺のは出來んか」（失笑）といつて怒る人がありますが、大抵時間が決つてゐるのですから部屋にゐて欲しいです。

一B 食事の時なんかでも散歩やその他色々の都合があるでせうけれ共、なるべく定時に食べて戴き度いです。でないと食器返納の時困りますから。

千葉 そうですね。斯う言ふことは我々の方で氣を付けなければいけませんね。

一A それから未だあの……溫濕布など私達がしに行くと「お前なんかにして貰ひたくない、〇〇さんにして欲しい」などと人の好き嫌ひを付ける人がありますが、折角こちらが誠意を持つてやつて上げやうと思つても、そんなことを言はれると本當に氣分が惡くなります。

福島 そうですね。例へ冗談にしても若い看護婦さんにそんなことを言ふのはどうかと思ひますね。

二B 程度の過ぎた冗談や、餘りの惡戯は止めて欲しいと思ひます。

三C 朝のお變りのことですが、私達が行くと變りないと言つて置き乍ら主任殿が後から行かれると、腹が痛いとか藥をくれとか診斷を頼むとかいふ人が澤山ありますが、あれはどう言ふ譯でせうか。

司會 さあそれは……、中にはその時言ふのを忘れてゐて後で氣が付いて言ふ人もありませうが、私などは症狀の變りつまり診斷や藥や其の他睡眠食慾等は三年生の人に、その他のことを主任看護婦さんに言つて居りますが、それで良いんぢやないんですか。

正D 入所者の方の中にはその區別がはつきり分つてゐない人がありますが、此の際はつきりして戴き度いと思ひます。

正C それから良く一二年生の人に「主任を呼んで來てくれ」と用件も言はずに言付る人がありますが成る可く用件を言つて下さい。手の空いてゐる時には直ぐ行きますが、色々と仕事もありますので、急の用事か後でも良いのか分らず困る時があります。それと又、部屋に呼ばれて注意など受ける時、他の方から水を入れるといふのか空氣を入れるといふのか（失笑）、色々のことをお仰つて頭がこんからがつて仕舞ひます。元氣な方なんか、出來たら醫療室へでも來て貰つたらと思ひます。

婦長 中には同じことを注意するにも繰返し〳〵三十分も一時間もする人がありますが、他の仕事もありますから出來るだけ簡單にして戴き度いね。（笑聲）

司會 どうも我々の方が分が惡いですね。ぢや御互ひの意見はこの位にして置きまして、入所者に對する、又看護婦に對する、日頃の感情とでも言ひませうか、そういふことに就いて誰か一つ……佐賀さん。

佐賀 現在、この國を擧げて喰ふか喰はれるかの一大決戰をしてゐる時、我々は何の不自由もなく安穩に療養出來るのは、勿論皇恩の厚きに依るものですが、然し、蔭に陽に直接

我々を御世話下さる看護婦の皆様にも衷心より改めて感謝の意を表し度いと思ひます。

我々の如き胸部疾患者は、直接看護者より受ける色々の精神的影響が殊に大きいのぢやないかと思ひます。親や兄弟に看護して貰つてゐてさへも種々の不滿があるものです。況してやそれが他人といふことになると、一寸した言葉や態度の違ひから思はぬ心の開きが出來、口には出さなくとも色々の不滿を感じて興奮を覺える、こんなことが病狀に關係してくるといふ場合も多いと思ひます。誰でもそうであると思ひますが、我達は物質的の何よりも、眞に愛の籠つた溫かい心の慰めを貴方達に望んで居るのです。本當に誠意を持つてやつて戴いたことならば例へそれがどんなに不味くても、又失敗しても、決して怒つたり文句を言つたりする氣にはなれません。併し時には不合理な小言を受けて感情を害される人もありませうが、そんな時にはどうか大きな心持になつて赦して戴き度いと思ひます。皆さんは、自分の職業に對してもつと〳〵誇りを持ち光榮を感じて戴き度い。そして今後共益々眞面目な看護婦道に精進されまして、立派な日本女性となられんことを切望します。

司會　大變有難う御座居ました。次に福島さんどうぞ。

福島　只今の佐賀さんの御話には全く同感です。私の樣に一年も一年半もの永い療養生活の間には、色々と無理な小言をいつたり又怒つたり致しましたが、考へると全くお恥しい次第です。子供と言つては失禮な言ひ方かも知れませんが、皆さん達は私達と較べたら皆十年近い年齢の差のある方ばかりで、全く可愛いゝ妹も同樣です。當直の晩など、夜中の二時三時頃巡廻して居らるゝ姿を見ると、如何に職業柄とはいへ全く感謝の氣持で一ぱいです。可哀そうだとさへ思ふことがあります。未だ〳〵遊びたい盛りの貴方達が、毎日々々こうして一生懸命に勤務に勵んで居られるのを見ると、私達は何とも言へない勿体ない氣がします。現在の私達は、自分の親や兄弟の誰よりも皆貴方達を一番信じ、一番賴みにしてゐるのです。此の体が治るか治らないかといふその鍵迄貴方達に托してゐるのです。皆さんの眞心ある看護に依つてのみ、この病氣の苦しみも打忘れ、必ず治る否必ず治して見せるといふ固い信念が持てるのです。遠い戰地へ殘して來た幾多の戰友の身を想ふと、本當にじつとしては居られない樣な氣がします。一日も早く全治退所して、再び第一戰に又銃後にて御奉公することが、せめても皆さんへの御恩返しの萬分の一だと思つてゐます。

司會　では看護婦さんの方で誰か御願ひします。

一B　只今の御言葉身に沁みて嬉しゆう御座居ます。西も東も分らない私達が、實社會への第一步としてこの療養所へ勤めさせて戴いてから早七ケ月になります。二ケ月間の準備教育を了へて、愈々明日から療棟勤務に出るといふ時には本當に何とも言へない喜びと、又一種の不安が御座居ましたが皆優しく可愛がつて下さるので何の心配もなくなりました。中でも重症の方のお傷しい姿を見て本當に御氣の毒に思ひました。出征される時には皆黑鐵の樣な健康な御体で、あの凛々しい軍服姿だつたのに、戰地で色々御苦勞下さつた御蔭で今こうして寂しく療養して居られることを思ふと、本當に御氣毒で御氣毒でなりません。私は益々修養に努め勉強に勵み立派な看護婦となつて、及ばず乍ら皆樣の爲に一生懸命に盡し度いと思つて居ります。

司會　次にA子さんに御願ひします。

正A　私達、看護する身であり乍ら先程は色々と愚痴ばかり申上げ誠に濟まなく思ひます。私達の日常の勤務が、果して入所者の皆樣に滿足して戴いてゐるかどうかを考へます時誠に心寒いものを覺ゆるので御座居ます。野戰からこの療養所へお見えになる迄には、澤山な病院を經て來て居らるゝことと存じますが、陸軍病院でしたら皆一人前の衛生兵、一人前の看護婦の方ばかりに看護されて來られましたのに、此處では殆んど全部が皆修業中の者ばかりで、勤務の上にも色々不充分な点が多いことと存じますが、それでも不平一口お仰らず「看護婦さん有難う、濟まないね」と優しい感謝の御言葉を頂く每に、私達は只々頭が下るばかりで御座居ます。

看護の甲斐あつて、晴れの退所をなさる方を御見送りするあの時程嬉しいことは御座居ません。直接御世話申上げた方々が元氣なお顏で「色々御世話になりました。愈々退所です」と挨拶に來られるあの時の喜びは何にも譬へ樣が御座居ません。どうか入所者の全部の方が—必ず治る—といふ固い信念を御持ちになつて、急らず緩つくりと療養に專念して戴き度う存じます。そして御入營前より以上の御体になつて、目出度全治退所されます樣私達一同偏に御祈りして居ります。

司會　どうも有難う御座居ました。大分時間も經ちましたから此の邊で閉會したいと思ひます。今後共度々こうした意見の交換をして、看護者對被看護者の間には心のこだわりを作らず、入所者は明朗なる療養生活を、看護婦は眞に樂しい勤務を、そしてこの時局を良く認識し、各々その分を完うしたいと考へるのであります。では皆さん色々と有難う御座居ました。終り（編輯文責岩間）

理想的体重

体重は一体どの位あるのが理想的か。簡單で、しかも要領を得た計算方法に次の樣なのがある。各自やつて見給へ。先づその人の身長を糎で計る。次にその數から百を引き、殘りの數を瓩で表はせばよい。例へば身長一五五糎の人なら、五五瓩あれば理想的な体重と言へやう。

マレーの御伽話

安田久治

どこの兵營へ行つても、どこの火藥庫衛兵に立つても、其の土地土地の七不思議や奇談怪談があつて、夜長の徒然を癒したり又は初年兵をいやがらせたりする樣に、マレーへ行つても矢張りそれがつきものであつた。又日本に種々變つたお伽話が所々にある樣に、矢張りマレーにも種々異つた面白いお伽話がある。けれども其處に國民性を異にし、土地風俗を違つてゐるだけにどこか筋道の特異性があつて、我々大和民族にはピンと來ないところがないでもない。以下其の二三を拾つて見る事にしよう。

一、羽衣の傳說

（マレーの羽衣傳說であるマリムデマン物語は三保の松原の天人の話に類似の点がある）昔パンタル、ムアルと云ふ國があつてゴムパン、デワと云ふ王が住んでゐた。その王にはマリム、デマンと云ふ王子があつた。或時アリム、デマンは夢の中で一人の聖者から奥地の仙女の家に未來の花嫁たる世にも美しい天女が來るから其處へ行けと云ふ御告を受けた。そこで彼は多くの家來をつれてその森の奥へ向つて出發した。その間に何年もの月日が流れて多くの家來の中の半數は死し半數は國へ戾つて、彼に從ふものは愛犬のシシクムパン唯一匹となつてしまつた。やがてマリム、デマンは寶石入の金の鉢が河の中を流れてゐるのを見付け、シシクパンにそれを取らせた。その鉢の中には指環と一本の毛髮とか入つてゐた。彼はそれを持つて仙女の家を目指して旅をつゞけた。

やがて王子は其の仙女に出會つた。仙女は彼の携へて來たものを見て、それは七人姉妹の天女中の一番年若の姫の持物である事を知り、彼女達が天から降りて來て水浴をしてゐる間に、その一番若い天女の羽衣を盜む樣にマリム、デマンに命じた。そこで彼は老漁夫に變裝してこつそりとその羽衣を盜んだ。やがて水浴から上つて來た天女の中六人は羽衣を附けて天に飛び上つて行つたが、一番下の姫だけは羽衣が見附からないので方々を探し廻つた。そこで漁師に變裝してゐるマリム、デマンに遇ひ、多分此の漁師が盜んだものと考へどうか其の羽衣をかへしてくれと賴んだ。マリム、デマンは最初の間は知らぬ存ぜぬと答へてゐたがやがて自分の身の上を打明け戀を告白し、變裝を解いた。すると如何にも貴公子らしい眞儉なマリム、デマンの本當の美しい姿を見た其の天女は彼の戀をゆるし、二人は目出度く相連れだつて歸國し結婚したのであつた。やがてマリム、デマンは父王に代つて國を治める樣になつたが、彼は昔關係のあつたシシクンパン、チナと云ふ女官に夢中になつて妃を顧みない。度々注告したが相變らすマリム、デマンは其の女官にふざけてゐて、妃の處に來ないので妃は終に愛想をつかす樣になつた。或夜のこと十四日の月が煌々と照つてゐた妃はふと宮殿の柱の所に羽衣の端がちらついてゐるのを見附け、早速それを取り、二人の間に生れた子供をつれて天國に歸つてしまつたのであつた。後になつて此の事を知つたマリム、デマンは非常に後悔し終に妻を追つて天に行く事を決心し、妻を探しに出掛けたのであつた。そして終に二人は再會して幸福な生活に入ることとなつたのでる。

（??奈良猿澤池畔の衣掛柳に出る羽衣、三保の松原の衣掛松の傳說に出る羽衣、本題に出てゐる羽衣は皆同じ天女の用ひた羽衣であるが、一体此の羽衣と云ふのはどんなものであろうか？？•）

二、小鹿物語

（今度は日本の因幡の白兎に似てゐるお伽話である）

昔ある處に小賢い小鹿が住んでゐた。或日彼は河へ遊びに出たら、向ふ岸に一本の樹があつて眞赤な實が澤山なつてゐるのが見えた。その實と云ふのはラムブタンに似たもので小鹿に大好物、さあどうした向岸に渡つてあのおいしい物を食べる事が出來るだろうかと小鹿は考へたが、遂に彼は椰子の木陰から斯う叫び始めた。

『おーい鰐君たち！この河に居る諸君よ、浮き上つて來てこちらから向ふ岸まで竝んでくれ給へ。俺はソロモンの王樣から君等の數をしらべる樣に云ひつかつて來たのだ』

これを聞いた大鰐も小鰐も全部浮き上り向ふ岸まで河一杯に、胸をはつて行儀よく整列しました。さて小鹿は鰐の上に乘つてぴよん〳〵と跳ね乍ら、一ツ二ツ三ツと椰子の實で鰐の頭をこつん〳〵と叩き乍ら進んで行つた。

『どいつもこいつも頭が高い。もつと頭を下げろーぽこん〳〵』

斯うして無事に對岸に着くと、直ちに陸へ跳び上り

『おい鰐君！うまくだまされたナ！俺は赤い實を食べたいからソロモン王樣をだしにしてお前達を竝ばせたまでさ、ワニどとも小ジカシイ者にはかなわんとあきらめるんだネ』と捨て台調を殘して、美味しい實を喰べはじめた。そこで怒つたのは鰐共です。

『よし！小鹿奴まさかお前は水を飮みに來ない事はなかろう。その時こそ俺達はお前を食つてやるからシカと承知しろ』

『いゝとも、うまく食つて見ろ馬鹿野郎』と小鹿はそれに斯う答へました。

さて小鹿は赤い實を喰べ終つたが、無性に喉が渴いたので水を飮まうと、とある沼地に下りたすると、あちらからも、こちらからも鰐どもが首を出して睨みつける。小鹿は弱りはてゝ『あゝ困つた俺は水を飮みたくて心棒が出來ない』と、とう〳〵さきの河岸へ下りて、鰐の這ふ音にもかまわず、ごくん〳〵と飮み出した。その音で近くに警戒中の鰐が機を逸せず小鹿の脚を摑んだ。小鹿は〃ワアッ〃と驚いたか即坐に

『やい馬鹿野郎！そりや俺の脚ではないぞ、俺の本當の足はこれだ』と沈んでゐた竹の枝をゆすぶつた。鰐は「しまつた」と小鹿の脚を放して竹枝に摑みかへた。小鹿はすかず陸に跳び上り、〃餘り强く嚙むなよ痛いからョ〃と云ふと鰐共は澤山集まつて來て『こん畜生、さつきの仇討だ。くたばれ』と小枝を激しくゆすぶつて嚙みくだいだ。

小鹿は『その態はなんだ！竹の枝ぢやないか』とあげると亦もや欺された鰐は恥しがつて顏あからめ、口惜しそに沈んで行つた。それから小鹿は滿腹した身休を近くの蟻塚に橫たへてぐつすり眠つたのであつた。

（と物語は之で終りであるが、因幡の鰐と違ひ正直な鰐は最後まで馬鹿を見て反向してゐないところに、傳說から見た民族性の差違と云ふものが窮知出來るではなかろうか？？、次號には續いて猿の生膽に就てお話を致しましょう）

臼井大翼先生を迎ふ

時初秋九月二十四日、待望の日本文學報國會主宰の愛國短歌講演會を本療養所にて開催せらるることとなり、講師として東京より、臼井大翼先生を御迎へした。

この日、秋の空は澄みに澄み白雲一つなき碧さをたたへて先生を迎へるにふさはしい。吾々の心も大先生を迎へる期待にふるへてゐた。

八時、玄關にお迎へした始めて見る先生の御顏は謹嚴そのもの、ちよつと近寄りがたい感じ。十時より壽康館に於て御講演下さる。先生の御話は御製に拜す明治天皇の日露戰役に於ける御軫念の程に始まり、總べての生活が日本精神を基とし大君に歸一し奉らねばならぬと烈々日本精神に歸るべきをさとされ、作歌に當りても特別の方法があるのではない、技巧に賴つてはならぬ。只々眞心の叫びを歌へば稚拙は稚拙なりに人の心に訴ふるものがある。即ち歌がいつまでも生きるのである。作歌の修業は筆先き、口先きばかりで上達するものではない。一途に自己をみがくことのみに依つてなされるのである。と壯重なる口調で悔々と說かる。心底にひびく先生の聲に傷兵一同身じろぎもしない。

最後に、吾々と同じ傷痍軍人であり、歌集「秋苑」を殘して靖國に歸つた、岩泉美鳥氏のことに及ばれ、その肺腑をつく魂の作品を讀みあげられれば、先生の眼にも光るものあり傷兵も感動の極みにあつた。よみあげられた內に

みいくさにいたつきし身はなげかねど
　　何時まで病まば起たしめたまふや

に至りて短歌の按つ至高の藝術性をはつきりと再認識したのであつた。

十三時より、日本間に於て歌會をひらく。この日先生と共に御來會下さつた印田先生、渡瀨、中瀨、川北、阪倉、落合中屋、伊東の諸氏に五十鈴會員と一般入所者數名を交へて參拾余名、日本間もせましと居並ぶ。一首一首、緊張の內にも思ひ切つた批評がとび、臼井先生又盤石の如き御批評をなさる。あの謹嚴な顏が時にほころび慈父の如き柔き御言葉を交へて吾々初心者を御指導下さつた。

かくていつもと變つた雰圍氣の內に歌會を終る。時に十六時半、記念撮影をして閉會した。

今日一日は一同にとつて最も深き印象としていつまでも頭に殘ることと思ふ。最後に、吾々傷痍軍人に對して非常な御援助を賜りました日本文學報國會及び御多忙中を遠く御出で下さいました大翼先生に對して厚く御禮申し上げる次第です。（大角記）

五〇

南方の花

印田巨鳥

事務卓の傍に佛桑華夥しく花咲ける折、司政官として赴任の友告別に來る。即ち

劒の音しづかに腰をおろしたる卓上專ら佛桑華匂ふ

司政官の顏は明るく南の花に向ひてすでに空航ごとし

けふ君のよろこびに如かく逢はめとぞ置き花ならず偶然といへど

召されたる司政官の君つくづくと佛桑華のいろ淡きを嘆く

話やがて亢奮すべきところよりいつ轉じたる別れて思ふ

南に友つぎつぎに發たしめて心緊りぬ期するあらんとす

わがどちの心はづみてゆきたりし南方の花机にゆらぐ

五一

すゞか歌壇

印田巨鳥選

明からす枝たち際の一聲が餘韻ひゞらぎぬ霧ふかき鎔

ねむごろに移ろふ霧の刻ありて貯水池の面やゝに照り澄む　　井上博嗣

燈火管制の暗きベットに戰況のニユースもらさじと耳をそばだつ

裝塡の音こゝちよし砲側の十二の瞳見合して笑む　　西傳市

すでにして君に捧げし吾なるに生命再び享けしめ給ふ

再びを享けし生命ぞ今日よりは心一筋に生きばやと思ふ　　大角喜敎

臼井大翼先生を迎ふ

先生を迎ふる日はも近づけば心待ちつゝ起居愼しむ

寫眞の先生を胸にうかべつつ待合室にたのしかりけり　　河村幸雄

大君に仕へまつれとのたまひし母の言葉の胸に沁みくる

身はすでに國に捧げしものなりき病を得てや吾は還れじ　　徒霞子

花罌粟の一片一片散るさまをつばらにも見つ病牀にありて

「牛のごと歩み癒せ」の一句一句うら沁みて聽くいまは去りますす（草野所長退官）　　河原可水

雲の上に月あるらしもそよ風にゆらぐ梢は薄明りせり

いたつきて再び召されぬ身にしあれど大き戰果にうづく心や　　加藤信一

我が夢に夜每に通ふ惠那岳のやさしき尾根に月の光澄め

み冬づく鈴鹿の嶺にあなあわれ朝夕べを雲嚴しき　　加藤武司

五二

よべの雨晴れて靜けき朝かも葉がくれに動く枝雨蛙

朝まだき鳥の鳴きかふ山寮に目覺めゐにつゝ何も思はず　　田口國夫

大君に捧げし生命わずらひてたゞ細々とこの身養ふ

幾度か死線をこえしこの生命病ひに吾は斷じて死なじ　　竹岡佇人

限りある運命にあらは御軍の庭にたたせて終らせたまへ

血を吐きて身を橫へどはるかなる南にわれの思ひは走る　　田邊喜由

ためらひもなく投げ出せし命かも病みて惜しむを吾れあやしめり

おもむろに針さす位置をきめたまふ醫官の指の冷たかりけり　　內藤武

衛生講話始まる前のひと時を寄り佇つ窓にふき入る秋風

病室の風になづさふ白蚊帳によごれ目立ちて秋立ちにけり　　中川友峯

アリユシヤン擊てりと傳ふ時にかも練習機の爆音頭上に嚴し

シドニー港深く探りて敵艦艇碎けば己歸還せずとふ　　中島翠峯

秋の陽を背に浴びながら傷兵の白衣つくらふ乙女ほゝえめり

命ありしことをみづから疑ふと書く戰友の文を今日讀む　　中山夕起緒

裏谷の繁立くらき松林に藤の若葉はひそと明るし

活け終へてカンナの花にひと時を向ひてをりぬ心豊かに　　野々垣七男

野も山も村もかげりて連山の入陽は紅く頂そめし

黑潮のさかまくなかを音たかく汽船は歸るなりこの入江さして（四日市眞砂濱）　　山田正雄

雉子啼く雨の一日を討伐に殘りし兵等手紙書き居り

梅雨昏き眞晝の山に兵練りて嚴かなれや重機うつ音　　松本文男

五三

喫殘せし一本の莨も戰友の墓前に捧げて吾ぬかずきぬ（戰友戰死す）　桝崎俊三

咋日まで飯盒の飯分ち合ひし戰友の墓前を退りがたし吾は　佐々木つねと

南の島に似し雲と思ふまも流れ移りて窓に隱くるる

大空に練りしいのちぞ益良男の怒りはもえて爆ぜつうちつゝ　佐藤英史

御仁慈の御下賜練乳手に持ちつ其の重みはや今も忘れず　佐野仁之

兵營にひゞく忽ち飛び起きる起床ラッパをも一度聞き度し

菊作る術は知らねど朝々に鉢置き替ふることだにたのし　坂川賢一

母上の髮結ふことも覺えしと幼なき妹がたよりよこしぬ

療訓をひたに守り來し二歳や癒えゆく日々を吾うたがはず　木村利勝

退所の日近く迫りし病窓に風は稻穗の香を運び來る

戰ひし遠き記憶を思ひ出ておどろの路にふみなやみたり　水谷佐助

白南風をすがしみゆきて隱り沼のあをき水の面のさざ波を見つ

斃れたる馬の頭を持ち上げてくつわはずしつつ心堪えぬかも　柴田邦雄

たてがみに我が御守りを結びつゝ歸還の朝を別れ惜めり

繪襖を隔てし部屋は玉座にて不覺に放つ聲をおそれぬ（關地藏尊）　白崎薫

み佛の眉重げなる御眸に寒き外光の及びかねたる

釣る人もなき大澤池の水澄みて岸邊にそよぐ芒枯れたり

多近き大澤池は暗けれど鈴鹿嶺に明く陽のあたりたる

五四

老母の送り給へる小包に木犀の花そへてありたり　ひろし

窓越えて朝夕にみゆる鈴鹿嶺は故郷の山に似しところあり　日比野弘次

恩寵に馴れむとするをあさなさな五訓誦して心ひきしむ

今に生くる喜を持ちて病愁によりゆく心とゝのへむとす　日南延郎

裏山の赤松幹を這ひ傳ふ熊蟻あまた今日も續けり

アメリカの週間紙ライスに載せありしてふ東京明細地圖朝刊に見ぬ（十月二日）　森田寅藏

朝夕に病癒るを祈るとふ君のたよりに目がしらうるむ

久々に散歩に出でし目のかぎり稻の垂れ穗のおも〳〵ゆるゝ　與志子

寄宿舍の門邊に咲けるかたばみは日かげにあわれ花を保てり

戰の大いなる世に看護婦われ務めは重し日日を勵まむ　米田みち

汁の香のこもらふ厨に水仕する朝な朝なを滿つる思ひす

指先のインクのしみを拭ひつゝ今日の一日を省み思ふ　堤千草

小夜更けを友と語りし我が聲の高きに氣附きひたと默せり

かたくなの人の感情もやはらぎて看護する身の今ぞ樂しき　嶺子

喀きし血の頰に傳ひししみ痕を拭ひやりつゝ心耐えぬかも

細々と啼く虫の音にふるさとの母を偲ばつつ寢惜みすも

×　×　×

五五

夜長

長谷川素逝

とく閉めて雨の夜長と灯の夜長

長夜讀む志士ら毛唐を斬り捨てし

夜長なるおのも更けゆくものの影

につぽんを寒しといふ俘虜なほ寒かれ

讀み更けて燈下さむざむと耳さゆる

五六

菊

鈴木峰湖

日曜のくつろぐ心菊手入

三日月のいつか失せをり菊の空

蜻蛉は虚空に失せぬ菊日和

菊活けて銀屛の銹おのづから

棚に据えし懸崖菊の影微塵

五七

五八

すゞか俳壇

鈴木峰湖選

病む身には讀書がたのし秋灯下
又一人友の訃報やちゝろ鳴く
里の子は皆すこやかに芋の秋
虫更けて一つのこるは看護の灯
月の友得て療養所一トめぐり
診察を受く背に多の日の溫くり
山の子の大きな聲や茸とる
虫喰ひの鐘と傳へて寺の秋
秋風や土堤の上なる水禍の碑
汽車涼し水の桑名の灯が流れ
蜻蛉のふれし水輪のひろごりぬ
夏瘦の膝をそろへて句座にあり
いちにちの靜臥にながい夜が來て
山の日が簷のすいきにあたゝかく
仲よしのおはじきの子の障子の日
靜臥日々窓の葵の咲きのぼる
巡廻のランプが蚊帳を照らしゆく
月涼し松影踏んで隣寮へ
白蚊帳のたるみ撫でつゝ靜臥かな

石原三水
稻垣芙蓉子
保浦城月
辻輝城子
村田幸靜
上島かづを
松谷茅月

五九

足裏のやゝに冷えつゝ今朝の秋
白萩や肥えたることを母に書く
祖母の世の夜なべばさみの鈴の音
みとりひま夜なべものなと取寄せん
夜なべの手休めしめたる詑言ふて
病閑の摘菜洗面器にすこし
誰彼の退院ばなしちゝろ鳴く
床屋出て斷けし夜寒の月を背に
癒えてゆく身に朝々の菊手入
我のみの神苑朝の霧深し
看護る灯は霧の玻璃戸に夜もすがら
癒えてゆく命うれしく秋の風
ゆたんぽをさげてすた〳〵長廊下
誰もゐぬ弓道場や萩の雨
部屋掃除庭の掃除と百舌鳥日和
ひつそりとして境内の蓮の池
端居して常會やつと初まりぬ
看護婦の時折見えて萩の窓
衛門の屋根いつぱいの落葉かな
試歩たのし鳴子の繩を曳くことも
鬪病の鍬打振う日燒かな
征く人を峽に送りぬ濃龍膽

古田藍水
道村靜湖
平野粹子
石本白木
早川ひいづ
濱島武
西傳市
新口木石
堀江三露子

六〇

秋風や白子濱町なまぐさき
弱き身のよく風邪ひくと笑はれて
灯を消してみんな涼みに出でにけり
彼我の陣濃霧の中に明けそむる
退きし敵影遠く草紅葉
麥を刈る技にも慣れて銃後守る
歸省子に廻送の便屆きけり
退院の眞近き兵の夜學かな
黄昏れてなほ賑やかに子等の秋
山寮に鈴鹿の霧がきてつゝむ
朝の日のまだ山かげの稻を刈る
一せいに伊勢の稻刈始まりぬ
稻船のすぎて杭ぜに波さわぐ
吹く風に夜空の星もすでに秋
病む身には秋の訪づれ待つばかり
稻の花はるかに小さき吾が母校
歸る子が下駄を鳴らして行く夜寒
秋の蚊帳干して療舍や山日和
退所後のはなしばかりの秋灯下
夕蜻蛉行く手に生れ試歩たのし
かまつかに雨美しき日なりけり
高原の星の流るゝ夜となりぬ

小倉陽苑
大平湯谷
加藤可川
田村旗風
中山夕起緒
中川友峯
村田梅三
野呂山莊
小林丘翠
淺野綠石
坂川まさる

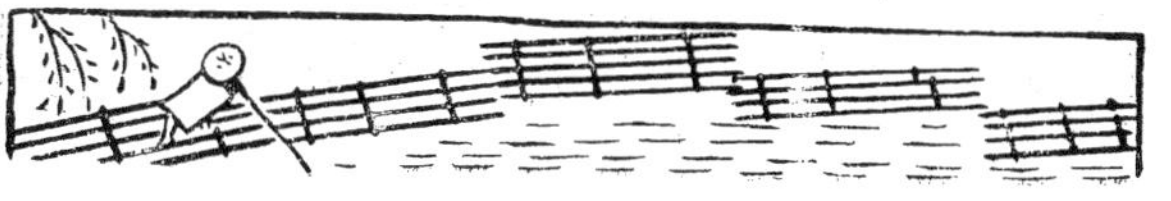

六一

蜘蛛が圍を細かく編めば雨と云ふ
息白くひたすら乳を搾りゐる
朝まだき菊挿しかへて明治節
ならはしの仕事のまへの焚火かな
登校の友を待つ間を風除けに
水打つて法主の庵と云ふからに
退所者を大夕燒に見送りて
散る花はみな散り雨の鳳仙花
しばらくはふきこむまゝに喜雨の窓
日向ぼこしてゐて老の留守居かな
傾きし鷄舍に柿を吊しけり
朝霧の町に白樺細工買ふ
訪ひし友居らず菊見て歸りけり
名月に照らされ白衣尙白し
さや〳〵と松に風ある良夜かな
木犀の匂ふ窓邊に靜臥守る
笹鳴きや湖のほとりの靜けさに
みとりめのしばしのひまを毛糸編む
松手入すみたる庭に雨靜か
まだ一機かへらぬ空の夕燒くる
野の果に入日の濃さや柿の村
焚火すやかわる〴〵の薪ひろい
退所者の此の頃多く寮の秋
菊白くその眞白さをいつまでも

佐野奇子
水野三郎
杉田童心
鈴村英子
千種千秋子
太田曉生
加藤武司
金子凰子
中井伊之助
中森快雨
野田桃村
黒宮靜水
山下歳曄
後藤稻太郎
佐伯有一
白崎薫
森田桂樹
鈴木鴻飛
しづ女

創作

千代子の幸福

西條吉次

暮れ行く秋

とりどりの花は萎みて
　行く人に名殘りとゞめぬ
　蕭々と落つ名も無き木の葉
　深み行く秋の足音
啼く蟲も今はたへ〴〵
　細りたる名殘の調
　人通る道はなけれど
　裾ぬらす露はありけれ

秋晴れの野から流れる歌の調は、一入の哀愁をこめて、慕ひ寄る胸はいつか涙となつた。色づいた木の葉の感傷は靜かな風に散つて居る。

柿の實は紺碧の空に浮んで巣立ちした鳥の啄にまかせ、芝に覆はれた野原に色褪せた桔梗が風になぶられながら道行く人に名殘の香をとゞめて居る。湖の水は山影を映して余りある。黄色く色づいた櫟林が山につゞいて眺められる。歌聲はその野邊から流れて來る。上品な花模樣の袷も輕やかに肩に手を掛け合つて睦まじさうに芒の道を踏み分け合つて歩き乍ら歌つて居る。二人の娘は思ひを込めて歌ふのであらう。

乙女の胸に宿る青春の哀愁が訴へるかの如く響いてゐる。日燒した顔なれど物思ふ瞳は無限を凝視めて、無意識に摘み取る芒の穗に戯れる指先は身體とは別な生物であるかの樣に躍つて居た。いつか歌を止めた一人は遠い空を見ながらつく〴〵と云つた。

「秋つていゝわねえ私一年中で一番好きなのよ」「私も……」「さう云へば戰線も秋でせうね……私戰地を思ふと、何時も頭に浮んで來るのはお國の爲に戰死なさつた勇士の方々なの激戰に斃れて最後を前に萬歳を叫びながら秋草の茂る野に勇しい戰死をなさるのでせう、その屍に野の虫が悲しい葬曲を奏でゝゐはしないかと」「さうね」「それを思ふと、たまらなくなつて泣けてしまふの」二人は立ち止つたまゝ無言で遠い野戰の勇士に思ひを馳せた。と急に背の高い丸顔の娘が云つた。

「それはさうと此の頃お兄樣からお手紙が來て」「いゝえ」「もう隨分と長い間來ないのね」「えゝキット書く暇がないのでせう』「さうかも知れないわ……今頃は第一戰で彈雨の中を戰つて居るのでせうキット」「えゝ」「お怪我でもなさらなければいゝんですが」「そりや大丈夫よ!」「どうして、私なんだか心配だわ、でもお兄さんは平常からとても勇敢だつたでせう、私毎日お宮樣にお詣してゐるのよ、お國の爲に立派な働きをして、そして御無事に凱旋なさる樣にと」「まあ……」「だつてあたしそれが眞實の心なんですもの」

娘は心持ち顔を赤らめて俯いた。此の娘は千代子と云つて今年十九の娘ざかり、いつも遊ぶ惇子とは無二の親友で、しかも惇子の兄の登とは許婚者であつた。整つた顔にはいつも露を含んだ瞳が輝き美しい鼻と眞紅な唇とはその純情を現はした樣に微笑んでゐる。

「千代子さん、ほんとうに有難う兄が聞いたらどんなに喜ぶことでせう。私何時もあなたの事書いて兄さんに送つて居るの」惇子は千代子の手を強く握り締めながら云つた眼には熱い泪が玉の樣に光つてゐた。短い秋の日は暮れんとし夕映の色美しく湖水に映へる。塒をもとめる鳥の群、空にさ迷ふ畫の樣に美しい野山に彫刻の樣に立つうら若い娘二人の姿…………」

意外な便り

幾日かの日が流れた或日の事、惇子の家に戰地から便りがあつた。それは登の戰友宮坂上等兵からだつた。宮坂上等兵の事は、兄の便りでよく知つて居たし惇子も度々手紙を出して居た。

質素な便箋に美しく走る彼の文字に惇子の顔はサツト血の氣が去つた。それも道理、兄の負傷の報が詳しく書かれた彼の便りは、去月〇日、敵が堅陣を誇る〇山の要衝に向つて果敢な攻撃が開始された。明けて二十日は登の屬する〇〇部隊は激戰に次ぐ大激戰目指すは〇山の西高地、頑强に抵抗し命掛けの亂射此の時〇隊は白襷の決死行、登は第一番に參加して名譽の重傷、登は突撃中地雷の破片にて左脚を傷つき激しく地上に叩きつけられた。しかし日頃から勇敢だつた登は、それにも屈せず敵陣地に突入尚又右手に負傷を受け乍らも獅子奮迅の奮戰を續けた。そしてやうやく敵の崩れるのを見て初めて其の場に昏倒し目下後方野戰病院で加療中とのことであつた。

讀み終ると新たなる感動に胸迫り、ボーツと霞んでくる惇子だつた。「あゝ兄さん」惇子はそれだけ呟くと千代子の家に走つた。

「千代子さん〳〵これ兄さんが」いつにない惇子の姿に千代子は驚いた。「惇子さんなあに?」「兄さんが兄さんが千代子さん……」後の言葉は出なかつた萬一にそなへて覺悟は出來て居るとは云へあまりにも唐突な出來事に氣丈夫の娘と云はれた惇子でも、まだうら若い娘だもの。「えつ、登さんが」『負傷をしたのです、〇山の攻撃に」「あゝ登さん…あたし……」やうやくにして千代子も惇子も氣を取りなほし涙の目で宮坂の手紙を見た。曉の闇、火を吐く地雷の凄さ、まだ見たこともない物凄い戰場—軍裝に白襷の登の姿、決死の奮戰をする修羅場の光景を想像すると胸の奥迄ひし〳〵と血汐が騷ぐのだつた。

希望に輝やきて

それから幾月かゞ過ぎた致命傷をのがれた登は其の後の經過も好く燕飛び青葉の繁る頃には元氣を取りもどし東京第一陸軍病院の一室に再起奉公を願つて療養をして居た。松葉杖に縋つて歩く彼の姿。面會の度に治癒に向ひつゝ在る彼を見る度に千代子も惇子も嬉しくもあり又寂しかつた。そして彼の一日も早く全快の來らん日を樂しみに、今日もお宮詣りの歸り道たゞ一人つくづくと想ふのだつた。初めて陸軍病院を訪れた時の登の言葉「馴れゝばなんともありませんそれよりもあの時に戰死した戰友が可愛そうです私もいつそあの時にとも思ひましたが、でも内地へ來る内に、次第に氣が變りました。もうそんな愚痴こそ命を惜しむ者だと思ひました、私は再び戰地へは行けません而しあの時の攻撃精神で働きますよ、なあに片足ぐらい」と彼の强い再起奉公の聲「まあ登さん」今迄同情と心配で一ぱいだつた千代子はこの頼もしい言葉に身も心も引緊められ聖者の前にある樣に敬慕の眼で登の白衣を眺めた。負傷當時の激戰の樣子を遠慮勝に話し乍らも時々彈んでくる聲に千代子はたまらなかつた。あの時の感激、千代子はひとりで眼をつぶつて暗黒の世界を想像し、片足の不自由な登の生涯を佗しくいとほしく思つた。でもこれからは私が、この私が、一生涯お世話出來るのだ御國の爲に片足を無くした登さんを……千代子はかへつて嬉しかつた、これから先一生を登の杖ともなり柱ともなる喜びに。

×　×　×

夏は去り秋はゆき冬は過ぎ再び春は訪れた。櫻の便りは西からも東からも世は戰勝の氣分が溢れて居る花の香は今酣だつた、でも千代子は花の噂も何も無かつた。たゞ登の元氣な退院を待つばかりだつた。

千代子はいつか芒の原へと足どつて居た、でも今は登が作つた詩の樣な芒ではなく野原ではなかつた、美しい千代子の心を讃へる如く草花がきれいに咲き亂れて居た。千代子は登の作つてくれた「暮れ行く秋」を歌つた。登の退院も後、旬日だ。千代子は嬉しかつたそして幸福だつた。

×　×　×　×

部報

◇短歌部

昭和十四年十月、印田先生をお迎へして五十鈴短歌會が創立されてより、今秋をもつて三週年を迎へる。その間先生は大阪に御轉勤後も月二回必ず御來所になり、御懇篤なる御指導により先輩諸君の御盡力とにより今日の盛大を克ち得て同好の士、及び看護婦諸姉を併せて五十餘名の會員が眞摯な精進を續けてゐる。

昨秋、我等の歌集刊行の氣運擡頭し「蒼丘」の刊行を見、次いでプリント刷りながら雜誌「五十鈴」が誕生して月々發刊され、十二月號をもつて滿一ケ年を迎へる。「五十鈴」は退所會員にも發送されて「五十鈴」をもつて退所後も固く結ばれてゐる事は喜びとしてゐる。

外部よりは慰問歌會、九月には文學報國會より臼井先生が來所されて愛國短歌會が開かれ傷痍軍人歌集「御楯」「大東亜戰爭歌集」が刊行されるに及び我々に課せられた使命と責任の大なるを痛感する次第である。と同時に微力ながら短歌報國に邁進し、建國以來我々の肉体に傳つて來た神ながらの道をもつて萬葉防人の歌に比肩すべき歌を詠ひ上げ、且併せて療養に專念する決意を深くする次第である。(柴田記)

◇俳句部

當療養所の開所されると間もなく、當時津市に御在住中であつた長谷川素逝先生にきていたゞいて俳句の御指導を仰いだのが當所に於ける俳句會の創りであります。やがて素逝先生には御勤務の都合に依り大阪へお移りになりましたのでその後を津市の鈴木峰湖先生にきていたゞく樣になり今日に至りました。毎週月曜を〆切として會員の投句されるのを印刷し、それに依り御選を願つてをり、その毎週の句集が既に百三十七回(十七・十一・二現在)になつてゐます。「さゝご」と申しますのはこの句會の名稱です。會員數は毎月異動がありますが平均六十名程を算えてゐます。

會員の全部が陸軍病院或は當所に入所して俳句を始めた者ばかりですから、經驗の無い方でも御遠慮なく入會してやり始めて下さい(古田記)

◇圖書部

圖書部創設以來二年半、日々增册されて現在一四七八册、修養、趣味、娯樂、あらゆる部門を通して大体完備された。然しまだ寮友諸兄の滿足を得る事は出來得ないと思ふが、今後追々と捕充される事と思ふ。

僣玆に圖書分類の大要を述べ諸兄の圖書部利用の參考に供し度いと思ふ。イ類、宗敎哲學、ロ類、評論隨筆、ハ類、詩歌俳句、ニ類小說戯曲、ホ類、歷史、ヘ類、音樂美術、ト類、法政經濟、チ類、理工學、リ類、醫學、ヌ類、產業、ル類。雜書、大体右の樣な分類になつてゐて、貸出數は全療棟通じて一日平均六十册、一番よく讀まれるのは二類であるが、吾々は療養の傍ら修養を必要とすべきものであるから、もつとイ類ロ類其の他各自專門の職業に關する書籍を多く讀まれ、再起奉公の準備せられん事を希望する。

貸出は講演、演藝、圖書整理等差支へある場合を除き、毎日午前の安靜時間終了後一時間外氣、療棟の有志九名が一旬三名交代にて

開館して居る。（圖書係）

◇書道部

「讀み、書き、珠算」この三つは學問の要素であり、人間が立派に成功を期すためには圓滿高潔なる人格と秀逸なる學德の併進が必要であります。

吾々も療養の傍修養に努め、將來の爲に其の學識を伸したい見地から當療養所に於ては昭和十五年十二月以來書道講習を開始し毎週火曜日を講習日として專ら療養に即した書道を勉强して居ります。幸に所長殿を會長に講師として縣立津高等女學校敎諭岩尾三石先生を迎へ入所者の一部を以つてこゝに翠丘書道會の創立を見たのであります。

以來三星霜直接御指導下さる先生を始め會長殿所員各位の御盡力と會員諸氏の努力に依り益々會の發展を見、會員數四十餘名に上り其の間各所展覽會に出品すること數回先年岡山療養所に書道展覽會々催せらるゝや當所より出品十三点いづれも優秀な成績でありました。亦本年五月二十六日當所開所三週年記念行事として本會、主催の全國傷痍軍人書道展覽會を壽康館に開催し全國よりの出品山の如く我が會員も多數入賞し大盛況裡に終りました。

今や聖戰下會員の諸氏は眞劍なる療養生活を送る傍書道を通じて不撓不屈の闘病精神を昂揚し品性を磨くと共に偉大なる療養効果を收めて雄々しく再起奉公してゆくことは本會のために又國家の爲めに洵に喜ばしい次第だと思ひます。（中森記）

◇簿記部

吾々療養者。再起奉公の下準備の一つとして、昨年二月新しい試みとして、四級以上の希望者に對して、津市立勵精商業の田中先生を講師として、簿記の講習が開かれてより早や一年餘、既に三回終了、終了者八十名に及び、九月より第四回が開講されてゐる。

第四回受講者二十五名、毎週一回、木曜日の午後一時より三時迄、講堂に於て熱心に勉强を續けて來た處、十一月五日突然、田中先生が南方に御派遣の御由を承る。講習中ばにして田中先生にお別れして一同誠に殘念に思つたが、引續いて同じく勵精商業より渡邊先生が御來所。御敎示下さる事に決定。一日も休講する事なく、新渡邊先生について今迄より以上眞摯な態度を以て勉强を繼續してゐる約六ケ月間に簿記の基礎的概念より商業帖簿一切の記入法、並に決算法に至る迄、商業簿記の大要に就き敎授される。

末筆乍ら南方に於て御活躍下さる田中先生の今日迄の御指導に深謝すると共に、益々御健勝を御祈りして擱筆する。（田村記）

◇珠算部

昭和十五年十月、吾々療養生活者修養の一途として、庶務課の紀平氏を講師として珠算の講習が初められた。

今日迄に受講者約百五十名、其の中約百二十名は全治、珠算も一通りの修練を終へ退所銃後産業戰士として活躍しつゝあり、現在約三十名の受講者が、毎週金曜日の午後の安靜時間終了後二時間、講堂に於て張切つて勉强してゐる。

四級以上の希望者は、何時でも隨時受講する事が出來、講習期間にも一定の制限がなく退所の日迄繼續受講出來得るのである。

長期療養を必要とする吾々は、如何に珠算の經驗乏しき者でも、長い療養期間中には、一通り珠算の智識を得、相當の技も磨いて退所出來得る。（田村記）

六六

◇弓道部

草野前所長殿の發意にて外氣入所者の健康恢復、心身鍛錬を目的とし、作業療法と併行して當部の創設されたのは昭和十六年六月であつた。それ以來津市小林勝三郎練士殿の御指導を仰いで今日に至りましたが、その間木下現所長殿の御新任を仰ぎ、深い御理解あるばかりでなく自ら弓道場に立つて御激勵下さいましたお蔭にて、僅か一年有餘にしてよく當初の目的を達し、當部員よりの多數の全治退所者を社會に送り出し、そればかりでなく二段六名、初段三名、一級二名の有資格者を出しました。そして現在二十餘名の部員を有し益々盛大に向はんとしてゐる現況であります。

弓道の目的はいろ〳〵と言現はし方もありませうが、部員一同夫々弓道を通じて何ものかを體得しつゝあると言得るのは最もよろこばしいことであります。（吉尾記）

おちほ集

知つてゐる寢言

西傳市

A　君ゆうべはお蔭樣で眠られなかつたぜ
B　どうしてさ
A　君の寢言が大きかつたからさ
B　あゝあれか、實は僕も吃驚して目を醒したんだよ
A　あーん…………

「ラツセル」と「受信機」

森田桂樹

○　君!!君!!診斷の結果はどうだつた？
△　うん……なんだか知らないけど……君はとても良く「きこえる」から五級になり給へつて醫官殿が云ふんだよ……なんだか良くきこえる樣だよ
○　そうかそれはいかんね、併し醫官殿の五級と云われるのももつともの事だよ。
△　何故？……
○　だつて君「ラジオの受信機」でも四級より五級の方が、とても良くきこえるよ……
△　ダア…………

便秘家傳公開祕訣

そんなに下劑ばかりのんでも習慣になるばかりで駄目。水分を比較的多くのみ、果物野菜類を適當に攝る事。こゝまでは月並。これからが祕中の祕。毎日特に毎朝、一定の時間が來れば出ても出なくてもよいから〇〇に行く事。この習慣をつけるとやがて毎日定つた時間になるとお尻の方から催促が來る、つまりお尻の筋肉の鍊成である。一寸行儀の惡い話だが子供は食事の中途でもきまつてウンコと言ふ、あれでよいのだこんな時叱つてはいけない。負ふた子に敎へられて淺瀬をわたる。まあ試みてみること。

笑話

夕起緒

支那士官「こらつ！お前迫擊砲の傍で何を愚々々しとる！」
支那兵士「日本兵を狙つとるであります。」
支那士官「馬鹿ッ！狙ふから當らんのぢや出鱈目にうて、出鱈目に」

六七

退所者住所錄

昭和十七年十一月十日締切

三重縣桑名市　高橋宗次郎
愛知縣愛知郡幡山村　朝井辰義
福井縣遠敷郡　金川彰
三重縣一志郡米ノ庄村　棚橋宏
三重郡四郷村　千廣源七
滋賀縣高島郡廣瀨村　清水與之助
四日市市　廣島康彦
富山縣射水郡　宮下長一郎
四日市市　坂倉小三郎
大阪府泉南郡　宮脇佐一
名古屋市中川區　佐野幸吉
員辨郡梅戶井村　岡本半藏
松阪市　岡本茂生
三重郡內部村　坂上由之助
三重郡水澤村　橋本晃
岐阜縣揖斐郡本鄉村　樋口淺吉
岐阜縣吉城郡　久保春司
松阪市　山本毅
松阪市　辻英一郎

名賀郡美濃波多村　島藤龍一
岐阜縣大野郡宮村　幸畑秋三
一志郡　高山政雄
靜岡縣富士郡　稻垣健次
奈良縣吉野郡十津川村　林勝明
富山縣西礪波郡若林村　高澤源七
上野市　森川忠雄
愛知縣渥美郡伊良湖畔村　小久保新一
三重縣鈴鹿郡久間田村　久保田金八
岐阜縣羽島郡　永田秋
滋賀縣坂田郡醒井村　舛中二郎
三重縣名賀郡錦生村　森田平吉
阿山郡丸柱村　川村重二
一志郡豐田村　佐波勇
富山縣西礪波郡　大龍直次
岐阜縣岐阜市　藤根德兵衛
愛知縣額田郡幸田村　都築忠雄
岐阜縣可眞郡錦津村　小倉春雄
三重縣鈴鹿郡坂下村　小倉三生
志摩郡御座村　濱口泰
宇治山田市　藤田良一
富山縣西礪波郡藪波村　齋藤兼吾
一志郡波瀨村　坂本重之
一志郡　山下秋雄

六八

一志郡戶木村　奧野俊一
岐阜縣高山市西區　惣則篤雄
四日市市　中島三郎
名古屋市昭和區　加藤榮
奈良縣生駒郡安堵村　西浦德好
岐阜縣土岐郡　森三郎
〃　惠那郡　高木幸雄
大阪市住吉區　古矢隆一
名古屋市　豐田友秀
岐阜縣土岐郡　石川賴雄
奈良縣宇陀郡神戶村　植田奈良石
四日市市　渡邊進三
愛知縣海部郡大治村　恒川幸次
奈良縣生駒郡矢田村　北畠義雄
一志郡　服部章
愛知縣碧海郡高岡村　板倉基一
四日市市　芝田秀男
一志郡　中途正雄
一志郡鵲村　扇野正之助
岐阜縣大垣市　鈴木昭然
富山縣富山市　早瀨正夫
岐阜縣岐阜市　矢島寬次
〃　揖斐郡豐木村　飯沼民部
志摩郡越賀村　宮本四郎

滋賀縣蒲生郡　木田秋三郎
岐阜縣惠那郡蛭川村　榊間唯平
鈴鹿郡高津瀨村　岡田正景
安濃郡村主村　大森宗男
愛知縣豐橋市　伊藤正清
富山縣射水郡　廣瀨正八
〃　西礪波郡西五位村　林米次郎
岐阜縣郡上郡奧明村　伊藤清一
一志郡太郎生村　今井由藏
岐阜縣武儀郡東武藝村　井上辰男
滋賀縣高島郡百瀨村　鳥居太次郎
飯南郡宮前村　森本麻雄
三重郡神前村　中野末尾
四日市市　熊澤要
愛知縣丹羽郡　澤田保一
四日市市　鈴木善次郎
多氣郡荻原村　池田米輝
三重郡三重村　館晃
奈良縣奈良市　梶谷義一
度會郡東外城田村　中西武
名古屋市中村區　加藤林三
大阪市住吉區　中島正直
石川縣鳳至郡劔地村　中山政吉
名古屋市中區　谷津史郎

六九

北牟婁郡三野瀬村
津市
岐阜縣吉城郡細江村
奈良縣生駒郡
岐阜縣土岐郡市元倉村
福井縣坂田郡鷹榮村
愛知縣知多郡
北牟婁郡
桑名市
名賀郡矢持村
飯南郡
奈良縣高市郡鵠村
志摩郡甲賀村
津市
岐阜縣加茂郡和知村
〃　多治見市
富山縣中新川郡大森村
大阪市北區
滋賀縣大津市
度會郡有田村
名賀郡薦原村
北牟婁郡
福井縣大野郡荒工村

垣内貫二
河邊與吉
森一郎
竹内光男
加藤朝治
田中染次郎
鶴見由三
池田久夫
淺井平三郎
中村太郎
谷本忠雄
山本居郎
近藤正晃
栩原久藏
小澤信夫
大脇澄夫
田中薫
石川良一
田近智義
石原夏樹
林修
德田常一
家崎清一
西脇仁太郎

岐阜縣多治見市
四日市市
河藝郡一ノ宮村
北牟婁郡
度會郡一之瀬村
富山縣下新川郡
〃　上新川郡太田村
愛知縣寶飯郡
朝鮮平安南道鎭南浦府
奈良縣高市郡高市村
三重縣津市
〃　一志郡川合村
〃　桑名市
奈良縣添上郡東市村
三重縣桑名郡城南村
〃　宇治山田市
岐阜縣安八郡洲本村
三重縣度會郡
滋賀縣坂田郡
三重縣南牟婁郡
名古屋市中村區
三重縣鈴鹿郡加太村
〃　一志郡豐地村
奈良縣宇陀郡

七〇

加藤正夫
島田清
林春次
山本宗平
井口久二
上野榮治
芳尾秀義
牧原啓藏
渡中道夫
福井仙吉
野田定弘
田中保郎
出口政雄
宮本芳和
加藤濤治
高尾十一
淺野一男
鈴木藤雄
中山喜一郎
下田京一
石原松夫
中村勇
西村枡七
田中善雄

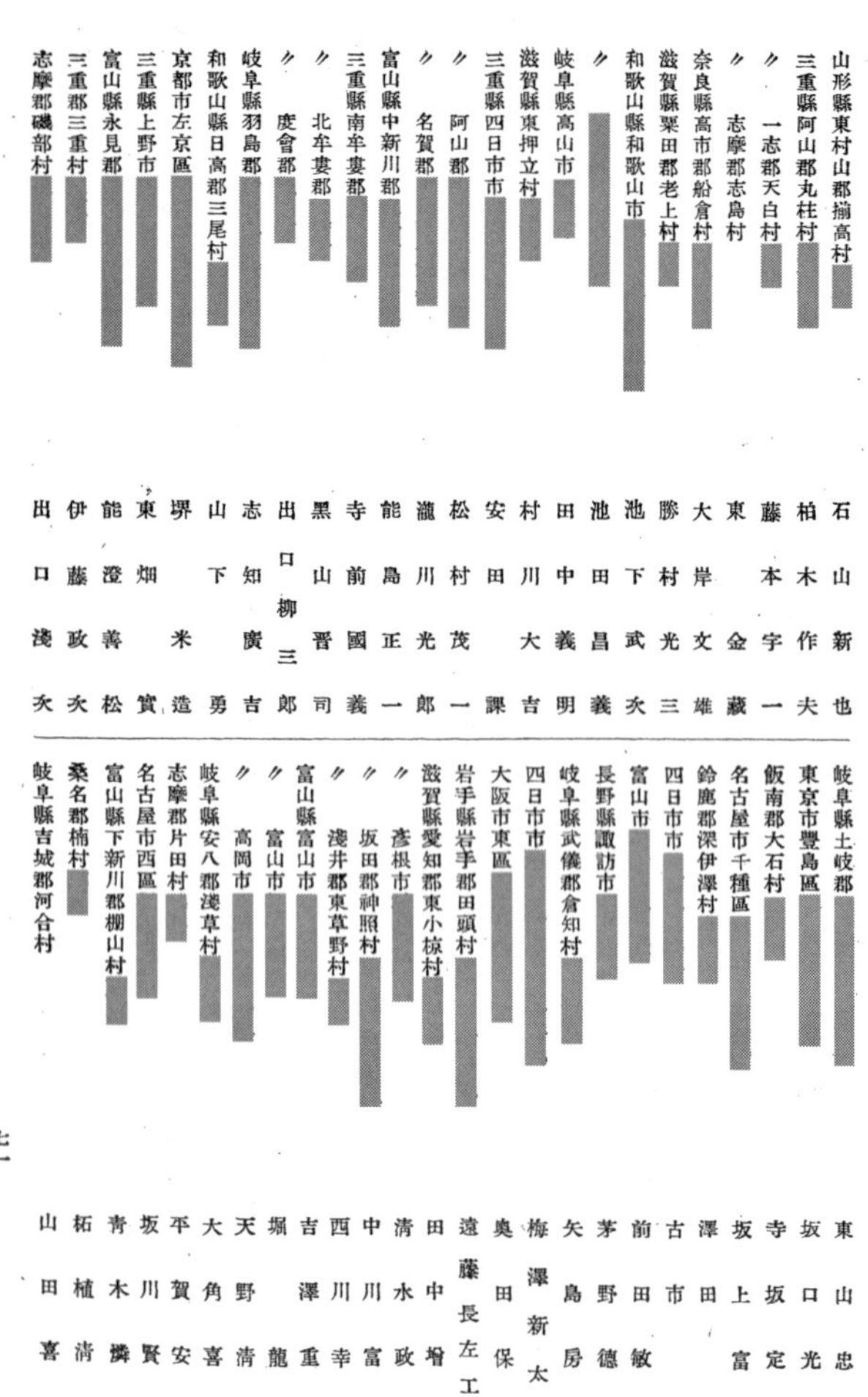

山形縣東村山郡揃高村
三重縣阿山郡丸柱村
〃　一志郡天白村
〃　志摩郡志島村
奈良縣高市郡船倉村
滋賀縣栗田郡老上村
和歌山縣和歌山市
〃
岐阜縣高山市
滋賀縣東押立村
三重縣四日市市
〃　阿山郡
〃　名賀郡
富山縣中新川郡
三重縣南牟婁郡
〃　北牟婁郡
〃　度會郡
岐阜縣羽島郡
和歌山縣日高郡三尾村
京都市左京區
三重縣上野市
富山縣永見郡
三重郡三重村
志摩郡磯部村

石山新也
柏木作夫
藤本宇一
東金藏
大岸文雄
勝村光三
池下武次
池田昌義
田中義明
村川大吉
安田課
松村茂一
瀧川光郎
能島正一
寺前國義
黒山晋司
出口柳三郎
志知廣吉
山下勇
堺米造
東畑實
能澄善松
伊藤政次
出口淺次

岐阜縣土岐郡
東京市豐島區
飯南郡大石村
名古屋市千種區
鈴鹿郡深伊澤村
四日市市
富山市
長野縣諏訪市
岐阜縣武儀郡倉知村
四日市市
大阪市東區
岩手縣岩手郡田頭村
滋賀縣愛知郡東小椋村
〃　彦根市
〃　坂田郡神照村
〃　淺井郡東草野村
富山縣富山市
〃　富山市
〃　高岡市
岐阜縣安八郡淺草村
志摩郡片田村
名古屋市西區
富山縣下新川郡棚山村
桑名郡楠村
岐阜縣吉城郡河合村

七一

東山忠治
坂口光明
寺坂定郎
坂上富春
澤田守
古市治
前田敏雄
茅野德富
矢島房雄
梅澤新太郎
奥田保津
遠藤長左エ門
田中増一
清水政雄
中川富造
西川幸藏
吉澤重雄
堀龍一
天野清三
大角喜教
平賀安平
坂川賢一
青木攀作
柘植清信
山田喜則

△編▽ △輯▽ △後▽ △記▽

○再び巡り來つた十二月八日、昭和十六年の十二月八日こそ正に世界歴史轉換の日である。「帝國陸海軍は今八日未明、西太平洋において米英軍と戰鬪狀態に入れり」あの日の朝電擊の如く我々の全神經を搖ぶつた歷史的快ニユースである。續いて我が海鷲のハワイ大爆擊を告げ、更に比島、グアム、星港、香港の攻擊、馬來半島奇襲上陸を告げた。十一時四十五分には畏くも宣戰の大詔を拜し、午後には「戰艦六隻を轟沈大破、航母一、大巡四を擊破」ハワイ奇襲驚異の大戰果が發表されたのである。我々の生涯を通じて忘れることの出來ない記念すべき感激の日であつた。

あの日の感激、あの日の緊張、あの日の覺悟を新にし、更に鞏固にする爲に、本號巻頭には宣戰の大詔を謹載した。

大東亞戰爭勃發以來一ケ年の月日が經過してゐる今日、我々は、あの日の緊張した感情が少しでも弛緩してはゐないかといふことを反省して見たい。若し少しでも、我が心に緩みを認めたなら、此の際とく改めて、より以上の固い覺悟と强い信念を持たねばならぬ。

○本誌を上梓するに當り、表紙繪はこの度も川村中將閣下に彩管を振つて戴きました。誠に感謝に堪えません。

○長谷川素逝先生より玉什五句を賜り厚く御禮申上げます。

○所長、醫務課長の兩先生より、ユーモア的で非常に有益な玉稿を戴き、初冬の病床での好讀物であると思ひます。

○指導官殿の、退所後の健康並に職業といふことに就ての稿は、色々我々の參考とする處多く、良く味讀されんことを望みます。

○目下應召中の當所職員、安田中尉殿の「足跡の一節を」は生々しい戰線の記錄で一讀我々の肺腑に迫る何物かがあり、「マレーのお伽話」も之亦興味深い讀物であります。中尉殿には目下、京都高野川にて御靜養の御体であり乍ら、特に「すゞか」の爲に御寄稿下さつたことを厚く御禮申上げます、

○短歌俳句の選、並に玉什は今回も印田亙鳥、鈴木峰湖兩先生に御願ひ致しました。

○特輯として、所長訪問記、入所者對看護婦紙上座談會を試みました。紙上座談會編輯に當りまして、種々御意見を述べて下さつた入所者諸氏、並に看護婦諸姉に對して厚く御禮申上げる次第であります。

○部報の欄を本號に始めて設けました。稿を寄せて載いた各部代表の方に御禮申上ます

○今回の募集に際しましては、各位より非常に澤山の玉稿を戴きましたが、紙面の都合上、殘念乍ら一部を割愛するの止むなきに至りましたからどうぞ惡しからず御了承下さい。十二月三日（岩間記）

編輯長	所長	木下清吉
編輯顧問	醫務課長	戸田又生
同	庶務課長	海老澤克巳
同	指導官	竹澤金五郎
編輯委員	醫務課	竹村博之
同	庶務課	新田敬夫
同（いろは順）	入所者	岩間濱一
同	〃	長谷川正明
同	〃	保浦春夫
同	〃	小川正哉
同	〃	大角喜教
同	〃	田村正一
同	〃	野田定雄
同	〃	日南延郎

七二

昭和十七年十二月廿五日印刷
昭和十七年十二月廿八日發行　〔非賣品〕

編輯兼發行人　三重縣河藝郡大里村窪田三五七　木下清吉
印刷人　三重縣津市岩田町一、二三〇　山村淺次郎
印刷所　三重縣津市岩田町一、二三〇　東亞印刷有限會社

發行所　三重縣河藝郡大里村窪田三五七
傷痍軍人三重療養所
電話（一身田局）一四九番

（中三19）

〜〜鈴鹿嶺の夕陽〜〜

撮影 T，K 生

すゞか第八號目次

表紙　川村尚武閣下
題字　岩尾三石先生
寫眞　鈴鹿嶺の夕陽
傷痍軍人五訓、療訓
卷頭言　勝ち抜く誓

傷痍軍人五訓

一　傷痍軍人ハ精神ヲ練磨シ身體ノ障礙ヲ克服スヘシ
一　傷痍軍人ハ自力ヲ基トシ再起奉公ノ誠ヲ效スヘシ
一　傷痍軍人ハ品位ヲ尙ヒ謙讓ノ美德ヲ發揮スヘシ
一　傷痍軍人ハ操守ヲ固クシ處世ノ方途ニ愼重ナルヘシ
一　傷痍軍人ハ一身ノ名譽ニ鑑ミ世人ノ儀表タルヘシ

寮訓

一　安穩ニ療養シ得ルハ偏ニ宏大無邊ノ聖恩ニヨルコトヲ感謝シ再起奉公ヲ念トスヘシ

一　德義ヲ重ンシ總親和ヲ旨トシ規律風紀ヲ嚴守スヘシ

一　絶對治癒ヲ信シ安ンシテ長期ノ療養ニ專念スヘシ

すゞか第八號

卷頭言

勝ちぬく誓

みたみわれ　大君にすべてを捧げまつらん
みたみわれ　すめらみくにを護りぬかん
みたみわれ　力のかざり働きぬかん
みたみわれ　正しく明るく生きぬかん
みたみわれ　この大みいくさに勝ちぬかん

（第四回中央協力會議ニテ決定）

一

療養の性格

所長　木下清吉

山本元帥に續け、アッツの雄魂に應へよ、曰く應徵、曰く挺身、この現實の姿を見、この聲を聞いては療養者と雖も平然たる者は無く、積極と消極、奮起と自重、退所と療養等相互に相反する考へ方が頭の中で走馬燈の如く廻轉して居るだらう。即刻病衣を脱ぎ棄て、傷痍の身に鞭うつて、せめて生產戰線へなりとも突入して間接ながら戰力增强に盡したい氣持に驅られるかも知れぬ。

山崎部隊長の言葉を借りるならば、他にとるべき方法の無きにあらざるも憎みても餘ある眼前の米兵に對して斷乎かくすることがあの場合部隊としての崇高なる任務の完遂であつた。だが現在安穩に療養し得る療養者には、その總ての者が即刻挺身を敢てする以外にとるべき方法が無いことはない。くずれんとする精神と肉體に鞭うちつゝ、見えざる敵病魔の擊攘に死鬪することも療養者に課せられたる任務に他ならないであらう。

しからば療養者のために今暫く藉すに時をもつてすることが許され得るや。然り。個々の生命は最早各自のものにあらずして國家のもの、その療養たるやこれ國家責務たるの自覺に徹するかぎり敢て然りと答ふ。一人一と月を先んぜんとして一歲後れ、一年を爭ひて一生を失ふ如きはその不幸はたゞに己の身に止まるのみならず實に國家の損失である。氣逸るも身これに隨はざるは敗るゝの因、一時の刺戟に感奮猛進することの倚早なりや否やを辨まへ、完全なる再起の日に遭ひて率先挺身する者こそ時局下眞に療養の性格を理解把握せるものなりと言ひ得るであらう。

自給自足

庶務課長　海老澤克巳

米英は死物狂ひの執拗なる反擊を繰返し、如何に皇軍に叩かれても物質力に物を云はせ、反擊を繼續し、本年は其の決戰の

二

年であると言はれてゐます。

斯る狀勢下に於ては、一塊の食糧品と雖も海外より供給を受けます事は緊急戰時資材の入手を其れだけ妨げる結果となります。故に國內に於ける食糧增産が直接戰力增强となります事は御承知の通りであります。

現今傷痍軍人療養所と雖も食糧品の全部を他よりの供給にのみ頼つて安閑として居る時期ではないのであります。然し療養所で消費する全部の食糧品を自給自足するが如き事は絕對に不可能の事でありまして、たとへ一部分の物でも生產して、之れを消費に充てる事は決戰下當然の事と信ずる次第であります。

療養所食糧品生產に就きましては、本院に於て常に考慮して居られた處でありますが、先般本院主催にて、近畿、中國、四國所在各療養所係官會議を大阪療養所に於て開催せられました。其の際の本院指示に依りますと、各療養所は一床當り拾坪以上の耕地を保持する事となりまして、此の耕地には、主に蔬菜類を栽培して收穫を俟つ事に決定したのであります。一床當り拾坪の耕地と云ひますのは、既墾地及未墾地を含んでの事でありまして、當所に於きましては現在の既墾地に松林の一部と荒蕪地を加へて開墾致しますと、六千六拾壹坪の耕地を得る事となり、之の內には水田五百七拾坪を含んで居ります。

この耕地で生產せられます處の蔬菜類は所の炊事用の一部に充當するものであります。然し品に依りましては一時に多量の收穫を得ましても、之れを急速に消費する事が出來なく、永く保存困難の品がありますので、之等はやむを得ず拂下を爲してゐるのであります。

當所の現在既墾地（水田を含む）は千四百四十坪でありまして、殘りの四千九百二十一坪は松林及荒蕪地を開墾しなければならないのであります。

この未開墾地を開墾致しますに就きまして、決戰下の現在にては簡單に勞力の供給を受ける事は殆んど不可能に近いものであります。如何しても學徒又は宗敎團体等に依賴して、勤勞奉仕を願はねばならないのでありますが、學徒、宗敎團体等も、決戰下各方面に報國隊として活動せられて居る關係上、この開墾事業に奉仕を願ふ事も困難でありますので、人夫を傭ひ入れるか、他の方面よりの勤勞奉仕に俟つより方法がありません。何れに致しましても勞力關係にて相當困難を來すものと考へて居る次第であります。

開墾は昭和十八年度より一部着手致しまして、昭和十九年度に完成する事に大体決定致して居ります。農場が完成致しました曉には、大体左表の如き收穫を豫想する事が出來ます。

種類	數量	種類	數量	種類	數量
米	二石八斗	小麥	五石五斗	大根	七百貫
里芋	二百貫	馬鈴薯	百五十貫	白菜	三百五十貫
トマト	百貫	胡瓜	五十貫	甘藍	百五十貫
甘藷	二千八百貫	南瓜	百貫		
茄子	百貫	人參	六十貫		

尙最後に御參考までに當所にて一ヶ年間に消費致します蔬菜類を揭げて稿を終り度いと思ひます。

種類	數量	種類	數量	種類	數量
大根	三千百九十九貫	蕪菁	六百八十四貫	莢豌豆	五十貫
白菜	千七百七十四貫	蠶豆	四十九貫	人參菜	三十七貫
京菜	百八貫	茄荊	千三百七十九貫	實豌豆	九貫
人參	百九十五貫	玉葱	三百八十四貫	節さゝげ	六十七貫
体菜	四百三十一貫	胡瓜	五百七十二貫	馬鈴薯	九百五十九貫
蓮根	六十九貫	茄子	千四百八十二貫	大根菜	五十一貫
里芋	千八十八貫	南瓜	千二百四十六貫	葱	千四百四十七貫
甘藷	九百三十二貫	冬瓜	七百十四貫	蕗	三百八十四貫
牛蒡	二百六十四貫	茗姜	三貫	筍	四百五十二貫
獨活	九貫	菠薐草	九百五十三貫		
生姜	十貫	小松菜	四百一貫		

完

病に勝つ心

醫務課長　戸田又生

病は人の身体內に起つた一種の戰である。戰に勝つには物と心が必要である。物には種類と質と量とが關係するが質は優秀で、量は充分で、而も目的に適つた種類のものでなくてはいけない。幾ら質が良く量が充分であつても目的に適はない種類のものでは役に立たない、反對に幾ら種類は目的に適つてゐても質と量とに不足な点があれば充分の効果は擧げ得ない、此等目的に適つた優秀なるあらゆる種類の物を充分に作り出すのも亦其等をそれ〴〵目的に添ふ樣に活用するのもみな人の力である。人の力は肉体的動作と精神的動作の總結集である。肉体的動作の根源は肉体を形作る組織や細胞から生產される体力にあるが、之等組織や細胞の働きを最高度に發揮させるには四六時中其等に適切なる刺戟や命令を與へてゐる、謂はゞ最高司令部たる中樞神經系即ち精神の活動が伴はなければ決して充分の發動は出來得ない。斯く考へれば、結局戰に勝つ一番大切な要素は精神、即ち人の心と申してよい、人の心は人の力を支配し、引いては物を左右する、心の働きは眼にこそ見えないが無限の强さがある、心がしつかり働けば限りなき人の力が產れ、無量の物が作り出される。戰に勝つのも負けるのも全く人の心の持ち方一つできまるとも云へる、聖戰下一億一心、忍耐の秋が叫ばるゝ昨今我々は其の理がよく了解出來る。翻つて我々の体の中で戰つてゐる病の事を考へてみよう、結核は、敵結核菌、及其の毒素と、味方人体を形成する組織細胞、及其の支配者たる精神との戰である、此の戰爭即ち結核を克服するには萬難を排して、敵結核菌及毒素をやつつけなければならない、それには必要なる物と旺盛なる精神力とが是非必要である。先づ物の方面を考へてみよう、物たるや前にも述べた樣に質量種類が關係する、質や量は兎も角として種類の点を考へてみたのみでも余り期待がかけられない。最も戰爭に勝つ物の種類の中にも直接戰鬪に必要なる武器と間接ではあるが是非共なくてはならぬ物質とがある。遺憾乍現在に於ては結核なる戰爭に於ては間接的に必要なる物質は相當あるが、人体內に於て結核菌を迅速且つ直接にやつつけるのに特効的な力を現はす武器、即ち藥や注射がない、此の一番大切な武器のない戰爭でしかも是が非でも勝たねばならない、其處により一層の困難さが伴ひ長期に亘つての忍耐が必要である、併し決して心配することはない、如何に困難が伴ひ長期戰にならうとも我々には此の戰爭に勝つ公算がある。

先にも申した樣に人の心は物を左右する、心の働きは物に不足があつても其の缺陷を充分に補つてくれるだけの力がある。此の心を胸中にしつかと持つておれば我々はこの戰爭に勝てる自信が充分にもてる、心即ち精神が不撓不屈の忍耐の下に秩序整然と常に旺盛なる活動を續け、適切なる刺戟や命令を組織細胞に與へるに於ては組織細胞はそれこそ、何億一心、一糸紊れざる共同作業の下に敵結核菌をやつつけるに必要な間接的物質を最も効果的に運用して長期に亘つてではあるが敵をじりおしに結締組織を以て包圍し或は石灰を以て固め、終には殲滅するに違ひない、此の最後の勝利を出來るだけ短日月の中に擧げたい爲に我々は大氣安靜、榮養、攝生の肉体的療養法を併せ行つてゐる。この療養法を嚴重に實行して一旦沈衰しかけてゐる体力を恢復させ增進させ、更に强勢にし力一ぱいに發展さす事が結核との戰爭に勝つ早道である。早道と云つても敵結核菌を直接に一擧殲滅するものではないのだからうまく行つても數年を要する、所謂長期戰である、長期間に亘つて正しき療養法を守り通して行くには余程の努力と、忍耐が必要である、不斷の努力と不撓不屈の忍耐に堪へ忍んでゆくには確固たる必勝の信念の下、旺盛なる精神力、即ち人の心が必要である。

要するに之我々は身体內の敵結核菌を撲滅して最後の勝利を獲得するには、直接に敵を一擧殲滅する武器なる藥や注射、其の他の方法のない今日、如何にしても旺盛なる精神力を充分に發揮して、一方には身体を形成する組織細胞をして常に最大限の活動を續けさせ、以て体力の增强を圖り、他方不撓不屈の忍耐の下に正しき療養法を長期に亘つて履行することが要求される。即ち病に勝つには精神こそ最も大切なる所以も自ら理解出來る、我々はあらゆる懊惱、煩悶、悲觀をすてゝ常に病に勝つ心をしつかりと胸にもたなければいけない。

終り

み民

みたみの語は民に敬語の御が添つたものであるから、人民を尊敬した云方と解せられないとも限らない。然しこれは民そのものへの敬語でなく、民を自分のものとしてお持ちになつてゐられるお方への敬意を示すもので、我が國に於いては、民と云へは上御一人のものであつてそれ以外の所屬は考へられない。萬葉集の〝み民われ〟の歌は、み民としての感激を歌ひしもの。

特別寄稿

回顧

草野與平

人に、物に、自然の風景に、限りなき追憶の種を宿すあの翠ヶ丘を去つてから、既に一年有半に垂んとしてゐる。月如流水去不歸、人如草木競春榮と云ふ木戸孝允の言葉がしみじみと感ぜられる。翠ヶ丘と云ふ清淨其のものの如き靜寂の自然を去つて、時局下、日夜騷音と煙霧の中に（然し今では相當に慣れてあまり感じなくなつたが）天職とは云ふものの産業戰士達の保健指導に、傷痍治療に、而して病院建設に、事務の運營に日夜沒頭した今日迄の生活は、多忙と云ふか繁激と云ふか、翠ヶ丘に於ける建設時代とはまた違つた意味の勇ましさと云ふ自己陶醉が感じられる。始めれば一途に沒頭し易い私の感激性と熱情性は、馬鹿らしくもあるが自己滿足だけは出來るやうな氣がする。斯くて一年有半の歳月は流れた。げに烏兎匆匆の言葉そのまゝである。

想へば、昭和十四年三月、支那事變酣の頃、皇軍の威武輝かしく全支に光被し、南京へ、漢口へ、武漢三鎭へと戰勝の連續に國民の血の滾る頃、恩師宮川教授の命により三重療養所の創建に取りかゝつた當時の感激は、唯々銃後國民としての「大和魂」あるのみであつた。現所長木下博士を始として、戸田、明田川兩博士、藪田庶務課長を中心に、連日連夜、今の第六療棟に宿り込みで、全職員一心一体となつて「國を護つた傷兵守れ」の一語の下に奮闘した思出は今は懷しい追憶となつて、繁忙の生活の間隙に甦つて來る。さうして第一回入所者を迎へた時の感激、入所式場に於て語る私の目頭も熱くなり、感激の涙さへ浮べてゐた白衣の天使もゐた。（今は故人となつてゐる。冥福を祈りたい。）傷痍軍人療養所の國家的使命は、實に重い。之を自覺した職員の言行と入所者諸君の療養態度とは必ず符節を合するものでなければならない。この信念で進んでくれた當時の吾々職員と入所者諸君に對し、私は心中どれ程感謝の祈りを捧げたことであらう。總てはこれ皇國民としての皇國に對する義務であつた。換言すれば、聖戰完遂の大義に生くる銃後の生活で

あつた。山高ければ自然風も强かるべく、海も廣ければ波も騷ぐべく、世帶が大きくなれば樣々の風波も時に起るのは當然である。然し吾々はあくまで、自ら省みて恥なく至誠一貫すれば復た元の靜けさに歸るべきことは理の當然である。私の在任中に於てもこの自然の運行の例外ではあり得なかつた。入所者諸君の不滿を一身に引き受けたこともあつた。然し相互の至誠は通じて、雨降つて地固るの結果を得たことは結果的に見て寧ろ幸福であつた。と云ふのは當時の入所者諸君の心境の眞實にも觸れ、當時の我々の意圖の全貌も明かにされ、心得違ひの者の一掃を得て、明朗なる翠ヶ丘の曉を再び迎へ得たからである。此の當時私は尊き体驗と二つの感懷を得た。此の機會にその一端に觸れて見たい。

尊き体驗とは何か、至誠は天に通ずると云ふことゝ、顧てやましからざれば千萬人と雖も吾征かんの勇氣と氣魄の自ら生ずると云ふことであつた。其の具体的な事柄に就ては今は觸れる頁の余猶を持たないから省く。二つの感懷とは、凡そ人の言行と云ふものは、直に心の叫びを吐露する直情徑行の型と單なる群集心理に左右される浮和雷同の型がある。と共に前者の場合は、假令それが客觀的に公平に見て間違つてゐる言動であつても、人間として尊敬すべきものを持つてゐる人物であると云ふことである。前者は指導宜しきを得れば救ひ得る人間であるが、後者は人間として屑に屬すると云ふことが出來るとも云へる。先に心得違ひをしてゐた者の中に、前者に屬する者が一二あつたことは氣の毒な次第であつたが、當時として全体の爲には泣いて馬稷を切るのも止むを得なかつたのである。斯かる一過性の小波亂はあつても、我が三重療養所は實に順調な建設と內容充實の一途を辿り、今や五週年を迎へ、其の間幾多有爲の勇士の再起の門出を祝つたのである。

大東亞戰爭の進展と、これを取りまく世界情勢の深刻苛烈さは、定めし療養所風景にも切實なる反映を見るであらうが決戰連續下の昨今は、ラジオニユースを遙かに超越して、只米英擊滅の一念に燃ゆるばかりである。軍需品製産に、一切を國家に捧げて闘ふ産業戰士の心意氣は、平和な時代には凡そ想像も及ばぬものがある。これを期待して彼等の保健診療に飛び込んだ私は、こゝでもやはり感激と情熱の一日一日を働き拔いてゐる。將兵にも劣らぬ愛國の至情と擊ちてし止まむの闘魂は、物凄い騷音の工場に溢れてゐる。白衣の勇士に奉仕する報國の情念は今彼等産業戰士の診療に注ぐことが出來るのも、三重療養所に於ける体驗の賜と感謝してゐる。殊に嘗て傷痍軍人療養所に白衣の生活を送つたと

云ふ再起者に逢ふと、一瞬腦裏に去來する翠ヶ丘の風情は懷しいもので、あく迄も再發を防止してやらなければならないと云ふ責任を感じ、彼等には定期的健康診斷をすゝめ、君達こそ全國幾萬の同僚の手本となれと勵ましてゐる。私の工場も愈々近く療養作業工場（作業療養所とは云はない）を開設することとなつたが彼等を其の指導者に作り上げたいと念願してゐる。工場に於て青少年を惱してゐる病根はやはり結核である。工場結核の撲滅と生産能率の昂揚を目指す私は今、渾身の智識と經驗と努力を傾倒して、健康管理に專念してゐる。京濱地帶に於ける重要軍管理工場として、健康管理の指定工場となつたのも遂最近のことであるが、目下私は働き甲斐を感じつゝ、〇〇〇〇名に達する産業戰士を健康管理の傘下に收めて、其の保健に過重の使命と責任の完遂に當つてゐる。結核の防遏と撲滅、さうして明朗なる保健工場の建設これこそ私に與へられた戰時下醫人の使命として、闘魂を燃やしつゝある。

三重傷療の勇士諸君、再起の自信のついた者は一人でも多く軍需生産工場の戰士たれ、さうして指導者たれ、諸君の實社會に於ける保健管理は引き受けたと叫び度い。今軍需品生産工場は諸君の進出を待つてゐる。一機一彈の生産が、東亞の盟主日本の明日を左右する現下の情勢は玆に說く必要はない。眞面目なる正しき療養生活によつてのみ購はれる再起を目指して、義手義足の操縱勇士の心意氣を以て日々の療養生活に邁進せられんことを遙かに祈つて擱筆したい。

參宮線にて

安西冬衛

一

知多半島へ海洋宿泊訓練に赴く小國民とその保護者達の夏粧。

構內を埋める人々の白い蛾のやうな群落をかきわけ乍ら、私は泳ぐやにして發車間際の鳥羽行二〇五列車に乘り込みました。

午前八時二十八分、列車は淡い夏靄を牽いて、靜かに名古屋を離れました。

夥しい軌條の流れ。

けたゝましい轉轍の響。

白い蒸氣をすさまじく放出する單行機關車の運行。

鐵と火の匂を雜へた炭塵と媒煙の縞ある氣流に彩られた力學的な國鐵の構圖は、いつも乍ら旅への大きい魅力です。

ところで參宮線は、大都市の排泄口である場末の陋巷を經驗することなしに容易に郊外へ離脫するところに、特異な性格をもつてゐます。そしてそれは、名古屋市の外延的な發展力が比較的西南部へ緩漫であることを物語つてゐます。

私の前には青年學校の制帽を冠つた少年工が、肘を窓枠に靠せかけて、都市の遠心力で放射される送電線の弛度に焦点のない眼を遊ばせてゐました。

彼は一見、長途の旅に出るやうな重さの狀態から立ち上つて、列車が永和に停車すると同時に、輕く下車して行きました。

どこか康熙乾隆の匂ひをその名に漂はせたこの驛は、蟹江、彌富、長島の潤澤な名が象徵する木曾川三角洲帶の中間に介在して、陸屋根風の乾燥系數で、妙に白茶けて見えました。

驛前の小さい運送屋。

疲れた畷松の斷續。………

それにしても木曾、揖斐二川の放溢する濃尾熱田の尨大なこの撰りはどうでせう。縱橫自在の水路が網を撒いた一望の涯ない青田。開けつ放しの百姓の裏座敷は、そのまま紅い蓮華田に連り、埒を設けることなしにそれが水田に移行してゐます。

とある村では聚落全体が水の上に泛び、田舟を舫うた數々の背戶には、木槿の花が鈴木信太郎の畫因で、晩夏の空氣を白く点描してゐました。

私の背後には先程から、黃ろく汚れた顎鬚を生やした元氣な老人が、差向ひの乘合を捉へて盛んに氣焰をあげてゐま

した。

彼は熱心に三菱重工業の企業形態を論じ、夙に輸入技術依存の危險を鳴らした往年の思ひ出を語り、自主航空工業今日の飛躍的上昇に與つて力ある己の卓見を誇示して歇みませんでした。

それは地方線の三等車の一遇で、私等の屢々遭遇する稚拙愛すべき風俗です。

私は背中合せのこの英雄主義者に、絶えず好意ある微笑を送ることを惜みませんでした。車窓の外では靄が次第に濃密の度を增し、老人の氣勢は、揖斐川の橋桁にわななく車輪の轟と共に愈々騰るのでした。

二

鈴鹿は厚い雲に鎖されて見えず、伊勢路は桑名以西雨になりました。

北勢の山々の鐵小松、杉、篁の籔暈。その穂にからまる汽車の淡い煙りが、不圖濃い旅愁をそゝつたりしました。

龜山での短い停車の間、私は歩廊に下りて、反對側に停つてゐる貨車を觀察しました。白い微粉末で扉口を汚してゐる黑い有蓋貨車には「丹波口」と書いたチッキが挾まれてゐました。多分それは石灰の俵を積み込んであるものと思はれました。

龜山は機關庫のある大きい驛ですが、性格的に云へば關西線の分岐点として發達した鐵道町に過ぎません。

こゝから下ノ庄、一身田の區間は鈴鹿、河藝二郡の鞅部で、列車は單調な青葉の狹間を一路南下します。

一身田から再び展ける伊勢平。

津では、市中を流れる松原ある川筋が旅客の眼に幾度か映じました。

同じやうな四日市での構圖。

この地理的類似は、三重の主要な二つの都市の特色を可成強く印象づけます。

只、四日市と津では包攝する世界が全然相違してゐることを告げませう。仍ち前者は名古屋を重心とする中部日本產業經濟圈の逞しい生產都市であるに對して、後者は昔ながらの安濃津の封建的な色彩を多分に遺してゐる城下町であることです。その津が今や急速な改裝途上を驀進してゐるといふ三重の高度工業化。

一一

老人の長口舌は、汽車が津を離れると始めた下車の身仕度で自ら結論に近づきました。彼は起ち上つて網棚から手荷物を下ろし乍ら近代變貌の三重を說き、次驛の阿漕で下車してゆきました。

「なにしろ大したもんだ」

これが老人の打つた終止符でした。

車內は急にひつそりしました。

白いパナマを冠つた請負師風の男は、話相手を失つたあとの空虛な時間を姑く空虛な時間に委してゐましたが、聽て驛辨を開いて早い中食を攝り始めました。

車窓の外には濡れそぼつた青田がひろびろとうちつづき、その果には海岸線を敎へる防風林の段列が鉛色に曇つた伊勢灣の水平線を隱見させてゐました。

この四近が……で有名な香良洲です。

香良洲は阿漕に續く海水浴場で、高茶屋の驛にも東南三キロ三と案內の揭示が出てゐますが、今では飛躍した感情でこの清澄な土地の名が力强く私達の耳朶を打ちます。

北勢で一旦分離した關急電鐵は、津から再び省線と接觸を始め、松阪の近くでは四輛編成の急行電車が郊外電車風の明るさで列車と竝走してゐました。

松阪は本居宣長の鈴廼屋と三井家發祥の地で、私に笈と古い暖簾を想像させましたが、車窓の瞥見で這般の消息を讀みとることは極めて困難なことでした。

かうして列車は漸く神都に近く、次第に迫る度會の低山群を右窓に眺め乍ら、矮い杉の生垣に緣どられた閑靜な步廊を青田の中に置く二三の小驛を過ぎて、十一時二十三分宮川驛に着きました。

宮川は古くから伊勢參の宿驛で耳に熟した名所圖繪の土地ですが、近代の變貌はこゝにも著しく、待避線では、棕梠の蓑を着た女の仲仕が荒くれ男に雜つて降りしきる雨の中で側目もふらずに重材料の荷役を急いでゐました。所謂、高度工業化を急ぐ三重の斷面は、こゝにも逞しく瞥見されるのでした。

一二

懸賞論文（一等當選）

決戰下の療養生活

長島郁三郎

國家興亡を賭しての大決戰、その渦卷の中に於て、身は白妙の夜具に包まれ、明るい靜かな窓邊に、今安らかに療養さして頂ける、日本の國に生れた有難さを、しみじみと感謝しつゝ、感激の心新たに、拙き一文を草し、決戰下の療養生活に對する私の所信を申述て見たいと思ひます。

私は現下に想ふ、最早今日私達に喋々と論議の余地は寸毫もなく、時に寸時の偷安もゆるされないと思ふのであります、今日此の緊迫した一大決戰下に置きまして、只々私達は、自己の本分、當面唯一の仕事である、病氣を癒す一事、其の療養に全力を傾倒して一日も早く病を癒し、國家に御奉公致す其れ以外に途はないのであります。

此の事は克く辨へ、夙に實行しつゝありますが、更に〳〵一層强化し一生懸命に療養し、再起、再度決戰へ馳せ參じ、以つて皇恩に報い奉り、國家社會の恩惠に應へるは元より、一つには職員方の恩義に謝し、又神かけて祈り待つ家鄕の者の心を安んずべきであります。此處は直接戰場ならずとも、日本人たる者誰か、今日にして吾が眞價を發揮し、大和魂を顯現せずんば、他日に於てなく、奮起一番は眞に今なのであります。

山本元帥の壯烈な御戰死、山崎中將以下二千有余名アッツ島の玉碎は、吾々をして眞に襟を正しめ、血涙を絞り、彌々上にも鬪魂を奮ひ立たしめました。私達はこの崇き精神を繼承し感奮興起以て英魂に應へまつる可きである。一度眼を外に轉じますれば、悽愴苛烈極まりなき激戰が展開されてゐる、その南溟に於ける激鬪たるや直に骨身に徹する思であります戰には寸刻の容赦も、假藉もありません。現在、今も吾が戰友は敵彈の洗禮を受け、爆擊下に身を曝して鬪つてゐるのである。毎日叫ぶラジオの報道、日々見る新聞は眞に息詰まる

一三

思がする。

戰線に呼應して銃後の必勝態勢も、强化完璧が期せられました、今や必勝あるのみである私達入所者とても、此の大決戰下に、決して戰爭の埒外に居れるわけでも無く、又一時も安閑として居れるものでもありません、私達は私達の道、自分の職域、其の療養を通して進んで國家に御奉公の誠を効すべきであります。それには先づ以つて、私達は其の氣持を日々療養生活の上に具現し、其の日〳〵に眞に之を實踐に移して行く事が大切だと思ひます。只今の私達の生活は、大きく考へれば、自分の爲の療養ではありません、又自分本位に考へた療養生活でありましたならば、其れは余りにも間違つた淺薄な考へでないでせうか、今日の私達の此の療養生活は、そんな狹少的な自分丈けの問題ではないと思ひます。

去る九月八日、大詔奉戴式場に於て、所長殿御訓示の一端に、今日は國家觀念に則つた處の療養であるべきだ、と仰せになりましたがさうしたならば如何なる事が國家の意に副ひ、自分の務を果し、吾の往くべき道であるかを考へるのであります。

それは、寸時も徒な時は過さぬ眞劍な療養であり、速かな健全な全治の再起で、而も療養中に病を通して修得した、何物かを今後の生活に永久に活かして行く事ではないかと私は思ふのであります。

この國家觀念に徹しました時には、只今の生活が只生への執着や、生きんとするための療養でなく、又今日の境遇が只有難いとか、勿体ないとか思ふだけでなしに、眞に病氣を癒さねば申譯ない、シッカリした療養をせねば相濟まないと云ふ、眞の療養道を悟り、又自分の步まねばならない眞實の道も、人樣から强制や慫慂されなくとも自然と自ら其の氣持になり又容易に實行出來るのであります。今一つ此處に、考へらるゝ事は吾々にもつと强力な生活を求めてゐるのではなからうかと思ふのであります、兎角長期に亘る苦難の途は自然氣分も滅入り勝ちになるのが人の常でありますが、其處を强く明るい生活する事は私達の生活に取りて最も大切な事であります。永い間の療養に疲れ切り、鬪魂を發揮せずして、他に委ね切つた弱々しい心となり、何時かは病も癒るだらう、又癒して貰へるだらうその中になんとかなるだらうなどゝ如何にも自分の力を卑下した、安全感に陷り易いのでありますが、決戰下の今日、そんな柔弱な生やさしい考へは夢にだにあつてはなりません。

此の病は、俺が、自分で癒すんだ、癒して見せる、と云ふ强い自主的氣魄を以つて、積極的に療養法を實踐して行く療養生活でなければならないと思ひます。そして若し療養上他に欠くるものがあつたとしたならば、この氣慨を以つて克服する、之が肝要だと思ひます。

一四

國を擧げて戰時生活に透徹してゐます時、私達には、私達の戰時生活がある筈であります、斷じて有ります。

此の決戰療養も、煎じつめれば總て、私達日常に於ける心構へに歸するのであります、自分の心の持方一ツである。現在の療養生活に退屈を覺ゆる生活も、日々寸暇を惜しんでの療養に日の經つ早さを嘆く、眞劍味溢るゝ療養も、要は心構へ次第なのであります。私達今眞に國家の現狀を認識し、吾等の本分に徹し、其の任務を自覺致しました時は、吾は今完全に務を果してゐるか、自分の療養生活は之でよいか、正しき道であるか、省みて俯仰天地に恥ぢない處の療養生活に明け暮れる事が出來るのであります。

さて療養上の心構へと云ふようなものに就いて今暫く考へて見たいと思ひます。先づ第一に療養の本旨を違ぬ事であります。吾々は今何故の療養であるか？前述にもありますから諄くどしき事は避けますが、命が欲しいから？永生きしたいから？それであるならば今迄生きた丈丸儲だ、こんな娑婆になんの未練が殘るものか、と捨鉢的な大外れた考へが擡げて來る事になります、これでは萬事終点であります、自分の軀は陛下に捧げ奉つた軀である、自分の病を癒す事は御國の爲であると云ふ、目標を失はぬ事である、その考への元に必ず病に勝つて見せると云ふ、必勝の信念を堅持する事が大切であります、必勝の信念なくしては決して勝利全治の女神に惠まれないと思ひます、吾が皇軍が强いのも御稜威の下必勝の信念を持つからであります、凡そ戰爭には幾多の條件を必須とすれど究極する處は精神の問題だと、東條首相の御話にありましたが、精神の腐つた信念のないあやふやな事では何事によらず決して成功致しません、吾鬪病生活に於ても絕對に癒すんだ最後は勝つんだと云ふ確固不動の信念の元に療養致さねばなりません、長期療養の間には決して順風滿帆ではない、アスアルトの舖裝道路の如き、平々坦々たる道でもありますまい、荊棘の道も、ジャングル地帶もありませう、症狀の一進一退は必然の課程であり、當然起る事であります、そんな事に一喜一憂するは、如何にも信念に生きないつまらない考へであります、最後の勝利を信じて粘り强くどこ迄も頑張るべきであります。更に飽迄も長期療養にへこたれない、苦惱の道に堪へ得る處の忍耐力百析不撓の强固な意志の持合せを致したいと存じます、一時も早く淺瀨に上りたいとし、目前の安逸を望むは、人情の常なれどこんな弱点を持つ事は最後は總てを失ふ事になります、吾々は進んで其の苦惱と眞向から四ツに取組むべきであります、急がば廻れ、とも云ひます、生半可な鬪病よりもどつしりと尻を据へた方が却つて再起への近道とも考へらるのであります。

尚、本病の正しき認識を求めたいものです彼を知り己を知るもの百戰危からず、とかまあそんな事はどうでもよろしいが、吾々に鬪ひ挑んだ本病が一体どんな素性のものなるか位は知つて置く必要がありませう、仲々生やさしい事で癒るような代物でもない事は首肯出來る、年々多數の同胞が犧牲になる、特効藥が跳梁する、政府は頭痛鉢卷の體である―私は思ふその大多數は無智からの恐怖や、正しき認識を欠く爲、自然療養の邪道に陷り、自分からして替へがいの無い命を捨てゝゐるのではないかと、所長殿が嘗て、結核は畏れよ恐れるな、と御訓戒になりましたが、決して恐るゝ必要はなくとも蔑視は絕對禁物で、放膽で細心兩々相俟つて缺くる事無きが大切と思ひます、有難い哉！私達は常に當所に入所して療養本道の根本精神に觸れ、療養の神髓を把握し、其の正體を知悉し得ました、六韜三略必勝の卷は確かに吾が掌中にある今は其の運用、實踐如何にある、どんな寶でも其の持腐れでは到底お話になりません。猫に小判であつてはいけません、十二分に活用する事です、この完備した療舍、仁愛溢るゝ職員の御指導御看護は、吾の鬪魂と相俟つて、之を結集し、敵、病、の最も弱点を衝けば、勝利の譜は高らかに奏でらるゝのである、天なんで吾に與せんや。

最後に述ぶる事は療養道否人生街道に於ける金科玉條とも申すべき歡の心、感謝の念である、吾々はどんな境遇に居ても歡の氣持を失わない感謝の生活を送る事であります、況して、吾々は今安らかに療養さして頂ける有難さに對しては萬腔の感謝を捧げまつらなければなりません。今私達が力一杯眞に病と取組み、療養三昧の生活に入つた時は、現在の生活が歡に溢れ、勿体ない生活であると思ふ感謝の念が滾々と湧いて來るのであります。思ひようでどうにでも解されるのである、こんな病になつて、俺はなんと運が惡いだらう、悲嘆を喞つ生活も、又自分の病はこの世で當然負ふべき自分の運命なのだ、生れ乍らにしての約束だつたと思ふ、樂な、率直な、氣持で、少しの煩悶も忿懣もなく、運命の神に自分の体を任せ切つた、安心立命の境地で同じ病床に在り乍も嬉々とした明朗な生活を送り、人生の眞實の幸福を味ふ事の出來るのも思よう一ツである。私は常に想ふ、現在若し此の病に罹患しなかつたと假定したならば、人生に於ける眞の歡も、有難さも知らず、滿された事のない、我執の世界に沈淪して一生救はれない境遇に甘んじなければならなかつたかも知れません、さすれば病になつた事も、決して不幸な出來事でもなく、天の惠と却つて感謝すべきでせう。斯く考へますと有形無形一齊衆生に對して感謝の氣持にならざるを得ないのであります、此の氣持こそは寤寐の間も失つてならない人生行路の鐵則であります。

以上私達の本道、その療病に就いての心構へ感謝の生活に關して冗長な駄文を重ねてまいりましたが、歸する處は、眞面目に療養全治で退所このひと口であると思ひます。此の大決戰下日本國に生を享けた榮光を擔ひて、一億國民總進軍の秋、誰一人の落伍者もなく、互に手に手をとり勵し合つて、療養本道を邁進致したいと思ひます。

懸賞論文

決戰下の療養生活（二等）

澤　榮一

夜となく晝となく、海洋に大陸に、慘愴苛烈なる、決戰は續く。豐富なる資源と、傳統の科學力と、尨大なる生活力を誇る、敵米英が、物的優勢を唯一の恃みとする、總反攻は今烈しい。

雲霧に閉されたる北海の孤島に、之を邀へた、山崎部隊長以下二千有百の勇士達は、鬼神も哭く勇戰の後、壯烈なる玉碎を遂げ、芳名萬世を貫く、護國の鬼と化し去つた。

山本元帥の英魂、永へに鎭護するであろう、南溟の島々に、敵反攻の嵐は猛く、殉國の至誠に燃ゆる、皇軍の將兵達は、死生を超えて、慘烈なる戰鬪を續けつゝある。

それのみではない。バドリオをして、叛逆的降伏せしむるに成功した、米英は、その兵力轉用により、緬印國境に、反攻の鉾を向け、その戰鬪は何れの地よりも、激烈と深刻さを加へんとしてゐる。

而して決戰は、前線のみではない。

敵の物的勢力を壓倒すべく、銃後は擧げて血みどろの生產戰を遂行しあり、あらゆる困苦を克服して、戰力の增强に努力しつゝある。然も敵米英は、我が本土空襲に虎視眈々としてあり、平穩なりし我が本土も、鐵と火の洗禮を受け、慘烈なる戰場と化するは、近き日必至の狀勢にある。

決戰に前線と銃後の區別は無い。國を擧げての決戰である。安穩なる生活を送り來りし、吾人身邊にも、犇々として決戰の緊迫感が漲り來る。

入所者總て、國を思はざるは無く、戰局を憂はざる者はあるまい。吾人何を爲すべきか。療養生活、如何にあるべきか。吾人の胸裡に、往來して去らざる、切實の問題である。

以下、信ずる處に隨ひ、暫らく筆を進めてみたい。

決戰下療養生活を送る者の、精神的根柢は、果して那邊におくべきか。敢へて言ふ。

皇國民たるの光榮と、傷痍軍人たるの名譽の、自覺徹底にあり、と。

萬世一系、連綿たる皇統、國を統べ給ひ、悠久三千年、常に生成發展して止まざりし、光輝ある歷史を有する、神國日本に生を享くるの光榮を擔つた吾人は、而も皇國の精神、八紘爲宇の大理想の、大東亞諸地域に顯現され、東亞諸民族の解放と、共榮圈建設の聖將に成らんとするの、盛時に際會したのである。然れども世界制覇の野望に燃ゆる米英は、其の聖業達成を阻止すべく、反攻は熾烈を極め、戰ひの前途は決して樂觀を許さゞる狀態にある。皇國民の使命と責務たるや、又重きを感ぜざるを得ない。

吾人は病みてありと雖も、皇國民の重要なる一員を構成するものであり、戰爭完勝、聖業達成の一翼は、將に吾人の双肩にかゝり、その責務の又重きを知るのである。

況んや、吾人は傷痍軍人たるの名譽を擔ふものである。畏き邊りより、吾人に垂れ給へる、御仁慈の數々を思ひ、銃後國民の赤誠溢るゝ援護を考ふる時、誰か感激に打たれざるは無く、感謝を覺えざる者はあるまい。然も吾人は決戰下の今日、貴重なる國帑の多額を費して、安らかにして、豐かなる療養の日を送り得るの身である。

皇國民と生れし光榮と責務を自覺し、吾人に賜れる寵遇の數々を、感謝の中靜思する時、吾人は、吾人に與へられたる使命の何たるかの自ら明らかになり來るを感ずるのである。

即ち皇國民たる吾人の、國家に對する責務であり、國家の吾人に期待する處のものは、可及的速かに治癒再起の日を迎ふるにある。隨つて吾人は、國家に報ゆるの途として、不撓不屈、只一途療養に邁進するの外ない。而して戰局は決戰の相貌を呈し、日々緊迫苛烈の度を加へる今日に於ては、療養は飽く迄、眞摯なる態度が要求され、生活は全面的に戰爭に協力的であり、又戰爭によつて生ずる、如何なる變事例へば空襲の如き何時の日、吾人の頭上に見舞ふとも、動ぜざる心構へが必要とされる。

嘗つての療養は、自己の幸福の爲、或は肉親の爲、爲された時代もある。然し現下の療養は、斷じて斯かる目的で爲さるべきではない。吾人は嘗つて、醜の御楯として出で立つの日、總てを大君にさゝげまつり、國と共に生き國と共に死するの、搖ぎなき覺悟に徹した筈である。

現下吾人の爲す療養も、皇國民として、且傷痍軍人として、國家に對する、崇高なる責務の遂行であり、熾烈なる愛國の至情を、裏付けとして爲されなければならない。

吾人は、この決戰下に於て、療養生活の精神的根柢を確立すると同時に、その眞義を充分理解し、時局に相應しく遺憾なき療養の日を送るべきである。

然らば吾人が、決戰下に相應しき療養生活を送るの具体的方途如何之に就き聊か述べてみたい。

吾人の療養生活に於て、準據すべきは、傷痍軍人五訓及び、療訓の遵守に盡きる。然れども一億國民擧げて、米英擊滅の鬪魂に燃え、眞摯敢鬪を續くるの時、吾人の療養生活も又緊張と眞劍味が要求され、生活を通じて戰爭に協力し、貢獻する處が無ければならないは曩にも述べたる如くである。即ち療養且奉公の誠を致すのである。

吾人が療養生活を通じて、戰爭に協力するの途は多々あるが、玆には假に之を積極と消極の面に分けて述べてみる。

積極とは吾人が勤勞し、生產業務に從事するにより、積極的に戰力增强に資するのである。固より斯く積極的に協力するこそ、貢獻する處も多く望ましいに違ひないが、病人たる吾人の大部分の者は不可能である。許されるは外氣患者及び、療棟の三級以上の患者に過ぎず、其の方法も現在にては食糧增產等の外適切なものは見出し難い狀況にある。

然し戰局は愈々深刻化しつゝある今日、方法なきとて棄ておかるゝ事は許されない。何らかの手段により、軍需品生產の如き直接戰爭に役立ち得る作業を選び、之に從事し得る如く努力すべきではあるまいか。

消極とは療養生活に於て、物資、金錢の節儉により、消極的に戰力増強に資するのである。物資は近代の消耗戰に於ては、特に重要であり、吾人近邊に常に存在し使用し消耗する衣料、食糧、藥品、電力等も重要なる戰力たる事に充分の注意を拂はなければならない。

假に衣料に就て言へば、衣料の購入を控へる事により、纖維材料が浮くのみならず、勞力、設備も又戰力に轉換し得るのである。吾人は衣料又戰力たるの事實を充分認識し、必要の品は手持品の活用により新規購入は嚴に戒しむべきである。殊に吾人には一通りの衣類が支給されてゐるのであつて、衣料購入の必要も少く、衣料切符の如きも、自發的に獻納運動が活潑化されて然るべきではあるまいか。

食糧に就ては、食糧は戰力の根幹をなすと言はれ、各國は血みどろの食糧戰を闘ひつゝある狀態である。古來瑞穗の國と謳はれし我が國でさへ、現在に於ても尙自給をなし得ず、爲に國民は、汗と土にまみれて食糧增產に、吾人の想像を絕する、多大の努力を拂ひつゝある狀態である。決戰下、我が國の食糧事情に思ひを馳せ、又一粒の梅干に泣いて喜び、草の根を嚙んで死闘を續けた、戰友の事を考へれば、吾人は食事が惡い、足らない等と言ふべきではなく、又言へない筈である。吾人は與へられる食事に、深い感謝を捧げ、その總てを己れの血となし、肉となし得る如く、工夫と努力を拂ふべきである。

藥品、電力、其他の諸物資が戰力たり得る事も、容易に考へられる處であつて、吾人は之等を節用し、愛用する事にも、注意を拂ひ、力を盡さなくてはならない。金の費消に就ても、吾人は奉公の途を、見出し得るのである。職時下貯蓄の肝要なるは、夙に喧傳せられ、今更說くまでもあるまい。然し吾人の貯蓄は、吾人が消費を愼しまずしてそれだけ家庭よりの送金を增して、なされる如きは無意味なのは明らかである。吾人目下の急務は、金錢の費消を減少せしむるにある。金錢の浪費は、單に自己或は家庭のみならず、一國經濟を危ふくするものなる事を、認識すべきである。

以上、吾人の療養且奉公し得るの途を、述べ來つたのであるが、其消極的奉公は總てが、物質的生活を通じてゞある。決戰下、療養生活に於て、物質的生活は決して輕視する事を許されない。而してその要は、質實簡素の生活に徹するにあり、その精神は、感謝の心に深く根ざす處が、無ければならない。若し入所者にして、不要、不急、贅澤品の購入に奔走し、或はいたづらに享樂を求め、遊興の巷に多額の金錢を浪費するが如き事あらば、啻に傷痍軍人の名譽を傷つけるのみならず、國家經濟を毒し、戰爭完遂に障害さへ、與へんとするものなるを銘記すべきである。

祖國を愛し、戰爭の完勝を祈るならば、作業を許される者、許されざる者、各々戰爭に貢獻し得るの途を選び、奉公の誠を致さねばならない。

決戰に次ぐ決戰の今日、病める吾人たりとも、戰爭に協力する事の肝要なるは、前述の如くであるが、吾人の眞使命は飽く迄も療養の完遂にある事を忘却してはならない。

思へば療養の前途は餘りに險しく、困難障礙は餘りにも多い。然し療養の吾人に課せられたる國家責務たるを思ひ、戰ふ祖國の現實を考ふる時、如何なる困苦も克服して、一日も速かに全治の彼岸に達せずばなるまいと念ふ。

療養の要は、意志であり、闘志であり、克己するにある。吾人は嘗つて、皇軍の一員として訓練され、或は銃劍執つて戰爭を馳驅した身

一九

である。不幸、志半ばにして病を得たりと雖も、吾人の体內には尙、戰線に敢闘する皇軍將兵達の、旺盛なる闘志、强靱なる意志はそのまゝ、波打ち躍つてゐる筈である。吾人はこの軍人精神を武器として、如何なる苦患にも堪へ、本能慾望の挑戰も克服し、只一途療養の完遂に、邁進しなければならない。況してや決戰下、戰友は北邊極寒の果に、或は炎熱瘴癘の地に、困苦欠乏に耐へて死闘を續け、銃後國民又乏しき生活に甘んじ、必勝增產に、國土防衛に敢闘しつゝある時である。吾人の療養も又、一億國民に對する限りなき感謝の中、全治の光明を求めて、寸分の撓みなく、弛みなく、怠りなき精進努力であり、再起の日に備へて、修養研鑽の日々でなければならない。

皇國民たるの光榮を自覺しては、生きる歡びを感じ、療養の眞義に徹しては、必治の信念を固む。而して職局の實相を把握して、有形無形の職爭協力に努め、深い感謝と、謙虛なる精神に立脚して、療養に努力精進する處、其處に、眞の決戰下の療養生活は營まれ、吾人に許さるゝ「天業翼贊、職域奉公の大道の存する事を銘記すべきである。

論ずべきは殆んど、論じ盡せるものゝ如くであるが。玆に至りて思ふ。

決戰下要は、理論にあらずして、實踐にあらずや、と。心靜かに已れをかへりみ、環境を眺むれば、心寒きものが無いでもない。口に國事を論じ、戰局を憂ふる人は數多いが、眞に決戰下に相應しき、療養生活を送る人は、決して數多くはない。

皇國は興廢を賭して、戰ひつゝある。然も戰局は必ずしも、樂觀を許さない。もとより吾人の必勝の確信は、毫も搖ぐものではない。然しこの大戰爭に於ける勝利は、古來我が民族が難局に際して發揮せし熱烈なる盡忠奉公の精神と、猛然たる團結力が、再び玆に發揮されてこそ可能なのである。心澄して、靜かに聽け！南空を征く飛行機の爆音が、ジャングルを裂く砲彈のうなりが、突擊するつはものゝ喊聲が、耳朶をついて微かに聞ゆる思ひがするではないか。

職局を正視せよ!!而して吾人何を爲すべきや、療養生活如何にあるべきや、靜思し、熟考するのだ。然る上、考へ定まる處、即時實行に移すのみ。職局は躊躇も、逡巡も許さない。

決戰下、吾人の急務は、議論にあらずして、實踐にある。

懸賞論文 三等

決戰下の療養生活

小林克哉

先に山本元帥が遠く南海の空に於いて武人よ吾に續けと國民に尊い儀表を示して散華され、今又アッツ島に於いて山崎部隊長以下全員玉碎と云ふ古今未曾有のこの國を賭しての激戰の最中に、吾等多數の傷痍軍人が後顧の憂ひもなく安穩に療養する事が出來るのは、之偏に宏大無邊なる聖恩に依るものであります。

申す迄も無く私達日本人の「生きる」眞の目的は總てを大君に捧げ奉るためにのみあるのでありまして、吾々の療養生活も當然總てをこゝに發しこゝに歸一しなければならないのであります。即ち吾々の療養生活は大君より與へられました重大なる責務であります。完全に之を

二〇

遂行する事は大君に捧げ奉る大なる忠義であるのみでなく、取りもなほさず國家を泰山の安きに置くことなるを自覺しあらん限りの努力を以て使命達成に邁進しなければならないのであります。

想を此處に致す時どうして吾々のみが安閑として節制の無い日常を送る事が出來ませう。日常生活即職場生活なることを思ひ、今日只今を轉換期として過去に於ける一切の惡夢を振り捨て輝かしき療養道建設のため渾身の努力を拂はなければなりません。

戰時下に於いては吾々の療養生活が平時に於ける療養生活に比べてたしかに精神的及物質的兩方面に於いて障害が多くなつて居る事は否定出來ない事實だと思ひます。然しこの樣な些細な障害でへこたれる樣では長期の鬪病を必要とする吾々結核患者がどうしてこの難病を征服する事が出來ませうか。悟りと自暴自棄とは紙一重の差です。苟くも療養患者の代表たる傷痍軍人が、過ぎし日萬歲の聲日の丸の波を以て送られた吾々が、強固なる信念を持ち得ずして參つてしまつては、溢るる熱誠を以て後援して下さる銃後一億國民に對して誠に申譯ない事であります。例へ如何なる障害があらうとも之を突拔けて全治の彼岸に到達しなければ止まぬ勇往邁進確固不動の信念を堅持しなければなりません。

銃後國民は吾々傷痍軍人に絕對の信賴を置いて囘復の一日も早からん事を願つて居つてくれます。吾々はこの期待を裏切らぬ樣所長を父と仰ぎ各醫官職員を兄とし、看護婦を妹と思ひ、一大家族を形成し全員團結して更によりよき療養所を作り上げ銃後の信賴に應へる樣精進しなければならないのであります。過日所長殿のお話しに依る某療養所に於ける騷動の如きは理由の如何を問はず、唯に大君に對し奉る不忠のみでなく國家國民に對しての大なる不德行爲と云はなければなりません。吾々は熟慮吟味して決して荷車の轍を踏む樣なことをしてはならないのであります。然るに未だ當療養所の如き優秀なる成績を治めて居る所に於いてさへ尙食事が惡くなつたとか副食物が不味くなつたとか、或は滋養品が足りなくなつたとか云ふ不平不滿の聲を數多く聞くことは誠に情無いことであります。一粒の米一切の澤庵といへども之皆陛下より下したまはれる物であつて尊い百姓の汗の結晶であります。決戰下の今日與へられた食物を不平不滿を並べなければ滿足に食ふことの出來ない人間や、それで生命を保つて行けない樣な人間は一刻も早く死んでしまへと叫びたくなります。喰ふか喰はれるか正に雌雄を決せんとするの時一人でも多くの人材を必要とすることは云ふ迄も無いことでありますが、それは「生」を國家と共にする者を指してのみ言ふことであつて害あつて益の無い人間はよろしく淘汰すべきであります。

やれあれが無いこれが無いと云つて悲鳴を擧げてるその品物が明日をも凌ぐことが出來ない程生活に必需な物でありませうか。最低の生活は國家が保證してあることを言明して居ります。地方に比べての吾々の幾多の恩惠を考へる時假初にもその樣な事を口に出すべきものでありませうか。とかく外部との接觸が無いために餘りにも戰爭の現段階に對する認識が不足して居るのでは無いでせうか。入所者總てが實戰に於ける簡粗生活に馴れて來て居る筈です。第一線で血みどろの決戰を續けて居る吾々の戰友は、敵の「消作戰」に對するため吾身を粉碎して居るではないですか。たとへ吾々は丸裸で居なければならない樣にならうとも、一發でも多くの彈丸、一台でも多くの飛行機を前線に

二一

送る爲全面的の協力をしなければなりません。彼のイタリヤが無條件降伏といふ嘗つて類を戰史に見ざる汚點を殘したのは、叛逆首謀者バドリオがその責の大半を負ふべきではありますが、國民一人〳〵が徒らに個人の自由の夢を追ふて死を國家と共にしなかつたからであります。敵に頭を下げて迄自己の安樂を求め樣とは……なんと犬畜生にも劣つた淺ましい行爲ではないですか。アッツ玉碎が無言の裡に語つて居る樣に吾々日本人には國敗れて山河なしです。たとへ木の根草の根を食ひ土を嘗め樣とも石に嚙りついても戰ひを勝ち拔かねばならないのであります。

斯く述べ來りましたが夜每靜座し、傷痍軍人五訓、療訓を拜誦し靜かにその日一日の自己の療養生活を反省する每に、誠に慚愧に耐えないものが多々あるを覺えます。

一刻も逡巡することは許されません。征途に就く時の感激を更に新にし總てのものに感謝しあらゆる虛飾をかなぐり捨て、一意療養に專念して一日も早く全快退所し、以て大御心を安んじ奉らんことを期して居る次第であります。―(終り)

キット治癒してウント奉公
氣力で克服氣慨で更生
今日の安靜微笑む明日

〈標語〉

病床も道場

世には肉体の病めるより心の病める者、病んでそれを知らざる者ほど始末におへぬものはない、病苦がないから惡い、頑健なる者はしば〳〵己れを忘れる。己れとは自己が他己に對してたもつ態度である。眞の自己とは、我よりも人を尊び、仰める態度である、この眞自己を忘れるところから狂ひが生ずる。病者も周圍の人々を重んじ恃み、この謙抑な態度を保つて居れば、病床こそ他に求められぬ、道場である。病を賜るのは、病を超えしめる力を、內より生ましめが爲である。

健全なる精神は健全なる肉体に宿るといふも事實であらう。然し病苦と死の自覺とによつて、眞劍に成し遂げられた事業が、健康者の及び得ぬ迄に知れた事實もある。萬物一体說を樹てゝ儒教を哲學的實踐的に徹底せしめた陳白沙、王陽明、中江藤樹、みな肺患である。樋口一葉、正岡子規、清澤滿之また然り。(超日月光ヨリ)

二二

御禮の辭

皇國は國運を賭しての大戰爭を遂行しつゝあります今日、吾々は如何なる困苦缺乏にも堪へ忍んでこの戰に勝ち拔かねばならないのであります。

御稜威の下皇軍將兵は第一戰に於て敵撃滅に、又銃後國民は生産增强に、國民こぞつて決戰下、勝ち拔くの決意を益々强固にして敢闘しつゝありますの今日、吾々傷痍軍人の責務も重且大なるものを痛感するのであります。この吾々の覺悟を入所者諸兄に求め、お互に激勵しつゝ療養に專念し一日も速に再起御奉公申上げんが爲に今度編輯部に於て標題の懸賞論文を募集致しました處、入所者諸兄の熱烈なる御支持に依りまして豫想以上多數の御應募を戴きました事を編輯部一同感謝に堪へない次第であります。

論文の選は所長殿、指導官殿、庶務、醫務兩課長殿に御願ひ致しまして嚴選して戴きました。公私御多忙中、貴重なる御時間を、種々御骨折下さいまして厚く御禮申上ます。

應募作品全部を發表する筈でしたが、紙面の都合にて入選作のみより發表出來なかつた事を應募者諸兄に深く御詑び申上ます。（編輯部）

懸賞論文審査成績

一等	長島郁三郎君
二等	澤　榮一君
三等	小林克哉君
佳作	山田多喜男君
同	米田正信君

なぜ〲問答

醫官　羽田一重

ラジオの「なぜ〲問答」の筆法を借りて煙草はなぜ身体に悪いかをお答へ致さうかと存じます。元來煙草の作用を一番受け易い器官は私達の消化器であります、之は主に例のニコチンの悪い作用に依るものですが、此ニコチンは消化器の働きと密接な關係を持つて居る神經醫學的には自律神經と申しますが、此神經に對して特に强く働く藥物學的な性質がありますので煙草を喫めば胃や腸を始め口から肛門に到る所謂消化器系統全般に亙り當然色々な變化が起つて來る譯です。今其主な物に就て申上ますと、順序として消化器の入口に相當する口に存在する唾液でありますが、私達よく經驗する事ですが前の晩邊りに少し煙草を喫み過ぎたと思はれる翌朝は殊更に口の中がねば〲して妙に乾いて居る樣な事があります、之は唾液を分泌する腺がニコチンの爲其作用を低めさせられた結果何時もと違つて充分唾を出す事が出來なくなつた結果と見なければなりません。唾液腺ばかりではありません更に奥にある胃や腸の分泌腺の働きも同樣鈍くなります爲胃や腸に送られた食物を夫々適當に處理して、私達の血となし肉とするには之等の分泌腺から消化液と云ふ物が分泌されなければならないのですが、此消化液が少くなります爲胃加答兒其他の障碍が現はれて來る譯です。實際の例で申上ませう或學者が嚙煙草を習慣として居る多數の漁夫に就て胃液の檢査を行つた事がありましたが案の條之等の胃液の中には鹽酸が少しも分泌されて居ない所謂慢性無酸性胃加答兒の狀態を示して居る者が澤山居たと云ふ事であります。嚙煙草と云へば何の事はない私達の口の中で煙草の煮出しを作つて居る樣なものであります、こんな奴がだら〲胃袋の中へ流れ込んで行つたと考へた丈でも氣の弱い人は胸先がむか〲して來るでせう、實際それ處ではありません、斯うした長い間の胃粘膜の刺戟に依つて其處へ癌が芽を出して來る事さへあると云はれて居るのです、近年名古屋醫大の勝沼博士は實驗的に煙草のやにで兎の胃袋に癌を作る事が出來たと報告して居ります。

以上はニコチンが胃や腸にある分泌腺に作用した爲に齎らされた障碍で、前述の自律神經にニコチンが作用した場合と自ら趣を異にして居りますが、腸は動きを主とする器官だけに此自律神經とは特に密接な關係がある譯です。ですから腸は一般に胃よりもニコチンに對して尚一層敏感でありますから平生腸の弱い人などは殊に煙草の影響を受け易いわけであります。腸壁の筋肉はニコチンの爲痙攣性の收縮を起し易いと云ふ事が其作用の主なものでありませう、例へば朝起きて

先づ一服吸ひながら厠に上ると氣持のよい通じがあると云ふ樣に適當な喫煙が時に一種の緩下劑の樣に作用する事さへあると云ふのも腸壁の自働運動を司る前述の自律神經に對するニコチンの影響と見れば容易に之を理解する事が出來るでありませう、又斯う云ふ事から考へて見ましても既に下痢でもある樣な場合には其原因の如何に拘らず先づ煙草を愼む必要がありますし、場合に依つては絶對の禁煙さへ守らなければならない理由がよくお判りの事と思ひます。尙痔に就て一言觸れて置きませう、平生私達は痔をやんで居る樣な人には刺戟性の喰べ物や飮み物を避けると同時に煙草もいけないとして注意します、之は何故かと申しますと肛門の周りの筋肉が胃や腸の壁の筋肉と同じ樣にニコチンに依つて痙攣性の收縮を起して局所の血行障碍や痛み等を惹き起して來る事があるからであります。

次には煙草が循環器系統つまり心臓や血管に對して如何な影響を及ぼすかに就てお話致しませう、此章にも先づ自律神經をかづき出さねばなりませんが實際循環器系統と一番深い關係を持つて居る物は、胃や腸の場合と同じ樣に此神經でありまして、前述消化器系統の章でニコチンが如何に此神經を目の敵にして居たかを想ひ出されるならば、此章で私が何を云はんとするかは自然と御了解のつく事と存じます。實驗例に就て申上ませう。嘗て二人の煙草好きな研究者が前後一年間に亙つて自身の脈膊に就て詳しい觀察を行つた事がありました、先づ最初の六ケ月間は平生の樣に一日に葉巻を六本乃至八本喫みました次の六ケ月間は時々葉巻をくゆらすだけで出來るだけ禁煙を守りました、其間一定の注意の許に毎日脈膊を記錄して行つたのであります、斯樣な氣永な觀察によりますと脈膊の平均數は禁煙期七四・五（一分間）に對し喫煙期八一・八と云ふ事になつて矢張り煙草を喫んで居る時期には一般に脈の數が多いと云ふ事が確かめられました。脈の數が多い事は夫だけ循環器の負擔が多いと云ふ意味にもなるのであります。例へば今お話した研究者の場合脈膊平均數の差を七・三としますと一日では平均一萬五百回以上も多く脈をうつて居るわけで、心臓や血管は煙草の爲に夫だけ余計に働かされて居ると云ふ勘定になる譯です。既に心臓病があつたり何か重い病氣でもやつたあと一時心臓の働きが平生よりも弱くなつて居る樣な場合などには特に煙草がよくないと云ふ事は之を以てみても容易に御了解のつく事と思ひます。

最後には煙草と呼吸器、なぜ呼吸器に悪いかをお話致しませう。大概の煙草喫みが多少に關らず咽喉を痛めて居るのは御承知の通りです夫は咽頭喉頭などの所謂上氣道と呼ばれて居る部分に急性又は慢性の加答兒を起して居るからです、煙草の咳は此加答兒に陷つて居る粘膜を煙が刺戟する爲に起るものです、つまり煙の中に含まれて居るアムモニアであると

かピリヂン、アルデヒドとか云ふ樣な揮發性成分のもたらす悪戯であつて、例のニコチンは此際には掛り合ひがない樣です。然らばぐつと一服胸の奥迄吸ひ込まれた煙と一緒に一体どの位のニコチン其他の煙草成分が肺臓の中迄入つて行くものだらうかに關しましては東京帝大衛生學教室の四方博士が詳しく實驗をされて居りますが其結論を申上ますと、實際に肺臓の中のどんづまりの袋小路とでも考へられます肺氣胞に迄達する量は大いした事はないと報告されて居ります、從つて煙成分の毒作用の程度も略々想像されますが永い間には煙草の爲に私達の肺臓に或一定の變化が起きます事は之等の肺をレントゲンで見ますと喫煙肺と云ふ名が付けられて居る位明瞭に判るのであります。之等の所謂喫煙肺が肺結核と如何なる關係があるかは遺憾ながら今の所は未だ不明であります。

斯樣な譯で普段から餘り呼吸器の丈夫でない人乃至現在呼吸器を患つて居る人にも確かに煙草は宜しくありません、私達の立場から云へば斯樣な体質の人達こそは他に何か適當な慰安を求められて初めから煙草など口にすべきでないと思ひます、重複する樣ですが煙草が直接に肺臓に働いてどうと云ふ事はさて置いて煙草の煙が咽喉を刺戟して直ぐに咽喉加答兒や扁桃腺などを起し牽いては咳嗽の頻發と移行して肺臓内の安靜をみだし肺臓内のひびを段々と大きくする事は丁度ひびの入つた花瓶を手荒く揺り動かしたのと同じ結果になるとしましたら、煙草は之だけでも療養上のバドリオであると斷言して憚らないと信じます。ましてや煙草が消化器系統に前述の樣な悪影響を與へて、胃腸障碍を來します結果は、疾病に對して兵力を增加して備へる意味での榮養物攝取と云ふ戰略の根本原理が覆へされる事となります事、或は又循環器障碍の結果は敵兵に對する火力の低下をもたらし、敵兵を、疾病を、より身近かに接近させると云ふ樣な結果になります事等に想ひを致される時私の言葉を俟つ迄もなく、此なぜ〲問答は解決致しました事と信じます。

借家住ひ

某氏の健康法に曰く「都會にて家を借る時は家は小さくても庭の廣い風透しのよい家を郊外に探し、朝は早く起きて、素足となりて庭の手入、又は少々菜園等を作る。これが健康增進には「一番よいと思ふ」と語られた、この某氏二十一才にて胸の病になり三年間療養治癒して都會にて働きつゝも六十才の今日まで病氣になつた事がないと。

馬來隨感

指導補佐官　安田久治

一、昭南島附近の漁業

馬來作戰中は勿論の事、ジョホールバールでの長い病院開設間魚らしい魚を一回も口にした事はなかつた、強いて云はゞシンガポール陷落祝に内地物の冷凍を、それもホントウに御祝儀として一寸口に入つた位と、當番兵が病院前のジョホール水道で、飯粒で釣つて燒いてくれる名も知らぬやせこけた魚位だつた、公用のため時々昭南島へ行つて海岸近くを通つても海面に漁船らしいものゝ浮んでゐるのを見た事もなし又市場街其の他商店街に行つても生魚はおろか乾魚さへ賣つてゐる店は一軒も見掛けなかつた、治安が全く復舊しても矢張りジョホール水道に漁船は一隻も見る事が出來なかつた、？？何故だろう？この謎がどうしても解けなかつた。

昭南島を出帆する時、阜頭附近海面に又港灣内通過中の海面には大小無數の魚が我もの顔に游泳してゐるではないか、四五尺もあろうかと思はるゝ魚が盛んに飛上つたりしてゐる、勿論僕一人ではない、多くの人々も一樣に咽喉が鳴つた事は云ふまでもない、けれども矢張り之を漁る人もなければ漁船もない、船の中ではタンマリ魚の御馳走にありつけると思つたが、サテ食膳に登るものは内地製の壚魚が關の山だ、不思議に思つてゐると或日の事、同船の某客が（永年馬來南部地方に居たと云ふ人）此の謎を解いてくれた。

『馬來一般の漁業は實に幼稚なもので、河魚を探るのがセイ〳〵だ、海の魚に至つては全く駄目だ、と云つて住民は魚は大好物なので今では全く困つてゐる、昭南島附近からマラツカ海峽ピナン島附近の漁業權は皆日本人が持つてゐて戰前は相當な收獲があつたのだ、其の技術は土民に教へもしなければ又土民にそれだけの能力もないわけだ、それで住民一般は元よりア、して海の魚まで日本の漁師の來てくれるのを待つてゐる樣子だョ』

ヘハン！？此處にも山田長政の司政の蹟が、八幡船の遺蹟が生きてゐる譯である。オォ諸君ョ折角療養に專念再起して配給のタツプリある南洋に進出、充分の餌にありつこうではないか。

二、タングステンを米英が何故慾しがる？

馬來戰線で自爆した荒鷲を搜索した皇軍勇士が、計らずも山中で置き去られたタングステン鑛一萬袋を見付けたと云ふが、ゴムや錫と共に敵は馬來やビルマ支那奥地等東亞のタングステンをどれ程あてにし、頼りにしてゐたことであろうか。

電球内の纖條より他に余り使途を知らない我々には、何故タングステンをそれ程迄に米英が欲しがるか不審に思つてゐた、タングステンとはスエーデン語で「重い石」と云ふそうな、此の鑛石が際立つて堅く重く、昔は各鑛山でも厄介ものにされたからである、英語や獨逸語でウォルフラムとも云ふ攝氏三千二百六十度で初めて熔ける金屬で、堅い事、酸やアルカリ等にもめつたに侵されないため、鋼鐵に是を混じて高速度鋼や特種鋼と呼ばるゝ近代機械工業に重要な合金を造るのである、千分の五乃至三〇迄混じた鋼は、刄物として旋盤用のバイトと云ふ鐵を削る工具として他にかけ換へがない、又百分の五から六位混ぜて造つた磁石は久しく磁性を保つので永久磁石として重寶がられてゐる、發動機になくてならぬ事はいよ〳〵タングステンの重要さを加へてゐるものである。

その外電球以外にエツキス線を出す爲にも、高周波電流や紫外線を出す爲にもタングステンの重要さは近頃增す一方である。

斯う數へたてれば、機械文化を誇る米英が、近代化學の必要に迫られてゐる米英が、タングステンを欲しがる理由は成る程と肯ける、物質萬能の考へ方から彼等がタングステン不足に惱むことは、私達日本人の想像の外で、自國內に此の資源が乏しい事が今の場合やがて致命的となるものと見られると云ふのはタングステンの世界產額を支配するものは南支雲南省、廣西省、佛印、馬來半島であるからである。

三、馬來戰線行

指揮官車に乘つてゐた私は、後續車輛を左側へ誘導しそして停止信號をなさしめて停車、下車して後續車輛の狀況を見てゐた、やがて「後尾到着異狀なし」と遞傳「承知約十五分間休憩」と命じて誰もがする樣にゴム林に入つて立小便をするのであつた。ゴム林中の一本道路は風も通らぬので暑く、全身より海綿をしぼる樣に汗が流れる、加ふるに眞黑い蚊が豫告もなくシクリ、悠々と臀をおろして休憩も出來ない却而自動車を走らせてゐる方がどれだけよいかわからない、けれども運轉手の疲勞を回復せしめ、燒付く樣なエンヂンを休ませ水を注いで冷却せしめる爲には斯うして度々休む必要があつたからである。

四時是皆夏、一雨便成秋

と詩家蘇東玻も嘆じた如く南國の强い直射光線を年中頭のてつぺんに浴びての戰線行も仲々容易ではない。

炎天に敵も暑かろ逃仕度

と思ふ間もなく物凄いスコール、耳をつんざく雷鳴、今迄蘇東玻と思を同じくしてゐた自動貨車上梱包の上に居る兵隊達も、身を覆ふ何物もなく全身濡れ鼠だが自動車は間斷もなく走り續けてゐる、ゴム林の中を

追擊に休み場もなし俄雨

夜は山中の無名部落での露營だ、炊煙を上げたり濡れた襦袢でも乾かしてゐやうものなら、何處から飛んで來たのか敵機の盲爆、ドドドドードーン、と來られては悠々寢る事も出來やしない、時には思はぬ戰果を與へしむる事もないではない。チヤン國に於ける樣なゲリラ戰の苦汁はないが、馬來戰線行も仲々樂なものではない、コンクリートで補裝せられた道路と、米英人の住んでゐたどんな田舍町でも水道の完備してゐるのは何より嬉しかつたが、橋と云ふ橋は皆破壞されてゐたのには困りものだつた、筆を擱くに當り某兵の作による馬來戰線行を照會して置く討匪行の音譜で歌つてくれるとよい。

1、何處まで續くゴム林ぞ
　三日二夜の行軍に
　　スコールしぶく鐵かぶと

2、快音たてるエンヂンに
　なつく馬來の幼兒よ
　　さらばと今は別れ來ぬ

3、車輪の後に亂れ飛ぶ
　ゴムの落葉に起されし
　　虫の音細き日暮空

4、すでに上衣はぬぎすてゝ
　襦袢をとほす今日の汗
　　夜半に泌み入る冷かさ

5、さもあらばあれ日の本の
　我はつはものかねてより
　　草むす屍悔ゆるなし

（以下略）

二七

二八

決戰下に重要な水銀の用途

寒暖計、体温計の水銀の用途は頗る廣く、決戰下重要な鑛物資源の一つとされている。雷管や、水銀燈をはじめ電氣の整流器、其の他理科學機械の製造に用ひられ計器類にはなくてはならぬ、又有機合成化學における觸媒、尙金銀鉛錫のやうな金屬を溶解するので濕汞法といふ金の採集法にこの性質が利用され、金鑛のアマルガ精錬になくてならぬもの、又水銀は有毒なので船底の塗料とすれば牡蠣など貝類の附着防止に効果がある。

二九

特別寄稿

志摩風景二章

伊良子清白

一、英虞灣

十月の天は青い、
英虞灣を西へ、南へ、
船脚はかろい、
島々を縫ひ、
淺い海草の海を越えて、
すれすれに、磯の松を過ぎ、

三〇

蝶螺の底の入江に入り、
また別のさざえの底にはいつて往く、
秋の潮は燃えたつ藍で、
どこからとなく、
人の呼んでゐるやうな幻想に捉はれる。
眞珠小屋が白く光る岬の突角で、
鷗が妖しく啼いてゐた。
遠い、南島の山山、
秋は透きとほるやうに淡く、
すべてが柔い
女性の世界だ。

二、國府の松原

ここに天の道が行はれ、

三一

ここに地の理が動いてゐる。
風そうそうと吹き、
雲へうへうと飛ぶ。
姿がまたたくひまに改まり、
聲はとこしへに新しい。
謙虚の松、豪邁の松、
質實の松、端嚴の松、
洒落の松、富貴の松、
松の精神は人を鼓舞する。
品とりどり、
どれもこれも、愚かな松とてはない。
針の葉末、膚の鱗、
大地の根ざしはかたい。
見透しは明るく、
幾十本――幾百本――幾千本――

三二

次から次と、沙は流れて、
影は濃やかに横たはる。
この松に、
包まれ、
身を浸し
よろこびは胸に湧く、
（いくばくか、時が過ぎた。）
松の歌はとこしへに朗らかに――
人のよろこびは悲しみに移る――
行かばや――
涙は流れ、
とどめあへず。

三三

芭蕉の稱呼「翁」のこと

割田斧二

古來の文人墨客で齢六十七十を保つた者も少くあるまい。けれども其等の人々が必ずしも皆「翁」を以て呼ばれたと云ふ譯ではないのに、獨り芭蕉のみは四十歳前後から蕉翁或は芭蕉庵の翁、桃青翁、はせを翁と呼ばれて居る。德川時代は、十五歳で一人前、五十歳で隱居と相場が決つたやうに考へられては居たものの、四十歳前後で旣に「翁」扱ひをされた者はげに古來珍しいとされてゐる。然もそれは芭蕉を尊敬し稱へての「翁」であつて、決して單なる蔭口や惡い意味の渾名ではなかつた。

彼の本居宣長が「人のこへるよみて書たる歌とも俳諧師はせをと六人の像に」として詠んだ像贊に

二人なき翁なりけり此道に
おきなといへばこのおきなにて

とあるが、誠に古來「翁」と云へば此の人一人の固有名詞かの感がある程である。

併し四十歳前後から何故翁と稱されたかについては、何人も之を明にはして居ないやうである。

然るに此の頃雀庵翁の「さへずり草」を讀むと、此の事にふれて居る所がある。

それは「老のたのしみ」を雀庵翁が讀んで「翁」由來の暗示を得たといふのである。老のたのしみとは二代目市川團十郎、號柏莚の自筆になる隨筆日記であつて、頗る珍本に屬するものと言はるるが、其の中に左の如き一節があることを記してゐる。それは享保二十年二月八日の條である（因に記す「老のたのしみ」は三册より成り、學問を好み俳諧、狂歌に長ぜし柏莚の日記隨筆である。）

「事始め雨ふる大入也、此朝笠翁殿見え、しばらく芭蕉翁の庵室の物語あり、桃青深川のはせを庵は、へつつゐ二つありて、台所の柱にふくべを懸て有、二升四合ほども入べき米入也、松風千鮮弟子の見次にて、米なくなれば又入て有、もし弟子よりの米間違うておそき時、ふくべあけば、自らももとめに出られし。此比立翁は二十三か二十四の時のよし。翁は六十有余の老人と見えたるよし。其比翁は四十前後の人歟、笠翁子も嵐雪居士も同道にて、てれふれ丁の足駄屋の裏其角師の所に出居衆に笠翁は居られ、嵐雪もかかり人にて三人居られ候由、嵐雪なども俳情の外は翁をはづし遁など致候由、殊の外氣がつまりておもしろからぬ

三四

故也とかく翁は德の高き人也、今大樣翁の像に衣をきせ候へども、笠翁よく覺え候由、常に茶のつむぎの八德のみ着申され候、其比其角、嵐雪は、夜具などは無きどうらくなるくらしの由、翁の佛壇は壁を丸く掘ぬき内に砂利を敷出山の釋迦の像を安置せられしをまのあたりみたるを笠翁物語る、其比其角嵐雪なども千鮮松風などの見次のよし此日笠翁子は出羽を見物」云々。

笠翁の知る深川芭蕉庵時代の翁は、まことに四十歳前後であつたらう。五十一で浪花に沒した翁であるから、素より六十歳以上である筈がない。尤も二十三四の若者笠翁が目には、誰も經驗ある如く四十歳もの者は余程の老人かに見えたかも知れないが、それにしても翁が他の者よりも老成人に見えたと云ふのであらう。其の地味好みの生活、德を備へ氣高き老成さが、齡より尊くも老いて感ぜられたことであらうか。かくの如きに依つてみるに、此の風貌が自ら壯年桃靑が翁と呼ばれ、老大家として尊稱さること雅號の如くはなつたのであらうと雀庵翁は言つて居り、多年の疑問を解く一發見であると自ら語つてゐるが、確に一の見方である樣に思はれるのである。

世に言ふ。婦人の年齡を云ふには、思つたより四・五も若く言ふのが禮であり常識であるとされてゐる。何んでも若いと言はるるのが情として滿足がる所を捕へてのことか。

一體若いと云ふ、換言すれば未熟であるといふことが嬉しいと云ふのは未熟な考へであるが、それは色氣から來ると云ふもので、婦人は若いと見らるる方がそれ丈世間に重きをなすやうに考へるからである。それと云ふのも一方女の若さを世の男達が、一個の人間として扱ふのでなく、色氣から弄するといふ輕薄さによる罪なしとせない。それが爲めに愈々婦人が若さを氣にする浮薄心を助長させると云ふものか。果は因となり因は果となる。所で色氣拔きの男子同志になると、必ずしも若いと云ふことは世辭にならない。其の未熟の意が含まれて來て、時によると反て人を馬鹿にしたことにさへなる懼れがある。尤も極く老人に對するとなると、長壽を願ふ人情から必ずしも謂ふ所の若さも世辭とならない事はないが。何としても人物如何はその姿の上にも現はるる所ありとすれば、聖人君子、大家は年齡以上にそれらしい老成さがあることは翁を尊稱として奉れるといふものである。

蕉翁は細面で色白く、うすいもあり、小兵、瘦せ方の一見弱々しい姿とある。

然るに不惑に足らずして稱へ呼ぶに皆が翁の名を以つてするとは、さすがに俳聖に應はしい姿であつたと考へられ

る。そして嵐雪などの主なる弟子どもも、前掲の如く俳諧の事で敎を乞ふ時以外は、威嚴に打たれてか何となく窮屈で堪へられずとて、なるべく翁の傍をさけるやうにして居たとの事よりしても、その人物の一面が窺はれるやうに思はれる。

かくて昔から「翁といへば蕉翁のみ」とされる。翁は老先生、老大家としての翁であることが知られる。今年は翁の二百五十年忌に相當すると云ふが此の時、俳聖を風貌の「翁」の点より偲ぶと云ふことも敬慕することではあつても決して汚すこととはなるまいと考へ讀書余感とて敢てこゝに綴て見たことである。（完）

芭蕉の俳句

行く春を近江の人とをしみける
蓬來に聞かばや伊勢の初便
ゆく春や鳥啼き魚の目は涙

特別寄稿家紹介

割田斧二氏

群馬縣御出身、現在東京に御在住、東洋大學哲學科に學ばれ久しく道德雜誌の編輯に携つてゐらます。短歌雜誌「地上」の選者にて歌集「心曲」の著があります。

伊良子淸白氏

鳥羽町小濱にて醫を開業してゐられます。島根縣御出身で、京都府立醫學校（現在の醫大）東京外國語學校に學ばれ、詩壇の大先輩であられます。詩集「孔雀船」の著があります。御齡六十七才。尙歌人でもあります。吉植庄亮氏の歌に「老詩人伊良子靑白すむといふ小濱は見えて靑き沙の上」があります。

草野與平氏

傷痍軍人三重療養所前所長にて現在、富士電機會社附屬病院長をつとめてゐられます。

桐田蕗村氏

大阪市に御在住にて短歌雜誌「覇王樹」の選者でゐられます。

炊事部訪問記

編輯部

前日の雨も晴れて爽やかな秋の一日、安靜時間のひと時を我々の三大療法の一つである榮養療法の殿堂たる炊事部の現狀をきく爲に一行は炊事部を訪問した。

中から流れくる美味しい香りに鼻をならしつゝ、繩の暖簾をくぐつた。誰も入所以來炊事場に入るのは初めてとみえて珍らしそうにあたりを見ながら來意をつげる、しばらくして佐藤炊事長さんが、はげた頭をひからせて、滿面に笑を浮べつゝ出てこられた。一同挨拶をして進められし椅子に腰を下した。

「時局は益々重大になります折柄、私達の日々の食事をつくつて下さいますのに種々御苦勞の事と思ひます。つきましては今度すゞか第八號に炊事部の事をのせ度いと思ひまして御伺ひ致しました。御多忙中恐れ入りますが炊事部の現狀について御聽せ願ひ度う御座居ます」

「そうですね、炊事部の現狀と申しましてもお話する樣な變つた事もありませんが、當所開所當時は、支那事變の眞中ではありましたが物資も豐富にありました、然し現在では御承知の通り總てが統制配給にて、思ふ樣に入手する事は困難になりましたのでね」

炊事長さんのお國訛は平常きゝなれない我々には相當きゝにくい、炊事長さんの故鄕は何處かな——

「然し縣、村當局、配給會社、地方商人の深い理解に依りまして、私達の苦勞も少くして種々品物を入手出來るのであります」

「大体一回に何人分位の獻立をされるのですか」

「一回看護婦共に〇〇名分です」

ちらと調理場を見れば大釜にきれいな米を入れておられる

「あの釜で一回どれ位の御飯が焚けるのですか」

「大体六斗位ですね」

炊事場に働く人達はとても忙がしそうに立働いて居られる

「今炊事部に何人位居られるのですか」

「今迄は男五名女二名で七名でしたが現在では男三名女二名になりました。尙又法令にて四十才以下男子の禁職に指定されましたので年寄りと女ばかりになります」

「朝は何時に出勤されるのですか」

「全員六時です。退廳は午後六時、尙當直が一名殘りまして翌朝四時半頃より朝食の準備を致します」

四時半といへばまだ暗い、我々が夢を結んでいる時から當直の叔父さんは働いて下さるのだ。

「お米も配給量が幾分減じたのでせうね」

「米は現在までは縣並に村當局の御盡力に依りまして順調に入手して參つたのでありますが、端境期食糧事情の切迫せる現狀に於て、綜合配給制が採られるに及んで米一定量の代りに、小麥粉、干麵等の混配を受くるに至りました」

國民一人たりとも飽食の許されない現今、獨り療養所のみ圈外にある事は出來ないのである。是が非でも戰爭には勝たねばならない、勝つ爲には總てに堪え忍ばねばならない。

「代用食混食の場合の焚き方は何か特別の方法があるのですか」

「これが中々面倒で、普通米ばかりを焚くよりは相當むつかしく、水加減、蒸氣加減等種々工夫を要しますので、何とかしてうまく焚く樣にと皆が工夫して焚いているのです」

「肉なんかはどこからくるのですか」

「肉は食肉統制會社より配給されるのです。これも以前よりは配給量も少くなりましたので、縣當局とも接衝して居りますが、何分現物が少くなりましたので致し方ないと承つて居ります」

「魚は如何ですか」

「魚は津軍需納入組合より購入致して居ります」

「これは自由に購へるのですか」

「自由には買へません配給です、魚も少量なれば時には珍らしい魚も入手出來るのでせうが、何分大量を纒めねばなりませんので中々思ふ樣な品物を入手するのも困難です」

「野菜は附近が農村ですから容易に入手出來るのでせうね」

「そうですね、野菜は商人達の努力に依りまして比較的容易に入手する事が出來ます。勿論當所は農村にあるからでせうが」

「調味料なんかは如何ですか」

「調味料も味の素とか鰹節等の入手は困難ですが。味噌、醬油等は不自由なき樣配給されて居ります」

「私達が時々社會に出てみますと、療養所の有難さがしみじみ感じられますが、市街地の療養所なんかはこちらよりは物資の入手は困難でせうね」

「そうです。先日私達が二三の療養所の炊事部見學に行きましたが、他の療養所に比較致しますと當所は物資に惠まれていると思ひましたね、本縣は海に面して海產物もありますし物資が豐富にある爲と、縣、村當局の御骨折と配給會社、商人等の理解の賜と感謝致して居ります」

炊事長さんのお國訛りもだんだんきゝやすくなつてきた。夕餉の準備に忙がしい調理場に眼をむけていると、誰かが入

つて來た。見ると庶務課長さんだ、一同立つて挨拶をする。

「すゞかに炊事の現狀を發表致し度く、御伺ひして居ります」

「それは御苦勞さん」

庶務課長さんは炊事部を御巡視らしく、調理場の方へ步を進められた。

「あまり時間がながくなりましても、お忙かしい炊事長さんに御迷惑でせうから、最後に何か入所者に對する御希望を承つて、お別れ致し度いと思ひますが」

「そうですね、炊事としては別に希望もありませんが、入所者の皆さんも、我國の現狀に思ひを致されまして、勝ち拔く日迄、今日以上に物資が少くなりましても、御辛抱下さいまして、限られた物資より出來得る限りの榮養分攝取に、お互が工夫、又努力が願ひ度いと思ひます」

「どうもお忙がしい中をながい間ありが度う御座居ました」

炊事長さんに別れをつげ、調理場よりながれる美味しい香りにおくられて炊事場を出た。

一八、一〇、一八記

蓖麻の收穫に就て

執拗な敵の反攻を尻目にぞく〳〵擧る南海、空の凱歌、荒鷲の活躍になくてはならぬ潤活油となるヒマ。昨年吾々の獻納したあのヒマが今日第一戰に於て敵擊滅に使はれてゐるのだ。

今年も療庭に育てたヒマが酷暑にも耐へて見事實を結んで左表の收穫をあげた。然し、吾々療養の暇に努力をすればもつと多く收穫出來るのではなからうか。

來年はお互に力を合せて一粒でも多くのヒマを收穫して、一滴でも多くの潤活油として空の決戰場に送らうではないか。

區別	收穫數量	同上容量
一療棟	四〇〇匁	一升六合
二療棟	一四六匁	六合
三療棟	二五一匁	一升〇合
五療棟	三七八匁	一升五合
六療棟	二五七匁	一升〇合
七療棟	二〇五匁	八合
八療棟	二六七匁	一升一合
十療棟	一二六匁	五合
計	二、〇三〇匁	八升一合
作業及外氣	三、四一〇匁	一斗三升九合
合計	五、四四〇匁	二斗二升〇合

三九

四〇

懸賞俳句

橋本鷄二選

兼題　時局詠

天

傷痍章佩びて退所や秋高し　　中村紀人

評　療養の月日を重ねて、いま出づる療養所の門、秋天高く晴れて再起の前途。胸にかゞやかしく佩びた傷痍章にはれやかにもたのしい人生がひらく。病全く癒て、みいくさたゞ中の家鄕にかへる胸奧の十七文字。實に一讀すが〳〵しさをおぼえ、その人の幸福を念じずにはおられない。

地

勤勞の晝餉たのしく新樹影　　世古口紫苑

評　ぼた〳〵と地に落つるみどりの影。その土に憩ひて左右の手に持つひるのかれひの握飯二つ。がぶ〳〵と頰ばりつゝすゝる一椀の新茶。日に燒けた背に胸に新綠の斑がおちる。勇士たちの取る勤勞の鍬からは、國おこる力の陽炎がのぼる。

人

鐵舟に移るや銀河かたむける　　永戸冬來

評　敵ひそむ岸邊は、ひそとして闇に流れてゐる。夜はまだ明けきらず命の下、移る鐵舟のそら。銀河巾ひろくかゝつて、曉のきざしはたゞうちよせる波の搖にすこし淡い。がくとゆるゝ鐵舟の舷に、仰いで銀河を望めば、その尾敵陣に深くかたむいて戰氣やうやくに濃ゆき思ひである。ひし〳〵と迫る緊張のひとゝき、立派な句である。

秀逸

子を空に捧げ俵を編み勵み　　小倉陽苑

夜も戰ふ友あり蚊帳に寢ることも　　〃

匪禍絕えてこゝ淸鄕區稻の花　　中川友峯

水仙や遺族てふ名にあまへまじ　　道村靜湖

一兵に勳章の御沙汰や菊の秋　　山本伊勢人

佳作

機首の坐に月澄み編隊しかとくみ　　鈴木鴻飛

歸投針路とりし機上にサイダト拔く　　〃

匪襲無き夜はしみ〴〵と虫を聞く　　中川友峯

みいくさの秋のさなかへ退所する　　中村紀人

ざんごうの月に別れの手を握る　　永戸冬來

敵機あはれ夕燒空に燃ゆるとき　　中山夕起緒

さわやかや四方に夷を擊ち國興る　　加藤巍坊子

國强くおのおの勵む大暑かな　　稻垣芙蓉子

雛鷲の鄕土飛行や稻の花　　新口正男

草刈りの晝餉睦まじ父と娘と　　上野翠鳳

うからちに つゞく御召や稻の花　　加藤武司

靜臥して稻扱ぐ音の遠きより　　大平峰曉

月を背に影踏んで行く捕虜の列　　繁本湖東

戰へる世にあり夜業かかすまじ　　吉田好二

增產の鉢卷きりと老の秋　　靑木若松子

步哨立つ城壁高く秋晴るゝ　　濱口亂想

四一

四二

懸賞短歌

印田巨鳥選

時局詠

天

アッツ島我にかへして荒魂に米鬼が血潮そそがずばやまじ　　柴田邦雄

地

戰死せし隊長に會へる今の夢は軍艦○○の甲板なりき　　杉浦英一郎

人

自刄せし手負の兵が心にしみて病み長きわがいのちを思ふ　　柴田邦雄

秀逸

大戰果きくさへ心たかぶりて晝の病床に靜坐瞑目す　中島寅三
爆音をききつつ臥せり大空は今日も曇れど秋たけぬらし　〃
しんしんと凍みつく夜は北の海に戰ふ友の文を讀むべし　杉浦英一郎
掃海艇の辛苦はいはず戰友は早く癒えよとねむごろにして　〃
武夫の名はけがさじと二千柱一人のこらず散りて終んぬ　堀江理
警戒管制の空すみわたり靜かにも探照光は移動しゆきぬ　白崎薫

佳作

太平洋を吾が奥津城と雄叫びていで征きし人つひに還らず　加藤武司
奉公の淺さは思へみ情になれてはならじ病兵吾は　〃
一筋に學鷲志願に勢ふてふ今日を病みつつ思ひ耐へずも　日比野弘次
學業を半ばに擱きて荒鷲を競ひ志願へる時代のきびしさ　〃
療養の日も無爲ならず戰へる友のいくたりに便りしたたむ　野々垣七男
よろこびて苦むす屍となる兵の手記をよみつつ涙あふるる　〃
ほとばしる血潮や殘雪を染めまししその壯烈を忘れて思へや　堀江理
芋飯に合掌をして箸執れる母の姿は膝正しむ　中川友義
隣組防空監視哨くつきりみゆ昏黃の空雪荒れやまず　井上博嗣
たわやすく勝たむ戰と思はねどつづく死鬪にわが魂ゆらぐ　柴田邦雄
「機はあれど飛機なきを我如何せん」この參謀の言にこたふのみ　井戸坂、又一
ひと島を血潮に染めて國護りし雄叫びはいまも天にこもらむ　森井治平
たらちねの征けといひ給ふ學鷲の君ゆく空の限り知らずや　川合吉夫
敵いまだ氣づかぬらしも鐵舟のなほし靜かにゆくをたのみぬ　白崎薫
我のごとく病みゐし戰友もこぞりたちただに突撃き得で自刄したりし　片岡廣幸

四三

〔選者言〕

大東亞戰爭の實相と前線及軍隊の生活が身に即いて居る作者たちには、時局に便乘するといふが如き浮薄な態度は少しもない。これが選者としてのよろこびのすべてである。實戰の尊い經驗が技巧的の餘裕もなく、感動を直ちに打ち出して無駄がなく、又、內地歸還の殘念さはあるが、再起への强き信念にそれが代へられて只管療養のその涙ぐましい且暮のうちに、作歌への精進をつづける諸君には、敢へて作歌の心構へは說かないが、この太い道の會得が更に望ましい。即ち、この道は日本の精神を萬古に貫くものである。隨つて尊皇愛國を根元とし飽くまで敬虔な態度を以て綴られ、そこに氣魄が保たれた詩でなくてはならない。

この意味で選歌に當つては、それが形に於て、將た又表現に於て何等かの新味を見せて居つても內包するところの如何、また詩の概意を著しく疎外する作品は一應遠慮したのである。この事は從來もさうであつたが、改めてその態度を批評の初めに明白にして置く必要を痛感した。

さて、「天」の歌、意氣まことに壯なり。いかにもその通り國民誰もの感情であらうかと思ふ。だが、すつぱりいひきつて了つたがために却つて韻がない。どうも安定が欠くる憾がありはしないかと思はれたが、先づ先づといふところであらう。尙、結句「そそがばやまじ」とあつた。

「地」の歌、この歌も、二個所ほど手を入れてある。それは、やや漠然としてをつたところを明確にしたのであるが、夢であれば原歌のままで或はよかつたかも知れぬ。それにこの歌では敬語を用ふべきであつて「戰死せし隊長」の用語は、再考する必要がある。ともかく、この程度のものであれば、そんなに推賞することも出來ないが、實際作者が經驗のその光景を意識に持つて居り、そして或夜の夢にまでざまざまと隊長に逢つたといふそこにいろ〳〵のものを含んで居つて且つ相當詠みこなして居る点を採つた。

「人」の歌、アッツ島玉碎の壯烈無比な忠魂にささげたもので、あの報道には一億總蹶起したのだが、わけても病兵のそれは身に泌みて自刄の手負の兵に對し、自分の現在に思ひ及んだ衷情を汲むことが出來る。最初この歌を採つたとき、据つて居らず結句を直した。作者の意圖とは相違するかとも考へたが、手法としてはこの方がよくはないか。

以上のほか、秀逸の中には、これらに伍して遜色を認め難いものがあつて、中々決しかねた二三首は惜しい氣がする。

再起で銃後の殊勳甲
聖恩感謝で今日も安靜
求めよ大氣親しめ自然
强い信念明るい療養

四四

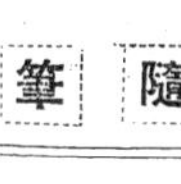

隨筆

音樂隨想

白木隆次

音樂は如何なる種族、如何なる時代にも存在してゐた。即ち音樂は人間生活が非常に原始的な時代から人間の心の內に抑へ難い慾求によつてのみ生み出された心の糧である。音樂こそは言語の行詰り、思想の最後、將に感情の爆發しやうとするその一線から靜かに鳴り出すうたである。このうたとは言葉あつてのうたではなく、むしろ言葉より早く生れた人間生活の自然の叫び、我國の古い言葉でいふうた(訴へ)なのである。即ち人間の僞らざる感情を、意志を、生活を示してゐるものである。音樂こそは人類の創造時代から今日まで人間の生活と切り離すことの出來ないものであつたのである。

たゞ現代は生活が復雜になり、物質文明がその生活を支配して、人間の心の糧をかへりみさせる時を與へなかつたのである。そのために國民生活の周圍には潤ひがなくなり、落着きのない刹那的な音樂が鳴り響いた。ジャズ音樂はその一つである。ジャズは米國製品の雄たるもので、甘美なメロディー、喧噪なリズムで一時は全世界を風靡した。彼等の音樂は享樂以外、資本主義的商品以外何ものでもなかつた。そのために音樂は單なる日常の氣ばらしか慰めか、或は裝飾品か贅澤品としか思はれなかつたのである。だが然し支那事變並に大東亞戰爭はこれ等の認識を一變させた。

音樂はこの非常時下に戰時文化材として大東亞共榮圈諸民族の宣撫に、建設工作に非常に重要な役割を果してゐる。殊に舞踊を好み、音樂に憧れる南方諸民族に對し、音樂は言語とか文字、其の他の文化よりも一層直接耳より受入させることが出來、治安の維持、民心の靜謐、或は慰安娛樂に非常に速かで大なる指導力を持つてゐる。

更に戰線で兵器を操作するにも、又銃後に在つて機械を運轉するにも、音に對して最も敏感な耳を作るといふことは非常に必要である。前世界大戰當時佛國飛行隊にあつて名飛行家と謳はれた故滋野男爵は東京上野音樂學校出身であつた。音樂家であつた男爵は非常に耳が鋭敏で發動機の音が一寸でも變るとすぐ解るので故障による事故を未然に防いだといふ。又名提琴家クライスラーは前大戰に祖國墺太利のために參戰し、敵の砲彈の唸りによつて敵の砲兵陣地の所在を知つたといふ。

これ等の例に依つてみても音樂的に訓練された耳が如何に

四五

鋭敏であるかを知ることが出來る。殊に今日の戰爭は音の戰爭であるとさへ言はれてゐるに至つては、聽覺訓練は非常に必要でありその應用範圍は無限である。

平出大佐は「音樂は軍需品なり」と叫ばれた。この言葉はこの戰時下に音樂の必要性を絕體化した積極的な主張である。

音樂が久しく少數の音樂家と音樂愛好者だけのものとされてゐたのは過去のことで、現在では國民の士氣昂揚に、情操涵養に、更に生活の一部門である眞の健全娛樂として映畫、演劇と共にその中心とみなされ、明日への原動力養成に大なる力を及ぼしてゐる。ギリシャの哲人プラトンは「音樂の運動は人間の魂の運動に匹敵するものである。故に音樂は無意義な快樂ではなくて、魂の調和的陶治と情緒の鎭靜をなすものである。」と述べてゐる

藤川之逋氏といふ人は音樂醫學研究會を主宰し、音樂療法を研究してゐられる。某療養所で患者にレコードを聽かしてその反應を調べた結果、熱の有無によつて樂曲が異るが、熱のある時聽きたい音樂はヴアイオリン獨奏を、熱のない時聽きたい音樂はピアノ獨奏を好むといふ。藥が多く直接病氣を治療するものでなく、患者の肉體や精神がこれを治すものであるといふことが言はれてゐる以上、音樂によつて精神も肉體に斯ふいつた影響をもたらすことはあながち不思議なことではない。臨床學的に相當効果を擧げてゐるといふ。音樂こそは永遠に人間生活の中に芽生え、育くまれ、その生活文化の上に貢獻するところ大なるものあるを信ずるのである。

小孩の服

道風旅翠

燒け付く如き大陸の日が一日〳〵と衰へて木枯が吹きまくり河畔の楊柳や路傍の棗が裸の枝を澄みきつた空へつん〳〵と箒の如く突立てゝ寒い〳〵冬が訪づれてきた。

兵隊達はあのぼろ〳〵になつた夏服を脫ぎすてゝ、ぬく〳〵とした冬服にかへてゐたが遊び戲れる小孩等は相變らず垢汚れした薄ペラな着物だけであつた。わけても陳家の次男坊の着物は見苦しかつた。腕白盛りが却つて兵隊達に可愛がられ、それキヤラメルだ飯だなどと與へられて益々太つてきた。遊びに出ては他家の小孩を泣し、喧嘩が情況不利となれば兵隊等のそばへ飛んで歸つて來る始末、こうした腕白がたゝつてます〳〵着物が破れていた。

召集前まで故鄕の町で小さいながら洋服店を營んでいた弘は戰禍の子供達へ何んとかして暖い物を着せてやりたいと考へて居た。先日の外出の時も布地をさがしにてく〳〵と一日を步き廻つてきたがよき布地を見付得る事が出來なかつた。

そろ〳〵次の作戰がはじまるのか弘等の〇〇隊も準備に日

四六

々多忙さを増してきた。今日も庭に出て鐵線銅線を二臺の卷直し機にかけて勤務に餘念がない。小孩も手傳に懸命だ卷替へた線をころがしては車輛のそばに運ぶ、それを受け取りつゝ積込役の弘はせめて出發する迄に此の小孩へ着物をと布地の工面に益々頭をなやまして居た。戰友の松島が弘君アレにどんな物でもよいから着れる物を作つてやつてくれなんぼなんでもあれぢやあ可愛さうで見ちやあ居られないよ。實は俺も兼ね〲思つて居るのだが良い布地が見當らんので弱つてゐるところなんだ。さうかそれは困つたと暫らく考込んでいた戰友は良いものがあると何處からか一枚の外套をぶら下げて來た。其の夜から弘は暗いランプの灯をたよりに晝の疲れもいとはず夜おそくまでせつせと針を運んで居た。もと〲大人服仕立専門の弘には小供服にサツパリ自信がなかつた。若しピッタリと合なかつたら口の惡るい戰友達何事を喋り出すやらわからない、沓大工を見た事はあるが洋服屋の沓を戰地へ來て始めて見たと大きな聲で笑ひくさるに決つてゐる。腕によりをかけてどうにか二着の服を仕上げた。一着は次男の進筒へ陸軍服の形をとり妹の進蓮に水兵服の形をとつた。幸ひ外出日のことゝて戰友等は一人も居らず早速着せてみることにした。陳家の小さな窓口を覗いて見ると、薄暗い机のそばでこと〲と何ごとかやつて居る。「小孩來々」と聲をかけると「甚麼」とかけて來た。「小孩這個衣裳穿着罷ヘオ前此の服を着てみよ」暫らくは金光りする釦をうれしさうにいぢつて居たが手を通した。やゝ大きい目ではあるがさほど見苦しくもない。手縫の一針〲が體を完全に包んでゐる、ミシンでもあれば見てる間に仕立上げられるのだが骨を折らせやあがつたと呟きつゝも顔をほころばしてゐた弘は嬉しさの爲あちら向きこちらむきしてゐる小孩を見ると今までの勞苦がすつかり忘れられるのだつた。「妹々も連れてをいで」擧手の禮に幾度も謝々を繰かへし暗い室屋の中へ飛込んで行つた。間もなくして兄の服を目新しさうに眺めつゝ手をひかれきた。「サア進蓮はこれだ」國防色に慰問袋の中に入つてゐた紅いテープを配した水兵服一寸と乙な趣があり、弘は一人微笑を禁じ得なかつた。脱がした衣裳の縫目に虱が珠數つなぎにならんでゐた。サアこれでうんと皆なに可愛がつてもらうんだ。先日も隊長殿が進蓮は可愛いがとても不潔で抱く氣になれんと言ひつゝもキヤラメルをやつて居られた。

夕方戰友等が外出から歸つて來てオイ頂好に出來たぢやあないか、俺の弟のやうだ我的の妹のやうだと口々に弘の勞をねぎらつた。今度の外出の時は小孩を連れて郊外散歩とシヤレようじやあないかなどゝ言つてる戰友もあつた。

その翌日隊長殿が水兵服の進蓮をたか〲とさし上げて髭の顔をくづして居られた、キツト故國にのこしてこられた子供のことを思ひ出して居られるのだらう。空はあくまでも澄

切つてゐる。折々に遠雷の如く砲聲がしづかな城内をゆさぶる、もう〇〇攻略のはじまる頃だらう。初冬の午後の一刻。

（陣中日誌より）

譽工場を見學して

小倉留助

外氣村は三班に分れて神宮參拜を兼ねて譽工場を見學した。私は一番あと組の三班で八月三十一日九名の一行と烝し暑い曇つた空を案じつゝ出發したのは七時を少し過ぎた頃だつた。驛に向ふ途中空は次第に明るく雲間を破つて流れくる朝の陽は明日はもう九月だと云ふのに餘りにも暑く感じた。今日は初めて譽工場を見學するのだ、先輩の療友達に會へるのだ、そして氣を揉んでゐた空もからりと晴れたので皆の心は浮き浮きとしてゐた。何時もなら驛迄はなかなか遠いのだが今日は何時の間にか着いた。我々を乘せた汽車は津、松阪相可口、宮川と過ぎて間もなく山田驛に着いた。一行は辨當を片手にさげて下車しすぐ外宮參拜内宮へ向つた。何時來ても參拜者の多いのには驚かざるを得ない。特に目を引いたのは隊伍を整へて玉砂利を踏んで行く水兵達の眞白な海軍服が殘暑の光りに餘りにも白く美しく感じた。兩宮參拜を終へて譽工場へと足を進めた。

機械の音がかすかに聞ゆる塀に沿ふて暫く行くと譽工場と書かれた門の前に出た。門をくゞると右側に工員達が建てられたと云ふ皇居遙拜所の標が四五本の常綠樹と並んで未だ墨の色も新らしく建つてゐた。此の事は既に新聞紙上に掲載されてゐたから知つてゐた私はこれだな！とすぐ感づいた。

玄關は餘り大きくはないが綺麗に拭かれた廊下は鏡の如く顔は映る程だつた。きちんと揃へて置かれてある上草履が四五足並んでゐる。一人の若い職員が出てこられて我々の代表者が挨拶をするとその職員が事務室へ這入つて行かれた。すると眼鏡をかけた背の高い人と口髭を置いた背の低い方と二人が出てこられてやさしく言葉をかけられ如何にも私達の訪社を待つてゐたかの如く心よく迎へて下さつた。その二人のうしろにはさつきの若い職員も立つてゐられた。この時先輩の佐野君と平野君が玄關へ現れ迎へてくれた。

地下足袋をぬぎ卷脚袢を解いて上草履と代へると休憩室へ案内された。休憩室の椅子に着くと眼鏡をかけた背の高い方が少しこの工場に就いてお話しようと靜かに口を開かれた。その隣りに立つてゐられる口髭の方を指して總べてをお任ししてゐる總務の小谷氏だと照介された。

この工場を設立するに就いては東洋紡績の會社としてこの時局下何か國家に長く御奉公する道はないかと考へられた結果前線に於いて不幸傷痍となられた方々が傷癒えて再起奉公

の第一歩を踏み出す爲の杖となるべき錬成道場として確實なる歩みをさせんが爲に親心からなる精神のもとに設立されたと話された。次から次へと落ち着いて語られる工場長の眼鏡の奥は赤くなつてゐた。私達はこの話を聞き乍ら何んと有難い事だらう、幸福者だらう、この様に傷痍軍人を思つて下さるかと思へば嬉しくて胸が一杯になつてどうする事も出來なかつた。

工場長と小谷總務が去られて暫くするとピリピリと笛が鳴つた。どや〲と工員達の足音が聞える、野呂、羽根、中須諸氏の元氣な姿が現れた、おゝ御氣嫌さんと言葉を交す餘りの懐しさにポンと肩を叩く者さへあつた。

療養所と離れ今は工員として錬成しつゝある先輩達の笑顔には何ものか希望に滿ちた喜びが溢れてゐた。私は今鳴つた笛は何んだと聞くと恰度十一時四十五分で午前中の作業が終つた合圖だ療養所なら鈴を鳴らすがこゝは總べての合圖は笛だと敎へてくれた。

恰時お晝時だつたので皆と一緒に食堂に這入つた。テーブルに着くと寮長さんが『氣を付け』『默禱』『合唱』と號令をかけられるそれが濟んでからお食事をいたゞく全く感謝の生活が行はれてゐる事だとこの時はつきり思はされた。お晝は午後一時三十分迄休憩なのでその間に寮長さんに寄宿舍から治療棟を案内して貰つた。寄宿舍は二階建でどの部屋をのぞいても綺麗に整頓されてゐて机の上にはほこりもかゝつてゐない。普通の部屋は大底四名、少し大きいと思はれる部屋には六名づゝの名札がかゝつてゐた。

治療棟へ行くとまだ出來たばかりだと云つてゐたが、木の香やペンキの香がつんと鼻をつく。診察室からレントゲン室大陽燈室病理試驗室等總べて完備されてゐた。二階へ上ると周圍が白壁の明るい室が向ひ合つて十部屋ばかりベツトや床頭台籐寢椅子等置かれて如何にも病室らしく感じた。どの室をのぞいても誰一人として休養してゐる者がない、靜かな治療棟には二三人の看護婦の姿を見受けたのみだつた。

やがて一時三十分になると笛が鳴る。音を立てゝ機械が廻り初めた、佐野君に連れられて工場へ這入る、窓際のカタン糸を枠に卷く機械には平野君が中央の少し低い機械この機械は平野君達が卷いた製品を更に卷きかへるのであるがこれで仕上りである、こゝには中須、野呂、上地、服部諸氏が見受けられた。右側の窓際には出來上つた製品を檢查して箱に詰めてゐる四五人のうちに羽根君が交じつてゐた。明け放した工場は明るく靜かに廻る機械に働いてゐる工員達はさも愉快さうだつた。

規律正しい寄宿舍に工場に樂しく錬成してゐる先輩達の姿を見て自分も早く來たい様な氣がした。幾多の傷病者の爲に特に衞生的方面に考慮されて建てられたこの工場決して仕事

本位にやるのではない、身体に應じた様にしてやればよいのだ目的は身心の鍛練にあるのだ、この様にしてゐて日々の手當も與へられるのである。何時の世になつてもこんな有難い工場は譽工場の他に絶對あり得べきはずがない。傷痍軍人のみに與へられた喜びである。我達はこの工場のある事を力強く思ひ先輩の工員達と別れをつげて歸途についた。

父への追憶

千種馨

虫の音すだく高原の秋いよいよ深まりこほろぎの鳴く音もあはれ……ホームシツクのおこる秋!!雲の淡さを眺めつゝ窓にもたれて想は遠くふるさとへ……。月日の流れは早いものだもう十八年の昔になる。丁度私が七つの時であつた。天にも地にもかけがへのないたつた一人の父親がチブスの爲我々を殘して死んでしまつた今こうして病める身をベツトに横たへてゐる私にとつて父への追憶はなつかしくも又悲しい思出である。物心ついてから僅かの間ではあつたが肩車にのせてよく緣日へ連れて行つてくれたり、土産物を買つて來てくれたり本當によく可愛がつてくれ、貧しい乍らも幸福だつた。それがとう〲病氣になつてしまひ母親の至れり盡くせりの看護の効なくだん〲惡化したう〲助かる見込がなくなり、父も自身それと氣付いたかせめてもう五年命が欲しいと血を吐く如き言葉は我々子供の將來を思つてか、はたにゐる人々の目頭をうるませた。あの日の光景は幼い乍らも腦裡に刻み込まれ一生忘れる事が出來ない。一家の大黒柱を失つた母親は悲歎の中にも雄々しく立上つた、そして色々の話に耳も傾けず、かよはい女手一つでがんぜない四人の子供をかゝへ十數年間働きつゞけ我々をこんなに大きくして下さつた。本當に母親といふものは有難いものだ。この海より深き母の恩……慈愛あふるゝ恩に報いもしない中に今又長い療養生活……、母親に申譯ないよりも身の不甲斐なさが悲しくなつて來る。こんな時父親がゐてくれたらなあと瞼があつくなつてくる。『親の光りは七光り』とよく言はれるが全くその通りである。兩親ともある人々が羨ましい。然し今なほ私の全快を神佛かけて祈つてゐて下さる母親を想ふ時、徒にくよ〲してゐてはならない。何事も運命だ過去の迷想にとらはれてはならない。幸福は他人が持つて來てはくれない自らが強く生きてこそ始めて幸福が求められるのだ。男だ!!。奮起一番療養に邁進しよう、それが何よりの母への孝行だ。さうだ!!強く生きよう。可愛いゝ弟妹の爲に……。そして私の歸りを一日千秋の思で待つてゐて下さるやさしい母親の爲に……。

御免なさい

谷崎廣之

看護婦さん「これちよつとしていたゞけませんか」「はい」と直ぐ返事されるのは、聞く者は言ふに及ばずお互に好ましき次第なり。されど色々と仕事の關係上斯く言ふを得ざる場合も又止むを得ざるべし。それにしても、同じく同しいにしても一は「ちよつとそこに置いといて下さい。之が終つたらすぐ致しますから」一は「今忙しいんだから後にして下さい」と如何にも面倒臭さそうに言はれる場合なきにしもあらず。前者が心よき感を與へるは言を俟たず。之が世に言ふ上手と下手の岐れ途とでも言ふべきだらうか。

事小に似たれど然らず。再考三思心すべきことにこそあれ。

アハハ……こんな事を言つてゐたら看護婦さんに嫌はれはしないかと心配になつてきた。開卷劈頭「御免なさい」と表題を附したるは故なきにあらず。下痢、嘔吐、頭痛、腹痛は言ふに及ばず神經痛、肩凝り等ありとあらゆる萬病の特効藥たる越中の「萬金丹」よりも、優るとも劣らざる靈驗なるこの御免なさいの一語、何かあるとすぐ「御免なさい」而もこの一語で物事が一切解決するとは、當所ならではの感を深くす。御免なさいで濟むことゝ濟まむことがあるわい……と吹鳴つた者があつたかどうかは知らないが、之又時勢の流れには抗し得ず有耶無耶の中に葬り去られしことならんと想像するに難からず。我も亦、このありがたい「御免なさい」の語の恩惠に浴し倍舊の御愛顧を蒙らんことを……あゝ冗談を言つてゐる秋ではないわい。時恰もイタリヤの政變、又米機の再度北千島來襲を傳ふ。誠に喰ふか喰はれるかの此の一戰、何が何んでも勝ち抜くぞの決意を新にすると共に國土防衛の一日も忽にすべからざるを痛感する次第なり。

この古今未曾有の重大時局下に際會したる我々は、決戰下の療養生活として萬遺漏なきを期し、一日も早く全治の榮冠を得、共に進まん再起の道へ。

偉人の道

中西進

これ迄偉人とか、英雄とか謂へば普通の人間とは全く種類の違つた人間であるかの樣に考へられてゐた。人間と謂ふよりも寧ろ神樣に近い人間離れのした人を英雄偉人と考へてゐたので有る。ところがこんな人間と神樣との混血兒の樣な英雄偉人は何處にもない。

宗教家に言はせると人間の身体の中には、神樣と惡魔とが寄合世帶をしてゐるのだと言ふ。私は宗教家ではないから、

吾々の身体の中には英雄的精神と小人的精神と二つのものが紙一重を境して住んでゐると言ひ直したい。是は理窟ではない。自分で自分の心を反省してみると直ぐに分る。一寸油斷をすると他人のことはどうでも宜い、人を突のけても自分の胸の中には一つもないぞ——と言ふ人が有るならその人は余程反省の足りない人だと思ふ。吾々の心の中には自分が考へても恥かしい樣な汚い氣持があるので有る。それでは人間と云ふものはさういふ汚い賤しいものかと云ふとさうではない。いかに極惡非道の者にも良心はある。もつと綺麗な、もつと高い、もつと尊い人間になりたいと云ふ氣持が吾々の心の中に潜んでゐるので有る。そこで一方の英雄的精神を大事にして一生懸命それを育てあげて行く人が段々と英雄偉人の域に近づいて行く。一方折角の良い心には蓋をして置いて、惡い方ばかり發達させる人は段々つまらない人間になつてしまふ。

人間が生れるときは何處の赤ん坊でも大した違ひはない。それが二十年、三十年と經つうちに一方は天下の師表と仰がれる人になり、一方は世間から爪彈きされる樣なつまらぬ人間になる。その區別は何處から來るか。吾々の身体の中に宿つてゐる二つの精神のうちどちらか一方が發達する事によつてその違ひが出來るのである。

この故に英雄も偉人も吾々と他人ではない。英雄も偉人もみんなお互の心の中にある。吾々と兄弟であり友達であるのである。そこに私は人生の面白味があると思ふ。偉い人は生れた時から偉く、つまらない人は生れた時からつまらないと決つてゐると云ふのでは面白くない。どんな人間でも努力次第で、どんなにも偉くなれるところに人生の樂しみがあると思ふのである。此の偉大なる英雄精神は吾々の心の中には誰にも潜んでゐることを自覺し、祖國日本のため愈々報國の誠を捧げ度いと思ふものである。

御稜威

淺野清雄

戰力には戰鬪員の攻撃精神と國民の敢闘精神が重要な要素の一つであるが、わが國の今日迄の皇軍の赫々たる戰果はそれと共に廣大無邊の御稜威の賜である事を銘記すべきである。大東亞戰爭開戰以前誰が今日の如き赫々たる戰勝を豫想したものがあらうか。作戰指導の局に當る者でさへ對米英開戰の曉は我が艦船は先づ二三割は沈むもの、南方全域の占領は相當の長日月を要するもの、わが本土空襲による被害も相當のものと覺悟しての作戰計畫であつたと聞く。

然るに開戰以來よく連戰連勝、今日我が全般の態勢は却つて開戰前より有利になつてゐるではないか。全く御稜威の賜物でなくてなんであらうか。

御稜威は申すも畏きことであるが、天皇の御叡智、御德、御威力等を總稱し奉つたものと拜察して誤りなからうと思ふ。

駸々と逼り來る外憂内患の壓迫に對して忽然御稜威の下身を捨てゝ國を護る忠臣の湧出せしは、歴史に新しい事ではないが、近々大東亞戰にはその類例が少なくない。

大東亞戰爭開戰第一日ハワイ奇襲作戰の花と散られた特別攻撃隊の古野少佐が、

「君がため何か惜まむ若櫻散つて甲斐ある命なりせば」

と歌はれたこの忠節心を發揮せしめた原動力とも言ふべきものは何か。

又、ガダルカナル島に於て兵卒二名を指揮し敵の高等司令部内に斬込んで六十數名を斬伏せ、壯烈戰死をとげられた大野大尉の奮戰は、敵のアメリカでさへその勇猛果敢を讃へて全國に向つて放送したほどである。

同大尉の軍用行李を整理すると次の樣な遺書があつた。

「閣下竝に各位、大野大尉は好き死場所を與へられ有難く存じます、必死必成、誓つて聖慮を安じ奉らんことを期します。今日までの御指導に對して謹みて厚く御禮申し上げます」

これが大野大尉の遺書であるが、必らず死して必らず成功必死必成さうして聖慮を安じ奉る、この偉大なる忠誠の根本は何か。又、同じガダルカナル島に於て重要なる據點を死守してゐた若林中隊長は、敵の總攻撃を受けて惡戰苦闘、先づその腕を傷つき、次いで足を捥がれ遂に體がズタ〳〵になつてもなほ繼續指揮の任に當つてゐた。そして大隊長への連絡は自分自から兵卒の背に負はれて行つてゐた。

大隊長は中尉の凄い闘魂と崇高なる氣魄に感涙して、君は未だ年若く國軍の優秀なる將校で、將來は中將大將となる素質のある人だ、後方にさがつて充分治療する樣にの忠告に對して、中尉はニツコリ笑つて

「この日、この秋に自分の持てる一切を　天皇陛下に捧げ奉らんとして戰つてゐるのです、私は天壤無窮を信じます、私は大東亞戰爭の必勝を信じます、香港以來私を中心に戰ひ拔いて來た中隊の兵と一緒に死ぬことが私の唯一の願望です大隊長の御好意は有難たうございます、又あの戰場に私を歸して下さい。」

兵卒の背に負はれて前線へと消えて行つた。そしてその晩の夜戰に一片の肉も一かけの骨も留めず文字通り散華してしまつた。

この任務の爲に喜こんで死する忠誠の根本とも言ふべきものは何か。

前線で戰つてゐる將兵は立身出世などは毛頭微塵も考へて

ゐない。桐の小箱に錦を飾つて内地に無言の凱旋をしようなどとも考へてゐない。彼等は遺骨を運ぶだけの船があればそれで、ボーキサイドを、米を、ガソリンを内地へ送り届けて國力增進に資して貰ひたいとみな願つてゐる。

この身を捨てゝ英魂のみ天皇の御側に歸つて極天皇基をお護り申し上げようと言ふ忠節心の根本は何か。

それは即ち御稜威である。その御稜威はわが國に唯一つあるだけで。他に求めても得られるものでない。從つてこれを外國語に譯すことも出來ない。外國人はこれを己むを得ず神祕な力と譯してゐるが、それは全く神祕であるに違ひない。

この御稜威に日本人の忠節心が結集するところ即ち戰力であるのであつて、皇軍戰力の根本とも申すべきである。

我等はこの有難き御稜威にすべての力を結集すること即ち戰力增强の第一條件である。

獨想

中島寅

寢台に横になりながら私は常に斯く考へるのです。商店ではかけ賣りの金を帳面につけて置いて、濟みになりますと、棒を引いて消して失ひます。これを「帳面に棒を引く」と言ふのであります。又金は入らず取引は濟まないで居ても、帳面に棒を引くことも有ります。棒を引くのは、一應これは濟んだものとして、借貸の關係にけりを附けることです。人々の世界に於てもこの棒を引かねばならないことが度々あります。特に吾々の如き長年月に於ける療養生活者に於ては過去の事は當然棒を引かなくてはならないものですが、私の知る多くの人の殆んどは未だ古いこの帳面に棒を引くことも出來得ず古い帳面と四ツに組んで始終あせりつつあります。一大勇猛心を興して、明日の新しき生活のためにこの帳面に棒を引きませう。この棒の引けない人に限り不平不滿の聲が多い樣に思はれます。貴方達は隣組の役員の世話が行き屆かない時。團体の幹部に手落があつた時、課長係長の指圖がまづい時、世話係の人が投げやりである時。如何な氣持が致しますか？(1)不平が起る。非難の聲を出す。(2)相手の行き屆かぬ所に力をかひたくなる。この心持ちと。蔭でそうつと助けてうまく出來る樣にする。忠告はしても蔭口は言はない。この氣持と。(1)と(2)とどちらの氣持になりますか、分りますね。(2)の氣持になりたいものです。帳面に棒を引いて、この(2)の心持になる樣勤めませう。人にもやはりカタツムリと同樣自己の理想の殼を己が背に大なり小なり持參して居ります。自分の殼を飛切大切なものとして時々無茶苦茶に人の殼までおかすものです、(私はしばしばこの殼侵入をわります、これは惡いことです。カタツムリの如く出

來得る限り目を長く出して廣く四周を眺めつつしつかりと足を大地に踏みつけて一歩一歩確實に進みたいものです。これが心即精神の慈養物です。と共に棒を引く活動源です。それから一日の中貴方達は聲を出しますか、喜びの聲をです。喜びの聲を出しませう。たつた一度一日一回でも。これは大變樂の樣で大變むつかしいものです。吾々の殼を偉大にするために、きつと感謝の聲を出しませう。あゝ綺麗。あゝうれしいあゝうまい。あゝ有難度い。あゝ面白い。この「あゝ」です一日一回或は二回聲に出して獨り言を言ひませう。聲を出すのが嫌なら口の中でも……。これも吾々の殼を偉大にし心をそだてる一つの手段方法でせう。さあ古帳面に棒を引き、過去を清算して、人々と共に協力し合つて、しつかりした理想のもとに心の生長をはかりませう。斯く努力をする人こそ世にもつとも尊い人だと思ひます。さあ明日と言はず今日今から。長々と有難度う存じます。

歸省のひと日

小林生

夏の陽のかん/\と照りつけるバスに揺られながら蒸せかへる車內の暑さに頬を流れる汗を拭きつゝ時折窓を掠める青田風にホツト息をつぐ。

車窓より數年振りに見る故里の山、川、まるで見知らぬ土地へでも來た樣に一木一草に至るまで懷しく眺められた。いよ/\バスが家に近づくにつれて、何だか嬉しく氣がそは/\としてきて一寸も落ち付かない。軈てバスが止つた。ふと窓外に目をやると其所に老いました母の笑顔が出迎へてゐて下された。

　出迎への母と語りつ青田道

早速家に入りて寛ぎながら無事に歸宅の喜びを語り合ふ。

　母とゐて心足らへる歸省かな

× × ×

麥刈、田植、田草取と仕事に追はれて日々を忙しく過してゐる百姓にも盆には聊か休養が出來る。

今夜は盆踊があると聞いて、久し振りにて見ることの出來る盆踊に、意外の事とて嬉しく、自分も青年の當時、皆と一緒に踊つた時の事が懷しくしみ/″\と胸によみがへつてくる。

西日がなか/\酷しいので軒に簾を吊り、街道へ水を打つたりしてゐるうちに日は漸く西の山に傾いて了つた。幼い子のない親子三人の私の家は淋しい位ひつそりとして靜かである。

× × ×

六十の坂を半ば越えられた父が、迚も元氣に草を刈つて來ては、最前からしきりに團扇をばた/\させながら厩口にて

五五

蚊遣火を焚いて居られる。

　草刈りて戻りて蚊遣焚く支度

母は厨で何かこと/\と一生懸命に夕餉の支度に餘念がない。厩口の方から流れてくる蚊火煙に咽びながら私は風呂を焚いてゐるが竈の火照りで隨分暑い。

× × ×

風呂に入つて整へられた夕餉の食膳に對ふ。母の心づくしの御馳走に舌鼓を打ちつゝ三人が語り合ひながら樂しき夕餉のひと時。――夕餉を終へて、それ/″\團扇を手に座敷へ移る。なんばんの葉を渡りくる風が、時折此の開け放された部屋に入り來て大變凉しい。座敷の正面には盆の佛樣が祭つてあつて、そこから流れてくる線香の匂ひがをり/\鼻を掠める。吊しある岐阜提灯が微かに揺れて灯つてゐる。

三人で話し合ひながら凉んでゐると折から太鼓の音が遠くより聞えてきた。いよ/\踊がはじまつた樣だ。支度をとゝのへて母と踊を見に出掛ける。

　母連れて凉みがてらの踊見に

語りながら踊場へと足を運ぶ。新盆をまつる家、或は蠶を飼つてゐる家からは賑かな話聲が洩れて來て行く道にも盆の氣分が漂うてゐる。太鼓の音が次第に大きくつたはつてくる。いよ/\踊場へ近づく。

ランプをつけた屋台店が唯一軒出てゐて、小さい子供が五六人集つて何かを買つてゐる。踊場には最早大勢の人が見に來てゐた。踊場のまん中に設けられた高き屋台では音頭取がしきりに聲を張り上げて音頭を取つてゐる。其の周圍に二十人ばかりの青年が揃ひの浴衣を着て小さい輪を描きながら踊つてゐる。軈て暫くすると廣場の一隅より提灯を先頭に女子青年の踊子の一團が出て來て踊の輪に加はつて踊り初めた。踊の輪は益々大きくなつて踊はいよ/\本格的になつて來た。踊る人、見る人で流石の廣場も人で埋め盡くされて了つた。

　ふるさとの月に濡れつゝ踊見る
　踊子の會釋をくれてをどり過ぐ
　音頭取いくさのことを唄ひけり

踊を見てゐるとうしろより肩を叩いて誰か聲をかけた者があるので、ふり向いて見ると同窓生の友達だ。

自分と同じ年に入營して、今年の六月に歸還したばかりだと。久々に會ひ得た喜びと嬉しさに色々と其の後の變つた話が出る。野戰の話。或は友達の話等。次から次へと語り合つてゐるうちに踊は次第に更けて、ふと氣が付くといつの間にか踊見の人も減つてゐた。

　久濶を敍して踊を見て居りぬ
　踊場に明日征くと云ふ友に逢ふ

月あかりに時計を透かして見ると早や十一時だ。

五六

ぼつ/\と歸つて行く人もある。夜の更けるに隨つて音頭取の聲、太鼓の音はいよ/\冴えて、踊る手足もよく揃ふ。

友に別れを告げて母と歸路につく。

若き青年の男女は今日の仕事の疲れも打ち忘れて、いつまでもをどりつゞけてゐた。

　山に月落つれば踊了ふならひ
　ちゝはゝと語り更かして盆の夜

伊國敗るとも

稻垣限吉

九月九日帝國政府聲明「九日午後二時三十分伊太利「バドリオ」政府は米英に無條件降服せり」この報道を聞かされるや私は聊か驚かざるを得なかつた。

昭和十五年九月二十七日、支那事變日々に激烈を加へる中半、世界各國注目の中にありて締結された日獨伊三國同盟及び、帝國米英に開戰するや、昭和十六年十二月十一日、對米英戰の共同遂行、單獨不講和及び新秩序建設協力が締結され其後東亞又は歐洲に於いて反樞軸國擊滅の爲緊密に協力を誓つて來たので有る。其の一國が突然三國同盟及び單獨不講和の盟約を裏切りたるを幼稚な私が驚き且遺憾に思ふのも又當然だらう。

だが然し、伊太利國の運命は、大戰爭中半政權（七月下旬ファシスト政權）崩壞し又昭和十八年八月中旬本國の咽喉元たる「シチリア」を撤退した時より早晩伊太利國が敗れる事は愚者ながらも考へた事であつた、だが幸ひ、同盟國たる一國落伍の驚き淋しさも一瞬にして拭ふ事が出來たのである。

之れ獨政府の發表に依る『伊國バドリオ政權の裏切りを疾に看破し今日の場合に萬全の處置を講じ、獨政府はバドリオ政權の裏切りを問題にせずドイツ國は飽まで最後の勝利を獲得するまで戰爭を續けるであらう。』と力強き聲明を發し又帝國政府も『すでにかゝる場合を豫想し萬全の措置を講じ來れる處にして本事件の如きは大戰爭の大勢に影響するものにあらず、帝國は益々必勝の信念を強固にするものなり。帝國は獨逸國等歐洲盟邦諸國及び大東亞諸國家、諸民族との提携協力をいよ/\緊密にし、あくまでも宿敵米英を擊碎せんことを期す、須らく一億國民は三千年來傳統の敢鬪精神、强靱の意志を愈々昂揚し眞に一億一心毅然として至大の戰力を發揮して聖戰目的を完遂し以つて聖慮を安んじ奉らんことを期せざるべからず。』と自信滿々たる表明が有り、又續いて、「米英擊滅戰の最後の勝利に向つて遺進すべく、日獨完全なる意見の一致を見たり」等ラヂオの報道や新聞記事によつて私は帝國政府の機敏なる、萬全措置に對し益々信頼の念を深め、神國の一人たるを心から有難く感謝、感激し大東亞戰爭必勝

五七

の念が益々彌が上にも燃えさかつたので有ります。

此の時に當り、幾程の功も無く永き病床に臥す腑甲斐なき己が身を心から恥ぢ、戰線の皇軍將兵に又銃後の護りに活躍する人々に對し滿腔の感謝を捧げると共に、日々大戰果の基を拓いて尊き犧牲となられた戰友の英靈に對しては、これを悼み、これに對しては愚楮にては謝する言葉も分らぬ程にて日々の療養生活も新に考へさせられるので有ります。

　病みはてて軍籍離れし不具とても
　　盡せばつくす道もありけり

ならぬ身乍らも常に此の心を以つて療養に專念致して居ります。だが然し、重き病に心のみの再起にては滿足出來ず、日日苛烈極まる決戰に胸の痛みは尚重く、無念の想ひに噎ぶ事もしば/\ありますが勝つ爲には最後まで必勝の信念を抱き、たとへ骨皮瘦る療養の身なりとも、これに講じて決戰下の一端を擔ふべく、工夫に、努力を重ね感謝しつゝ安き療養に、尚一層固き決意を新にするもので有ります。

重ねてこゝに、世界大戰爭半ばにして、盟邦伊國一政權裏切り敗るとも私は、同胞一億國民と共に三千年來傳統の敢鬪精神、强靱の意志をいよ/\昂揚し一致協力、益々必勝の信念を强固にして宿敵米英擊滅に邁進する覺悟を重ねて誓ふ者で有ります。（終り）

病床の趣味

森田寅藏

自分の持つ種々の趣味を日常の療養生活の上に、その半分でも生かして行く事が出來ればどれ程愉しい療養が出來るだらうと、何時も思ぶのである。

園藝や其の他いろ/\とあるが其の中でも自分は小鳥の樣な生きものを飼ふのが好きであるが小鳥飼ひは昔の人の言に寄れば阿呆の鳥飼ひと云ふ樣だがどうもその通りの樣に思はれる。毎日/\一生懸命に可愛がつてゐてもうこれで自分にすつかり馴れてゐる、これなれば少々開けておいても大丈夫だらうと自惚れて居ると、人の氣も知らないで羽にものを言はせて脫走してなか/\歸つて來ない。

療養所の患者の樣に外出してもその日の內に戾つて來てくれば良いが彼等はさうはゆかない、無限に廣い山野に生れて朝に夕に飛んだり跳ねたりして唄ひ遊び廻れる彼等の世界に歸つたのだから籠から飛び出したが最後歸つて來ない。併し其の中でもたま/\にして永い間主人に餌を入れて貰つて毎日/\樂しく遊んで唄ひ暮してゐたのに、外に出てはこれから自分で餌を拾つて生活して行かなければいけない、嵐に逢つたりするとこんな事なら今迄の樣に主人の元にかへつた方が身の幸と思つて幾日か過ぎてから歸つて來る馬鹿もゐるが我々としてはこんな馬鹿の方が好きである。今迄以上大事にして可愛がつてやる。

大體にして鳥飼ひは阿呆の樣である。これは自分が言つたのではない、昔の人が言はれた樣だ自分の友人のK君と言ふのが、これも亦趣味の氣違ひと言ふ程あれこれと多趣味であるが彼も趣味の一つの鳥飼ひが好きである。亦大變に飼ひ方がうまい、中でも春先になつて山野に巢を作る小鳥の巢を見當てるのは彼は名人の域に達してゐる樣だ、併し小鳥達の世

五八

界に於ては彼も惡魔？とでも思はれてゐるだらうが……今年も名人のために捕へられた小鳥も多くあつたらうが、併し考へて見るに彼等の中でも嵐に遭つたり、蛇の襲撃に遭つたりして死んでゆくものもあるだらうが、そんな事なればこの名人に育てゝ貰つた方がどれ程幸かわからない。

一昨年彼に野生の鶯を貰つて一年二年と飼つてゐると、野生でもなか〳〵良く馴れるものでこれこそ開けておいても逃げてゆかない。食事時など御飯が欲しいと言はぬばかりに籠の中ではしやぐのである。自分は何時も小皿に飯粒を入れて籠の外において入口を開けておくと出て來て食べてゐる。また蠅叩きなどを持つて蠅を打つてゐると、早く呉れと云ふ樣にはしやぐので、全く可愛いゝものである。

併し鶯と言ふ鳥は、同室に二羽も三羽も飼つてゐると春になつて、ぼつ〳〵囀り出すといけない。一羽の方が鳴き出すと、彼の一羽の方が實に悲壯な聲で牽制をするのである。本などで見るに鶯は一夫多妻と云はれてゐるから、鶯は鳥類の王者と云はれる程美聲をもつて知られてゐる。多くの妻を迎へるには誰よりも美しい聲で唄はなければいけない。雌はまた唄のうまい美しい聲で囀る雄に嫁ぐ樣である。だから相手が美聲で唄へば雌を捕られて失ふ故に彼等は牽制を仕合ふ樣である。だから鶯の巣を一個見付けたら必ず近くにも巣がある樣だ。これは多妻だからである。中にはそんな事も無關心に囀るのもゐるが大体に於て仲が惡い樣だ。

小鳥飼ひも小鳥の要求する清潔、そして種々の手入をしてやらなければいけない。止り木の下に二見ヶ浦の夫婦岩の樣に糞を積んでゐては朗らかに囀る氣持にはなれないだらう。そして種々の病氣になつて死んでしまふ。自分の肺の安靜を身に要求されてゐるのに小鳥の要求も聽かなければいけない。小鳥の要求を入れゝば肺の要求が留守になる。われ〳〵は肺の安靜をするのが本分である故に先づ安靜をして、だんだんに小鳥の要求に應じなければいけない。こんな事は至極最もな事なれど、極度の趣味の慾求にせまられ應々にして無理をするのである。自分も實にこの方だが現今では趣味を後廻しにして總て園藝、魚釣り、小鳥飼ひなど休んでゐる。が俳句のみ細々と續けてゐる。これも毎日の安靜のために「カマボコ」生活で「ベツト」にくつゝいてゐては何も續きさうな筈がない。窓に見る視界に限られてゐては、さすればこれも「フン」詰りして來る。近頃はこの域に達してゐる樣に思ふ。

結局總ての趣味に四苦八苦では本當の愉しみは得られなく先づ身体の安靜と共に心の安靜をし、一日も早く多くの趣味を生かしつゝ療養をしたいものだ。

もつ趣味の多くあれども何ひとつ
生かすすべなし臥するこの身に

五九

醫療 紙上相談

問一 体温と病狀に就て

体温が朝は三六度一、二分、午後三六度六、七分、大体平熱を持續してゐる時には病氣は進行してゐないのでせうか。書籍等には体温が、平熱を繼續する場合には病氣は停止してゐると看做して運動をはじめてもよいと書いてありますが、体温が平熱でも病氣の進行してゐる樣な例外の者もあるのでせうか。

答 体温が平熱を繼續する場合、病氣は停止してゐると看做しても良いが、病氣の停止は必らずしも病氣消失でなく、病氣の症狀豫後を決定するのに体温のみで行ふと間違易い。（福井醫官）

問二 朝夕の体温の差

大抵の者は朝の体温が夕方の体温に比べて低いのが普通ですが、反對に朝の方が高い場合がありますこれは身体に何か異常があるのでせうか。

答 健康時並びに發熱時屢々斯る奇異現象を經驗するが、餘り意味はない。（福井醫官）

問三 冷水摩擦に就て

健康增進の一つとして冷水摩擦が叫ばれて居りますが、吾々療養者には不適當でせうか、症狀に依つては行つてもよいとすれば何級程度の者より始めてよいでせうか、尙進んで行つて好果あるものでせうか

答 あく迄も健康增進の一助であり、病者には不適當、強ひて行ふとすれば外氣療法中ならば可、外氣療法中と雖も情況に依り一定せず、又實施時期の問題もある。（福井醫官）

問四 毒ガス彈をうけた場合の處置

空襲を覺悟して、我等は爆彈、燒夷彈の他に毒ガス類の降つてくるのも豫期しなければなりません、糜爛ガスをあびた場合の處置、準備すべき藥品、及び物品等に就て御敎示下さい。

答 糜爛ガスに對する處置を概括すれば次の如くであります。

(イ) 速にガス圈外に出で適當なる除毒の方法を講ずる、即ち毒液が皮膚に附着した時は吸水性の紙、布等で充分吸ひ取つた後、其局部を晒粉泥（晒粉一分、水二分）を輕く塗擦し又は石鹼溫湯にて洗滌し、若くは石油、ガソリン等の有機劑

六〇

を以つて反復清拭する。

(ロ) 眼に「イペリツト」を受けた場合、成るべく速に水、硼酸水、重曹水、食塩水等で洗眼して除去することが必要であります。

(ハ) 鼻、咽喉には二％加溫重曹水の洗滌を反復し、又は重曹水の吸入を行ふ。

(ニ) 受傷後二―三時間を經過し浮腫樣腫脹及發赤を認めるときは石鹼溫浴を行ひ、又亞麻仁油、生理的食塩水、明礬水、重曹水、ブロー氏液等の罨法を行ふ。

水疱は其表皮を永く保存するに努める、水疱大にして自潰の虞れある時は無菌的に穿刺して内容を排除する。水疱表皮剝脫後は軟膏療法を行ふ、軟膏は白色「ワセリン」でシチン軟膏、ペリドール軟膏（これ等の代藥）等其他多種が用ひられるが、使用の時期には醫官の指示を要します。

「ルイサイト」も「イペリツト」と同樣な處置をとるものでありますが「ルイサイト」は「イペリツト」に比し分解され易く、例へば水でもある程度まで消毒せられ、苛性アルカリ（一―二％程度）では可成りよく消毒せられる、又「ルイサイト」は刺戟臭強く、皮膚についた時も直ちに劇しい疼痛を起し、「イペリツト」の樣な陰險性が少いから始末が良い、何れもこれ等の藥劑は當所に於ては常に救急用として其準備が致してあります。（磯谷調劑官）

問五 ラツセルに就て

ラツセルは如何なる場合におこる音でせうか、尙ラツセル音と病狀に就て御敎示下さい。

答 普通に言ふ濕性ラツセルに就てお答へしよう、このラツセルは肺の中の細かい氣管枝の何處かに加答兒がある場合、つまり水氣がある處へ呼吸によつて送られて來た空氣が行くと兩方が衝突して空氣の流れが、水の小さい球を動かすことになる譯だが、この時に起るのである。

あまり結構なたとへではないが風呂（水）の中で屁（空氣）を一發やるとブル〳〵といふ音がするのと同じ理由である、從つてラツセルがあることは加答兒があることだから病氣は未だかたまつてないことになるし、これが無い場合は少くとも病氣はかたまりつゝあることを示して居る。（所長）

問六 赤沈に就て

赤沈降下の標準値、及赤沈による病狀の判定に就て御敎示下さい。

答 いろ〳〵と說があるがまあ一時間一〇粍以下を健康正常値とすべきであらう、例外はあるが、早く降る程即ち數値が多い程惡いと思つていゝだらう、たゞ赤沈は病氣の鑑別診斷にはあまり役にたゝない。それよりも病名がきまつてから引續いてその經過を見、又將來を豫測するのに、役立つ方が多い。從つて一度赤沈値が多かつたから、或は少なかつたから病狀がどうのこうのとは言へない、月に一度でよい

六一

から定期的に連續検査してはじめて赤沈測定の意義もある譯である。（所長）

問七 檢温に就て

原榮博士は、著書に於て、如何なる檢溫器に限らず、腋下檢溫は正五分間とすべし。正木不如丘博士は、明朗紙上に於て、十分間以上とす、大槻博士は、家の光に於て、十分間入れて一度出して見、再度入れて、同じなれば、之が正確なる体温なりと、述べられてゐる、之は三者共正しいでせうが、何の爲に、三十秒計、十分各計なるや、檢溫器挿入時間の長さに依つて七度五分迄は、腋下体温と云つて昇る事もあると聞いてゐる。

今假りに、甲氏の計り方で三六度八分あつたとすれば、乙氏の計り方で三七度ある事は當然ありうる事である、すると乙氏の方は微熱だとも云へるし、又普通体温なるに微熱だと早合点する事も考へられ、之では迷はざるを得ません。

答 体温計には電氣体温計及び留点体温計、無留点体温計の三種類あつて、此の中で電氣体温計が最も正確ですが、非常に大きな裝置と高價なので一般には用ひられません。無留点とは溫度が作用している間はその溫度を示してゐますが、作用してゐる溫度が去ると中の水銀が下るものであります。

普通我々が用ひてゐるものは皆留点体溫計です、これは製品の種類により三十秒計、一分計と稱してゐますが、別に構造の上で變つてゐるのでなく、此の種の物は全部大槻氏の言はれる如く十分間腋下に入れ、一度出して檢し、更に一分入れ、又出して檢し、上つてゐる樣なれば更に一分入れ、少なくとも二回の溫度が一致せるとき見るのがよいと思ひます。

測る場合も口腔、腋窩、股間、直腸内等種々ありますが、本邦では一般に腋窩となつて居ます故、この方に一定するのがよいでせう。又胸部疾患の場合には左右で溫度の違ふ事もありますし、患側が高い場合もありますが、絕對のものではありません。又癒着などによる胸廓變形等の場合は腋下の面積にも變化があります故、左右異なつて來ることは當然です（小山醫官）

問八 体重增加と病狀に就て

体重が增加すると結核治癒が遲れるとか云ふ事を耳に致しましたが我々は、体重が增加すれば病氣は治りつゝあるものと思つて居りますがこれは間違つた考へでせうか、体重と病狀に就て御說明下さい。

答 以前肺結核の肥胖療法と言つて食餌療法又はインシュリン、葡萄糖注射、コロイド狀肝油、例へばヤノール等の大量注射をやつた場合もありましたが、効果はうすい樣です。自分もこの療法をやつて十五貫位の人を二十二貫まで太らせたが結局死亡した例を持つています。

從つて言はば斯かる不自然な方法で体重增加しても、胸部疾患の輕快を意味する譯ではありません。

然し、体重減少も、胸部疾患の一症候とすれば、体重不變又は增加は結果から見るとよい方ですが、食慾不振も同樣一

六二

症候ですから、薬品を用ひて無理に食慾をつけても無効です体重減少、食慾不振も熱、咳嗽と同じ一つの症候である以上胸部疾患の輕快を待たねばなほるものではありません。

従つて胸部疾患の快癒が先決問題ですから体重増加のみを以つて病氣の豫後は云々し得ません。

然し、外の症狀も無く、且つ食慾正常で体重増加すれば病氣の輕快と見てよいでせう。(小山醫官)

問九 檢痰に就て

身体に異常なく檢痰により結核菌檢出されその後、菌も檢出されず平温、平脈にして結核性としての何等の自覺症狀もなく一ヶ年間經過したる場合、身体は果して進行性なき結核と判斷し得るでせうか。

答 多くの場合さう判斷してもよいでせう。併し疾痩の進行停止と消失と云ふ事は別問題ですから、其の時々に診斷や、檢査をしてもらう事を忘れてはなりません。自覺症狀だけで實際の病變の程度を判斷する事は危險です。(戸田醫官)

問十 胃腸病に就て

或る新聞に原因不明の胃腸疾患の大部分が胃癌であるといふ記事がありましたが、それは事實でせうか、私も醫官殿が除は大して惡くないと云はれますが、時々嘔吐をしたり、胃の痛むことがありますが、前記の樣な原因からではないかと心配致して居りますので右に付御說明願ひます。

答 新聞記事の事も見方によつてはさうも考へられます。併しあなたが唯今訴へておられる症狀は胃癌に特有なものと云ふのではなく、他の胃腸疾患にも同樣に現はれる症狀ですし、受持醫官もみておられる事でありますので不安のない樣によくお話を聞かれる事が、肝腎と思ひます。(戸田醫官)

問十一 夢精は精力過多によるものでせうか、又は身体の衰弱の象徵でせうか。

答 夢精は壯年期の男子に見られる生理的現象です、平均月二回位あるものとされて居ります。但し壯年期の男子と雖も既婚者には見られない所からすれば、或は充滿した精力の發露とも云へませう。

少くとも御心配の樣に身体の衰弱との因果關係はありません。然し精神の衰弱とでも云ひませうか、例へば神經衰弱の類ひ等では晝間受けた刺戟が夜間よみがへつて感極はまると云ふ結果に陥り易い、所謂感受性の強い狀態にある事は確かです、私共の間では之を性的神經衰弱と稱して居る位です、斯樣な場合には前記回數も刺戟と比例して當然增加するわけです。(羽田醫官)

六三

問十二 玉咲つつらふじより抽出せる植物性塩基の一般大衆化に就て

答 長谷川敎授の「セファランチン」に就てのお尋ねと存じますが、此藥劑の治療成績は現在の處未だはつきりお答へ出來ません、それと云ふのが發表された治療成績は比較的小範圍の病院でのそれに限られて居りますので、云はば生後間もない赤ん坊の智能を云々するのと同じ狀態に置かれて居るわけです、從つて大衆化には未だ程遠いと云ふ譯です(羽田醫官)

問十三 喉頭結核の外科的療法はないものでせうか

答 全身症狀不良ならず、且病竈が小部分に限局し破壞甚しからざる時は喉頭内手術により悉く病竈を除去又は燒灼致します、其の他の場合には餘り効果は期待出來ません、特に其の創面に二次的感染の恐れがないとも言はれません。(明田川醫官)

問十四 痔瘻に就て

入隊中痔の診斷をうけ内痔核と云はれました、その後時々出血するのですが、出血程度なれば手術を要しないでせうか、又手術した方がよいでせうか。

答 痔瘻と痔核とは肛門の病氣ですが症狀が異なつて居ります。御質問の内痔核なら出血することが度々あるかも知れません、又痔裂でも出血は屢々あります、療法としては外科的療法、電氣凝固法等があります、要は出血、疼痛の程度、他臟器特に肺に於ける病變等によつて保存療法又は外科的療法等を決定すべきでせう。(明田川醫官)

問十五 黄燐彈にて火傷を受けし場合の處置を御敎示願ひます

答 皮膚へ着けば深遠性火傷を起しますから直ちに患部を溫水に浸し酸素を遮斷し、ピンセット、又は木片等にて除去し、後重曹水にて洗滌後一〇%硝酸銀を塗布し、尚疼痛、腫張等あれば冷濕布を致します。此の場合脂肪牛乳(卵黄、蓖麻子油)酒精飲料は燐を溶かしますから避けねばなりません。

其の他の火傷の場合は局部の程度により冷罨法の施行、火傷油(亞麻仁油、石灰水等分)又は肝油塗布、軟膏療法等を施すは前述の通りであります。(明田川醫官)

以　上

全治急がば療訓守れ
希望に起きて感謝で眠れ

六四

すゞか娯樂室

編輯部選

笑話

鷄

加藤武司

甲『君!!鷄が親か　卵が親かどちらと思ふ。』

乙『そんな話はいつ迄やつても駄目だよ。』

甲『いやちやんときまつてゐるよ。』

乙『それではどんなわけだい。』

甲『日本書紀と云ふ本の一番始めに——古、天地未だ剖れず陰陽分れずあるとき、渾沌たること鷄子の如く——。とある、鷄子と書いて卵と讀ませてゐる、即ち鷄がゐて卵を産んだんだよ。』

乙『ハーン。』

目の色

平野粋子

凸「君ヤンキー達の目の色が何時頃何故變つたか知つてるかい」

凹『知らないさ』

凸「あれやね日露戰爭後俄に變つたんだぜ。日清戰爭と事違ひ世界の一大强國金あり兵あり武器のある露國相手に戰つたつてなぜ勝てるものか今に見てゐろ。こつぴどい目にあふからなんて彼等が手をたゝいて喜んで居たんだ、ところが錦旗の征くところ敵はなかつた海の東郷さんは彈丸雨飛の中を平氣〳〵と八方を攻め落し、陸では至るところの大山に乃木や黒木が生ひ茂つてゐてね其の奥から大彈兒玉が物凄い勢ひで飛び出したもんだから堅壘は一たまりもなく落ちて遂に大勝利を得たんだがその時にヤンキー達は日本强しおそるべしと目の色を變へて驚いたんだ。

それからずうつと目の色が變つて居るんだぜ」

凹『へイー』

六五

冠句

『勝つ爲に』

天　待つた〳〵のへぼ將棋　歳暉
地　がつちり組んだ隣組　中川友峯
人　常會みんな氣が揃ひ　千種馨

佳作

出るぞまだ〳〵底力　平野粋子
再起の道を眞一文字　登茂三
まだ〳〵殺せ無駄と暇　松島廣守
男子禁職十七種　紀人
鬪病今日も不平なく　千種馨
輕業一家が腰辨當　川村英雄
一人子空へ志願させ　濱口亂想
明け行く村の勤勞歌　森田寅藏

「面會」

天　と云はれて小使もらつた氣　松島廣守
地　のすしも飲み込む一ッ星　森田寅藏
人　の父に再起の日を語る　平野碎子

佳作

に食ふは〳〵の一ッ星　歳暉
の吾子も怖がる鍾馗髭　鈴木房雄
の妻にモンペのよく似合ひ　同人
のつきぬ話にバスが來て　紀人
も金を貰ふて用はなし　辻輝城子
の遺族社頭に嬉し泣き　千種馨
はあの娘と知つて赤くなり　松島廣守

ものはづけ

「馬鹿げたものは」

天　捕虜達の自慢話　稻垣隈吉
地　手品の種明し　千種馨
人　面會の間違ひ　増田堯久

佳作

見えすいた敵のデマ放送　柴田邦雄
泣き出す捕虜の大きな顔　紀人

六六

三日天下のバドリオ政府　同　人
假病の濕布　千種馨
米英の戰後經營論　あをき生
大喰ひして腹痛　吉田茶目子
蔣介石の無益の抵抗　平野粹子
馬鹿と知らずに道を聞き　同　人
釣り上げた草履　空　氣男

「にくいものは」

天　なぐり損ねた盗猫　濱口亂想
地　本土空襲の米英機　空　氣男
人　ルーズベルトの笑ひ顔　中川友峯

佳　作

尻ふとらして逃げ行く蚊　增田堯久
日獨を裏切つたバドリオ　甚　坊
重役の闇取引　千種馨
强情な捕虜のヒゲ面　紀　人
決戰下の買溜賣惜み　稻垣隈吉
切れない注射針　登・茂三
案山子にとまる雀　歳　暉
骨迄蝕ばむ結核菌　小林克哉

川柳

天　とんだ後押へさせては蚤の逃げ　歳　暉
地　大盛を食べて退所の近くなり　甚　坊
人　四五日はペコ／＼してる新入所　穗高峻

佳　作

看護婦に起されたくてするそらね　平野粹子
失敗も素人演藝は藝のうち　歳　暉
賣るものがなくて賣店大あくび　柴田邦雄
指導官來ると眠つたふりですみ　同　人
化粧する事も覺えて二年生　あをき生
脈とる手ちよつとさわつて叱られる　甚　坊
丸刈りを妻が見直す男振り　八代三佐夫
叱られてマスクの下で舌を出し　吉田茶目子
病みゐても照國關でとほり居り　平野粹子
看護婦にわが歳聞かれ若く云ふ　辻　輝城子
何處へでも影とスパイはついて行き　八代三佐夫
草相撲やせたが勝つて人氣あり　歳　暉
節電に月の明りで常會す　甚　坊

六七

彌次喜多道中

七里の渡しの巻

花陶竹枝

桑名市はもと松平氏の城下。東海道五十三次の一つで、いはゆる宮の渡しを隔てて熱田から直に此處に續いてゐました街道の旅人は渡船で熱田から七里の渡を渡つて、先づ此地の燒蛤に舌鼓を打つたものでご座います。大井川や荒井の渡は短くても難所でありましたが、此處の渡は長くても靜かな海原で、まづ暫くの足休めとくつろいだものでご座います。その七里の渡の渡船に彌次さんと、喜多さんが乘り込みました。波はいたつておだやかでご座います。まづ歌を一つ詠みました。

おのづから祈らずとても神在ます
　　宮のわたしは浪風もなし。

船は順風に帆をあげ、海上をすべるが如く走ります。船中思ひ思ひの雜談にあごのかけがねもはづれるばかりでご座います。

彌次さんは舟の中で小便するのが怖いと云ふので、宿の亭主から竹の筒を貰ひました。

「これをあてがつてやらかすのだな、好し好し。」

と安心してそして大事にその竹筒をかゝへ込んでをります。

彌次『アアよく寢た。何時の間にやら剛氣に來たぞ、時に小便が漏るやうだ。』と宿の亭主の吳れた竹の筒を出して、此處でこそとその竹筒に小便を致しました。この竹の筒は火吹竹の如く、先の方に穴をあけてありますから、船の緣に持たせかけて小便をしなければならないのでご座います。彌次さん、竹筒のさきに穴のあいてゐるのを知りませんから酒瓶の樣に思ひ、竹の筒へ小便を仕込んで、後であけることと心得て船の緣に立て掛けて置きました。

乘合衆甲『コリヤコリヤ何んぢいな、水がえらう流れますわいな』

乘合衆乙『誰か土瓶でもうちこかいだぢやないかいな、ソレソレ煙草入も紙入もびつしよりぢや。コリヤ堪らんわい、ハアお前小便ぢやな。』

と咎められて、彌次さん、竹の筒の隱し處にうろうろしてゐますがもう後の祭でご座います。

喜多『エエ彌次さん、如何したものだ、お前小便するなら其處へ當がつて、竹の筒の先の方を、海へ出して仕込むのだわめつそうな船の中が小便だらけになつた、エエきたない北無い。』

六八

彌次『俺は又此處で仕込んで、後でぶちまけるのかと思つた。』

乘合衆『イヤハヤ途方もない、コリヤ臭くてならんわい、船頭衆もう敷物はないかいな。』

船頭『誰ぢやぞい小便したのは、船玉樣が汚れる、早うこれ拭かつせいな。』

喜多『エエ氣のきかねへ人だ。』

船頭『エエソレ未だ竹筒から露が落ちる、それもほかしてしまはつせえな。』

彌次『イヤこれはそつちへやらう、火吹竹になるから。』

船頭『エエお前が小便したものを、ナニ火吹竹になるものだ、早く拭きなせえ』

埒があらぬと口ぎたなくいぢめられて彌次さん褌をはづし其處らを拭く中、喜多さんは薄べりを引つくり返して敷直します。

彌次『皆さんどうも御免なせえ』

乘合衆にが笑ひしてだまつてをります。

笑ひの中に船が桑名に着きました。

起ちて報いん

森田桂樹生

思へば過ぎし去年の秋　白衣の裾を汐風に
なびかせながら淋しくも　別離の泪ながしつゝ
ふたゝび母國にかへるのも　病になりしためなりき
　再度戰地へ征きたしと　かねて希望は持ちたれど
弱きが故にこの身　入院生活余儀なくも
　せざるを得なくなりにけり
東洋平和の來るまでは　一死をもつて君國に
　捧げし命この身　病んで斃れる身ではない
昨日も遠き故郷の　母の音信の其の中に
　死は易く生は難し　生きて甲斐ある人生と
云はれし言の葉その如く　ながく臥すとも必ずや
　起ちて報いん皇恩に　起ちてむくいん皇恩に（了）

笑　話

重慶に突然空襲警報鳴る

松　島

米軍飛行士等すばやく戰鬪機に飛乘るを見て嬉しさうに蔣介石「勇敢なる諸士よ、日本機を一機殘らず墜してくれ」と云へば、一同「冗談でせう、これに乘つて退避するのが一番安全だよ」

六九

外氣卓球大會

梅雨明けとは云へ、小雨の降り續く、七月二十五日、外氣に於ては盛大なる卓球大會が開催された、參加人員三十六名に及び會場は食堂を取片附け、二台のコートを以てあてがわれた。

この日參加選手一同、技の拙劣を論ぜず、良く奮戰良く努力、倦怠勝な雨期を克服し、鬪病生活の一日に多大の戰果を上げた事は最も喜ばしく、來る年もこの期會あらん事を切望して止まない。

猶、試合開催にあたり、立派な賞品を戴きました羽田醫官殿に對し厚く御禮申上ます。

個人試合

○羽田賞受賞者　梅原幾之助
○五人拔試合　一部梅原　二部柘植　三部橋爪　四部田邊
　五部小林
○三人拔試合　一部小倉　二部田口　三部奥山　四部山崎
　五部中島

團体試合

東方總得点　八七三点　　西方得点　八七九点
　西　方　優　勝

東方							
横綱	辻	○	●	●	○	●	●
張出横綱	粂田	●	●	○	○	●	●
大關	小倉	○	○	●	●	○	●
關脇	江川	●	●	○	●	●	○
小結	柘植	●	○	○	●	●	○
前頭	市川	●	○	●	●	●	●
前頭	田口	○	○	○	○	○	○
前頭	高見	○	●	○	○	○	○
前頭	橋爪	○	●	○	●	○	●
前頭	佐々木	●	●	○	○	●	○
前頭	中川	●	●	○	●	●	●
前頭	山崎	●	○	●	●	●	●
前頭	山田	○	○	●	○	○	●
前頭	日比野	○	○	○	●	○	○
前頭	中島	○	○	○	○	○	●
十両前頭	加藤	○	○	○	●	○	○
十両前頭	木下	●	●	●	○	●	●
十両前頭	西脇	●	●	●	●	●	○

西方							
横綱	宮原	○	●	●	○	○	○
張出横綱	梅原	○	○	○	○	○	○
大關	纐纈	○	○	○	○	○	○
關脇	別府	○	●	●	●	●	●
小結	野中	●	○	○	○	○	○
前頭	佐藤	●	●	●	●	●	●
前頭	白木	○	○	●	○	○	●
前頭	奥山	○	●	●	●	○	○
前頭	諸岡	○	○	○	●	○	●
前頭	成瀨	●	●	●	○	●	○
前頭	豐田	●	●	●	○	●	●
前頭	田邊	●	○	●	○	●	○
前頭	中山	○	●	○	○	●	○
前頭	稻岡	○	●	●	●	○	○
前頭	山本	●	●	○	●	○	●
十両前頭	岡山	●	○	○	●	●	●
十両前頭	小林	●	●	●	○	●	○
十両前頭	堀	●	○	●	○	●	●

七〇

すゞか詩壇

安西冬衛選

峠

穂高峻

私は峠の上に立ちどまる
今登つて來た谷は
もう深い霧の中
霧にうづもれた路を
ふり返るのは寂しい
然し
霧のかからない路は
もつと寂しい。

貢を呑まない私は
木の葉を取つて
口笛に吹く
ふと噛んだ木の葉が
ほろにがい思出を
引つぱり出す
私はポケットをまさぐる。

私は眞向の
穂高に見入る
雲が
雲が
雲が
明神の頭を流れる
燒岳の噴煙は
香爐の樣にわびしい。

山の黄昏は早い
谷を隔てた山の頂には
日が照つてゐるのに
もうこの峠路には
夕霧が流れ始める

私はだしぬけに
おーいと呼んでみる
私はやをら腰を上げる
暮れて終へば
又落ちついて
山路が行ける
振り返へる道の邊に
白山一華の花が。

逆光線

穂高峻

羚羊が谿の水を呑んでゐる
駒草の花が咲いてゐる
私は岩壁を見上げる
其處に戰友の顔がうつる。
　戰地で死んだ山友達の
　幾人かの名前を私は數へる
　堆石を積みながら
　思出を風に吹かせながら。
私は山の頂に立つ

七一

私は空の逆光の中に佇つ
思出のある苦しみ
思出の無いわびしさ。
　私は遠い落石の音を聞く
　壕の中で砲音をきく樣に
　私は圏谷の底をのぞく
　壕の隅に虫の音をさぐる樣に。

空

あをき生

私は終日空を眺めてゐます
讀書すら許されない私は自然の空や雲
のたゝずまひに詩を聽き畫を想ふて疲
れた心を休めるのです。
春夏秋冬、倦まず弛まず病と鬪ふ私の
心の精力はこの空を眺めてゐるうちに
私の身体に溢れてくるのです。

——春——

淺綠の五月の空に私は故郷の伊勢の海
を思ひ出します
故鄕の海は私を育て慈愛しんでくれま
した
それは靜かな母の愛にも似たやさしさ
で……。

——夏——

蒼い空に拳のやうな雲が立ち塞がりま
す
逞ましいものは八月の雲…積亂雲…
　昨日も今日もコバルトの空を翔けて
ゐる
　雲の峰を乘り越え乘り越え
　北濠の空を飛ぶ
南溟の空翔ける戰友の便りを思ひ出し
てゐると
瞬間彼の愛機が私の眼を掠め飛ぶ。

——秋——

爽秋の空は少年飛行兵の瞳
澄み切つた瞳は死を知らない
　兄さんお別れです出發します……
　七ツ釦の服がピツタリと身についてゐました
擧手の白い手套と二つの瞳が殘つ
てゐます。

——冬——

昨日も今日も朝から晩まで
南へ南へと雲は飛ぶ冬雲は流れる
雲の進軍譜
　迅いのは飛行集團
　身輕なのは機械化兵團
　そのあとでゆつくりと然し大波の
如く
　止どまらうとしない歩みを續けて
　ゐるのは大軍團の移動か
私の耳朶を打つて
あゝ軍靴の響。

青空

鈴木富佐男

俺は青空が好きだ
南海の椰子の林の上に
くだけ散る白波の上に
澄みきり、何ものをもよせつけない青空
俺は今草叢に寢ころんで
開豁な秋空を眺めてゐる

七二

青空は芒の穂の間に
水の樣に擴がつてゆく
雨が降つても雲がかかつても
どんな塵埃も煤煙も
青空を侵すことができない
雨も雲も
いつの間にか消えてしまつて
もとの冴えきつた青空にかへつてゐる
俺はこの青空を見るたびに
青空の不思議にうたれる
俺は青空が好きだ
一切のものを抱擁し
一切のもののその上に
何時もけがれることない青空。

愛犬

歳暉

ポチ。お前も面會に來て呉れたのかい。
あれからもう三年に成る。ウツカリす
ると月日に押流されさうだ。あゝお前
にこのせつない胸のうちがわかるかい。
ポチ。さあ頬ずりしやう。
おやお前一パイ目に涙をためて居るネ。
なにも哭くことはないさ。さあ、おと
なしくお歸り……なぜ歸らないのだ。
そうか、それはおれが惡かつた。だが
心配する事はないさ、來年の三月には
キット歸る。淋しいだらうがけふはお
となしくおかへり。
さあ、わかつたかい。わかつたらもう
お歸り。

滅私奉公鉛筆

森田桂樹

卒業の朝
きれいに並んだ大勢の友を前にして
先生が云ひました。
我が身を捨てゝ世のために盡せと
わたしは誓ひました。
そして横徑にそれた人や惡い人を
敎へ導くために
軟い「ゴム」の冠を頂いたの
それからわたしは毎日〳〵
白い指に優しく抱かれながら
美しいレターペーパーの上を
忙しく走り廻るのでした。
そして昨日も余り急いだために高い高
い机の上からオツコチて負傷したの!!
永い間の生活にわたしは殆ど身を捧げ
てしまつたわ…けれど悲しまないの。
わたしは幸な
滅私奉公の鉛筆なのですもの…。

鈴虫

野々垣七男

靜寂な夜を
乳色のさ霧が
靜かに流れてゐた、
白蚊帳の中に臥して

七三

三年ぶりに故鄕の
鈴虫の音をきいた

女の子の下駄の裏に鳴る
鈴の音の樣な
鈴虫の音を

美しい音律
さびしい思出で
これを織りまぜてきく

遠くで
重機の音が
にぶくきこえる。

悲悟の言

龍蜂生

三度笈を負ひて東都に遊ぶ
如何でか今日の悲境を想はん
有爲轉變は、世の習ひなり
順逆誰か人に問はん
唯、心頭を滅して火中に涼風を索め
朔風悲歌に、春風絃歌を聞かん。

大東亞の夜明

松島生

一　隱忍持久二十年
　　こらへにこらへた堪忍の
　緒を斷ち切つたこの朝
　　時十二月その八日
二　ハワイにマレーにフイリツピン
　　紫電一閃忽に
　醜の米英碎きたる
　　見よ神州の底力
三　敵が呼號の空襲も
　　壞えてもろき去年卯月
　來らば來れいざさらば
　　我に不斷の備あり
四　ビルマは建てり比島亦
　　今ぞ明けゆく大印度
　見よ共榮の大亞細亞
　　開け十億の大歡呼
五　正義日本の行くところ
　　ゆくて遮る雲もなし
　御稜威の光燦然と
　　四海を掩ふこの朝

懷古

濱口亂想

秩父颪のビユービユー吹く武藏野を
空色の肩章
僕等は陸の荒鷲と
濶歩したのはつひ昨日のことのやうだ

帝都の空
地上一切の絆を斷つて
希望の大空へ愛機を飛ばせた
樂しかつたあの日のこと。

今宵松風さやぐ寮の月にひとり
遠く米英擊滅の火線に在つ君を思ふ
戰友よ、健在なれ。

七四

初秋

山本忠男

秋は
いつのまにか忍びよつてゐた
萩もすゝきも　おみなへしも
もうこんなに
美しい花をつけて…

私はふと
思ひだしたやうに
人を、呼んでみたくなつた
なつかしい山々
透き徹るやうな大空

こんな大きな
宇宙のあることを
今まで知らなかつたやうに
私は　いつまでも

いつまでも
うつとりと佇んでゐた
靜かな暮色
遠い晩鐘の音
幼い日の
母の乳房を　まさぐるやうに
夢みてゐる草木のにほひ

秋は
なつかしい思ひ出をのせて
いつのまにか忍びよつてゐた。

朝の祈り

柘植昌一

寮の林に秋の草花が咲き亂れ
吹く朝風はすが〳〵しい
遠くを走る電車の響き
伊勢の海をゆく發動機船の音
丘の上の
明けて行く
空の美しさ
私は敬虔な朝の祈りを捧げる。

白雲に寄せて

藤波祥次

おゝ見よ白い雲はきた
　忘られた美しい歌の
かすかなメロディの樣に
　青い空を彼方へ漂つて行く

長い旅路にはてに
　さすらひの悲しみと喜びを
味ひつくした者でなければ
　あの雲の心は分らない
私は太陽や雲や風のやうに
　白いものやかざりけの
　　ないものが好きだ
夫れは故鄕を離れた
　さすらひ人の同胞であり
天使であるのだから―。

七五

九月なかば過

中島寅

今は九月のなかば過ぎ
眞珠の樣な日が光る
紺色の葉蔭には
蜜柑が耀き
空の碧瑠璃、地の黒耀石
森羅萬象
ものみながひかつて居る。

戰陣月下の靜かな晩に

志路さき

戰陣月下の靜かな晩に
敵地にちかく文鳥が一羽
聲くもらせて鳴いてゐた
　なぜか見捨てゆくに忍びず
　肩にとまらせ進軍した
戰陣月下の靜かな晩に
敵地にちかく文鳥が一羽
飼主もなく鳴いてゐた
　鳴いてゐるのがいとしくて
　肩にとまらせ進軍した

月下の敵地で捕へた文鳥の
人なつこく鳴く聲が
僕の心に沁み戰友の心に沁みて
遙かの故國をしのばせる

闘ひ

後藤二郎

友よ
僕達はお互にお互を
知らなかつた
共に病み
共に悩む
ひとつのきづに結ばれるまで。
友よ
人の世に生を受けた時から
闘ひは僕達の宿命であつた。
共に傷つき
共に苦しむとも
僕達は
永劫に闘ひを闘ひ抜かう
巨いなる希望を胸にいやはての日まで。

希望の路

幾美作詩

一、今宵仄かな空見れば
　　なぜにつきせぬ涙やら
　　男ごゝろを誰か知ろ
二、強くならうよ強くなれ
　　浮世の風は荒くとも
　　希望捨てるないつまでも
三、星も淋しい月の夜に
　　泣いた涙も今日かぎり
　　捨てゝ希望の路をゆく

想ひ出の輪廓

中村紀人

ゆくみづの
かへらぬに似て
あはゆきの
　きゆるが如く
ゆきてまた
　かへらぬ日々よ
遠き日の
　ことども
せつなくも
　いまはいたづき
今宵また
　月のあらた夜
すゞろかに
　蘇へりくるもの
なつかしき
　想ひ出の輪廓

七六

選後感

安西冬衛

諸兄の眞摯な作品を有難く拜見いたしました。

先づ最初に自分の疎懶で選詩が意外に遲延したことを深く御詫びいたします。

實をいふと詩を選ぶことは自分にとつて詩を作ることより遙かに困難な仕事でした。これは主として自分の未熟に因るものでありますが、その爲にみなさんに御迷惑をかけたことを恐縮に存じます。

扨て作品の概評を簡單に申し上げますと、穂高さんの「峠」「逆光線」は共に清純高尙、對象の把握が確かで省筆も行屆き嶄然群を拔いて光つてゐました。相當長い詩作の御經驗があることと承知いたしました。

あをき生氏の「空」その他は、無難に纒つてゐますが、これだけでは特異性に欠けるところがあり、猶一層の昇華に一工夫を願ひたいと思ひました。

鈴木さんの「青空」は對象にぢかにぶつかつて、直情がよく出てゐました。

歳[illegible]氏の「愛犬」森田さんの「滅私奉公鉛筆」も同じやうな行き方で夫々面白く拜見しました。

その他總体に敍景と敍情、殊に敍情に勝つた作品が大半を占めてゐて一應結構でしたが敍情の詩はともすれば安易に墮り易い危險がありますから、その点に深く省察を加へられたいと思ひます。

凡そ眞の法悅はすべて苦惱の中から生れるものであります、詩作の悅びも亦激しい苦惱を經なければなりません、宛もそれは再起の歡喜が鬪病の苦艱の後に齎らされる諸兄の場合と同樣であります。

更に一層の御精進を冀つて歇みません。

安西冬衛先生紹介

過日日本文學報國會派遣として當所に御來所下さいました時「すゞか」の詩選を御願ひ致しました處、御快諾下さいましたので今回初めて詩選を御願ひ致しました。

先生は日本文學報國會關西詩部幹事で居られます。

七七

マライのお伽話

安田久治

お約束により猿の生膽と云ふ馬來のお伽話を申上げる事と致します。

一

昔澤山の猿の住んでゐる島があつた。猿の中では矢張り一匹の王樣がゐた、此の猿は大層公平で賢くて思慮分別に富んで勇敢でその姿も實に立派であつた、彼が老いるとその身内で國や皆をよく治める事の出來る賢い猿が全員の希望に依つて王となつた、そこで隠居した猿は海岸へ行つていつも一本のラウーの木の上に坐つてその實を食べてゐた、或日の事一個の實が手から滑り落ちて海にはまつたその音が非常に氣持よく響いたので彼はいつもラウーの實を海に落して樂しんでゐた。その木の影の水の中に一匹の龜がゐて落ちて來るのを食べてゐた、或日のこと龜は自分の食べてゐる實は猿が落してくれるのだからお禮に仲よくしたいと思ひ猿の王は

「私を呼んでゐるのは誰か」

「私は龜ですあなた樣と仲よくしたいのです」

これより猿の王と亀とはお互に愛し合つてゐたそして丸で一心同體の樣になり猿も自分の家族の事を忘れるし、龜も自分の家庭を忘れた。

二

そこで龜の妻は自分の夫がゐないので淋しく思ひ出した、そこへ彼女の身内の者が來て

「何故お前さんはそんなにふさいでゐるのか、お前の夫は猿の王と仲良しになつてお前の事なんか忘れてゐると云ふ事だが、もしお前が夫に會ひたかつたらわしが何とかしてやらう」

「兄さん私を哀と思ふのなら彼の所へ行つて私が病氣だと云つて下さい」

「お前はその嘘をばれない樣に病氣のふりをしてゐなさい」

と云つてその男は猿の王と仲良くして遊んでゐる龜のところへ行つて

「わしは奥さんから頼まれて來たが彼女は重病だ、それなのにこゝにばかり居るのはどうしたわけか、妻子が可愛いことはないのか」

と云つた龜は猿に別れをつげて家に歸つた。

三

龜が歸宅すると果して妻が病床に伸吟してゐた。

「お前の病氣には何の藥がきくか云つてくれ、探して來てやるから」

と尋ねると妻の身内の男が

「お前の妻の病氣はもう癒らない」

龜はそれを聞くと妻に對する愛情が一層湧いて悲しくなつて來て

「もし此の國に妻の病氣を癒す藥や人が無いならばどんな國へ行つてでも探して來る、もしわしが體が藥になるのなら犠牲とならう」

そこで妻の身内の者が云つた。

「奥さんの病氣は婦人病であるから女でなければ癒せない、しかし藥は猿の膽しかない」

「猿の膽は何處で手に入れる事が出來るか猿は木の上に居り我々は水中に居から手に入れる事は困難だ、どうしたらよいだらう」

「實際あなたの云ふ通りだ、だから我々はあなたが何かよい方法を知つてないかと思つて呼んだのだ、奥さんの病氣は醫者の話では猿の膽が手に入らなければ決して癒らないと兎に角あなたが後で悔むといけないから又そ

七八

んな事をなぜ早く知らしてくれなかつたかと云ふ樣な事があつてはいかぬと思ひ呼んだのだ」

龜は之を聞いていよ／＼妻がいとしくなりあれ程愛しあつた猿よりも大切だと思ふ樣になつた、そして猿の王の處へ來た、猿の王は心配さうに

「君の妻君の病氣はどうか」

「僕は君と別れてゐると君のことが思はれてならない、妻の病氣はもう癒つた、君がもし我々を愛してゐるのなら僕の家へ來て妻子や身内の者に會つてくれ、すると君の我々に對する友誼も益々深まるものだ」

「そんな事を云はないでくれ、僕は此處に居ても君の家に居るのと同樣に思つてゐるのだ、それに僕には海を渡る事が出來ない」

「海を渡るのは何でもない君が來てくれるのなら僕の背中に乘るがよい。」

四

猿の王は承知して龜の背中に乘つた、龜は海の眞中まで來ると止つた、猿の王は怪しんで

「おい君どうしたのかわしを乘せて疲れたか」

「まだ大して遠くへ來てゐないから疲れてはゐないが一寸家に殘した妻の事を思ひ出したのだ、あんな重病だからいつ死ぬとも知れぬ、もしそうなれば僕の今やつてゐる事が無駄になると考へたのだ」

と云ひ乍ら又海を泳ぎかけた、猿の王は

「友達を欺くことはよくない事だよ」

と云ふと又止つたので猿の王は、これはいよ／＼惡いことを企んでゐるに違ひないと知り

「おい友達、何故君は止つたのだ、君の心の中にある事を云つてくれ給へ、さうすれば相談にのつてやらう」

「別に外でもないが妻の病は癒せないのだ藥を得るのが困難なのだ」

「隱さないで君の妻君の藥をわしに云つてくれ探してやらう」

そこで龜は打明けた

「妻の病氣は醫者の話では猿の膽以外にないと云ふ事だ、それを手に入れる事が困難だ」

是を聞いて猿の王はブル／＼震へた、どうすれば逃れる事が出來るだらうか、暫く考へて

「オイ君何故最初からその事を云はなかつたのか、それがわしに對して正直でなく信用してゐない證據だ、たとへ其の藥が火の海の中にあつてもわしが手に入れて來てやる、よしんばわしの命を失つても後悔しないのだ、しかし今はどうにもならないと云ふのはわしは膽を此處へ一緒に持つて來なかつたからだ我々猿の習慣で客人や友人に呼ばれた時には必ず膽を家に殘して來る事になつてゐる、膽を持つて行くと氣分が落付かないので友人の家でゆつくり出來る樣に家へ置いて行くのだもしどうしても膽がほしいのならわしを家へ送つてくれたらきつと差上る、もし他の猿が欲しければそれも良い、はじめから云はないから何度も行つたり來たりする事になる、これも皆君が馬鹿で本當にわしを愛してゐないからだ」

龜は猿の王がさう云ふのを聞くと、尤もだ非常に自分を愛してゐるからさう云ふのだと思ひ、泳いで彼の住居のところまで連れて來た、着くとすぐ猿は木の上に跳び上つた、龜は叫んだ

「僕の妻の藥をくれる約束はどうしたのか妻の樣子を知りたいから早く歸りたいのだ」

「やい見掛けだけの友人、お前の心中に惡事の根があるのだ、お前は僕と仲よくしよう

七九

と約束したではないか、それだのに僕の膽を妻君の藥にしようと考へるとは何と云ふ事か、もし膽を取り出したら生きてゐられるわけはないではないか、おい友人の風を裝ふ畜生よわしは口で云ふ事だけを聽いてゐたらどれが敵であるかわからないことを始めて知つたよ、畜生め!!」

と猿の王はブル／＼と擬びながら後生大事と再び仲間のところへ戻つて行つた。終

小品

給水塔に囁く

森田寅藏

碧く澄みきつた秋空高く突立つ巨大なる給水塔の下を毎朝の樣に私は歩を運び泰然として動ぜないこの給水塔を見上げてゐると身も心も自然と明るくなるを覺えるのである。

そして今日も私はこの給水塔の下に囁くのでした。巨大なる給水塔でさへ私達の樣に体温計の樣な大きなものを頭に着けてゐる、なる程君のは水量計だらうが、併し君の生命もこの水量計に支配されてゐる所を見れば矢張り私の体温計同樣だ、そして水銀が下つて居る時には君の体の調子が非常に良い時だ、そして滿腹なのだ、けれど日照りが續き暑い日には君の水銀も上り勝となつてゐる。

併し暑い時には私も良く水銀が上つて來るけれど決して心配はいらないんだ給水塔の君にも矢張り私達と同じ樣に立派なお醫者さんがついて居られる、君の水銀の上り下りも毎日／＼見守つて居て呉れるんだ。

そして日照り續きが長引いた時には、精力の消耗をさけるために、日に三度の安靜と云ふか、朝・晝・晩・の休みがある、つまりエネルギーの補給なんだね、だから暑い時には餘り無駄な消耗をさけて充分休養の時には休養して補給をして置くのだ。

今君の多くの友は來る可き敵の大空襲あるを豫期して至る所に待機してゐるのだ、そして君にも何時第一線に突撃命令が下るか分らない時なんだから充分腹一ぱいに補給しておくのだ。水銀の上り下りをいち／＼氣に病んで居ては駄目だ、總てを信頼するお醫者さんに任せて大きく明るく生きるのだ。

そして鐵骨コンクリートの偉大なる力を發揮するのだ。……と、私は長い間給水塔に囁くのでした。給水塔は私達の大事な／＼友達である。給水塔君に襲れられては一大事なんだ。私は給水塔の健康を祈りつゝ部屋に歸るのだつた。

かはせみ

小林生

夕食後浴衣をひつかけ久し振りに裏の池の堤へ出て見た。

太陽は早や西の松林に遮ぎられて、池の水は澄みきつて靜かである。時折渡りくる涼しい風に吹かれながら池の面をぢつと見つめてゐると、どこかでチヨボン――と水の中へ石でも投げた樣な音がした。ふと池の隅へ目をやると、瑠璃色のきれいな小鳥が、水の中から現はれてばた／＼と羽搏きながら水面二三尺のところに垂れ下つてゐる蔓に止つた。暫くすると、又水輪を殘して水中へ飛び込んでいつて、何か獲物を漁つては現はれ、もとの蔓へ止まる。

八〇

よく見ると翡翠だ。蔓の上から水面をぢつと見つめてゐては魚影をねらつて飛び込む。こんな事を繰返してゐるうちに何か急に思ひ出した樣に飛び出して池を溯つてゆく。

澄みきつた靜かな池に瑠璃色のきれいな翡翠が水面に影を映しながら溯つてゆく光景は何とも云ひ知れぬ美しい眺めで、一幅の繪の樣な感じであつた。

翡翠の影こん／＼と溯り　　茅舍

私はふとこんな句を思ひ出しながら翡翠の行方をいつまでも茫然と見送つてゐた。（了）

簡單な假名遣記憶法

花陶竹枝

すゞかの原稿を拜見しつつ感じましたので日常最も普通に用ゐるもので誤られ易いものを拾つて、簡單な記憶法を述べてみることにします。

ゑ、え、への區別

ここに植うと云ふ動詞があります。植うと云ふ動詞はわ行下二段活用の動詞で次の如く活用します。

未然形	連用形	終止形	連体形
植ゑ（む）	植ゑ	植う	植うる
已然形	命令形		
植うれ	植ゑよ		

動詞は右の如く凡て活用しますが、その活用は必ず五十音圖の一行内に活用します。即ち、（わゐうゑを）の一行内に活用します。それで終止形が「う」になる動詞、植う、飢う、据う、の三語はゑが正しいのであります。

即ち、絶ゆと云ふ動詞があります。これは下二段ヤ行（やいゆえよ）活用の動詞であります。即ち、え（未）、え（連）、ゆ（終）、ゆる（連）ゆれ（已）、えよ（命）と活用し、終止形は、絶ゆですから絶えとえを用ゐます。見ゆ、消ゆ、の類みなえが正しくへを使用するのは誤りです。

堪ふ、と云ふ動詞はハ行に於いて活用します。即ち、へ、へ、ふ、ふる、ふれ、へよで堪へとへを使用すべきであります、終止形を求めてそれが何の行にあるかを知り得ればゑ、え、へ、の使用は簡單であります。

老い、悔い、報い、もよくひと誤られますが終止形が老ゆ、とゆであることを知ればひは誤でいが正しいことが記憶出來ませう。

やうとようの區別

ようは未來の助動詞であります。それで見よう、起きようはようが正しく、あんな樣とかふうとか云ふ場合、即ち樣子を云ふ場合はやうであります。

ずとづの區別

恥づ　閉づ　禁づ　捻づ　出づ　秀づ　詣づ
撫づ　奏づ　の類はづであります。

論ず　感ず　任ず　肯ず　甘ず　重ず　の類はずであります。論（ン）ずの如く撥音便の語はずと記憶するのも一方法でありませう。

撥音便の語でなくてずを用ゐるものに混ず、があります、注意を要します。

この場合助動詞（否定）のずと混同しない樣に注意を要します。論ぜず　感ぜず　のずは否定の助動詞であるからであります。

その外一寸氣の付いたものでは

動詞	ゐる（居）、鳥が鳴いてゐる、	いは誤
	います（在）父いますが如し	ゐは誤
	いらつしやいます。	ゐは誤
	まゐります	いは誤
	ございます	ゐは誤
	をる（居）	おるは誤
助動詞	まい。降るまい。	ひは誤
	らしい。雪らしい。	ひは誤
	ず（打消）　我知らず。	づは誤
助詞	は　私は行く	わは誤
	へ　學校へ行く	えは誤
	を　花を見る	おは誤
副詞	さう　うれしさうだ	そうは誤
	そう（層）一そう勉強する	さうは誤
	つい　つい忘れた	つひは誤
	たとへ　死んでも	たとえは誤
	たとひ　死んでも	たといは誤

八一

拾遺

桐田蕗村

伊太利にたよるならねばゆく雲の散りて消えたるこだはりもなし
張りつまる胸の底よりこみあげて今ぞ碎けむ魂の强さを
ニユーギニヤに基地進駐をつぐる敵まづひきよせて撃たむぞ今に
秋をきて咲く花ながらつゆ草の濃き色は泌む戰ふなかに
言擧げすぐつと堪へゐる魂の碎けて散らむ時機今に來つ

南鳥島の空襲をきく

夕茜さす空ひろく響かひて警戒警報なり渡りたり
南鳥島けさの空襲に國内の緊る夕空や警報到る
卷脚絆モンペ裝ひてまつ夜さの端居は風のはや秋をしむ
悉くこの島にして皆死なむ決意の秋の寧ろすがしき

八二

時事小吟

印田巨鳥

平然と歩廊をひかれゆく俘虜にゆきあひてのこる鬼畜の臭氣

殘置燈淡きを歸り恪みていまのおのれに耻づる纔なきや

病院船に敢へて舞ひ下る敵機の所業臥して怒號の傷兵を思はむ

秋澄みし空に絡みあふ探照光いたく露けくおぼゆる夜々を

みいくさは日日に苛烈なり新鋭機覆ひつくして空に極らむ

國生みの聖業嚴しも南北先立たす神は雷なして

言と事同義皇國の理念肯りて遲きをいはず歸順の數萬

反抗へる醜を押へて生駒嶺に神轉進まししし古事いまに（皇軍轉進）

八三

すゞか歌壇

印田巨鳥選

井戸坂又一

きびしき世に己が再起を疑はず療苑耕してものの種まく

窓に倚り紹差しする兵もはらなり時にあぐみて口笛吹くも

はるかなる征旅を思へばわだつみの波の遠音のきこゆる如し

捧げたる命殘ればこの命かりそめごとにそこなふなゆめ

療苑の物皆薙ぎつくしあらしやみぬ草の匂ひのしるきこの朝

川合吉夫

大根蒔くと植木の棚をこぼちたりわが窓に置くサボテンの鉢

植木棚こぼち作れる庭畑に大根の種子を二畦に蒔く

大根の芽二つ三つと土塊をもちあげて來し生くるものの力

高萱に蟷螂一つひそみたり茂吉の詠みしよき歌思ほゆ

日光の杉船材になるといふ我も再起べく今日を勵みぬ

片岡廣幸

おぎろなきみ旨の下に病みゐつつ癒えぬいのちは天命なるか

わが心のなべてを告げて賴りつる擔當醫官懇ろなるに

病室へつゞく草路にみとりめが見出でし花を摘みて行きたり

虫の音の闇に確かな靴おとは夜を警しめて坂のぼる人（守衞）

生の米嚙り戰ふ友を思ひわれは食事に掌を合はすなり

加藤武司

秋來なば空の眞ほらの澄みつぐとたのみし鈴鹿今日も曇れり

かそけくも生きの命を養ひて起き伏す窓の秋ざくらの花

ふむ靴の形にとくるうす霜や朽葉はあはれにほひ顯ちつゝ

製紙會社の軌道が細く入りゆきて霧吐く谿のなほ深く見ゆ

竹の樋をあふれて落つる山水にうたれ搖れをり赤き草の花

佐々木恒由

單調の風物なれど親しもよ吾がかつてこゝに兵となりし處

八四

高粱の早や伸びのびてうち靡ぐ葉稍のはてに城壁見えそむ

留守部隊長夕闇に立たし征く吾等はげましし處草生ひて在り

我等今護送終へたり英靈は皆い出ましてうつろなる靈車

遺骨護送の任務終りて安らぐに寢むとすれど寢つかれなくに

柴田邦雄

風空の夕かたまけて凪ぎたれば樫のひく木も翳をつくりぬ

風向の北にかはりしこの頃の朝々ふかき霧のけ寒さ

部屋隅に蜘蛛の脫殼下りゐてそこまで秋の陽はしみらなり

昨夜の雨霧とはれゆく朝の間はまことに凉し鷺草の花

電髮の禁止されしを近ごろの小氣味よき事の一つに數ふ

白崎薫

いくたびか傷兵乘せしトラックをやりすごしては徐州へ勢ふ

絕壁をよぢて敵地に迫る間も落伍ちてならじと心ひきしむ

治療室の午後寒々し氣胸器を覆へる布のまづ眼にしめり

長雨に臥床の底もしめりきて今は不平もなくて疲れぬ

おもむろに新聞紙をかざして近づけば靜かに蠅の移り始めぬ

杉浦英一郎

遙けくも來つるものかな北海のこの島山の落葉松林

上陸の水兵達になつき來る邊境の地の小さき子等はも

幾百の英靈鎭る北の洋嗚呼米英の激滅路ここは

必中と書かれし御酒を砲に供へ白鉢卷の兵は祈りぬ

北海のアッツの島の突撃が聞ゆるごとし身に響くがに

栢植昌一

朝な朝な自作胡瓜の花かぞへいたつきし身の心たのしむ

やうやくに熱の下りしこの朝を朝顏の苗植ゑかへにけり

庭のものそよりともせぬ眞夏日にダリヤの花のうち萎れたり

放送のやみし寮舍は靜もりて松虫の聲よくとほり來る

南に神しづまりましゝ提督のありしみ聲に聞き入る我は

中島寅

廻送に廻送重ね母上の軍事郵便は內地にて受けぬ

蘭谿を朝にいでて行軍の疑裝の草はいたく萎えぬ

眞夏日にしろじろ乾く山道を郵便配達の自轉車押しくる

わくら葉が夕の風にゆらぎ居る庭木にくものふるまひあはれ

頰白は療舍をめぐる松山の小松の枝をなきうつりつつ

內藤武

高窓ゆ飛び入る雨がしたたかに敷布の上を濡らしたるかも

庭に捨てしパインナップルの空罐が夕の光にきらきらするも

はるといふ女がくれし慰問袋の手拭の署名うすれたるかも

眞夜さめて尿に來たる厠邊の暗きが中にこほろぎ鳴くも

宵早く蚊帳吊らしむる習慣も秋さりてよりうるさくなりぬ

新口正男

ギターの音風がもてくる日の夕べ罌粟の紅の幽かなゆらぎ

山梔子の白々と咲く夕まぐれひけの看護婦にぎやかにゆく

八五

癒えてゆく命うれしみ窓際に鳴く蟲の音を聞きわけてゐつ

青芦のさやぐ池邊に糸垂れて癒えてゆくらし我日燒しつ

かたかたと啼く雞水鷄の聲聞けばチェッコ銃を想ひて寢ねず

野々垣七男

燃ゆる機を巨艦に向けて爆ぜゆかすこの戰法のいづ國にある

自爆てふ尊き魂の雄たけびは天皇歸一のきはみと言はむ

魚雷抱き敵艦に爆ぜし指揮官の雄心思へばかりそめならず

神風の伊勢の國原雲晴れをレンネル沖戰果浮らにききぬ

慰問の豆掌に配られて身近かなる袋に入れつつ韻たのしむ

濱口傳二

萩の花露を含みて咲く庭に癒え近き身の試步の朝々

日比野弘次

種種の花を育てて山寮に明暮るる日日はおごりにか似る

ささやけき庭にはあれど朝顏の棚しつらへて夏をまちわぶ

朝顏ののびはよろしも吾がたけに餘る腕木も足らなくなりぬ

明暮れのけじめも知らに床深くひそみし頃を今にして思ふ

露じめる吾が作業場の赤土に甘藷のつるはたくましく伸ぶ

平野粋子

秋の夜の更けゆくままに大陸のはげしき戰さまざまと想ふ

見送りの群にまじりて我聲の友にとどけと萬歲を叫ぶ

なごやかに昏るる一日の西空の赤きに想ふ戰ひし野を

堀江理

白露をみつめて佇てば秋風にただ寂寥と吾が命あり

秋めきし雜木林をもとほりつわびしとほどのいのちならむか

この夜の深きにみたる曼珠沙華月照りたれば毒氣含むがに

犬蓼の褪せたる花に降りくだる雨細々と冷えまさりつつ

病葉を瞽らして流るる秋霧は雜木林をさびしくもせり

桝崎俊三

耳鳴りの如き虫の音地にきこゆ昨日も今日も雨にこもりつ

からからと枯れし葉の鳴る篁は夕づく光となりにけるかも

身じろげば重機の掃射まぎれなし死をよそほひて幾刻か吾は

敵味方のけじめも今はつかざるか水求めよる敵兵一人

戰死馬の鬣剪りて飼主に送ると戰友は圖嚢に秘めぬ

美田金彌

いかがですとマスクの影に微笑みし君の眸のやさしく澄める

朝光のほのかにさせるはり窓に白衣の姿淸く映れり

思ひ寢の夢に夜な夜な君來まし相語りつつあけはなれつる

部屋內に迷ひ來し蜻蛉ばたばたと玻璃戶にさやり聽て凋めり

水野三郎

療庭は秋草ふかし松の間に防空壕の土あたらしき

土の香のまだ新しき防空壕に試步の歸りの疲れを佇つも

鈴虫をとめてさ庭に出で來れば新月淡く鈴鹿嶺にかかる

夕霧の白く流るる松の間に外氣舍の灯が赤くにじめる

峽の沼は滿々と水あふれゐてつづく小山田よくみのりたる

八六

森井治平

春の空いや高々しきやり子のざい振りかざす御木車の上に
ひびきつつ疾風はつたふ療庭の松の木群の波濤なす見ゆ
秋晴の大地を打てる鍬の先の光りさやけし老の力に
手の甲にとまりて動く秋蠅を珍しきものの如くみつめる
パンを燒く匂ひ仄かにただよへる朝の病室に目覺めたりけり

森田寅藏

胸痛も心配なしと輕く云ふ醫師の言葉をうべなはむとす
わが病とく癒やしませと神々に願かくるとふ母の音信は
癒え初めし我が病なり山寮の池に友等と釣を樂しむ
熱高くいをいねられぬ窓のべにしのび鳴きする虫のさみしさ
再起の日近き友等の朝々を畑打つ鍬も輕くふり上ぐ

山本友三

それぞれに作業の鍬を擔ぎ來る裸の療友の肉つき逞し
再起の日近き兵らが雜木山拓きて蒔きしヒマはみのれり
つぎはぎの看護衣なれど糊濃くて折目清しくまとひたるかも
管制下の當直詰所幕たれてむし暑くこもる蚊いぶしの匂ひ
藁埃かむりてはげむ藁仕事納屋の小窓に萩の雨降る

米田正信

空高くうかぶ白雲あかるくて再び起つ日思ひたのしむ
暖き日ざしあみつつ面會の母を送りて山道をあゆむ

吉田好二

病癒え再び來むとたはやすく口にはいへど心くるしき

吉野翔一

鎭痛劑のみおほしたる藥包紙思念うつろに鶴を折りたり
限られし玻璃戸の視野を瞬間にすぎし機影のきらめきにけり
天井の紙風船が朝風にさゆらぎをりて目ざめすがしも
朝々の試歩輕やかに林間の香にたつ苔生踏みしめて來つ
大いなる國の生命と生ぐ戰友の遺志をぞ繼ぎて再起せんとす

伊藤久女

寄宿舍の灯消えて穗すすきにいよいよ清き月照りにけり
わが窓に蜘蛛の巢一つかかりゐて雨含む風にゆらゆらするも
寄宿舍の窓邊にたちて聞き居ればしみじみ寂しギターの調べ

尾崎幸子

なが雨に土に伏したるコスモスの葉影に寂し蟋蟀鳴くも
一日の勤を終へて寄宿舍に歸る小道に秋の日弱し
しとしととつづく長雨に寄宿舍の秋櫻はあはれ土に伏したり

北かずみ

からからと鳴子の音の爽かに穗田わたる風も晴れにけるかな
踏切を過ぎ行く汽車にあなあはれひきしまりたる兵の顏見つ
大君の爲めに死なむと兄上の戰地の便り雄々しきろかも

八七

八八

八知村にて

長谷川素逝

齒を嚙みてわれら勝つ國は稻を刈る

茶の花のひそかに蘂の日をいだく

星空にひしめく闇の芋畑

コスモスのわきたつ花のみな小さき

秋の日の疊に膝をのみ出して

秋扇

橋本鷄二

みそらより雨のふりゐる夏書かな

秋扇の半開きし花鳥かな

ぼうたんの根分すみたる伽藍かな

ひとりゐる無月の雨の二階かな

提灯をかざしてくらき出水かな

八九

すゞか俳壇

橋本鷄二選

淺野緑石

萩の庭へだてゝ療舍むき合へる
野菊咲く丘を庭とし日々靜臥
葛咲きて松の中なる馬柵ひくし
窓ごとに簾を吊りて靜臥かな
病よし衣を更へて菊に佇つ

青木若松子

颱風や寮舍はひそと戸を閉し
秋風を背にして試歩の徑たどる
はるばると母新米を持ちて來ぬ
病兵や尻をからげて蝗捕り

石本白水子

それぞれに細き肩なり月の友
退院の眞近き友と月の窓
つれだちて良夜の宮に詣でけり
萩も咲き散歩も日々に遠く出て
病める身をはげまし合うて露の秋
荒鷲となる弟と菊に歩す

稻垣芙蓉子

榾の火のてらてらうつる土間の壁
晝夜なく宇陀の長者の榾火もゆ
孫抱いて宇陀の長者や爐を守る
爐あかりのほのぼのうつる砧石
はちまきのほどけどうしや砧うつ

井戸坂又一

鰯雲歸還の兵の言すくな
我が再起疑はざれば秋耕す
木の肌のぬくさに觸れぬ今朝の秋
秋ゆくや白きベツトはそのまゝに
余憤ある襟に霰のとけがたし

九〇

上野翠鳳

椎拾ふ子等の聲して森淺く
神主の白きもすそも椎拾ひ
歸省の子大古本を讀み無聊
しみ入りてくる蟬時雨我家古り
朝着きし故郷の驛や蟬時雨

小倉陽苑

外氣舎は二人住ひや虫時雨
糸瓜棚はづし日覆も取りはづし
朝寒や腰の手拭首に卷く
芋を掘る鍬を大きく振り上げて
鳴子引くこの近道を通るたび

大平峰曉

山寮に起居は久し初紅葉
池廣し草矢をはなつ試歩の兵
名も知らぬ茸を試歩に得てもどる
おとろへし野分の窓を閉けにけり
松の間に霧うすうすと寮舎の灯

加藤娩坊子

けがれなき白衣ふかれて萩に歩す
病よしこころたのしく萩に歩す
つゝがなく日々のすぎゆく袷かな
元氣なる兵看護婦と落葉掃く
草の花活けて病室小ぎれいに

勝山泉州

大陸の日燒もさめて病みにけり
病快し日々に散歩の日燒かな
露涼し看護婦も來て庭を掃く
試歩樂し秋七草を揃へつゝ
萩の野へ四方の窓明け外氣小屋

記多かずみ

月いでて風わたるなり萩の花
くつきりと松の間のけふの月
紅葉して庭の小鉢の蔦の葉も
秋晴れやまぶしく光る大八ッ手
稲刈やモンペ部隊のかひがひし

小林丘翠

すでに寝て水鶏月夜の峽の村
蘆ゆれて人現れぬ魚籠提げて
刈り進む芝より飛びしばつたかな
堰水のひかり落つるや赤のまま
燒け栗むきつゝ話す十三夜

繁本湖東

村の灯のまたゝきそめぬ秋の暮

九一

笹の葉の揺れ止まず鳴くすいとかな
霧いどみ敵挑み來る孤島かな
征き征きぬ霧雨絶ゆる間もなくに
永久に生き霧の孤島に鎭りぬ

鈴木鴻飛

匪の谷の大山火事を見つつ翔く
基地設營半裸の兵の汗みどろ
慰問映畫終りて椰子の月のぼる
主計兵蜜柑の籠を提げてくる
この庭の萩まま盛りや後の月

世古口紫苑

蜩や旅立つ支度いそがしく
雁渡るひと日の宣撫終へし目に
白樺の土産を賣りて登山宿
讀みあきし本を枕に秋の雨
秋晴やポンポン船は荷を積んで

田中三籟壽

次々と灯火消えて虫の闇
病む蚊帳に秋の夕燒長からず
山脈の遠く流るゝ良夜かな
菊日和訪はまく思ふ人の家
梨をむく双物の先の滴たれる

高橋彌

故郷の古き小川や夏木立
母人と詣でる墓地や蟬時雨
傷兵の詣でる墓地や蟬時雨
山寺の鐘が征く日や秋晴るゝ
試歩の友語りゆく道花芒

千種輝翠子

みちのべの萩一叢の盛りかな
病得て今宵の月を窓に待つ
行く秋の雲の速さを見て靜臥
虫の音に耳傾けて闇に座す
看護婦の鬼灯ならし愛らしく

辻輝城子

糸引いて子の手はなれし蜻蛉かな
戰陣訓壁に靜臥の萩の寮
秋の燈を下げていくさの地圖圍む
コスモスの風に撓みて咲きにけり
濯物する看護婦や菊日和

柘植昌一

灯を消して寮舎は虫の闇
隣寮へ渡る廊下の亂れ萩
練習機高く飛びかひ空は秋

九二

語りつゝ夜露の芝生踏みにけり
試歩の徑たれふさぎたる雨の萩

中山夕起緒

百姓の庭の中まで曼珠沙華
月まつりせる山かげの百姓家
柚の子と山の鴉に柿熟るる
鳴子縄ひいて來てまた藁仕事
坐女いこふ木の實降りゐるたのしさに

中川友峰

看護婦も來てにぎやかな月見かな
莫蓙敷いてどかと坐りて月を待つ
胡麻干して中庭廣き大藁屋
病よき嬉しさにあり月祀る
別れゆく帽を振りつゝ萩の道

中村紀人

月を祝ぐ土民の長に招かれて
この國の土民の月をほぐならひ
療兵に秋の袷のとゞきけり
ふるさとの海はしづかに小望月
癒えてゆく窓に今宵の月まつる

永戸冬來

新涼やみとられてゐて試歩たのし
いたつきの身に秋風のそよとたつ
遊びゐし子等別れ行く萩の雨
日曜の官舎寄宿舎萩の雨
虫の音を聞き分けてゐて病よし

新口正男

水涸れて廻はらぬ水車葛の花
蛸壺のころがる渚夕燒て
病葉を掃きよせて來て風呂を焚く
外氣舎に藁打つ音や蓼の雨
蟬暮れて小さき蚊帳を吊りにけり

西田さかゑ

里の子等一と日たのしく椎拾ふ
入所してよき療養所初紅葉
療訓を守りて傷兵芋を掘る
試歩の兵菊のほとりを一廻り
乳母車置きすてしまゝ椎拾ふ

丹羽香岬

月落ちし敵匪の山を望むなり
出陣の兵馬包みて霧深し
討行や僞裝の帽に濃龍膽
月險し隊長の訓示おごそかに
霧の山兵火に映えて美しき

九三

コスモスの倒ふれしまゝの花のかげ
まれに見る男郎花ある花野かな
留守番のさみしさにあり鉦叩
吾亦紅咲く裏路に試歩にきて
花萩の山の麓に見送りて

林美濃虫

癒近き身を下賜園の菊に佇つ
稲刈るや飛機きらきらと嶺をすぐ
蔭膳に栗飯たいて兵の家
枝豆を歸還の友とたべつくす
茸山の小さき亭の賑はへる

濱口亂想

針子等の鬼ごと遊び秋ざくら
日曜の看護婦萩の野に遊ぶ
破蓮や水澄み蒼き松たるゝ
商に母老いませり露の秋
神垣に遊ぶ雀や豊の秋

平野粹子

待つ父母に疲れて歸る踊の子
峡のもやはれて眞白きごまの花
通り雨高黍の葉に光り降る
蜩や疲れきびしく衣をすゝぐ
癒えて起つ日々恙がなく天の川

穗高峻

防空壕の奥に鳴きゐるいとゞかな
篁の道に初秋のかげをふむ
ひやひやと壁にうつらふ秋日かな
寝台の下に夜毎の虫の聲
青信號遠くに見えて天の川

堀清峯

先生につれられ落穗拾ひかな
懸煙草くゞりてはいる戸口かな
梅落ちてそこに大きな蟻の這ふ
傷兵の髪刈られをり秋の蝶
俵編み戰果のニュース壁越しに

道村靜湖

瀧の上に流木おどり現るゝ
父の嚢かゝへ走るや喜雨の畦
うすうすと無月あかりの蟲の縁
爐の柚の酌むとびろくや葛の雨
背の蝿をひつぱたかれて驚きぬ

三浦岬星

鈴鹿嶺のふもとの町の地藏盆

九四

鈴鹿嶺の杣の四五戸の秋祭
鈴鹿嶺にひろごりあがる稲雀
鈴鹿嶺に向ひて踏めり稲扱機
鈴鹿嶺のうす〳〵けぶる菊の雨

水野三郎

冷かや脊に觸れたる醫師の手
コスモスに蜂の羽音の日靜か
早稲の穗に手を觸れながら通りけり
間引菜のこぼしてありぬ井戸の端
芋蒸して夜なべの席へはこびけり

森田桂樹

哨戒機向き變る時月に照る
洗面器うけて間引菜貰ひけり
よち〳〵と歩きゐる子や鳳仙花
とり出せし句帖に降りて萩の雨
蜻蛉は芒の風に逆からひて

山本伊勢人

傷痍章佩びて外出天高し
よく釣れて竿あげどほし鯊の秋
くらき灯を下げて學ぶ子栗燒く子
小茶漬に昔ながらの茶粥かな
菱を採る子を叱りつゝ母濯ぐ

吉田好二

筆筒にさゝれしまゝの秋扇
鈴鹿嶺に大いなる月のぼりけり
末なりの青き南瓜や秋の雨
ゆる〳〵と貨車おされきし秋ざくら
山寮や落葉焚く煙いくすじも

米田正信

稲刈つてあらはの家の竈火かな
秋耕の音に大空こたへをり
緣側の白き障子や秋山家
谿深き杣の通ひ路葛の花
一人立つ寮舍の庭の蟲時雨

渡邊晃

山寮の森夕やけて靜なり
釣人の帽子の見える芒かな
釣人のさゝやく聲や芒かげ
足音にあわてる蟹や花芒
流木の打ちあげられし秋の濱

隨筆

(二)

御東遷三道說考

加藤武司

孔舍衞坂にて長髓彥との戰利あらず、日神の御裔として日に向つて西方より敵虜を征するの不理なるに想到し給ひし、神武天皇の皇軍が紀伊の南岸を廻航して、熊野又は伊勢方面より難路峻嶺を越えて大和に入らせ給ひし、進擊の路筋に就いては古來種々の異說がある。

一說は熊野路より伊勢路に廻られて大和に出で給うたとなし。二說は二木島より新鹿を經て大台ケ原の山嶺を進み給うたとし。三說は十津川流域を北進して吉野阿太に到着し給うたとしてゐる。これ等が古來御東遷の三道說と唱へられるものである。私は高見山越え說に贊成するものである。いささか私見を述べて尙考へたいと思ふ。

『—時に長髓彥聞きて曰く、夫れ天神の子等の來す所以は必ず將に我が國を奪はむとするなりと云ひて、則ち盡に屬へる兵を起して孔舍衞坂に徼へて與に會戰ふ。流矢有りて、五瀨命の肱脛に中れり。皇軍進み戰ふこと能はず。天皇憂ひたまふ。乃ち神策を沖衿に運めたまひて曰く、今我は是れ日神の子孫にして、日に向ひて虜を征つは、此の天道に逆れり。退き還りて弱きことを示して、神祇を禮ひ祭ひて、日神の威を背に負ひまつりて、影の隨に壓躡まむに若かず。如此らば則ち曾て刃に血ぬらずして、虜必ず自に敗れなむ。僉曰さく然りと。是に於て軍中に令ちて曰はく。且く停れ、復な進みそと、乃ち軍を引きゐて還りたまふ。』(日本書紀)

即ち天皇は軍を督して坂を西に下り草香津まで却き海濱に盾を植ゑ樹てて雄たけびし給うたと傳へる。かくて再び船により紀伊の南岸を廻航して東海岸を目指して出航し給うたのである。然しこの船路も順風に帆を上げての御海路ではなかつた。紀國の男の水門に到りましましとき、孔舍衞坂の戰に傷き給うた皇兄五瀨命が、御傷重らせ給ひ、—「賤奴が手を負ひてや命すぎなむ。」と男健して遂ひに崩り給うたのである。浪速の地を再び出航し給うた皇御軍は早、紀國竈山の地に船をとどむるのやむなきに到つたのである。(官幣大社竈山神社は和歌山縣海草郡三田村に鎭座まします。尙二千六百余年前のこの邊の海岸線は現在の海岸線とやゝ異ると私は思考するものである。)

又天皇はその年、名草邑に根據を有する名草戸畔を誅し給うた。(名草邑は現在の紀三井寺町邊りと考へる。) 神武天皇は此處を出航、海路に依り紀伊の南端を廻つて狹野に寄航し給ひ、更にこの地より軍を進めて海路、熊野神邑に到着し給うた。(狹野は新宮市新宮町の南方約六粁、熊野川口の南方沿岸。熊野神邑は現在の新宮市新宮町邊り。) 又更に此處を發ち給ひしも、その途上の海上にて俄の暴風の爲めに皇船は大浪に漂蕩はされた。この時悼しくも又皇兄稻飯命、並に三毛入野命、が水底に薨じ給うたのである。天皇は三皇兄を喪ひ給うてからは皇子、手研耳命、と共に軍を率ゐて、荒坂津(三重縣南牟婁郡荒坂村)に至りこの地に巢くふ女酋、丹敷戸畔を誅し給ふた。

この間諸酋、四方に蜂起し、或る時は——『時に神毒氣を吐きて、人物咸に瘁えぬ。是に由りて皇軍復振ること能はず。時に彼處に人有り、號を熊野高倉下と曰ふ。忽に夜夢みらく天照大神、武甕雷神に謂りて曰はく、夫の葦原中國は猶ほさやげりなり。宜べ汝更往きて征てと。武甕雷神對へて曰さく予行らずと雖も、予が平國之劒を下さば、國將に自ら平ぎなむと。天照大神曰はく、諾なり。時に武甕雷神、登ち高倉下に謂りて曰はく、予が劒の號を韴靈と曰ふ。今當に汝が庫の裏に置くべし。宜べ取りて天孫に獻れと。高倉下唯唯と曰すとみて寤めぬ。明旦、夢の中の教に依りて、庫を開けて視るに、果して落ちたる劒有り。倒に庫の底板に立てり。即ち取りて以て進る。時に天皇よく寐ませり。忽然にして寤めて曰く、予何ぞ若此長眠しつるやと。尋いで毒に中れる士卒悉に復醒め起きぬ。』(日本書紀) の如く疲勞困憊にもおち給うた。

思ふに神武天皇の御東征は現在の大東亞戰爭と比肩すべき大事業であつた。天皇が日向を出發せられて、大和に達せられる迄、古事記に依れば十數年、日本書紀に依れば六年の年月を經てゐる。私は古事記說に贊成するものである。皇軍の參謀本部には海路に通じた珍彥や第二第三の鹽土老翁もゐた事であらうけれども、この南紀廻航には大なる困難がともなつたことは想像に難くない。古來この海岸線に御東遷の遺跡の多いのは御困難の跡をとどむるものと拜し奉る。私は皇軍の熊野灘の御廻航には相當の年月を費し給うたと考へるものである。

天皇は更に進みて錦浦(三重縣北牟婁郡錦町)に丹敷戸畔又はその一族の有力根據地を擊ち給うた。想ふに丹敷戸畔の根據地は西は新宮邊りを中心として、潮岬方面迄、東は志摩邊りの大部分に跨る廣大な地域を占據して、その勢力を扶植し、大和の長髓彥、紀國の名草戸畔等と策應して紀勢の間に雄視してゐたことは爭ふべからざるところであつたらう。

天皇は又船を和具の岬に進め給ひ、更に志摩の突端を宇廻して伊勢國二見浦に御上陸遊ばされたものと思考する。即ち

日を負うての理にかなひ、又熊野海岸線の津のよく大軍を養ひ得ざるに考へ、伊勢平野を始めて目にして此處こそよく兵を養ひ得るとの聖慮ありしもの如く想像するのである。打續く戰鬪に皇軍の將士は相當の疲勞困憊にあつたことは爭ふべからざるものである。二見浦附近に御上陸の皇軍は現在の宇治山田市邊りに進み、此處に大休止の形を取り、傷きし兵を休め、武器をととのへ、食糧の準備に心をせられしものと考へる。古事記によれば、日向出發後天皇は『筑紫の岡田宮に一年坐しましき。亦其の國より上り幸でまして阿岐國の多祁理宮に七年坐しましき。亦その國より遷り上り幸でまして吉備の高島宮に八年坐しきしき。』と傳へてゐる。兵を養ひつつの御東遷、短い年數でなかつたことは想像に難くない。浪速を進發、熊野宇廻大和進駐迄の詳なる年月を記、紀、共に欠いてゐる様であるが、想像以上の年月を費してゐられるのではあるまいか。—後、朝廷に於いて渡會郡の地に天照大神を齋き祀り給ひしことも、私は天皇の御東遷と結びつけて考へたいのである。兵をととのへ給ひし天皇は西北進し給ひ、松坂市の南方を經由、櫛田川に沿うて西進し給うたものと思考する。私の考へる御東遷の道順は三重縣下に於ける有數の土器發掘地と結びつけて考へることも出來るわけである。私は前に丹敷戸畔が大和の長髓彥と相策してゐた事を述べた。飛行機も無線電話もない當時に於いて連絡の唯一の機關は道路である。大和方面と伊勢方面との連絡がどの道路に依つてとられてゐたかを考へる。私は櫛田川を上つて高見峠を越え大和の吉野郡に入るものを唯一の道路と思考するものである。

『既にして皇師中州に趣かむと欲す。而も山の中嶮絶しくして、復行く可き路無し。乃ち棲遑ひて其の跋涉かむ所を知らず。時に夜夢みたまはく、天照大神、天皇に訓へまつりて曰はく、朕今、頭八咫烏を遣す。宜べ以て鄕導者と爲し給へと。果して頭八咫烏有り、空より翔び降る。天皇曰く、此の烏の來ること自ら祥夢に叶へり。大きかも、赫なるかも我が皇祖天照大神以て基業を助け成さむと欲せるかと。この時に大伴氏の遠祖、日臣命、大來目を帥ゐ、元戎に督將として、山を蹈み行を啓きて、乃ち烏の所向の尋に仰ぎ視て追ふ。遂ひに菟田下縣に達る。』(日本書紀)

伊勢より大和に入る途中流石の皇軍も進軍を阻止された。その嶮難は皇師が本道を踏み迷ひ給ひしものと考へ、頭八咫烏が鄕導つかまつりしは皇師を本道に導き申し上げたものと思考する。全然路の無い谿谷、峻嶺を食糧武器を携帶した大軍が踏み入ると云ふことは余りに無謀にして考へられない事である。

山の鄕導者として多大の功績を樹てた頭八咫烏はこの地方にあつて勇悍で、その上紀勢山間地帶の地理に精通した神と

想像され、其の名の由來はおそらく黒衣で身を包み、一見烏に見紛ふやうな軍裝をしてゐたのから、出たものであらうと云ひ、或は烏の形をした冠帽の如きものを被つてゐたからであらうとも云ふ。この神は新撰姓氏錄に依ると、神皇産靈神の御孫、建角身命と傳へてゐる。（官幣大社賀茂御祖神社に齋き祀る。）櫛田川を上りつめると標高一、二五〇米の高見山に至り、標高九〇四米の箇所に高見峠を通じてゐる。今高見山の山嶺に高角神社があり、山麓の高見村字平野にも高角神社が鎭座まします。古事記に『其の八咫烏の後より幸行でまししかば、吉野河の河尻（河尻と有るも上流を指すならん）に到ります時に―。』とある吉野河を、私は高見山に源を發して高見村、小川村を流れて、吉野河の本流に合する、通稱小川を指すものと考へるのである。天皇は高見山の頂に立ちて中原を國見し給うたと傳へてゐる。即ち日輪を背に負ひて―（本居宣長はその著古事記傳の中で、彼の十津川などを經る路は、北方を指して大和に來る道なれば、かの背負日云々とあるにも叶はず。と否定してゐる。）堰を切りし水の如く勢なして、六合の中心、目指して進軍せられたもので有らう。

忘れられた体重計

千穩　馨

私は醫療室の一隅にある体重計です。國民皆働の叫ばれてゐる今日我々も亦どうして安閑としておられやう。我々が如何に物言はぬ戰士として微力乍ら職域に邁進してゐるかすゞかの紙上をかりて述べさせて戴きたくはゞかり乍らまかり出た次第です。私が數人の友達と共にこゝにやつて來たのは大分前の事だつた、然し多くの友達は使用して下さる方々の亂暴な仕打に遂に入院しなければならない樣になり私一人をおいてけぼりにして皆入院してしまつた。そして未だに退院せず私一人が淋しい日々を送つてゐる。然し山本元帥閣下の戰死……。忠勇なる皇軍將兵のアッツ島玉碎……。ソロモン群島の凄烈なる決戰……。敵機北千島來襲等、刻々せまる決戰樣相に淋しい位何のその名譽の傷痍軍人の皆樣のお役にたてばとて身の光榮を感じつゝ、一人敢然と孤軍奮闘の私のこの心意氣を知つてか知らいでか、私を使用して下さる人々の余りにも時局の認識に欠けた仕打、……泣くにも泣けないこの心中……、私の愚知話をどうか皆さんお聞き下さい。

虫の音すだく一夜が明けて東天がほの〴〵と明けそむる頃……さう〳〵しい私の一日がはじまるのである。こつ〳〵と靴音もかるく看護婦さんがまづ私の部屋を掃除しに來て下さる。丁寧に私のほこりを取つて下さる方もあれば知らん顔して掃除して下さらない方もある。こんな方が私の上に來られた時には私は出來るだけ活動しないようにする、すると「うち又やせたわ」とブツ〳〵言ひ乍ら歸へつて行かれる。

九九

『ザマーミロ』と私は高らかに凱歌をあげるのである。やがて診斷の時間となる。肥えた人や痩せた人青白い人が次から次へそして醫官殿の言葉を聞かれ喜んだり又悲觀したやうな顔をして歸つて行かれる。私はこの有樣を見て『兵隊さん一日も早く良くなつて再起奉公して下さいよ』と心に祈るのである。診斷が終り醫官殿が歸られると一日の中で一番いやな時がくる。

ガヤ〳〵言ひ乍ら這入つて來ていきなり私の上にドシンと乘り私の機能を破壞するやうな亂暴な事をする人や看護婦さんと這入つて來てゲラ〳〵笑つて冗談を言つたりふざけたりしてゐる人もある。こんな人を見ると私は喰ふか喰はれるかのこの決戰下を果して認識してゐられるのかと疑ひ、「あなた達の戰友は第一線で今死ぬか生きるかの血みどろの戰爭をしておられるのですよ」と大聲でどなつてやりたいやうな衝動に驅られます。こんないやな時も何時しか過ぎてやがて夜のとばりがおりる頃ともなれば私にとつて一番たのしい時がくる。静かに今日の一日を反省し機能を休めて明日への活動力を養ふ。こうした事を雨の日も風の日も欠さずつゞけてゐる私にも時局の緊迫はひし〳〵と身に感じ今一層の勉勵をと誓つてゐる次第です。

私を使用して下さる皆さん、敵は虎視眈々と我本土をねらひ日本人の血の一滴までもと豪語してゐるのです。もとより正義の前には何物といへど刃向ふ事は出來ません。最後の勝利は我に在りです。然し乍らまだ〳〵前途は多難です。勝抜く爲に物資節約……、器物愛護……、勤倹貯蓄……、そしてとこしへに鎭まります靖國の英靈に報ゆるべく持場々々で奮闘努力して下さるやう、物言はぬ戰士を代表して一言お願ひする次第であります。以上

一週間の斷片「日記より」

鈴木幸男

九月六日

夜明け前、昨日より耐へに耐へた雨がドットと降つて來た。下から吹き上げてくる烈風が邊りの松林をゴー〳〵とゆさぶつてゐる。閃光がパツと病室内を眞晝の如く照したかと思ふと、雷が頭の眞上でガラ〳〵鳴り出した。まるでドラム罐を大地に叩き付けた樣だ。樂聖ベェートヴエン（田園交響樂）はきつとこんな嵐を五線紙に書いたのだらう。

耳を抑へ頭からすつぽり夜具をかぶつて目をつむつた。幾時たつたのかふと目を覺すと靜かな朝だ。サンダルを突掛けて外に出ると清々しい大氣が漂ふてゐる。雨上りの空が何處までも碧く澄んでゐる。私は雨上りの碧空がこよなく好きだ。私も悲しいときには泣けるだけ泣こう。そして泣いた後は雨

一〇〇

上りの碧空の如く晴れた心にならう。

九月七日

午後、同室の「〇〇」「〇〇」「〇〇」三氏と竹トンボを飛ばす。年令は二十四、二十五、三十七才なり。山上の療養生活は浮世ばなれして皆童心に返る。こんな竹トンボの飛ばし競走にも喜びを感ずる。竹トンボが病舍の庇に上るのを「〇〇」君猿のごとするする〳〵と登りて取る。「〇〇」の前職はペンキ屋さんなり。庇くらい高層建物に比すればなんのことあらんと意氣大なり。さもあらん。明るいユーモラスな午後であつた。

九月八日

一週間の最大行事たる氣胸をして頂く。

ボコ〳〵ボコといふあのリズムカルな氣胞音に耳をすましてゐる中に終つてしまつた。太い針に大分馴れて來たのだらう。容量は五〇〇なり。午後、耳鼻科の代診の先生往診して下さる。線の細いスマートな女醫さんなり。

治療中、奥さん？お孃さん？こんな事がふと浮んだ。あんな優しさうな女醫さんが血にまみれて研ぎすましたメスを揮つて手術するなんてチョツと考へられぬ。然し案外女性の体内には冷めたいものが蔭されてゐるかも知れない。

九月九日

診斷を受ける。入所當初と昨日とつたレントゲンを比較し醫官殿より説明を受く。非常によい經過とのことなり。二ケ月足らずにてこんな良結果を得るとは？然し良き事は信用したく思ふ。

午後の安靜時間が終るとラヂオはイタリーバドリオ政府の無條件降伏を報道する。三國條約を廢棄するとはなんたることとぞ、イタリーは繪畫、音樂の藝術を通じ一種の憧憬を感じてゐたが現在の私には憤りがあるのみ。一個の人間同志でも信頼を裏切るといふ行爲は一番卑しむべきことゝ思ふ。

夕食後「〇〇」君ギター合奏に來て下さる。明日外氣小屋に轉出と言ふ君は全治退所の希望に輝いてゐる。合奏曲目は「荒城の月」「濱千鳥」「出船」なり。あわたゞしく過ぎた一日であつた。

九月十日

〇〇村より慰問品を頂く。村の人々が汗によりて造られし餅、あられ、そら豆なり。食糧増産に奮闘する農民自身が喰べないでも我々に下さる心情を思ふとき熱いものが胸にいつぱいになる。然し心よりの慰問品も三度の食事がやつとの私の食慾には余り美味しくないのが悲しい。食慾は最上の調味料とは確に名言なり。

九月十一日

何んとなく何も書きたくない。不眠の故か頭が重い。憂鬱な灰色の一日であつた。

九月十二日

一〇一

午前の安靜が終るのをまつて室外に椅子をすゑて水野君に散髪をして貰ふ。周圍の綠色に知らぬ間に秋が訪れてゐる。秋といふものは知らぬ間にそつと來て又默つて行つてしまふものだ。散髪中に入所前日家の庭先で母に散髪してもらい乍ら語つたことをいろ〳〵思ひ出し、遠くはなれて病床生活する身の寂しさが涙ぐましいほど胸をついてきた。

消燈後、轉々反側して寢付れぬ。窓外には夜の精が漂つてゐる。まるで晝とちがつた世界だ。晝間生きてゐるものは眠り晝間眠つてゐるものが目覺めてゐる樣だ。月が水の樣に流れこんでくる。聾見器がひどくゆがんだ姿になつて蚊帳に影をうつしてゐる。目をとぢモツアルトの子守唄「月は窓から銀の光りを注ぐ　この夜」をそつと口づざんでゐると巡回の看護婦がコト〳〵と通つて行つた。

遠くの方で鳥が異樣な聲で鳴いてゐる。深く寂しい夜だ。

療養隨想

美野大柿

山本元帥の高橋大將に宛た書簡の中に「現代の若い者は馬鹿にならぬ」と言ふ一語があつた事を聞いてゐる。

玆に言ふ「若い者」は先に眞珠灣頭に軍神となつた九勇士を指したものであらうが、翻つて吾々は、元帥が現代の「若い者」即ち戰場、職場を問はず吾々青年を如何に信じてゐられたかを、この一言で充分知る事が出來る。

「現代の若い者は馬鹿にならぬ。」この一言が如何に青年の眠れる力を覺さしめ、病床に倒れし者を起たしめたであらうか。

戰ひはまだこれからである。アッツ島の玉碎、ソロモン群島の反攻、ルーズベルトの言ふ終決戰は未だ始まつたばかりである、如何なる事があつても勝ち抜かねばならぬ。この決戰の最中、戰死せられた元帥の胸中、感、果して如何ばかりであらう。「擊ちてし止まむ」の闘魂に燃え續々元帥の後に續く「若い者」のある事を確信して昇天せられた事であらう、見よや、今日も病棟の上を水漬く屍草むす屍と猛訓練に寧日なき雛鷲を

吾等も負けずに再起奉公

而して偉大なる元帥の靈に續かん

〇

イタリヤのバドリオは精神力の缺乏によつて盟友を裏切り脆くも手を上げてしまつた。

ソロモン群島のわが戰闘は激烈を極め、凄愴、苛烈、言葉では到底形容出來得ない血と死との決戰に違ひないが、わが忠勇なる將兵は唯盡忠奉公の精神力を以つて齒を喰ひしばりこれを死守してゐるのである。事の如何に關はらず最後の勝

一〇二

負を決するものはこの精神力である。

吾等も今こそ「病床も戰場なり」の自覺を以つて、心に武装し、突撃の氣魄を以つて、石に嚙ぢり付いてもこの宿魔を屠らねばならぬ。

齊しく皇國に生を享けた陛下の赤子である前線に劣らぬ死鬪を以つてすれば一身の病魔克復は旭日に曝された露にも等しい。白き細きこの腕にも日淸日露に勝ち抜いた父祖の血がまた眞珠灣に、シドニーに、アッツ島に玉碎した軍神、勇敢なる將兵と同じ血が流れてゐる筈だ、

○

國民は眞摯だ、女も子供も、自分の持ち得るすべてを以つて戰力增强に働いてゐる。

吾々は向ひ側の火事見の態度であつては誠に申譯ないことである。自分のすべての力を投げ出して苦痛撲滅に進まねばならぬ、地位名譽は問ふ所でない、人の言葉などに留意してゐては健康へは一步も進まれない。

海軍豫科練習生は「頑張り」と言ふ事が一番大切と聞く。吾等もこんな少年に負けてはならぬ。目的の爲にすべてを捨てねばならぬ。こんな病で三年も五年も遊ぶなんて情無い、病が癒つたと思ふ時は身も心も生ける屍となつてゐる。

頑張らう。高が結核だ。擊ちてし止まむ。

以　上

我が友

谷崎廣之

我が友に山西（假名）と名づくる男子有り。身長五尺一寸。六三キロ八〇〇。和歌山の產。人と爲り、複雜怪奇にして到底我が凡人の筆舌に盡す能はざる所なり。精力絕倫にして、「古來英雄は……」との諺より眺むれば、或は英雄豪傑型とでも言ふべきであらうか。

○療棟の山西か、山西の○療棟かと言はれてゐる位有名な彼の事だから今更說明するまでもなからうが、敢て一言するも徒勞でもあるまい。今食慾について彼の一端を述べん。朝、晝、晚と計三杯喰べるのが普通、否この三杯全部喰べられたら、食慾十だと言つて喜んでゐる常人の悲しさ……とは我が親愛なる山西の言。實に彼にして始めてこの語あり。誰か斯く言ふを得んや。

猫が鼠を狙ふ時もさぞや、かくありなんと思はれる烱々たる眼光を以て、配膳室の隙から隙まで見渡し、その中で最大の大盛りを持ち歸る時の、彼の勢たるやあたるべからず。單に大盛りだと言ふだけなら何も耳新しい事でもなければ、驚くにもあたらないが、午前の安靜が終つたら一杯、午後の安靜が終つたら又一杯、點呼が終つたら早速又一杯、計一日六杯。而も猶腹が減つて辛棒出來ぬと言ふんだから驚嘆に値す

一〇三

る。

「山西君よ今日は從順しく安靜してゐるね。身体の具合でも惡いのかい」

「うん、腹が減つてどうにもならないんだ。こんな時は長年の經驗上安靜に限るよ」

「それほど腹が減るなら各療棟の配膳室を探して來いよ一つ位ひあるだらう」

「兄さん無理言ふなよ、今探してきた所だ、あつたら苦勞はせんよ」と寢そべつてゐる姿は熊野灘にドーンと打ち上げし、まつこう鯨の子の如し。

入所以來烏の鳴かぬ日があつても六杯は缺かしたことがない多い時には八杯。あゝ偉にして壯、壯にして偉なる哉。彼の胃袋たるや。我この世に生を享くること、二十有三年なれど斯の如き大食家は未だ見聞せざる所なり。蓋し彼を以て嚆矢とするなり。

之は遺傳性のものかどうか、そんな難しいことは自分には分らないが、萬一遺傳性のものだつたら事面倒だ。それでなくても食糧問題の喧しい今日、さぞや農林大臣も御苦勞なさることだらう。他人事ながら心配になるわい。之自分が幾度となく農林大臣に招聘せられたるも固く辭退して、肺門浸潤を本職とし安んじて當所に療養致しゐる所以のもの、一に懸りて彼山西ゐるが爲なり。ゆめ〳〵疑ふ勿れ。

誰か同室に外出するとでも言はうものなら、忽ちにして相貌は笑み崩れ、盆と正月が一度に來たとでも言ひたさうな顏何となれば晝の食事が二人前約束せらるるなればなり。あゝ我又何をか言はんや。

我今、屢々外出して友情を壽さんと欲すれば、指導官室より呼出し電話來る。電話なければ友情が立たぬ。その昔、重盛が「忠ならんと欲すれば孝ならず。孝ならんと欲すれば忠ならず」と嘆ける彼が心中、かくありなんと覺ゆ。

あゝ天を仰ぎ、地に伏して嘆息すること幾月ぞ。今だ名案浮かばず。誰か我が苦衷を察し優しき愛の手を伸べ來る麗しの乙女はなきか。

一言以て照會の辭とす。

一〇四

皇恩に答へ奉れ

米田正信

征くとして可ならざるなき皇軍の武威、赴くところ慕はざるなき皇軍の慈愛こそ、世界に比なき神兵の輝かしき傳統であります。これ申す迄もなく御稜威の然らしむる處であつて、わが肇國の大理想八紘爲宇の大精神が恰度東の大空から立昇る太陽の如く、生氣潑剌と而も侵すべからざる威嚴と、何物をも抱擁してやまぬ溫容とを以て全世界、否全人類の上に光被してゆく尊き姿であります。

今やわが皇國民の頭上には正義の利劍と慈悲の手とを以つて東亜十億の民を救ひ、指導すべき天與の使命が課せられたのであります。今こそ國民の一人〳〵がアジア民族の大先達として、雄しく立ち上がる秋が來たのであります。畏れ多いこと乍らこれこそ今次聖戰に對する大御心かと拜察し奉る次第です。

併し乍ら今靜かに大聖業の前途に思ひを馳するとき、遼遠にして寸毫の豫斷も許さゞるものがあります。從つて我々國民たるもの前線と銃後を問はず層一層の決意と努力こそ必要かと存じます。有難き聖代に生を享けこの世紀の大業にめぐりあはせた我々の果すべき大使命であります。これとりもなほさず大御心に副ひ奉る只々一の道であり神代からの臣道であります。

戰線に日夜奮鬪してゐる皇軍將兵を懷ふとき、誰か偸安の夢に耽溺してゐてよいものがありませうか、それこそ只々一死奉公以つて君國に報ずる誠あるのみです。

この至誠この勇猛こそ我々の一瞬たりとも忘れてはならない緊要事です。古來神國は國を離れて何物も存在しないのであります。故に我臣民亦國あつての臣民なることを忘れてはなりません。畏れ多くも大君に於かせられては君臣一体にして情は父子と宣給せられたのであります。

我々皇國民たるもの總て其の地位の上下立場の相違、貧富の差、長老男女の別を問はず、それ〳〵の能力に應じて各自の持場、職場に於て全力を傾注して聖業達成に邁進するこそ無限の皇恩に奉答するの道であります。戰場に於ける皇軍將兵の數々の武勳を懷ひ、その尊き魂を偲び、銃後國民の涙ぐましき活躍を顧みる時、悠久なる過去より未來永劫に涉つて日本國民が持つ尊嚴なる血潮の流れをひし〳〵と感じます。鴻毛よりも輕い一命を捧げて泰山よりも重い君恩に答へ奉る、これこそ日本國民が世界に誇り得る無上の寶であります。一命を捧げて君恩に報じ、以つて國家を鎭護し奉ることこそ悠久の大義に生きる日本精神の根本理念であります。

上御一人を大御親と仰ぎ奉る日本臣民は、その精神、肉体の總てを擧げて國家の爲めに御奉公すべきであります。我々亦この目的のためには一滴の血、一片の肉も君國の爲めに捧げて滅死奉公すべきであります。事局の前途は遠く聖業完遂の責務亦重大であります。

我々は滅死奉公、尊き祖國の大精神を仰ぎこの純一無雜な大精神の躍動する有難さをしみ〴〵と感じて更に一段の覺悟と決意を固めて進まなければなりません。もし假りに臣民の御奉公足らざる故を以つて聖業の目的が挫折せんか、我々は何んと言つて祖先に御詫びし何の面目あつて子孫にまみえんやであります。もとより神州不滅、皇國必勝は天地の道理であります。我々はよろしく時局を再檢討して皇恩に報ゆべく臣道を力强く實踐致しませう。

……私は病に倒れました。されども盡忠報國の誓ひは今も尙胸奧に焰と燃えてゐます、幾度か死線を越え、凡ゆる困苦缺乏に耐へ忍んで來た吾々であります。一度は死を覺悟した吾々であります。これ位の病魔何にする物であります。

「憂き事の尙此の上に積れかし限りある身の力試さん」とは山中鹿之助の言でありますが吾等亦千難萬苦何するものであります。吾れに必勝不敗の信念ありであります。畏くも大君に於せられては、吾々傷痍軍人否現療養者に垂れさせ給ふ御仁慈の數々こそ有難き極みであります。もとより君のおん爲めに捧げた命でありますから、生きの限りは日の本の爲めに盡して甲斐ある命であります。

前途は遼し皇國の使命を果す日まで帝國軍人の眞面目にかけて至誠の一徹で戰ひ抜きませう。

一〇五

思想戰の理念と目標について

福留利義

現今の戰爭は總力戰と云はれてゐる。獨り武力戰のみならず生產力及輸送力などの强弱が戰爭の勝敗を決する重要なる因子をなすものと云はれてゐる。就中思想戰は戰爭の勝敗にとつて重要なる地位を占めるものと云はれてゐる。惜て思想戰は思想を以つてする思想への戰であるが故に思想戰に勝たうと思へば外敵の思想を擊破するとともに國內に於ける誤れる思想乃至舊体化せる思想を一掃一新するとともに大東亜共榮圈の理念に立脚して國內の思想を統一强化することが最も緊要である。さて私は應召まで思想取締の任に携つてゐた關係上以下左の諸点に就き卑見を申述べ識者諸兄の御參考に供し度い。

一、外敵に對する思想戰

二、國內的思想戰

三、積極的攻勢的思想戰

四、改過遷善せしめる思想戰

㈠外敵に對する思想戰

對外敵的思想戰に於いて最も特色とする處は武力戰の爲し得ざるところをなすにある。即ち武力の未だ直接及ばざるところに於いて豫め旣に敵をして思想的に屈服せしめ、思想的に分裂させ、尠くとも思想的に懷疑、動搖、混亂に陷入らしめるにある。又一つは武力戰の一應終結し又或は他に轉じた場合その後に於いて尙も敵性的思想を抱いてゐる者に對して思想的に服從せしめ、出來得れば思想的に指導敎化又は救濟するにある。然し思想戰の特異性と總力戰に於ける特有の任務は直接武力的攻擊に先だち、又その後まで效果たらしめる

一〇六

にあるが故に眞の思想戰的任務が果されつつあるや否は一應武力の背景を捨象しても尙效果的か否かに依つて決定される單に武力戰のなし得ないところを、或は先行し、或は並行し、或はその後に於いて效果を持續してこそ總力戰に於ける思想戰の眞の意義があるのである。然らば對外的思想戰に勝つには、その思想的獨自の機能を充分に發揮し、武力の直接爲し得ないところを補ひつつ米英的思想を擊滅し反共榮圈思想を驅逐すると同時にどこまでも理論的にならず日本的眞理の現實の顯現と日本精神的道義の實踐に於いて對手の尊敬と信頼を得るとともに大東亞共榮圈の理念を理解せしめつつ皇道を宣布するにある。

㈡國內的思想戰

思想戰の目的が對敵國內に思想的分裂懷疑、混亂、出來得れば內部鬪爭を惹起せしめるにあるならば我々はそれに對して飽くまで細心の注意警戒を拂はなければならぬは勿論斯る思想的混亂の萌芽を未然に防止せねばならぬ。それが國內の思想戰であり又任務であることは言ふまでもない。然し人間の思想は各人個々の事情又は一般環境の變遷に伴ひ常に多かれ少なかれ動搖してゐる，又思想戰は目に見えざる戰であるがため動もすれば中正なる判斷力を失し敵の謀略に陷入り易い又動もすれば正しい立脚点を逸脫してゐる事が多い、且又時勢の變遷から取り殘されてもこれに氣付かずにゐる事が多いが故に國內に於ける舊体化惡思想即ち日本の使命を遮ぎる米英的思想を一掃一新するとともに大東亞共榮圈の理念に立脚して飽くまで建設的思想を以つて政治經濟凡ゆる各部局部面に涉り思想を統一强化するにある，然し戰爭が一層深刻化すればする程國內の和が必要である。即ち一億一心の心が最も必要であるが故に國內の思想を統一强化するにあるならば思想的に敎化若しくは指導を要する者には速かにこれを行ひ又止むを得ぬ者には斷乎として司直の制裁を加へ一億一心肇國の理想たる八紘一宇の大精神、換言すれば大東亞共榮圈の理念に向つて思想的に統一强化し、一億一心大東亞共榮圈確立に邁進するを要す。

㈢積極的攻勢的思想戰

唯單に防衞的防禦的立場をとつてゐるだけでは何時まで戰つても到底敵に勝つことは出來ない、戰は飽まで積極的攻勢的でなくては敵を克服することは出來ないのである。最近大日本言論報國會は思想戰對策委員會を設置して思想戰について特別硏究をすることになつたと云ふ。又翼壯に於いても全國的に情報網を張つて積極的に思想戰への役割を果さうとしてゐることはこれ洵に結構なことで私は一日も速かにその成果の實現する樣念願してゐる次第である。從來兎もすれば三猿主義を出なかつた樣であるが我々は寧ろ敵に對して防衞的に傾くよりも積極的攻勢的に出るべきである、即ち我々は一

一〇七

歩前進して敵の思想的攻擊の前面に立塞つて微動だもすることなくこれを反撥する樣になるとともに飽くまでも積極的でなくてはならぬ。即ち攻擊に勝る防禦はないのである。

㈣思想的に敵を改過遷善せしめる思想戰

皇國の戰は御勅諭に示し給ふた通り、萬邦各々其の所を得せしめるにあるが故に敵を殺すための戰ではなく敵を正しく活かすための戰であることは言ふまでもない。只單に思想的に屈服せしめるとか、敵を擊破すると云ふのみの目的で戰ふのではなく畢竟敵をして改過遷善せしめ、普ねく皇道を宣布するのが今次の大東亞戰爭の目的なのである。換言すれば敵をして天照大神の道を正しく理解せしめるためこれを妨害する惡思想、米英的思想を擊滅し、反共榮圈思想を驅逐せんがための戰なのである。それを只單に外國と叩き合ひつつあるのが今次の日本の戰爭だとするならば皇國の眞の精神を正しく理解せざるものと云はなければならぬ。要するに今吾々は敵を離反せしめるがための戰ではなく敵を改過遷善せしめ思想的に敎化信頼せしめつつ敵をして吾々の懷に抱き容れんがための戰である。完

野菊

中山夕起緒

穂芒の土手を下りてゆくと何時もの散歩道に出た、大澤池の水はすつかり澄んで秋を一層深くする。赤いくちばしをした鳥が敏捷に向の岸で餌を漁つてゐる。

どうしようかと思ひながら句帖を取出し腰をおろす。古くなつた水門のあたりは深々と水を湛へてゐる。だれか釣つたあとらしく芦が折れて水ずいてゐるへちから黑ずんできた藻が一間ばかりの幅に藻だゝみを作つてゐる。あたりを眺めてゐる中一本の野菊をみつけた。その可憐の花はすつかり傷んで葉の先は赫くなつてゐて細莖は花を支へるのもやつとだ。

K君が○○で戰死したと聞いたのは先月の下旬であつた。○○部隊の機關銃射手として出征したのは○月前であつた○○戰の華と散つて仕舞つた。名譽の戰死者の墓標には戰友達がめいめい野菊を摘んできては手向けたと戰友より手紙があつた。

內地より早く冬が來る戰場にはK君の墓標に手向ける野菊が今でも咲いてゐるだろうか。

霧のない澄んだ朝だ

稻架が池邊に添ふて長々續いてゐる。雀だらう何に驚いたかパット飛び立つと畦木の葉が思ひ出した樣に散つてくる。○○村はすつかり稻架にかくれてみるかぎり刈田ばかり黑々とみえてゐる。

私はK君の靈に捧ぐ詩をつゞり始める。

○

一〇八

軍服が○と泥んこだぞ
吸ひのこりの煙草が一本あつたぞ
おまへたちと俺たちとで
敵前渡河した
クリークを
いま兵たちが鼻唄で
渡つてゐるぞ
彈丸は一發も殘つてゐないぞ
銃の台尻がこんなに碎けてゐるぞ
おまへたち俺たちとで
突擊した
トーチカには
おまへの揚げた日の丸の旗が
飜つてゐるぞ
銃劍は折れてゐるぞ
鐵兜もこんなにへこんでゐるぞ
おまへと俺たちとで
攀つた
城壁には
砲彈の穴が
蜂の巢の樣にあいてゐるぞ
野菊を手向てやつたぞ
煙草を供へてやつたぞ
おまへたち俺たちとで
占領した
城壁をトーチカをクーリクを
赤い夕陽が
眞赤に染めてゐるぞ―。

体錬大會

柘植昌一

前日の大雨も晴れて快晴の今日、空に一点の雲もなく惠まれた運動會日和、吾等一行七十名は安田中尉殿に引率され、大里國民學校体錬大會に招かれて參觀に行きました。

競技は午後の部に入り熱演が展開されて居りました。校門前にて列を正し場內よりの拍手に迎へられて、設けられた指定の場所に着き、秋とはいへまだ暑さを覺える陽に照らされて三時間余、病を忘れて參觀致しました。

場內に揚げられた大日章旗は秋風に飜飜とひるがへり、大空を悠々と飛ぶ練習機に少國民の志氣は愈々鼓舞された事でありませう。私はこの体錬大會に少國民より數々の敎訓をうけまして、もつと〳〵療養精神の强化につとめ一日も速に再起御奉公申上げねばとの覺悟を新に致しました。

一〇九

どの競技にもどの競技にも熱と覇氣とで、最後まで頑張る少國民の力强い信念が見え、只自分が恥しく感じられました。と共にこの少國民等が今後の皇國を擔つてたつて下されるのだ。永遠に亡びざる大日本帝國の將來を約束して下されるのだと實に賴もしく感じた次第であります。

競技の一つ二つに就て私の感想を述べてみたく思ひます。

機械体操―大里國民學校は縣下でも機械体操の優秀な學校と承つて居りましたが、高等科生二十余名の鮮やかな妙技に、參觀席からは拍手が湧き出で一同を驚嘆させました。少國民にあれだけの技が出來るには大なる魂が必要でありませう。精神なくして鐵棒上でどうして立派な技が行はれませう。少國民の立派な精神に敬服の念を覺えました。

次に敵機來襲―これは五六年の女生の競技です。防毒面をかぶり、一年生の子を脊おつて走るのですが、決勝点十米程手前にて、一年生を脊おつたまゝ倒れました。脊にゐた子が地に落されて一回轉、今迄の子供なればその場に泣き伏し競技をつゞけないでせうが、すぐ起きあがつて決勝点まで着きました、そこではじめて一年生の子が泣き出しました。この精神、一年生の女子にまで最後まで走らねばならないと云ふ精神があるのであります。どの競技にも、最後まで頑張る精神が現れて居りました。

次は高等科男生の壘を越えて―各所に堅壘が作られてありますそれを飛び越えて走るのです。鐵棒下に水たまりがあります、それに落こんで、土と水にまみれて走る生徒、沼を飛び越える時に小さい生徒でどうしても飛べない、然し何回も何回も先生の指示ある迄いくら遲くなつても飛び越え樣と努力して居りました、第二回の組の一等が接近しても、撓みなく飛び越える事に努力する、この敢鬪精神、彼等は勝負には負けましたが運動精神に於ては實に尊いものがあると思ひました。

最後に三年生以上男女共、各級別にわかれマイクを流れる軍隊行進曲のラッパに步調をそろへ、級長の號令のもとに分列行進が展開されました。少國民の規律正しい、團結心が現はれ、實に堂々たる身体と魂の行進であると思ひました。かくして競技が終了、校長先生の御訓示、力强い御訓示の中にも、御滿足の御言葉と、よりこの精神を活かし、心身を鍛へ立派な國民となる樣にとの御訓しがありました。

すみ渡つた大空の下に、場內をゆるがす聖壽萬歲が高らかに奉唱され大會は終了致しました。

一一〇

我等の覺悟

北一美

時代の急變化と共に我々女性に要求されてゐる仕事は決し

て無視する事が出來ないと思ひます。現在地球の廻る如くに時代はうつり變りつゝあります。我々女性と雖も政治經濟方面に廣く知識を求め、常に戰ひつゝある國家への關心を喚起し効果的に時局に即應して行かねばならぬと思ひます。而して時代の要求を實行に移すことが我々女性の任務でありませう。何も特別にむつかしい事をやる必要がある譯ではありませんが、我々は現在の與へられた情勢を深く認識し、日常の業務に誠心誠意を以つてし、且又おち入り易い虛榮をおさへ消費者側になりきらずに、さうした中に女性の武器とも云ふべき身嗜みを怠らず、簡素の美を自然の中に見出したいと思ひます。そして如何なる場合にも時代の要求するところに向つてよろめかず、しつかりと立つ女性でありたいと思ひます。斯うして現在切下げられて行く生活そのものこそ我々に與へられたるよき使命であると信じ邁進しなければならないと思ひます。かの第一次の世界大戰の時、ドイツ皇帝はポツツダムの宮殿に全國の婦人代表を呼び集めて『祖國は今あなた方の夫を、父を、子を、奪つた。淋しく悲しいかも知れないが未曾有の重大な時に直面してゐるのであるから、どうか個人の妻であり、母であり、子であると、云ふ考へを捨てゝ、ドイツ國家の妻であり子であり母であつてほしい。』と、うつたへた。だから全國の婦人達は個人的の感情をすてゝ軍需工場に街頭に農場にと勇ましい大活躍をしたではありませんか。

今や我が國も同じ立場にあります。この重大な時局下における私達は如何にして時代の要求に應へる女性になり得るでありませうか。幸にも傷痍の勇士のみとり女として聖職にある私達は女性として最も立派な御奉公と言ふべきでありませう。一日も早く、一人でも多く、再び第一線に或は銃後へ健全なお体をおゝくり申し上げたいと願つております。と同時に自分に與へられた使命が如何に重大なるかを痛感するのであります。聖職にある身を喜ぶと共に斯うした時代に巡り合はした我々は實によき試練と心得へて、先づ近きところから實行に移したいと思ひます。

萬葉集と醫學

吾々は〃蘭學事始〃によつて、解剖への興味が江戸末期に始まつたと考へてゐた。然し事實は全く誤謬であつて、今より千二百年程前に出來た和歌集である、萬葉集の中に山上憶良と云ふ歌人が解剖のことを書いてゐる。

即ちその一節『若し結積沈重内に在るを病む者あらば腸を刳りて病を取り、縫ひて復胃を摩る、四五日にして差ゆ。』これは開復手術である。

創作

大地を拓く

雄飛生

見透しのきかない程鬱蒼と繁る闊葉樹の林の中の小徑を通つて、入江を一望の中に收められる小高い丘の上に來ると、波多野圭吉はいつもの樣に傍の石の上に腰を降して沖の方を眺めた。

太陽は、將に水平線上に沈まんとして、目に見える總てのものを紅に染めて居り。金波銀波の上を、沖を通る漁船がくつきり浮き出れて居る樣は、如何なる名畫工といへども描き現すことが出來ないであらうと思はれる程美しかつた。

彼は此處に來て放心狀態になつて、沖を眺めて時を過すのが大好きであつた。時稀附近を通る看護婦や患者は、腰掛けた儘ちつとも動かうとしないで沖を眺めて居る、眉目秀麗と云ふよりは凜々しい男らしい感じのする彼の横顏を盜見しただけで彼の瞑想を醒まさない樣に足音をしのばせて立去るのであつた。

然し今日の彼は不思議に放心狀態になることが出來なかつた。數日を經ずして、彼が最も愛したこの土地から離れなければならない哀愁と、退所後の飛躍の希望等との交錯した氣持から來るのであらうか、幼い時からの數々の思ひ出が、しきりに彼の腦裡を去來するのであつた。

圭吉はS市に程近いM村の中流家庭の次男坊に生れた。彼の家は相當の田畑を自作して、彼の父は五十才を越したとも思はれぬ元氣さで、自ら使用人の先に立つて働いて居た。

圭吉には一人の兄があつて子供の頃には、神童と迄言はれて將來を囑目されて居たが、中學の末頃から不良の仲間に入り、その頃は或私立大學に籍だけは置いて居るものの、學校に居る時間よりも外で遊ぶ時間の方が遙かに多いと云ふ、手に負へない代物になつて居た。この樣な狀態にあつたので彼の父は、極力圭吉に望みを托して、その家業を讓るのをたのしみに愛育して來た。

小學校を終へた圭吉は、父の奬めのまゝにS市の郊外にあるK農林學校に入學した。

その當時は事變當初とは云へ未だ自由思想の横行して居た時代で、時局に目覺めた青年が少く、なるべく樂をして少しでも多くの俸給を貰はうとするために上級學校に入學する學生が多かつたが、兄の不行跡と父の苦惱を見せつけられて居

る彼には、その樣な浮ついた考へは毛頭浮ばなかつた。

彼はひたすら身心の鍛錬に留意し、略二里近い學校迄の道程を自轉車にも乘らずに、每日默々として一日の缺席も無く通學し、懸命に作物の增產に就いて研究した。努力の甲斐あつて三年を卒業する頃の彼は、柔道二段のたくましい身体と健全な精神の持主になる事が出來た。

卒業すると同時に、上級學校進學を斷念して、父と共に每日泥まみれになり乍ら眞黑になつて働いた。

そろそろ老境に入つて來た父は、圭吉に出來るだけ早く家業を嗣がせたいと思つた。全然知らない赤の他人よりは彼の家に小さい時から出入して、圭吉とは兄妹以上に仲も良く親しい間柄でよく氣心の知れて居る多摩子と云ふ遠い親戚の娘を圭吉の婚約者に定めた。

圭吉はその年に施行された徵兵檢査に於いて、見事甲種に合格し徵兵官からその立派な体格を賞められた。

入營も間近い或一日、彼は多摩子を近くにある湖の畔に誘つて

「俺は兵隊に行つたら、二度と再び生きてこの地を踏まない覺悟だから、今迄の事はすつかり夢と忘れて幸福に一生を送つて呉れ」と眞心込めて賴んだが、多摩子は强くかぶりを振つて

「いゝえ。あなたは私の小さい時から心の夫と決めた人ですもの、あなたがお歸りになる迄いつ迄もいつ迄も待つて居ますわ。たとへあなたが、無言の凱旋をなさる樣なことがあつても、一生あなたのお傍を離れませんわ。」と恨めしげに淚さへ浮べ、どうしても彼の言ふことを聞かうとはしなかつた。これ以上言ふことは彼にも出來なかつた。

入隊した彼は直ちに幹部候補生に採用され、やがて軍刀姿も凜凜しく勇躍征途に就いた。

上陸と同時に戰鬪に參加して幾多の殊勳を樹て、幾度か記憶のない程彈丸の中を潛つて來たが、不思議と彼の身体はかすり傷一つ負はなかつた。或は彈丸の方で彼を恐れて寄り付かなかつたのかも知れない。……その頃圭吉の屬して居る〇〇部隊は新作戰に參加し、特殊の任務を帶びて行動する事になつた。彼に與へられた使命は某方面國境偵察と云ふ、實に重大な任務であつた。

數名の部下と共に出發した彼は、或時は土民に姿を變へ、或は野に伏し草の根を嚙り、文字通り臥薪嘗膽の生活を續けて幾度か敵中深く突入しては、今迄全然入手する事が出來なかつた詳報を得て今後の作戰のために大勳を立てたが、不幸途中に於いてマラリヤに冒され四〇度以上の熱を持つ身体になつた。然し職責を重んじる彼は部下にもひたかくしに匿して、只氣力だけで部隊迄辿りついた。

隊長に報告を終へると同時に氣がゆるんだのか、ばつたり

その場に倒れて氣を失つてしまつた。すぐさま醫務室に擔ぎ込まれて手厚い看護を受けたのでマラリヤはどうやら癒つたが、余りにも酷使した彼の肉体は左肺を相當ひどく冒されて居た。然し肺病と云ふ宣告を受けたよりもその時の彼は、白木の箱に納まらずにこの戰場を去らなければならないのが口惜しくて、口惜しくて仕方がなかつた。

野戰病院、病院船と後方に送られ、内地の陸軍病院で暫らく療養を續けたが、仲々元通りの身体になることが出來なかつたので、軍醫の奬めでT療養所に入所して本格的の療養生活を續けることになつた。

T療養所は都塵を遠く離れた〇〇半島の海岸近くにあり、入江を一望の中に眺める事が出來る小高い丘の上に、その壯麗なる姿を見せて居た。附近には桃林が多く、數萬坪を有する所內敷地の自然を利用して造られた散步道路には、山あり谷あり、色々な樹木が至る所林をなして名も知れぬ小鳥が吾が世の春を謳歌して居る樣は、全く此の世ならぬ別天地の觀があつた。內容も總て最新式に完備され、所長始め職員總てが皆寢食を忘れ眞心込めて患者の看護に任じ、患者は所長を父と仰いで嬉々として療養生活に邁進し、さながら一大家族の感を呈して居るのであつた。

圭吉は入所の第一印象で、此處でなら必ず癒ると云ふ確固たる信念を植付けられた。

殊に彼が感激させられたのは、家庭にあつたら未だ母に甘えて我儘をして居たい年頃の少女が、感染も恐れず我身を犧牲にして、眞劍に御奉公して居る尊い姿であつた。彼には女神の再來とより外に考へられなかつた。

彼女等は或は母となり、或時は姉となり妹となつて、到れり盡せりの看護をして呉れた。幾夜彼は有難淚を流したか知れなかつた。

この樣な皆の手厚い看護のお蔭で、彼の病は薄紙を剝ぐ樣に快方に向つて、僅か〇ケ年を過ぎる頃にはどんな勞働をしても良いと云ふ醫官の折紙と自信がついた。

多摩子には陸病からも療養所からも幾度も便りを出したが最初二、三通はがきが來ただけでさつぱり音沙汰が無かつた。圭吉は吾身を省みて、病氣でもしたのでは無いかと心配でならなかつた。

折柄の夕飯を告げる鐘の音に靜寂を破られた彼は、靜かに沖から目を離して立ち上つた。

數日後の圭吉の退所の際には、職員看護婦など皆わざ〱表門の所に集つて見送つて呉れた。日頃馴れ親しんだこの土地、この人達と別れなければならないと思ふと、例へ樣の無い淋しさが彼を襲つた。精魂を込めてつくしたものとの別離の悲しさであらうか、看護婦達はハンカチを振り振りいつ迄

も見送つて呉れた。

〇年振りに見る故鄕の山川は、少しも變らない溫かい包容力を以て彼を迎へて呉れたが……

それにも倍して圭吉を悲しませたのは多摩子の意志から出た婚約解消だつた。あれ程迄彼を信頼し固く約束した多摩子迄が、その婚約を破棄仕樣とは……眼の前が眞暗になつて奈落へ突き落された思ひだつた。

これ程大きな打擊が又とあらうか。彼は世の人の無智を蔑すむ心も不人情を恨む力もつき果てて、絕望の暗い數ケ月が過ぎた。

かうした或日、附近の村と合同で開催された對滿移民座談會の席上に於いて、親しく內原訓練所長加藤完治氏の風貌に接しその講演を聞くことが出來た。

粗末な木綿服を着け、髯のぼう〳〵生えた之があの有名な滿蒙開拓の父と仰がれて居る人かと思はれる程、田舍親爺臭い人であつたが、心の底迄見拔く樣を烱烱たる眼光と、慈父の如き溫情の中に斷固遂行せんとする犯し難い威嚴があつた一度口をついて出るその言葉は總て烈々たる愛國魂の塊であつた。

今迄暗雲に鎖されて居た峰が晴れ渡る樣に、圭吉の心には次第に希望の光が擴大されて行つた。

「さうだ俺も滿洲に行かう。こんな狹い內地で小さくなつて居る程馬鹿げたことは無い。」と考へた彼は、矢も楯もたまらなくなつて早速その事を父に打開けた。

圭吉の兄もその頃には時局を認識して心を入替へ、生家に歸つて父の業を繼いで農に勵んで居たので、父も心よく願ひを許して呉れたが、只心配なのは身体の問題だけだつた。然しそれも全く杞憂に過ぎないことが銓衡の際の身体檢查で立派に證明された。

開拓團の農事指導員として志願した彼は、その年の秋には第一に採用され、加藤先生自ら指導する幹部訓練所の〇ケ月の猛訓練を終へ、翌春目出度く渡滿する事が出來た。

綠なす草原が果しなく續く曠野に立つた時。

「此處を開拓する事こそ天晴れ男一匹にふさはしい天職である」と云ふ歡喜で胸一ぱいになつた。來て良かつたと思ふ氣持が一日毎に深まると同時に、かつて吾等の多數の同胞の骨を埋めたこの地に、俺も又捨石にならうと云ふ覺悟も堅く根强いものになつていつた。

彼等の一致協力が實を結んで開拓團は次第に發展して行つた。家族を呼び寄せるものもぼつ〳〵出て來たので、經驗のある看護婦が是非共必要になり過般來その筋に依賴して置いたが、その願ひがかなつて今日到着すると云ふので、多忙の一日を割いて彼も出迎へた。團のトラックが威勢良く止つて中から降りて來た人を、目見た彼は、あつと言つた儘暫し呆

一一五

然とした。彼の目の前に立つて居る人は何とかつてT療養所時代から、一日も忘れる事が出來ずに感謝して居る女神の一人本間看護婦ではないか。

「やあ。君が。」

「まあ、あなたも此處に來て居られたの。」

「うん。俺は此處に來て始めて生甲斐を見出したよ。狹い內地で小さなことにくよ〳〵して居た時の事を考へると、夢よりも未だはかないものだつたと思ふよ。」

聞けばM療養所に於いて所定の修業を終へた彼女は、國を思ふの熱情止み難く自ら志望して此處に來たのだと云ふ。全く豫期しない邂逅だつた。

それからの二人は何事も協力して開拓團の爲に力を盡した圭吉の每日はとても張合のあるものになつた。……本間看護婦とて同じ思ひにあるらしい。

協力は美しい戀となり淸い愛と變つて行つた。考へ拔いた擧句、彼は或日思ひ切つて苦しい胸の中を打開けた。

「俺の妻として、生涯良き協力者となつて貰へないだらうか」

「あたしの樣な者にはとても……」

「いや、俺の樣な者には勿体ないと思つて居る。然し俺には過去を知り眞に俺の仕事を理解して呉れる方でなければ駄目なんだ。賴む俺の理想を實現させて呉れ」

例へ幾ら愛して居て呉れるにしろこの樣に早く許して呉れるものとは思はなかつた。今更乍ら彼女の愛の深さを正しい認識に心を打たれた。善は急げと早速團長の許を訪れてその旨を申し出で、秋には目出度く式を擧げる事が出來た。

彼はその後至極元氣で、皇國の第一線に立つて增產に挺身して居る。間も無く父親になるらしい。

猿は木から落ちる

多くの愚惡は羨望と競爭と模倣から生れる、この三つは同じ穴の貉である。人の旨さうに吸うのを見て吸ひたくなる、これ喫煙の惡癖、酒も同じである。家を建てるにも、人に負けてはならぬと過分のものを建てゝ福德を失ふ、新流行の服裝、化粧、髮の結び方、髯、すべて羨望、まね、競爭につかれる。猿から進化したと云はるゝ所以である。

一一六

退所者通信欄

▲▲醫工場便り▼▼

私達の生活

佐野仁之

遅がてに襲來した颱風も去り、けふは朝から快よい秋晴でした。傷痍軍人會長植田大將が來社になり感激の一日は終つて靜かな夜に入りました。管制の燈下、編輯部の方から命ぜられてゐるこの稿を草します。早いもので私達が入社してから三ケ月餘が過ぎました。この三ケ月餘りの足跡を省みつゝ私達の生活を拙ない文字に綴り合はすことが私のつとめのやうです。

今年の夏は雨の日が多くてお互に困りましたね。療養中の皆樣は一入味氣なさを覺えられたことでせう。全治退所とは言ふものゝ何程の自信も有たないでこちらに參り、それがあの降り續く雨で隨分心細くなつたものでした。何しろこの鍊成工場は初めての試みでして特殊なものである關係上、指導者、錬成者共に經驗皆無のものゝ集りであり、不案內の道を辿り、切り開きつゝ進むのですから頭初はまるでさぐりさぐりの生活をしてゐるやうな實に落着かない心持でした。しかし私達は頭の中で絕えず再起御奉公の誓ひを繰返し鍊成の成果を收めんと懸命になつたのです。

不順の季節も過ぎ夏の暑さにも漸く馴れ得る頃になつて身體に就いての大體の調子が解り、規則的な日常にも馴染み逐次心の落着を取り戾すことが出來ました。

私達人間の生活に於て齟齬を感じることがあつたとしても、それは環境の變化直後、生活の轉換期等のほんの僅かの期間であつて、結局は自分を知らざるが故であり、自己の存在と能力さへ確然と意識してをりさへすればその道は常に明るい大道であり、從つて何等低迷することなしに進み得るものと、つく〴〵感じさせられます。

下手な論議を書き出すと橫道に外れさうですから筆の方向を轉じて、こちらの鍊成の具體的な事柄を述べませう。

この會社の設立要旨は木下所長殿から何度もお話があつた通りですからこゝでは省かせませう。

六時起床、舍內外の淸掃、七時朝食、七時半朝禮(職員、錬成者全員)十二時晝食、十七時半夕食、二十時半点呼、二十一時消燈就寐。

作業は、入社頭初約一ケ月工場四時間、戶外二時間、其の後工場四時間半、戶外二時間を約一ケ月、續いて工場五時間半、戶外一時間を約一ケ月、九月中旬から工場六時間半、戶外一時間、現在に及んでゐます。

工場作業は七時四十五分開始、十六時終了となり、戶外作業は十六時からの一時間ですがこの時間は書道・製圖・珠算・數學・講義或は講演等で週の半分を割いてゐます。工場作業は糸の卷返しですから複雜な仕事とは申されませんが、と言つて決して退屈を感じさせて呉れません。適當な速度で絕えず調節しつゝ機械を取扱つて行かねばなりませんから他目では或は簡單すぎ無變化の倦怠な仕事に見えるかも知れませんが、なかなか實際に從事しては、硏究の餘地もあり興味のあるものなのです。我達長期間の療養中無意識の裡に喪失してゐる「根氣」の挽回・養成には恰好の仕事と考へます。

一一七

戶外作業は農耕で畑約二反步に野菜の栽培人蔘、牛蒡、豆類、落花生、葱、大根、玉葱さつま芋等々、眞夏の汗を流して培つたものが今好成績で次々に收穫されてゐます。何事でもさうですが、特に作物などのやうに、土にまみれて培ひ育てる仕事は樂しみ深いものですね。

以上作業のあらましですが、時間制は健康狀態によつて幾段かに分たれ、夫々に適當と認められる作業時間と休養時間を課與せられるのです。人によつては或る期間戶外作業を停ぜられ、又は工場作業時間の短縮を命ぜられる場合もあります。秋も漸く酣となり此の頃の大氣の如く人の氣分も爽快に澄みわたります。來週あたりから鍊成の日課として辨當携行の魚釣が計畫されてゐる模樣です。大澤池での皆さんとの鮒釣りを思ひ出します。

「鍊成」とは、近頃多く叫ばれてゐる如く心身併行の鍛鍊であるは論を俟ちません。ところで私達の如く病癒えたとは申せ尙療後、自重の餘儀なき身體の所持者には一般世間の鍊成のそれの如き極度の實施は反つて危險でさへあるは自他共に認めるところでせう。ですから此處では健康の保持增進に就ての指導管理がまことに嚴且つ密なものです。各個人に就ての健康管理は無論のこと、定期及臨時的な檢查調查共に愼重鄭重の限りと言つて決して過言ではないと信じます。

一日の作業を終へてペコペコの腹に夕食の馳走を滿たし、三日目每の湯に浸つて作業の疲れを洗ひ流した時の氣持は格別なものです平日の外出は夕食後点呼三十分前迄許されてゐますが最近はあまり出かけないやうです。電燈が灯される頃になるとあちらからもこちらからも珠算練習の讀み聲が起り、靜かな部屋を覗いて見ると書道に餘念なし、或る部屋は每夜碁の集會所となり、階下娛樂室から卓球競技の模樣が聞えます。時にはお國自慢に花が咲き、お國訛りの口眞似に爆笑が起ります。隨分方々からの集まりですからね。もうすぐ第二期生の人達を迎へますから一層樂しいものになるでせう。

工場長はじめ職員揃つて親切溫和な方ばかりです。高邁な熱意と指導庇護のもとに滋々たる和氣裡、鍊成へ、鍊成へ進擊してゐます。再び起つの機を目前に控へ、斯かる決戰下勿體なさ過ぎる安穩な明け暮れは私達をして愈々奮起せしめ、報恩の誓ひをかためさせる糧そのものです。

現在、そして此の後外氣舍で健鬪される皆樣御都合よければこちらに入社される事を希望します。一年と言へば長いやうであり、廻り途の如く思はれるかも知れませんが、私、いろ〳〵考へた擧句、決してさうではない、最も堅實な、しかも近途でこそあると信ずるものです。徒らに文字のみ濫費し何の御參考にもなり得なかつたことを恐縮します。

終りに皆樣が明るい療養生活に專念なさつてお早くもとの强いお体になられます事を念じます。(九月二十二日記)

鍊成通信

野呂正夫

朝

すが〳〵しい朝の大氣が開放された宿舍の窓の片側に寄せてあるカーテンの裾をそよそよと靡かせて居る、もう起床の時間も間近である。隣りに寢て居る友の朝の一刻の靜かな寢息が吾が耳になんとなく今朝は豐に聞えて來る。窓越に見える樂病院の屋根瓦に早起の雀共が彼等の生活の內の一番重要なる任務であるかの樣に囀り作業をさも樂しそうに開始し

一一八

で居る。やがて寮長の起床の合圖の笛が鳴る事であらう私は靜かに目を閉じた。

起床

ピリ／＼／＼、すは嘗つての軍隊生活を偲ばれる樣に一同床を蹴つて飛起きる。そして直樣朝の清掃に取り掛るのである。長い療養生活を送つて來た私達、完全に懶癖の附いて居る私達朝寢坊の名人に成つて居る私達は先づこれから錬成の第一頁を繰開かなければならないのです。塵拂を使ふ者。部屋を掃出す者。掃除をする者。清掃は忽にして終つてしまふ。

食事

やがて樂しい朝食の時間です。入口に置かれてある消毒液で一人一人靜かに手を清め食堂に入ります。一同が揃ふと寮長の號令で皇軍將兵の武運長久並に護國の英靈に感謝の默禱を捧げ合掌の後靜かに箸を取るのです。食事時間にも規定があつて（十五分）それより早く成る事は絶對に許されません。考へ樣によつて非常に堅苦しい樣に思はれますが、併し體を强くするには先づ胃腸を丈夫にすると言ふ上に於て又食物を咀嚼すると言ふ上に於てもこれ又非常に重要なる錬成の一つなのです。

朝禮

朝食が終つて次は朝禮に集合。神路山を遥かに拜し淸らかな朝の大氣に翩翻と飜へる日章旗のはためきを耳にしながら遥かに皇居を拜し今日一日の錬成目的達成の誓を新に致します。

工場錬成

それがすんで愈々錬成の主要目的である所の工場內作業です工場錬成とは作業中立つて仕事に從事する事。根氣を養ふ事。時間を正確に守る事等でこれ等を主として日々眞劍なる錬成が續けられます。

班別

勿論それ／＼の體力により班別が決めてあつて作業時間も異つて居りますが、錬成が積むに從つて又其の作業時間も逐次變更されて行く事は言ふ迄もありません。なにしろ全然無經驗の仕事で、始めの內は隨分退屈な時間を費しますが、仕事に熟練するに從つて働く者のみが知る最大の喜であるところの仕事に對しての興味を覺え前途に大きな希望と光明を見出します。そして其の頃こゝに又一つの錬成が必要と成つて參ります。

時間

次から次へと氣持良く仕上つて行く製品の山。當然そこに前にも述べた樣に仕事に對しての興味を覺え自分に與へ定められた時間の事などすつかり忘れ、休憩時間に入つたのも知らず作業に熱中する事が往々にがして有りちなものですが、それはいけないのです。此の工場は製造能率は目的で無く錬成を目的とした工場であるからです。作業時間は作業時間、休憩時間は休憩時間として總て規律正しく物事を行ふのです。例へ如何に作業に關係した事とは言へ勝手に定められてある意外の時間を使用する事は絶對に許されません。これは今後此の錬成工場を終へて愈々本當の實社會に出て本當の產業戰士の一員として働く上に於て時間に對する色々の事故を防ぐためです。

責任

捌き—綛繰—綾卷—仕上作業と仕事は順調に捗つて厚つぼつたい工場の横の腹を縱に長く深々と切り込んで有る大きな窓に秋の日が斜に流れ込んで、何時しか一日の心良い作業疲を覺える頃今日の錬成は殆んど終了近く成ります。出來上つた製品は綺麗に箱詰をして

一一九

めい／＼自分の製品には自分の印鑑を押します。責任のある仕事をする錬成の一つとも成るのです。

退場

員數を調べ倉庫係に報告を終れば、やがて一同整列の後、職員と一日の別れの挨拶をつげ樂しい宿舍に歸つて行くのです。遞えて起ち惹がなく終へた今日の錬成の一日を感謝しつゝ、前途に大きな希望と光明とを抱き、此の大東亞戰爭の發展に伴ひ重大なる戰局と國民の一人一人に課せられた使命の重大さを充分に認識眞劍なる錬成の誠を盡し一日も早く第二の實社會へと飛立ち、大君の御爲、國家の爲め體力の續く限り御奉公を盡さなければならない事を堅く心に誓つて。

寄宿舍の夜

聖恩の翼下にありて生れて始めて味ふ寄宿舍生活には多少の不自由もありますが、働けると言ふ喜と、時局は忽にしてこれを解決してくれます。今日も錬成に明けて修養に暮れてゆく。永い歲月病を養つて來た山寮の空に夕茜がさしてなんとなく懷しさを感じる頃稻の穗波を渡つて來る風も一層秋らしい侘びしさを感じさせる。神路山もとつぷり暮れて綺に見ゆ樣な月が紺碧の空に浮んで、コスモスは靜かに其の影を落した。こうろぎが鳴き始めた。想へば大陸の月を眺めてこうろぎの鳴く城壁を動哨した事も幾度か有つた。早く錬成を終へて本格的に御奉公しよう。靜かな宿舍の夜は次第に更けてつゝましく日記を書く者今日の作業に就いて色々と話す者、又窓邊で朗かに語り合ふ者……やがて二十一時の消燈の笛が鳴る。そしてこゝに全く一日の錬成が終了するのであります。窓際のカアーテンの裾に相變らず秋の夜の心よい風がそよ／＼と靡いて居る。

譽工場に入社して感するまゝに

平野利雄

山本元帥の戰死に引續きアッツ島の將兵玉碎するの悲報に接し擊ちてし止まんの念愈々高まりし時、大神の鎭まり給ふ神都に再起の第一步を踏み出した喜びは筆舌に盡し難い。働けると言ふ喜びは胸に溢れ夜の明けるのを待ち兼ねてはね起きると東の空は眞赤に燒けて月は西の空に傾き淡白く夜明けの空に殘つてゐる。淸らかな大氣を胸一杯吸ひ乍ら通ひつめた誰で徑には白々と月見草は咲いてゐた……それも何時しか芒や萩の徑となりやがて其萩も散り盡せば霧深い徑と變つて來た。

西側の田圃には稻の穗が重々しく波を打つてゐる。征きし日の太平洋の波のうねりが想ひ起され何とも云ひ知れぬ快感が胸に込み上げて來る。空はあくまで澄み渡り燃える樣な太陽が神路山の後ろより顏を現した、思はず步をとめて頭を下げる胸中の何物かゞ洗ひ流された樣な氣がする。永い加療生活を終へて全治したとは言へ體も心もよはつてゐる我々の心身錬成道場としてこの神都を選ばれた大きな目的はこゝにある事を感じた。我等は譽工業の第一期生として永遠に殘るべきよい工場の風習を築き上げて後輩を迎へねばならん、その責任と榮譽を感じてゐるが然し限りない聖恩の翼下にあつて安穩な日々をすごし今やうやく世のけわしさを知り初めたのである。やゝともすれば不平不滿を感ずる。こゝに錬成の第一步を踏み入れる譯である、修養や錬成の範圍は實に限りないと思ふ。言ふ事思ふ事行ふ事その一ツ／＼が錬成であり修養であり又教養を身に附ける事になると思ふ。錬成とか修養とか言ふものは時間の餘裕如何によ

一二〇

って左右されるものではなく働く中にも立派な修養のきつかけがあり、職場の生活の中にも教養の資にするものは豐にある事を感じたのである。更に又一日の仕事を終へて見上げる空に眞白い雲が盛り上つてゐるとする。こんな場合にも只雲の美くしさに感動するばかりでなく今大陸の空南海の空で散つてゆく戰友や戰ふ戰友に感謝を捧げ又この心を常に心としたいと思ふ、どんな人どんな場合を問はず身心の錬成と修養とそして御奉公の道は限りなくあると思ふ、强い体は明日の戰力を倍加させ又米英擊滅の生產力もみなこの細い腕にかゝつてゐるのである、赤心は强き手足をもつて始めてものを言はせる事が出來ると思ふ、一人々々が日本を伸ばす大切な國力である、今この時何人をもとはず自から挺して健民實踐の誠を盡したいと思ひます。

★　★

退所通信

寺前國義

拜啓秋冷の候となりました、入所者諸兄には益々お元氣で御靜養の事と拜察申上ます。私退所致しまして一ヶ年、益々元氣に、造船戰士として活躍して居ります。

昨年退所致しまして、すぐに當社に入社致してまして健康な者と同じ樣に働きました。療養所と比較にならない食事で、毎日十時間も勞働致しました、再發しなければと心配致しました事もありましたが、「何やればやれる」と一生懸命やりました、御蔭でもう今日では、全く仕事に慣れ、病氣なんてすつかり忘れて居ります、然し療養所時代が懷しくなります、療養生活は本當に感謝の至りです、社會に出てはじめて療養所の有難さが感じられます、益々体に注意して決戰下の造船に一意專心、御盡しする覺悟です。

秋深く療養には絶好期となりました、諸兄には益々御自愛下さいまして療養に御專念、一日も速に再起せられん事を御祈り申上ます。

十月一日　佐野安船渠株式會社

菊

自國產の野菊（蓬（ヨモギ））に對し、唐蓬（カラヨモギ）と云ふ。朝鮮或は支那より舶來せしものと言はれてゐる。

翁草、形見草、百夜草、契草、千代見草、齡草、等その他異名が多い。萬葉集には菊を詠じたものがないがその後に出來た古今和歌集の卷第五の秋歌ドに在原業平朝臣の菊を詠んだ歌を見ることが出來ます。

萬葉集の最後の歌は天平寶字三年（紀元一四一九年）に詠まれたものであり、古今和歌集の撰了は延喜五年（紀元一五六五年）でありますから大体その間の百二十年の間に入つて來たものと想像されます。即ち平安朝時代になつてから渡來したものでせう。

一二一

職業道標

我等傷痍軍人にして內部疾患に罹患し、快癒したる者に對し、適當な醫療設備の下にて徹底したる健康管理を爲しつゝ、室內作業にて、身体錬成の目的を以て、左記工場に於て錬成要員を募集されて居ります

◉譽工業株式會社　宇治山田市船江町

○入所資格　內部疾患治癒せる傷痍軍人
○作業種類　軍用カタン糸卷返し作業
○錬成期間　約一ヶ年
○作業時間　屋內外を通じて午前八時—午後五時休憩二時間
○施設　寄宿舍、社宅、醫局、其の他
○入社手續　療養所長を通じて申込
○定員　百名（年三回三十名宛）
○募集期日　二、四、六、八、一〇各月の末日

◉關東工業株式會社　栃木縣河內郡雀宮村（東北線雀宮驛下車）

（外傷者ニハ横濱市神奈川區千若町横濱工場アリ）

○入所資格　恩給施行令第二十四條第三項症迄ノ傷痍者但シ全盲等ノ更ニ重度傷痍者採用
○作業種類　機械工、仕上工、檢查工、其の他
○作業時間　午前七時（冬季午前八時）—午後五時
○施設　綜合病院、靜養道場　特設休憩所、共同浴場
○入社手續　療養所長若しくは直接縣廳を通じて申込む事
○定員　約六百名
○作業開始　昭和十九年三月、全施設完了二十年三月

各社共給料、待遇等詳細は紙面の都合上掲載出來ませんから希望者は指導官又は應務へ尋ねること

★

次に同じく內部疾患の快癒したる、傷痍軍人を適切なる醫學的管理の下に心身を錬成し、且農家經營の實際を体得せしめ、終了後は適當なる保護を加へ、自作農たらしめ、以て眞に農村の中堅たる農業人として、再起奉公せしむる目的を以て左記農場が開設されたのである。

◉傷痍軍人奉公財團友部農場　茨城縣東茨城郡鯉淵村（常磐線友部驛下車）

○入所資格　內部疾患の快癒せる傷痍軍人
○修業年限　一ヶ年（但し健康狀況に依り期間伸縮す）
○募集人員　第一回四十二名（應募ズミ）
○第二回募集期日未定
○施設　農場內所定の家屋に數名宛分宿せしめ、一家を單位として農地を割當經營せしむ。
○入所手續　療養所長又は縣廳經由
○修了後は土地斡旋、家畜購入、其の他種々斡旋さる。

★

傷痍軍人にして教育者たるに適する素質と熱意とを有する者に對し

一二二

必要なる教育を施し、國民學校教員たらしめ以て傷痍軍人に新たなる報國の途を開くと共に、其の貴重なる体驗を通じて、兒童に國防に對する認識を深めしめ、傷痍軍人に對する尊敬、感謝の念を篤からしめんとする爲に左記養成所が設けられてあります。

◉傷痍軍人國民學校訓導養成所

○傷痍軍人國民學校訓導宮城養成所　仙台市北七番町宮城師範學校內
○〃　岡山養成所　岡山市門內岡山師範學校內
○〃　福岡養成所　小倉市富野福岡第二師範學校內

○入所資格
1、戰鬪又は公務に依り傷痍疾病の爲恩給法に依り增加恩給、傷病年金、傷病賜金を受け、又は受ける見込確實なる者
2、中等學校卒業者、之と同等學力を有する者（陸海軍相當學校卒業者を含む）及資格、檢定試驗合格者
3、品行方正、意志鞏固、思想穩健にして國民學校教員に適する者
4、國民學校令施行規則第四十九條に該當せざる者

○修業年限　一ヶ年
○定員　各所三十名
○施設　寄宿舍共の他
○入所手續　入所願、卒業修業成績證明書（試驗合格證明書）履歷書、傷痍軍人たる證明書、戶籍謄本を地方長官宛提出

◉傷痍軍人國民學校初等科准訓導養成所

○傷痍軍人國民學校初等科准訓導福島養成所　福島市腰之濱福島師範學校內
○〃　金澤養成所　金澤市彌生町石川〃
○〃　和歌山〃　和歌山市眞砂町歌可山〃
○〃　松江〃　松江市外中原町島取〃
○〃　大分〃　大分市駄原大分〃

○入所資格
1、3、4號國民學校訓導養成所入所資格に同じ
2、高等小學校卒業者（國民學校高等科）又は之と同等以上の學力を有するもの

○修業年限　一ヶ年
○定員　各所四十名
○入所手續　入所願、卒業修業證明書、又は試驗檢定合格證明書、履歷書、傷痍軍人たるの證明書、戶籍謄本を地方長官宛に提出

尙訓導養成所、初等科准訓導養成所共に
○年額三百圓以內の修業手當、及軍人援護會より年額百二十圓の補助あり。
○修了者は無試驗にて教員免許狀を授與さる。
○修了證授與の日より一年間推薦地方長官の指示に依りて教育に關する職務に從事する義務を有す。

★

傷痍軍人にして市町村農會技術員たらんとする者に須要なる知識、技能を施す目的を以て三重縣に於て左記養成所が設立された。

◉三重縣立傷痍軍人農會技術員養成所

鈴鹿市白子町　三重縣立農事試驗場內

一二三

○入所資格　傷痍軍人にして品行方正、思想堅固にして左の各號の一に該當する者
1、農業學校（所謂甲種）卒業者又は之と同程度以上の學力を有する者
2、農業學校（所謂乙種）中學校青年學校本科（農業科）卒業者又は之と同程度以上の學力を有し農業に經驗ある者
3、國民學校高等科卒業者にして農事試驗場又は農民道場に於て一年以上訓練を受け且つ農會技術員若は農業技術員として二年以上經驗を有する者
4、農會技術員又は農業技術員として四年以上の經驗を有する者

○修業年限　一年二ヶ月（時宜に依り伸縮す）
○定員　十名（時宜に依り增減す）
○入所手續　入所願書、履歷書、卒業又は修了及成績を證する書面並に人物考查表、戶籍抄本、傷痍軍人たるの證明書を市町村農會長、市町村長經由提出
○入所日　每年四月一日
○義務　卒業者は卒業證書受得の日より二年間三重縣內に於て農會技術員に從事する義務を有す
但し特別の事情ある時はこの限りにあらず

退所者住所錄

（昭和十七年十一月十一日以降
昭和十八年十月三十一日迄）

橋本兼次郎	三重縣飯南郡櫛田村
伊藤秋三	愛知縣東春日井郡篠木村
日南延郎	三重縣名賀郡美濃波多村
中村榮	〃津市
近藤昇	愛知縣知多郡
河口勝	奈良縣奈良市
齊岡博	大阪市住吉區
石川鎗三	名古屋市西區
古尾秀雄	三重縣多氣郡佐奈村
南出伊造	奈良縣高市郡高市村
金子敏之	岐阜縣高山市
日置三六	三重縣員辨郡久米村
芳尾昌直	大阪市東成區
山岸仙次	富山縣中新川郡濱加積村
山田正雄	滋賀縣蒲生郡玉緒村
杉下文之	富山縣西礪波郡林村
中井伊之助	三重縣志摩郡

一二四

川田信	富山縣射水郡老田村
伊藤助信	三重縣四日市々
岩井住廠	〃度會郡小川鄕村
神谷舜二	岐阜市
杉田富雄	奈良縣吉野郡
濱口勇次郎	三重縣多氣郡
川上伴二	岐阜縣益田郡
太田義雄	三重縣河藝郡榮村
中越芳藏	岐阜縣稻葉郡岩村
稻葉豐一	富山縣東礪波郡
村田幸之助	三重縣松阪市
瀧勇	名古屋市西區
吉川貞一	愛知縣海部郡
大矢勇	名古屋市中川區
寺本茂	三重縣桑名郡城南村
早川秀	岐阜縣武儀郡
小山博一	名古屋市中村區
水谷佐助	岐阜縣海津郡
道林治清	富山縣中新川郡白萩村
伊藤光男	三重縣四日市々
中村忠一	富山縣氷見郡宮田村
跡部正元	岐阜縣武儀郡瀨尻村
奧幸雄	三重縣名賀郡美濃波多村
鈴木慶郎	〃三重郡朝上村
茂內勇	秋田縣北秋田郡
田部芳造	滋賀縣伊香郡
石原久彌	愛知縣半田市
山本拓也	三重縣南牟婁郡新鹿村
渡邊久雄	〃多氣郡齋宮村
殿村治郎兵衞	〃飯南郡川俣村
森本政一	〃度會郡神原村
滿島茂夫	〃宇治山田市
伊藤益吉	愛知縣知多郡
澤國彥	岐阜縣揖斐郡
吉金政一	愛知縣海部郡神守村
稻垣賢次郎	三重縣河藝郡白塚村
古田司郎	岐阜縣武儀郡
伊藤幸次	三重縣飯南郡射和村
大橋久雄	〃桑名市
大塚國治	栃木縣上都賀郡西方村
前田昌	和歌山縣伊都郡
山中勘太郎	三重縣一志郡川合村
伊藤剛	〃鈴鹿郡晝生村
西傳一	〃南牟婁郡有井村
角野寛一	愛知縣東春日井郡
早川良藏	三重縣鈴鹿郡野登村
市川明	〃鈴鹿市
久田憲次	滋賀縣蒲生郡櫻川村

一二五

加藤桑吉	岐阜縣土岐郡
堀口一男	京都府相樂郡棚倉村
森田進	三重縣鈴鹿郡川崎村
森本邦夫	〃南牟婁郡北輪內村
辻良作	〃鈴鹿郡
堀田正秀	奈良縣北高城郡五位堂村
濱地平次	三重縣度會郡吉津村
弓場德一	和歌山縣有田郡八幡村
大谷四郎	三重縣北牟婁郡
村田梅三	〃飯南郡大石村
籔本林吉	〃北牟婁郡船津村
舟倉博	名古屋市中區
吉田武則	富山縣西礪波郡赤丸村
落合寅男	三重縣安濃郡河內村
長谷川正明	富山縣下新川郡小摺戶村
伊藤武郎	三重縣三重郡小山田村
岡野甚太郎	〃志摩郡磯部村
岡本源三	〃員辨郡梅戶井村
佐野仁之	〃宇治山田市船江町譽工場
平野利夫	〃
服部久男	〃
野呂正夫	〃
羽根榮三郎	度會郡南海村
鈴村秀男	愛知縣西加茂郡
山田三夫	〃愛知郡幡山村
梅澤浩	三重縣上野市
田中武夫	〃員辨郡
大浦夏雄	富山縣婦負郡熊野村
山門才吉	三重縣多氣郡
野林七郎	〃上野市
森田武雄	〃一志郡波瀨村
平野貞二	〃多氣郡五ヶ谷村
尾崎廣	〃阿山郡玉瀧村
川路正平	名古屋市中區
川村正一	三重縣一志郡鵲村
笹岡正	德島縣美馬郡
川崎安太郎	和歌山縣海草郡紀伊村
黑澤義秋	福島縣田村郡移村
樋口善之助	和歌山市
廣島勇	〃
川西勇	大阪府北河內郡
奧野富士雄	大阪市浪速區
毛利二三雄	〃港區
桑山久男	新潟縣柏崎市
木村友二郎	愛知縣中島郡大和村
河原誠一	三重縣多氣郡大杉谷村
坂東正直	和歌山縣海草郡加太村
丸山喜三郎	三重縣安濃郡村主村

一二六

西田義顯　大阪市旭區
前川治　〃　港區
加藤誠司　愛知縣加茂郡
村田傳　大阪府南河内郡
田口國夫　岐阜縣可兒郡伏見村
伊藤昇　愛知縣東春日井郡
鈴木朝芳　〃　半田市
西村明義　三重縣南牟婁郡神島村
渡邊一平　岐阜縣加茂郡加茂村
小幡憲三　富山縣高山市
大形正高　三重縣志摩郡磯部村
江崎寛一　〃　度會郡鵜倉村
日裏芳己　和歌山縣那賀郡
林廣一　兵庫縣西宮市
岡野峯雄　富山縣高岡市
川井三郎　三重縣一志郡大三村
西口利夫　〃　河藝郡栄眞村
平野錦治　富山縣婦貟郡
奥山實　名古屋市中區
柘植宗平　愛知縣愛知郡
豐田淺生　三重縣安濃郡村主村
高見政見　岐阜縣不破郡岩手村
中川誠三　名古屋市中區
中島長次郎　富山縣上新川郡大山村

中森勇吉　三重縣阿山郡山由村
山本久治　〃　桑名郡在良村
堀川嘉男　〃　四日市々
西川武一　和歌山縣那賀郡池田村
鬼頭清一　愛知縣海部郡富田村
諸岡一久　三重縣三重郡朝上村
山田昱　〃　桑名郡七取村
成瀨貴一　〃　宇治山田市船江町譽工場
纐纈四郎　岐阜縣武儀郡
佐々木秀夫　三重縣宇治山田市船江町譽工場
栃折哲三　富山縣東礪波郡
佐野正一　三重縣員辨郡十社村
宮腰健三　富山縣射水郡櫛田村
佐野繁雄　名古屋市中區
服部孝松　三重縣宇治山田市
村瀨保彥　名古屋市南區
藤森彰　三重縣阿山郡河合村
平田光藏　〃　宇治山田市
西村澤三　〃　北牟婁郡

編輯後記

大東亞戰爭下三たび迎へる新春、世界戰史に輝かしい勝利の記錄をとゞめて、みたみわれこの大みいくさに勝ち拔かんの決意愈々强く、二千六百四年世紀の朝を迎へた。

畏くも宣戰の大詔を拜し奉りてより二年有餘、御稜威の下皇軍將兵の勇戰奮鬪と一億國民の奮勵努力によつて、大東亞建設、世界平和の基礎は日每に强固にされつゝある。

然し敵米英の反抗は日々熾烈を極め彼我の對戰は益々苛烈を加へ決戰第三年〝大決戰〟の年を迎へたのである。

思へば我々は今迄あまりにも戰勝になれ、安易になれすぎてゐた。然しこれから我々の直面する局面は容易ならぬものがある。敵の反抗、物資の自給自足、然しこれまさに天與の試練ではなからうか、如何なる試練の嵐が吹き荒ぶとも、これを乘切る雄々しき覺悟、今年こそはの新しい決意を以て、益々鬪病精神の强化につとめ一日も速に病魔を克服して再起御奉公申上げようではないか。

× × × ×

○表紙繪は今回も川村中將閣下に御願ひ致しました。尙今度はじめて題字を當所の書道の講師、津高女の岩尾先生に御願ひ致しました。公私共に御多忙中にも不拘御執筆下さいました事を厚く御禮申上げます。

○御多忙中の草野前所長殿、伊良子淸白氏、割田斧二氏より玉稿を、長谷川素逝先生、桐田蕗村先生より玉詠を賜り厚く御禮申上げます。

○今回はじめて詞の選を御願ひ致しました安西多衞先生には御多忙中詩の選並に玉稿を賜りまして厚く御禮申上げます。

○短歌の選並に玉什は印田巨鳥先生に御願ひ致しました。毎回御願ひ致しまして恐縮の外御座居ません、厚く御禮申上げます。

○俳句は今度さゝご俳句會が御指導を願ふ事になりました橋本鷄二先生に御願ひ致しました。俳句の選並に玉什を賜りまして厚く御禮申上げます。

○所長殿、庶務、醫務兩課長殿より玉稿を、羽田醫官殿よりはユーモア的で有意義な玉稿を、安田指導補佐官殿より馬來戰線行、及興味あるマレーのお伽話の玉稿を頂き感謝致します。

○特輯として醫療紙上相談、炊事部訪問記を試みました。御多忙中御親切な御回答を頂戴致しました各醫官殿、又種々御說明下さいました佐藤炊事長殿に厚く御禮申上げます。

○縣工場に御活躍の退所者諸兄より〝譽通信〟を頂戴致しましてありが度う御座居ました。今後の志望者によき參考となる事と思ひます、寒氣嚴しき折御自愛專一に御健鬪を御祈り致します。

○永い間編輯に御盡力下さいました小川、小倉兩氏が本號發行半ばにして目出度く退所されました、益々御健勝を御祈り申上ます。

○今同の原稿募集に際しまして入所者各位より澤山の玉稿を戴きましたが紙面の都合上殘念乍ら一部割愛するの止むなきに至りました事を深く御詫び申上げますと共に、今後共奮つて御協力下さいます樣御願ひ申上げます。尙本號は十八年中に發行の豫定でしたが用紙配給其の他にて著しく遲延致しました事を重ねて御詫び申上げまして擱筆致します。昭和十九年元旦　委員記

編輯長　所長　木下清吉
編輯顧問　醫務課長　戸田又生
同　庶務課長　海老澤克己
同　指導官　竹澤金五郎
編輯委員　醫務課　竹村博之
同　庶務課　新田敏夫
同（いろは順）　入所者　小川正哉
同　同　小倉留吉
同　同　加藤武司
同　同　加藤義一
同　同　田村正一
同　同　淺野清雄
同　同　佐藤英史

昭和十九年三月二十日印刷
昭和十九年三月廿五日發行　〔非賣品〕

編輯兼發行人　三重縣河藝郡大里村窪田三五七　木下清吉
印刷人　三重縣津市岩田町一、二三〇　山村淺次郎
印刷所　三重縣津市岩田町一、二三〇　東亞印刷有限會社

發行所　三重縣河藝郡大里村窪田三五七　傷痍軍人三重療養所
電話（一身田局）一四九番

中三19

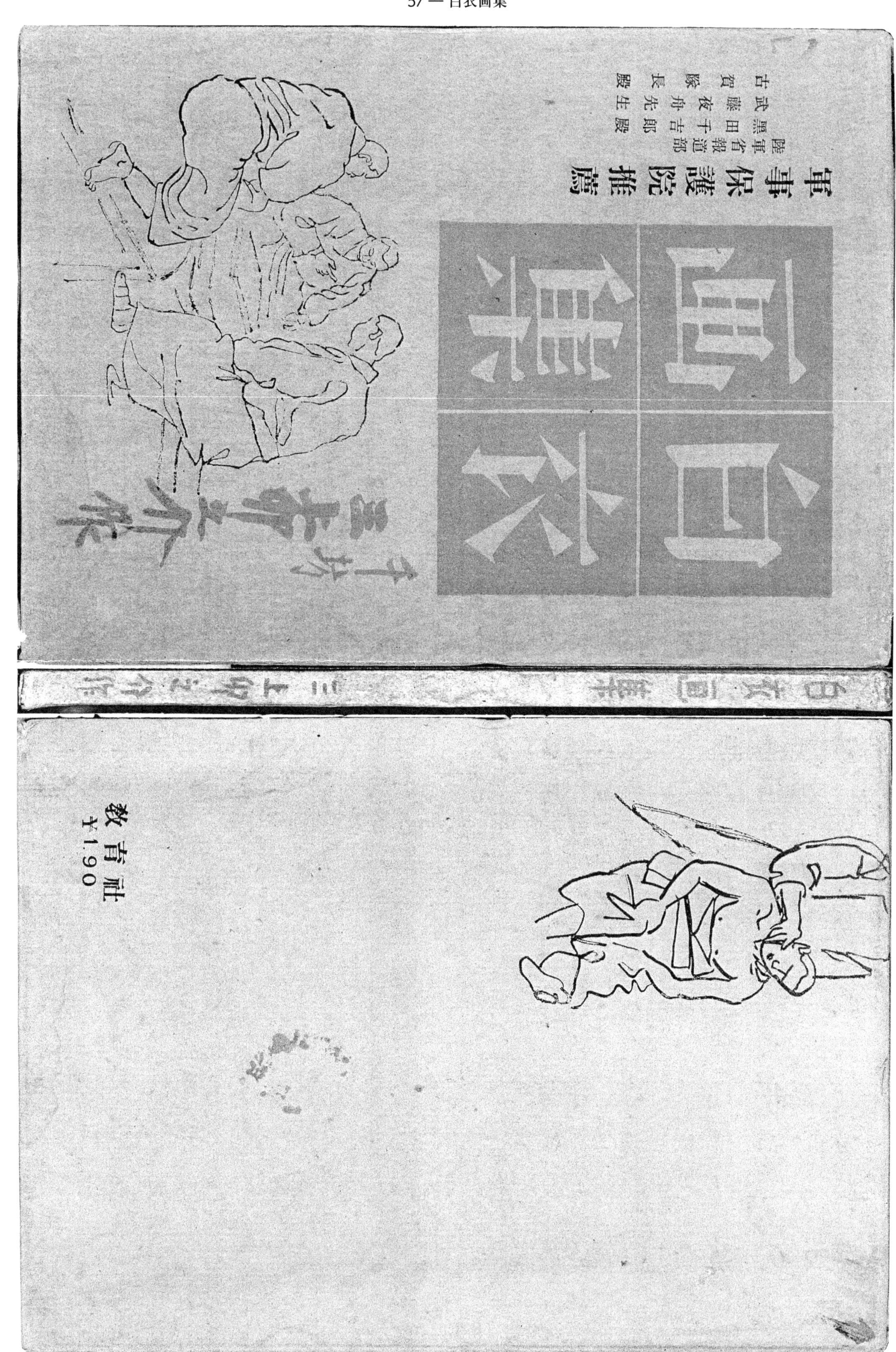
白衣画集
軍事保護院推薦
陸軍省報道部 黒田千吉郎殿
武藤夜舟先生
古賀部隊長殿
三上忠之介作
白衣画集 三上忠之介作
教育社
¥1.90

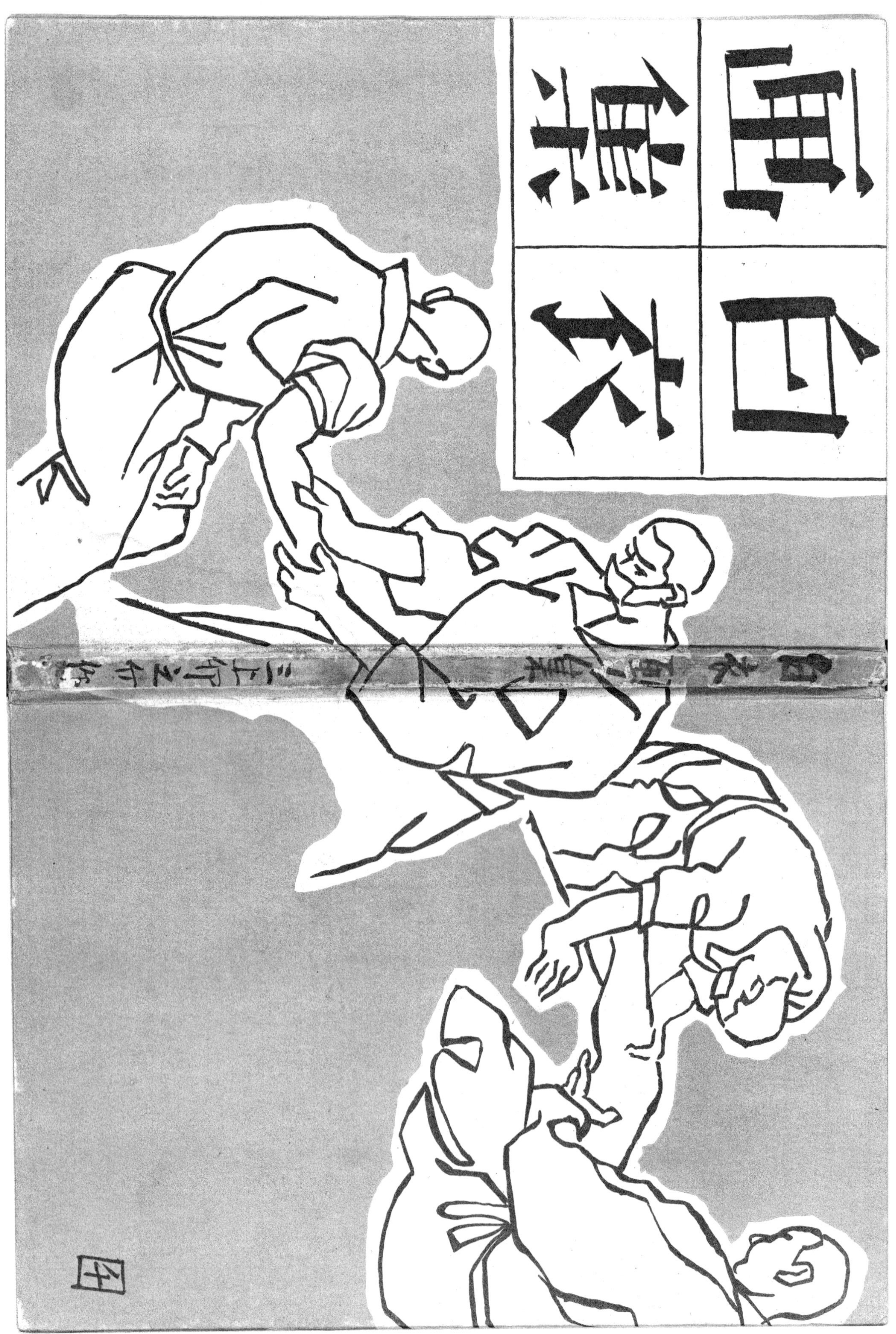
白衣
画集

白衣畫集

傷痍軍人

三上卯之介作

教育社

＊写真番号は原本において誤植となっています〔六花出版編集部〕

3　茶器　（戦線にて）

1　卵を賣る老人（水彩）戦線にて

4　戦友　（伊東療養所にて）

身体の深部組織に作用し治療を促進する電氣療法

5　赤外線治療　（伊東療養所にて）

＊写真番号は原本において誤植となっています〔六花出版編集部〕

2　小姑娘　（戦線にて）

野戦病院の巻

6 露路　この家々は全部我が○○野戦病院にあてられてゐる。

7 病室の中庭　（衛生兵が顔剃りをしてゐる）

8 病室の一部

木造の家

9

木造の家

歩いて見よう、私はかう思つて船べりにつかまり靜かに立ち上つて見た。クラ〳〵とめまひがする。私は目を閉ぢた。暫くして靜かに歩いて見ると傷にズキン〳〵と應へて耐らない。

『無理をするな、今が大事なんだ！』

衞生兵は驚いたやうに諭すやうにかう云つて私を擔架に乘せた。

かうして私は負傷後一週間目に土民の船から、占領したばかりの街に急設された〇〇野戰病院に收容された。

この家は、その病院の一部である。

突き當りのランプの見える部屋は當番の衞生兵が假睡する室になつてゐて、夜が夜中でも直ぐ飛び出して患者の面倒を見られるやうに、丁度病院の中央になつてゐる。

土民の船

10

土民の船

負傷してから、目指す〇〇城を占領するまでの一週間は、敵の大部隊に包圍され、〇〇名ほどの傷兵は、後送の道も斷たれ、止むなく臨機の處置として土民の船に收容し、戰鬪する友軍の後についてクリークを潜行することになつた。〇〇城まで、あと六里であるが最後の抵抗に敵は死物狂ひだ。

日の暮れるのが心細かつた。私は負傷した多くの傷兵と横になつたまゝ動くことも出來ず、ローソク一本つけられない眞暗な船底で、戰友の身を案じながら傷の痛みに齒を喰ひしばつてゐた。

敵に包圍されてゐるので、敵彈は船の屋根をかすめて四方から飛んで來る。歩兵の第一線は直ぐ目と鼻の先だ。

衞生兵も、クリークの兩岸に上り船を守る形で圓形に急造の壕を築き、歩兵から借りた鹵獲の支那銃で警戒に當つてゐる。船に殘つた僅かの衞生兵は、布を卷いて光りを弱めた、懷中電燈を賴りに、唸きの中でひと晩中傷者の面倒を見てゐる。

私は、ひと晩中眠ることも出來ず、たゞ夜の明けるのを待つた。

14

13

12

病室

負傷後半月目に私は起き上ることが出来た。衛生兵に頼んで紙と筆をもらひ自分の位置から病室をスケッチした。

11

射陽河畔

息苦しいほどの暑さだ。夕方になるとほつとひと息ついて、射陽河畔に獨歩をゆるされた傷兵たちが涼を求めて集る。つい半月前、敵前渡河で多くの戦友を奪つた怨みの射陽河、今は靜かに、あくまでも靜かに、夕やけの赤い雲を映してゐる。傷兵は竹を二つに割つて作つた間に合せの松葉杖をついてゐる。

（水彩）

16

15

将棋をする輕傷患者

17

食事

食事

同じ病室の戰友四五人と毎日城外へ蠶豆をとりに行つた。木になつてゐるまゝ莢からむしつて豆だけを採るのであるが、未だ實らない蠶豆を飯盒に半分ほど採るためには片手の僕には隨分骨が折れた。

占領はしたものゝ周圍を敵の大部隊に包圍され、糧食輸送の道が斷たれ、ひどい食糧難に陷つてしまつたのである。

街は支那軍の掠奪に任され食べ物など何一つない。仕方なく私たち獨歩患者は衞生兵に協力して少しでも食糧を持ち續けようと蠶豆に目をつけたのである。

食事は一日二回、それも輕く盛つて一回に一杯といふ節米振りである。

支那老人 （水彩） （野戦病院にて） 21

戰友がクリークのほとりでカメ風呂には入つてゐる 18

病院船より

連絡がついて水路を上海の兵站病院に後送されることになつた。

『こちらのことは心配せず、しつかり養生して早く全快してくれ。』

船まで、巻脚絆、地下足袋姿で態々見送りに來てくれた部隊長は優しくかう云つてくれた。幾轉戰、長いこと生死を共にした部隊長や戰友を戰場に殘して去らねばならぬ傷兵の心もまた苦しい。

阜寧をあとに病院船は出航した 19

病院船より見る 20

上海兵站病院の巻

作業衣の看護婦

23

正装の準備

22

看護婦

上海の兵站病院に来て初めて看護婦の姿を見た。次々に傷兵が轉送されて來るので、仕事の予定はつかずその上人員不足に勤務は中々激しい。

可弱い女の身でよくもかうまで續くものだと思ふのであるが、現地から收容されて來る血しぶきの付いた軍服のまゝの傷ましい傷兵の姿を見ては、もうじつとしてをれないのであらう。

働く彼女達の姿を私は神々しく思つた。

病院正門

24

病院正門

上海の病院に來て、五十日振りに鹽風呂以來の垢を落し、初めて眞白な白衣に着換へ、やつと傷兵らしい姿になつた。パイ鑵（パイナップルの鑵詰）のうまさ、牛乳のうまさ、呑むそばから全部榮養になつて衰弱した身體がぐん／＼健康を取り戻してゆく氣がする。

煙草も、甘いものも、新しい新聞も、雑誌もある、何と嬉しいことか。

こゝはもと紡績工場だつたので、立派なコンクリート建の大きな建物が澤山あり、中は可成廣い。つむぎかけた紡績機械などそのまゝになつてゐて、戦渦のあわたゞしさを物語つてゐる。

讀書する戦友（僕の隣りにゐる）

25

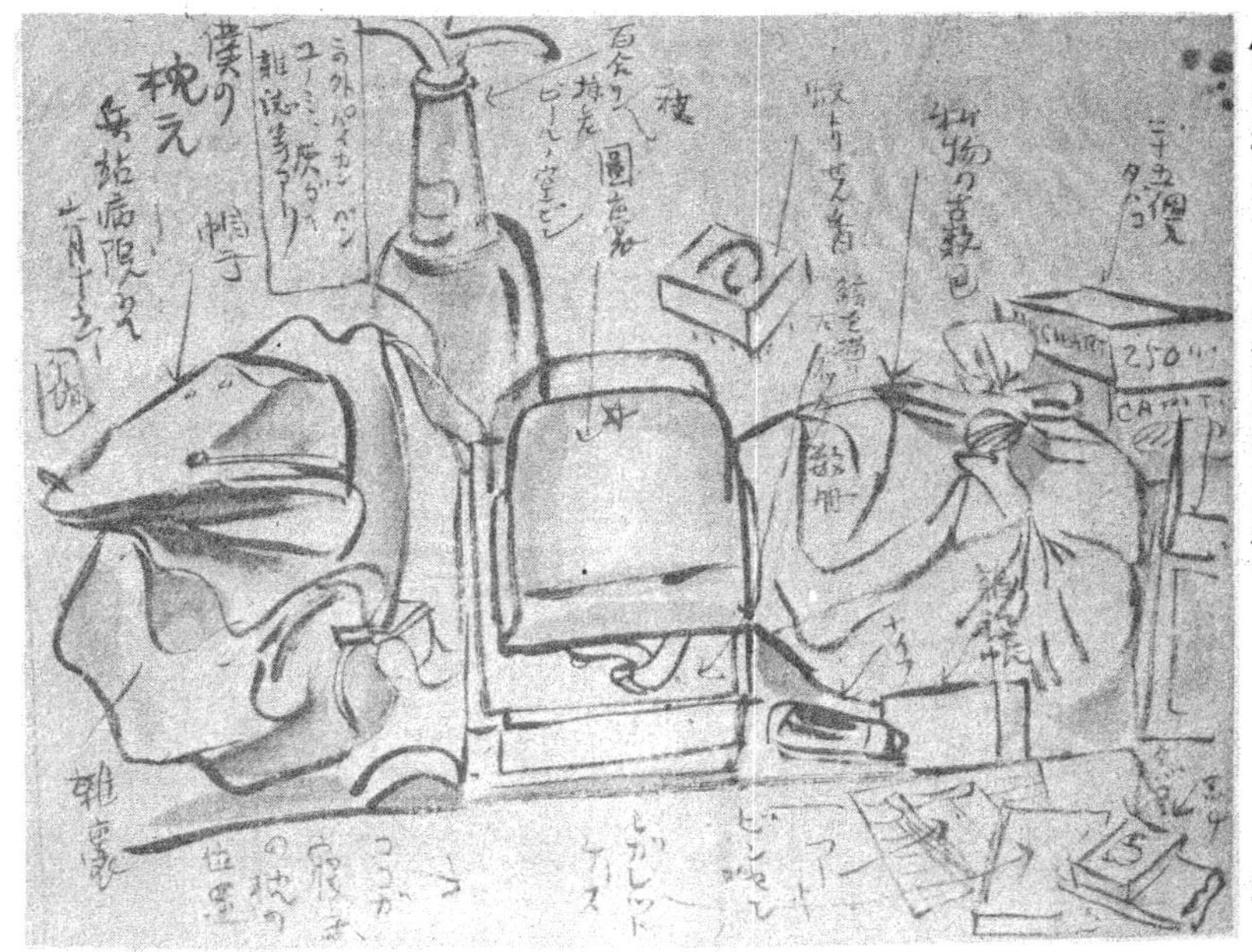

僕の枕元（この病院に來た直後）

26

病室 31

病庭 32

病院正門を内部から見る 27

病院出入りの寫眞屋 28

正門前風景 29

病院附近風景 30

國府台陸軍病院の巻

33 病院正門の衛兵

松葉杖

臨時に開設された現地の野戰病院では、松葉杖など思ひもよらず、青竹を二つに割つて間に合せるほかなかつた。不細工な、ぎこちないものであるが、永いこと使つてゐると、何かしら愛情に似た親しみを覚え、捨てる氣になれず上海の病院に來てもまだこれを使つてゐる。

松葉杖に限らず、銃でも、鐵兜でも、軍服でも、自分と永いこと生死を共にしたと思ふと、すべて現地で身につけてゐたものは手離すにしのびない氣がする。別れることがたまらなく淋しい。

34

病院遠望（水彩）
高台で廣い草原に圍まれ傷痍をいやすためには申分ない環境である。

35

病院の一部（水彩）
衛生兵の兵舎にあてられてゐる

36

病室の一隅

37

病室の一隅

同じ病室の同じ獨歩患者の中にも、負傷の個所や程度に依つて輕重さまぐ\である。

足の悪いものなどが寢台に横たはつてゐるさまは、極めて行儀が悪いやうに見えるが、これは足が思ふやうに曲らなかつたりするので仕方ない。

枕元に飾つた戰功を物語る日の丸、幾轉戰に眞黒に古び、生々しい血痕さへついてゐるではないか。又戰ひの跡を偲ぶ大陸の地圖。その傍には小學生から贈られた慰問の圖画や習字なども見える。

物療室

患者にマッサージを施す室である。隣りに温浴室といふのがあつて、此處で患部を温めると直ぐこの物療室に來て衛生兵にマッサーヂをしてもらふのである。曲らない關節や伸びない足が少しづゝ曲るやうになり伸びるやうになる。

『痛いだらうが少し我慢してくれ。』

マッサーヂの衛生兵にかう云はれると、僕たちは歯を喰ひしばつて我慢し、涙を拭ひつゝも心から感謝せずには居れぬ。

38 物療室

39 物療室

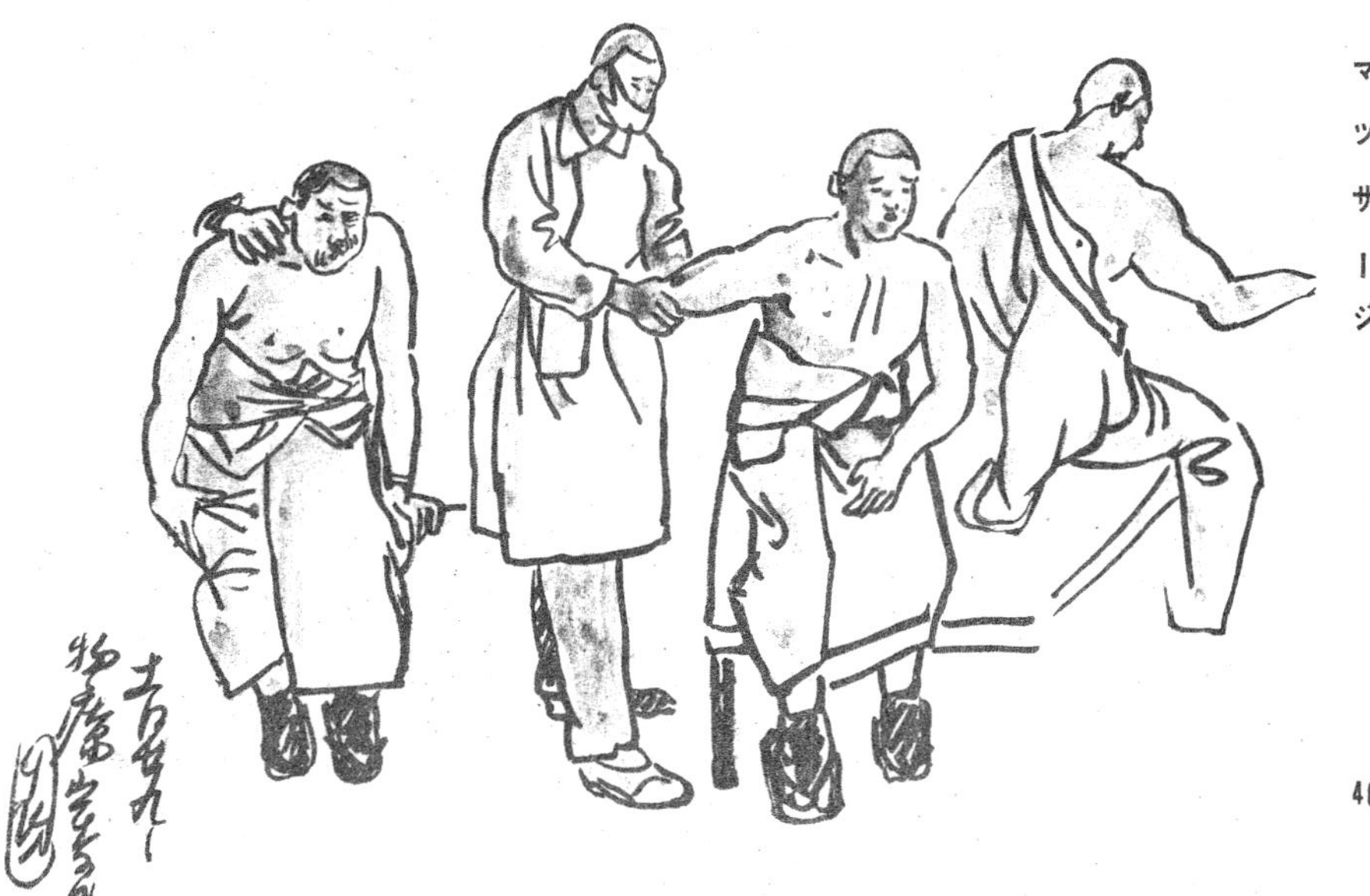

40 マッサージ

41 病院の酒保

病院酒保

こゝの酒保には東京パンの出張店があり、お茶、コーヒーその他パン類から軽い食事の準備もあり面會所も兼ねてゐる。僕も戦地から還送されて此處で初めて二年振りにコーヒーを味ひながら感激の面會をした。僕のみでなく獨歩患者で現地からこの病院に送られたものは、誰れでもこゝで面會をし、コーヒーを呑む。その最初の一杯のコーヒーの味は色々な意味で身に泌みて終生忘れられぬものであらう。

42 病院酒保（東京パンの給仕たち）

43

病院理髪部

「髯を剃つてもらはう」「こんな立派な戰場土産をおしいです」
「いやもう家内にも見せたからいゝよ」

44

45

面會所

46

面會所

早朝から病院前に押しかけた面會人の群。

田舎から遙々泊りがけで來たといふお爺さん、子供を抱いた若い妻等々、面會時間が來るまで、待つてゐる案じる人たちの顔。逢ふまでは見るまでは氣が氣でない。併し逢つて見ると案外元氣なのにほつとする。傷兵もまた、大したことはないと少しでも元氣な顔を見せて安心させようとする。これが人情だ。

一年かゝるものは半年で全快すると云ひ、半年のものは三月位で治るなどゝ云ふ。

これが勇士たちの心理である。僕なども〃もう二ヶ月位だ〃と何度手紙に書いたことか。

仕舞ひには出す方も變だし、受取る方もあてにしなくなつてしまつた。

面會の人たち

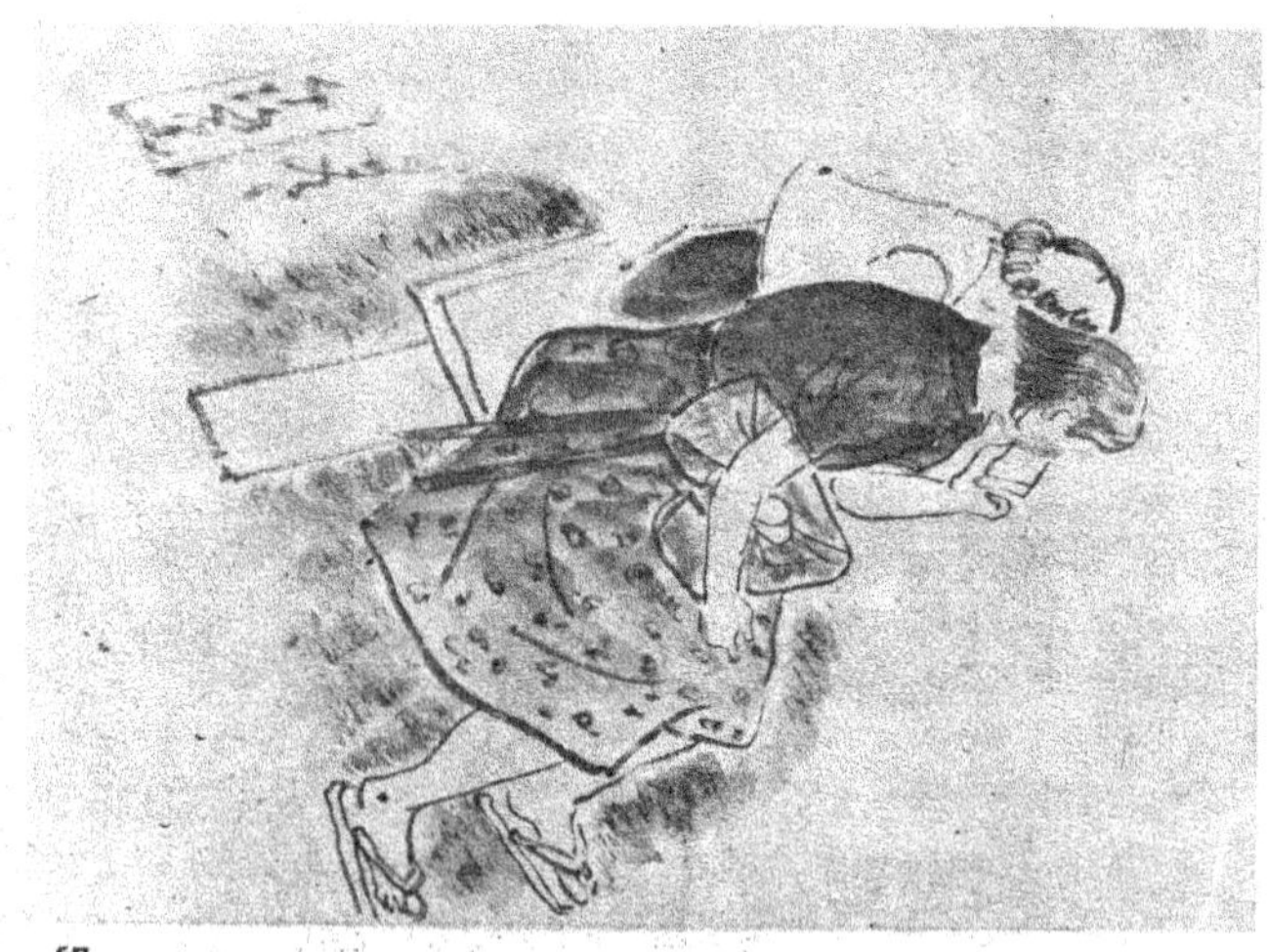
53

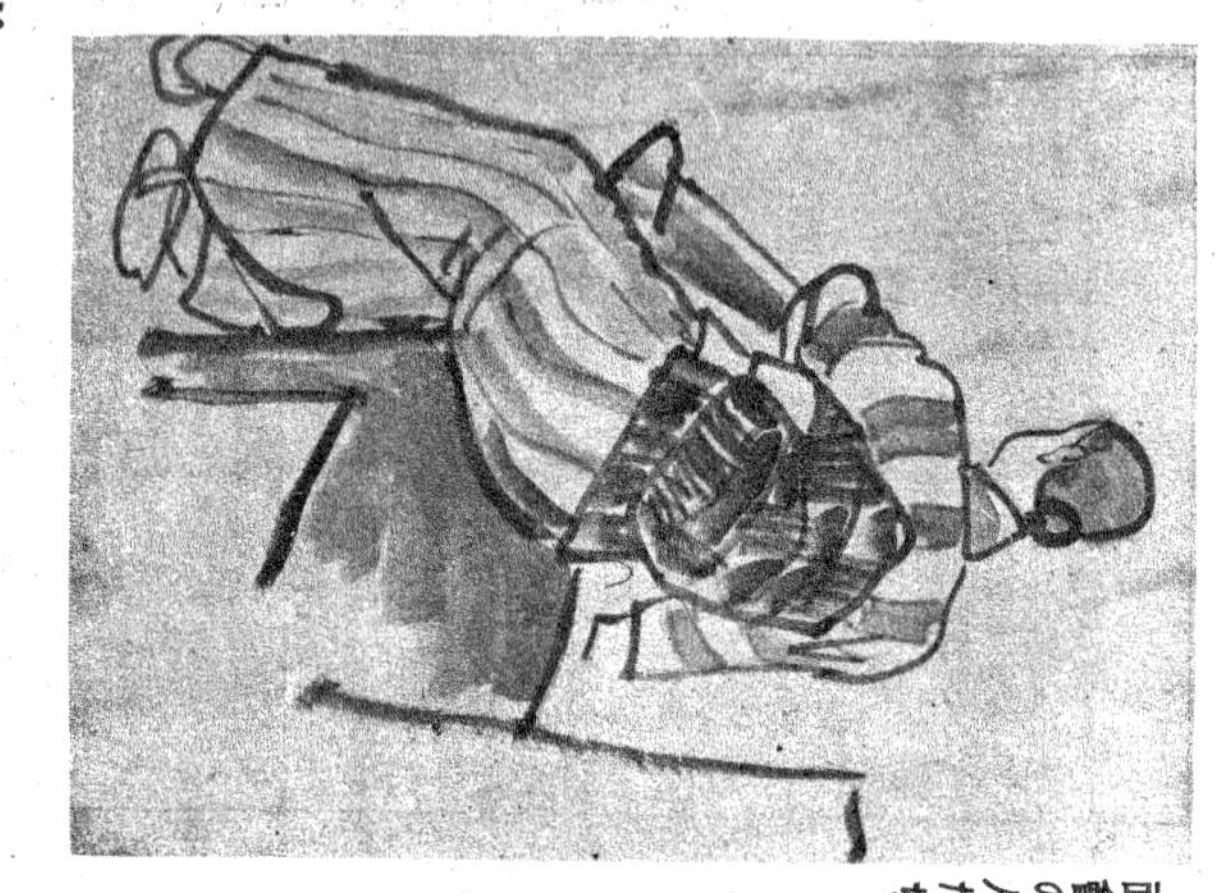
51

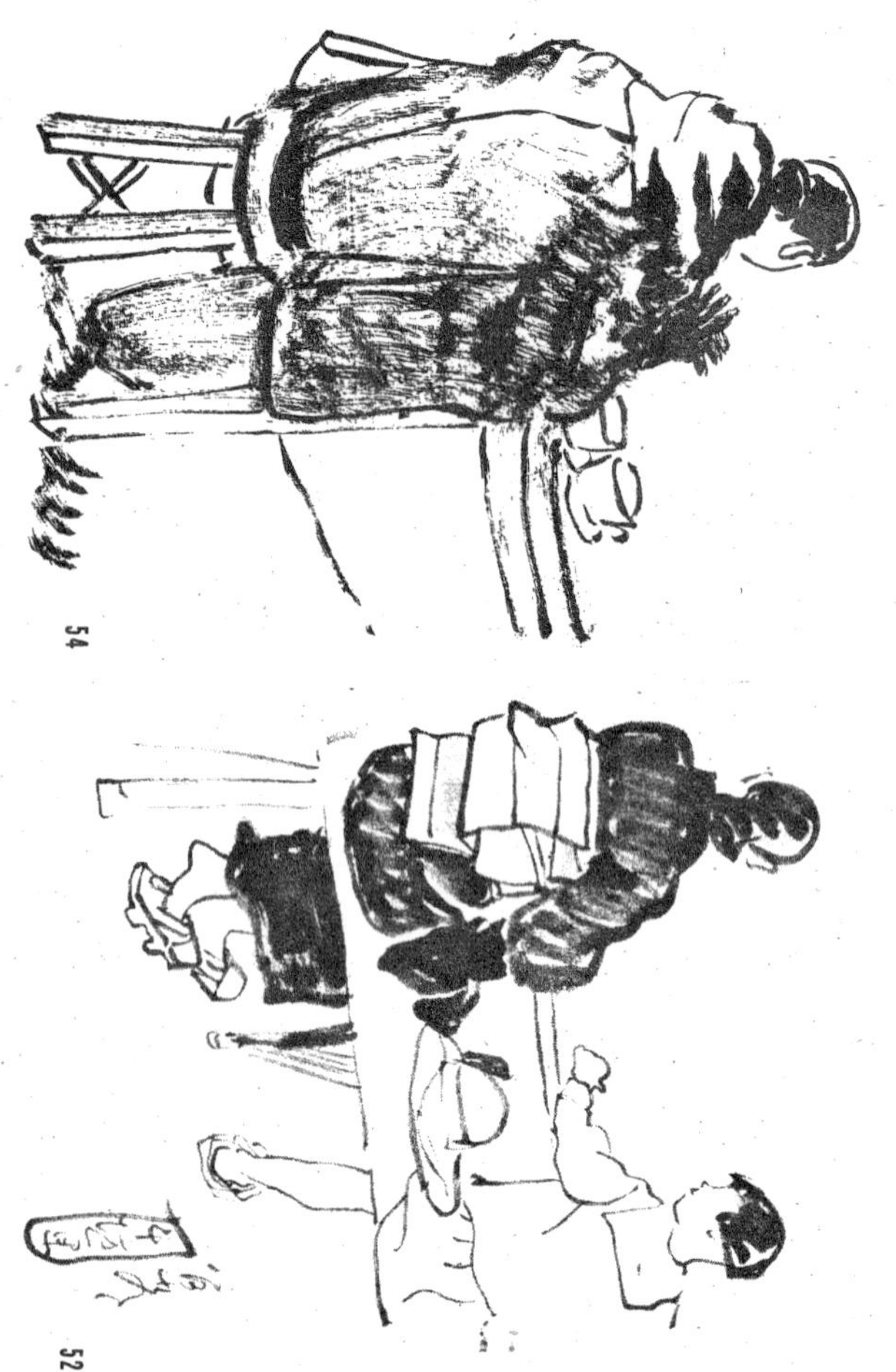
54
52

面會所

47

屋外面會所

49

面會所

48

モルモット

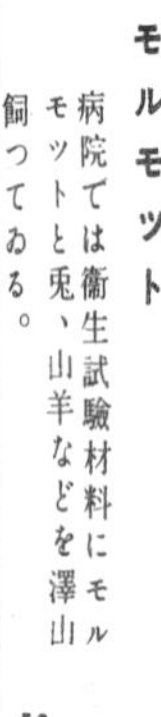
病院では衛生試験材料にモルモットと兎、山羊などを澤山飼つてゐる。

50

戦友愛

55

戦友愛

病室は内科と外科とに分れ、別に個室といふ小さい病室があつて重症患者はこゝに收容されてゐる。

時に、病院の都合で重い患者が廣い病室には入ることがあるが、こんな時には同室の戦友たちが看護婦の手を待たず食事のことから便のことまで何くれとなく面倒を見てやる。共に戦つた戦友愛はこゝへも延長されてゐる。

獨歩患者は病室の掃除、雜巾がけまでラジオ体操の積りでやつてのける。少しでも身体や手足を動かしたら曲らぬ手足も曲るやうになるであらうと思ふからである。また十里も敵を追撃して疲れ果てた身体で飯をたき寢床の準備までしたことを考へれば全く病院生活は天國のやうに思へる。

面會人が歸り、夕食が終ると病院はまつたくひつそりと靜まり返る。それから消燈時間まで、思ひ〱に手紙を書いたり、日記をつけたりまた一團となつて圍碁や將棋に打ち興じる者もある。

夜るの病室

56

呂刺する戦友

57

呂刺しをする戦友

病院では呂刺しが流行してゐる。小間物店で買つたら四五圓もするやうなものが實費二圓位で出來上るので、親類知人から注文が殺倒する。（尤も手間賃は計算に入れてない）蝦蟇口、札入れなど、上手なものなら三日間で完成するし、ハンドバックでも一週間あれば刺し上る。刺し上つたものは地方の商人に賴んで裏づけしてもらうのである。その繪をかゝされるのは僕の役目だつた。

再起奉公 58

再起奉公

夜るのひとゝき、暖爐を圍んで語る戰友たち。どうかした調子に妙に話しが深刻になることがある。

『退院したら轉業せにやいかん。』

『俺達の商賣はもうやつて行けんからなア。』

二年間に銃後の情勢が大分變化したことは病院にゐてもはつきりと讀みとれる。

が結局、

『戰地のことを考へれば何んでも出來るよ。再起奉公だ、これからだ、今はまア、何も考へずに一日も早く丈夫になることさ。』と話しはきまつてこゝに落ちつく。

戰場で鍛へたふてぶてしいほどの魂の强靱さと粘り、賴母しい限りだ。

将棋をさす戰友 59

将棋を指す戰友

将棋は専門の先生が一週に一度病院に出張して敎へてゐるのでメキメキ上達する。

その外俳句、川柳、日本画、洋画、詩吟、珠算、習字、謡曲などの講習も毎週一流先生の奉仕に依つて開かれてゐる。

これは傷病兵の娯楽、趣味の向上と共に職業補導の一部であつて、病院も勇士たちも共に力瘤を入れてゐる。特に珠算、習字などは希望者も多く、これによつて将來生活の方向を定めやうとする向もある。

かうした趣味生活は、永いこと戰線で殺伐な生活を續けて來た我々には、干いた喉に淸水でも呑み込むかの如く干からびた心に豐かな潤ひを與へてくれるのだつた。

失明のM君

60

失明のM君

これは個室のM君だ、〇〇の戰鬪で奇蹟的にも一命はとり止めたが右顎下から左眼に小銃彈の貫通を負ひ、左眼を失ひ右眼もかすかに視力が殘つてゐるのみである。

一發の敵彈に闇の世界へ突き落されたM君は然し元氣で朗らかである。

『あの時〇分隊で助かつたのは俺だけさ。戰友のことを想ふともつたいない位だ、幽かながらも未だ半分あるからなア。』かう云つて僕に大正琴を彈いて聞かせた。

『どうだ、うまくなつたらう。』

僕の方が却つて元氣づけられた形だ。

病院の中庭

61

病室の中庭

病棟と病棟の間には、かうした中庭が、幾つもあり、傷兵たちの勤勞で花壇が設けられたり、中には野菜畑など作つて增産への嬉しい協力振りを見せてゐる。

周圍を病室に圍まれた小さな庭、今は殺風景な冬枯れであるが、二ケ月も三ケ月も寢臺を離れない重傷患者にとつては、この庭だけが自然に接することの出來る唯一の場所であつて見れば、窓に映る枯芝の色も、黑い土も、澄み切つた空もたまらなく懷しく美しい。

62 國防婦人會の勤勞奉仕（洗濯）

國防婦人會員の勤勞奉仕

毎日必ず幾組かの國防婦人會員、女子青年團員が勤勞奉仕に見え、病室の掃除、庭の草取り、さては洗濯までも奉仕してくれる。中には裁縫箱を抱へて綻びまで繕つてくれる行届いた人もゐる。

廣い病院のことであるから洗濯ものなども毎日澤山出るので國婦たちは日の丸辨當持參で一日中働いてくれる。

私たちもお禮のせめてもの印にと、お茶でも入れて戰線の土産話しなど語り聞かせるのである。

『武勇談聞くと二三度死んだよう』

63 つくろひもの

64 アルバムを見る

65 傷の工合は如何です

66 ひと休み

67 嬉しいバス

慰問演藝團

三臺のバスに分乘して、東京から演藝慰問團がくり込むと、早速各病室にスピーカーが響き渡り、傷兵たちは悦び勇んで長い〳〵廊下を松葉杖にすがりながらも演藝場にくり込み、廣い疊敷きの演藝場が忽ち一杯になる。

大抵一週一二回位各種の演藝團が來るので、器用な兵隊の中には万歳を覺え込んで仕舞つた連中もゐて、病室で戰友たちを笑はせてゐる。

演藝の中でも特に兵隊は浪曲、万歳などが好きだ。

動けない患者を看護婦が擔送車に乘せて見物に連れて來ると、演藝團の人達がこれを見てひどく感激してゐる。

68 病院演藝場

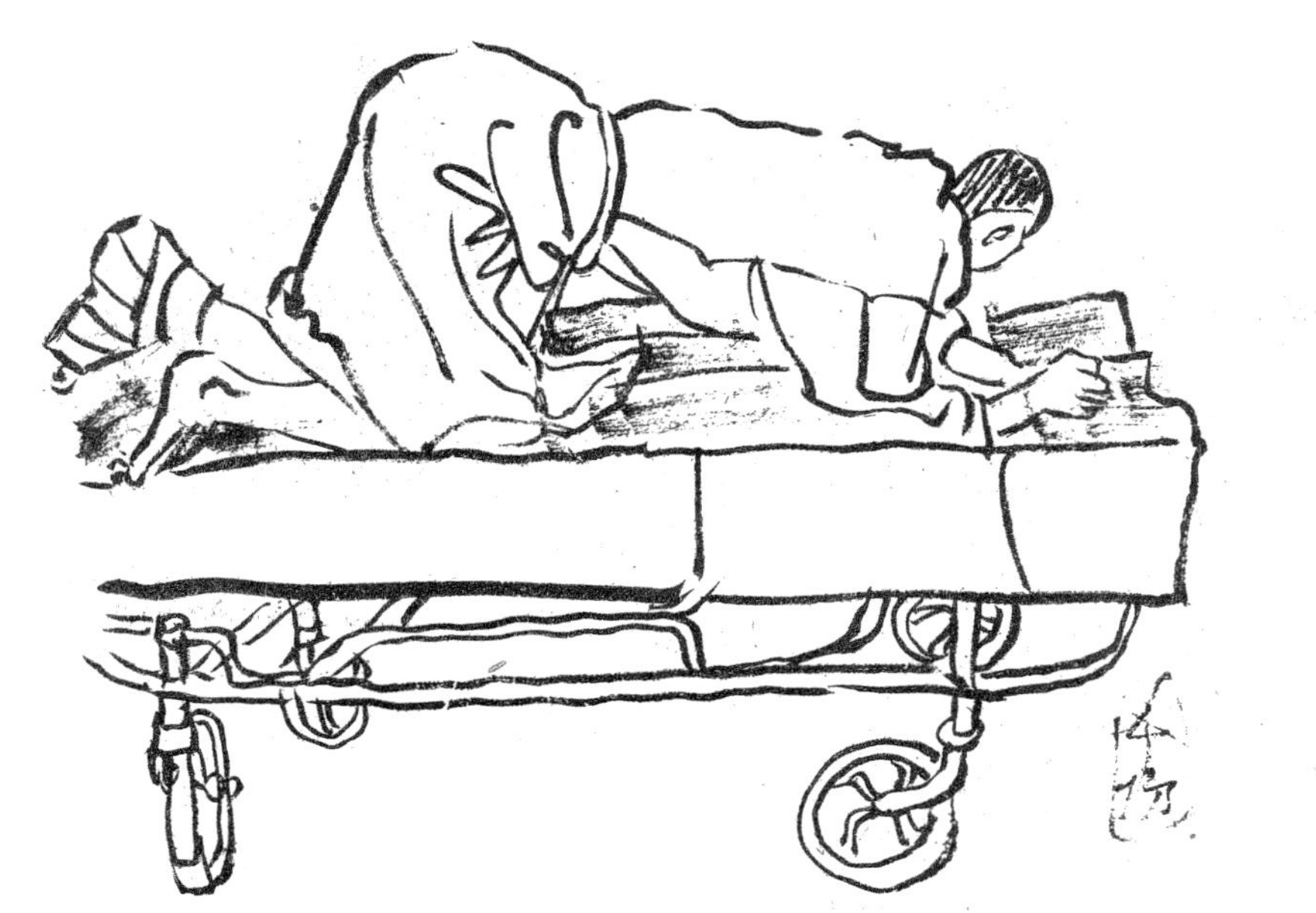

69 擔送車

慰問演藝の人たち

70

舞踊の舞奴

71

子供万歳

72

万歳

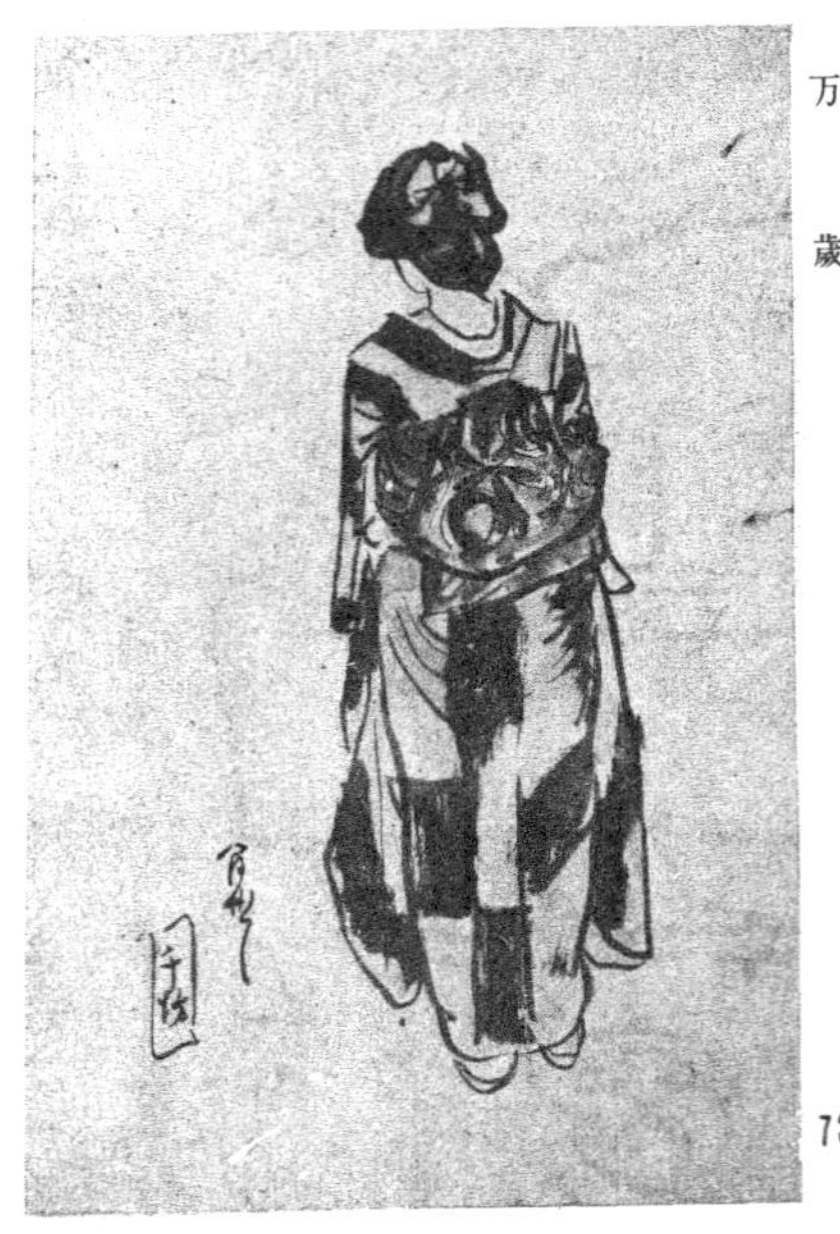

73

小學生の慰問

74

小學生の慰問

日曜には小學生の慰問で病院は賑やかだ。それ〴〵苦心の圖画や習字や手工や又草花など兵隊の悦びそうなものを抱へて來る。

傷兵たちも童心になりきつてゐて、半日でも一日中でも子供相手に戰地の話しを聞せたり、遊戲をじたり、正月など追羽根をついたり凧を揚げたりして遊んでゐる。

この次の日曜には又來ると約束して歸ると、今度は友達を十四五人も連れて來て面喰はすことがある。

肩もこらないし、遠慮もいらず、子供たちの慰問は病院での嬉しいものゝ一つだ。

『俺の子供も丁度この位だ。』など、想ひを故郷に馳せてゐる後備さんもゐる。

伊東温泉療養所の巻

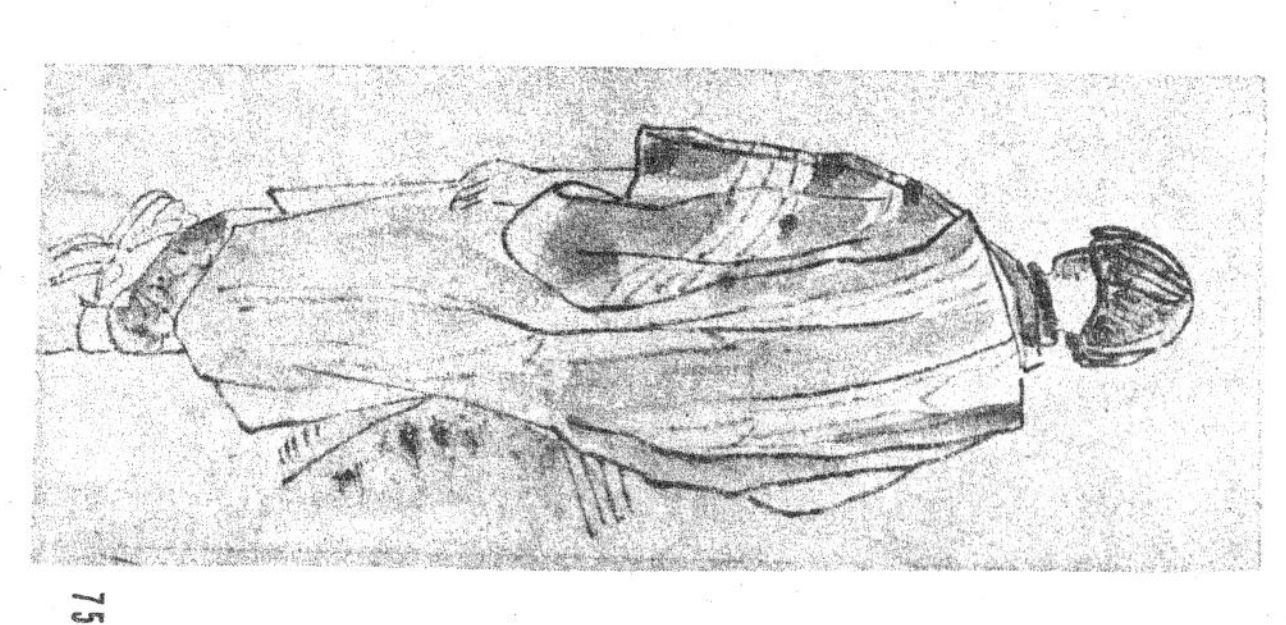
75

慰問の子供たち

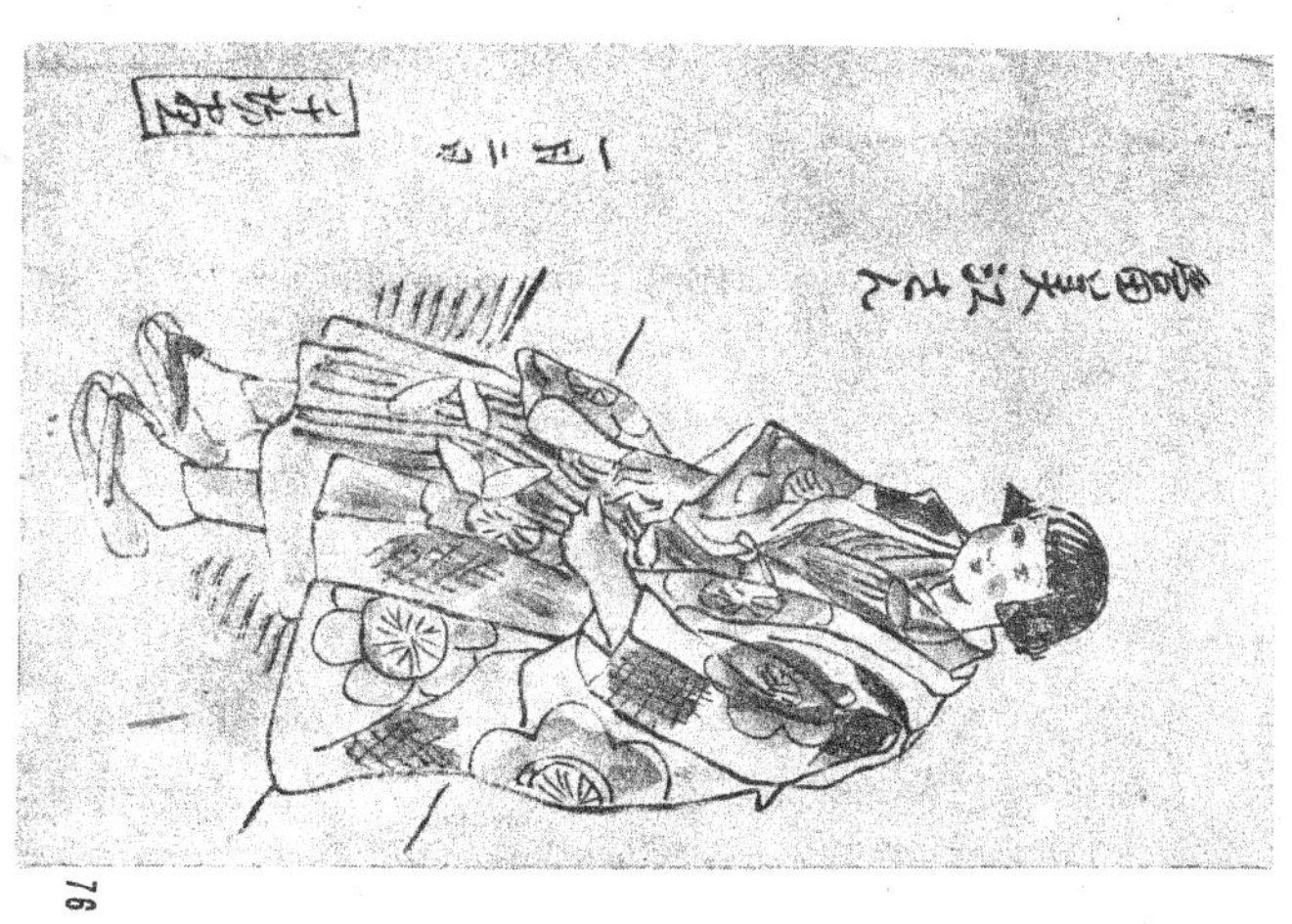
76

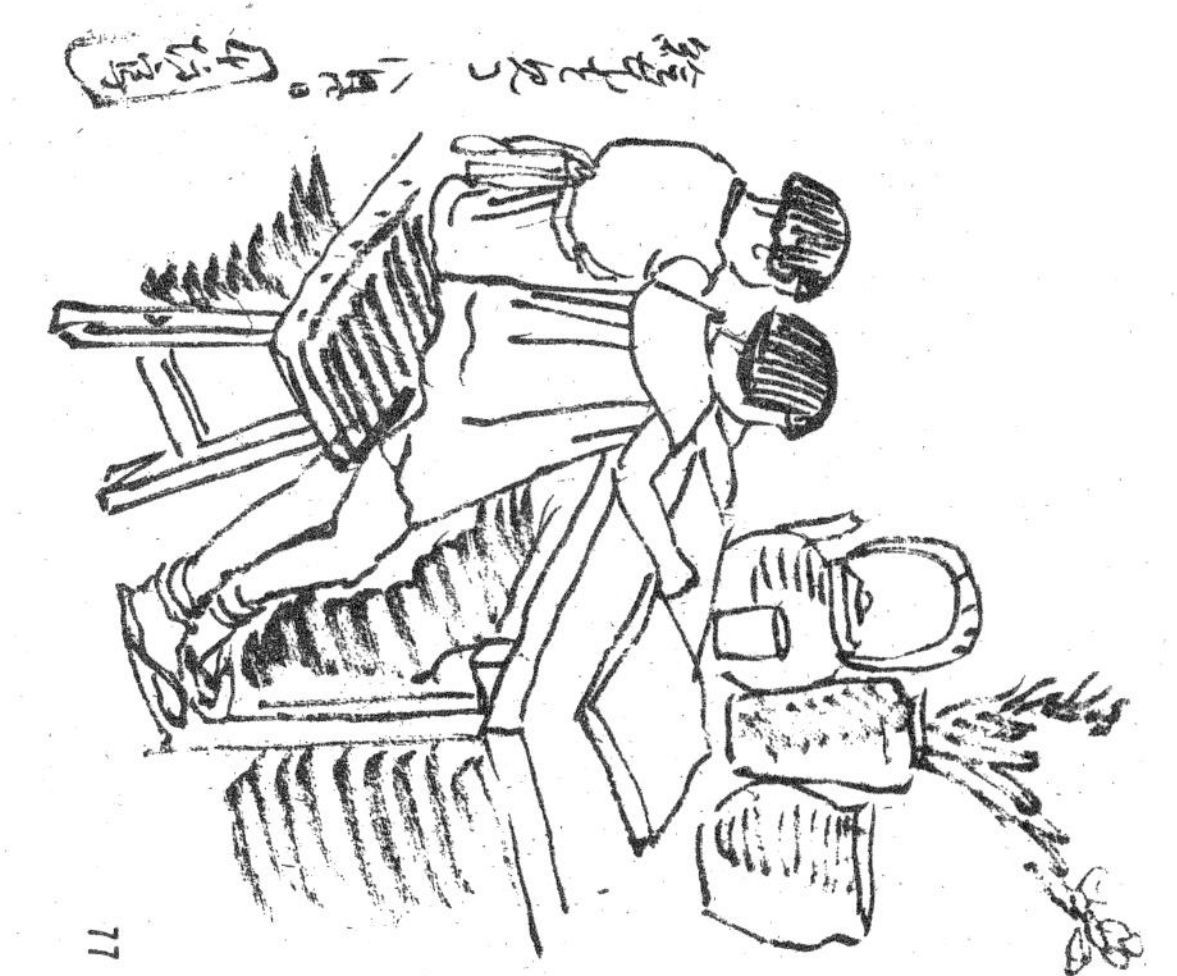
77

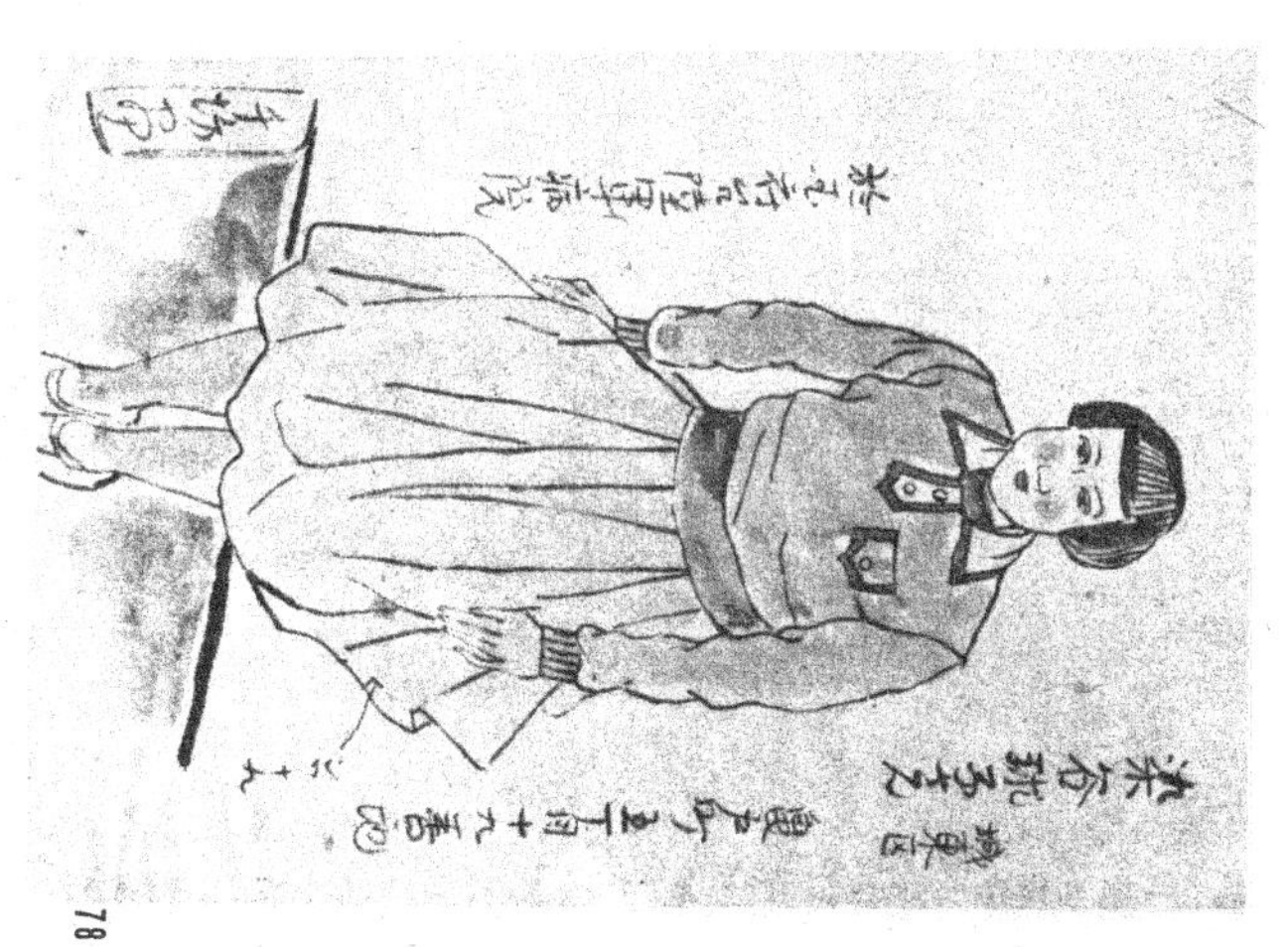
78

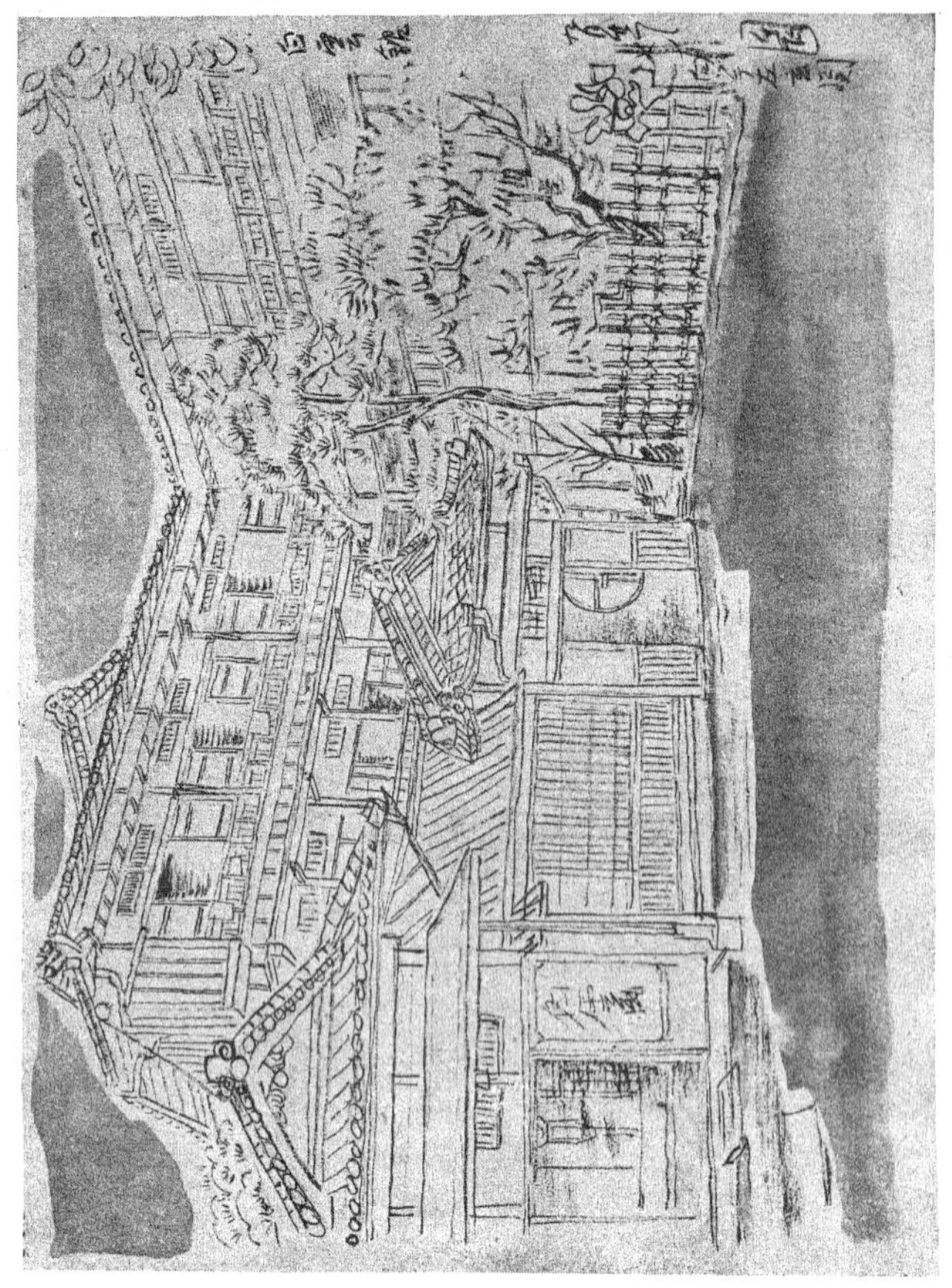

第〇分室

79

第　一　信

　本日正午無事伊東療養所に着いた。地方の人たちと同じ汽車だつたので、車中では客が一齊に立つて僕たちに席を讓つてくれたりして、何んだか濟まないやうな氣がした。遠慮した者もあつたが結局皆んな腰をかける

　東京驛までは省線だつたので、途中お茶ノ水驛で乘り替への時は國防婦人會の人たちがお茶の接待をしてくれた。豫め僕たちの行くことが判つてゐたものと見え、すつかり準備が整つてゐた。

　熱海で下車すると伊東まではバス、その間の風景の佳さ、支那に比べるとやはり日本の風致は素晴しいものだ。流線型の白い大型バスは、斷崖の中間を切り拓いた狹い道を幾度もカーブしながら疾走した。眼下は數十丈の絕壁で青い波が岩に碎けてゐる。落ち込みはせぬかと何度もハラ〳〵させられる。

　丸顔で眼が細く愛嬌のある女車掌はバスのゆれるたびに若々しくピチ〳〵とした四肢を躍動させ周圍の風景や名所舊蹟の說明をしてくれる。

　薄鼠色の上衣に紺のスカーツ、薄赤い小さいボタンが胸に二つあるのも可愛いゝ。何しろ一年振りにバスに乘つたのだし、約半日とは云へ地方の空氣を吸つたのだから、見るもの聞くもの嬉しくてたまらない。

　伊東に着くと直ちに國府臺病院から轉送された私たち〇名は第〇分室には入ることになつた。宛名は大變いかめしいが——臨時〇〇第〇陸軍病院伊東臨時轉地療養所第〇分室——實は地方の旅館であつて、第〇分室は白雲閣といふ三階建の一流旅館だ。玄關は鏡のやうに光つてゐるし築山もあり廊下を歩くと足の裏がクスグツタイ。固い軍靴と靴傷でかためた僕の足はこの感觸にびつくりして、たまらなく嬉しかつた。

病室の割當は既に出來てゐて僕は三階の菊の間には入つた。八疊の間で僕を入れて全員六名、足のわるい者は全部階下である。

　〃よろしく〳〵お願ひします〃と僕が一同に挨拶すると室長は僕に五名を紹介してくれた。

　君も早くよくなつて來給へ。では又何れ……

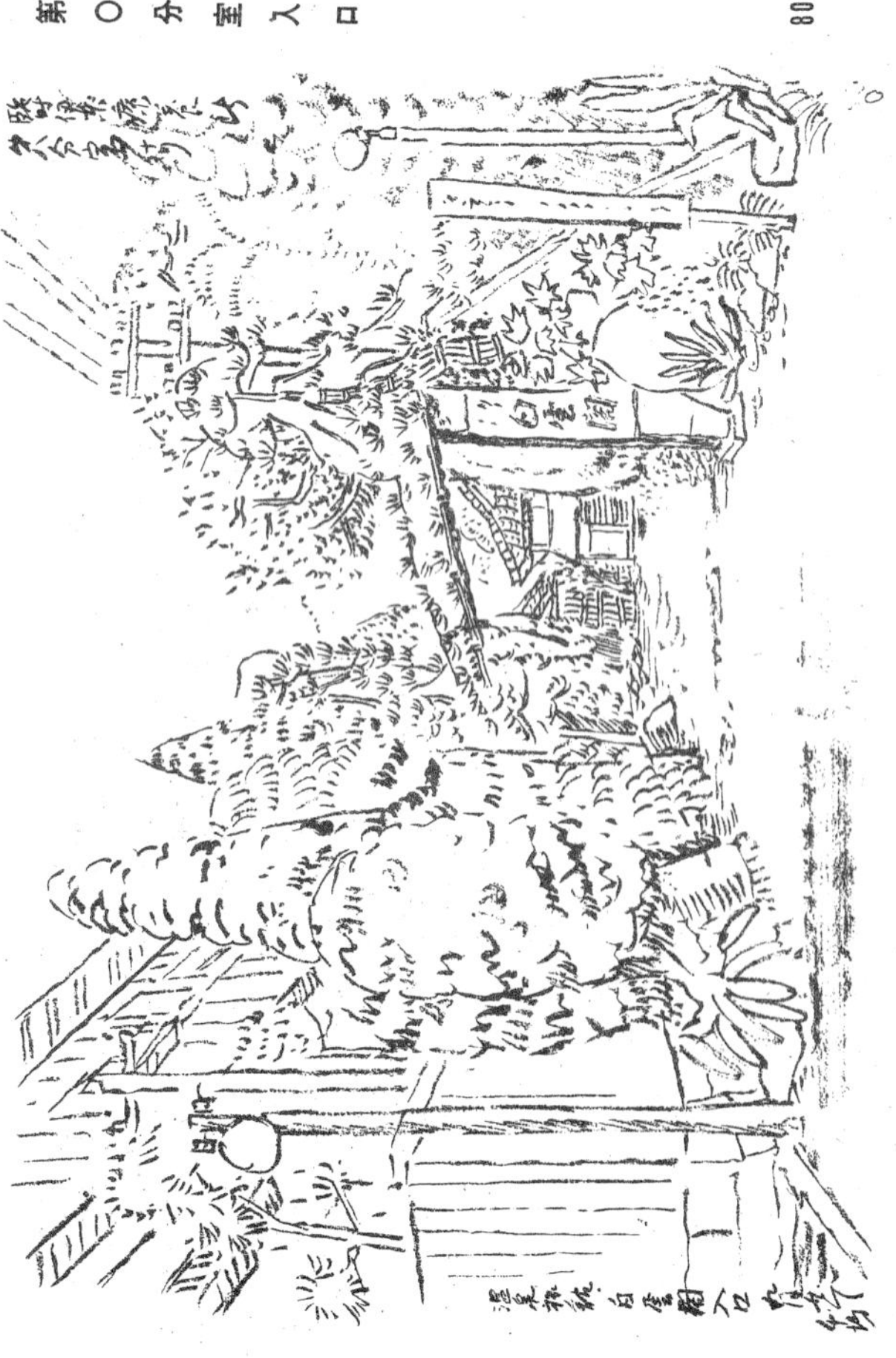

第〇分室入口

80

第〇分室病室

81

84 浴室（療養所にて）

82 第△分室正面

83 第□分室正面

夜るの病室

85

第二信

伊東に來て未だ日は淺いが胃腸の工合は大變よくなつた。君も知つてゐる通り現地からずつと胃腸の工合の惡かつた僕は夏中全然食欲がなく、衛生兵も心配して色々藥を調合してくれたり、お粥を作つてくれたりしたのだが、中々思ふやうに行かなかつた。僕も慢性になつたのではないかとひどく心配してゐたのだが、それが伊東に來てから大變調子がよい。

温泉の効果もさることながら、なにしろ二年振りで白いご飯をお茶碗に盛つて食べたんだから實際感激したよ。麥がは入つてゐるがほんの僅かだ胃袋もびつくりして、とたんに活動を始めたらしい。

なんだか茶碗も飯も光り輝いてゐるやうに見えた。美しい花模樣のついた茶碗を上から見たり下から見たりしながらゆつくりと食事をした。その上疊の上に座つて食べるんだからこんな嬉しいことがまたとあらうか！。戰地の戰友に濟まない氣がする。

暑い〳〵酷熱のもとで、『內地の水道のやうな綺麗な水が一杯でいゝからぐつと呑み干して見たい。』こんなふうに一日に幾度考へたことだらう。今でも多くの戰友たちが鬚だらけの顏に流れる汗をふきながら、こんな風に語り合つてゐることだらう。それを想ふと今の僕たちの生活はあまりにも豪華な氣がする。併し戰地で苦しんだお蔭で茶碗で食事をすることの悅びも判るやうになつたし、疊の上に座るだけで悅びを味ふことの出來るやうになつたのは大きな收穫だ、お互にこの氣持ちは忘れたくない。

君を羨やますやうなことばかり書いて濟まんが、昨夜はこれも二年振りにふとんの中に眠つた。

毎日雨には閉口してゐる。早く天氣になつてスケッチに行きたい。同室の戰友によろしく傳へてくれ。

將棋

86

朝食

87

第〇分室の環境（離れの病室）　88

裏庭　89

音無川も見へる　90

渡り廊下　91

第三信

お便り有難う。傷の工合も大變よくなつたさうでなによりです。僕も極めて好調…………

こちらは五時半の起床だが、もうその前に起きて庭で運動してゐる組もある。なにしろこゝで一番、うんと健康を取り戻し、一日も早く全快しようと更生の意氣に燃えてゐるので、『運動が過ぎる』と同室のMなど時々衛生兵に注意されてゐる始末だ。特に松葉杖をついたり身体の不自由な者ほどこの氣持ちは熾烈なやうだ。

朝の點呼は病院と違つて長い廊下に全員集合して受ける。それからラジオ体操も中々盛んだ。僕たちが通りに面した露台に集つてラジオ体操を初めると附近の子供たちがその前の道路に集つて一緒に初める。子供たちは兵隊さんと一緒にラジオ体操をするんだといつて大評判ださうだ。

この頃上天氣が續くので毎日治療のあい間に運動を兼ねて屋外スケッチをしてゐる。併し散歩區域が定つてゐて、それ以外は一歩も出ることが出来ないから殘念だ。散歩區域内にはあまり風景のよい所がない。

散歩區域内には、腕に〃巡察〃と書いた腕章をつけた衛生兵の監視員が何時もぐるぐる廻つてゐる。街中なので、そちらのやうに鐵條網の柵を巡らす譯にも行かんので、區域内境界には、『これから先患者の通行を禁ず。』と書いた木札が立てゝある。温泉街で人通りの激しい上に、直ぐ近くに繁華街もあるので、防諜などの點には十分自覺してゐる傷兵ではあるが、萬一の事故に備へて看視兵を出してゐる譯である。

軍紀風紀の點は特に嚴格で、區域内でも地方人と立話しなどしてはならぬことになつてゐる。

朝夕二回は天氣さへよければ衛生兵の引率で必ず散歩に行く。これが樂しみだ。今日は山、明日は海へと、——その點自然の風趣に富んだ此處は何時も趣が變つてよい。

目的地に着くと三四十分位解散をするが街中では絶對に解散しない。

散歩は二組に分れて行く。僕たちの組は兎組だ、別の組を龜組といつてゐる。これは足を負傷したものばかりなので早く歩けないからである。無邪氣な兵隊のことであるから自然とこんなふうに呼ぶやうになつたらしい。

龜組のことを一名機械化部隊とも云つてゐる、これは色々の裝具？を身につけてゐるからだ、松葉杖をついたり、足に副木を當てたり、またギプスを背負つたりしてゐる。街の人たちは、かうした勇士の姿を見ると氣の毒でならないらしく、『御不自由でせう。』とか『御苦勞さまでした。』などゝ云つて感謝のまなざしで目禮するのであるが、勇士たちは寧ろさうされるのがつらいといつてゐる。

兎も角、一同元氣で一日でも早く更生することに心掛けてゐる。Hは、今日は松葉杖をつかずに散歩に行つたといつて一日中はしやぎ廻つてゐた。

昨日からこちらは防空演習が始まつて、湯の街もひつそりとして夜は眞暗だ。昨日僕たちも火災呼集をやつたが全部が患者なので、何時何分に火災が起きると豫め時間まで達してある。實戰を味つた僕たちには防空演習も何んだか物足らぬ感がせぬでもない。

それでもハリキツてゐる現役の衛生兵など大變あわてて動けない患者をそのまゝにして自分だけ避難したと、後で目玉を頂戴したやうだ。

丁度病院前に燒夷彈が落下して國防婦人會員のもんぺ姿の活躍振りに僕たちは感心してしまつた。

大分スケッチも出來た。その中伊東の名所スケッチでも送らう。

ではお身体大切に、僕は体重が二瓩増した。この調子で夏やせ挽回だ。では又…………

ラヂオ体操　92

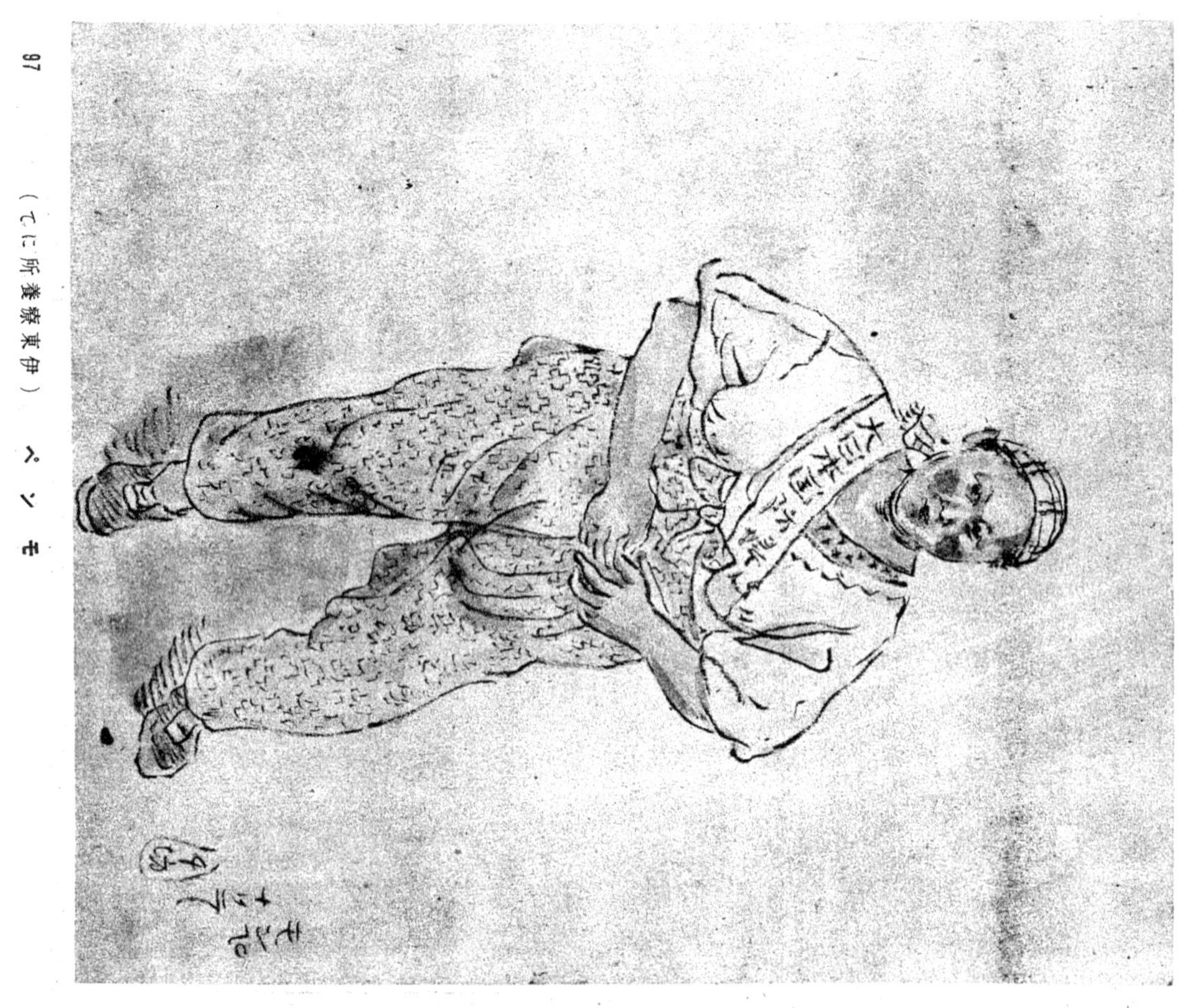

97　モンペ（伊東療養所にて）

95

伊東海岸に散歩の折

93

96

94

102

療養所散歩區域内風景

100

103

101

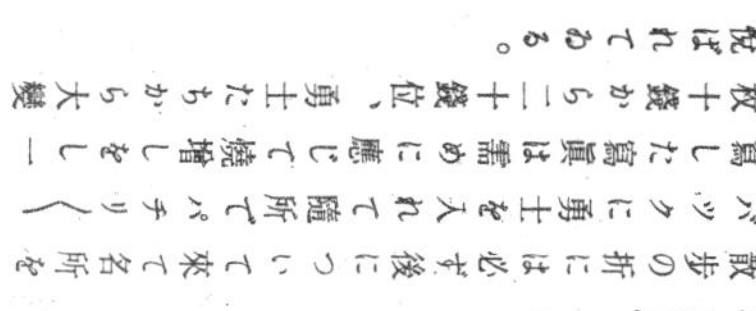
寫眞屋さん

散歩の折には必ず後について來て名所をバックに勇士を入れて隨所でパチリ〳〵寫した寫眞は需めに應じて燒增しをし一枚十錢から二十錢位、勇士たちから大變悦ばれてゐる。

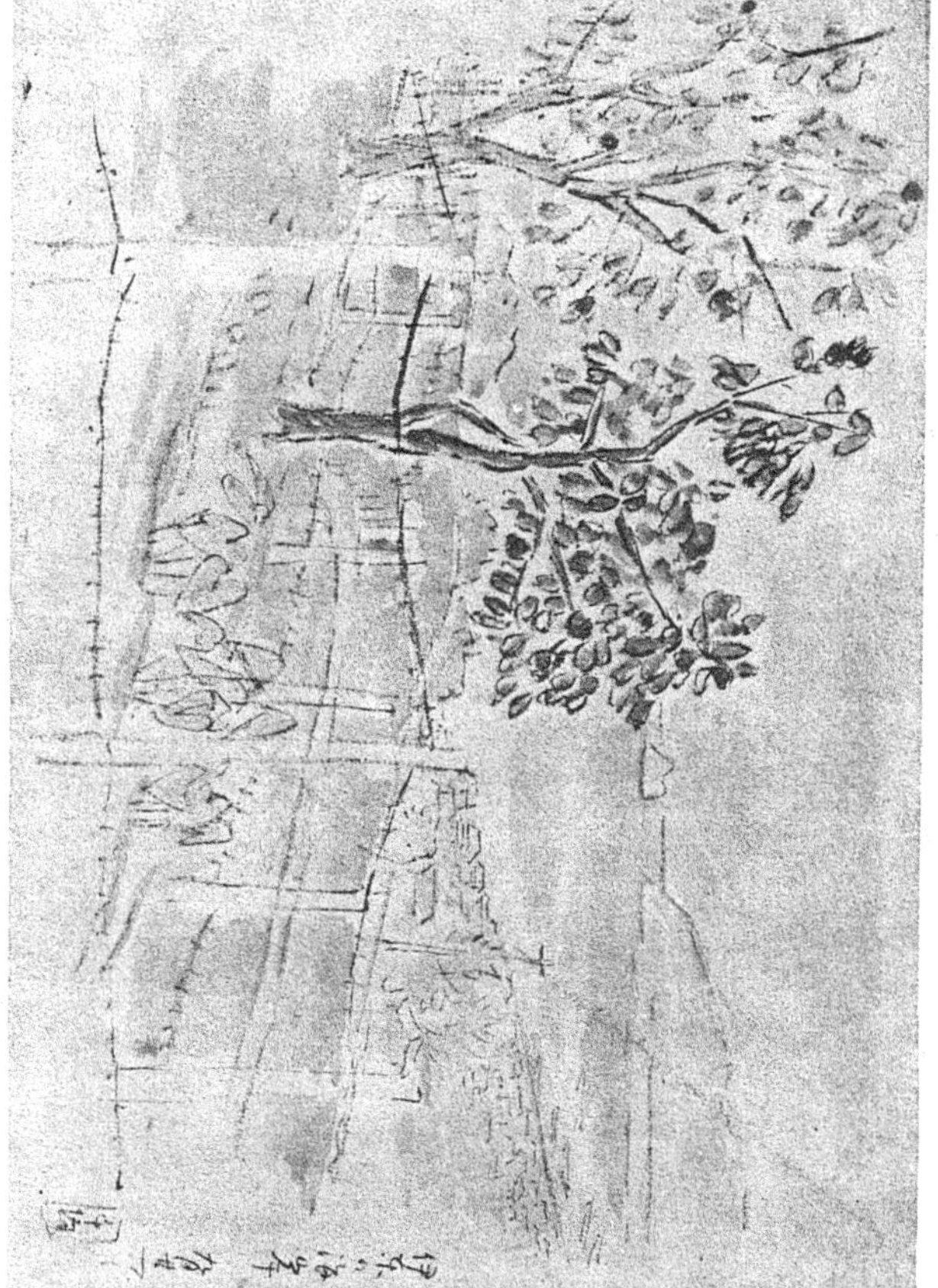

伊東風景

99

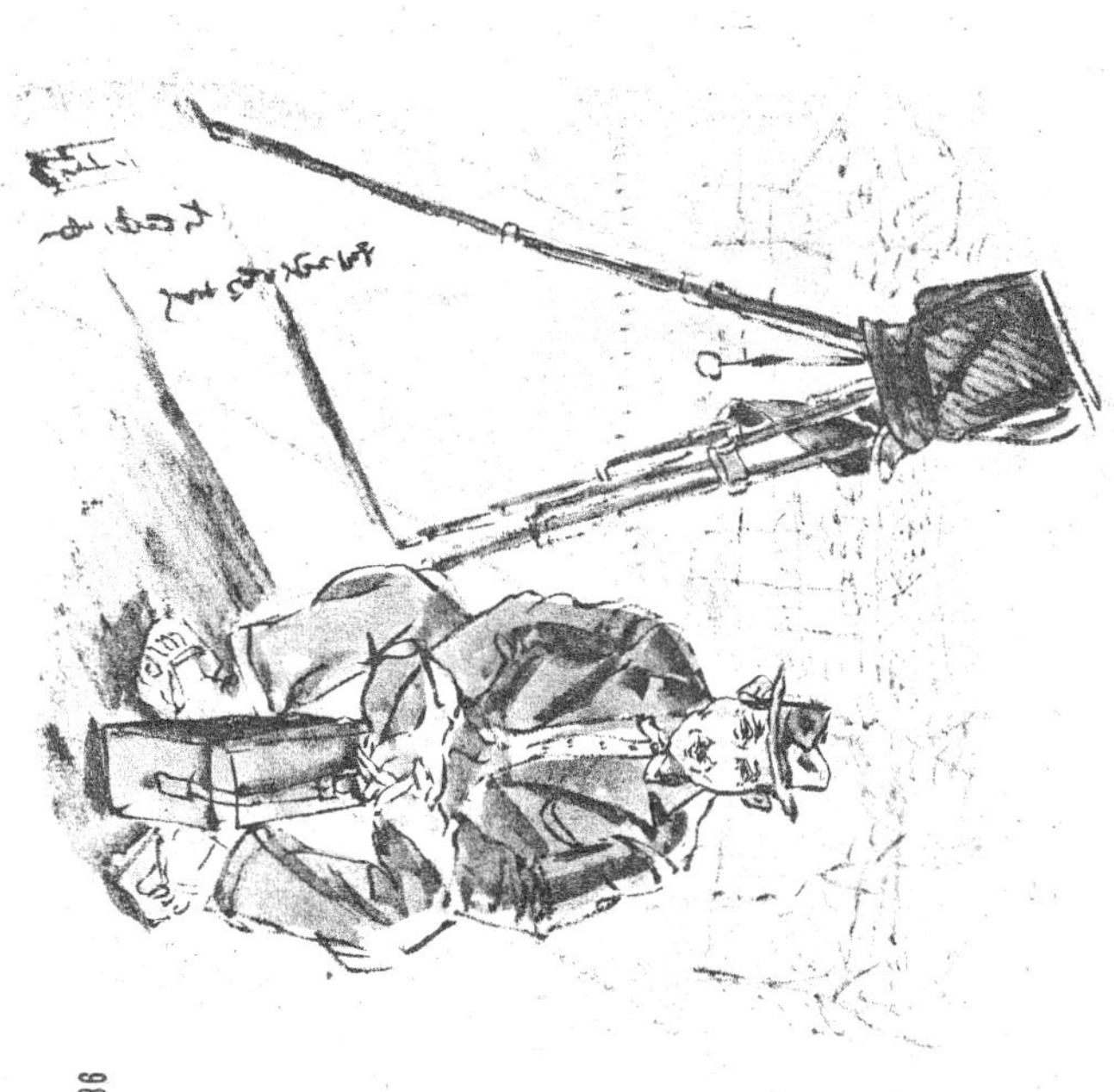

98

伊東劇場にて

106

1

第四信

只今手紙を受取つた。慰問に來た小學生と一緒に撮つたといふ寫眞中中上出來だ。素人としては君のカメラの腕前も相當のものだ。

こちらは慰問演藝や面會人は病院に比較したら問題にならぬほど尠いが、それでも時々は伊東町の招待で劇場や小學校などに招かれることがある。

昨日は伊東町の招待で住吉館といふ映画館に午後から全員が招かれた。土地の藝者の舞踊などがあつて最後に、丁度伊東に來合せてゐた新橋みどりの獨唱を聞いた。『もう一つ賴む、ぜひ賴む。』と勇士にせがまれて彼女は何度も〳〵も同じ歌を唄つてくれた。

明後日は小學校の兒童慰問演藝に招かれてゐる。身体の調子は頗るよい、今日別封にて名所繪葉書を送つた。

酒保屋外休憩所

107

第五信

その後は如何です。僕は順調で胃腸の工合もすつかり良くなつたし腕の方も大分上るやうになつた。

療養所には立派な治療所が新築されてあり、此處には凡ゆる治療設備が完備してゐる。僕は毎日この治療所に行つて、午前中入浴後の一時間位を腕の回轉運動をしてゐる。これは立派な金屬製の機械で自力で廻轉させるのであるが、最初の中は十四五回も廻すと疲れてしまつたのが、この頃では四五十回廻せるやうになつた。マッサーヂは衞生兵が毎日二四十分位づつやつてくれてゐる。

散歩區域の中に、二千坪程もある廣場があり。此處に臨時の酒保や賣店も設けてある。コーヒーやおしるこなどもあり、ボックスの設備もあるので氣分が大變よい、室外休憩所などもある。

この廣場には近所の子供たちが遊びに來るので、この子供たちに繪をかいてやつたり、スケッチをしたりしてこの頃はすつかり仲よしになつた。中には子供たちと野球などしてゐる全快組もある。

今伊東の山々は蜜柑が熟れて、遠くから眺めると段々畑が黄金色に輝いて實に美しい。店先にも枝のまゝ澤山吊り下げて街全体が蜜柑で彩られてゐる。蜜柑は食べるものでなく眺めるものであるかも知れん。

『兵隊さん、一つ上げませう。』などゝ散歩の折、土地の人たちに呼びかけられることがある。今朝僕は枝のままのをもらつたので歸つてから部屋の壺に挿した。

歸る時には蜜柑でも土産に持つて行かう。いや、その前に君が早くよくなつて伊東へ來れるやうになれるといいと思つてゐる。

僕は未だ、どの位こちらにゐるか見當がつかないが、早い者で一ヶ月、普通一ヶ月半か二ヶ月位はゐるらしい。

この頃、有志の方の奉仕で、習字と詩吟が毎週一回づゝある。追々病院のやうに種目がふえて行くだらう。早くさうなれば病院の續きが出來ていゝと思つてゐる。

君も川柳が大分上手になつただらう。

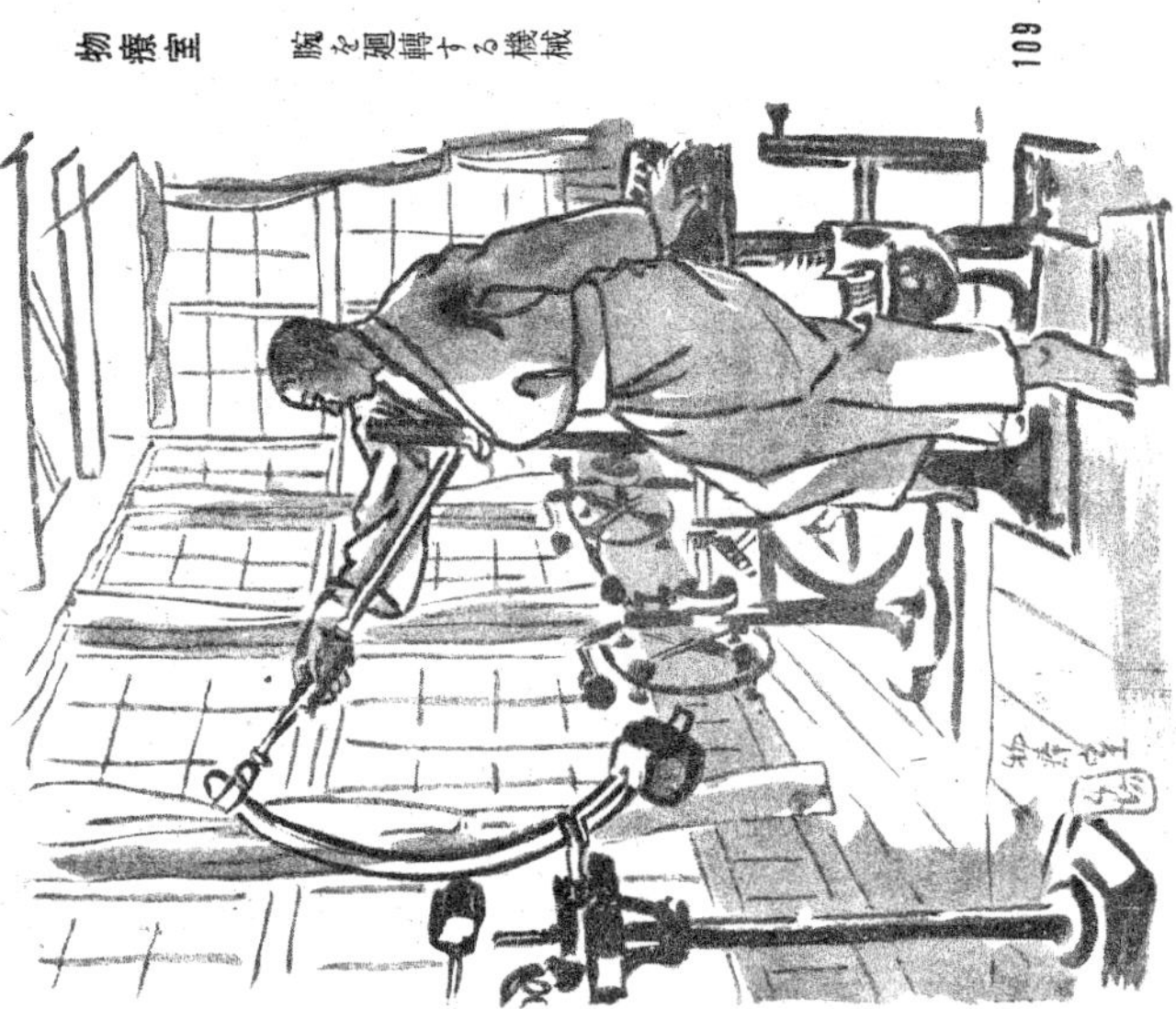

物療室　腕を廻轉する機械

109

治療所入口（水彩）

108

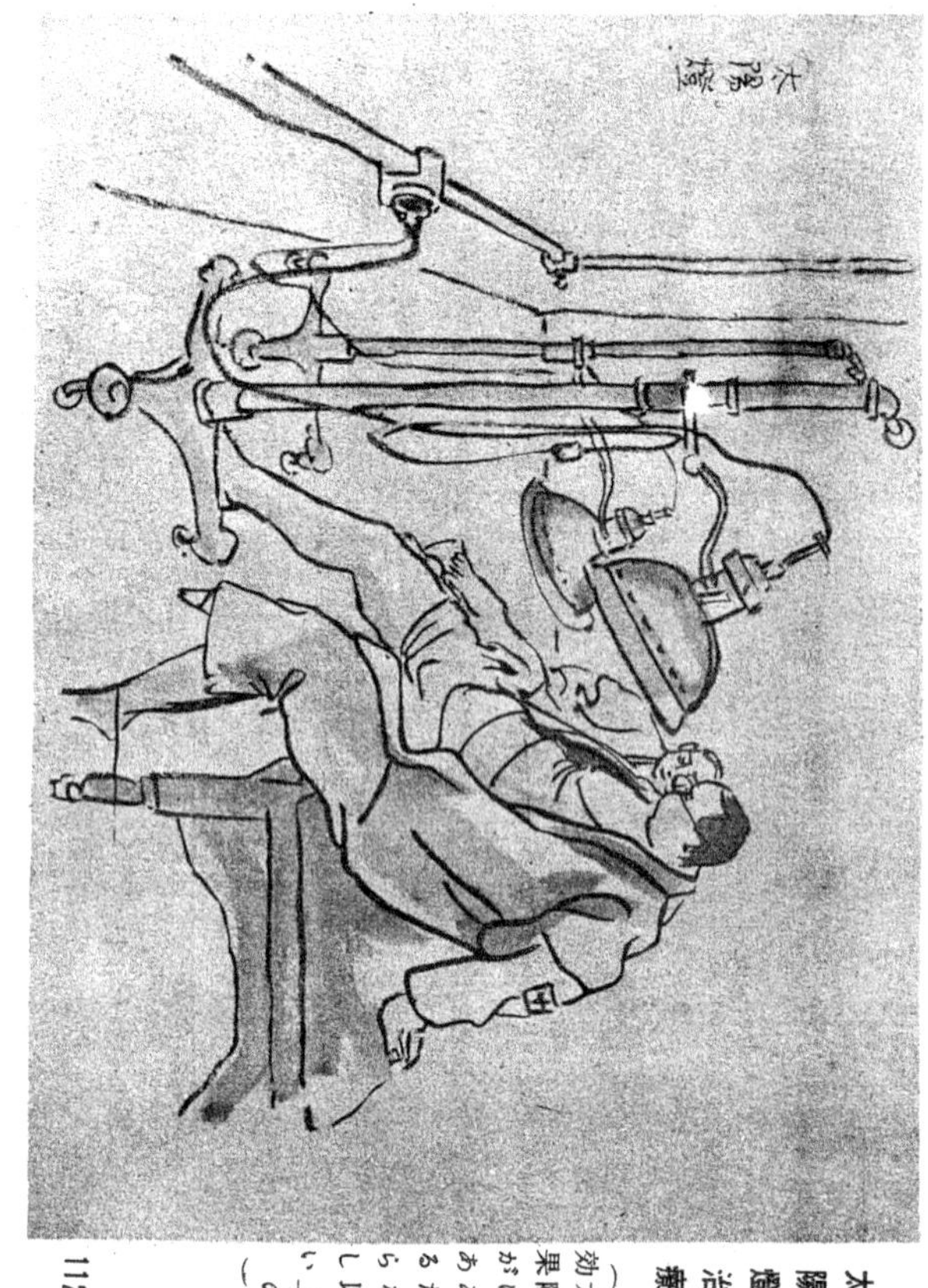

112
太陽燈治療
（太陽にあたる以上の効果があるらしい）

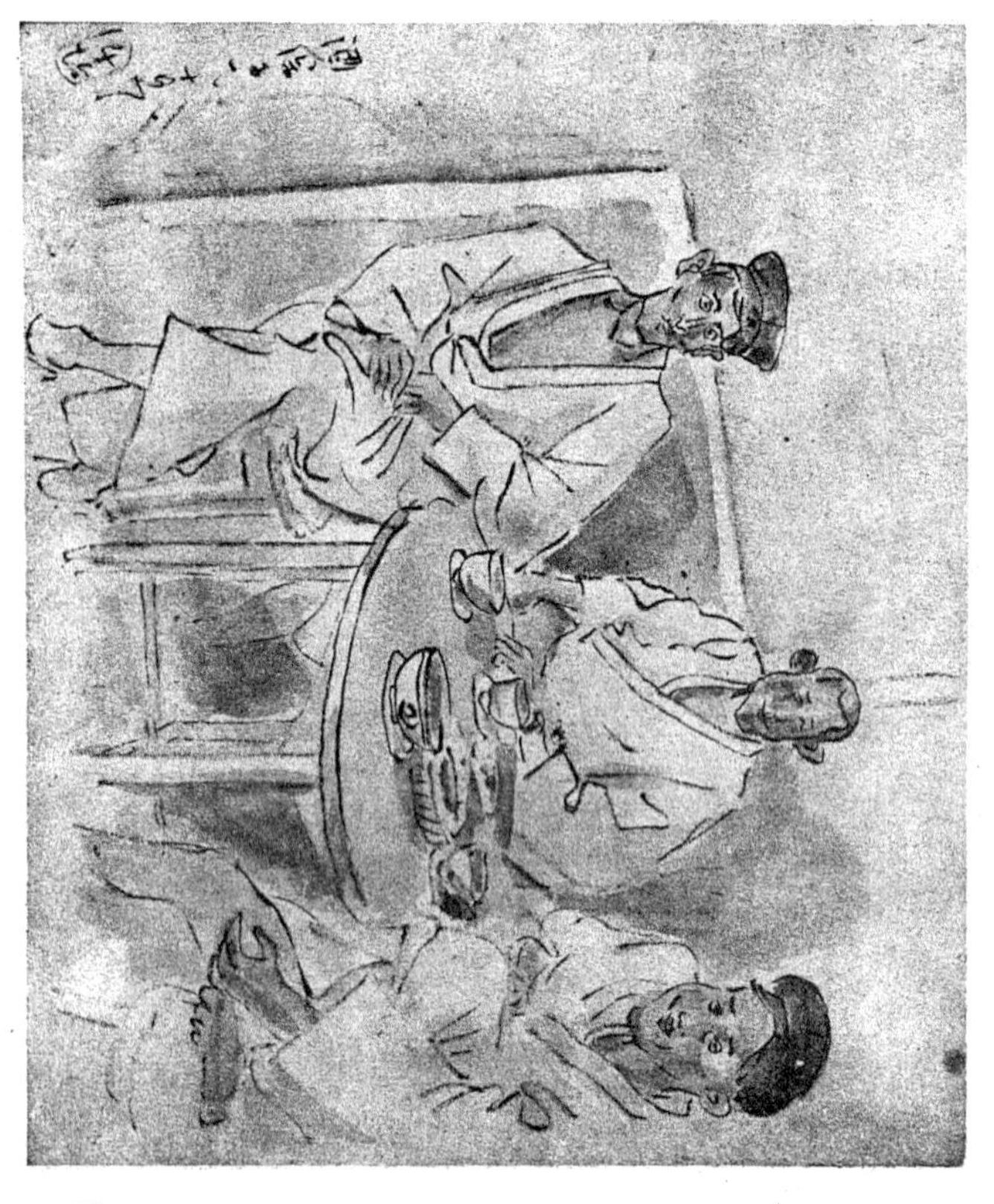

113
戦友

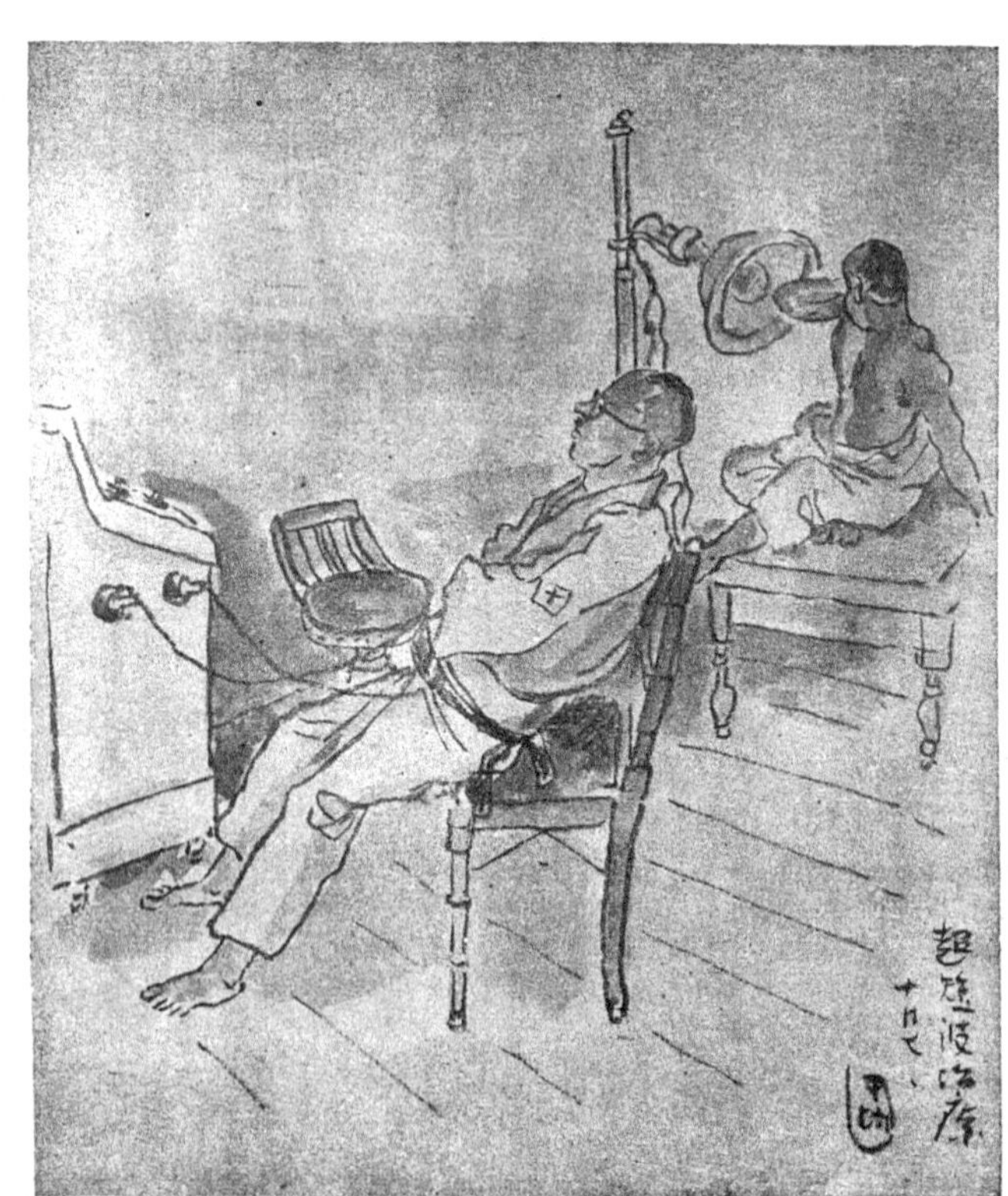

110
超短波治療
電氣應用の最進治療法

111
酒保日用品賣場

116 子供と遊ぶ

117 みかん

酒保にて 114

赤い着物 115

傷兵と仲よしの子供たち

118

子供たち
④

119

歯科醫院にて

120

第六信

大變御無沙汰をしました。新しい患者が來て大分病室の樣子が變つたやうだね。

四五日風邪を引いてしまつたが、もう全快してこの頃の食事のうまいこと、さすが食欲の秋だ。それにこの頃はテニスを初めたので、一そう食がすゝむ。

この頃一日置きに歯科治療を受けてゐる。(大分前からではあるが)歯科だけは地方醫の御世話になつてゐるので、衛兵生が引率で病院專屬の歯科醫の家へ行くのだ。治療者が多いので、どうしても半日がゝりだが、療養所から歯科醫の家まで四五丁の間、變つた街の姿が見られるので嬉しい。

僕はムシ歯が十本もあるので相當日數がかゝるらしい。伊東で治療が終らなければそちらに行つてから引續いてやらうと思つてゐる。

この頃は朝晩めつきり寒くなつた。二三日前、各病室に全部障子がはめられ、今日はまた火鉢が渡された。僕たちの部屋には小さいながらも長火鉢が來たんで、氣分がよいと一同大變な悦びやうだ。

僕も、近くそちらへ歸れると思ふ。明日の診斷で決定する譯だ。もう六十日以上になるし、腕の方もこれ以上あがるやうになるのは一寸困難らしい。水平に擧げる運動が不自由だが、これ位は蚊帳の吊り手でも吊る時に不自由ぐらゐのもので全快も同樣だ。

君を伊東で迎へることの出來なかつたのは殘念だ僕が歸るとなれば君に一日でも長く病院の方にゐてもらひたいものだ。

今度歸つたら、君と同じ病室には入りたい、若し出來たら、そのやうに衛生兵に頼んで置いてくれないか。

野菜を賣る小母さん

第〇分室に毎日野菜を運んで來る。主人が出征したあと多くの子供を抱へて一生懸命家業に勵んでゐるのだと話した。

122

歯科醫院で何時も私たちにコーヒーをいれてくれた鹿子さん

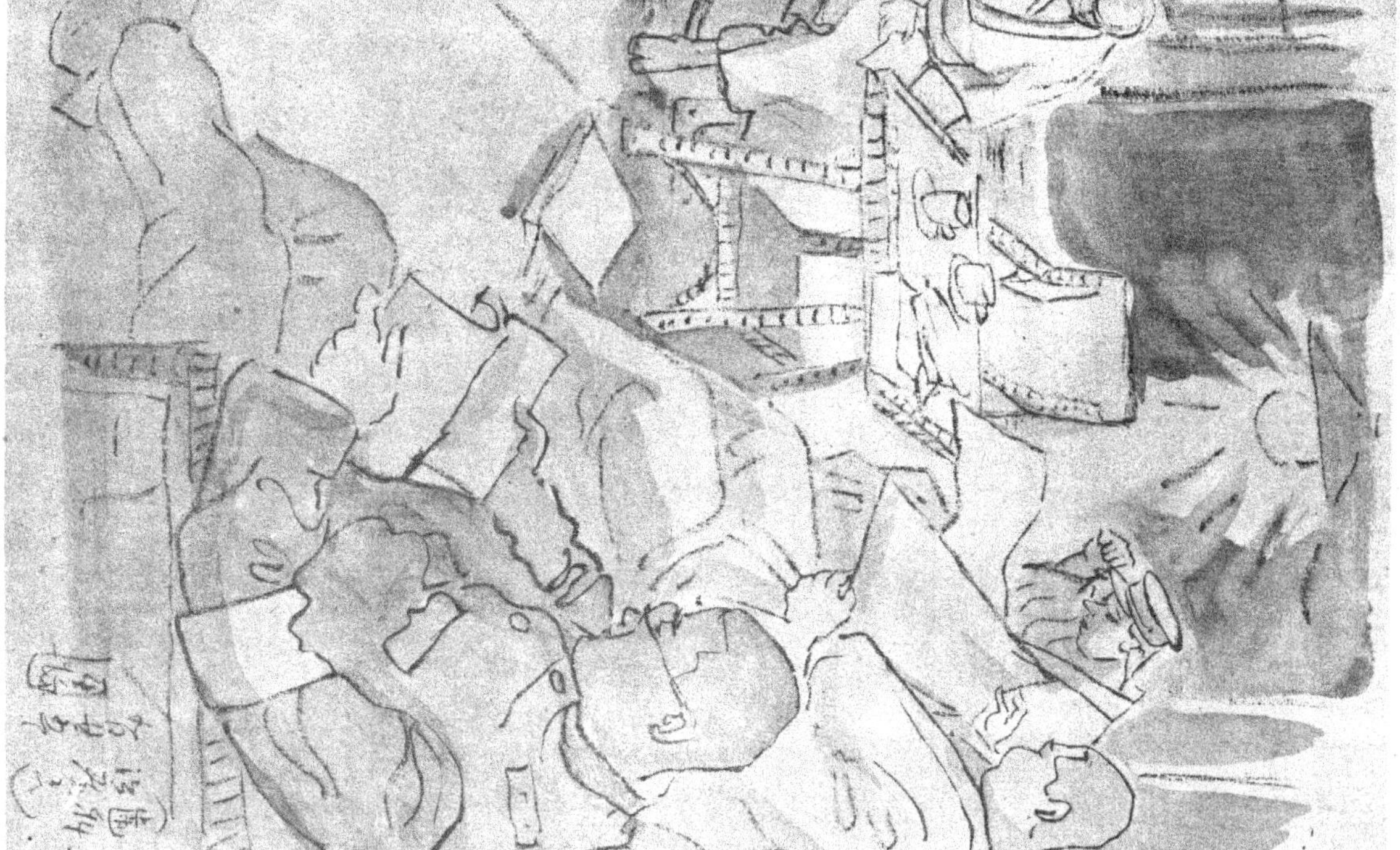

123

121

治療を待つ（歯科醫院にて）

伊東小學校運動會に招かれて

124

治療所より見る（水彩）

125

後記

左肩に受けた一發の貫通銃創でその場に仆れた私は、戸板に乗せられて彈の下をやうやく收容された。そして〇〇野戰病院から上海〇〇兵站病院へ、更に內地に還送され九ヶ月といふ長い白衣生活を續けた。その間、折にふれ心のむくまゝにスケッチしたものゝ中から一部を纏めたのが本書〝白衣画集〟である。

現地病院の作品の尠いのは、未だその當時傷が痛んで思ふやうに筆が握れなかつた爲である。

併し私は、今あらためてこれに書き加へることは敢てしなかつた。一本の線でも、筆を加へたくない。こんな氣持ちで、凡てそのまゝ收録することにした。

拙い作品ではあるが、また別な意味で、そのまゝの方がよいと思つたからである。

作品の順序は編輯の都合上前後してゐることを一言御斷りしておく。

繪として決して上乘のものとは思はないが、たゞ何の飾り氣も、氣どりもなく、無心に描いたといふ點をかつて頂き、更に生活を共にした多くの白衣勇士たち、又現に病床に呻吟して居られる戰友たちの思ひ出となり、慰めともなり、更に銃後の方々に病院生活の一端を傳へることが出來、少しでもお役に立つことが出來れば、この上もない悅びである。

昭和十六年夏

三上卯之介

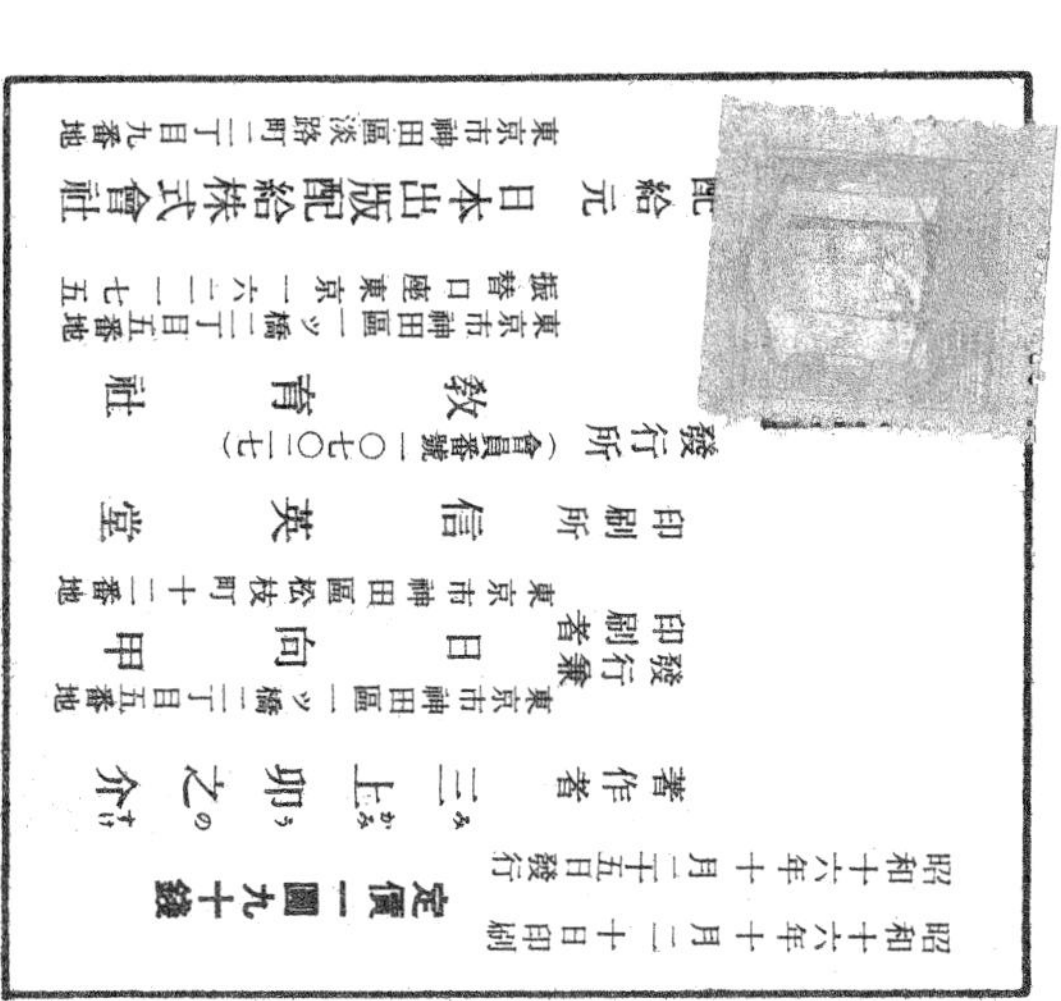

昭和十六年十月二十日印刷
昭和十六年十月二十五日發行

定價一圓九十錢

著作者 三上卯之介

發行者兼印刷者 日向甲 東京市神田區一ツ橋二丁目五番地

印刷所 信英堂 東京市神田區松枝町十二番地

發行所 教育社 東京市神田區一ツ橋二丁目五番地 振替口座東京一六二七五 (會員番號一〇七〇二七)

配給元 日本出版配給株式會社 東京市神田區淡路町二丁目九番地

〔表紙欠〕

光榮

畏き邊より、侍醫御差遣を忝うし、はるかに宮城を拜し感涙に咽び奉る。

昭和十六年九月二十七日　光榮の日

日置所長

嶺とほくおり居しづめる雲白し侍醫御差遣の朝庭清む　上野與吉

吾が前に立たせて會釋賜ふらししか思ひつゝ額垂れて居り　岩泉美鳥

ふたたびし起つ日ま近く畏みて侍醫御差遣の光榮に咽ぶ　小川洗玉

篠原創刊號目次

傷痍軍人五訓

一　傷痍軍人ハ精神ヲ鍊磨シ身體ノ障礙ヲ克服スベシ
一　傷痍軍人ハ自力ヲ基トシ再起奉公ノ誠ヲ效スベシ
一　傷痍軍人ハ品位ヲ尙ビ謙讓ノ美德ヲ發揮スベシ
一　傷痍軍人ハ操守ヲ固クシ處世ノ方途ニ愼重ナルベシ
一　傷痍軍人ハ一身ノ名譽ニ鑑ミ世人ノ儀表タルベシ

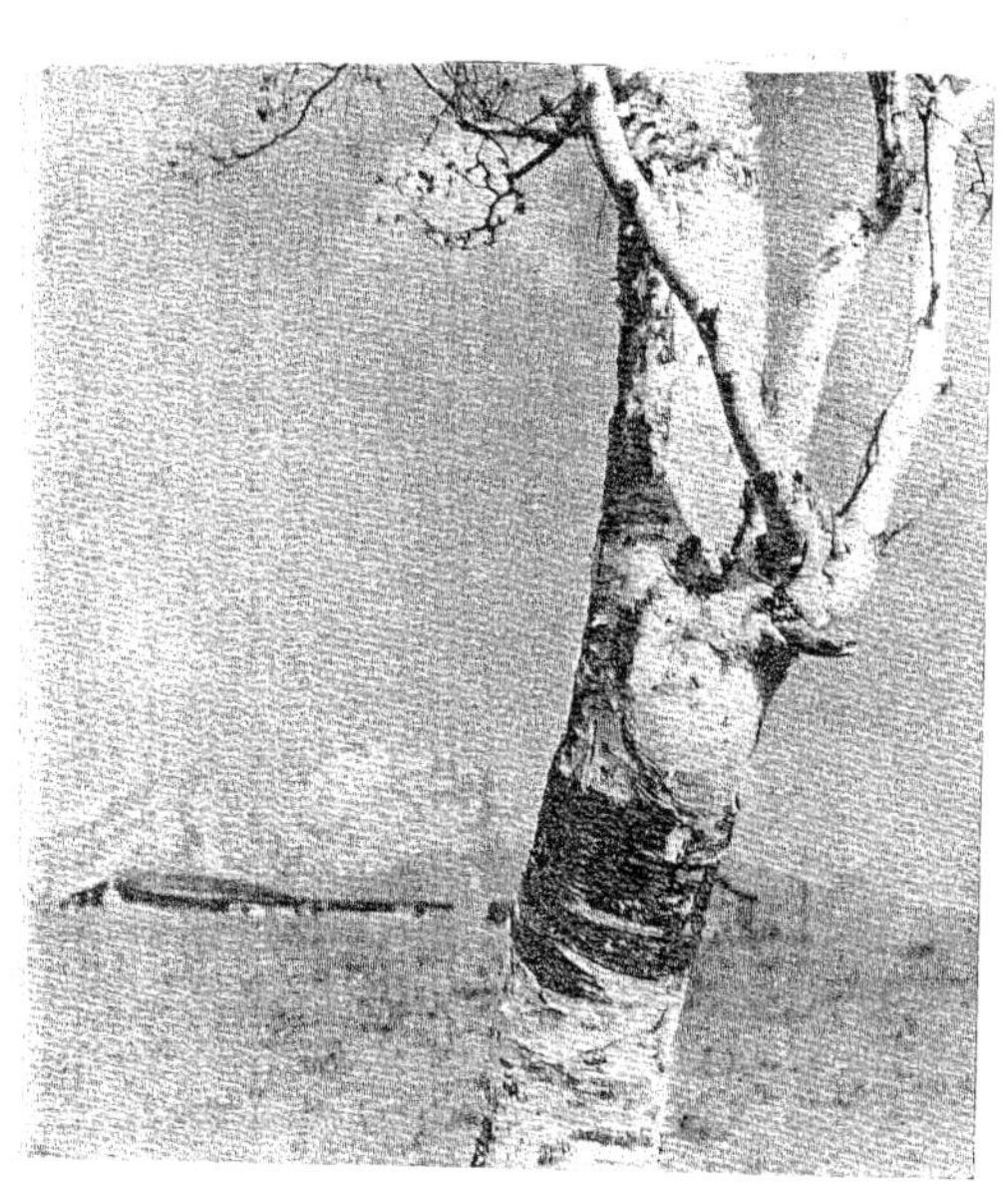

―秋―

撮影　宮永幸雄

篠原

創刊號

傷痍軍人石川療養所

巻頭言

日置所長

○

機運が熟したとでも申さうか、療養軍人が情操を更に養はんが爲めに今回機關誌『篠原（しのはら）』の發刊を見るに至つたことは實に結構なことである。孰れの傷痍軍人療養所にも既に此種のものがあり當所としても考へぬではなかつたけれども、不取敢短歌會同人は同人で詠じたものを記念に刷り殘して置くもよからうし、俳句會の人々はその吟じた所を記し同好者に頒ち又趣味の友を誘ふ、その程度でもよいと思つて居たので吾所では從來さうした風な道を歩んで來たのである。

○

今綜合雜誌として一段の飛躍を約束すると云ふことであれば夫も惡からう筈がない。入所者同志が互に勵まし合ひ、又療養の又とない此の期間を利用して日本人らしい情操を涵養すると云ふ本來の使命を踏み外しさへしなければ宜しいと思ふ。乃ち所に於ても充分に腰を入れて支援したいと願つて居る。

○

唯私として尙念じて居ることは決して贅澤な刊行物になつてはならないと云ふことである。

殊に資源愛護が叫ばれ、吾々の不急の消費を極度に切詰めなくてはならない今日に於て此事は充分に諸君の諒とせらるゝことであらう。

○

誌名『篠原』は入所者中から募つたものである。白山に因んだ白嶺等云ふものもあつた。堅過ぎても面白くないが、帝國軍人の療養「ホーム」らしい心意氣も存置したい。とすると恰好な題名を見付けることは必ずしも容易ではない。『篠原』は土地の名でもあり、その名床しい古戰場でもある。此の着想は平凡のやうであつて尋常でないと思つて採ることにした。若し又諸君の詠吟するところつねに衆に冠絶するものがあるならば、雜誌『篠原』の名とゝもに此の湖畔の療養所は、或は天下に名をなすかも知れない。

○

縷言のやうであるけれども元より本誌を單なる文藝誌に終らしむべきでない。傷痍軍人療養所たる、一般福利施設とも趣を異にし、外敵に對する果敢なる鋭先を內なる敵に向けしめて、戰友相扶け合ひ結核克服の實踐道場たらしむると共に、銃後の人々と飽迄も歩調を揃へ皇國民の健全なる輿論を構成し、夫には諸君の一人一人が己を修め道を講ずると云ふことを以て理想となすが故に苟も之が氣風を作興すべき凡ゆる文章を收めんとするものであつて、幸に諸彥よく努め、よく勵まれて本誌の發展に寄與せらるれば甚だ幸である。

（九月一日興亞奉公日記す）

御差遣の侍醫を迎へ奉りて

上野與吉謹記

畏き邊りにおかせられては、常に我等傷痍軍人のことに御心をとゞめさせられ、曩には有難き御歌を賜はり、御楓樹、御草花の御下賜を拜し、廣大無邊の皇室の深き御仁慈に感激措くところを知らず、今また侍醫御差遣のことあり、皇恩の有難さに只々感泣するばかりであります。

九月十二日所長より職員、療養者一同に對して御沙汰を傳へられ、心身を潔め身のまはりを整へ療舍、療庭の清掃につとめ、二十三日石川報國神社に參拜して御安着を只管に祈り奉り、二十六日豫行演習を實施して萬遺漏なきを期した。

九月二十七日感激の當日は遂に來た。秋晴れの奉迎日和に、午後零時二十分玄關前御着、壽康館和室に於て諸員の伺候を受けさせられ、零時五十分より各療棟を御巡視あらせられた。各病室に一々御立入りになり、親しく御會釋を賜はり、病狀につきて御下問をも拜し恐懼感激只々頭を垂れるのみであつた。再起の廣場に松の御植樹あり、二時三十分御退出引續き壽康館にて　聖旨を傳達せられ、軍事保護院總裁(代理)の訓辭が行はれ、意義深き御次第を終了した。

我等はこの有難き　聖旨をおもひ、特に侍醫を御差遣になつた深い大御心を拜察し、一意專心療養の道に邁進して一日も早く再起御奉公、以て今日の御鴻恩の萬分の一にも酬い奉る信念を益々固くしたわけであります。

秋の日ざし

——侍醫奉迎——

侍醫奉迎花野は風に震へつゝ　米谷香畦

迎へまつる再起の誓ひ爽やかに　上野與吉

秋櫻かゞよふ療舍の佳き日かな　淺井香涯

菊つぼみ厚き御仁慈畏みつ　小川洗玉

身にあまる秋の日ざしを浴びにけり　中門仰風

「篠原」發刊を祝して

園部醫務課長

今や國を擧げての總力戰の秋であります。この秋に當つて傷痍の勇士諸君に對し、再起奉公の一日も早からむ事が我々の念願であります。

顧ますに已に開所以來滿二ケ年七月を經過致しました、豫ねて本所に於きましても療養者諸君の慰安敎化の一助として機關雜誌の發行を望んで居りました。然るに今回絕大なる所長先生の御努力、竝に熱心なる療養者諸君の御盡力に依りまして本誌發行の運びに至りました事は誠に所の慶事と考ふる次第であります。今後本誌が療養者諸君の好伴侶として、又療養道の誤らざる指針の一助として健全なる發達を遂げん事を希ふものであります。

この機會を捕捉して次に療養方針に就て一言したいと思ひます。

そも〳〵一八八三年「ローベルト・コッホ」氏が結核菌を發見して以來結核に關する研究は實に高速度に進步を遂げて參りましたが、獨り本疾患に對する藥物治療に關しては甲論乙駁にて必ずしも一貫しては居なかつたのであります。然し乍ら他面一八五九年頃「ブレーメル」が東獨逸の一寒村で何等特殊醫藥局所處置を加ふる事なく結核の自然治療を經驗したのを嚆矢とし、次いで「デットワイラー」氏に依つて「サナトリウム」療法が始められ由來これに注目せられる樣になつたのであります。

我が國に於きましても夙に此方法が始められて居りますが、この方面の研究が次第に進むにつれ氣溫、濕度、風向、氣壓、日光、空氣の淸淨度及環境等に關し複雜な條件が加はつて參りました。本所はこれ等の諸點が一層詳かに檢討されて始めて設立されたのであります。

扨、當所へ入所された方は先づ新にこの環境に於て、療養道の根幹をなす大氣安靜療法が始められるのであります。卽ち從來の誤れる醫藥のみの信賴から離れ、新鮮なる大氣を不斷に呼吸し、呼吸器の勞力負擔を輕減し傍ら大氣の與ふる生物學的刺戟を治病に効用し、又安靜保持によつて疾病治癒機轉を促進せしめねばならないのであります。此の種疾患は所謂長期抗戰を要する事は、今日如何なる人々にも明瞭なのでありますが稍々もすると口に之を唱へながら行の一致しない場合が間々存するのでありまして、今日迄の經驗上、斯樣な方は其結果に於て殆んど良くないのであります。これには種々の理由もありませうが兎にも角にも、この心構が最も必要なのであります。然もこの間無爲徒食に過すことは却つて有害であつて、病を養ふと共に、他面病を忘れ、精神修養に、敎養に、趣味を生かす樣努むる事が最も大切なのであります。この意味に於て當所にても修養講話、圖書貸與、短歌會、俳句會、花道等が行はれて居たのでありますが、更に今玆に本誌の發刊を見るに至りました事は誠に有意義に存じます。今や當所に於きまして、入所者略々定員に垂んとするに至りましたが、此處に於て療養者諸君には一同相携へ、共に共に療養道に邁進されん事を切望致します。

今日本誌の發刊を慶び、併せて所懷の一端を述ぶる次第であります。

論叢

時局と我等

南一　村上松太郎

聖戰玆に五年!! 世界は今や擧げて動亂の巷と化し、國際情勢亦刻々變轉し、洵に晨に夕べを豫測すべからざるものがある。敵性國家陣の帝國に對する經濟壓迫も愈々露骨を極め國防的には太平洋に於ける所謂ＡＢＣＤ共同戰線は着々强化され、帝國を圍繞する極東の事態、急迫を告ぐ。一觸卽發、眞に未曾有の難局に直面してゐる。

一方、西露に於ける獨ソの開戰は、世界戰爭に第一步を進めたもので、本二十五日遂に戰火は近東イランにまで波及し、戰局の推移は帝國にも重大なる影響を及ぼすべきことあるを覺悟せねばならぬことは多言を要しない。

かゝる秋、一億國民は此の變轉極まりなき世局に對處すると共に、今後如何なる難局をも打破し今事變最大の目的たる〃興亞の大業〃東亞新秩序を建設し、東亞自體の共榮圏を確立し、倶に此の共榮圏內の諸國と緊密なる政治、經濟、國防的提携を結成し、更に進んで世界の新秩序建設に寄與し、各々世界人類をして其の處を得せしめなければならぬ事は現代日本に課せられた歷史的使命である。

此の國家の至高目的を達成する事は頗る至難にして其の上我が不動の國策に對し、直接間接に加重せられつゝある武力的重壓と經濟壓迫に想到するとき、帝國が現在直面してゐる對外的危機が如何に深刻且つ重大であるか、國民齊しく自覺しなければならぬ、そして不合理なる東亞の舊秩序、ひいては世界の舊秩序を斷乎破碎し、炳乎として萬古不滅の國運の礎石を築かねばならない。

玆に非常なる覺悟が必要であり、文字どほり實踐一億一心、擧國臨戰態勢の急速なる整備强化が要望されるのである。

飜つて重慶政權が我が聖戰の眞意を理解せず、未だ英米依存の夢を追ひ、今尙儚なき抗戰を續けてゐるにも拘らず、東亞の黎明は駸々乎として近づき善隣友好、共存共榮を目指し新秩序建設は着々として、その巨步を進めてゐると雖も、前途多事多難、幾多の障碍に逢着するであらう事は豫想される所である。

扨て、此の史上空前の大變局に際し、一億國民は東亞幾千年興亡の跡を回顧し、興亞建設の人柱となつた尊き十萬の英靈に對し、感謝の誠を捧げ、今尙瘴癘の地、大陸の戰野に或は東南支那海に炎熱酷暑を犯し、蜿蜒幾千粁、日夜惡戰苦鬪を續ける皇軍の將兵に對し、武運長久を祈ると共に恃むべきはどこまでも自己の力であり、日本の國力のみであるを痛感し、自己の職域に邁進、高度國防國家體制を鞏固に、如何なる時難をも克服するの氣概を示し事變の完遂を期さなければならない。

玆に於て、我等傷痍軍人の任務も亦重且大である。既に一死報國を誓ひし我等は聖恩の宏大無邊なるを偲び療養道に邁進一日も速かに再起一番一致團結、鐵桶の陣容を整へ、勇躍國家の急に赴き祖國の礎石にならう。悠久三千年、光輝ある歷史に崇高なる日本民族不動の意志、八紘一宇の大理想の實現を效さう。

「篠原」創刊の意義

南四　鷹城大作

久しい以前より胎動を續けて來た機關誌も、いよ〳〵機運熟し、その名もゆかしい「篠原」として此處に輝かしい呱々の聲を擧げたのは實に意義ある事である。

惟ふに吾々軍人は大君の股肱たる誇りを一身に擔ひ、時の平戰をとはず瞬時だも己れの生命を省る事なき嚴たる不動の精神を涵養して來たのである。

今、不幸にして御奉公半ばに倒れた吾々傷病兵の猛り立つ殉忠の一念を柔らげ和ましむるものは果して何であらうか。

療庭に草花を培ひ、小鳥を飼ふ。それ等は傷病兵の心を慰め再起の日を只管に待つ姿にほかならないのである。

そして更に、吾々には直接その志を述べ得る文學の道があり詩歌がある。

「詩は志である」と支那の古語にあるが實に至言であると思ふ。文學の本質は卽ち「志」でなければならぬ。焰と燃える愛國の志が凝りて論文となり、小說となつたのでなければ眞の國民文學と云ひ難いであらう。

又その萬斛のおもひを三十一文字・十七文字に表現し得る歌俳句こそ實に比類なきわが神ながらの國にのみ存する輝かしい國民詩である。

天皇は「大きみ」であり「きみ」は「かみ」であり、民は「田見」であると見えてゐる萬葉の精神こそこれにほかならない。

又、俳句に於てもその點は同じである。

「俳句研究」が蒐錄した事變三千句を『この三千句を生んだ樣な心を日本軍の全將兵が持つてゐるならば、さう云ふ立派な軍隊は世界にない」といふ意味の事を長谷川如是閑氏が言つてゐるが、この美くしい然も誰でも呼吸出來る空氣のやうな普遍性を持つ詩も亦日本人の文學である。

古來よりこの偉大なる國民文學を有する國に生を享けた吾々の血管の中には、脈々たる祖先の血が流れてゐるのである。

今、皇恩に起き臥しするわれ〳〵に、この志を述べる機關が與へられたのである。表現に巧拙はあれ、その一字一句が皆魂の叫びでなければならぬ。

光榮と意義ある「篠原」の育途を祝ひ、その發展を祈るや切である。

（一六・八・二九）

友情論

北三　手塚詩樓

私は友情ほど世に最もたのもしく、好ましく、又うるはしきものはないと思ふ。私達は人間として生れた以上最も成功的に生きなければならない（成功的と云ふ事は功利的といふものでもなく立身出世することでもない）

又効果的に深的に多的に大きく強く生きなければならない。そして自分がこの世に何の爲に生れて來たかといふ目的を可能にし、果すために相凭り相信じ、相憐み、相勵まし、相助けるの友情を見出さなければならない。乃ち吾々の人生をより効果的に成功的に生きる爲めには先づ第一に友情を見出すことにあるのだ。

私達はかゝる友情を見出すことに於て初めて自分自身の魂を刺戟し希望を見出し價値といふものを感ずることが出來る。

伊太利文藝復古期の大天才ミケランゼロは當時唯一の愛護者であつたローマ法王からも見はなされ、ローマ中の藝術家達の職業的排擠、嫉妬、中傷の中にあつた。人間特に藝術家としてその職業に於てよき愛護者やよき理解者が無き場合を想像しただけでも精神的に如何に荒寥たるものになるかといふことは誰れでもが考へられる事だ。

ミケランゼロはかゝる忍苦的な報いられない一生涯に於てあの數人の貴婦人達の美しき友情よき理解、よき批判、激勵は想像しただけでも朗らかな感じを受ける。

彼はこの美しき友情によつてあの不朽の名作を作ることが出來たのであらうと思ふ。

菩提樹の下蔭に於て古代藝術やプラトー論をあの貴婦人達の美しき唇から聞いた。微笑をもつて。さらに彼自身の作品に對しては好意的な批評推讃も聞いた。恐らくこの一時こそミケランゼロにとつて最も樂しく又この一時に於てあの獨創的な精密さを織込んだのであらう。

友情ほど實になごやかなものはない。ことにそれが男女間に於て最もなごやかな刺戟と希望とが與へられる。古來同性間の友情の美しさは云はずもがな、異性間の友情に於ても又ミケランゼロに於ける三四人の貴婦人のごとく憧憬的、天啓的なものを見出すことが出來る。

放縱、無貞操、享樂的、都會的、獸の如き愛慾、肉慾……かくの如き聯想からぬけ出し淸算して初めて男女間の自由的な自然的な友情を持つことが出來るものである。友情は時としては戀愛と一歩の隔りに於て存在する。その隔りは神と人間との隔りである。乃ち友情は神であり、戀は人間である。私は戀愛に於て、特に現代の戀愛に於て突込んで考へて見るに甚だ遺憾に思はざるを得ない。これは日本に於ける古來からの惡因襲による點もあると思ふが、もう少し戀愛に對する吾々青年の心構へが大切であると思ふ。私は男も女も外見や夾雜物に惑はされることなく自分の心を本意として、戀愛を考へなければならぬと思ふ。自分を愛し得て初めて人をも愛することが出來るのだ。戀愛に於て第一の問題は相手では

ない自分なのだ。自分への眞心だ。心の奧にひそむまことだ。だから戀愛は一時的の熱病でもなく遊戲でもない。自分を磨いていくことだ。理性と情熱で自らを心のまことで築いていく不斷の努力だ。これは戀愛論になつてしまつたが、男であれ女であれ美しき人、賢明なる人、貞操を知る人、恥を知る人、人類の明日を思ふ人、この樣な人々がお互ひに美しき友情に於て手と手を取り合つて行くことは人類の爲最も好ましきことである。

今や日本は東亞の盟主として世界に君臨する時である。

「戰ひに勝つことは武力戰に非ずして思想戰なり」と誰かが叫んだ。今迄の歷史をひもといて國家民族の興亡を見るに、國と國、民族と民族の戰ひに於て破れ或は亡び去つた國々は必ず思想戰に破れてゐるのだと云つても過言ではない。乃ち國民の思想が堅實なる統一を缺いて居つたが爲である。

これを見るに如何に國民の思想問題が重大な意義を持つかといふことはよく解ると思ふ。國民の思想は國家の興亡を意味する。我が日本は今その時に直面してゐるのだ。吾々は護國の華と散つた勇士や彈雨をものともせず一身を堵して戰つてゐる將士を犬死させてはならぬ。現代の日本を見るに果してこれで完璧なものであらうか。吾吾青年がよくこの事を檢討して見なければならない切實な問題だ。思想の革新は青年の手を俟たねばならないのだ。かゝる時に吾々青年の一人々々が國家の目的を自分自身の目的として、互ひに友情で結び合つたならば如何なる大敵も恐るゝに足らんやである。

作業療法に就て

森岡醫官

恢復期は療病の重大時期である。作業療法は此の時期に是非行はなければならない最有効なる療法である。

作業療法とは恢復期に於て安靜以外に定作業を課し以後作業量を次第に增し以て治癒の確實と促進を目指す積極的な療法である。療法なる故、醫學的根據に基づき醫師の監督の下に注意深く行はなければならない事は無論

である。

病狀の有る間は必要以上に迄神經質で療養に勤しむが停止期又は恢復期になれば不知不識の間に油斷が生じ、主治醫に相談なく之れ位のことは差支ないだらう又は良い事だらうと一人決めでやる事は危險である、且つ又得して好きな事をやる關係上深入し易い。其の結果が一見支障ないか或は却つて一時良い樣に見へるも見掛上のことが多々ある。數日間で惡くならないからとて決して安心はならん。數ヶ月後に惡結果が現れることが尠くない。

其の日其の日の氣分に左右され、或る時は元氣に委せて無理と知りながらやり又退所を急ぐの餘り急激な無茶試練を行つて見る、氣分が塞げば寢臺に寢たまゝ又は室内に閉ぢ籠つて怠惰に日を送る等不規則に流れ易い。此の不規則は無理と同等以上に害あるものである。其れとは反對に療養が長期に亙る間に、弱氣になり病氣が良くなつて居て心配は無用と云ふに拘らず何時までも寢臺を離れ樣とせず精神的に自分で病氣を作つて居る者もある。

何れも治癒を遲延し又は逆行せしめる。故に此の時期に早速作業養法に取掛らなければならない。

作業に入つての束縛と强制の窮屈を心配する者もある樣だが、凡そ人間は環境の支配を受ける。作業者が集つて誰も彼もが守らねばならん狀況に於ては怠惰もなく無理もなしに朗らかに規律的療法を案外容易に出來るものである。

作業は療養本位なる故療養に適した種目及作業時間は勿論趣味を加味しなければならない。夫等を恢復進度と照合して安靜と平衡を保ちつゝ漸增することに依り細胞中毒症狀を去り病竈の吸收、纖維化又は石灰化を圖り結核性疾患に有勝な過激性を消滅せしめ、身體的のみならず精神的兩方面より積極的に、抗病機能と治癒機能を旺盛にするものである。

結核性疾患經過者は特に適職を選び而も徐々に其の就業時間を增すを理想とするも必ずしも現狀は其れを許さない。其の事は現に退所者より耳にする處である。されば其の實狀に卽した萬全を期する爲にも、作業療法を退所前に終了し置くの意義が大いにある譯である。

作業療法に於ては皆が皆な平々坦々たる一直線道で治癒の彼岸に到達するものではない、多少の高低及び曲折あるを免れない。又安靜療法のみでの治癒退所直後の急激な勤務の無理及び不規則は再發の危險なしとしない。

作業療法經過中に於て結核恐るゝに足らず、併し輕視すべきものにも非ざることを體驗し試練を經、實社會への前準備なつての自信ある再起に始めて光明がある。

この度新設される全國數百ヶ所の作業所も療養所の作

業療法の延長擴大したるものに過ぎない。

作業療法は全國に施行され諸外國にても亦古くより見るものである。

我々の北國以上の寒氣でも冬期施行されて居るが、ここでは降雪のため冬期續行至難なるは甚だ遺憾な事である。

代用食と其榮養價

中源醫官

今や日本を取巻いて世界の情勢は明日をも如何とは計り難く、所謂ＡＢＣＤの包圍陣形の中にある我國民は益々確固たる覺悟と苦難に耐へて行く底意とを以て長期戰の遂行に望まなければなりません、其の爲には云ふ迄もなく生活を刷新し、色々の方面に於て消費を節約して戰時最低限度の生活を維持してゆかなければならないのであります、そして其の中の重大なものに先づ食糧問題があります。卽ち節米、代用食等の必要が生じて來てゐるのですが、現在のこの切實な實際問題を以前に於て誰が豫想したでせうか、又今後或は例へば主食の方にしても今の半分位にも限定されないとは保證の限りではないと思はれます。

食糧が豐富であれば隨つて榮養を攝る事に於てさして問題がないのですが、限られた數量の食糧から必要量の榮養を攝取すると云ふことはやはり頭を働かさなければなりません。

それには勿論榮養學上の知識に基づく、蛋白質、脂肪、含水炭素或はビタミンの各種等〻卽ち榮養分の適當量の配合が必要であります。そして大體の食品の種類による榮養價を知つて置くと云ふことは、この食品不足時代の對策の根本となります。例へば手當り次第の食糧を何でも只無造作に受け入れて、榮養學的には何等の研究も考慮もない場合、或は調理に對して少の知識をもたない爲に切角の榮養分も破壞したり、損失したりする樣な生活態度では新體制の意義をも無視することになつてしまひます。量の不足は質で補ふとか又、節米にしても各地方

にそれ〲多く產する雜穀、豆類、芋、南瓜等、之等は立派な代用食として用ひる事が出來ます。只その節米、代用食と言ふ方法を誤つて榮養の缺陷を來し、體位の低下を招く事なき樣、種々工夫、研究を積む事が必要なのであります。

斯く戰時生活の制約の下にあつて、然も國民體位を維持してゆく爲に卽ち、數量的に限られた食糧を最も有効に、又代用食もより合理的なものに、それ〲利用して、必要最低限度の榮養を攝取する樣、我々は心掛けなければなりません。其他殊に榮養上には、食品の好き嫌いといふ事は是非矯正しなければならないことでありませう。眞に時局を認識するならば嗜好を矯正して、有るものは何でも喜んで食べると言ふ氣持をもたなければなりません。又、之迄の魚肉類や野菜類の中でも兎角捨てられ勝であつた部分や、又食用となる雜草及今まで余り見向きもされなかつた或種の海草類の中にも多量の榮養價値の存在する事も知らねばなりません。

ここに於てもつと科學的の知識を活用し出來る丈工夫研究すれば幾らも手に入り易いものゝ中で必要の榮養が攝れないと言ふ心配は決してないのであります。故に量が少くても若くは代用食であつても、以上の事を常に考慮に入れてすれば充分榮養の攝れる献立は作れる筈ですからそれを全體で實行してゆかなければなりません。

要するに現今の樣に種々に材料が不足していつたり、制限されたりしても、我々の工夫一つで前にも增して美味しく作る事も出來、周到な配慮を巡らせば充分榮養價を上るのも可能な事なのですから、この際可及的消費節約を强化し、その上によく國民體位を維持して、元氣に明るく一億國民一致團結して、この重大時局を眞劍な氣持ちで突破してゆかなければならないと思ふのであります。

潟波

上野與吉

風わたればきらめき白き潟波にしばしの魂（たま）を遊ばせて居り

潟波の白み光るに風ありてわれのこゝろの空白部分

潟波のさやさや白む淨（すが）しさにありて身はいたつくとも魂いたつくな

雲を裂く夕陽のなかにいのち生きむ希（のぞ）み激（げき）するひとときはあり

わが一世に療養の日日の占むる位置輕からずともみづからにいふ

養療所

岩泉美鳥

聖戰に病みてかへりしつはもののいのちしづかにやしなふところ

かく病みてここに臥すさへかしこきに侍醫御差遣の御沙汰を拜す

內還の命（めい）に哭（な）きたるくやしさも忘れしごとく二歳を經き

名の知らぬ虫もいくつか鳴き交へる夜をさめゐしはしばらくなりき

清ぎよきをとめが歌に朱を入れし夜はつつしみてわがこころ矯（た）む

動かぬ土

——〝動かぬ土〟を讀んで著者八代かの江氏に捧ぐ感想——

（著者は病院船看護婦）

北四　丘　柴　子

昨日ベットの上に臥しながら貴女の「動かぬ土」を讀んで私は全く意識を失つてしまひさうな感激と昂奮につゝまれてしまひました。今日は朝から何んだか氣分がよいので、未ださめやらぬ感激のそのまゝを筆に托して拙い感想を少々述べさせていたゞきたいと思ひます。

私はさきに大嶽康子の「病院船」を讀んだことがあります。從軍看護婦としての尊い體驗による手記だけに、その實感による描寫の迫力と、看護婦としての愛國的な心情の美しさといふものに痛く心を打たれたのですが、今度の貴女の「動かぬ土」を讀んだ傷病兵としての環境にある現在の私には、余りにも劇しい感動とショックをさへ覺えざるを得なかつた。それは歌人としての貴女の冴えかへつた情熱の豐かさと、戰時下日本女性としての新しい國家觀、人生觀に立脚した燃ゆる様な愛國的信念とが、現實的切實感となつて一篇の言言句句の中に脈々として息吹を流してゐるからです。

傷病兵と看護婦——。

私は昂奮をしづめながら靜かに考へる。

間斷なく流れるこの大きな時代の動きの中において、國家的人間の思想感情といふ一つの歴史的な潮流があると肯定することを許されるならば、その流れの中に絶えず美しい輝きを放つ一條の劃然たる流れを私は見出したい。そしてその流れの源泉こそ、それは傷病兵と看護婦といつた様な特殊な生活環境の中から湧きあがる、美しい愛國的友情的な情感のそれであると私は信じたいのです。

動かぬ土——。動かぬ土の上に臥しながら私は想ふ。あゝ荒海の日の動搖はげしい病院船。想像しただけでも早や胸がワク〳〵して來さうです。

「創の疼痛を訴へる人、頭痛を訴へる人、高熱に呻く人、船暈に絶えず嘔吐する人。『看護婦さん』『看護婦さん』と、と賴りにされるその看護婦さんも、一日中一粒の飯も口にしてゐないのだ。」………。こんな處を讀んで泣かされてしまつた。實際こんな場面の話を田舍の素朴な私の母の如きに聞かせたら、きつと念佛を唱へて感激されるだらうと思ふ。病狀が惡くて氣分がすぐれず、くしや〳〵する時は、つい看護婦に無理なことを言ひつけたり、無茶苦茶に叱りつけたりして看護婦を困らせる樣なことは吾々の療養生活の中においてもよくありがちです。まして病院船の如き場合には殊に甚だしいのです。さうした患者に對して時には諭される樣な賢母にも似た貴女の氣持を讀んで私は、吾々傷病兵が余にも徒らに銃後からの同情的な存在に甘へやうとしたり、出征軍人としての優越的な感情に溺れやうとして、看護婦達の尊い心情を十分に解せず、寧ろ冷淡な氣持をもつて接してゐなかつたらうかと考へて、羞恥の感を覺えさせられたのです。

早く俺を漢口の方へ向けてくれと戰盲の兵は
起きあがりたる

かうした歌を靜かに味つてゐると、實際吾々はもつと〳〵我慢して感謝せねばならなかつたものをと、私は深い反省と後悔とに今更新しい感激の情に堪へられないのです。

我儘を言つてはならない、甘へてはならない、傷痍の名において、もつと積極的に正しく強く感謝と悦びの療養で再起奉公せよと、理想は常に吾々に說くのです。皇恩の宏大と、銃後の絶大なる御援護に對して只管に心を澄ましつつある吾々ではある。だが然し、戰爭、長病み、逆境、病苦、死、等々の生活の中にある吾々の現實は時として吾々を僻みがちな感傷の羈絆で拘束しようとしてならないのです。感傷の羈絆を斷つて理想にひたむかふ——。そこに吾等の努力があり、努力の爲に絶えざる苦惱がある。軍醫、看護婦、衞生部員の尊い誠の心情と、銃後國民の優しい愛情の慰めとを、「おゝ私を生んだ獨逸の國よ」と船暈ひの苦しさに惱みながら歌つたといふ詩人ハイネの樣にも、或時は又砂漠のオアシスの樣に、吾々の苦惱はそれを求めてゐるのです。貴女の「動かぬ土」は私にそれを與へてくれた。美しいレコードを枕邊で聞きながら、劬られながら夢の世界に生きてゐる樣に——。

あゝ吾々はやつぱり幸福だつたのだ。

看護婦さんすみません！

かの江さんありがたう！

北國の空の下、石川療養所のベットの上で「動かぬ土」を讀んだ一人の傷病兵のいつはらざる氣持をどうぞ認めてやつて下さい。

一日も速かに再起奉公すべき療養の自からの努力の爲に精神の純化をはかるといふことも療養の効果的手段であることを私は確く信じて居ます。私は心のはずまない時、不平の起らうとする時には、傷痍軍人五訓を口ずさみ、赤い十字を瞼に描いて、新しい感謝を喚起しつゝ、療養に精進したいと思ひます。そして私は再び想ふ。

傷病兵と看護婦——。

聖なる戰ひの續くところ、昨日より今日、今日より更に明日へと絶えず流れ續くであらう、力強い愛國的情感の歴史をして彌澄み輝かすべく、吾等の新しい尊い使命と矜持の爲に、私は「時局下幾萬の傷病兵諸君よ！」と大聲で呼びかけて、無名の著者八代かの江の「動かぬ土」を一讀されむことを無條件におすゝめし、宣傳したい樣な氣持で一杯になつてしまひました。

裝幀も非常に恰好のもので、迫力ある重厚さに魅力を感じます。「立春」の短歌精神のそれの樣にも………。

動かぬ土の上で、今は故鄕にあつての靜かな御日常を想像しながら

終日をつきまとふ翳のさいなみは性諾うて自と
耐へゆかむ

この近詠の中に貴女の生命から來る必然的なすべてのものに私はうなづきつゝ、さちはひ愈々多からむことを切に御祈り申しあげて拙い感想の筆を擱きたいと思ひます。

還るを見て

南三　多　津　志

秋晴れの軍都の空を壓して歡呼の聲は響く、二年振りで支那大陸に勇名を馳せた我が健兒、大陸灼けした顏に幾多の軍功を逞しい肉體に祕して、嘶きや馬蹄の音も高々と今ぞ晴れの歸還なのだ。これを迎へる人々の感謝感激は自動車を止め電車の進行を止めての熱狂振りである。四重五重の人垣、旗の波の中を左手に手綱の捌きも鮮かに片手を上げたまゝ聲も出さずに居る兵、又幾百の顏を識別するが如くに見える兵、その姿を凝視してゐる一人の青年が居る、人々が咽喉も裂けよとばかりに萬歲を唱和してゐるのに、この青年は何故か一聲も發しないのだらうか。感激してゐる事は確かだ、力強く擧げてゐる兩手、部隊の行進を凝視して居る血走つた樣な燃えてゐる樣なその瞳、他の人がこの姿を見たら、きつと感激のあまり聲も出ないのだらうと思ふ事だらう。正に今の姿は心は眼前の部隊の行進に大きな感激と、ある衝動をうけて聲も出ないのだ。見よ、騎馬の先頭を颯爽と行進、指揮する將校こそ過ぐる日この命を預けた『軍の下級幹部としての時局の重大を解き激勵の詞を下されし重厚な部隊長殿だ』。優しき姿その眼差しも幾多の激戰の爲めに窶てをれど、親しみある顏よ、次は軍旗だ、日清戰爭を皮切りに幾數十回に及ぶ戰陣に幾多の戰功を物語る縁のみの敬遠な軍旗、おゝ、その旗手こそ過ぐる日、一本の煙草も分けて喫んだ戰友〇〇少尉だ。部隊內切つての美男子も戰塵にまみれし皮膚の色、全く鬼部隊長並みの顏だ、余りの懷しさに人垣を押分けて聲を掛けたい、とび付いて其の勞を犒ひたい、心をじつと押さへてゐる苦しさ、こんな大きな感動は、衝動は二十有余歲の今日までの人生では今が始めてなのだ。兵士の知人なのか「オーイ〇〇君、元氣で還つて來たか」「お目出度う」叫ぶ上はづつた聲もするのに、此の青年は二年振りに見る優しかつた隊長殿や戰友の懷かしい顏を眼前に見ながら歡呼の聲を上げないのだ、否上げないのではなくて、上げられないのだ。何故？、それは青年の心を流れる一つの事實があるからだ。事實とは、靑年もかつてはいま眼前を通過してゐる部隊の一員だつたのだ。部隊が任地に向つて進發する數日前、彼の部隊長の眼前に呼出され、補充兵再教育の重大性を解かれて留守隊勤務を甘受したのだ。其の後ラヂオ、ニュース新聞に報ずる我が軍の細々の華かな戰鬪經過を聞き、躍動する氣持を自制し一意勤務大事と補充兵教育に拍車を掛けてゐる內に、一夜の中に高熱のために呻吟した。三日間人事不省の中に〇〇病院に收容され淚の休養をつゞけてゐた。かつては鐵塊の如き、怒濤の如き固き決心も病魔に勝てぬ落伍者として今尙病臥してゐるのだ。二年前部隊長の前に呼ばれし際、堅き信念の一端を「口ずさみ」し我を憶ひ出す時、この身を人の住む世界から消滅させたい衝動に苦しめられたのであつた。靑年はそれからは此の不名譽な憶ひ出に每日を暗くしてきたことも否めない事であつた。軍務の遂行に最後まで携ることも出來ず、五尺の身體を肉彈にしてでも一死を以て國に報ゆる決心であつた。其の念願も果せず病氣入院の事實が、不名譽が恥かしさが彼の躍る胸を、腹から盛り上げてくる聲を阻止するのであつた。病院生活の彼にも鄕土の人々から優しい慰問と力強い激勵とに勞られて來たが、心はその優しさにも甘へることも出來なかつた。そして一年有余の間落伍の原因となつた胸の病とこの苦惱と鬪つて來たのだ。今はＩ療養所に入所して國家の親身も及ばぬ庇護を受けてゐる。暗くなり勝ちな心を押へて、人垣の後からでも、歸還するかつての恩情部隊長、戰友達に感謝を捧げる可くこゝに立つたのだ。

軍列は進む、馬蹄の響きは、逞しい戰友の顏は、一年有余の病床生活を自己の感情にのみ生きてきた。暗い心に仄かに明るさを與へて吳れた健康な世界から分離してゐる。自己の感情が、この感情の光景に接し大きな衝動を受けて目覺めたのだ、忘れてゐた希望に觸れたのだ。傷痍軍人の行手には再起奉公の大文字塔が聳えてゐるのだ、苦惱は自己の感情であり、この身體は國家の一員である、苦惱の峰を

超えて再起奉公の念願に生きなければならないことを、今ぞはつきり心に刻んだのだ。通過する部隊の後より、長い間抱いてゐた自己の感情を苦惱を、腹の底より盛り上げてくる〃萬歳〃の叫びと一緒に晴れた空に投げた。

私の療養日記から

外氣寮

やがて五ヶ月になる外氣寮生活を顧りみて、今私は近き退所の喜びをさておき、むくむくと湧き出るなつかしの思ひ出にさり難い心の絆を深く身内に覺えるのである。多くの期待と不安と興味とをもつてはじめられた、私の外氣寮生活であつた。長い冬に閉ぢ込められた外氣寮はやがて訪れくる春の氣配にも、まだ淋しかつた、だのに今は早や肌にうそ寒い秋の風、虫の音すだく夜の外氣はそゞろに物思はせる。なつかしさの余りあの當時のあの感激を過去の記錄に尋ねて見た。

四月廿二日　火曜日　晴

愈々今日各員は病室をはなれて各自の寮に引越し轉居する事になつた。危ぶまれた空模樣も午前九時すぎ頃からからりと晴れて昨日までの蒸し暑さもどこへやら快適な引越には絶好の天候となつた。

すでに氣の早い人々は、私がまだなつかしい病室の寢臺に名殘りを惜しんで着手し得ずにゐる中から、どんどん寢具や手のまはり品の運搬にかゝり始めた。

そして私が始めた頃には、その人々はもう総つて寮のまはりの清掃をしてゐた。それでも午前中にはどの寮もみんな引越は片づいてしまつた。午後一時から外氣食堂に一同參集小川班長より所長先生の指示になる日課時間割を報告され、それをもとにして差しあたり實踐すべき日課表を一同協議作成した。

×　　×

夕食を病棟の方ですまして私は昨夜の睡眠不足の爲か重い頭を休めて、ぼんやり西側の窓をあけ放つて茜色にくれて行く春の空をながめてゐた。寮のめぐらをとりまく梅の木の、萠える樣な若々しい新芽が目に鮮やかにしみこんで來る、松林の僅かの木の間を拔けて赤い夕陽が今しづかに落ちて行く。時折思ひ出した樣にねぐらに歸り忘れた小鳥の囀りがのどかに響いて來る。余りにも靜かだ。

私はじつと息をこらして尙もあかず體全體で、この暮れゆく春の夕景を味はふとつとめた。すると自分自身がその中に沒入して行くかの樣に思へて來るのだつた。

私は久しく忘れてゐた、いや得ようとして得らなかつた

自分自身を今日はからずもとりもどした樣に思へた。それにはさうなるべき外の原因があつたのかも知れないが私は今外氣寮があたへて吳れた孤獨の生活の大きな收穫であると思ひこむに何の躊躇もしない。

たつた昨日あれほど悲觀的な感傷をもたらした私は、今日はかくてあるのだ。さうだきつと外氣寮は私にこれからも多くのものを敎へて吳れるにちがいない。今週の週番を受持つた私は九時消燈の合圖をして外氣寮で最初の夜をむかへる事になつた。とほくひゞいて來る海なりのまにまにこと〳〵とかすかに夜の靜寂を破るはミヽズの鳴聲であらうか。スイツチをひねると、あかりは外のくらやみに吸ひこまれて二つ三つまたゝく星あかりが廻轉窓から目に落ちて來た。私は開け放つた外氣窓から流れ入つて來る夜の微風をたのしみながら、いつか深いねむりについた。

四月廿五日　金曜日　晴

靖國神社臨時大祭で今日は作業を休む事にした、休日がもたらしてくれる心の解放と樂しみを、我々はこの生活を始める事によつて忘れられてゐたものを取りもどした樣な氣持で味はふ事が出來た。見るともなく映つて來る窓ぎはの梅の木に私はぼんやり目をやつてゐた。そして驚いた。ほんの二三日前まで見當らなかつた實が靑くまだ小さく無數にむすばれてゐる………。やがてこの實は大きく熟しそして終に枝より落ちて又新しい生命を來るべき春に育くむ事であらう。親木も年々伸びにのびてそしていつかはくち果てる事があるであらう。あの無窮を誇る星斗闌干たる天界ですら、我々の肉眼にその不變の偉容をうつしながらも時々刻々に變轉してやまないといふ。現象界は不斷の變化にこそ、その本質があるのであらう、卽ち我々のもろいくだけやすい精神も肉體も。しかしその移り行く變化の現象を客觀として超然と達觀し得る人は幸福なる神の惠にゆたかなる人であるにちがひない。懷疑と失意の生活は苦しい。苦しいが故にその生活を通じて人は無窮なるもの絶對なるものを自己の中に確立しようとつとめる、では私はどうしたらいゝのだらう。かつて私はやむにやまれぬ燃ゆる樣な情熱的な生活意慾に忠實なる人をこそ、最も幸福なる人生の勝利者であると考へた。そして自分の情熱の方向を決定し得ず又それの現實社會に於ける必然的な制約性を知らず、笑ふべき英雄主義に醉ひ乍ら何等かへり見るところもなく、あたら靑春の旺盛なる生命を、爛熟せる頽癈趣味の夜の巷に消磨し盡した。

そして後にはつかれたる肉體ときづつきたる魂の弱々しい溜息、ほろにがい虛無、たゞそれだけが殘つた。嚴肅なる道德律の命令の前には私の自由は最も正確なる意味に於て、放縱と何等變るところがなかつたのだ。私は規律を欲し命令し束縛するものを欲した。私は軍隊生活にすべてを期待したのは當然の歸着であつた。おとろへ行く肉體と傷

ついたましひの再建とをはかつて、しかるに神はこゝに於てもまだ私にその願ひを入れては吳れなかつた。

かの火野葦平氏の筆にゑがかれたる美しい日本軍隊の神髓「武士道はまだまだ自分のものとすべく、余りにも遠かつた。そしてたゞ貧弱な自己の合理的敎養を粉つぱ微塵にたたき潰されて、こゝでも苦い滿されない殘滓を心にいだいたまゝ病魔の爲に敗退の止むなきにいたつた。すぐさま絶望と死を聯想させる、あのいまはしい症狀を呈する事なく現在におよんだ。私は自分の疾患についてさして苦惱を味はゝずにすんだ。しかしそれは私が抱いてゐる樂觀的な自分の死生觀から來たものであつたかも知れないが、たゞ常に頭をはなれないものは、私をつかんで導いて行く大きな或る者の本體である。私はいつとけるかもわからないこの謎を抱いたまゝ今こゝにかくてあるのだが。私は今この機會にこそ何物かを得たいと意氣込んでゐるのである。めぐまれたる自然の景物がそれをして吳れるか又は再訓練の途上に握りしめる鍬が啓示しくれるか、或ひはもえ出ずる生命を育くむ大地がか、私はうゑたるものゝ食物をもとむるが如く慾求そのものである。願くば私の尙今後しばらく續行されるこの生活の、みのり多からん事を祈つてやまない。

四月廿六日　土曜日　晴

今日の作業によつて外氣食堂のまはりも、洗面所もきれいになつた。木と靑草につゝまれた我々の住家は何と和やかな親しみ深いものである事か。又我々にはもう自分の體についての不安などといふものは消散してしまつたかにさへ思はれる。そして潑剌として元氣に自分の自由な毎日を樂しんでゐるのだ。私はユートピアといふのはこんな生活にあてはまる言葉であらうと考へた。我々には人間をみにくいものとする、あのいまはしい利害關係もなくそして又我々を壓迫する不愉快なる何等の障害もない。その上たゞ我々がかゝる生活を許容されるにいたつた條件である、肉體的苦痛も不安すら消滅したと思しき現在の狀態である。私は自分がこれまでなしたるものに對する當然の報酬として、今この樂しい果實を享受する權利を主張してもいゝだらうか。

しかし我々以上の事をしてなほ不幸なる結果を、たゞ諦めによつて報いられたる人はどうすればいゝのだ。運命だと云つて、いひきるには余りにもそこに割り切れない何者かゞ殘るのではなからうか。大きな國家意志を運行させる爲の滑油として尊い數限りない絶對的個性が燃燒されてゐるのである。安價な感傷ではなしに今日はひとしほ切實な氣持として感ぜられる。

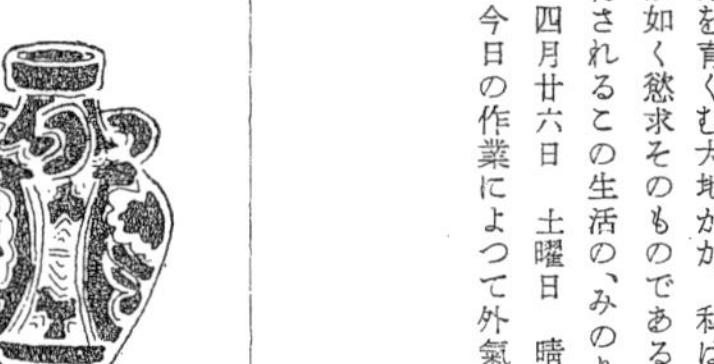

創作

吾輩は四十雀である

南二　横川清秋

吾輩は鳥である。鳥と云つても隨分種類が多い。小は蜂鳥といふのから大は鷲に至迄、大小樣々だが、悧口な点に於ては吾等の仲間である四十雀の右に出づる鳥はないだらう。イヤ貴樣より山雀だと云ふ者も居るかも知れぬが、奴は吾々から見ると下等に屬する。彼等は人間に飼はれるとすぐ山師の手先となつていかゞはしい神籤等を引いて善良な人間を瞞着するなんて凡そ鳥類の風上におけぬ。吾輩はそんな事を斷じてやらぬ。出來ぬのでなく、先祖からの遺言でお止めになつて居るのだ。

吾輩は四十雀であると大きく見得を切ると、世の中で云ふ。愚者なる者に云はせると、漱石の猫の眞似をして原稿料を稼ぐのだらうなんて云ふかも知れぬが、左に非ず唯時代の問題だ。唯だ猫が明治の代に顯れ、吾輩が昭和の聖代に顯れたにすぎぬ。吾輩が若し明治時代に生れて居たら必ず猫以上の四十雀が顯れたであらうに殘念な事だ。漱石先生は偉いが、猫は少しも偉くない。垣の上で吾等の歌手である鳥の勘公と意地張つて落るなんて愚の骨頂だ。勘公の事を吾等の歌手と云つたのは、あれはお世辭にすぎぬ。鳥は學問上鳥禽類に屬するが、その聲たるや實にお粗末な事は一般に定評のある處だ、あんなのを鳴禽類に加へた人間の心がわからん。加之、彼は生來の愚者だ。何しろ鳥類國民學校を落第ばかりして居る

輩だ。こんな奴に負けたのだから猫も評判程の悧巧者では決して無い。大體猫の癖して麥酒を吞んで、井戸に落ちて死ぬなんて、賢いとは思はれぬ。どう贔屓目に聞いても余り感心した話じやない。しかし彼も全部が全部馬鹿ではない。誰でも短所があれば長所も必ずあるものだ。猫君は實に古今未曾有の文筆家だ。悧巧者で通る吾輩も残念乍ら彼に二目も三目も置かざるを得んのだ。彼の履歴を見ると學歴が全然ない。吾輩の様に國民學校すら卒業して居らん。然るにあれ程の名文を残したのは、猫が鼠を獲へる事が上手なのと同様に天才的なのかも知れぬ。然し考へ様では、猫はどこ迄も鳥に負けた猫だが、彼の主人である苦沙彌先生が偉いのだらう。彼は自分の主人である苦沙彌先生を變人の様に書いて居るが、何んといつても中等學校の教師をやつて居た位だから偉かつたに違ひなからう。猫はその偉い主人に就いて、陰に陽に何かと薫陶を受けた爲であらう。だが何んといつても偉くて最大の勳功者は、吾輩が最も崇敬する漱石先生である事は絶對に間違ひない。なんとなれば、くだらない中等學校の一教師の家に飼はれて居た猫が、何十年の今日、人類は云はずものがな、吾々鳥類に至る迄その名を知られるに至つたのも、漱石先生が廣く社會に紹介するの勞をとられたからである。當時文壇の雄である〇〇先生や□□先生が漱石先生に更つてその勞をとつても、決して斷じてあれ程の猫にはなつては居らん。その点漱石先生に見出された猫はそれ程馬鹿ではないにしろ、實に幸運者であつたのだ。

　猫の主人は中學校の教師だつたが、吾輩の主人は眞にお粗末な者だ。悧巧な吾輩の頭腦で主人である關阿久比氏の言語動作から察するに、どうも國民學校をやつと卒業したとしか思はれぬ。中學教師とは格段の差だ。吾輩も主人運が良く、もつと高等な主人を持つ事ができて居たら、猫以上の鳥になれるだらうに全く残念だ。實はこの主人も吾輩が求め様として求めた者ではない。求め様として求められるものなら、頭の良い吾輩がこんな主人を持つ道理(わけ)がない、止む得ず持たされた主人である。

　吾輩がこんな主人を持つ様になつたのは——そも〳〵、

ざあ一つと今より人間流に數へて四月餘り前で、月も四月の中旬頃、友達衆に連れられて、お花見と洒落込んでの歸り途、一寸油斷して友達の群に外れてしまつた。流石の吾輩も困つたが、えゝ儘よと松林に降りて一遊びしたら腹が空つたので松の實や小虫等を喰つて腹をこしらへて、そろ〳〵家に歸らうかと思つて居る矢先、「ツン〳〵ピン、ツン〳〵ピン」と近くの方で仲間が呼ぶ聲がする、さては誰か迎へに來たのかなと思つて、聲のする方に飛んで行つて見ると驚いた、見た事もない仲間の一羽が、誰に造つて貰つたのかおそろしく華奢な立派な家の中で娯しさうに囀つてゐる。

　吾輩は何んだか羨しく思つて、ズーット傍に寄つて、「オイ君、誰にこんな立派な家を造つて貰つたのだい」と聲を懸けると、驚いた様に振り向いて「君、駄目だ〳〵早く逃げ給へ、僕は嬉し相に見えても籠の鳥だ、早く逃げぬと人間と云ふ獰猛な奴に喰ひ殺されるぞ」といふ。

吾輩も聊か驚いた、まご〳〵して喰ひ殺されると命が危い、サーツと持前の機敏さで飛上つた。途端、蜘蛛の巣にかゝつた虫の様に急に翼が効かなくなつて、首が何かにひつかゝつて動きがとれなくなつた。暫らく暴れて見たが腕けば腕く程自由がとれなくなる、これではいかぬと悟つてあたりの様子を見ると驚いた、これはしたり、細くて黒い糸が菱形に編れてあつて長く續いて居る、さてはこれが學校で習つたカスミ網といふものに違ひない。學校の先生が「人間と云ふ下界に居る無用の長物が發明したカスミ網なるものは、實に恐しい器械でこれによつて生命をとられたり、行方不明になる鳥類の數は實に莫大で、その被害たるや、百舌や鷹の比でない、依つて諸君は空中飛行の際は特に細心の注意が必要である」と講義されたのが、今になつて頭に浮んだが、もう後の祭りになつてしまつた。もう少し早く氣が付けば、こんな憂目を見ぬものをと、豆粒大の口惜涙がボロ〳〵と流れた。嗚呼、もう人間と云ふ奴に捕へられて——そうだ殺されるのだ。ハット氣がついて、口惜涙が死に度くない涙に變つた、嗚呼、死に度くない死に度くない。吾輩は聲を限りに「ガチャ〳〵ヒイ〳〵」と學校で習ひ覺えたあら

ゆる救急信號を盛に發したが、効果更になく誰も來ない學校の先生もいゝ加減なものだ、誰も救ひに來ない救急信號を教へるなんて、こんなのなら一生懸命に勉强するのでは無かつたと思つた。暫らくして人間の首らしいものが灌木の中から出て來た、其時吾輩はもう死を覺悟した、こゝに吾輩の偉い處があつたのだらう、生に對する聊かの未練もなくなつた吾輩は、どんな奴が俺を殺すのかと、グーッと睨み付けると、なあんだ、こんなのが人間かと、人間を始めて見る我輩は聊か驚いた、胡坐をかいた様な鼻の先に穴が二つ空をむいて居て眼が細くて額が狹く頗る獰猛な顏をして居る、成程こんな奴が鳥を殺すのだなと思つた。やがて大きな手がニュッと出て吾輩を捉んだ、今だな殺されるのが、どうせ殺されるのなら小鳥の意氣を見せてやらうと、おとなしい様に見せて油斷を見すましてやにはに、胡桃を割る時の勢で無暗に處嫌らはずつゝいてやつたが、人間は餘程鈍感な者と見えて大して應へないらしい「チエッ」と舌打して、ボイと籠の中に投込まれた。殺すのなら一思ひに殺して呉れゝばいゝのに、既に死を覺悟してゐる吾輩は殺されないのが癪で、中で「ガチャ〳〵」と叫んでさん〴〵暴れたが、相手の人間は涼しい顔をして鼻歌を歌ひながら、網をたゝんで吾輩を籠の儘風呂敷に包んでしまふ、これでは張合がないから一寸靜かにして様子を伺ふ、稍ゝして風呂敷の儘スーッと身體が持上つて、ぶら〳〵搖れ出した。吾輩を屠殺場とかいふ處へ連れて行くらしい、そうだ、ひよつとすると逃げられるかも知れぬぞと氣がついた、幸に風呂敷に小さい穴があいて居る。しめた、あれだけの穴なら必ず逃げられると思つて、先づ第一の障碍物たる籠の柵を嘴で突いたり、足で搔つて見たりする運動を五六度餘り續けたが華奢な割に頑丈に出來て居ると見えて、貧乏搖ぎもせぬ、徒に勞力を酷使するのも考へものだと悟つて總てを諦めた。どこなりとも連れて燒いて喰はうと煮て喰はうと勝手にせ、吾輩は坐禪を組む様に眼を閉ぢて觀念した。それからどれだけの時間が過ぎたのだらうか、ゴツンと底を突かれた様な衝動で我に還る、どうも來る可き處に來たらしい、風呂敷一枚で外界と斷たれて居る

ので、どんな處に運ばれたのか少しもわからない。「どうだい捕れたか」と人間の聲だ「なあに四十雀一匹だ、二三日飼つて見て鳴く奴だつたら誰かに賣るし、鳴かなかつらまとめてつぶしだ」これを聞いて驚いた、鳴かねば殺される、殺されゝば命が危い事を知つて居る我輩は一生懸命に鳴いた、美聲をはり上げて、暫らくして餌と水が運ばれるそして時々、大好物の蜘蛛や蠅が風呂敷の穴から投込んで呉れる、吾輩は第一に虫を喰つたが、腹を滿す程與へられないので仕方なしに、糠臭い餌も喰つた、腹ごしらへが出來ると「ピン〳〵ガラ〳〵」とこゝを先途とばかり鳴いた、こゝを生死の境とばかり鳴いた。實に悲痛な氣持だつた、そして喉が痛くなると傍の水を吞む、こうして二日餘りたつた朝「オーイこの中に居るのかい」といふ聲、思ひ起すとこれが今の主人關阿久比先生の聲だつた「ウン鳴くぜ五十錢なら安いぞ」この聲を聞いて助かつたと思つた、あんなに嬉しく思つたのは臍の緒を切つて始めてだつた「うまい事を云ふぜチヤ五十錢」との聲と共に、又此間の様に搖られて運ばれる。もう助かつた、上手に鳴いて人間の機嫌さへとれば殺される心配はない、俺は悧巧だから人間位の機嫌はお茶の子賽々、吾輩は死の恐怖から逃がれて、安心して籠に搖られ乍ら思つた、あの醜男の鳥捕は、吾輩を瞞着して五十錢に賣るとはひどい奴だ、それに引換へて五十錢も張込んで助けて呉れた未だ見ぬ主人は良い人だ、大切に御機嫌をとらねばならぬと思つた。

× × ×

　かくして吾輩が主人である。關阿久比氏に仕へる事になるのである。主人は若く頗る吞氣者で、イザとなると又無暗にあわてる、珍な先生だ、この先生に仕へる吾輩の忠義振りを面白く御披露するつもりだつたが、前書が長くなつて紙數の關係上書けなくなつた、下手な長談議平に御容赦を。

我等の翼贊

覺醒

外氣　中島勝

昭和十五年は世界萬國に類無き我が尊嚴なる皇國の一億國民が齊しく建國の悠久を壽いだ歴史的祭典紀元二千六百年に際會したことは、吾人の今尙深く感銘を新にするものがある。日本人として生れたる私達にとつて何んと意義深く、且光榮な事でせうか。我等は先づ此世に生れて斯かる記念すべき年に會つた事に、限りなき喜悅を感ずる次第である。而かも支那事變を動機とした未曾有の興亞大聖業に邁進し、大御稜威の下、我が忠勇なる皇軍は北支、中支又南支に或は支那海に赫々たる武勳を立てゝ、今や聖業の完遂に日一日と近づきつゝある事を思へば、誰れか此の聖代に生を享けたる事の光榮と感激に打たれないものがあるであらうか。

我等は實に滿腔の慶祝と感謝とを以つて聲高く大日本帝國萬歲を絕叫したくなるのである。然し乍ら我等は徒らに光榮の感激にのみ浸つてゐる時ではないのである。眞に興亞の大聖業を完遂するには、前途幾多の難關に遭遇する事を覺悟せなければならない。

而かも支那事變半ばにして第二次の歐洲戰爭勃發し、我が帝國と盟約せる獨逸、伊太利兩國は東亞の日本と相呼應して世界新秩序建設の爲戰ひつゝあり。近くは獨逸とソ聯も又戰火を交へるに至り、其の範圍愈々擴大され、最近の英米ソ聯等の動向より國際情勢は眞に逆睹し難き狀態にあり、帝國の使命一層重大性を加へ益々多事多難、前途頗る遼遠なるのである。

然して先頃名譽にも此の聖業に雄々しく召され膺懲の銃を執つて第一線陣營に身を賭した我等は、不幸にして聖戰半ばにして敵彈の爲傷つき、或は疾病となり無念の涙流して今此處傷痍軍人石川療養所に身を託し、只管再起奉公を期し療養に專念致してゐる次第である。

然し乍ら片時も忘れる事の出來ない、あの尊き護國の英靈、並に今尙我等の戰友が、炎熱ともすれば百幾十度或は酷寒骨迄徹する大陸に日夜砲煙彈雨の繁吹きをあび、如何

なる艱難辛苦をも總て大東亞共榮圏確立亦世界新秩序建設の爲めにと戰つてゐる事を想ふとき、ひとしほ感慨無量なるものがある。

ひるがへつて我等は目下傷病と鬪つてゐる。これ眞劍勝負であらねばならぬ。

然るにやゝもすれば此の重大使命を忘却し、世人の龜鑑と仰がれる傷痍軍人たるの認識を缺くが如き動向に走り勝ちである。これ眞に恥辱である、斯くの如き意味に於て我等はお互に一に大御心を奉體し、須らく小我を捨てゝ國家の大業に想を馳せ、以て再起奉公に專心努力致さねばならない。

而して此の意義深き年に再び三度び、其の認識を是正して、此の重大時局の切拔けと共に興亞の大聖業完遂に邁進す可きである。

今茲に紀元二千六百一年に當り、我等の使命愈々重大なるを覺醒し、眞に傷痍軍人たるの名譽を失ふことなく益々正しき療養を以て再起奉公を期すべきである。

希望に燃えて共に起たん

南三　佐々木宗隆

不法の銃聲は大東亞共榮圏の確立、民族永遠の平和を覺醒せしめ、急迫を告げる亂打の警鐘の下に聖戰は展開された。

八紘一宇の大精神の下吾々は唯死力を盡して戰つた。然し最後迄大任を貫く事が出來ず後退の止むなきに至りし此の無念さ、情けなさの餘り、傷つける魂を抱きむせび泣きし深夜の幾度あつた事か。然し最後ではないはずだ。

唯一人最後までふみとゞまりし七十三歲の齊藤實盛公、白髮迄黑く染め奮闘した篠原の地、ごう〳〵と押寄せ逆捲く怒濤日本海、今も尙變らぬ潮鳴の響、若き青年に常に躍動する何物かを訴へる實盛公が永劫不滅の最期、現在此の地で傷を癒やす吾々なのだ。最後迄如何なる艱難辛苦にも堪へ鬪はねばならぬ。

大西鄕南洲先生の詩に

幾經辛酸志始堅　耐雪梅花麗經霜楓葉丹

と云ふ句がある。實に大西鄕先生自身の大人格は雪に耐へ霜を經て始めて異彩を放ち、千辛を嘗め萬苦を凌ぎて遂に玉成せられた。

鐵は灼熱せられ打ち鍛へられ研磨せられ、而して後始めて銳刀利刄と成るのだ。

人生も七轉八起である。一難來つて之に堪へ、一難來つて又之れに堪へ斯くして一難又一難、吾々は今試練の道場に於て苦難の病魔と闘ひ鍛へて居るのだ。然らば吾々の力は其の都度增大して行かねばならぬ。

必ず必ず克服出來るとの固き信念の下に、旗鼓堂々と闘つたならば、來る物は唯勝利の榮冠のみだ。幾度か越えし死線、吾々の前には、すべての障碍も恐れもあり得ないはずだ。意氣。即ちあの闘志迫力の如く、どんな惡條件をも克服し、どんな苦涯にも屈託する事なく、我と我が心を鞭打ち闘つたならば必ず起ち上がる事が出來るのだ。

一歩又一歩と云ふ言葉がある。一歩前進又一歩前進一闘を越え更に一闘を越え、必ず目的に到達して見せるとの堅き鐵の如き意志の前には如何なる艱難も艱難ではあり得ないはずだ。

擴大し行く禍亂の波紋。あらん限りの逞ましき氣魄を發揮すべき時代に生れし吾々は、非常な好運兒と云はなければならぬ。

世界新秩序の建設、大東亞新秩序の建設、いづれもが新しい時代の建設である。

動亂の坩堝。日本は世界に對し大きな使命を持つて居る。東洋の覇權を握るは勿論世界を指導するも世界の平和を維持するも日本帝國に依つて實現せねばならぬ。

此の重大なる時代に、嗚呼、何んと吾々青年の有する使命が重く其の光榮の大なる事か。

一層奮起、如何なる辛酸をも克服し君國の爲、正義の爲突進、又突進再度劍を握るも銃後を護るも相共に、一塊と成り忠誠の熱情に燃えなければならぬ。

尙未だ消えやらぬ、あの日あの時あの戰ひ、雄々しく散りゆきし戰友の俤、友の冥福を祈り、友の殘せし最期の言葉に、必ずそはずには置かない。

嗚呼　見よ。

血湧き肉躍る此の青年の心熱する、この氣慨。必ずかならず、もう一度起ち上がり、鬪かはねばならないこの闘志。

聳ゆる靈峰白山、希望。新しき希望を持てと吾々に叫んでゐるではないか。

現下の社會情勢と療養者の覺悟

北三　柴田生

長期の療養を絕對必要とする吾等の病魔を征服、克服する爲に、堅固な意志と不撓不屈な精神を不可缺とするは論を俟たない處である。意志の遲緩倦怠は須く一蹴し、療養生活の主旨を遵守し、有効に克ち得て將來の再起を待たねばならない。

吾等のこの眞摯なる闘病生活の精神的に及ぼす効果の確大なる事は、火を視るよりも歷然たるものである。只管名譽、地位の獲得に大童と成り、物質慾に捉はれる競爭心理の巷間より融離されたる吾等には、必勝の信念を以て健全なる身體と精神は、唯一無二の希求條件である。

優に英氣を培養育成し、精神を鍛練研磨する修養道場と見做すは過言にあらざる處と思ふ。現實足下の逆境に周章狼狽し、徒らに精神を動搖せしめて齷齪するは、勞多くして効少しと思ふ。

されど大なる障碍の前に、ひるまんとする暗澹たる消極的氣質をも血氣溢るゝ若き我等、砲煙彈雨の中に身命を賭して戰火を冒し、軍人精神を徹底的に腦裡に叩き込まれたる吾等は斷じて排擊せねばならぬ。

吾等は燃ゆる熱と意氣を持し、待機の姿勢で隱忍自重し總ゆる艱難に克ち得て、冷眼視され、白眼視されつゝある病敵を一掃流水せしめ、昨今の四圍環境を打破し開拓して銳意療養に歸一し、確固たる盤臺を礎として療養に務めねばならぬ。

傷痍軍人五訓第一項に仰せられる如く「精神を錬磨し身體の障碍を克服すべし」とあるは之れ偏に依存讓步を排擊し、自力更生を主旨としたるを御說明されてあることゝ思ふ。吾等は此の御聖慮を深遠に體得し、再起奉公の誠を効し鴻恩に報い奉らねばならぬ。

吾等が此の重且大なる精神に捷を得るには、空虛、虛無的な意志であつてはならぬ事は勿論にして、堅固なる信念を持し組織化、計畫化されたる心の礎を頑として持たねばならぬ。

一度視線を外部に轉ずれば、舊秩序が瓦解され新體制が創意創造され、大東亞共榮圏、六億の大亞細亞民族と共に防共協定、經濟提携、善隣平和を原則として新秩序建設の目的完遂に邁進すれば、ＡＢＣＤの包圍國家は敵性の意氣を昂揚し、民衆をして煽動せしめ、經濟戰、思想戰、文化戰等に總ゆる分野に重壓を極める事になり、眞に總力戰が

展開されるに至つた。非常時より臨戰體制と成り、長期の重大問題に轉じたのである。

非常時！　臨戰體制と強化されたる國內情勢を点瞥するに、個人主義、自由主義は排斥され、全體主義が擡頭顯揚し、公益優先が叫ばれ第三國との依存關係を斷ち、物資々材の自給自足化を目指して經濟は統制され、産業合理化、企業の合同等――資本主義經濟が消滅し、計畫經濟の時代となつたのである。

公益優先の傘下に國土に親しみ、ハンマを振ふ銃後國民は、黙々産業戰線に、自己の職場に精勵し專念し、論より實踐に窮行して只管高度國防國家建設の重責を念頭に印し、國家總力戰に協心戮力してゐる。

斯様にして內外共に多事多難を極める吾國は總ゆる刻苦缺乏に耐從して、長期建設戰への一絲亂れざる步調の許に進軍しつゝある。

玆に非常なる時局を認識し、鋭意鬪病の意氣を鼓舞し、眞摯敢鬪黎明を仰ぎ、國家總力戰の一員に參加する可く、再起への療養生活に勵まねばならぬ。

時局に處する覺悟

南四　紫　千　秋

最近の時局の變轉は實に目まぐるしき程のものがある。今日の時代に於ては明日の世界狀勢すら我々は豫斷出來ない。正しく我々には今迄にない試練の時代に巡りあはせたものと謂ふべきである。此の非常時局に處するには本來の日本人に立還らなければならぬ。素朴な生活態度、淸淨にして淡白、誠に淸く明るく正しい祖先の血が我々には流れてゐるのである。戰鬪、殊に現代のやうな「科學戰」に勝つ爲には物質的要素が第一義であると思ふ。けれど「事變の完遂」大東亞共榮圏の確立には、飽くまで「人間」が主でなければならない。卽ち剛健なる精神力を有する日本人でなければならない。東亞の盟主國日本、祖國は危機に立つ、我々は日常生活に於て最も質實に又抱懷する氣慨に於て最も剛健でなければならない。

思ひを潜めて時局の推移を認識し、何時如何なる最惡の事態に直面するも、擧國一致一億同胞一體となつて國難にぶつかる覺悟が斷じて必要な時である。安價な詠嘆は斥けなければならない。空虛な感激に醉つてはならない。

日本は今迄あまりにもめぐまれてゐた。國民の誰れもが

それになれきつて、多くの無駄を平氣でやつて來てゐたのではないか？　日本にゐてはよくわからないであらうが、外地に行つて始めて日本の有難さが痛切に感じられる。

今ではこの日本の有難さを內地に居てもわからないことはなからう。目を轉じ現下の歐洲諸國に於ける戰時下銃後の狀態を見ればよくわかるはずである。今はアジアの黎明を前にしての苦しみであり、現今祖國の直面してゐる未曾有の難局を想へば、生活上の不自由に對して不平を言つてゐる時でないのである。

我々療養者は現在の鬪病生活を一日も早く克服し、もつて心身共に健全なものとなつて、各々の職業を通じて共に聖業に邁進しなければならない、自重自愛を念ずる所以である。

傷痍記章を佩用して

南一　傳　一　聲

聖戰五年、事變の進展と共に、愈々傷痍軍人の問題が重大視されて來た。産業界に、教育界に、あらゆる分野に、傷痍軍人は見受けられる。

此の度の事變ほど、あらゆる角度から、傷痍軍人が重大視された事は嘗てない。其處に近代戰の特異性がある。「特異性」それは、對外的には、目的を同じうする。國家群對國家群の戰であり對內的には、政治に武力に、經濟に外交思想に、あらゆる分野の最大能力を綜合した處の總力戰なのだ。

其處に傷痍軍人の重大視される因があるのではなからうか。所謂、大陸での生死を超越した、卽ち滅私奉公の精神をもつて、あらゆる困苦と鬪ひ勝つた。あの體驗を現實に國家目的完結に活用する。重大使命を吾々傷痍軍人は期待されてゐるのだ。こゝに於て、我々は、自覺と反省する餘地があると思ふ。

銃後人對傷痍軍人の心は、感謝の心と感謝の心。この心以外の何ものでもあつてはならないのだ。所謂、銃後人は、銃後使命に忠實だ。傷痍軍人に對しては、感謝と同情をもつて迎へてくれるのであらう。この誠意に對し度重なると共に、押しすぎる。驕り出す。

『吾々は大陸で死線の中を苦勞してきたのだ、これ程の事はしてもよからう。』『これ位のこと』この誤認が度重なる爲、感謝と同情とを以て迎へてくれた、銃後人の內に、迷惑な行爲となつて現れるのだ。銃後使命に忠實な銃後人にとつて、これ程迷惑な事はないと思ふ。さう云つた事實

に依り、好感を與へなくなる。與へなくなると否とに拘らず、持てなくなる。必然的に傷痍軍人對銃後人の感情は遠ざかつて行く。

今日、社會的には傷痍軍人の立場、動向、さう云つたものが大きな意義を持つてゐる。

傷痍軍人は苟くも軍人である。軍にあつては軍紀に忠實であり、郷に在つては、一般の師表たるべき處の軍人、それが療養生活の永き中に、一般人に不快な感銘を與へる。抱かせる。この原因は、傷痍軍人の立場使命に就て自覺する反省餘地を失ふからだ。苟くも、傷痍軍人たるものは、常に使命に忠實であり、立場を自覺して居らなくてはならない………。

吾々傷痍軍人は、具に思ひを護國の英靈に致し、反省と覺悟を固く致す可きだ。『屍を戰野に曝すは固より軍人の覺悟なり。』征途に際し銃後の赤誠歡呼の中で、共に誓つた戰友は、あらゆる困苦と鬪ひ、身を大陸の戰野に笑つて屍と化した。大東亞建設の礎と！

我々傷痍軍人は己を省みなければならない。充分の働きも出來ず、戰ひ半ばにして白衣の歸還の止むなきに至つた事實を！　吾々傷痍軍人は何をもつて、戰友の英魂に酬ゆるや！　我々傷痍軍人は如何にしても、再起奉公の義務がある。『戰友の英魂に對して』

戰陣訓、第二戰陣の嗜、九、

萬死に一生を得て歸還の大命に浴することあらば、具に思ひを護國の英靈に致し言語を愼みて國民の範となり、愈々奉公の覺悟を固くすべし。

見よ、傷痍徽章は燦然と輝いてゐる。

忘れる勿れ、驕れば曇る事を。

感謝

南一　川　端　志　智　治

『愈々秋だなア！』銳敏になつて居る私の皮膚が、私語いて微笑みした。兎もあれ、此の涼しさは私達病者にとりて、實に有難く甦生の思ひだ。しかし此の不規則な天候が、甚大なる惡影響を稻作に及ぼすと聽いては、暑さを嫌ひ涼しさのみを只管願ふ私等も、自分の身を忘れて只管暑くなる天候の恢復を、八百萬神に向つて、祈らざるを得ない氣持だ。

この氣持は恐らく、日本人ならば誰でも持つてゐる氣持であらう。其れが日本人の美點の一つだからだ。只々此の氣持を常時持ち續けて居る人と、或る特殊な場合のみに持つ人との、二種類ある樣に思ふ。前者は日常生活の上に此の氣持を活かす人であり、後者は此の氣持を容易に日常生

活の上に現し得ない人である。然らば此の氣持とは何か、其れは滅私の念である。では滅私の根基をなす觀念は何かと、其の奧を尋ぬれば、其處に感謝の心があつた。

凡そ滅私の念は一天萬乘の大君に對し奉る。國家に對し、將亦地上の萬物に對して、油然と湧き起る感謝の中より發するものである。感謝は總て此の中に有り總ては感謝より生じなくてはならぬ。感謝の中にこそ誠があり、愛があり、勇猛があり、積極がある。又眞の完成も此の中にあるであらう。上に感謝の念ありて眞の仁慈となり、下に感謝の念ありて眞の滅私となる。感謝の念なくては、眞の職域奉公もなく、協力もなく、高度の科學文化の發達も期し得ず、感謝の念なき處、商人は私利を追ひ、官吏は權能を恣にし、青少年は理非を辨へず、享樂を追ひ、苦を避け樂を望み、束縛を嫌ふて放逸のみを喜び、他を排して自己の榮達のみに汲々とする等、平和もなく、喜びもなく、實に寒心すべきことである。

今や時局は餘りに重大にして個人の氣儘を許さず、國家の總力を集中して高度國防國家を確立し、以て周圍の重壓を排除し、新東亞を建設しなければ、我が帝國の存立さへ危ぶまれる秋、私達はこの感謝の念の依つて來る處を究ね良く翫味し、滅私奉公の涵養維持に努力することこそ、私達再起せんとする者に神が課せし責でもあり、唯一の臣道實踐であらう。しかし滅私の念は觀念の思索にのみよりて把握し得るものでもなく、只無我な一途の實行によつてのみ把握し得る精力である。故に其處に不斷の努力と今樣に云ふ錬成の目的がある。幸ひにして私達は過去幾年かに亙つて、崇高なる軍人精神を叩き込まれて來た。軍人精神は申すまでもなく、誠より發する滅私である以上、其の根源は一つである。されば私達は常に銃後にある人々より此の精神に於ては一段と錬鍛されて居る筈だ。勿論銃後にも多數の歸還勇士なり軍隊生活なりをして來た人も隨分あるであらう。

併し戰場に於て發揮し得る滅私の精神も、一度銃後の生活に歸るとき、これを日常生活に活かして居る人は實に少ないのではなからうか、斯く思ひ自ら省みて、鬪病の日々をこそこの精神にて實施致し行けば、其の儘に於て鬪病の目的を達し、國民の範となるは勿論、弛み勝ちなる國民の心を、どれ程興起させるだらうと思ふ。其處に傷痍軍人たるの眞面目も躍り上つて來る譯だ。現在の樣に、錬成が國家要求となり、しかも錬成が其の過程に於て、確固たる信念を要する治病の要素を滿足させ併せて國家目的に添ひ、日夜我々の身を御軫念あらせらるゝ大御心を少しなりと、安じ奉るに於ては、私達は喜んで錬成に努める可きである。かゝる私達の現在を顧る時、其處に大いに自省すべき事なきや、私は卒直に言はう。何れにしても現在所內に缺如してゐるものは、感謝の念である。

今や醫術のみや、信念のみと、一方に偏した療養では、喜びの再起も望み難い事は、私達が一番よく知るところだ。一億一心とは小さい子供でさへ知る言葉である。そしてそれは、感謝の心で結びつく、我々の療養生活にも感謝の心で結びつく、一億一心が必要な事は言ふまでもない。そしてそれのみが、最も力强い療養の源動力であらう。

隨筆◇感想

雜記帖から

北三　砂山松二

×　　×

安全地帶の危險率も、危險區域の安全率も零ではない樣に、不幸であると云ふことが保身に役立つてゐることも氣付かぬ間に幾つかあるものである。

兵士が、射程を縮め肉彈を叩き付けて行く事は、だから死への接近ではなくて、永遠への生命を享け樣とする事に外ならない。

×　　×

只管に愛情を押殺して戰爭の崇高さに觸れ樣とする、その樣な中にも女は女であることの姿態を失はないものだ。

×　　×

愛とは人格と神性とが相接して發する火花の如き狀態をいふ。

×　　×

愛とは信仰である、たゞ全的信仰によつてしかそれは保證されないものである。

奇蹟は信仰の證であり全的信仰によつてのみ現實の極限に見ることが出來るのである。

×　　×

アレクサンダーウラールといふ獨逸人の譯した「孫子」の中に、

大方無隅、大器晩成、大音希聲、大象無形といふのを、無限に大きな四角には角がない、無限に大きな容器は何物をも包藏しない、無限に大きい音は聲がない、と譯してある。「大器晩成」の譯は明かに違つてゐるやうであるが、違つてゐて他の三句も實にぴつたりしてゐるから不思議である。

それにしても西洋人は中々面白いことを言ふものだと思ふ。

私達も、往々間違つたことを言つて平氣でゐる場合がある。日本人がその自國の言語さへも違へてゐる事は許さるべきではないが、この西洋人の場合は、異國人としての見解が面白い。私達はもつと國語に愛情を持つべきである。

×　　×

女の美しさは、女である事の自覺を一歩踏み外したときに失はれる。

×　　×

酒を呑んで醉はないといふ事は不思議であるが、醉つて步いてゐるのはいゝものではない。支那人に言はすと、

酒はほんのり顏の赤くなる位のところが良いのださうで、べろべろに醉ひ、然も放歌、高笑し目をそむける如き醜態を演ずるに至つては二流三流國民のすることだといふ。日本人の權威者を夢さら無視する氣では無いが、支那人のこの言や良きかなである。よく味はうべきであらう。

戰時體制下の此の頃は泥醉者も餘り見かけないが、大いに心がくべきである。

案外淸鄕工作とか治安工作といふものもこんなところからうまく行くのかも知れない。

×　　×

傷痍軍人は浦島太郎に似てゐる。だが然し此の浦島は砲彈の洗禮を享けて來た浦島である。

完備した醫療機關に狎れ、安易に流れると、得て不平を言ひ度がる人間の本性が生活意欲をさへ失ふのではないかと思ふ。

うしほ

米谷香畦

霧雨にうるむ月夜や西鶴忌
毒草と言はるゝ赤さ曼珠沙華
秋の蟬餘震の山を高めけり
朝顏の垣根の外の潮かな
菊に富めり心の人の安らかに

安宅

關跡は浪の中なり鳴く千鳥

刻々變貌する世界狀勢下の祖國、總ての不合理なものの崩れ去る時潮、その時、私達は地球の一角に立つて何時でも玉手箱をひらくだけの用意は持つてゐなければならないと思ふ。

白髮になつて驚いた浦島の愚かさを二度としない事勿論である。

私達は極力實生活の脚光を浴びる日を手元に手繰り寄せねばならぬ。

大きな破壞力を持つた近代戰の息吹きは、ひたひたと、身邊に迫つてゐる。

鐘は既に打ち鳴された。私達には只前進だけが殘されてゐるのだ。

見よ！

音の無い戰爭は、飛行機を落し、艦船を沈めてゐる。

再度言ふ。

私達は物語の浦島であつてはならないと。

あきらめ

南三　眞佐志

支那に行つてまづ感じた事は、支那人の諦めのよいことだ。『メンフアーズ』と云つたら後はくよくよしない事だ。生死の境にあつても驚くほど諦めがよい。諦めにも諦め以上の事をする人がある。こゝに一人の子供がある。其の子供に養ひのため親が灸を据ゑようとする。子供は灸をするのが厭だと云つて逃げたり、泣いたりするのは、諦めがつかないからだ。其の子供が到底逃げるに逃げられぬ事を察し、親のいふがまゝにおとなしく灸を据ゑて貰ふ。これが諦めたのである。然し子供が熱さに堪へかねて泣いたり、喚めいたりするなれば、僅かに諦めたのであつて、諦めるより以上の事は出來ない。又その子供が親の云ふがまゝに、おとなしく灸を据ゑるばかりでなく、灸を据ゑる間、何か繪本でも見るかいたづら書きでもしてゐるとか何かやつてゐて熱さを苦にしないといふのは諦めより以上の事をやつてゐるのである。

肺を病むと、とかく感受性が强くなる。妄想、忿恚、焦躁、次から次へと、泉の如く湧く。汲んでもくくく、涯しなくつゞく我が内にある泉だ。その泉の底を檢べて見ると、悉く諦めのつかない性である。

肺病は無念無想の境地の時ほど、治癒力が働くときは無いのだといふ。希望に燃ゆる若人も一家の中堅も又柱もあらう。然し宿命なれば背負はねばならぬ。いつまでも、くよくよしてはならない。新しい希望を持つことだ。希望と云つても夢では駄目だ。堅い信念である。邪教でなければ法悅に浸るのもよい。病氣の境涯に處しては病氣を樂しむといふ事にならなければ、生きてゐても何の面白味もないと、子規は云つてゐる。

隨感

福田

母の事など

爽かな微風に靡く御下賜花壇を前庭に控へ、澄み渡たる柴山潟、遙かの空より迫り來る白山連峰を背景に優雅絕景の大自然に惠まれた當療養所に參りましてより、早くも二ケ年有餘の星霜は夢の如くに流れ去りました。

顧みますれば、あの當時、母の許しを願つたのも、眞新しき記憶である……。

母も日頃の念願が叶つたとばかり

に贊成して吳れた。その母の一言いま尙深く胸の奥底に刻まれて居る。『お前もお氣の毒な兵隊さんの看護、お國のために戰野を友として戰つて下さつた皆樣の爲めに、きつと戰場の土を踏む氣持で頑張つてくれよ、力の限りを盡して親切に云つて上げてくれよ』と、幾度となく繰返した母でした。これ迄かつて戰場に立つ喜びを味つた事のないのを恥辱と思ふ母の顏にも明るい滿足の色が漂つてゐた。私はそのほんの瞬間ではあつたが、面上に閃く深い母の心に暫くは、こみ上げる熱い涙を何うする事も出來なかつた。この言葉をしつかり胸に抱いて　皇恩の厚きに感謝し自己の職責の幾分なりとも果すことが出來れば、此の上もない喜びと信じ、決めた覺悟の尙更に強くなるを覺えた。

奮起!!　希望!!　歡喜に滿ちて懷しき郷里の土を離れた。自然の惠み豐かなる篠原は、うらゝかな春の光を浴びて、脹みかける梅の香りも和やかに、小鳥の一羽二羽舞ひたつも麗はしく我を迎へて吳れた。

靜寂を望む私にとつては絕好の地であつた。此の自然に向つて兩手を擧げて胸一ぱいに吸込みたい淸らかな空氣……　これが私の希望の地であつた……

自然も我に光明を與へ勵ましかけて居る樣に……うらゝかに澄切る小春日和でもあつた……。

花野

上野與吉

秋の聲野の聲友と行きに行く
花野ゆく乙女の聲帶ゆたかにも
大揚羽われと秋草めぐり去る
りんどうの滲むむらさき霧夕べ
きらきらと風立つ花野兵傷痍
蒼茫と暮るゝ芒の四方の中
靜臥の秋雲一塊にこゝろ凝り

病苦と幸福

人生の最大なる惱みの一は病苦でありませうし、幸福とは、健康であり、そして希望や理想の實現にあるのでせう。若しさうだとすれば憐れ病苦に惱む方々の心如何でありませう。しかし限りある人生に無限の幸福を見出すことは到底不可能なこと

ではないでせうか。私は絶無と信じます。そして、そこから私には信仰と強い信念に辿りたい氣持さへ起ります。フット何時かつれ〴〵なるままに曉烏先生の著を思ひ浮べた。

『宗教とは宇宙的眞理の顯現である。靜かに自己を觀察するものは自己を知らしめて下さる敎へと言ふものがなければならぬ、本當に自分で作つた罪の中に自分は苦んで居るんだと解つた時に私共は、につこり微笑みが出ます。それを解らして下すつた敎へに對して、その光に對して感謝の念を捧げずには居られないのです。尊い光に逢ひ尊い人格に觸れてこそ地獄は自分で作つたのであると言ふことが解るのです。そこには人を怨む世界はありません。人を咎めてゐる餘地はありません。

唯素直に、へり下つた思ひで、『地獄は一定のすみかぞかし』と云ふ心のもとに、ほのかなる光りを感ぜらるゝ敎へがあつて、始めてそれが自分の胸に現れて來るのです。敎へによつて我々の心が啓かれてくるのです。

天地間に滿ちた宇宙の大眞理形を現はして出て下さる、いろ〳〵の物につき廻され、腹を立てたり、泣いたり、困つたりしてゐるものゝ多いのに、斯うした世の中に呼吸しながらも、それに怒りも感ぜず、憂をも感ぜず、苦しみをも感ぜずして、和やかな靜かな心持で、明るい生活の出來るのは自然であつて、功利的な愛を受け入れようとするものではありません。』との一節を思ひ出した。

人生に於て最大の惱みは病苦であるかの樣にやゝもすると、すさみ勝な悲觀に落ち入り易い病苦を、必ず治す、治してもらひたいと願ふ希望と信念に依つて、現實を正しく強く生き拔くことが出來た曉には、希望の達成に辿り着き、光明の扉が開けるのを信じて止みません。

此の重大時局に鑑み、哀れ病苦の皆樣の一時も早く快方に向はれ、祖國日本のために、確固たる再起の早からん事を日夜神佛に誓ひ、祈りを捧げずには止まないのであります。

更に進んで研究し、女性の面目を發揮し、銃後女性の完璧を期して大御心に副ひ奉り度い決意と共に、眞實理性の看護を胸に深く〳〵刻み銃後女性の務めに努力邁進せんことを固く我が心に誓ひました。

療養所感

北三　北州生

變化の少い單調な長い療養生活の裡にも、唯一つの反逆兒がゐる。然

かもそれは、時によつて深刻な苦惱さへ伴つて我々を襲つて來る。反逆兒とは何か、端的に云へば、それは心の動き、心の一斷面の活動である。我々は日常何等かの契機によつて心の動きを知る。然かもそれは意識してのことではなくて、動かすことそれ自體の必要の有無だとか、また善惡の何れたるかを知らないが、只我々はそれが心の動きであることを後になつて知るのである。然らば如何なることに心を動かすのであらうか……それは種々であるが、その中でも最も我々を大きく動かすものは、速に活動社會の一員たり得たいと云ふ烈しい希求である。殊にこの感慨は、療友の退所を祝し送る度毎に、新しい響きを以つて痛切に我我の心に食入つて來るのである。

思ふに當面の我々に課せられた唯一の使命は療養の目的達成にある。

雜詠

鹿野依風

山近く秋風澄むや潟の上

月涼し艸に滿ちたる夜霧かな

訪某居

靑すゝき丈成し風にまかせある

那谷寺

秋暑し石に佛の遺敎經

病める勇士慰問にと菊たづさへて人の訪へるに

一すぢの心匂ふや菊の花

故に、苟もこの目的達成の道程に於て、障碍を及ぼすものあらば愼重なる檢討のメスを加へて、それを排除せねばならないことは云ふまでもない。玆に私は、心の動きに對して檢討するの必要を痛感する。

凡そ所に於て退所といふことは、活動體力の恢復と一致して始めて成立する。然るに我々が一致せざる體力を以つて、然かも自からよく自覺しつゝも猶ほ心の希求に對して制止仕切れない程の奔騰を感ずるのは何故であらうか……幸福、自由、娯樂等を追ひ求めてゐるのであらうか、それとも功名心の滿足を急いでゐるのであらうか。否決して我々は一身上の慰安、幸福を求めてゐるのでもなければ、また少年らしい慾望に浸つてゐるのでもない、寧ろ斯る解釋は我々を冒瀆するものだとさへ思つてゐる。然らば何か、時局の緊迫化に對する衝動が、我々の

奉公心を刺戟し、それがために靜止してゐられない靑年の血氣であらうか、然り、それもある。然しそれのみではない。私は更に一つの意志の活動を指摘したい。それは前進を阻まれてゐるやうな壓迫感、即ち第二の本能化して潛在する前進性の動きである。我々は今日まで年の經過と共に前進した、絶へず前進した。そして我々の概念では、年の經過は前進と一致し時によつては、同一意味とさへ解するまでに養はれてゐた。然るに現在の療養生活は、年の經過は必ずしも前進を意味しないことを明確に立證した。我々は斯る體驗が始めてゞあればある程、それより受ける衝動は大きい、そしてこの衝動は一種の焦躁感を伴つて改めて我々の前に迫つて來るのである。

然らば前進の對照となるものは何であるか。私はこれを次の如くに云ひ得ると思ふ。それは第一に、一家の前進、換言すれば一家の繁榮强化と云ふことであり、第二に地位の向上、收入の增大、第三は、手腕、才能、人格の錬磨向上と云ふことである。では次にこれを檢討しよう。

第一、一家の繁榮であるが、これは確にその前進を阻害される、殊に一家の中樞者たる者程その影響は大きい。然し我々が玆に考へねばならないことは、現在の前進に對する阻害は、永久的なものではなくて時間的な差異こそあれ、それは正しき療養への努力によつて必ず前進すべく豫約されてゐると云ふことである。從つて一家の前進は一時的な停止を受けてゐるに過ぎないと云ふことが出來るのである。悠久なる國家と共に生きる家の生命は長い、我々は一時的な苦難、不便は忍んでも悠久なる生命に忠實でなければならないと思ふ。斯く觀ずる時、正しき努力のみあれば第一の問題は決して心痛するには足りないと確信する。次に第二地位の向上、收入の增大であるが、元來我々の究極の目標は決して地位だとか、名譽、權力でもなければ、また物質的な慾望を滿足せしめるものでもない。我々の目標は一つに天祖の皇謨を翼贊し奉り、誓つて天皇陛下の大御心に副ひ奉る眞の日本人たるにある。只地位そのものは我々の保持してゐる力を最高度、最有効に發揮せしめる一機關に過ぎないのであつて、斷じて人としての價値を表示するものでもなければ、絶對的な權威あるものでもない。また收入本來の性格は、我々が公民として崇高なる義務を遂行し、社會員として活動するに支障なき生活を維持するためのものである。從つて本來の使命のみ充分に滿すことを得れ

ば、他は必ずしも必要としない。故に地位も收入も差當つて我々の心痛の對照たり得ない。次に第三手腕、才能、人格の向上であるが、之は流石に一臂を屈せざるを得ない。何んとなれば、それは實際の經驗に俟つものが多いからである。只次の樣なことだけは云へる。それは先人の知識、經驗、苦鬪の跡を見聞し、咀嚼、玩味することによつてよく錬磨向上の一助たり得ると云ふことである。更に人格の向上――人格などと云へば固苦しい感がするが、私の意味するところは人間としての完成といふことである――之に至つては、實際の社會經驗のみに依らなくて、我々の意志如何によつては日常生活の全部面に於て、隨時向上の段階を高め得ると云ふ特異性があることである。言ひ換へれば、絶へず修養することによつて容易に人間完成の域に達し得ると云ふことである。玆に我我は修養することの緊要、且つ偉大なるを發見する。

以上に於て私は反逆兒たる心の動きの、大なるものゝ實體を檢討し、一部を除いては心憂することも、また焦慮するの要もないことを明確にした。更に他の一部に於ても努力如何によつて、或る程度補ひ得るといふ結論を得た。故に我々は長期の療養を餘儀なくさるゝとも、徒に反逆兒の跳梁を許すべき何等の大なる理由を見出し得ない。只切磋琢磨、雜念を拂ひ療養をして最も効果的たらしめなければならないと思ふ。生の歡喜、大いなる生命の躍動は、自からその後に展開するものと確信する。

紀元二千六百年を回顧して

北三　村上政美

輝かしき二千六百一年を迎へるに當り、私達が國を擧げて喜びと誇りを以て奉祝申し上げた二千六百年を今玆に靜かに顧みて、秘かに私の心に映じたことを書いて見たい。

悠久神代の昔から、連綿として榮え來つた日本、「神代の昔」からと、此の言葉を耳にするだに何かしら强く神々しきまでに、私は此の胸の中を何處々々までも、さぐり拔いて、遠い神代の昔を求めたい慾望にかられるのである。私達には想像だに出來得ない。原始林に、二千六百年と云ふ長い間、いや、もつと〳〵以前からであつたかも知れない。私達の先祖は活鬪を演じつゝあつたのだ。それからの一時一日の足跡が絶ゆることなく編まれ、この立派な歷史を今日築き上げたのである。

時恰も第一次世界大戰爭の砌り、生をうけた私は、何も知らず何も知

らない内に、この立派な歴史が自分達のものになつてゐると思ふ時、此の上もない幸福と重き任務を感ずるのである。

長い歴史の流れは、或る時は岩を噛み、岩にぶつかり、時には平地を流れ、土を削り、岩を磨き疲れることもなく今も尚流れてゐる。その流れが今丁度岩にぶつかつた時なのである。今や新世紀の胎動は、地球の隅々に至るまで新らしい息吹きを感じ、世界は新舊兩秩序の下に爭ひつつある。激しい政治の動きはよく解らないが、何かしら自分の生活そのものが、昨日より今日へそして又明日へと、急激に變つて行くやうに感ずる。

此の意義ある二千六百年を私は如何に過して來たのであらうか、顧みるだに哀れなる存在であつたと云はなくてはならない。併しこれも人生に於ける只一時の小休止にしか過ぎない。短かきも人の世であり、又長きも人の世である。長短いづれの道とは云ひ、たゆみなき苦樂を越えた彼方には、憧れの「再起」と云ふ陽光あるが故にこそ、専心安靜をも守りゐるのである。

此の尊き療養生活も再び起たんが爲めの力と共に、精神の錬磨を常に成しつゝあるのだ。いま雨に打たれ風に叩かれて凛然と咲き出づる一樹の櫻花こそ、祖國日本の姿である。いまその梢に三たび嵐は咆えつゝあり、試錬の時は至れり、敢然として突進する覺悟と決意こそ必要なのである。それもこれも軈ては爛漫たる萬朶の花の咲き出さんが爲めの誓しの忍びである。

現在のこの尊き療養生活の花びらが碎かれ水泡に歸する時があるとも、自體を熱くして呉れる何物かゞ存在して、疲れも悲しみも總ては未來への希望を追つてゐる。「二千六百年」日本の歴史として又世界の歴史としても多事であつた。

私の人生に於ても忘れる事の出來得ない感銘深き年であつた。

汝に與ふ

汝の友

眞に自分を愛し眞に自分を救うて行く者は自分を措いて外にはないのである。世の中には同情と云ふことがある。自分の病氣の時や、貧乏な時、又何かと困つてゐる時に他人が同情してくれるのは嬉しいものであり、感謝すべきである。然したよつてはいけない。少くとも同情して貰ひたいなぞと云ふ卑屈な氣持は斷じて起してはならない。人間は少し都

合の悪い立場になると、すぐ他人の同情を求めたい心になるものである。甚だしいのになると、自分の都合の悪い立場をまるで誇りでゞもあるかの如く振舞つて、あくまでも世間の同情を強要し、薄つぺらな同情を求めて自ら慰めてゐる卑怯な徒輩も少くないやうだ。同情は字の通り情を同じくすることであつて、情を救つてはくれない。同情して貰つても病苦が輕くなつたり、貧乏が金持になつたりは決してしないのである。

吾人はありの儘で、他人の同情や援助をたのむことなく、このまんまの裸一貫で堂々とやつて行く覺悟がなくてはならない。ありのまんまの此の狀態を同情などで胡麻化してはいけない。今次歐洲戰爭で他國の同情や援助をあてにしてゐて亡國の悲運に陷つた、幾つもの國家のあることを他人ごとゝばかり見てゐてはならぬ。あくまでも自己の現在の實狀を明かに見て、自己の全力を傾けてこれに善處して行かうとするところには、自分の身内から湧き上つて來る一種の樂しみがあり、そこにこそ獨立獨歩の人間としての大きな誇りが感ぜられるのである。

「信は力なり」とは吾人には聞き馴れた言葉である。信ずるとは明かに見ることである。信ずると云ふことは何でも眞受けにし、鵜呑みにすることではない。信じたとは疑ひない、即ち明かに見たと云ふことである。自分を救うて行くものは自分であると云ふことは、よく聞いて知つてゐる。然しいざと云ふ場合、さうはゆかないのは、聞いてたゞ眞受けにし鵜呑みにして來たからであり、明らかに見てゐないからである。

じつと自分の只今の身の上を觀る時、動もすれば吾人は、或は安價な自慰にまぎらはし、或は淋しい悲觀に陷らうとし易いものである。これがいけない、もうひとつ、はつきりと明かに自分と云ふものを見究めなくてはならない。自分の内面深く眠つてゐる眞實の自分卽ち、この儘でいゝいゝ、あつてはならぬと云ふ勇猛心を奮ひ起さねばならない。この勇猛心こそは、自分を救うて行く自分なのである。

逆境に直面した時、無闇に逃れやうと悶えてゐるのは見苦しい限りである。到底逃げおわせるものではないことを明かに見、大死一番進んで身を逆境の眞只中へ突入し、以て自分の新生面を打開するの氣力を養はなければいけない。戰陣訓の攻擊精神とはこれであると思ふ。戰陣訓は軍人だけの專有すべき教ではない。況や戰場にのみ限られた訓でないこ

とは無論である。吾人はあらゆる教訓、あらゆる出來事の中から自分の行くべき道を發見することにつとめねばならない。

「人事を盡して天命を待つ」と云ふ古語は實に壯大である。吾人が常に人事を盡し得ないことは申譯ないことである。而も恐らく生涯人事を盡し得たとする日はないであらう。盡しても盡しても盡し得ぬものは人事である。そこに天の命なるものがある。云ひ換へれば「人事盡し難くして天命を知る」のである。それは絕望でもなければ悲觀でもない、ここにこそ、大きな心の安らぎがあり滿足があるのである。天命だなぞと云つて、へたばつてゐるものがあれば、それは未だ天命を知らない者である。自らに鞭つて自分の境遇の打開向上に精進してゐる者にして始めて天命を知り得るのである。自分を自分で救うて行く者こそ外面から見て如何にみじめであらうとも、その内面は本當に君國の恩に泣き、社會の恩を感じ、現在の自分に大きな希望と歡喜とを懷き、而て眞に自らを信ずるものである。

健康報國

南四　東山生

凡そ誰しも健康である場合は、健康そのものに就いてはとかく無關心となり勝ちなものである。我等も前線で心身共に强健で、體力に物いはせ汗と黃塵にまみれて奮戰してゐた頃は、さほど痛切に感じた事もなかつた健康の尊さ有難さと云ふものを現に病苦の體驗に依りてしみ〴〵と身に沁みたのである。

要するに我等の鬪志も又粘着力も之を持續させるのは結局體力であつて精神力のみに賴らうとしても、それは無理を伴ふ事になるのである。

又健康的な精神的要素を供給するのも健康だと言はねばならない。

健康なくて如何なる理想を描き大望を抱くとも、それは只精神の徒勞を招くに過ぎないであらう。

然るに不幸にして健康を失つた場合、一朝一夕にして容易にこれを回復出來るものではないが、徒に狼狽したり恐怖の念を抱き又衞生知識をわきまへず、迷信に捉はれ錯誤に陷るなど誤つた治療觀念に基いて却つて症狀の惡化を齎らす樣な事があつてはならない。常に心の修養につとめて冷靜を保ち、醫術に信賴をおき嘗つて戰場にありし時のあの不屈の魂を燃え上らせて病魔の克服に邁進するならば敢へて困難を感じぬと信ずるのである。

我等が健康を回復する事は、只一個人の滿足や幸福を求めるものではなく、目下國を擧げても興亞の聖業達成のため、前線に或は職場にあつてあらゆる困苦に耐へて鬪ひつゝある偉大なる責務の一端を負ふものである。

然して常に皇國の厚い御恩澤と銃後同胞のあふれる支援とを、深く心に刻みて心身の衝激に打ち克ち再度の御奉公へ備へねばならない。

湖畔の春

南四　德家光辿

白山靈峰の連るその麓に眠るが如く横たはる柴山湖に、眞白な氷がさむ〳〵と張りつめてゐたのも、今ではすつかり溶けて、カイツブリが長閑に湖面に浮いてゐる。小さな波がひた〳〵と陽光に照り映えて美しく碎け水邊に打寄せてゐる。おゝ！何と和やかな春だらう。あらゆる生物はこの春の下に謳歌してゐるのだ。美しい大自然の移り變りに、今しも孤獨なる一人の兵士が大きく溜息と共に、儚ない半生を回想してゐる。彼は淸らかな白衣に身を包み遙遙と悲しい運命を背負つて此の景觀の地のサナトリユムに辿り來て、一ケ年の星霜は流水の如く一瞬の間に過ぎて了つたのだ。むしばまれる彼の五體にとりのこされて過ぎ行く日日の焦慮にもだえながら一日を送つたのだ。現實に見せ付けられる不幸なる同病者よ、唸きもだえながら母を呼び子を求め、悲痛なる叫びも力なく永劫の眠りに入つて行く幾多の人々を見て、自らの魂を鞭打つて、たゞ燃え上る再起の念！　熱意をこめて信念は必勝の氣迫にみなぎつてゐる。恐る可き病魔には血も涙もないのだ！　青春の血の最後の一滴までも、吸はざれば止まぬと群がりたかるのだ。されど彼の信念は、あらゆる斯うした病魔と苦鬪して鬪病の日はつゞけられて行く。行け！　行け！　輝かしい人生航路へ、漕ぎ出して行く小さな帆前船のごとくに、世の荒波にもまれ進み行く、再起の日、それは目前に訪づれてゐる。されど彼はあの戰場に臨む決死の氣持と、この再起の氣持と、何故に異るところがあらう。やはり決死の氣持である。再起とはいへど世に起つとき一寸の油斷もならない。病魔に對する不斷の努力と注意によつて、もまれ〳〵、あやつられ行く小さな帆前船の如く、浮世を流れ行かなければならないのであらう。

かうした事を今更の如く考へて、感慨無量である。

或る感懷

南二　小此內　寛

思へば聖戰早くも四ケ年有餘。その間大東亞建設にあらゆる犧牲と努力を以つて、戰線各地に奮戰された名譽ある諸兄と共に、かく安んじて療養し得る日頃を、心から感謝致して居る者で有ります。扨て待ちに待つた機關誌篠原の發刊を見るに到りました事は、何にもまして喜ばしく思ひます。篠原は我々の手で盛り立てゝ行かねばなりません。これ惡文を顧みず一文をよせる所以であります。

思ひ出せば今から二年前の冬の事だつた。故郷を發つた日の想出は懷しい。鎭守の社頭、母校の庭、驛頭の感激などが、胸にまざ〳〵と甦へる。故郷は白く雪に埋れ野も山も凍つて居た。然し私の誓ひは赤い誠で熱かつた。嵐の旗、怒濤の歡呼、胸の底から込上げて來る熱い感激の涙をジット嚙み締て「元氣に行つて來ます」「ウント頑張ります」此の言葉も終らずして汽車は走つた。彼れ以來、北滿警備に服する事一歲半。然し如何なる運命の徒か、又神が與へて呉れた試練か、總べて張切つた希望も意思も叩きのめされて仕舞つた。そして長い白衣生活から更に此の療養生活とは、彼の時の彼の元氣。然も彼の軍人精神の横溢した身體で……此の樣な姿になるとは神ならでは知る由も無かつた。今は淋しい病軀を篠原の片隅に横たへて、朝夕眼前に雄壯なる白山の嶺峰を打眺め、或は彼方に四季の風景を讃へて渺々と横たはる柴山潟を望んでは幾度か再起奉公を誓つた事であらうか。否、私には果して再起の春が訪れ來る事が有り得るだらうか。斯うした事を考へる事に依つて、今日も又悲しい思ひに耽る。打破らう〳〵としても襲ひ來る暗い悲しみの影。私はどうしたらいゝのであらうか。さすらひの私の魂にいつか春の日射しがさす事があるのだらうか。然し一度は捧げた身體、何をくよ〳〵する事があらうか。捨身になつて任せきる氣持への飛躍を目指して、私はひたすら神に祈願して居る。私は斯うして神にお祈りする以外に、私の執るべき道を知らぬ。冬來りなば春遠からじ。私は近い春の訪れを夢見て療養にいそしんで居る。

庭訓

南一　林　紫陽

肌ノ守リハ忠孝ノ二字ニ在リ。

小楠公モ之ヲ肌ニセシナリ、ソノ

理ヲ知ル是レ智ナリ。

五體ハ父母ノ遺體ナリ毀傷スベカラズ。

奉公報國ノタメナリ。是仁ナリ。

神國ニ生レタル者ハ忍ヲ貴ブ。神代ノ人名ニ忍ノ名多シ。善ニ退カザルナリ。是勇ナリ。

右三德ハ心得ベク忘ルベカラズ。

空想と現實

外氣　塩井久雄

篠原の原稿募集を見て、何か書いて見たくなつた、と云つて書ける樣な柄でもないが、高價な原稿用紙にペンをとつて向つて見たが、生れつきアンパン頭には、オイソレと云つて良い考へも浮ぶ可くもない。その中に、上瞼と下瞼の相撲が始まる始末、何時も〳〵こんな事で締切日はとつくに過ぎて終つてゐる。締切を延してもらつた手前、どうしても書かねばならぬ破目になつて了つた。アーノネ、オツサンわしや辛いとでも云ひたい所だ。

私は古い記憶の中にこんな事を思つたことがある。「人間には空想は付き物だ」空想の總ては現實に表し得たならば世の中は、どれ丈複雜化して終ふ事でせう。人々の、思想も文化も生活狀態もすべての事柄が想像も出來ないほどに變つて終ふ事でせう。私は斯う云ふ空想で一杯になつた世の中で生きて見たくなつた。恐しい世の中でも構はない。空想そのものを立派に活かし得る人間になつて見たい。空想は人間の希望と結び付いて大望となる。私はその大望の人でありたい。只それを抱くだけでも何かの收穫があり得るものと思ふ。空想を現實に表すには準備も必要だ。それに付いて苦勞も當然伴つて來るでせう。準備や苦勞は世に生きる以上は付き物だから、私は仕甲斐ある準備や苦勞をしたい。私は是についてもつと何か書きたいと思つたが結局現實に表はれない空想が！空想で終つた。

是だけの事を書いて只責任感を果したやうに一人で思ひ、一人で微笑んでゐる。

南洲の銅像

南一　いさむ生

秋風吹く東都上野の一角に、風雨に濡れ露にさらされ乍ら毅然と天の一方を睨む巨人、彼の南洲の銅像は默々として何をか語る。

西郷逝つて玆に六十四年、薩藩の

微臣より身を起し、後年陸軍大將參議正三位西郷隆盛、位人臣の榮を極めて後、城山に終る迄、實に波瀾曲折の生涯であつた。南洲は明治維新の大事をなしたる幾多の功績ある元勳の中より一段と偉い長所があつた。それは唯其の心的方面の偉力、玲瓏透徹一點の私心もなく、何人も容れ得べき大度量を有して居たばかりでなく。「金もいらない命もいらない名譽も欲しくない」と、大悟徹底、死を求めず死を怖れず、人を相手にせず天を相手にせよと。實に平凡であり乍ら其の平凡こそ絕大無邊の心境であり、此の如き心的偉大は維新諸豪傑の中に於て、巍然として頭角が現はれて居た。

明治十年、深謀遠識なる西郷參議の征韓の議破れ、身命を賭して之を主張したる人々と袂を連ねて廟堂を去るの外なきに至り、故郷鹿兒島に還り、私學校に子弟に擁せられて、あたら陸軍大將の地位を捨て、千載逆賊の名に甘んじて九月二十四日、秋風蕭々と吹く城山に、明治の元勳西郷隆盛も空しく露と消えたのであつた。其の時大西郷の威望に加ふるに慓悍を以て聞えた薩軍の精銳も、新式の武器と、訓練を有する官軍に抗する事も出來ず、敗れ逃げ行く時官軍よりドン〳〵擊ち出す砲台を、南洲立ち留つて眺めて「ウン立派な砲台だ、日本の陸軍も此れだけ良くも進步した」と、我事の樣に喜ばれたと云ふ事である。人間玆に至れば彼我なく、恩讐なく、利害もなければ生死もない、實に超然として卓越したものであり、西郷は近世の偉人であり。又世界にも稀なる偉人である。

卑少卑屈渾沌たる世相にもまれる人心は、いやが上にも汚れ行く、日本精神、大和魂は單なる雅號や立甲板ではない。我々の內奧を流れる古き傳統の血潮である。

然して光りある歷史にさかのぼるとき、我等のこの血潮は脈々として清新なる動きを動くのだ。

あゝ！　南洲の銅像何をか語る。

希望

卒業生　久子

自然は悠久にして人生は短しとかや。

あたゝかき自然の惠み、自然の美、あゝその限りなき一切を超越したる神祕なる何にものかを、私は到底言葉にて表現することは出來ない。たゞこの不思議な大自然に接して語り得ぬ深刻なる感慨にうたれるのみである。

その惠み深き自然を味はひつゝ有意義な、そして愉快な樂しき人生航路を步まんと。遠き過去より、永遠の未來へと、時と共に流れ行く私達。その私達の、進み行かんと願ふ前途には、希望と云ふ一筋の光明がある。

遠き未來の希望にあふれつゝも人は過去、現在、未來と云ふ漠然たる時の流れに浮動してゐる。その有樣は、ちやうど果しなき大海に浮ぶ小舟の如くはかない。そして現實の世界にあまりにもかけ離れた希望は、絕望と云ふ、むくいを受けねばならぬを思へば、大きな望み必ずしも幸福ではない。

喜怒哀樂の流轉の人生を如何に進むべきかは、私には分るべくもないが、人も草木も、あらゆるものは希望に輝く前途をみつめつゝも、たそがれの並木道遠く、とぼ〳〵と步み行く放浪者に、或ひは若人の落ち行く傷しき姿に、暗き人生の、あるものを感ぜずにはおきません。

でも、たゞひとすじに强き希望と信念とをもつて生き樣とする道に、あらゆる困難が橫たはつて居やうとも、はつきりと進むべき現實を握りしめて、雄々しく力强く步み行くならば、茫然たる霧の中の前途にも、必ず光明を認め得ることが出來るのではないでせうか。

希望。

希望とは波紋を描きつゝ、溢れ出づる泉であつて、その希望を成しとげるものは、力强き信念と、雄々しき勇氣であると信じます。

落日の感

北三　奈加野生

白波は岸に碎けてゆく。

飛ぶ鷗もいつしか翼を休めてしまつた。

金波、銀波の間を縫つて襲ひ來る光は、夕靄たなびく大陸に吸ひ込まれてゆく。

かくして、輝く太陽が、西海にその影を沒するのは後、數分間だ。

大陸より忍びくる魔の闇は、逃げる光を追つてゆく。どこまでも、どこまでも。

彼等の行方は無限だ。

唯、吹く潮風に奏でる松の音と、砂を洗ふ波の音ばかりが、よく調和して耳に流れて來る。

今や眞紅に燃ゆる太陽は、金の光は銀の波に、銀の光は金の波に變じながら沈んで行く。

萬物の生命たる光は、今や其の姿を、此世から、次の世界に傳へて行くのだ。

光は失はれた。しかし、光明は再び、我等の頭上に來ないのか。否。
俄然數時間後には、次の大陸の闇を蹴散らして、東天高く白々とその雄姿を現す時が來るのだ。
雲を突き、山を射し、野原を縫つてくる日の光は、深い眠りに落ちてゐる萬物の上に光明を與へ、靜より動へと第一歩を踏み出させるべく、大動員を下すのだ。
嗚呼、そのときこそ立てる者も、病める者も、木も草も、獸も魚もすべて生あるものは、光明の神を謳歌する時なのだ。
渚は波をのみ、松は風をはらむ。
靜かに襲ひくる初秋の夕凪。
靜かに讃美する波のうねり。
夕靄の中に寂として落日を見るのは、
莊嚴の極み、平和の至り、いかなるものも、この靈光に包まれざるものはない。
榮枯盛衰、榮える者も、いつしかは衰へる時が來る。
灼熱の太陽もやがてその光を沒する時が來る。
しかし、彼等は最後まで光を失はない。
やがて朝靄をゆるがせながら、
東天高く君臨することのあるを忘れない。
時の流れは、我等をどこへともなく運んで行く。
身は時の流れに流さるとも、
希望は捨てぬ。
雄々しく、澄み渡りたる、朝の凉風をかき分けて昇天する、朝日のあることを忘れぬ。
夕あれば必ず朝あり。
衰へるものも必ず又榮える時があらねばならない。
日は沈む。光は消える。
金の波もない。銀の波も見えない。

靜思

南四　羽藤五作

人は自らの無智無能を深く自覺せざれば自負心が起り、兎角小さな知識に自惚れて、それが恰も智慧でもあるかのやうに思ひ込み、そこに慢心が生ずる。

人間には智慧なんていふものはありはしないのだ。若しあつたとしても、それは智慧のカスみたいなものだ。

現に、紙一重先の事は解らないぢやないか、だが、神は全智全能であり、佛は智慧の光明に包まれて在します。

そこで我々は一切の小我を捨てゝ

謹んで神前に跪き、この淺ましき我を救はせ給へと、祈念するだけの敬虔さを失うてはいけない。

此の敬虔なる態度をもつものは、必ず神の啓示を受ける、神の啓示はやがて信仰となり、人をして一大勇者とならしむるものなり。

この不退轉の信仰と勇氣とをもつて、苦難の人生航路に勇躍奮進するとき、そこに道は自ら開け、むしろ坦々たる大道と化し、前途に光明を認めて歡喜するのである。

自制

南三　亞津磨光

機關誌「篠原」が創刊せらるゝに當り、何か應募して見たい氣持になり、原稿用紙を前にして、扨て書き始め樣と思つてペンは握つたものゝ中々書けない。其の中に、いつの間にか夢路を辿る樣な始末。

こんな事が度々あつて、ふと氣づいた頃は、九月十日の締切日もあと二、三日に迫つて居る。

これでは不可ないと思ひ、全能力を集中して、こゝに書いた私の所感。

それは自制と言ふことです。

我々が自己の進歩向上を期するため缺く事の出來ぬ一要件であり、生活上是非必要なものであります。自制心なき人の生活は總てが、放漫であり、從つて向上する事もなく、又進歩する事もない。

世の中には、放漫な生活を自由な愉快なものと考へて居る人もあるかも知れない、而し之れを他より見れば、これ程慘めな生活はないのであります。

若しも我々が、何等自己を反省制抑することなく、唯々本能のまゝに振舞つたならば、果していかなる結果が生れるであらうか。斯く考へた時、自制心なき人程、恐しく感じるものはありません。

我々は長期に亙る闘病生活を續けて居り、やゝもすれば、自暴自棄に陷り易く、時には己を制する事をも忘れ、遂に身を滅し再び起つ事の出來ぬ樣な結果を生じないとも限らない。諺に「轉ばぬ先の杖」と云ふ事があります。靜に自己の姿を凝視する事も必要ではないでせうか。

彼のコルシカの一孤島に身を起して一時は歐洲の天地を震憾せしめた稀代の英雄ナポレオンも、己を制することを忘れたがため、はかなくもワーテルローの一戰に破れ、遂に絶海の孤島で憤死してしまつた。若しも彼が、今少し自己を制することを

忘れなかつたならば、大英雄として自他共に許した彼に、かゝる悲慘な最後はなかつたかも知れない。

己を制する事は、言ふに易くして行ふに難い、決して一朝一夕になるものではない。强い意志を養ひいかなる事に遭遇しても挫折することなく、常に心を致して反省を積む事によつて自制心が確立されるのであります。

自制心をもととして生活して行くならば、決して世の落伍者たることなく、明朗なる日常を過すことが出來るのであります。

勿論我々の希望は遠大でなくてはなりませんが、己が手腕とか才能、或は體力等を考慮し、一歩一歩と確實に歩んで行くならば、必らず希望の彼方に到達することが出來るでありませう。

自制心あつてこそ、眞に人間としての價値があるのではなからうか。

思ひのまゝに

卒業生　立　美

つきせぬ思ひ出の生活を、今や自分は忘れ難い過去の頁として、新しい社會生活の第一歩を踏まんとする境地に起つ。

そこには大なる理想と、喜びより他に何物もなし。

然し一沫の哀愁と、不安あり。

現在の自分達の生活は、果して社會の波を乘り切る力があるか、否か。

Aは「運命にまかせる」と氣魄のない事を言ふ。

Bは「運命を支配して見んとする」考を有する。

「人間の成す事は誰にでも出來得る」と自分は、信じたい。然し此れは空叫びではないかと心淋しく思はるゝ場合に直面する事あり。

自分の努力足らざる故か、生きんがために職に就く、理想實現此の二つは平行して行くべきか、あく迄自分を深く考へる時に生ずる惱み、此れも世間不見の現在の自分故か、然し今の自分は只進まん事を欲するのみ。眞劍な態度と赤誠を持つて社會に接して行かう。

困難な仕事に直面したら、自己のあらん限りの情熱と、意氣とを傾けよう。感情のみに支配されず、ルーズな良心にむち打ちて進まう。

我等を待つてゐるのは、夢でもなければ、憧れでもない。只現實なり。

どこを見ても、戰より戰ひの世界此の時代に生れ、社會に出る我々は

形式だけの意識をはなれた眞劍さを持ち、すべてを征服してゆかう。

その時、如何につらく悲しき時があらうとも、己れを信じ、良心に咎められない行爲行動を取つてゐたならば、後の日に必ずや淸い泉となつて、思ひ出となりて、不幸疲れ果てて鋭どくなつた魂を、優しくうるほして吳れる事であらう。

常に「我一人」の意識を持ち、遠大なる理想にむかつて行かう。

健康と、强固なる意志を育くみつゝ。

闘病精神

北四　北四郎

戰爭に勝つには先づ完全な科學兵器と魂とが必要であると同樣に、最も効果的病魔克服の爲にはやはり完全な醫療的武器と魂とが渾然一體となつて働くことが必要條件であると思ふ。現在吾々の療養生活においてその科學的醫療に對する完全性は信賴するとしても、吾々自身の闘病精神は果して完全であるかどうか！

徒らに病氣を怖れ、悲觀し或は不平不滿を洩らしてひがんだりするのは未だ〳〵闘病精神の不完全なる證左であるといはねばならない。斯る事實或は尋常かも知れないが尋常だといつて達觀的に安住してゐては人間の進歩がなくなる。そこで精神修養といふものが必要になつて來る。私はこの闘病魔の完全性には、四六時中虛心無爲に過し得る修養の消極的な方法と、信仰的な道に入つてゆく積極的な修養法の二つがあると思ふ。前者は一面理想的な樣でその實到底實行不可能であり、斯樣な方面に拂ふ努力を積極的方面に働かせればより効果的であることを私は體驗によつて確信してゐます。積極的な方面を簡單に具體的に言ふと、健全な趣味に親しんで常に潤ひのある充實した心を持つといふことである。心の充實は自然に病苦より遠ざかり感謝と悅びと希望の生活に浸り得るが、心に隙があると長い療養生活には常に魔がさして惡い娯樂に耽つたり徒らに病氣に神經を使つたりするのが極めて自然であると思ふ。

要するに高尙健全な趣味に親しみ積極的な精神修養によつて體現する心の充實こそ眞に完全な闘病精神であると私は强調したいのです。

短歌

土屋文明先生選

火の氣なき火鉢いくつか並べあり陽ざし多めく療の廊下に　德家光辿

金魚らは次々死にて枕邊に冷たく光る水鉢の水　同

細々と昇る煙は敵意なき民らの集ふ家にてありぬ　同

病室に語れる友の折にふれて明白（ミンパイ）といふ支那語親しき　堀江泰治

いのち生きていま還りたる故郷の目にみゆるものわれにせまり來　同

篠原の露にぬれつゝふみわくるわれにせまりてきりぎりす啼く　同

朝じめり指に親しき雑草を捞れる時しものは思はず　小川洗玉

青葉もる西日に眞對ひ作業服脱ぎし素肌の風を清しむ　同

作業服つくろひ呉るゝ看護婦は吾の日やけをしみじみといふ　同

弟より一ケ月振りの便りあり癒え近してふ吾をよろこぶ　浦　榮藏

業終へて夕餉につけば野の蚋に螫されし足の次々かゆかり　同

事あらば萎へし此の腕此の躰捧ぐる心今もかはらず　同

濱菊の咲き續きたる道ゆけば秋立つ海のとほくひろごる　島田喜由

雑草の山をいくつもこしらへて心うれしくすごすひとゝき　同

湖近く夕ぐるゝ道に白鷺のとびたつまでを吾は見てゐし　同

この村を流れる川の清くして故郷に似たり山田の續く　德田仙吉

燃え續く敵地にあれど佛像のあれば移してまつりてゆくも　同

地圖になき道を攻め來て粤漢線見ゆてふ今日の足は輕かり　同

昨夜（よべ）の雨降りつぐまゝに明けそめぬこの日も父は馬草刈すか　佐伯善一

薄々と含嗽瓶に殘り居る指紋の渦を見つめて居りぬ　同

癒えぬとは思はざれどもこの頃の我が見る夢は常に病み居り　同

皇恩に作業に耐ふる軀となりしことをよろこび鍬打ちはげむ　龜田正次

作業衣に心もかろし桃の實に紙の袋を療友（とも）とかけゐぬ　同

賜はりし花咲き揃ふ此の園は傷痍の記章形どりしもの　藥師正雄

百合活けて落ちつく朝の病室より御下賜花壇のカンナ燃ゆる見ゆ　同

重々とたるゝ夕靄にひとすぢの光は紅く山をいろどる　横川繁緒

颱風の特報いでしに蜩の靜かにてあやしき氣配もみせず　同

蝮喰へ喰へば癒ると持ち來る母の心は一途なるかも　川中幸作

いたづきの癒る日近き我なれど母案じますかなしきまでに　同

夕近き部落に入ればしんかんとたゞ桃の花咲きて居りたり　坂夕霧子

夜となりて着きし部落に桃咲きし民家のあれば宿舍ときめぬ　同

あま雲のすぎゆく磯は夕やけて潮の香くさきほゝづき買ひぬ　清水廣

芋殼のほどよく燃えてなほ淋し老いたる母が眸の輝く　同

日曜の宿舍の庭に看護婦らバレーに興ずる若き聲きこゆ　叉禧松

皇恩に鍬をとり得る軀となり療友（とも）ときほひて耕しにけり　同

源平の昔語るか秋の月手塚の山に立ちて望めば　土井清松

皇恩の厚きを思ひ今朝も亦柏手うてば心清らなり　同

陽やけせる眞砂の中のコスモスに氷枕の水かけてやりたり　林紫陽

— 62 —

熱のなき朝すがしく起きゆきて祈るやしろのコスモスの花　同
はゝそはの母の祈りはたまゆらも病む我がうへをはなれずと言ふ　中橋吉三
若くして夫にわかれし母の性(さが)たけく涙の多きをおもふ　同
めうがの子まつはる如くにほひきぬ夕のひかりたゆたふところ　大西信夫
終の世をこゝぞと心さだめつゝ植ゑたる松の根づきてゆくも　同
白百合を捧げて今し額きぬ蟲の音しげき戰友のみ墓に　松下喜一
秋櫻咲きそむる庭に傷兵ら小さき弟のカメラにむかふ　同
秋雨に御下賜のカンナ色映えて再起まじかの我はうれしき　宮川嘉平
秋雨に庭の小草も靜まりて心佗びしく朝餉にむかふ　同
功七級友のみ墓は新たなり朝日清しき松の木立に　東三造
療友らと報國神社に額づきぬ再起を誓ふ九月一日　同

— 63 —

病室の窓あけ放ち朝かげのまぶしさにむかひ埃を拂ふ　丘柴子
安靜を缺きしと思ひあわてゝはベットにはやき脉搏(みやく)しづめむとす　同
臥すのみの病み身癒え來て久々の歩みよろめけどよろこびのあり　松田玲月
今日あたり母來まさむかと思ひ佗ぶる吾が病室外を足音の過ぐ　同
賜はりし壽康の額ををろがみて何をか思はむ傷痍の我は　島友次
療友の幾人(いくたり)再び召されゆく朝とめどな泪堪へむとす　同
松籟(まつかぜ)のすがしき丘は變はらねど語りし療友の逝きて佗しも　東山由雄
垣の根に君が愛でゐしコスモスの地に這ひて一輪咲きいでにけり（寮友逝きて）　同
床臥しの身をばたがひに慰めぬ秋雨しげき暗き病舍に　鹽井久雄
發車前召さるゝ婦人は嬰兒(みどりご)に別れの乳房ふくませて征く　道口健二
篠原の松越えてとほく白雲の流れ清しき白山の見ゆ　岡崎久藏

— 64 —

一日のみとりを終へてかへる時われに親しき夕雲のいろ　酒井すゞゑ
寮の午後友かへるらし聲のして西瓜のにほひ廊下にたゞよふ　同
有難き侍醫御差遣の公報に益々勵まん看護の道に　大村みさ子
たそがれの御下賜花壇に所長先生の手入れの姿小さく見ゆる　同
事變歌集ひもときをればいつしかも我が胸ぬちに迫るものあり　池村久子
若き身に病める勇士をみとりして女と生れし生甲斐を知る　同
病癒えて再起の庭に立つ日こそ小さき看護の甲斐を覺ゆる　三井桂子
朝毎に故鄕しのび東方をながめてなつかし白山の峰　同
松葉杖歩むに馴れし兵(つはもの)のいきほひ良きがさらにいたましき　渡部スミ子
焦燥はむなしと知りぬ吾が病ひ癒えて起つ日を靜かに待たむ　同
慰めに夕べの歸りに手折りしと友のくれたる月見草かも　桐田和子

— 65 —

吾病みて靜けき寮のつれづれを看護の友に歌ひてもらひぬ　同
ことなげに澄める月かも我こゝに故鄕はなれ病む人を看(み)護る　島崎治子
つとめ終へ友と濱邊に來て見れば今し夕日は沖に沈めり　同
初秋の朝神のみ前にぬかづきて病める勇士の治癒を祈りぬ　青海まり代
療養の正しき道をすゝめつゝ看護のつとめの尊きをおもふ　加保久美子
窓下に花の小さきかたばみのこまかにゆれる今朝のそよかぜ　前江田千代
出張の宿舍に一人病み居りて友の歸りを唯に待ち佗ぶ　塚田文子
ほんのりと赤くなりたるほゝづきに幼きころをおもひいだしぬ　代詩子
傷兵の動かずなりてなえし手をマッサージしつゝ悲しかりけり　たつ子
昨日(きぞ)の夜も君は眠らず明せりやつのる病ひをかなしく思ふ　舞田外喜子
今日も又配膳室に勤務しつゝ初秋の風に汗を拭へり　日出子

成吉思汗

北四　深井清治

曰くヒツトラは天才的指導者なり。
曰くナポレオンは天才的戰略家なり。
と、現代人は稱讃崇拜の辭を惜しまないであらう。然しながら吾人は十二世紀の初期、霧領オーン河流域に放牧せる無名民族中より身を起し、忽にして歐亞に誇る大蒙古帝國を打ち立てたる亞細亞の人傑、成吉思汗こそ兩者に勝る天才的指導者なりと堅く信ずるものである。

然らば成吉思汗の創業せる一望千里、草原と砂丘の坦坦たる大平原の彼の地に何を求め得たであらうか。其れは苛酷なる自然と、不自由な生活であつた。卽ち向冬に至れば寒氣凛烈肌を劈き、向夏に至れば朝夕寒暖の差甚しく又春秋の期別なく、四季何時か席の溫まる可くもなき惡しき氣候風土と、其の生活に於ては衣を得んとして店らしき店もなく、宿らんとして家らしき家もなく、食を求めんとして一粒の穀物だに收穫し得ない。

されば其の求め得たものは、困苦と不自由とであつたことは周知の事實である。

斯くの如き狀況に於て水草を追ひながら、醉生夢死の裡に彷徨せる放牧民族の諸部族を服屬歸一し、彼の意志の儘に手足の如く活躍せしめ、大蒙古帝國の運命を開拓したるは、其の裏には勇悍なる蒙古軍の力に負ふものあるとは謂へ、彼の天才的指導力なくして如何にして一放牧民族が大蒙古建國の創業を成し得たであらうか。

而して吾人は又彼の天才的指導力のみならず、仁德兼備高邁なる人格に崇拜敬慕してやまぬものである。

或人傳說を語りて曰く、成吉思汗の趣味習性蠻人の域を脫せずと、然り一面に於て其の性格蠻人の嫌ひなしとせざるも、其れは彼等民族の環境と日常生活狀態よりして、蠻人の風性在りしは當然なりと肯定し得るところである。

然しながら僅々二十年の間に、大元帝國の基礎を確立し、其の服屬歸一せしめた蒙古民族より尊敬崇拜を受け大汗としての權威旭日の如くなりし所以は、實に民を治むるに仁愛を心とし、其の望むところ德を以つてし、大量能く治政の要諦を堅持せるにあらざれば、如何にして大汗としての權威を保持することを得たるや多言を要しないところである。

蒙古の俗諺に「君主の守るは臣民にして、臣民の守るは君主の法律なり。」
味ふ可き諺でなからうか。

「君主の守るは臣民にして」と謂へる其の示す如く、彼等蒙古民族は如何に君主に對し尊崇敬慕致し、この君在りて我等永久に榮え、其の生命財產は保護せられ憂ふることなしと、君主に對する信賴絕大なるを知るであらう。

亦彼等は「民民の守るは君主の法律なり」と君主に對し忠實なるを誓ひ、且我々は必ず君主の命を遵守す可きなりと力强き主從の關係は、恰も君主を軸として圓陣を成せるが如く其の守り鐵壁なりき。

曰く、其の仁德は禽獸草木に及びたりと宜なる哉。

而して今日に至るも、彼等蒙古民族の體內に七百餘年前の大祖成吉思汗の血は脈々として流れ、大祖を崇拜敬仰しある熱情は、該地官衙、學校其の他至るところに見受けられるのである。

然らば彼の天才的指導力と、高邁なる人格に依つて大蒙古帝國建設を確立せる組織制度の內、特筆す可き事項を求れば次の四つを上げ得るであらう。

其の一　軍隊の編制

大凡國家創始の際、最も大切なるものは軍隊の編制であらねばならぬ。

然らば蒙古軍は如何なる編制であつたらうか、當時蒙古の軍隊は、古來北方民族の制度であつた。萬戶千戶百戶十戶と云ふ如く十進法を襲用し兵制上の編成としたものなるも、事實は寧ろ部衆編制上の編成であつたものといはねばならぬ。然り僅か數年の間に放牧民族を統治せる創業期に於ては、近代に於けるが如き統一的軍隊組織の軍備整正は成し得なかつたことは勿論、放牧民族特有の分散的生活に於ては事實上、部衆編制を以つて軍隊編制の要訣となしたるも蓋し當然のことならん。

而して成吉思汗は是等蒙古軍の部衆編制制度の實施に當り、國民皆兵の制を施行せることである。其の徵收年齡年少十五歲より七十歲の老人に至れるまで全く文字通りの國民皆兵であつて、平時諸民は牧畜に從事し、事あれば其の老若男女問はず兵となりて戰に參加したものであつた。

斯くの如く蒙古軍は今日の言葉を藉りるならば、國民總動員體制を以つて能く外敵を打破り、步武を進め得たのであるが、彼等はかゝる果敢なる鬪志を培ふ爲に、尙武練成を怠らず、如何に武力の訓練に努めたかを識らねばならない。

彼等は不自由な生活と常に苛酷なる自然と戰ひ續けて來た。從つて困苦缺乏に堪へ得る力が自然の內に訓練せられてゐたことも見逃す可からざることであるが、今日尙昔日の面影を殘せる彼等獨特の角力、或は果しなき蒙古原野に轡を竝べて一直線上を、ひた押しに走り競ふ競馬の偉觀は、その上の蒙古軍の精悍なる樣を偲ぶに餘りある觀賞にして、其の氣風好武豪快な片鱗に觸ることが出來るのである。尙亦獵師にして狩りたてたる獸を取逃した場合、怠慢なる兵士と同樣に嚴罰に處せられたるものなりと謂はれ、成吉思汗は如何に尙武練成に嚴正を期し、武力の訓練に心を碎きたるかをおもひ見るに胸襟の締るをおぼえるのである。

次の軍隊編制は山本守氏述蒙古の兵制より拔萃初期蒙古と元代とに大別し表にて示せるものなり。

初期蒙古の軍隊編制

- 中央軍（親衛軍）
  - 怯薛歹
    - 宿衛
    - 侍衛
    - 箭筒士
- 所謂る蒙古軍

元代蒙古軍の編制

- 中央軍（親衛軍）
  - 怯薛歹（初期蒙古軍編制に同じ）
  - 衛
    - 右衛、左衛、中衛、前衛、後衛、の五衛
    - 左都威衛、右都威衛
    - 右阿速衛、唐兀衛、貴赤衛等二十近くの衛設置せらる
- 鎭戍軍
  - 所謂る蒙古軍
  - 探馬赤軍（準蒙古軍）（契丹人、女眞人、或は漢人よりなる軍隊）
  - 漢軍「下記の徵集方法に依り區別せるもの」
    - 獨戶軍（一戶より一人出せるもの）
    - 正軍（二三戶を合して一人出せるもの）
    - 餘丁軍（富商大賈より一人取つて編制せるもの）
- 匠軍（工匠を以つて編制せるもの）
- 質子軍（諸將領の子弟を取つて軍に當てたるもの）
- 新附軍（南宋治下の支那人を徵發して編制したものにして兵の逃亡を防ぐ爲に入れ墨を施せる手號軍と呼べるものもあつた）
- 地方軍（地方のみの守備軍にして乣軍、高麗軍、寸白軍、畬軍等之なり）
- 技術上に依る——砲軍、弩軍、水牛軍等
- 勇士軍（國初以來勇士を以つて編制されし軍隊）

成吉思汗はいかに精銳なる勇士軍を至重してゐたかは彼の出陣の歌に明なところである。次にこれを記さう。

成吉思汗征討の歌　第二節

二十萬の軍兵を率ゐて北と南に結ぶ主權を確立せん
ホンゴル、シフル、フスン、デグスの四勇士よ、鐵軍二十萬を以つて速かに戰はん。

又、蒙古軍は砲兵の學校を建設し、當代に於ける最新銳武器として、砲軍の充實を計り軍備强化に一段の躍進を示してゐることも注目に値ひする事象であらねばならない。次に記せるは蒙古人の愛稱せる砲兵と其の愛人の歌詩である。

高い綠の建物に澤山の學校がありました。數多い兵隊の中で大砲の爆煙渦卷く中に自分の愛人が活躍してゐる。

其の二　站赤（驛傳）

大祖以來確立せられたる驛傳の主旨は、使節の往來の便益に供するとともに、之れを速かにし諸民の便益に供せんが爲に設けられしものなるが、其の他王族官人の往來にも便を與へたりと。而して此の風習今日未だに殘りて旅行者の便益に供してゐる。其れのみならず近國の情報聽取軍事諜報に、將亦文化吸收に大なる役割を果せるものである。大凡該地の如く交通不便にして、其の何處とも見極め難き未開の地に於て當然是が國家至重の機關として發達せるは勿論、此の制度を確立せる成吉思汗の天才的閃きに敬仰の念更に新なり。

其の三　財政經濟

成吉思汗の强力な指導力の本に、强き蒙古軍を擁して大蒙古帝國を打ち立てたのであるが、其の財政經濟はど

うであつたらうか。

成吉思汗如何に智略縦横にして、蒙古軍如何に强しと雖も其の戰費を確保し諸民の生活を保證する一國の財政經濟なくして、どうして輝やかしき戰史を飾り衆民の安泰なる生活を保證し、成吉思汗にして其の德望を受けることが出來たであらうか。

然らば彼の地に何を求めんとして得らる可きや、皮革、羊毛、鹽等多少の産出あるも是等は諸民の生活をようように賄ふに過ぎざるものである。されば其の求むるものは無なりと謂ふも過言でない。從つて彼等は資財の獲得に最大なる關心を拂つたことは必然で、建國以來武力討伐の大方針は卽領土の支配であり、資財の獲得であらねばならなかつたことは多言を要しない所である。

其の四　蒙古文化

古來より北方民族の成し得なかつた大業を、一放牧民族が、成吉思汗の出現に依つて歐亞に誇る大蒙古帝國建設の創業を完成してより大元帝國の滅亡迄、僅々百年餘の歷史を飾るに至らなかつた原因として、其の一つに蒙昧なる蒙古民族が文化の高き漢民族を支配せる爲に次第に同化されるに至つたからであることは周知の事實である。

然しながら吾人は能く此の間、漢民族の文化に抗して蒙古文化を確立せし偉業は奈邊にあつたかを識らねばならない。

其の一つとして蒙古軍の威力を擧げねばならぬ。卽ち連戰連勝、我れに抗する敵なしとの思想が、唯我獨尊自尊自負となり蒙古人第一主義の念を益々助長し、何事も蒙古族ならでは、且又我々蒙古族を以つて何事も成し得るものと、蒙古族の統治する國家を建設する方針を取つたことになつたのは、彼等の文化を大なる發展に導いたものといはねばならぬ。又彼等は古來の北方民族と相違して早くより西征し其の西域文化を吸收してゐたことは史實に明らかな處である。其の知るところ言語、文學、風俗、生活、儀禮一つとして獨創的ならないものはなし。

思ふに成吉思汗の自國主義が蒙古文化發展に積極的拍車を掛けたるものと謂ふ可く、彼にして武力の練磨を缺き、漢人文化を其儘受入れ蒙古文化を打ち立てる方策に出でざれば、或は百年餘の歷史を飾り得たるか否か計りがたい。

結　論

前述の如く、歐亞に誇る大蒙古帝國を建設せる成吉思汗の雄大なる理想の中に彼の亞細亞と歐羅巴とに望む所全く表裏の相違あつたことを、彼の出陣の歌に於て窺知せられるところである。

其の第一節に於て――亞細亞の諸國を統一せん惡業を掃はん哉――。

又第三節に於て――歐羅巴の諸國を席捲せん來れ抗するの暴慢を諸々の勇士達よ共に膺懲せん。

右記の如く彼の亞細亞に望むところ、亞細亞民族の統一を以つてし、彼の異色人種に對すること熾烈なる敵愾心を包藏してゐたものと思料せられるのであつて、彼も亦亞細亞を愛し亞細亞の亞細亞人であつたものといはねばならぬ。

然して今日我等は多年英米資本主義の搾取と、老獪極りなき策略とに依つて蹂躙せられし亞細亞の新秩序建設を叫びて、大東亞聯盟結成の要緊急なる秋、成吉思汗が蒙古人の名の本に於てなしたところの亞細亞民族統合の大業こそ、今日我等に示敎する處大なるものがあるのではなからうか。勿論　皇國の使命と、蒙古人の使命とは自ら相違することは辨明を要しないところである。

今や太平洋の波頭狂亂の渦巻と化し、北方の妖雲深く垂れこめ、ＡＢＣＤラインの包圍陣は、祖國日本の四圍にひし／＼と迫りつゝあり、全く皇國興亡の岐路に立つたのである。

此の國難を突破し、亞細亞の盟主として東亞永遠の平和確立の輝く大業こそ、祖國日本の使命であり、且遂行しなければならぬのである。斯くして初めて世界新秩序の建設を具顯し、肇國以來の八紘一宇の理想を顯現し得るのである。

俳句

小松砂丘先生選

御めぐみの楓樹や若芽すこやかに　志摩香風
御下賜花壇つゆけくカンナ咲きにけり　同
幾鉢の菊をならべし老舗かな　同
飯店や彈痕もるゝ冬の月　同
銀河より風ふきおろし秋涼し　礪田香里
秋風や能登も見えたり今朝の海　同
海の鳴る音をかすかに春の雪　同
日のひかり湖に溢れて囀りぬ　同
風に舞ふ鈴懸落葉追ふ子かな　砂山松二
霧匂ふ窓にかたぶく星座かな　同
月赤く樹海へ湖の香のかよふ　同
夜の樹帯漠々と霧は療院に　同
病む吾に時雨冷し母の墓　酒井吉次
大根を蒔く朝清し秋立ちぬ　同
驚おりて白山とほき青田かな　同
コスモスに雨しげくなりて黄昏るゝ　同

夕とんぼ我が病窓に來ては去る　米澤稔
夕かげの稻田の鳴子鳴りつゞく　同
暮れてゆく稻架の影なる母の顏　同
つなぎたるまゝの小牛や秋暑し　同
虫なくや昔安宅の關の趾　林紫陽
千代尼忌に松篠原は星月夜　同
秋暑し寢具乾しある療舍かな　同
街燈を越えて明るき螢かな　酒井草輝
渡り鳥日の出る潟をさへぎれり　同
鳥渡る音におどろく山家かな　同
夕燒の雲を背に飛ぶ赤とんぼ　松下喜一
稻の穗に二百十日の月晴れぬ　同
露の玉光りて朝の陽を迎ふ　同
こほろぎにうしろなかるゝ日暮道　土井清弘
山畠やかぼちやの上に赤蜻蛉　同
朝顏の蔓も枯れゆく秋陽ざし　同
沖へ遠く消えはつるかに天の川　中門仰風
いつとなく秋立にけし雲の色　同
茜さめてとろりと暮れぬ萩の寺　同
退所は明日に明るき月拜む　新谷白山

どの家も潟をうしろに秋ざくら　同
小豆筵る母に秋の日まはりけり　同
白壁の土藏つゞきや秋暑し　島田喜由
右むけば稲田ひらける山の驛　同
とほつ峰のおぼろにくれて萩白し　同
霧はれて葦吹く風の日和かな　谷夕洞
高粱（こうりやん）の夕風しろき墓標かな（戰線）　同
薪積んでその夜蟀來たりけり　横川繁緒
日に肥へて癒ゆるたしかさ露の秋　同
汗は玉落ちるがまゝや旋盤工　藥師正雄
小手をかざして花仰ぐあり遺兒の列　同
眠られぬ儘にあけたり虫の宿　釜場北朗
山道やこぼれし萩の美しく　同

御下賜花壇

花の塵清しく掃けり秋の風　小川洗玉
暮れきらぬ療の棟よみし秋櫻　同
しほれたる秋花なれば折りて捨つ　杉林仙次郎
非常時を知る秋空や代用食　同
戰友や倒れぬ怒れる機銃兵の汗　宮川嘉平
秋立てる怒濤に漕げる海の子等　同

新米や藏は明るき晝ともし　中川蝶雨
訪ふ人の稀な庵や萩の花　同
うしろからつき出されて踊りけり　斯波悦夫
銃劍の動く光の月夜かな　同
看護婦もそゞろに出でし良夜かな　田方政一
秋日和見舞の友と撮る寫眞　同
篠原のみづほ踊を見にゆかめ　德田香秋
コスモスの上に白山晴れにけり　同
母の文又讀む露營月夜かな　深谷其水
彈（たま）の音暫しやむ間や虫の聲　同
整備せる銀翼（つばさ）かげろふ殘暑かな　山曉雲
老鶯や流れさやかに音たてゝ　同
穂の波にしみる殘暑や道白し　上田辛朗
薄野の峠に盡きる力かな　同
朝寒や溫（ゆ）泉煙りひくき片山津　床廼家
雁啼くやもぎつくしたる茄子畑　同
刈られたる後に案山子の殘りけり　羽藤秋水
日の丸の竿の高さや秋の雲　同
風寒く吹かれて鳶の湖上かな　二篠英夫
木枯しの中を遠くの汽笛かな　同

篠原の小鳥と遊ぶ秋三とせ　山内一長
みのる秋子守りの子供車押す　同
いち早く梅の落葉や秋の風　川中幸作
山の風なげ下す加賀の原も秋　新木綠雨
行く夏の白山しばしかすみけり　鹽井久雄
病む窓にまた來し秋とおどろきぬ　大谷公知
裏の戸を閉ざすや早稲の大うねり　安部昌次
大洋を我ものに飛ぶかもめかな　小杉伊六
はかなさの思ひをすてつ秋夜哉　村上政美
秋晴やむすびのうまきハイキング　梅歴
軒々の電燈涼し宵をゆく　坂本登
石段を登れば秋の藥師寺　中島伊三久
月の夜や白々見ゆるそばの花　東山由雄

○

舟頭の顔しまりたる秋の湖　たみ
きりぎりす池のほとりの草むらに（首洗池）　外喜子

選後感

砂丘人

大体に洗練された句に接し欣快でした。唯俳句的といふ一つの構想の型をもつて作句される爲に同巧異曲の句が多くなりますから成可く別々の境涯を考へていたゞくこと。言葉のあやを注意することが大事だと思ひます。もう一つ精神的に雄渾、高雅の世界を忘れず病氣を越えて明朗に作句して下さい。

創作

燃ゆる魂

外氣　工房吉樹

一

さらでだに暮れ行く秋の日はやるせなく愁の涙で心も濡らすを、折からしと〲と降りそめた雨はいた〲しいばかり彼の骨の髄に迄冷たくしみとほつていつた。裏町にも灯がついてぬれた街燈の光が仄暗く淋しかつた。

どこをどうさまよつたのだらう、雨の中を帽子もなく彼は濡れるがまゝに歩るきつゞけた。彼の頬は青ざめ、うつろな瞳が苦悩の色ににごつてゐた。どこへ行くのか？　彼も知らない。目的のないいたゝまらない衝動のみが彼を歩るかしてゐるにすぎなかつた。

　彼の足取りは亂れてゐた。力といふ力が彼の體内からぬけてしまつてゐた、とてももう動けさうになかつた。それかといつて、じつとしてゐる事は尚更できなかつた。拂へども拂ひきれぬ心の重壓にたへかねて、彼は狂ひ相だつた。何も彼もが目茶々々に木端微塵にたゝきつぶされてしまへばいゝと思つた。このまゝ自分をなくしてしまひたかつた。そして一刻も早く今の氣持から逃れたかつた。強烈な刺戟の中に己を沒してしまひたかつた。

　彼は吸ひ込まれる樣に、とある酒場のドアを押し開いた。そこには毒々しい口紅の女がゐた。酒があつた、煙草があつた、醉つぱらひがゐた。彼はむさぼる樣に酒をあふつた。熱い滴が蝕えた喉をうるほして、じーんと五臓六腑のすみ〴〵まで食ひ入つて行く樣に覺えるのだつた。そして冷えた魂に熱湯をそゝぎかけられる樣な快い刺戟に醉ふた。彼はこの樣に酒で自己をまぎらさうとする事のいかに卑怯な事かはよく知つてゐた。しかしそんな理窟はもうどうでもよかつた。酒だけが彼のどうにもならない現在をどうにかしてくれる樣だつた。彼は矢継早に盃を傾けた、そして早く正體もなく醉ひつぶれたかつた。

　やがて彼の體の自由は失はれて鉛の樣なねむりが襲つてきた。意識のない時間がどれほどか流れた事であらう。苦しみの世界をそのまゝにして抜け出た無意識の時間がどれほど長からうと、苦しみは苦しみのまゝに彼に負ひかぶさつてはなれやう筈もなかつた。彼は恐ろしい夢にうなされて大きな自分の叫聲に目をさました。

「まあ！　どうしたの」　そこに女が心配さうに彼の額をのぞきこんでゐた。そして額の上の濡手拭をしぼりかへて呉れた。驚いて見廻す彼の瞳に、にぶい燈火に照らし出された、せまくるしい部屋が古ぼけたかび臭い匂をたゞよはせて陰鬱にひろがつてゐた。彼は前後の考へもなく、ふら〳〵と立上らうとしたが頭はしびれる程に重く四肢はくた〳〵に疲れきつて力がなかつた。

「ね、今晩はこゝでとまつて行きなさい。とてもあなたひどい醉ひ方よ、それに體もよほど弱つてるわ」

女はなだめる樣に彼に言ひきかせて再び横にさせ薄いフトンをかけてくれた。

　しかしもう彼はねむれなかつた。つぎからつぎへといろ〳〵の思ひが襲つてきて、疲れた彼の心をもみくちやにしてしまつた。

　彼には今日はじめて見知つたこの酒場の女の憐憫が無性に口惜しかつた。こんな女にまで、あはれみをかけられねばならぬのか、みじめな自分がはげしく再び嫌惡されてきてそして裏切つた女への呪ひが痛烈によみがへつてきた。

二

　あんなに愛し合ひ信じ合つた二人だつたのに、どうしたのだらう？　彼には茉莉子の急激な變心が飽迄も謎であり懐疑であり、ぬぐふべくもない大きな傷手だつた。茉莉子故に彼のすべてに光明があり誇があり喜びがあり生命があつた。だのに夢去りて後にはこの悲しみが！心の灯のかき消されて今や彼には何も彼もが暗黒であり嫌惡であり死であつた。

　かつては誇つた彼の理智も意志も純潔も才能も高尚な趣味も、たゞ茉莉子のためにのみ意義があつたのかと思へば、おろかしいあまりにも淺はかな自己への嘲笑が憎惡が熱い涙となつてたぎり落ちてくるのだつた。

　外にはひた〳〵と哀愁をさそふ雨滴の音が滅び行くものゝ斷末魔の脈搏をうつが如く淋しくひゞいてゐる。

　彼の横に轉がる女は、いつか毛布にくるまつたまゝ肉塊の如く死んだ樣にねむりつゞけてゐる。脂粉に塗りたくられた頬は鉛色に鈍く光り毒々しい紅の唇から血なまぐさい息がたゞようかとさへ思はれる。

　泣いてもだえてやがて弱い心に涙がかれると、猛然たる過去への反撥が彼の心中にもり〳〵と湧いてきた。あはい夢の樣な少年じみた魂の純潔に感激した過去への呪ひが――。

　彼の目は獸の如く光つてきた。頭腦は不氣味に冴えて、不思議な力が骨の髓にみなぎつてきた。胸の鼓動は高ま

り息づかひがはげしくなつてきた。彼の官能はかわききつて、掻き消された燈のない眞暗な夜の部屋に、熱い血をもとめて不氣味にふるへた。

　その日からだつた。あさましい官能の喜びに醉ひしれる青白い奈落の生活は、アルコールの香に痲痺していつ果てるともなく滅びへの暗い毎日が信一にはじまつた。

　朦朧とした頭腦と、血ばしりあへぎつかれた眼と、生氣のない肉體が彼のすべてであつた。

　彼の魂は荒びきつて、くらい陰鬱な日と夜につゞいた。そして酒なくしては彼は一日も襲ひくる不安と動搖と暗黒に沈み行く自分をまぎらす術がなかつた。

　彼は光が欲しかつた、美しい夢がほしかつた。あたゝかい魂の愛の泉がなつかしかつた。遠い茉莉子の面影が夜毎の夢に忘られなかつた。しかし一度び沒落した頽廢の沼からは、あせれどもあがけども愈々その深みへとおちこんで行く外に何んと救ひもなかつた。そして只身も心も疲れきつた彼には眞暗な絶望があるばかりだつた。

三

　丁度その頃、郷里の茉莉子から彼に宛てゝ小さい小包が送達されてきた。

　あんなに遠いものに思つてゐた茉莉子からの便り！

　彼はわけもなく亂れる心を、封切る手のあやしくふるへるのをどうする事も出來なかつた。中には可憐な紅の表紙のついた日記帳只一冊だけが入れられてあつた。彼はむさぼる樣に紙面に瞳を走らせた。

茉莉子の日記（抄錄）

×月×日

　流れる雲を見つめながら、私はそつと「信一さま」と呼んで見た。小さな〳〵聲だつたが誰かに聞かれはしなかつたかと驚いてあたりを見廻はしてどきまぎした。はなれて遠いあの人の面影が私の心をとらへたのはいつからだつたでせう。いつともなく消せども消えぬかげが私の心にさしこめてしまつたのだわ、これが戀なのかしら？　私が戀するなんて事があるのかしら？　それともあの春のかげろふの如くはかなくゆら〳〵と燃え上つて消える私の夢なのかしら。

×月×日

「僕はあなたを信ずるそして僕の愛をあなたの上に實現したい」今日も信一さまの手紙にこんな文句があつた。自分の愛が愛で報いられる事がこんなにも幸福な事なのだらうか、これまでの私はたゞ書物の中に私の夢を描いて胸をときめかしてきたのだつたのに、今はたつた一人の人にこんなにも魂を奪はれてしまふなんて、隨分私も變つてしまつたわ、でもあの頃の感激が夢のそれであつたら今は炎と燃える現のそれでもあるのだらうか。

×月×日

いつまでも無條件的に滿される愛情にのみ人はめぐまれてをられるものなのだらうか？　あまりにも幸福すぎる私が恐ろしく思はれてならない、何か不氣味な未來をはらむ前兆でもあるかの樣に。

×月×日

信一樣。

　あなたは私のたつた一人の方です。

　私はあなたの年に二回の御歸省をどんなにか心待ちにお待ち申し上げてゐる事でせう。長い幾月かゞ私の病床にも、もどかしくも惱ましく過ぎて行きました。もう間近ですわ、あなたのお歸り下さるのは！　私は今度あなたに花嫁人形をお送りしようと思つてゐますの。此のお正月には會社の都合とかで一日しかお出で下さらなかつたのね。ほんとにうらめしく存じてをりましたわ、でも私が差し上げたあんな人形でも、あれほど喜んで下さつたんですもの、私はあれだけでもう胸が一杯になるほどに嬉しかつたわ、今度はきつと、もつと〳〵喜んで下さるでせうね、そして淋しい茉莉子の側で一日でも長くゐて下さいます樣にね。

　これらの告白をどんなにか信一は胸のつぶれる程の興奮に醉ひ乍ら讀んだ事であらう。しかし彼女がきびしい自己批判の追究に餘すところなくさらけ出して自らの愛

情を拒否して行く、いばらの道のいた〳〵しさを求めて行つた姿を知るのは限り知れない悲しみであつた。

×月×日

私は昨夜恐ろしい夢を見た。私は信一さまと、どことも分らない山路を一生懸命に歩いてゐたのだつた。空には恐ろしい眞黒な雲が亂れて飛ぶ樣に走つてゐた。折しもはげしく稻妻して破れる樣な雷の音が耳をつんざいたと思ふと瀧の樣な雨が私の體を押しつぶす程に降つてきた。私は身も心もくた〳〵になつてそこに、うつ伏しました。そして「信一さま」「信一さま」と呼んだが信一さまは振向きもせずどこへともなく消えてしまつた。私はあらん限りの聲を張り上げて「信一さま」を呼ばうとして自分のうめき聲に驚いて目がさめた。全身にはぐつしより汗をかいてゐた。

それからずつと日記は途絶えて

×月×日

何んと私は恐ろしい事をこれまで想像してゐたのだらう。私はしらず〳〵信一さまを自分のものと極めてこれまで自分の夢を見てきてゐたのだわ。私がどうして信一さまと一緒になる事なんか出來るだらうか、私は癈人も同然だのに、私は呪はれた運命の子だ。體內に宿命の呪ひを宿したまゝ大空に照る溫い太陽の愛のめぐみをも受け得ずして枯れて行く日蔭の草花の樣に。

×月×日

孤獨——それのみが私に與へられたすべてゞある私には孤獨の中からのみ喜びを見出し波に洗れる笹舟の樣な可弱い自分を慰める事だけが許されてゐるのだ。

悲しみ！　もう私はそれについて思ひ煩ふ事をやめよう。私にはすべてを諦める事によつてわづかにほの〴〵と見出し得る私の人生のほのかな一すじの道をみつめて行かう。その蜘蛛の絲よりも細い私の行く道の兩側は廣廣とした見るかげもなく荒れわたる眞黑な悲しみの海なのだ！

×月×日

旅にこそ

このタべ旅に行かむと思ふ
もみぢ葉のあかり夕てり
そが下に涙うづめて
コホロギの屍のかげに
しのびよる悔を見捨て
我が青春の亡びの跡に
君がみ名をたむけて

あ！　かくて旅にこそいでむと思ふ

これ以上この日記の記者は何事も語つてゐない。信一の心にはもう何にもなかつた。たゞ思ひはまつしぐらに茉莉子の許へと飛んでいつた。しかし信一が郷里の茉莉子の家にかけつけた時はすでに彼女は此の世の人ではなかつた。

四

嵐は小さき微々たる田代信一の心境にのみ吹き荒れたのではなかつた。折しも曉暗を破る號外の呼鈴と共に亞細亞はすさまじい戰亂の坩堝と化し祖國日本の逞ましい正義の步武は大陸へ〳〵と頽雪の如く突進した。

雨の日に風の日に戰塵を浴びて大陸の山河を戰ひ進む田代一等兵には今や古き過去の何物も禍ひしなかつた。彼は只祖國日本の一分子としての自己をしか意識しなかつた。生もなければ死もない、ましてや小さき自己の惱みはいつか大きな何物かに昇華し盡されてしまつて、あるものは只まつしぐらに突き進む炎の如く燃えさかる魂だけであつた。

昭和〇〇年〇月。その壯絕言語を絕する〇〇作戰の生生しい戰況は日每の新聞、ラヂオによつてけたゝましく銃後國民に報道された。

兩軍の損害は事變以來最大といはれ、彼田代一等兵も死生を誓ひし同胞と共に大陸の戰野に忠烈なる護國の華と散つていつた。

痛ましくも壯重なる思ひに、くら〲とざした冬の帷もいつしか開けて、北陸の春はとけ行く氷と共に溫くもり行く黑々たる大地にやはらかくさしこめる日差ののびるが如く、ゆるやかにしのびやかに訪れてきた。

珍らしく晴れ上つて田舍町の窓々はひらかれ春の息吹を思ふさまいきづかふ長閑なある日の午後、信一なきあとの一人住居の老母のもとへ戰地から軍事郵便がとゞけられた。

前略、其の後益々御健勝の事と拜察致します。さて信一君の御動功心からうらやましく存じ上げます。彼は實に立派な軍人でありました。常に勇敢に彼の行動は我々の士氣を鼓舞して吳れました。そして隊の人望を一身にあつめてをりましたが、彼は戰死してしまひました。しかし未だに瞼を閉ぢれば、あのにつこり笑つた端麗な容貌がまざ〳〵と浮んできます。彼は仕合な男でした。あんなにも見事な戰死をしたのです。母上樣もどうか心からほめてやつて下さい。

尙別封の遺品は彼が常に內懷に入れて帶同したりしものです。「俺にはこれがついてるから大丈夫だよ」常にさう言ひながら胸をたゝいて眞先に突進した彼でした。

彼には生前心から愛し切つた女性があつたと聞きます。愛の誠は國につくす忠義においても同じでした。はるかに遠く彼の冥福を祈つて止みません。語り出せば盡きるところを知りません。くわしくは後便にて、先づはとりいそぎ亂筆にて右迄　匆々

涙に濡れた老母の手の中で、生々しき硝煙の香にいぶる紅い表の日記帳は心無き春風にふかれて、二枚三枚はら〳〵とめくれていつた。

出　發

南四　鷹城大作

秋とは云へ正午近い陽射しは舖道に照りつけて暑かつた。あれもこれもと買ひ度い物が目についておそくなつて終つた。

「たゞ今」

ふじえは少し呼吸を彈ませ乍ら格子を開けてさう呼んだが返事はなかつた。

茶の間へ來て見ると時計はもう十二時近い。夫は緣側の籐椅子にかけたまゝ眠つてゐるのか、黑眼鏡の顏をうつむけて膝の上に點字新聞を展げたまゝぢつとしてゐた。

「あなた、眠つてゐらつしやるの」

ふじえは買物の包を台所でひろげ乍ら靜かに呼んで見た。

「あ、おかへり」

夫は一寸ふり向いてさう云ふと又元の樣にうつむいてしまつた。

「おそくなつて濟みません。すぐ御飯にしますから…
……あなた、眠つてゐらつしやらなかつたんですか」

「うむ」

夫は又考へ込んでゐたんだ………。ふじえは、今買つて來た胡瓜をトン〳〵音をさせて刻み乍ら、ふと暗い氣持になりかけてゐた。

ふじえが修吉と結婚したのは二年前の春だつたが、結婚して三月餘りで修吉は應召し中支に出征して行つたのであつた。

南京・徐州と轉戰し武漢攻略戰に參加してゐる中に兩眼に負傷し幾つかの陸軍病院を經て原隊の病院へ送還されて來たのである。そして極く最近陸軍病院を退院し應

— 86 —

召當時の新居へかへつて來たのであつた。

修吉は出征前迄會社員として勤めてゐたが、ふとした機會に、ふじえと相識り兩親を說きふせて結婚したので、修吉にとつてふじえは所謂戀女房なのであつた。

兩眼を失つて還つて來た修吉は、何となく暗い陰翳（かげ）を持つてゐる樣に思はれた。以前は好きだつた尺八も此の頃はとんと手にしないのである。新婚の暖かい夢の中から召されて征つた夫が、こんなにも變つて還つて來たのを見て、ふじえは譯もなく淚が流れるのだつた。だが、お互に深く理解し合ひ愛しあつてゐた二人の中に、こんな事で暗いかげを作つてはならないのだ。ふじえは、どうしても、もう一度夫を以前の朗らかさにしてあげねばならぬと心に誓ふのだつた。

「お待ち遠さま、さあ御飯が出來ましてよ」

ふじえはエプロンの端で額の汗をそつとおさへ乍ら緣側へ來て夫の手をとらうとした。

「あ、いゝんだよ。獨りで步いて見るから。家の中位ゐひとりで步けなくちや」

修吉はさう云つて立ち上つたが、今迄も自分獨りで步いては慣れぬかなしさにともすると敷居につまづき、柱にぶつかるのだつた。ふじえにはその頑くなゝ修吉の心が、この頃ではわかる樣な氣がして來た。

盲目になつた自分に毫も卑屈を感じないけれど、この光明の無い人生に對する世人の同情を受ける事が修吉にはみじめな氣がしてならなかつた。自分と同じ樣に失明した戰友の幾人かは色々な職を求めて新らしい人生の門出をして行つた。併し修吉は、まだどうしても「めしひ」になり切れなかつた。その世界に生活する心の準備がまだ充分に出來てゐないのであつた。

御飯が濟んだあと二人はしばらく默つて向き合つて坐つてゐた。

「伊勢屋の前で村田さんにお逢ひしましたわ、言葉をおかけしようかと思ひましたけど、私は急いでゐましたし、だまつて來ましたけど」

ふじえは、その沈默がたまらなく、思ひ出した樣にさう云つた。

— 87 —

「ふうむ」

修吉はぽつりと答へたきり又だまつて終つた。

村田と言ふのはやはり戰盲の人で修吉とは病院で一緒だつた。その人が最近この近所で鍼灸術の看板をあげたのである。修吉は、さうした「めしひ」になり切つた戰友を羨ましく思ふのだつた。

「あなた、退院なさつてからまだ一度も吹かれませんが、久し振りで尺八でも吹いて見られませんか」

「うむ。いや、尺八は當分手にしたくないんだ」

「あら、なぜ」

何故（なぜ）でもないけどと答へ乍ら、修吉は何かはかない氣持になつてゐた。

ふじえには、さう云ふ夫の言葉から何か自分の心に響くものを感じて、しばらく默つてゐたが、すぐ明るい聲で

「今日はお天氣もいゝし、夕御飯がすんだら公園へ行つて見ませうよ」

と云つた。

食卓をかたづけ、台所で食器を洗つてゐると、玄關で誰か訪なふ聲がした。聞き馴れない聲なので誰だらうと思ひ乍ら出て見ると

「崎山修吉君はお宅ですか、僕は同じ部隊にゐた山田養太郎です」

と、傷痍記章をつけ、伍長の肩章をつけた軍服の人が立つてゐた。

「あなた、山田養太郎さんとおつしやる方がお見えになりましてよ」

と、取次ぐと

「何、山田、山田が來たか」

と、何時になく興奮した聲で立ち上る修吉だつた。

ふじえにみちびかれて玄關に出て來た修吉を見ると

「お、崎山、俺だ。山田だ」

と、山田養太郎は上りがまちの處へ立つた修吉の手をしつかと握るのだつた。

「山田か、久し振りだつた……どうして此處へ……まあ兎に角上れよ」

— 88 —

「どうぞお上り下さい」

修吉もふじえも、この珍客を心から喜んだ。

「有難う御座います、ぢや一寸お邪魔しよう。やれ〳〵暑かつた」

と、山田は如才なく上つて來た。

風通しのよい居間に通ると、夫達はすぐあれ以來の話に夢中だつた。ふじえは冷い飲物の用意をして改めて二人の話に加はつた。

「奥さん、行儀惡い樣だけれど、何しろ血の通はぬ足でしてね」

山田は伸してゐる左脚についてさう言ひ譯をするのだつた。

「漢口戰で崎山がやられて間もなく、私もやられましてね、アハヽヽヽ。今日陸軍病院を退院したばかりですが、家へ還へる前に、どうしても崎山に逢ひ度くてね。骨を賴み合つた戰友はまるで戀人見度いもんですよ、アハヽヽヽ」

山田は明朗で元氣な人だつた。

修吉も出征前の朗らかさをとり戻した樣に、よくしやべつて、ふじえを驚ろかせた。

「奥さん、崎山はね、あつちでは暇さへあればあなたの事を吹聽して僕達を惱ましたもんですよ」

「まあ」

「こら〳〵」

ふじえと修吉は、思はず顏をあからめて笑ひ合ふのだつた。

「處で山田、君はこれから一體何をする心算だ」

話は自然そこへ來て、それは修吉の聽き度い處だつた。

「何もかにもないさ。家へかへつて祖先傳來の百姓をやるんだ。脚か……なあに大丈夫だよ、この義足は血は通つてゐなくても今では肉體の一部さ。自轉車にも乘れば相撲もとるんだからね、やれば何でもやれるもんだ。處で君は何をやるんだ」

「うむ」

修吉は一寸つまつたが、今の山田の一言がぐつと胸に應

— 89 —

へてゐた。

さうだ、やれば何でも出來る。修吉はすぐ言葉をついだ。

「僕も實は色々と迷つてゐたんだが……失明傷痍軍人教育所へは入つて新しい分野へ出發しようかと思つてゐるんだが……」

「うむ、さうか、それがいゝ。足が無くても眼が無くても僕等には命のあるかぎり、お國の爲やらねばならぬ仕事があるんだ。さうだ、新らしい人生の再出發だ。一時に、あれをやらんのか、尺八を……久し振りだ、一曲聽かして呉れ。君はあちらでもよく吹いたなあ――」

「うむ」

修吉は感慨深げに肯いた。そして、ふじえの方をふり向いて

「ふじえ、尺八を持つて來て呉れないか」

と、云つた。

「はい」

ふじえは、いそ〳〵と立ち上つた。

夫はやはりその良いものを失づてはゐなかつた。失明と云ふ肉體上の打擊の爲に、一時途方に暮れてゐただけだつたのだ。出征前の朗らかさが、そして樂しさが明日からの生活に蘇へるのだ。

ふじえは、さう思ふと、じーんと熱くなつて來た瞼を氣づかれぬ樣に、そつと押しぬぐふのであつた。

（一六・八・二五）

詩

堀口大學先生選

靖國神社に詣でて

松下喜一

大君にいのち捧げて
雄々しくも華と散りにし
英靈だち鎭まりおはす
靖國のたふとき宮居
拜がめば胸に高鳴る
大稜威護りまつりて
おほ大和永久の鎭めと
荒御魂輝きおはす
ここに立ち勳功偲び
感激の涙は溢る
蒼生の龜鑑となりて
咲きかをる櫻の花と
いくさ神齊き祀れる
靖國の英靈拜み
御楯われ誓ひは固し

篠原

酒井吉次

塚吹く風の身にしめば
偲ばれぬ壽永の昔——
落ち行くは平家一門
唯一人踏み止まりて
花と散る別當實盛
萌黄威の大鎧
染め髮のあはれなりけり——
床しきは武士の
今日の日に語りつたへて
老松に鳴くきりぎりす

生ひしげる池の水草
しとゞ降る雨にぬれつゝ
そのかみの戰を語る——
木曾殿が前に侍るは
手塚太郎樋口ノ次郎
直衣の錦も赤く
染め髮のあはれなりけり——
床しきは武士の意氣
今日の日に語りつたへて
池の名に昔をしのぶ

木々渡る風蕭々と

月昇る手塚の山に
つはものが夢のあとかな
秋草の花亂れ咲く
柴山の潟の小波
今も尚昔のまゝか
芦しげる岸によすれど
星うつり月はかはりて
過ぎし世を偲べばかなし
越の國篠原の里

跫音

島友次

なが病みてあれば
仰ぐ御旗のひるがへりし
かの白嶺ははるけし

なが病みてあれば
玻璃戸を遠く雲動き
こゝ越路野に秋早し

合歡の丘

新木綠雨

思ひ出を偲んで合歡の丘に來た。
青い 青い 大空に 動かぬ雲は白かつた。
昔の儘に………
合歡の木がその葉先をふるはせて
自分をむかへて呉れた。
ゆれるその葉は知つてゐるのだらうか。

あの白い手で折つた合歡の枝
小さいあとが高い所にのこつてゐる
きれいだねと云つたあの聲
この花が好きだとさゝやいたあの聲
が靜かによみがへつて來る
さびしさをこらへてあゆむ合歡の丘
秋の空は高かつた

碌々日記

鷹城大作

八月××日

丘の上に杉に圍まれた墓地に
眞白く高い祖先代々のあの墓よ
一片の骨となつてその中に眠る父
去年の盂蘭盆には元氣で私達の
先に立たれた父だつた。
今年は母と妹が、
淋しく額づいたであらう
あの白い墓よ。

八月××日

向ふの屋根に湧いた雲——
誰かの顔に似てゐたが
思ひ出せぬ中に崩れ始めた
悠々と飛ぶ 白い雲——
秋だな、あの深い空の色

八月××日

何でも打明けて話せるひとだつた
靜かに澄んだ瞳の色だつた
默つて向き合つてゐる時も
あたゝかく心の通ふひとだつた。

九月×日

水銀柱は私の腋下で生きてゐた
分秒を伸びにのび
赤い境界線をぐん〳〵突破して行く
水銀の灰色の生命よ
私の身内に燃えるものを映し
お前は奔流の様に流れ伸びて行く。

（一六・九・四）

秋の夜

龍一

一人ぼつちが 淋しくて
空につめたい あの星を
じつと見つめて 居りました。

いつかこつそり しのびよる
秋の足音 吹く風に
木の葉ちら〳〵 落ちました。

ないて佗びしい こほろぎの
うたが悲しく 身にしみて
あつい涙が おちました。

だまつて別れた 人でした
遠い峠の あの町で
あの娘も泣いて ゐるかしら。

われ悔なし

松田玲月

世界に比なきこの神國に
をの子と生れ
大なるみ親のいつくしみうけて
健かに育てるわれの喜び。

東亞新秩序建設に
われも召されて
正義のみ戰の庭に皇國の
護りにつきたる われ悔なし

大君の御楯の氣負ひ儚なくも
われ病ひに斃れたり
一身根限りの誠を捧げて
斃れたればわれ悔なし

すめらぎの御めぐみに
われ伏してあり
日毎に病ひ癒えて
再起近きわれの喜び。

心の聲

上野幽靜作

世のすべてのものに
興味と執着を失ひ
自己をとりまく
總べての現象を
處置なしと冷然と眺める。

周圍の雜事にわづらはされぬ
最上の氣の持ち方であり
すべては運命と思つた。

我々人間の力で動かし得ぬ
偉大な何者かの意志である。
無抵抗主義、諦觀
そしてこれが病苦より得た
聖なる結實か如く自惚れた。

しかし、ふと
心の聲が私語く………
それは氣力なく反撥性なき
生きた幽靈。
魂なき肉體であると。

運命の波の中で
最善に生きる意力
最惡の境遇下に
倘これと敢闘するこゝろ。

あらゆる自由をうばはれ
飯粒がのどを越さずとも
心の目も生々と
自分を、病氣を、周圍を
見つめて居ねばならぬ。

お前は
靜的邪道に陷込んだ
沒法子になりたいか
心の聲が私語く………。

さうだ自分は
魂なき肉體ではない。

（九月八日）

雨

波留美

紅葉せる窓邊の木々に
しつとりと秋雨のそゝぐ
たゞ一人窓邊に立ちて
かすかなる雨音を聞く。

何時か三年の月日は流れ
數々の想出懷し
しみ〳〵と昔を偲びつ
寮の窓に一人きく雨。

勇士

（戰友の退所を祝して）

傳一聲

大陸で戰つた
白衣の勇士
今また病魔を屈す。
…………
今日が再起の
銃後の戰士。

小品ページ

感じた儘

北四　釜場北朗

死生觀

死生を貫くものは崇高なる獻身奉公の精神なり、生死を超越し一意任務に邁進すべし、身心一切の力を盡し、從容として悠久の大義に生くることを悅びとすべし。（戰陣訓の死生觀を誦む）

赤銅色の顏、手、足、魂は躍動してゐる。命を捧げ母國をあとに、勇躍敵地に乘り出した姿であり體である。

青白き手、細き足、皮膚、この下に血が通つてゐるのであらうか。

變り果たる顏貌、これがかつて戰線に馳驅した體であらうかと疑ひたくなる。殘念だ。腹を切りたい樣な思ひがする。

然し運命だ。仕方がない、と片付けられない。如何したら再起出來る身になれるだらうか。早くなりたい。どうしてもう一度働く身になりたい。微かな叫びが指先へ、頭へ、そして爪先へと傳ひ、次第々々に大きな波紋となり渦となつて駈けめぐる。

暗室内にブンーと云ふ嫌な音がする。透視だ「先生どんなでせうか」「ウン、少し良い。今が大事だ」型の如き問答が、幾度となく繰返されて來た事か。

又ほそい筋張つた腕を捲り、冷たい針がチクリ、チクリと筋を縫ふ。血沈だ、ドス黑い液體を吸ひ取つて行く。これが自分の血かと思ふと惜しい樣な、悲しい樣な氣持が、すつーと腦裡をかすめる。

豚の樣に食つては臥し、起きては食ふを唯一の樂しみとし、務の如くに、日を過して來たのも、安靜と大氣の療法に則つて、最良と敎はり、信じて來たからである。そして堪へて來たのである。

何時まで續くか知らねども、かうして、生きて行ける身は幸福であると思ふ。

死んだ積りの療養三年……天の恩、地の恩が身の上に、うづたかく積まれてしまつた。

如何にしてこの恩に報いんか。云ふまでもなく再起あるのみ。

時局は切迫してゐる。總力戰だ！

ガバツーと床に起きて見る。秋の風が冷めたく身を撫で過ぎる。

鬪病！　身は蝕まれ、癒ゆる術も知らずに臥してゐる。心の中から「自然に任せて、來るべきものを待て………」と囁いてゐる。

これこそ死生を超えた獻身の精神であり、從容として悠久の大義に生きられる精神であると信ずる。

この大不動の精神と共に生きて強く生きて行かう。

眞實

卒業生　すみれ

人間は何のために生れて來たのだらう。

各々此の世に生を受けてより何かを求めて成長して行く。ある人は平々凡々たる人生の軌道を通つて、又ある者は荊の道を通つて、時には百花爛慢の花園を通つて？

然し一見不幸さうに見えても、それはその人自身にとつては最上の喜びであるかも知れない。此の人生が私には總べて迷ひと疑問の渦卷である。

一瞬、私は義理とか、謙遜とか、虛飾、犧牲、名譽等あらゆる面倒なマスクを取除いて眞實な自分、赤裸々な自己の姿を知りたいと思ふ事がある。

そんな時には靑空のもとで唄ふ時の樣な朗かな心が躍り上る。眞實な道を辿つてこそ本當の生活があるのではなからうか。

けれどもどの方面に私の求める本當の生活があるのか私にはわからない。

だが突然私の考がへは儚い空想の樣に消えて行き心は灰色の靄に閉されて焦躁と疑問が心を占めてしまふ。

眞實な何ものかを求めて走らうとする心と道德とか敎訓と言ふ心が互に相鬪ひ、人情とか、愛情とか言ふものが溶け込んで更に私を苦しめる。

よくあの人は幸福な人だ「えらい」人だと云ふ事を耳にする。が、幸福と羨まれるその人は、果して幸福なのだらうか。

そんな時、私はその人の胸につかまつて心を正して見たい樣な衝動にかられる。

「えらい」と言ふ言葉の意味は何だらうか、

幸福は精神の持方にもあると思ふ。

悟つた心、慾を捨てゝ自然を放浪し、自己の滿足幸福を味はつた人も澤山ある。

勉强が出來、お金持で、健康に惠まれ、事業に成功しながらなほ自身滿足してゐると思つてゐる人があるであらうか。

何か不幸失敗があるとよく、これも運命、前世の約束だと言ふ。

然しそれは敗北者のあきらめ愚痴言にすぎない。少くとも自分一生のコースは決つてゐると思はれない。それでこそ希望があり努力進歩があるのだ。

自己の生活を悲しみ、よろこび、或る時は怖れ、不安を感じ乍ら、何かに向つて各々が幸福を求め夢を描いて働きつゞけるのが生きる者の姿であらう。生きてゐる限り自分の持つ希望に向つて最後の努力をつゞけよう。あらゆる矛盾と疑問とのとける日を夢見てベストをつくさう。

私はもつと〳〵强くなつて、眞實のための一路を、ひたむきに歩かうと思ふ。

門前の小僧習つたお經を讀む

一寸法師

あらゆる不幸を背負ひ込んで自分だけが悩んでゐるだなんて君は言ふが、果してさうだらうか。君には幸福に見える僕自身が、すでに悩み拔いてゐるのに。

憂鬱な表情にのみ悩みがあるとは限らない。不敵な笑ひの中にも深刻な斷腸の苦悶がある。運命の操人形としての自己を君は考へた事があるだらうか。

君は恰も自分を天から降つて湧いたる如き孤、獨、の存、在、と思つてゐるのではなからうか、かゝる不遜を冐す前に環境の子としての自己を先づ君は知らねばならぬ。はかり知れない宏遠な歷史的傳統と、拭ふべくもなく染まりきつた地理的環境からいかなる天才も脫し得なかつた如く君も又時代の子たり鄉土の子である。そして最も適切には家庭の子であり君の屬する社會の子である。又君は持つて生れた自分の容貌をどうにか出來るだらうか。同時に根强く決定づけられた、もろ〳〵の精神的能力をも。

遺傳はかくの如く先天的に君の肉體條件と精神能力を規制してゐる。それに絕えるまもなく襲ひきて君の人生航路を思はぬ困難にもおとしいれ、或ひは幸ひする事件の波は君の願ひをも無碍に撤去して目的地とははるかに遠い港への寄港を餘儀なくもするであらう。

理智を絕したこの偉大なるものの力を、君は信ずると信ぜぬとにかゝはらず、君も亦これに飜弄されるおろかしくもはかない木葉舟にすぎぬのだ。しかしすぐれたる理智と鐵の如き固い意志をもつ君はこの樣な人間の動物的意義づけを一笑に附するであらう。でもすべてのなやみがこの移氣なとらへがたい運命を自己に益する方向にむきかへようとする貪婪（タンラン）なる慾求から出でて理智と意志とを武器とする戰の創痍であるとしたら、どうであらう。生きるその事自身は生きんとする慾求の何等かの形態である。

慾望はそれが滿さるべき期待のもとに生ずるすべてをあたへられたるまゝにおいての現狀に甘んずるものに慾望は有り得ない、しかしこの事は人間以上か以下のものにして、はじめてよくなし得るところであらう。

常にあたへられたる現狀に缺乏を意識するのが人間である。

鬪ひはこゝにはじまる。

彼を束縛する運命に抗して自らの手で運命を開拓せんとする、はげしい人生の戰ひがそれである。

しかし成功はあらゆる條件の完備を待つてこそはじめて成就する。彼のなし得た努力以上に大きな、彼にはどうすることも出來ない運命の潮時が幸ひせねばならぬ。

慾望はそれが滿されるときに喜びをもたらせるが然ら

ざるときは苦痛を與へる。人生が慾望のそれである限りなやみは終に彼から離脱するときはない。

なやみの生活は苦るしい、我々はこれから一刻も早く解放される事を欲する。

人生に何故惱みが有るかを問ふ事は以上の事を考へてきた我々にはおろかしい問である。我々はなやみの人生を肯定せねばならぬ。

そして逞ましく生きる事自身が、なやみである不可避の姿を凝視しそして惱まねばならぬ自己を靜かに眺める事が出來るとき、そこに人事を盡して天命を待つすがすがしい境地が開かれてくるのではなからうか？

私の日記

二回生　加保久美子

桃の咲く中を三々伍々の群、ともすれば荒み勝ちになる療養生活を花に和らげて今日も靜かに一日を送る事が出來れば至上の幸福である。

早起して神社に詣で精神修養を積む、醫官の命に従ひ一意療養に專念する。書文をはげむ等國家に一命を捧げし勇士達憩ひの殿堂よ。いたいけな學童の慰問こそ彼等にとりては慰安の天使とも云ふべきである。

人間自然を愛好するは至上の德なり。當所の如き山、海、湖の大自然に惠まれし地に療養せる勇士は詩に句に歌に繪畫に細工物に餘暇を利用して修養におこたらない。靜臥時間を終へて海岸に散歩するも亦趣あり。更に横進する時は風景優美傳說妙なる尼御前に着かむ。其の昔弘法大師の說あり、それのみならず波頭岩をかみ松をのむ景あり、引道し他の道に入り金明竹を愛ずるもよし。

療養のひまひまに作りし草花も香床しくにほふらん、かしこくも　皇后陛下御下賜なされし草園、朝早く露おちる頃より二三の傷兵掃き淸め居る姿や尊し。落花はおし花として大切に保存し心のむちとせんと云ふ。

霜敷く道をつゝましく神社に詣ず姿絶えず。長い療養生活と別れて再起奉公の喜びはあれどまして別れ難きは苦しみ悲しみ喜びを共に互にむち打ち、打たれて來た療友と別れる心裡、總てを秘して喜んで送る。前者後者何

れもおとらぬ君國の臣、出で行く者よ健やかに、殘りし友よ安らかに會ふは別れの始とやらこれも拙の常ならむ。

桃花盛りし今日の日も又靜かに暮れ彼方湖畔にさゞなみとたわむれゐたりし小鳥も己が巣へ急ぎ行く。夕燒の雲紅くたそがれの氣漂へりこゝに一日を省り見て今日の日に別れなむ。

秋の日

卒業生　珠洲枝

「ポツリ」と一滴宛落つる空の下を白衣のポケットに兩手を入れて何時の間にか松林の中に來てゐた。降るでもなしに降つた雨に濡れた林の中に澁い松やにの臭ひが火吹竹に吹く様な風に交つて鼻をつく。

灰色の空は梢の間から少しづつ覗いてゐるきり仰むくと待つてゐた様に冷たい雨の雫が額の上に落ちて來る。

芝生の間や叢の中からも哀れな虫の聲が變つた鳴き方で幾つも歌つてゐる。

今まで頭の中に混亂してゐた渦巻きの様なものが次第に薄く消えて行くのを覺える。

松の根にハンカチを敷き白衣の腰を下すと急に梢が搖すぶられて殘つてゐた雫が白衣の到るところを濡らす。

感無量を裝ふ熱い息が胸の中から爭つて飛出して來る。昔はこんな美しい秋の山や松の綠を見ると直ぐ繪具を使ひ度くなつたものだつたが今はそんな氣持は忘れた様になくなつて眞先に譯の解らない生ぬるい涙がむず〱と頰を流れて頸の邊までつかへてゐた魂が何處かへ音もなく沁んで行くのを感ずる。

坐つたまゝ濡れた松の皮を指先でパリ〱と音を立て、いくらも剝ぎ取り乍ら新たに押寄せてくる思慮を胸の中で切倒してゐた。

松の精の聲を聞いて本當の自分と語り度い氣持で幾度か松林の中に來た。滴る松の雫と生ぬるい涙に濡れてうつむいたまゝ、悄然と歸るが心の憩える此の上ない場所は、やつぱり誰もゐない自分一人の松林の中だつた。

今日もしたゝか雨にあたつて松の下を歩いて來た。

凧に寄す

北三　島友次

先頃療養者用物置を整理中意外なものを見出した。ほこりにまみれた必勝の文字も鮮かな、がつしりとした障子凧だ。この骨董的價値の凧にもひめられた思ひ出が自分を微笑さすのであつた。Hさんだ。表門まで見送つたあの退所眞際にも人氣者なる存在を遺憾なく發揮して一同を笑せたものだつた。赭顏の髯面早口のズーズー辨は時折ユーモアを發散させ煙にまかれたのも度々では無かつた。龜の子束子でみがき上げた黑光りの肌は「寒さにだけは絶對に自信がある。」と語らしめ嚴冬でも肌衣を着ず火の氣のない病室のベットへ素裸でもぐり込むと云ふ徹底ぶりで、年中ベットにくつゝいて蒲鉾の有難くないニックネームを戴いてゐる自分等とは全く對照的な存在であり、いつだつたか半裸で外を行くのを見「大江山の酒天童子みたいな―」と噂してゐるのがいさゝか御機嫌をそこね微苦笑を禁じ得なかつた。

×　　×

「春淺き故郷の香や落椿」たしか北國俳壇の早春の句稿を應募中の頃だつたと思ふ。吟行方々朝夕散歩する循環道路にもやはらかな草の芽がもえ、春の道化者猫柳がふつくらとした銀のビロウドのチョッキに裝ひをこらせ、さゞらぎの音調にも春の調べをかなでるかの様で、湖に映ゆる白山連峯にも春の陽がかゞよひ、くつきりと畵線をえがいた尾根づたひを、上りの列車がパッパッと白煙をたなびかせて過ぎる。春だ。ほの〲とした春のよろこびに浸りつゝ、ふと見れば砂丘の彼方國旗掲揚塔の下冬がれのまゝの雜草に佇んでゐる人影がある。近づけばHさんだ。例の必勝號の試驗飛行に餘念がないらしい。自分も手傳つて風向きを見ながら何度も砂丘を走つて見るがやつぱり駄目だつた。しかし愉快なHさんは別段氣にもしてゐない「駄目だと云ふ事がわつたねー」と名臺詞をのこしてサッサと歸つて行くのであつた。

數日後所主催の凧揚げ大會があつた。童心にかへつた療養子の凧上だ。快晴に惠まれしも飄々と吹く北國特有

の風の音をきゝ乍ら相肉發熱の故、再起の廣場の會場へは行けないので病室よりながめてゐれば威勢の良いやつがはるか手塚の森上空にいくつも上つて居る。

各病棟の代表だけあつて、ヤツコダコ、扇ダコ、ヒコウキダコ、等々……反轉横轉風のまにまに亂舞してゐる。「アガッタ　アガッタ」超弩級必勝號が斷然群をぬいでゐる。Hさんの得意や如何ばかり、思はず快哉を叫んだのであつた。

×　　×

そのHさんにも、いつか感傷めいた言葉をきいた事がある。「人間と云ふ奴は同じ場所で同じ生活を續けてゐると自分の姿を見ることが自然と失はれ自分を見失つてしまひ習慣だけが動く機械の様なものになつてしまふ。」……と。窓邊ではちゝろ虫が鳴き早くも秋風が吹いてゐる。

カマボコは依然カマボコの日課に忠實である。

「アー　そんなこともあつたつけ」

凧々――。思ひ出はつきない。

魔法トランク

二年生　みさ子

「御免下さい。」

ドアを明けると六十の坂を越したばかりと思はれるお爺さん一人。

「檢溫お願ひします。」

と這入つて行くと、お爺さんペコリと頭を下げられる。人の話では此のお爺さんよつぽど耳が遠いらしい。

無雜作に置かれた茶盆や、煙草盆。煙草盆の上に光つて居る藥罐を取り早速お茶をすゝめられた。

お爺さん、お茶をすゝり乍らボツ〱話されるには、

「おらー　神樣、佛樣を信仰して居るがそれより五十倍も百倍も信仰して居るのは、お日樣なの、お日樣は何處へ行つても必ずついて、おらを守つて下さる、有難い〱。それから國旗は　明治天皇の御魂だと信じとるの、だから國旗の取扱は最も鄭重にして居るの。」

お爺さん富山の方で言葉の終りには必ず「の」の字をつけられるのが滑稽だ。

　菓子鉢に入つて居るお菓子を二つ三つ頰張り、余り齒の無い口をもぐ／＼動かせ乍ら話を續けられる。

「今戰爭をして居るのは、東洋平和の爲 おらが伜も大陸へ行つて居るの。神樣に武運をお祈りする、此の事がきつと大陸へ通じるの。ハ、、、、」

と、一すゝり。

　頭の眞中がつる／＼に禿げ周圍に生えて居る髮は、白髮一本ない艶々した髮を無理に上げていらつしやる。長い眉毛が一本、時々風になびいて居る。

　私が話しかけても全然わからないらしく唯相槌を打つ許り。

　やがてお爺さん床の間に飾つてある寫眞を持ち出し

「此の寫眞はおらが父なの、病氣の時は何時も枕元へ行き、世の中の事をよく聞かされた物だ。人間には心暗い事があつては長生きが出來ぬ………と。

此の十年或は十數年後には故鄕、鄕土、或は山中にてきつと悟を開く時が來るの。」

　お爺さんの目はきらりと光つた。

　その目には固い／＼期待の色が………。

　お爺さん、外泊の時は勿論、遠足なんかの時でも必ず小形のトランクを持つて行かれるので、傷兵さん、此のお爺さんの事を「魔法トランク」等呼んで居るが、中々感心なお爺さんである。私達が勤務に出ると、早朝から白衣に身を淸め、毎朝神樣へ初水を上げられ、一心にお參りして居らつしやる姿が見受けられる。

　山々はくつきりと晴天に聳え、峰より吹き下す凉風は頻りに鳴き續けて居る蟬の合奏と共に、朝日さす此の二階のお部屋へ氣持よく流れ込んだ。

　お爺さんに良い敎訓を聞かされ、餘り長くなるので部屋を去つた。

讀後感

外氣　古川　勇

　しと／＼と屋根を打つ雨は未だ霽れさうにもない。此の雨の爲に戶外の樹々は一層その靑さを增した。私は今讀み終つた吉田絃二郎氏の「我が人生と宗敎」を手にし、薄暗い天井をみつめ乍ら、もう一度今の「人生」なる語を口ずさんだ。自然を通した人生と宗敎を述べ宗敎を通して人生の尊さを述べた此の一篇を通して果して私は何を得たか、如何なる感銘を受けたか、私はそれを述べたい。だが私は心の儘にそれを述べ表はされないのが殘念でならない。實際に讀んで見て始めて知る事が出來るのである。併し唯私は言へる、「眞實の書物」と、そして又吉田絃二郎氏が「眞劍に人生問題を考へた本だ」と。

　著者は「人生は槪念では無い、人生は實感である」と力强く斷言してゐる。

　私はこれを讀んで、ハツと胸に迫るものを感じた。人生は何んであるか？　これは唯理論的に槪念的に論じてゐては永遠に解決する事の出來ない千古の謎であらう。

………だがそれを私は唯考へる事のみに依つて眞實を摑まふとしたのである。併し理論のみに走つて、どうして眞實を摑む事が出來得ようか。自己のみ生きんが爲、他のあらゆる物を犧牲に！　そして生とし生けるものゝ總てがこれと同じ經路、同じ過程を繰返してゐるのである。これも人生の一班なのである。

「雪降る日、下駄の鼻緖を切つて困つた事があつた。見知らぬ女が一筋の麻繩を持つてきて吳れた。私は二十年來雪の日になるとその優しい人を想ひ出す」と著者は言つて居る。そこにも亦人生の花があるのである。

　更に「人生は平坦なる綠野では無い。人生は荒野である。人生は荒野を耕やす努力そのものである、そして又人生のあらゆる苦しみ、悲しみ喜び、それは私達が果さねばならぬ。義務で無く與へられた特權である」と言つてゐる。現實の世界を肯定して人生を苦しみ、悲しみ喜んでこそ、その眞實の深さ、尊さを知る事が出來るのである。そしてそこに自ら滲み出るものが宗敎なのだ。花とは何んぞや？　と云ふ問題より私達はその花の持つ美しさ尊さを知らなければならないのだ。それが花を知る事なのだ。

　生きて居る姿だ、それが人生であり、生きてゐる姿を

永遠に具現する。それが人生眞實の路なのだ。

　雨はなほも降り續き、雨滴の一つ／＼の音が私の耳にはつきりと聞えてくる。

　私をして人生と云ふ大幻影を追ふ靑年たらしめた此の書、「吾が人生と宗敎」こそ實に私の精神生活に深い感銘を與へた素晴らしい本である。

病床の一時

卒業生　キ　ク　ノ

　梅雨晴の一日今日もさみしく物を想ふ。

　今し方消えゆきし夕陽の名殘りは黃昏時の雲に照り映えて筆舌につくし難く餘りの美しさに呆然と我を忘れて窓邊にたゞづむ。

　あゝ　何とロマンテックな雲だらうか、何と綺麗な雲だらうか、美しき雲。

　病む我が此の世で望む夢の國が彼の雲の中にあるのではなからうか。

　折しも二三羽の鳥が微な羽音を殘して立ち去る。松風に乘つて來る浪の音が私の脈搏に共鳴して轟々と響き次第に幻想的な、あの雲の世界へさそひこむやう。

　多くの希望と幾多の期待と共に入所せしあの日より三年の星霜。最早流れて今ではもう終業式も最近になつた、だのに私は病める中の一人ベットを友としての三ヶ月間、何の望みがあらうぞ!!　たゞ天井の板目をかぞへて、その日その日を送つてゐる。死………あゝ　病苦の一時ひたすら神に祈つた時すらあつた。

　今考へれば何とおろかな思ひだつたらうか、一週に二回の診察が待たれてならない。

　何時も回診毎に醫師の顏色ばかり伺つてゐる「よくなつたね」と言ふ御言葉が嬉しい。「先生早く治して下さい」と心密かに願ふ。

　此の樣に世の中に如何に多くの憐むべき人々が潛んでゐるのかと思ふと、自分の病をさて置き人間と言ふものが儚なく人間に生れた事が淋しい………。

　でも自分は病みながらにして看護婦だ、すべては時が解決して吳れるのだ、其の日を待たう。そして治つた曉

は看護婦の身で體驗し得たこの病む者の心理をくんだ立派なみとり者とならう。そして病む人を立派にみちびくのだ。今までの自分の姿はこれ故の尊い神の試練だつたのだ、さう思ふ時私は無上に嬉しい。

　見よ。グレースダアリングダを、ナイチンゲールを!!

あたりはもう暗くなつた。淡き電燈の灯は空虛なベットにそゝがれてゐる。初夏らしい地虫の鳴く聲が聞えて來る。自然は意味深い謎を囁きつゝあり我も床につきたり。

療養いろは標語

い　醫師を賴りて感謝の療養
ろ　論より證據再起で示せ
は　早起早寢親しめ日光
に　日本燦たり再起の力
ほ　譽れの傷痍再起の誓ひ
へ　部屋の淸潔心も光る
と　東方遙拜その日の日課
ち　小さい豫防大きい安心
り　理窟はぬきに多數に贊成
ぬ　脫いだ軍服また着る覺悟
る　留守は整頓行方を正せ
を　重い病氣も心に輕く
わ　忘るな皇恩醫師の恩
か　必ず守れ療養日課
よ　良いと思へば進んで實行
た　絕やせ結核鄕土の恥辱
れ　禮儀正しく明るく强く
そ　揃つて全快こぞつて奉公
つ　强い氣力で病氣を克服
ね　根强く忍んで再起を期せよ
な　長く仲良く再起は早く
ら　樂な時にも苦を忘れるな
む　胸の記章に恥ない行爲
う　うつかり傳染しつかり豫防
ゐ　何時も心に再起の願ひ
の　昇る朝日に感謝の默禱
お　恩を忘るな惱みを忘れ
く　苦しい時には戰地を偲べ
や　優しき看護に感謝の誠
ま　守れ身體入れるな病菌
け　堅忍持久は最後の勝利
ふ　不平をいふな洩らすな軍機
こ　漕ぎ出す前途に傷痍のほまれ
え　笑顏で療養再起で萬歲
て　鐵の體力興亞の威力
あ　朝の感謝に夕の希望
さ　さすが傷兵と言はれるやうに
き　效きよい散藥口には苦がし
ゆ　油斷は禁物不斷に豫防
め　名譽ある身だ模範を示めせ
み　滿つる健康輝く日本
し　傷痍の記章で前途を照せ
ゑ　衞生守つて身は淸潔に
ひ　日每に快方見事に全快
も　洩らすな不平われらは傷兵
せ　靜臥時間は正しく實行
す　進む體位に退く病魔
京　京も田舍も健康第一

南四　徳家光辿

風詩

大村新蟬選

可吟

入れ物の小さい方が良く釣れる　山あつし
安靜はミイーラが肥とる肥料(こやし)なり　同
熱ぢやない體溫だよと駄々をこね　賀吹陽生
凱旋兵ホームに立ちて子を擁き　東三造
スマートになつたと三日下痢つゞき　同
萬歳の子は萬歳を笑ひ得ず　長坂楓史
ソーダ水眼は眼でやはりものを言ひ　同
怠け者安靜時間に飯を喰ひ　一長生
さゝやかな誇を感ず子だくさん　林紫陽
戀文を讀むうしろ戸を猫が開け　酒井すゞ枝
また零(ゼロ)を娘(こ)は微笑んでゲームとり　上田美津雄

夏吟

書いた程好果なかつた面會日　上田美津雄
子の寢顔天下につらきこともなし　林紫陽
神經質便所へ行くもしのび足　一長生
角帽も百姓の顔で稲を刈る　春陽
共榮圏こゝだ男の見せどころ　長坂楓史
鼻茸の取れぬ所は首をまげ　宮川嘉平
高嶋田モンペはいてる奉公日　東三造
看護婦の交替日だと髯を剃り　賀吹陽生
看護婦を一寸借り出すカメラマン　山あつし
力(りき)んでも針は進まずあばら骨（體重測定）　東邑生

優吟

子守唄母の軍歌はまのびして　宮川嘉平

選後感

「此まのびした軍歌によつて、世界無比、忠勇武烈なる日本軍人の卵がスク〱と成長しつゝある、父たる人安心あれ。」

髭自慢マスクはいやだが所の規則　山あつし

「髭自慢も軍人らしくていゝ、更に、所の規則を遵守勵行されつゝある處、誠にけなげである、天晴れである。」

戰ひになれたふんどししめなほす　林紫陽

「再起奉公の念に燃えつゝ靜に療養中の日本軍人の氣持がよく現はれて居る、偉しとも偉し。」

—部報—

白根短歌會のこと

聖戰の進展と共に滅びゆくもの生れるもの目まぐるしい世態の中に雄々しく力強く生れたものは傷痍軍人の短歌であらう、日夜病苦と鬪ひつゝ傍ら歌作にいそしんでゐる、生々しい戰火の追憶を靜かに送る療養の日日を……

それは戰前には見ることの出來ない感動すべき姿ではなからうか。

白嶺の下その名も白根短歌會と力強い歩みをふみ出したのはまだ肌寒い北國に春の雪が遠近に見える頃だつた。それまではささやかな我等の同志は思ふがまゝを歌にして二三の先達の方々に見て戴いてゐるのがせいぜいだつた。三人が五人、五人が十人と次第にさうした人々が増すにつれて當然生れるべき短歌會は四十四名の會員をもつて三月五日發會式と共に第一回短歌會を壽康館和室に開催した。

爾來今日まで會を重ねる事七回眞摯に努力するその歩みは驚くばかりの發育をとげた。そして今日では押しも押されもせぬ天下の白根短歌會となつた。この中には戰前少しも作歌經驗をもたない者が大半である、が今その作品の中に表はれたる姿を見て我が國の民族的傳統の力がたくましく受繼がれて行く時たまらない喜びを感ずるのである。

四月二十八日には五島美代子先生を六月二十二日には藻谷銀河先生をそして近くは臼井大翼先生を御迎へして我等の短歌熱と云ふものは、いやが上にも高くなつて行くのであつた。

月一回五日にひらかれる歌會には忌憚なき意見の交換、各自の出詠歌の批評等有益に過す午後のひとゝきは我々にとつて最も意義深い時間である。

我等の短歌は療養時に於ける娯樂慰安ではない。それは自らが傷痍によりて定まれる一生を生き拔かむとする精神の支柱である。朝夕を重患にさいなまされつゝある人が短歌によつて生きる喜びを見出しその中に沒入する事によつて病苦を忘れる事の出來る短歌は我々の生への絆である。

七月二十五日私共の歌集弓杖が發刊された。我々の短歌が歌集になつた。それだけでも大きな喜びであつた。貧しさの中にも國を思ふ心に燃えてゐるこの歌集は白根短歌會の大いなる誇りであり收穫である。

ふたたびし起つ日まぢ近く畏みて
侍醫御差遣の光榮に咽ぶ

九月二十七日　侍醫御差遣の佳き日限りなき御恵に謝す我等に賜はりし光榮を詠みての會員の作である。宏大無邊の御皇恩に謝して大いに頑らう。そして再起の一日も早からむことを祈りて。　（島田記）

松籟俳句會について

事變はじまつて以來、傷痍軍人の保護、再敎育に多大の努力を拂はれつゝある政府は、殊にその精神修養の方面を重視せられ、健全な思想涵養の點から傷痍軍人と俳句といふものに深い理解と援助とを與へられて

來たのであります。當所におかれても夙にこれ等の點に關心をもたれ、格別な御便宜、御援助を賜つたことゝ、療養者の中に二、三斯道の先輩が居られて、これ等の方々の熱心な獻身的な御指導御盡力とが所内の俳句熱を漸く盛んにし、初めて越前の村田香穗畫伯が吾々の爲に俳句御慰問に御出で下さいまして、爾來大阪方面からは田村木國先生、本田一杉先生、當地の小松砂丘先生、森本之棗先生等各方面から斯道の先生方が相次いで御慰問に御來所賜り、遠くは東京の吉田冬葉先生より「薰風集」俳句雜誌等多數の御寄贈を得て、御講話に或は雜誌によりて吾々の俳句熱は愈々高まつて來たのであります。從つてその向上進歩は目ざましいものがあり、昭和十五年十一月に田村木國先生が御慰問に御出で下さいました時には「療養所の俳句としては恐らく日本一だ」と折紙を付けられた程で、吾々は大いに意を強くし更に勇を鼓して頑張り出したのでありますが、かうした頑張りは當然所内に俳句會を結成すべきであるといふ機運の本格的な擡頭となつて現れたのであります。斯くて吾等の念願久しかりし俳句會も郷土出身の本田一杉先生より「松籟俳句會」と命名せられて、昭和十六年五月十七日に再び村田香穗畫伯をお迎へし、會員も五十七名の多きを以て盛大に發會式を擧げたのであります。爾來毎月一回十日に例會を開き會員こぞつて熱心な研究を續け、所期の目的に向つて進みつゝあるのでありますが、其後會員もだん〱増えて現在では七十名の多きを數ふる盛況にあることは同好者の等しく慶びに堪へないものであります。

—松籟俳句會—

この度「しのはら」の創刊にあたり、吾吾の俳句精神、卽ち日頃抱いてゐる句作を通じての療養精神又は信念といふものゝ一端を申述べて見るのも、强ち徒爾ではなからうかと思ふ。

吾々の殆んど大部分の者は、俳句といふものは小學校で一寸敎はつた五七五で詠むものである位ひしか知らず、俳句に季題といふものがあるなどとは全然知らなかつたのであります。勿論、どんな効果があり、味ひがあり、何んの爲に句を作るのかといふ樣な事は知る由もなく、ただ先輩の方のお話や俳句雜誌等少しづゝ讀む樣になつて漸く季題の存在位は頭に置く樣になつたのですが、木國先生の御慰問句會の時に出た句で「貧乏もいたについたか菊いぢり」というのを「貧乏もいたにつきたれど菊作り」と直されて入選させられたのを見て吾々は初めて俳句の面白さと、そして心の構へ方、

—110—

持ち方といふものを發見したのです。かうした心構へを以つて、俳句の對照物である花鳥風月卽ち自然に向つて呼びかける時、自然は常に新らしい立派な俳句を無盡藏に與へてくれるものであると吾々は敎つた。

御慰問にお出で下さる各先生方の御講話には大概異口同音に「ものをよく見よ、そして素直に詠め」と云ふことを言はれる。「よく見る」といふことは畢竟物の眞に徹することであり、精神をより純潔なものに導くことであると自ら体驗し、又自覺するところまで吾々は漕ぎつけた。俳聖芭蕉は、

よく見れば薺花さく垣根かな

と詠嘆した。本當に何の見所もない樣な垣根ではあるが、それでもよく見れば薺の花が咲いてゐる。薺は春の草花の一つであるが、どこに見どころがあるのかわからない樣な花である。櫻や桃や躑躅など、人々が花見といつて騷ぎまはる樣な花は普通俗人の見る花見である。よく見た芭蕉は、垣根に淋しく咲いて居る薺の花を見て驚いた。僅かに一坪の茅屋の庭でも充分に花見が出來る。陶淵明は菊を愛し、周茂椒は蓮を愛した。だが薺の美しさを發見した芭蕉には叶はないと思ふ。かうした句の生るゝ境地こそ、最高の理想的俳句の境地であつて、しかし少く吾々凡人の及ぶ所ではないが、一日も速かに再起御奉公すべく、先づ病を治すといふ眼前の責務の爲に、自からの境遇を見つめ、自からのいのちをいたはり愛すべきが當然でなからうかと吾々は考へる。曾て戰場で体得した吾々の逞ましい精神は、ともすると自からの生命を粗末にあつかつたり、事物に對して輕卒に過ぎたりして、病氣をだんだん重くしたり、或は身上の破綻を起す場合が比較的多いのではないかと思ふのです。句作はこれを救ふてくれる唯一の道なのである。

初秋やまだあるいのちいたはりぬ

この句は所内のある人の句で、立派な句といふわけではないが、確かに俳句によつて傷痍軍人としての矜持を自覺し、自からの境遇を見つめ、そして靜かに自分の生命をいたはつて居られる尊い心境の句で誰にもよく分る句であると思つたのでこゝに書き添へて見た。

實際よく見ることを知らない人間の生活は悲慘なものであり、何等修養を積まない人間の一生は無味乾燥なものであることを吾々は十分に知つて居ます。肥料を施さない野菜は味がない！　嚙めば嚙むほど味のある人間、振れば銀鈴の如く響く人間でありたいと念願しつゝ、吾々は常に俳句的な希望に燃えてゐるのです。

事變文學といふ大きな業績の中において吾等は、傷痍軍人と俳句が持つ一つの輝かしい分野を占めて、國家の隆昌發展の上に貢献するのであるといふ矜持と立派な使命とを今こそはつきりと自覺した。そして以上述べ來たつた樣な俳句的な希望、俳句的信念といふものゝ中に、吾々の言はんとする所の所謂る俳句精神、卽ち眞の療養精神なるものが培はれるのであると確く信じて疑はないのであります。

今後は益々斯道に精進し、より崇高嚴肅なる俳句精神を把握する樣努力すると共に、より多くの同好會員の出來る樣おすゝめし、吾々の療養生活そのものをして宛ら蔚然たる俳句の殿堂たらしめ、感謝と喜びの靈境たらしめたいと切に希ふのであります。

（淺井 記）

—111—

華道會報

本年二月中旬豫て療養者間に鬱勃たる氣運の見えてゐた華道に對する熱意も幸ひ奥井幸次、上野與吉兩氏外數名の先達の方々の御盡力により又所長先生はじめ庶務課長殿指導官殿の懇切なる御後援のもとに第一部古流藪井理圓先生第二部未生御流宮本文甫先生をおむかへして石川療養所華道部發會式が擧げられて以來溫情溢るゝ兩先生の御教示と熱心なる會員の努力により順調なる發展をとげ會員一同愈々精勵してゐるのであります。

生花とは我國傳統の技藝美術で日本國民性の内奥に持つわびさびしほりとも一貫した精神のものである。彼の本居宣長先生のうたはれた

敷島の大和心を人とはゞ
「朝日に匂ふ山櫻花」

この歌が最も良く象徴されてゐるものでなからうか。花の道は自然と人生の融和にあり花の姿は挿者の精神を遺憾なく反映するものであるから心なきものゝ作品は空洞の如く見え誠あるものゝ作品は至情溢るゝものである。

發會當初に希望した如く療養の徒然に一面情操涵養人格の陶冶に資したいと努力した甲斐あり現在では實科學科共相當に見るべきものがある。近くは片山津湯の祭りの華道大會には會員中多數名の出花もあり一般世人の注目をひいた次第です。動もすれば華道、茶道等は、ひま人のなすものであると往々にしてきゝます。しかしこれには聊かの、うたがひをさしはさまざるを得ないのであります。

限られた生活圈内の人のみのものとしりした、かの既成の概念はすでに過去のもので工場・官衙・學校等あらゆる集團的職場に於ても健全なる情操敎育且つ精神の昂揚に資せられひいては實生活にまでとり入れられんとする現狀であります。我々療養者に於てともすれば、すさみ勝ちなる鬪病生活を病室に咲く一輪の花のうるほひある自然の恩惠にひたらしめ療養の糧ともなり或ひはこの完備せる國家施設に惠まれたる環境に感謝し豐かなる療養生活を送るにも意義あるものと思ひます。傷痍軍人としての襟度を持ち且ての銃火の洗禮にきたへし雄渾なる氣魂を華道による高雅な趣味の裏打ちに依つて無味な療養生活を人生の修練期たらしめるべくつとめ病魔を克服し所期の目的に進まふではありませんか。

最後に華道部講習會についてお知らせします。

第一部　古流生花、盛花
（講習日三日、七日、十七日、二十三日以上四回）

第二部　未生御流生花、盛花
（毎週木曜日講習日）

猶ほ隨意散歩の折に取つて來た野外の草木を材料としてそれ〴〵病室で研究してゐます。兩部共規定日午後の靜臥時間が終つたならば壽康館和室に於て大体夕食まで受講します。生花用花器寸度は當所備付のものを貸與し盛花用花器は各人水盤を持參します。一二部共現在會員數十名餘りあり眞摯に研究してをります。何れ秋冷と共に展覽會もありますからこの機會に入所者各位にはよろしく華道に入念されて療養道に邁進し以て彼岸の再起へと精進されんことを希ひます。

（島　記）

—112—

新彩會

私達の集つて居る新彩會は會員が三十名程をります。一部と二部に別れて居ります。一部は日本畫、二部は主に水彩畫をやつて居ります。新彩會、此の名前は鍛治先生に付けて貰つた名前です。「新彩會」讀んで行く内になんだか非常に意味の深い良い名前だと思ひます。

私達の幼稚な美の表現は日々の療養と共に一歩々々健實に進んで行きます。發會當時は繪筆を持つたことのない人もありましたが、今では線を引いて彩色することが出來る樣になりました。

一部は月一回例會を開いて各自の作品を持ち出し、樂しい内に批判し勵まし合つて進んで行きます。二部は月二回例會を開きまして靜物或はスケッチ等研究して居ります。

戰場に在りては可憐な野菊の一本も行軍中の兵隊の瞼に深く燒き付く樣に殘ることがあります。戰友の中には鑵詰の空鑵に花を差したり、或ひはポケットへ名も知らない花を、しのばせた者もゐます。南支の海邊で月見草が點々と咲いてゐた、戰場と思はれない美しい靜かな景色をなつかしいと云つて退所して行つた友もあります。これは人間に與へられた美の樂しさです。

私達は不自由な戰地より想像も及ばない樂しい境地にあります。溫い友情に依つて出來た會員と、美に對する願を苦樂を共にした戰友と再び味はふことが出來るからです。

歐洲は、東亞は、民族の戰ひが思想、經濟、文化、あらゆる方面に於て世紀の新歷史を作らうとして居ります。

舊きものは次ぎ次ぎに仆れ新しきものゝ壓力に屈して居ります。

自由な頽廢せる文化は過去の遺物です。佛蘭西が仆れたではありませんか、日常の健實な文化に依つて進んで行く獨逸は、歐洲を着々征服して居ります。

顧つて日本は舊き過去を脱して確實な礎石の上に立つて、世界を東亞を、日本民族の精神で導いて行つて居ります。

我々青年は此の御代に生を受けたことを喜びに堪へません。

療養の間に出來ました作品を皆樣にお見せする筈で御座います。

皆樣の批判をお待ちしてをります。

（鍋島 生）

圖書施設に就て

明放しの窓から靜かに秋風が蚊帳をゆする時節となつた。文字通り燈火親しむの候だ。自然の冷靜な態度は靜かに吾々をして正しい療養道に案内してくれるし内省てふ坩堝に引入れて知らず識らずの中に病苦を超脱せしめる。長期間の療養生活はともすれば吾々をして退嬰的な卑屈な人間に仕立てゝ仕舞ふ恐れがある。この時吾々はもう一度過ぎし日の軍隊生活と當時の激戰を胸に蘇へらさなくてはならぬ。そして現在の内的生活と綜合して一個の人格を形作らねばならぬ。こゝに療養生活の意義が生ずる。然して正しい内的生活を送るには讀書に依るのが最も賢明の策と信ずる。修養的な書籍は勿論のこと通俗小説等でも之を讀む事に依つて隨分内的生活を豐富にしてくれるものである。當所の圖書は是迄は甚だ雜然

—113—

として貧弱なものであつたが係員の努力に依つて最近相當整備されてきた。殊に昨今各地方出版業者から多數の有益なる御寄贈書を賜りわが圖書室に一光彩を放つたことを深謝したい。今後共吾々は圖書室の内容充實を計りより完備せる修養施設にしたいと思ふ。職員療養者諸賢の御協力を切望して止まない。

（大谷 生）

外氣便り

刹雄君

長らく御無沙汰致してをります。其の後も益々御健闘の事と拜察致します。最後に貴方にお便りしてからもう春と夏が夢の間に過ぎて終ひました。

今ではうら悲しい秋風があたりの松林に淋しく震へてをります。

先便ではたしか私が外氣に出た事をお知らせ致しましたね、私が外氣に出るつい前までは香の高い紅梅が、ところ〴〵淸楚な白梅に交つて咲き誇つてをりましたが、あの頃はもう散り初めて邊り一面に桃の花が一齊に紅の雲とでも名付けたい程の美事な景觀を呈してをりました。

—外氣便り—

いろ〳〵な不安と期待とをもつて始められたこの療養所では、最初の作業療養も職員各位の御指導御鞭撻によつて、どうにか軌道にのつて來たのは、廣い構内の隅にまであの可憐な小町草が淡紅色の花で塗りつぶした頃でした。この頃から私達の作業種目もいろ〳〵とふえてきましたし、日毎の作業が樂しいものになりました。梅の採取、桃畑の施肥、西瓜畑の手入、葡萄の棚つくり、まして樂しいのは赤く色づいて袋からはみ出てゐる大きな桃の採取でした。桃畑一帶にプーンと漂ふ新鮮な香に接するのは何にもまして私達の作業の稔りをまざ〳〵と味はふ思ひが致しました。無數に出來た桃はみんな各病棟の方々と分ちあつて思ふ存分おいしくいたゞきました。

「オーイ。外氣、うまかつたぞ、またくれや」と病棟から聲をかけられるとき、私達の喜びは極致にまで達する思ひでした。

何から何まですべて自主的に私達の手でやつてゐる、こゝの外氣の生活は眞に若人の別天地と申して差つかへないかと思ひます。

各病棟の元氣な人達が集まつてくるので、希望に胸ふくらませ、晴れて退所する人々も頻繁に出るのですが、その度に見送る者の胸には再起を祝する喜びをさておいて一入別離の情切なるものがあります。

併し退所後もみんなから元氣な便りに接するときは他人事でない微笑ましい喜びにひたります。

西瓜畑やその他の畑も耕しかへされて今は大根の芽が青く、すく／＼と伸びてをります。芋も、もうそろ／＼掘り出さねばならぬかと思つてゐます。

冬季は雪の爲に閉されるので、この外氣寮も十一月一杯で閉鎖する樣に聞いてをります。

年々、新しい氣持で新しいメンバーで構成する。この療養所の試みも又面白いと思ひます。とりとめもない事を申しました。亂筆お許し下さい。

（沖　生）

寮生活と其の感想

六時に起床。續いて點呼、宏大無邊な皇恩に感謝して宮城遙拜、ラヂオ体操、血氣潑剌と朝の淸々しい陽光を身一ぱいに浴び、新鮮な空氣を滿喫して溢れる希望のもとに体操を終れば各人神社參拜、朝の寮内淸潔は協同精神涵養の趣旨で全員擧つて従事する。七時朝食、八時より作業開始、週番の張り切つた號令で〃氣を付け〃〃整頓〃人員報告、週番の引率で作業場へ。

日一日と晴の退所を目指して進む班員は、作業療養を以て本義とし徒らに焦燥する事なく自重して所期の目的貫徹に勵む、餘りにも厚き　御皇恩、所長先生始め職員方々の御手厚い看護御指導、そして又銃後國民の熱誠溢れる御同情、其の眞心、我等は必ず療養に邁進して再起御奉公を誓はなければならぬ。

九時作業終り、一日の作業終つて一日を喜び明日の希望を描いて我々は絶えず積極的態度で暮し、病苦に負けて其の希望を失つてはならぬ。常に明るく、常に朗らかで希望輝くあの光で前途を照し、互に手を取り合つて助け合ひ勵むのが我等の臣道實踐であると思ふ。赤腕章は我等の週番である。

週番は主として火災、盜難、風紀の取締に任じ、其の服務は計畫表に基いて寮内外の淸潔、整頓、日報記入、書翰の受領、分配、巡寮、作業の準備等を行ふ。

その外に私達の集會としては毎月十の日に行ふ常會がある。これに依つて各自の意見を開陳して、常に寮生活の改善を講じ親睦を圖る。

斯くして我等の胸は希望と光明に膨らみ來る可き再起の春や遲しと待ち受けてゐるのである。

（一療養者）

編輯後記

日頃至らぬ方なき　御皇恩に感泣する我等はこゝに　畏くも九月二十七日侍醫御差遣の光榮に浴し有難き　御聖旨を賜る。我等は只々恐懼感激禁きせぬ御仁慈に咽んだのである。

聖壽萬歲。我等は愈々かたく再起奉公への決意を奮起し一意報恩への赤誠をお誓ひ申し上げねばならぬ。

◇

折りも折り我等のこの感激の中から久しき胎動を續けて來た機關誌はその名も床しき古戰場「篠原」の名に於いて熱心なる諸兄等產みの親達の手によつて呱々の聲を上げるに至つた。大なる將來を抱懷する「篠原」の誕生又何んと多幸なる事か！

◇

「篠原」の使命は所長殿の卷頭言に明記されたる如く要は結核克服の道場たり、時局下我等の翼賛會たりあはせて日本人的情操の涵養に貢献せんとするものである。

◇

短歌に土屋文明先生、詩に堀口大學先生と兩大家を擁し、俳句はおなじみの小松砂丘先生、風詩にこれ又斯界の雄大村新蟬先生をお迎へして「篠原」はいづこからしても其の陣容完璧である。

四先生にはそれ／＼おいそがしい中にもかゝはらず特に我々の爲に選並びに御指導の勞をいたゞく事となつた。こゝに紙面を通じて、深甚なる謝意を申述べます。

四先生の下に今後ます／＼各々の分科において隆昌を極めん事を切望するものであります。尙風詩は川柳として募集せしものではあるが、先生の御希望により風詩と改めその道に順じて、他に比類なき獨歩の新境地を開拓して行きたいと思ふ。

◇

表紙は新彩會に於いて御盡力下さつてゐる鍛治貫一先生の御執筆になるものである。先生には我々の我儘な注文にもかかはらず早速御快諾御揮毫下されし御厚意に深くお禮申述べます。

題字は我々ひとしく敬愛する所長先生の名筆である。

◇

應募原稿は豫定數をはるかに超過し、種々嚴密に檢討の上、或る部分は割愛の止むなきに到つた。諸兄の熱意に對してこゝに厚く御禮を申上げると共に、あらかじめ御容赦をお願ひしておきます。

◇

編輯の大業もとより菲學淺才の我々の及ぶところではなかつた、しかし微力ながらも、それ／＼に於いてあらん限りの努力は拂つた。尙不備なる點は御敎示、御忠訓を賜りたい。次號からの參考に供したいと思ひます。

（おき記）

◇

編輯世話係

柴田 順六　靑木 辰次　深谷 森久
小川儀太郎　小林紀三　小此內寬
中島 勝　中島伊三久　島田喜由
沖 三郎

篠原
創刊號

昭和十六年十月二十五日印刷
昭和十六年十一月一日發行
（非賣品）

編輯兼發行者　石川縣江沼郡篠原村　日置陸奥夫
印刷所　石川縣金澤市高岡町九〇　明治印刷株式會社　代表者 高橋覺吉

發行所　石川縣江沼郡篠原村　傷痍軍人石川療養所

◉——編者紹介

サトウタツヤ（さとう・たつや、佐藤達哉）

一九六二年生まれ

現在　立命館大学教授

主要著書

『日本における心理学の受容と展開』北大路書房、二〇〇二年

『方法としての心理学史——心理学を語り直す』新曜社、二〇一一年

郡司淳（ぐんし・じゅん）

一九六〇年生まれ

現在　北海学園大学教授

主要著書

『軍事援護の世界——軍隊と地域社会』同成社、二〇〇四年

『近代日本の国民動員——「隣保相扶」と地域統合』刀水書房、二〇〇九年

編集復刻版

傷痍軍人・リハビリテーション関係資料集成 第4巻

ISBN978-4-905421-75-7

第2回配本［第3巻～第4巻］分売不可　セットコード ISBN978-4-905421-73-3

2015年5月15日発行

揃定価　本体50，000円＋税

編者　サトウタツヤ・郡司淳

発行者　山本有紀乃

発行所　六花出版

〒101-0051　東京都千代田区神田神保町1-28

電話 03-3293-8787　ファクシミリ 03-3293-8788

e-mail : info@rikka-press.jp

組版　昴印刷

印刷所　栄光

製本所　青木製本

装丁　臼井弘志